Sélection du Reader's Digest

Guide illustré du jardinage au Canada

Sélection du Reader's Digest

Guide illustré du jardinage au Canada

Sélection du Reader's Digest (Canada) Ltée
215, avenue Redfern, Montréal, Québec H3Z 2V9

Guide illustré du jardinage au Canada

Equipe de Sélection du Reader's Digest
Rédaction : Ginette Martin
Mise en page : Andrée Payette
Préparation de copie : Gilles Humbert
Coordination : Nicole Samson-Cholette
Fabrication : Holger Lorenzen

Collaborateurs
Traduction : Suzette Thiboutot-Belleau
Révision de la traduction : Lise Parent
Montage : Lyne Young
Index : Marie La Palme-Reyes

Cet ouvrage est l'adaptation française de
Illustrated Guide to Gardening in Canada

Les remerciements de la page 5 et les sources de la page 512
sont, par la présente, incorporés à cette notice.

ISBN 0-88850-093-9

Imprimé au Canada — Printed in Canada
84 85 86 / 6 5 4 3 2

Remerciements

L'éditeur remercie les experts-conseils qui ont bien voulu apporter leur concours à la réalisation de cet ouvrage.

Cornelius Ackerson
Harvey E. Barké, Ph.D.
Professeur et directeur
Département des sciences biologiques
State University of New York
Agricultural and Technical College at Farmingdale
Kenneth A. Beckett
Conseiller technique
Henry O. Beracha
Arthur Bing, Ph.D.
Professeur de floriculture et d'horticulture ornementale
Cornell University
Norman F. Childers, Ph.D.
Professeur d'horticulture, chaire Blake
Collège Cook, Rutgers University
Trevor J. Cole
Conservateur
Arboretum du Dominion
Agriculture Canada, Ottawa
Normand Cornelier
Botaniste
Jardin botanique de Montréal
August DeHertogh, Ph.D.
Professeur d'horticulture
Michigan State University
Marjorie J. Dietz
James E. Dwyer
Jerome A. Eaton
Harold Epstein
Thomas H. Everett
Expert en horticulture
Jardin botanique de New York
Eleanor Brown Gambee
Roy Hay, MBE, VMH
Myron Kimnach
Conservateur et directeur
Jardins botaniques de Huntington
San Marino, Californie
A. H. Krezdorn, Ph.D.
Professeur d'horticulture
University of Florida
Donald Maynard, Ph.D.
Professeur en sciences botaniques
University of Massachusetts
John T. Mickel, Ph.D.
Conservateur
Section des fougères
Jardin botanique de New York
Margaret C. Ohlander
Edwin V. Parups, Ph.D.
Chef de la Section des plantes ornementales
Agriculture Canada, Ottawa
Amalia M. Pučat, Ph.D.
Entomologiste
Agriculture Canada, Ottawa
Donald Richardson
Robert Schery, Ph.D.
Directeur
Lawn Institute
Marysville, Ohio
James S. Wells
Helen M. Whitman

Table des matières

Jardin et climat

Composition d'un jardin

Le jardin d'agrément

Le jardin fruitier et le potager

Structure et propriétés du sol

Les ennemis du jardin

Index

Jardin et climat

La réussite d'un jardin est étroitement liée aux conditions climatiques. Le froid, en particulier, influe grandement sur la croissance de certains végétaux.

Le premier souci de l'horticulteur doit être d'adapter son jardin aux conditions climatiques de sa région. Il doit donc d'abord connaître la zone climatique à laquelle appartient l'endroit qu'il habite. La carte des zones climatiques du Canada qui figure ici permet de le faire. Elle se divise en dix principales zones, délimitées à partir surtout des températures hivernales minimales. D'autres facteurs ont également été considérés : durée des périodes sans gel, précipitations, degré d'humidité de l'atmosphère et vélocité des vents.

On remarquera que les zones sont identifiées par un numéro qui correspond au degré de rusticité (ou de résistance aux intempéries) des plantes. Chaque zone est identifiée par une couleur différente (voir légende à droite). La plupart des tableaux que contient ce livre indiquent la zone de rusticité des plantes qui y sont décrites et renvoient à cette carte.

Les zones, il va sans dire, ne sont pas absolument uniformes : chacune comporte des sous-climats. L'altitude d'une région, par exemple, est un facteur important qui peut abaisser de plusieurs degrés la température dite normale de cette région. Diverses caractéristiques topographiques ou géographiques sont aussi susceptibles de rendre le climat d'un lieu plus chaud ou plus froid que celui de la zone dans laquelle il est situé. Par ailleurs, il n'existe pas de cloisons étanches entre les différentes zones. Donc, bien que la carte ci-contre soit un outil indispensable pour évaluer le climat des diverses régions, elle doit cependant être utilisée avec discernement. On tiendra compte des microclimats régionaux ou locaux qui peuvent faire varier l'échelle de rusticité. En cas de doute au sujet d'une plante que l'on veut cultiver, la meilleure précaution consiste à s'adresser à un centre local de jardinage.

La zone 0 est celle du Grand Nord où peu de végétaux peuvent croître. La zone 1 regroupe les régions très froides où la température minimale descend jusqu'à −40°C en hiver et où la végétation est extrêmement pauvre. La région la plus tempérée du Canada se situe sur la côte de l'océan Pacifique en Colombie-Britannique : c'est la zone 9. Les périodes de gel y sont très courtes ; la température tombe rarement en dessous du point de congélation (0°C). Quant aux régions métropolitaines de Montréal et de Toronto, elles se situent à peu près entre les zones climatiques extrêmes.

Voici comment interpréter les zones de rusticité des végétaux. Toute plante (sauf, bien entendu, si elle appartient à la zone 9) peut être cultivée dans les zones supérieures à la sienne, et non dans les zones inférieures. Par exemple, les plantes classées dans la zone 1 peuvent être cultivées dans les autres régions climatiques à l'exception de la zone 0. Celles qui sont classées dans la zone 5 peuvent être cultivées dans les zones 5, 6, 7, 8 et 9, mais non dans les zones 4, 3, 2, 1 et 0. Autrement dit, plus une plante est rustique, plus elle est capable de s'acclimater. Comme tous les principes, celui-ci comporte des exceptions. Certaines plantes, en effet, ont besoin de subir des hivers froids pour bien croître ensuite.

RUSTICITÉ DE QUELQUES VÉGÉTAUX

Arbres	Zone	Arbustes	Zone
Bouleau blanc d'Europe *(Betula pendula)*	2	Buis commun *(Buxus sempervirens)*	7
Chêne rouge *(Quercus rubra)*	3	Chèvrefeuille de Tartarie *(Lonicera tatarica)*	2
Erable de David *(Acer davidii)*	7	Fusain ailé *(Euonymus alatus)*	3
Erable à sucre *(Acer saccharum)*	4	Genêt d'Allemagne *(Genista germanica)*	6
Frêne blanc *(Fraxinus americana)*	3	Genévrier *(Juniperus chinensis blaauwii)*	5
Genévrier de Virginie *(Juniperus virginiana)*	3	Genévrier horizontal *(Juniperus horizontalis)*	2
Hêtre européen *(Fagus sylvatica)*	6	Lilas de Perse *(Syringa persica)*	4
Peuplier du Japon *(Populus maximowiczii)*	5	Shepherdie argentée *(Shepherdia argentea)*	1
Sapin argenté *(Abies concolor)*	4		
Saule pleureur *(Salix babylonica)*	7		

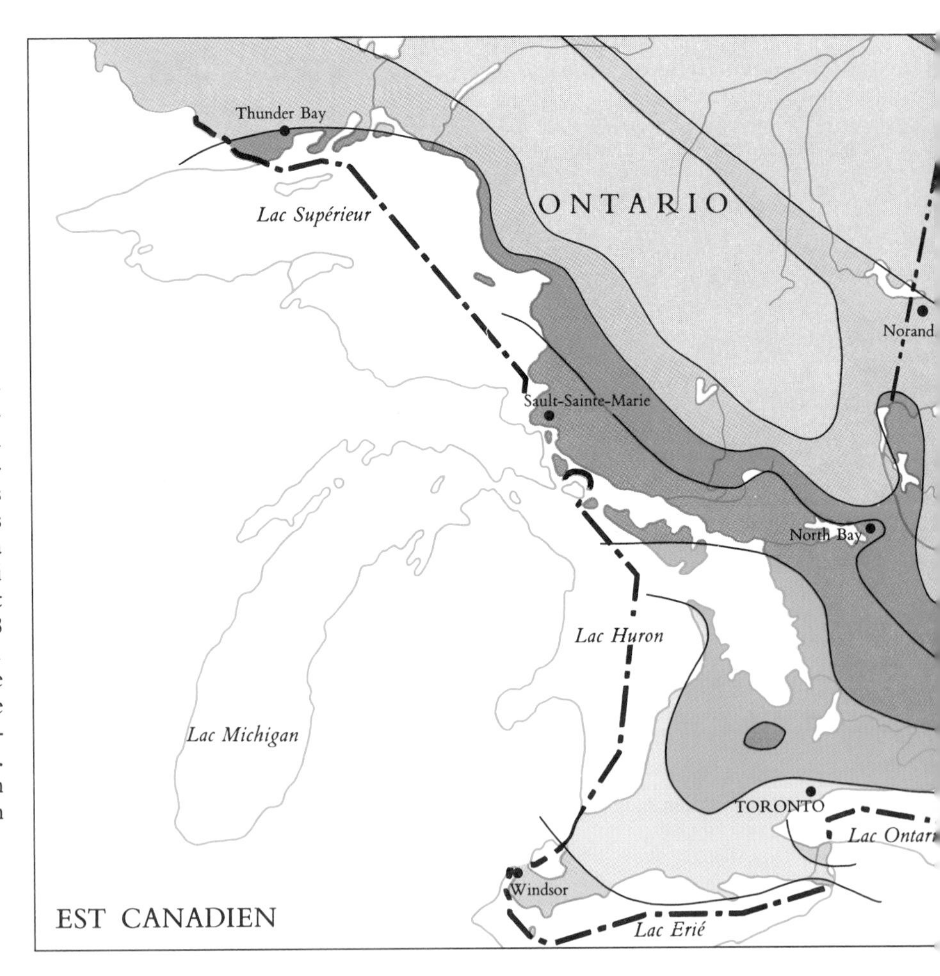

Avec la collaboration de plusieurs fermes expérimentales, le ministère de l'Agriculture du Canada a dressé une carte divisant le pays en dix zones climatiques correspondant aux degrés de rusticité des végétaux.

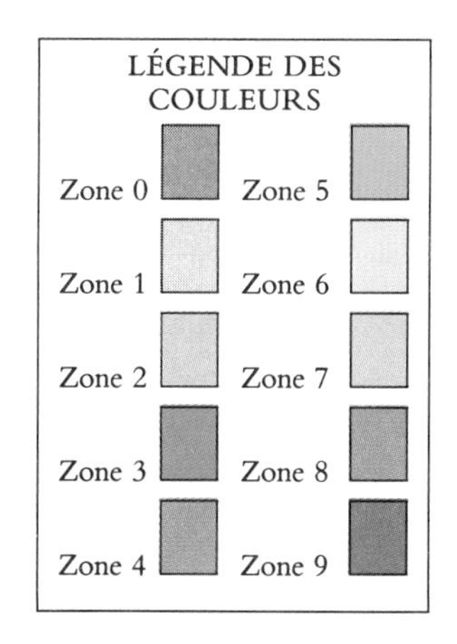
LÉGENDE DES COULEURS
Zone 0
Zone 1
Zone 2
Zone 3
Zone 4
Zone 5
Zone 6
Zone 7
Zone 8
Zone 9

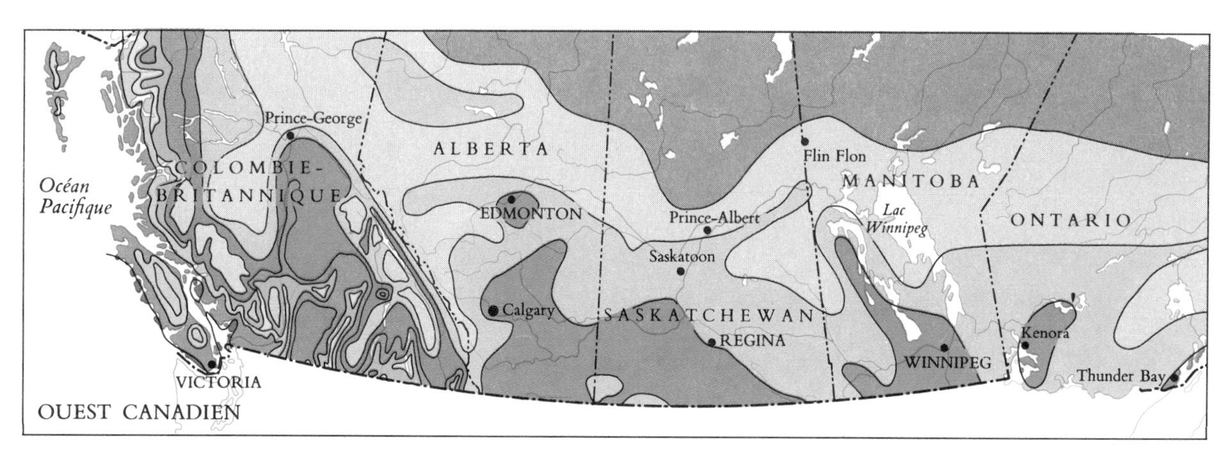
Prince-George
ALBERTA
Flin Flon
Océan Pacifique
COLOMBIE-BRITANNIQUE
MANITOBA
EDMONTON
Prince-Albert
Lac Winnipeg
ONTARIO
Saskatoon
Calgary
SASKATCHEWAN
REGINA
Kenora
WINNIPEG
Thunder Bay
VICTORIA
OUEST CANADIEN

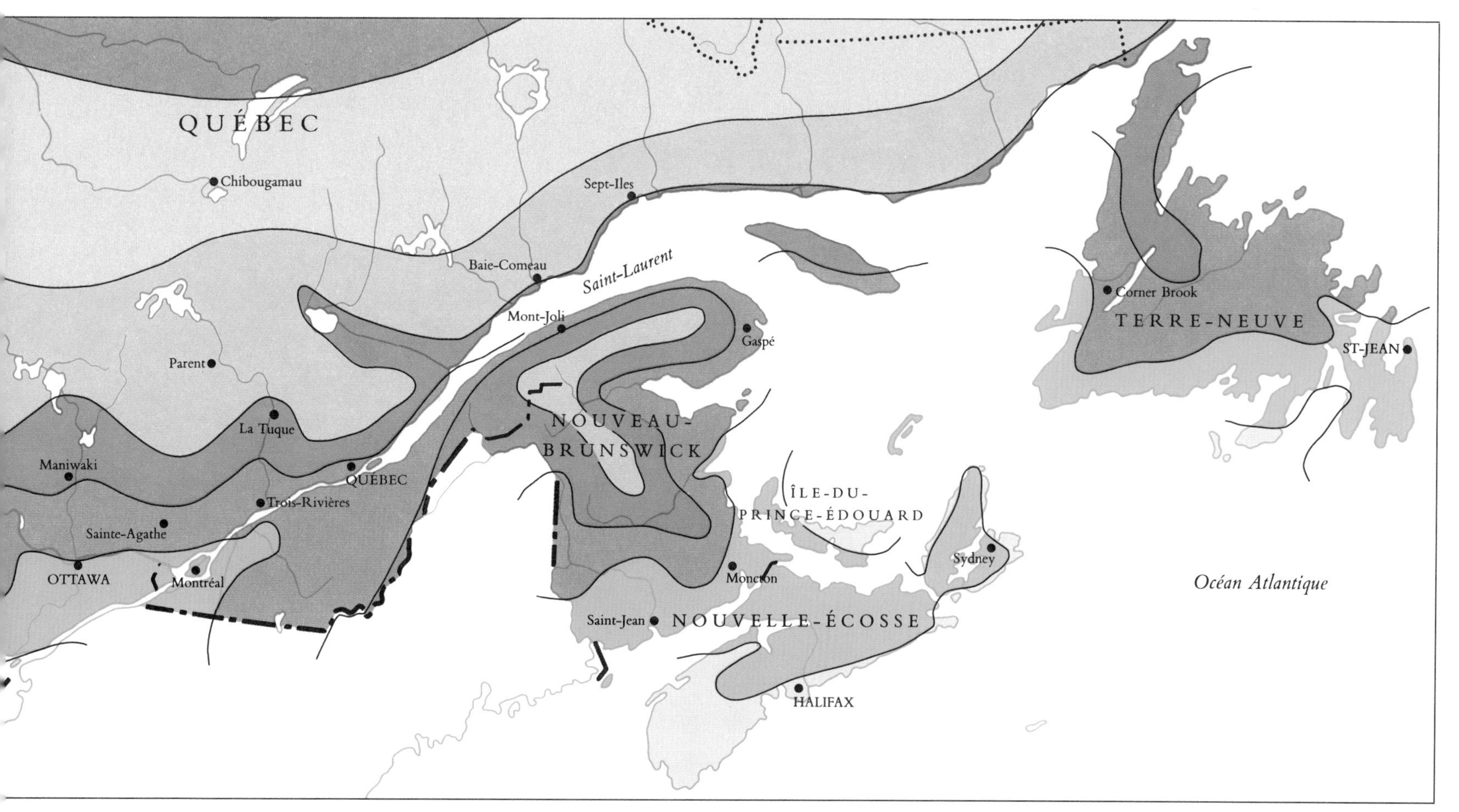
QUÉBEC
Chibougamau
Sept-Iles
Baie-Comeau
Saint-Laurent
Corner Brook
TERRE-NEUVE
Mont-Joli
Gaspé
Parent
ST-JEAN
NOUVEAU-BRUNSWICK
La Tuque
Maniwaki
QUÉBEC
ÎLE-DU-PRINCE-ÉDOUARD
Trois-Rivières
Sainte-Agathe
Sydney
OTTAWA
Montréal
Moncton
Océan Atlantique
Saint-Jean
NOUVELLE-ÉCOSSE
HALIFAX

Composition d'un jardin

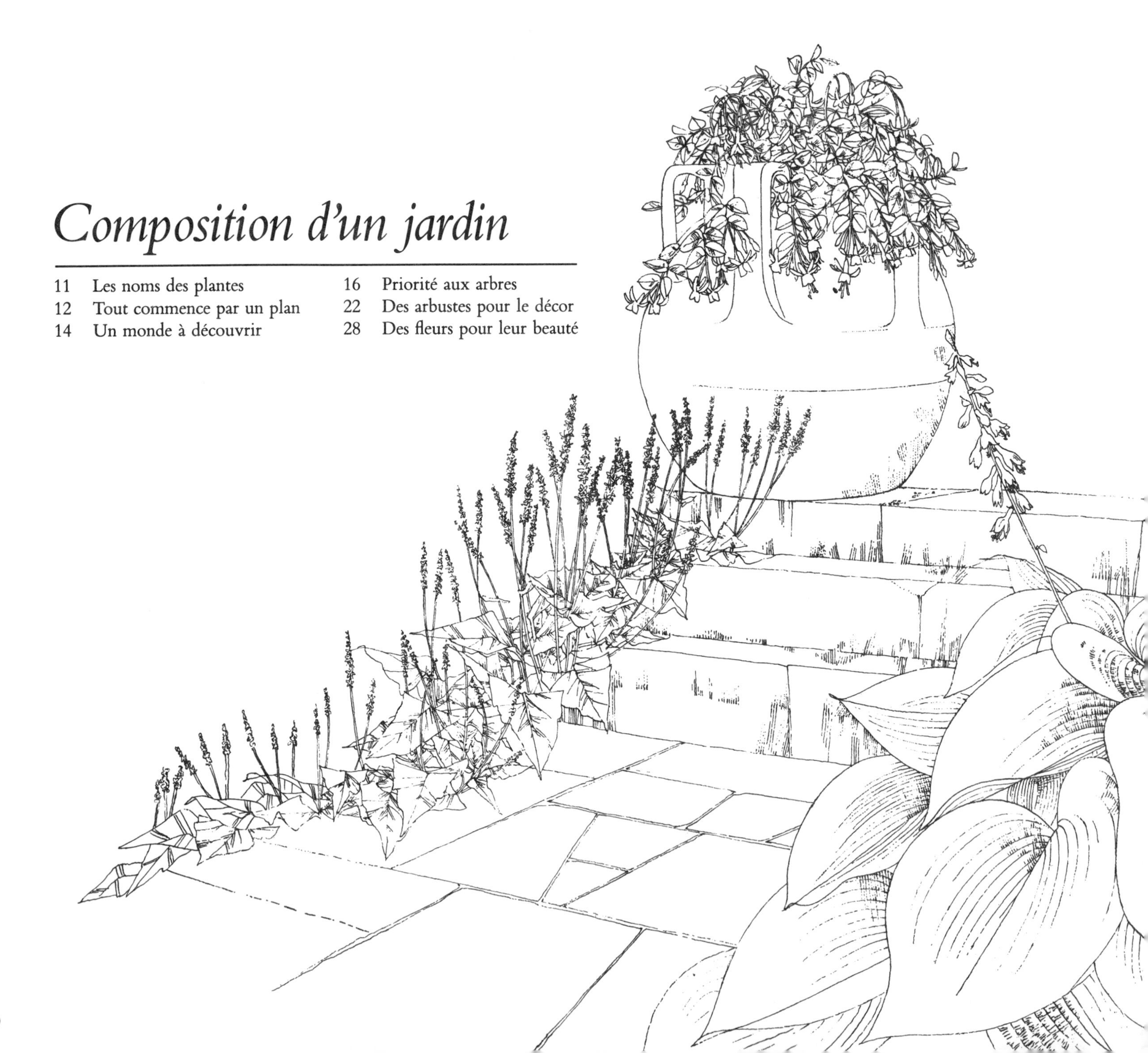

Les noms des plantes

Pour identifier clairement les plantes, les botanistes leur ont donné des noms scientifiques, d'origine grecque ou latine. Ces noms sont utilisés dans tous les pays du monde. Ils se composent généralement d'au moins deux mots. Ils sont parfois difficiles à retenir, mais n'offrent jamais d'ambiguïté. Dans certains cas, ils sont descriptifs. Dans d'autres, ils permettent d'établir un lien de parenté entre des plantes qui, à première vue, paraissent très différentes.

Le premier mot désigne le genre de la plante (il correspondrait au nom de famille d'un être humain) ; il s'écrit en italique et prend une majuscule. Le second mot (sorte de prénom) identifie l'espèce, subdivision du genre. Il s'écrit aussi en italique, mais ne prend pas de majuscule. Enfin, d'autres mots s'ajoutent parfois aux deux premiers pour désigner des subdivisions de l'espèce.

Les subdivisions de l'espèce, appelées variétés, sont de trois sortes. Il y a les variétés naturelles, c'est-à-dire qu'on trouve telles quelles dans la nature ; leur nom s'écrit en italique sans majuscule. Il y a les variétés horticoles, c'est-à-dire obtenues par l'homme ; leur nom s'écrit en caractères romains avec une majuscule ou plusieurs, selon qu'il est composé de plusieurs mots ou d'un seul, et il s'inscrit entre bractées. Il y a enfin les hybrides obtenus par croisement de deux espèces du même genre ou de genres voisins. Certaines variétés, désignées sous un nom latin (ex. : *Hibiscus rosasinensis totusalbus*), portent aussi un nom vernaculaire (*H. r.* 'American Beauty'). Variétés horticoles et hybrides s'appellent aussi cultivars.

Prenons l'exemple du *Magnolia grandiflora* 'St. Mary'. *Magnolia* est le nom du genre ; *grandiflora*, celui de l'espèce (on aura deviné qu'il s'agit d'une espèce à grandes fleurs) ; 'St. Mary', celui de la variété. Dans le cas de cette plante, le nom du genre est maintenant si répandu qu'il a la valeur d'un nom vulgaire.

La plante porte parfois un nom vulgaire (ou surnom), qui à l'occasion prête à confusion. C'est le cas du *Pelargonium*, communément appelé géranium, alors qu'il existe un genre *Geranium* qui ne lui ressemble pas du tout. Autre problème : un même nom vulgaire peut coiffer des plantes totalement différentes, d'une région à une autre. Bref, seuls les noms botaniques permettent d'identifier une plante sans risque d'erreur. Il n'en reste pas moins que les noms vulgaires ont du piquant et de la couleur, sans compter qu'ils sont souvent mieux connus. Ils viennent souvent en premier dans nos tableaux, suivis du nom latin.

La nomenclature scientifique n'est cependant pas immuable. La botanique étant une science vivante, elle évolue constamment. Suite à leurs recherches, les botanistes modifient parfois le nom d'une plante et, pendant quelque temps, plusieurs dénominations sont en usage simultanément. C'est le cas notamment d'*Acer saccharinum* qui s'appelle maintenant *Acer dasycarpum*.

Tout commence par un plan

Pour réaliser un merveilleux jardin d'agrément, où les fleurs, les arbres et les arbustes composent un décor harmonieux, un élément s'impose : un plan d'ensemble.

Quoi de plus agréable qu'un jardin que l'on aménage de ses propres mains ? Couleur et parfum des fleurs, fraîcheur de la verdure, douceur des lignes, murmure du vent dans les feuilles, chant des oiseaux : tout y invite à la détente. S'étonnera-t-on alors que le jardinage exerce une telle fascination et fasse de plus en plus d'adeptes ?

Au sens le plus large du terme, un jardin, c'est tout l'espace dont on dispose et non seulement le parterre qui entoure la maison. C'est pourquoi les divers éléments doivent être reliés entre eux. Ceux qui peuvent recourir aux conseils d'un paysagiste et déterminer au même moment l'emplacement de la maison et l'aménagement du terrain se trouvent dans une situation idéale. Mais la plupart du temps, comme la maison est déjà construite quand on aménage le jardin, les choix sont limités. Dans un cas comme dans l'autre, cependant, les principes et les méthodes de travail sont les mêmes.

Première étape : un plan d'ensemble. Sur du papier quadrillé, on reportera à l'échelle tous les éléments importants du jardin et on étudiera les diverses possibilités d'aménagement. Le schéma de la page suivante indique la façon de procéder. On se rappellera qu'il est préférable de dissimuler la zone d'utilité — remise à outils, potager, compost, etc. — et de placer bien en vue les arbres florifères, les arbustes d'ornement et les plates-bandes de fleurs.

Que préfère-t-on : les jardins à la française ou les jardins à l'anglaise ? Les premiers obéissent aux règles de la symétrie. De chaque côté d'un axe central, une allée par exemple, les plantations se répondent les unes les autres : plates-bandes, arbres et arbustes, solitaires ou groupés. Une impression d'ordre et d'équilibre s'en dégage. Les lignes sont droites, les bordures nettes, les plantations bien disciplinées.

Les jardins à l'anglaise sont conçus avec plus de fantaisie. C'est le règne de l'asymétrie et de l'exubérance. Les plantations gardent leur forme naturelle ; l'intervention de l'homme se fait plus discrète.

Avant de choisir un style de jardin, on doit tenir compte de certains facteurs comme les dimensions des zones ensoleillées et des zones ombragées, l'écoulement des eaux, les talus et les dénivellations, la force et la direction des vents, la qualité du sol.

Que faut-il conserver ?

S'il y a déjà des arbres et des arbustes sur le terrain, on conservera les meilleurs. Des arbres bien établis, des arbustes adultes constituent des atouts irremplaçables.

Mais avant de décider de les garder, il faut voir s'ils sont en bonne santé et évaluer leurs qualités décoratives selon les diverses saisons.

Le développement excessif d'un arbuste ne pose pas de réels problèmes. Dans la plupart des cas, il suffit d'un bon élagage pour ramener les arbustes à des proportions convenables. Dans le chapitre qui leur est consacré, on indique les espèces qui tolèrent d'être rabattues.

Mais à trop vouloir garder, on y perd parfois. Sans doute doit-on attendre plusieurs années avant qu'un arbuste ou un arbre atteigne des proportions intéressantes, mais il ne faut pas hésiter pour autant à abattre un sujet arrivé à maturité s'il est mal placé et est impossible à transplanter. De même, faut-il sacrifier les arbres et arbustes quand ils deviennent trop envahissants.

Que faut-il planter ?

Première règle : avant d'arrêter son choix, toujours se renseigner sur la hauteur ou l'étalement qu'atteindra la plante lorsqu'elle sera parvenue à l'âge adulte.

C'est plus vite dit que fait, semble-t-il. Que de petites maisons donnent l'impression d'être écrasées par d'énormes arbres qui obscurcissent les pièces, gênent la vue et compliquent à l'extrême les travaux d'entretien, alors qu'il aurait été si facile d'en planter de plus petits.

Enfin, d'autres facteurs inéluctables, comme le climat et l'orientation du terrain, imposent aussi des contraintes. Une belle pelouse, par exemple, demande du soleil et une bonne terre. Si le sol est pauvre, on peut toujours l'amender en incorporant dans la couche superficielle les ingrédients qui lui manquent, opération qu'il faut effectuer avant de semer le gazon. Mais si c'est le soleil qui fait défaut, mieux vaut choisir un autre couvre-sol que le gazon.

Lorsqu'on a l'intention d'utiliser une tondeuse voiturette, on prendra soin d'arrondir les coins de la pelouse en fonction du rayon de braquage des roues ; l'entretien sera plus facile.

Pour jardiner avec plaisir

Certains petits détails peuvent contribuer à rendre le jardinage plus agréable et la tâche moins ardue. Pour réduire au minimum le travail de finition à la main, par exemple, on entoure la pelouse d'une bordure en béton, en briques encastrées dans le béton ou en traverses de chemin de fer. Lui donner une largeur de 15 à 20 cm et la mettre au niveau de la pelouse. Il suffira alors de placer une roue de la tondeuse sur cette bordure pour s'éviter les retouches à la main.

On gardera les haies assez basses pour pouvoir les tailler sans acrobatie, et on fera des plates-bandes assez larges pour faciliter le sarclage. On s'évitera beaucoup de travail en limitant le nombre des massifs de vivaces et la dimension des rocailles. Entourer les plates-bandes, le potager et le jardin de fleurs à couper de bordures en maçonnerie ou en bois qui retiendront la terre et faciliteront l'entretien. Le parterre aura ainsi un air propret.

Ménager dans la pelouse des allées dallées ou en terre battue afin de pouvoir y faire rouler une brouette.

Si l'on songe à aménager une terrasse, à faire creuser une piscine, il faudra prévoir tout de suite une voie d'accès pour les équipements lourds et les camions. Autrement, c'est le parterre tout entier qu'il faudra réaménager à grands frais.

Il faut porter une attention toute particulière à l'allée qui conduit les visiteurs jusqu'à la porte. Elle doit être nettement tracée, assez large pour que deux personnes puissent y marcher à l'aise côte à côte et doit être recouverte d'un revêtement solide et bien drainé.

Puis vient le grand moment, celui où l'on choisit ses plantes. Bien sûr, on fondera ce choix sur ses goûts personnels de même que sur le style de maison que l'on possède. Toutefois, l'on s'évitera bien des déceptions en s'en tenant aux espèces recommandées pour la zone de rusticité dans laquelle se trouve le jardin que l'on veut composer. Les arbres et les arbustes seront à l'honneur : ils constituent en effet un placement à long terme ; au fil des ans, ils s'embellissent et c'est la valeur de la propriété tout entière qui en est accrue.

Enfin, ceux qui aiment vivre à l'extérieur devront songer à protéger leur intimité. Plusieurs solutions s'offrent à eux. Ils peuvent, par exemple, élever une clôture décorative, planter des haies, aménager des écrans de verdure permanents ou temporaires en groupant des arbres, des arbustes et même des fleurs de haute taille aux endroits stratégiques.

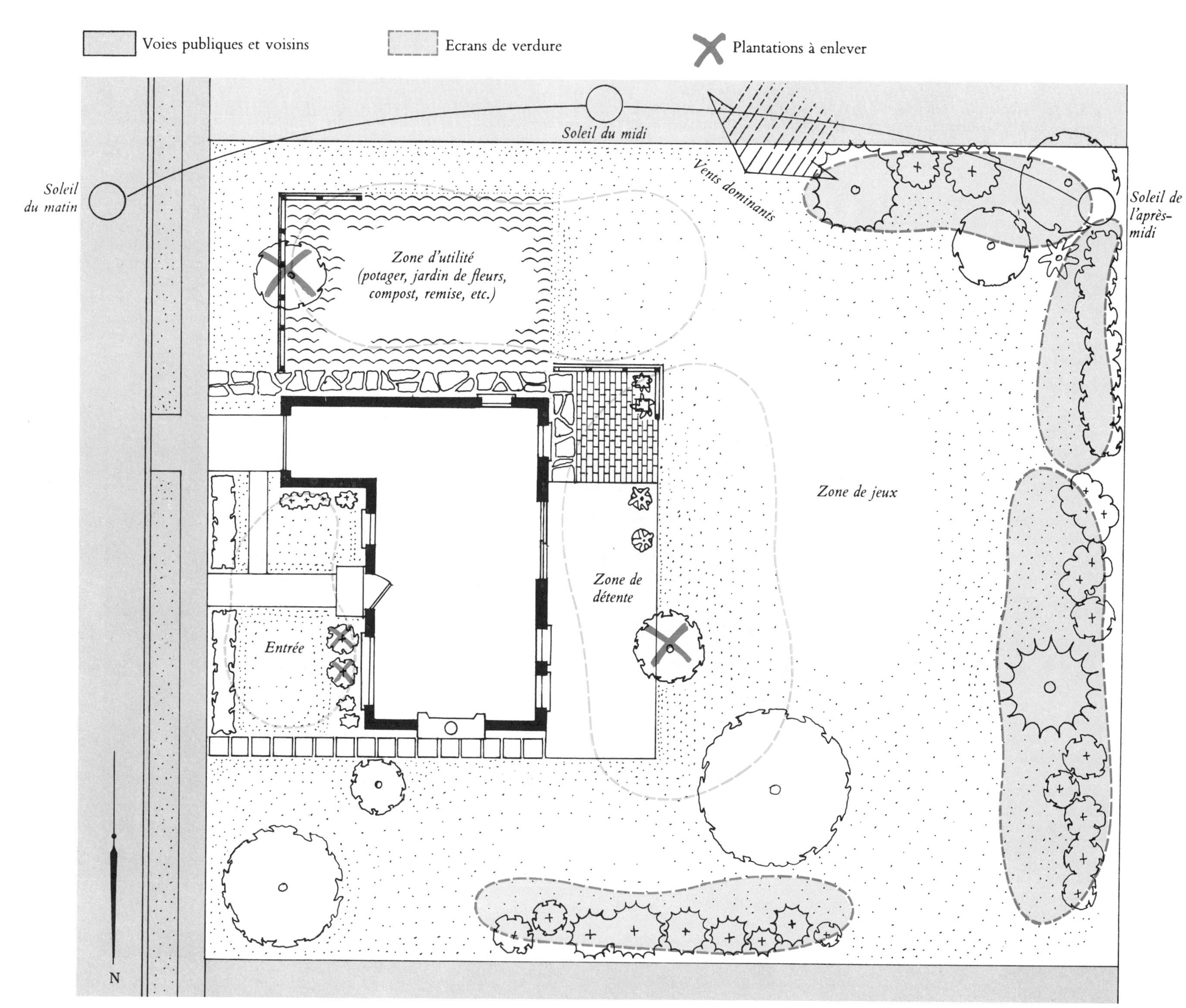

Sur le plan, reporter à l'échelle les éléments existants : maison, arbres, etc. Noter la course du soleil et les vents dominants ; délimiter les zones.

Un monde à découvrir

Quand vient le moment d'effectuer un choix parmi la gamme incroyablement vaste de plantes qui s'offrent à nous, on rencontre diverses difficultés. Par exemple, comment s'y retrouver alors que les catégories générales réservent des surprises ? En effet, certains arbustes sont plus étalés que des arbres, certains arbres plus colorés que des plantes florifères et certaines espèces herbacées de plus grande taille que des arbustes ! Bref, pour simplifier la question à l'étape préliminaire des travaux, il vaut mieux s'en tenir, dans chaque catégorie, aux espèces classiques.

Les arbres sont l'élément le plus important d'un jardin, tant par l'ombre qu'ils donnent que par le rôle ornemental qu'ils jouent. Aussi faut-il les choisir en sachant bien quelle forme et quelle taille ils auront à l'âge adulte.

C'est peut-être dans la catégorie des arbustes qu'il existe le plus de choix. On en trouve qui pourraient passer pour des arbres tant ils sont hauts. D'autres, au contraire, sont prostrés. Autre avantage : la plupart se prêtent aux diverses techniques de la taille et à la culture en espalier.

Quant aux fleurs, leurs coloris et leur période de floraison varient presque à l'infini. Faciles à transplanter, elles viennent, selon les besoins, embellir le décor.

Il existe deux catégories d'arbres et d'arbustes : ceux à feuilles caduques, c'est-à-dire dont les feuilles tombent durant la période de dormance, et ceux à feuilles persistantes, tels les conifères. On peut également regrouper les arbres et les arbustes selon l'aspect de leur feuillage : grandes feuilles ou aiguilles. Chez les sujets à grandes feuilles, certains genres sont à feuillage persistant, d'autres à feuillage caduc. Mais sauf quelques exceptions, comme le cyprès chauve (*Taxodium distichum*) et le mélèze, toutes les feuilles aciculaires (en forme d'aiguille) sont persistantes.

Chez les arbres à feuillage persistant, la chute des feuilles est constante mais progressive ; l'arbre n'est donc jamais dépouillé.

Certains genres sont dits semi-persistants. Dans les climats doux, ils gardent une partie de leurs feuilles toute l'année ; dans les climats froids, ils les perdent toutes en hiver, mais survivent quand même.

Les feuilles peuvent être de deux sortes : simples, c'est-à-dire d'une seule pièce, ou composées, c'est-à-dire divisées en segments appelés folioles. Ces dernières ont un aspect plus léger, plus aéré que les premières.

Même s'ils sont souvent très beaux, les arbres et arbustes à feuilles en forme d'aiguille ont généralement un aspect sombre et sévère. Trop nombreux dans un petit parterre, ils créeraient une atmosphère oppressante.

On obtient de jolis effets en groupant arbres et arbustes, mais quand un sujet a une forme très décorative, il vaut mieux l'isoler.

Pour ceux qui habitent près de la mer, il existe des plantes — arbres, arbustes et fleurs — qui sont naturellement aptes à résister à l'intensité toute spéciale de la lumière et à l'air marin chargé de sel.

On ne se repent jamais d'acheter des plantes de la meilleure qualité. Avant d'arrêter son choix, on devra examiner le feuillage. Il doit être sain, exempt de marques de décoloration, de déchirures, de ravageurs et de maladies. Quant aux plantes florifères, mieux vaut les acheter durant leur floraison. Si la plante est emballée dans de la toile, on s'assurera que la motte de terre protégeant les racines est compacte.

Il est toujours préférable de faire affaire avec un pépiniériste de bonne réputation, à plus forte raison s'il s'agit d'une commande postale.

Rien ne peut vraiment remplacer la majestueuse beauté des arbres, quelle que soit la saison. Voici un exemple de leur valeur ornementale, du cachet particulier qu'ils confèrent à un paysage. Essayons d'imaginer l'aspect qu'aurait ce vaste domaine sans la riche parure automnale de ces deux magnifiques chênes.

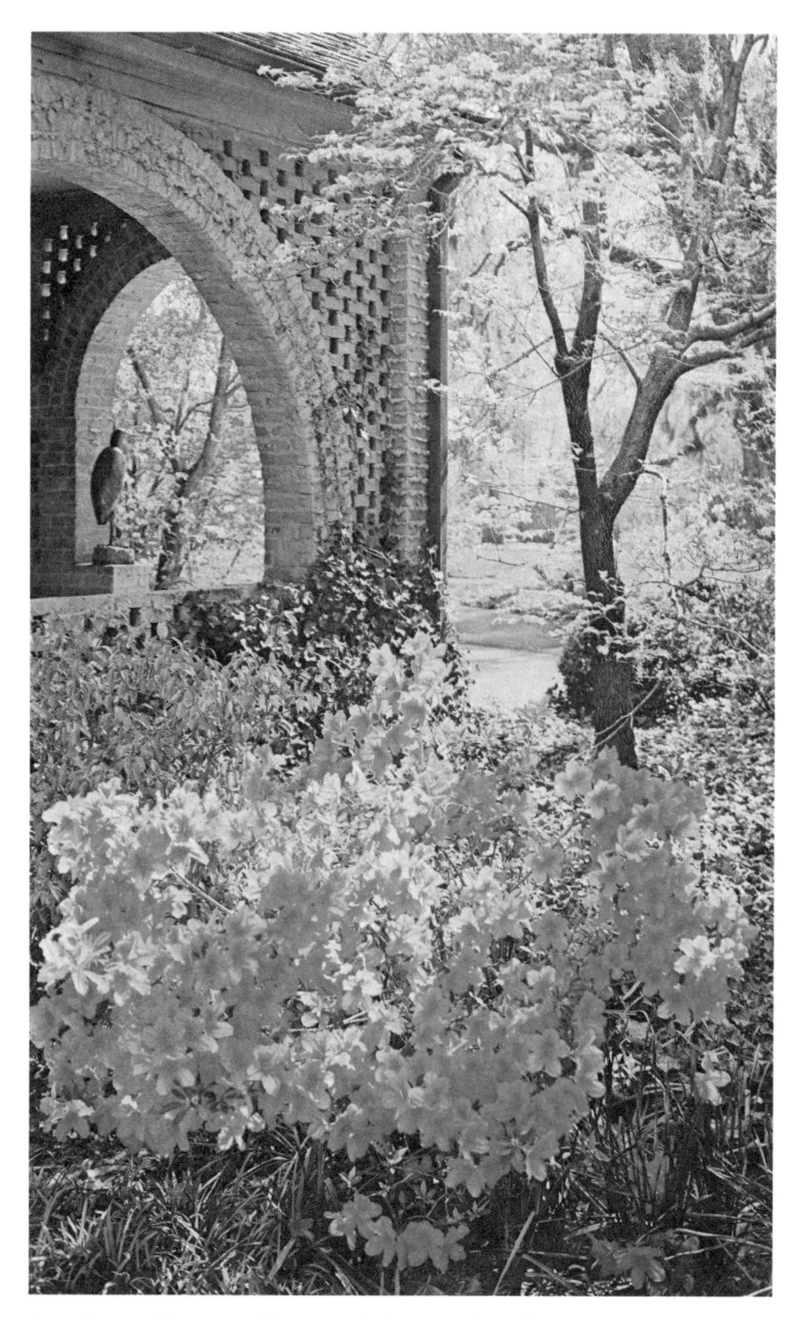

Les arbustes offrent une telle variété de formes et de couleurs qu'on peut les utiliser aussi bien groupés en écrans que jumelés ou isolés. Ici, une azalée flamboyante fait contraste avec un cornouiller florifère.

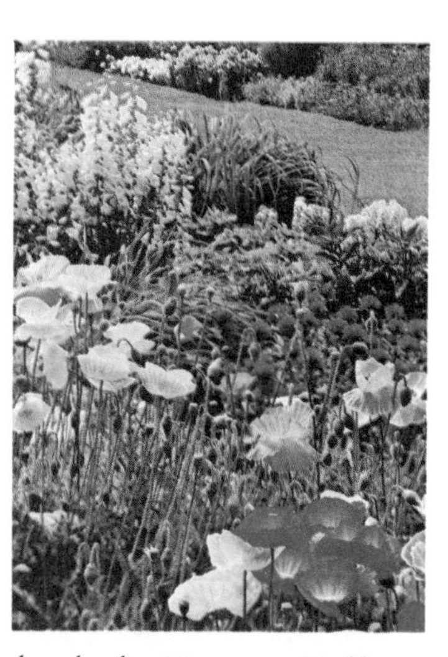

On ne se lasse jamais de regarder de belles plates-bandes. Vivaces, ces iris bleus entourés de primevères (en haut, à gauche) fleurissent année après année. Quant aux annuelles, on peut les semer chaque printemps. Telles sont les fleurs de pavot (en haut, à droite) qui s'épanouissent tout l'été. Enfin, les tulipes et les jacinthes (ci-dessous) sont deux plantes bulbeuses qui ensoleillent nos printemps.

Priorité aux arbres

Quand ce frêne blanc (Fraxinus americana) *a été planté il y a plus de 30 ans, il s'agissait d'un tout jeune arbre d'environ 1,50 m. Que serait-il arrivé s'il avait été placé plus près de la maison ? Ses branches menaceraient fenêtres et toiture, ses feuilles boucheraient les gouttières, alors qu'aujourd'hui, ce bel arbre est un objet d'admiration.*

Qu'il s'agisse d'un grand domaine ou d'un simple parterre, on ne saurait entreprendre un aménagement paysager sans accorder une attention particulière aux arbres : ceux qui existent déjà et ceux qu'il faudra planter.

C'est que les arbres occupent dans le paysage une place qu'aucune autre plante ne peut revendiquer. Leurs racines empêchent l'asphyxie du sol et le stabilisent. Leurs branches modèrent la violence des pluies et des vents, atténuent les rayons ardents du soleil. Leur feuillage purifie l'air en transformant en oxygène le gaz carbonique qu'il absorbe, et, grâce au phénomène appelé transpiration, maintient une certaine humidité.

Les arbres ont par ailleurs une longévité qui dépasse celle de toutes les autres plantes de jardin. Mettre un jeune arbre en terre, c'est planter pour l'avenir autant que pour le présent. Un jour, vos petits-enfants se balanceront peut-être à ses branches ou grimperont s'y réfugier, tout enveloppés de sa cime feuillue.

Les grands arbres ombreux présentent un tronc robuste dont les branches partent d'assez haut pour qu'on puisse passer dessous sans les heurter. Etant donné leur taille et leur longévité, il faut les planter là où ils auront tout l'espace nécessaire pour se développer. N'oublions pas qu'un platane ou un érable à sucre en bonne santé peut atteindre une hauteur de 22 m et un étalement de 15 m. Un tel arbre doit absolument être planté à 9 m au moins des bâtiments. Trop près de la maison, il empêchera la lumière d'entrer, ses feuilles obstrueront les gouttières et ses branches pourront même endommager la toiture.

Le feuillage de la plupart des grands feuillus prend de belles teintes fauves avant de tomber. Les érables en particulier sont renommés pour la somptuosité de leurs couleurs automnales. A la morte saison, leurs longues branches dénudées se découpent en silhouette sur le ciel.

C'est du côté sud de la maison qu'il faut planter les grands arbres feuillus pour qu'ils protègent les murs et les fenêtres des rayons ardents du soleil. On a du mal à croire avant d'en avoir fait l'expérience à quel point l'écran de verdure que constitue un grand arbre planté du côté sud peut réduire le coût de la climatisation. L'hiver, lorsque les feuilles sont tombées, l'arbre ne fait plus obstacle au soleil dont les chauds rayons peuvent entrer à pleine fenêtre, réduisant le coût du chauffage.

Les arbres contribuent aussi à économiser l'énergie en agissant comme brise-vent. Les conifères sont particulièrement précieux à cet égard. Mais une plantation serrée de grands arbres à feuilles caduques du côté des vents dominants est aussi efficace, même en hiver.

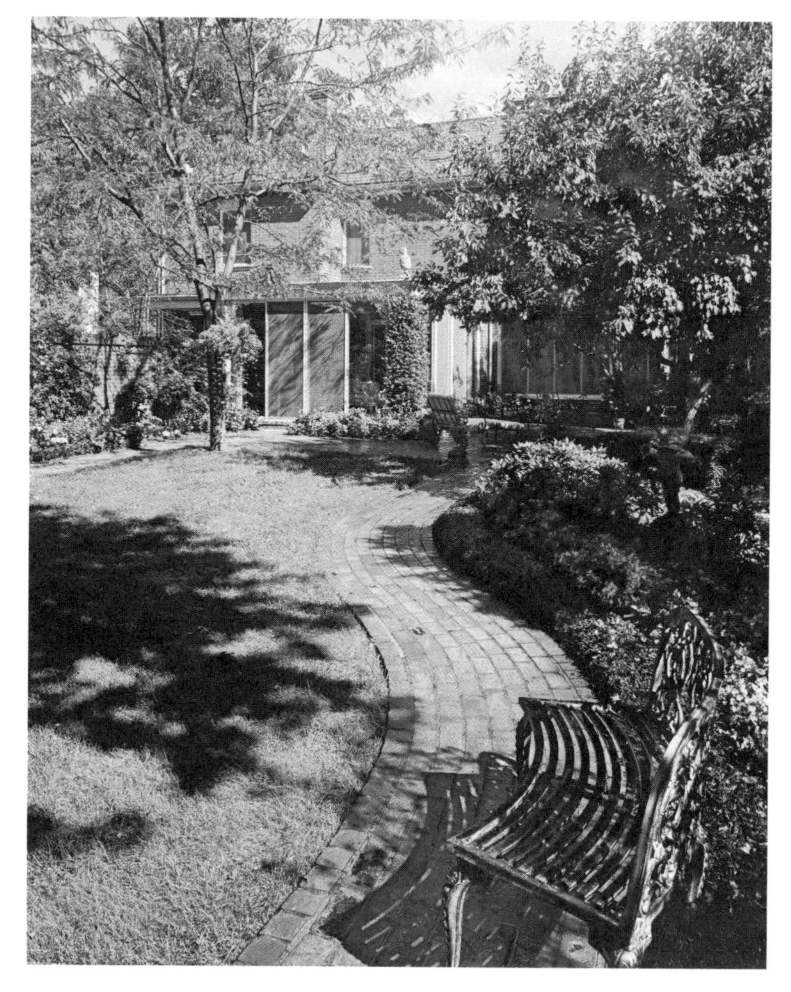

Ce faux acacia blanc (Robinia pseudoacacia) *n'est pas seulement décoratif, il permet d'économiser l'énergie. En hiver, et même au printemps, il laisse passer les chauds rayons du soleil, tandis qu'en été son ombre est bienfaisante.*

Un superbe arbre-à-liège (Phellodendron amurense) *abrite cette terrasse. Plusieurs arbres à feuilles caduques peuvent être taillés de la sorte. Le plaisir de se reposer sous ce beau feuillage compense bien l'effort de ramasser les feuilles.*

Certains arbres ont une valeur purement ornementale. Tels sont les cerisiers, les acacias, les cornouillers et les aubépines qui fleurissent tous à profusion. En pleine floraison, ils sont magnifiques. Certains arbres fruitiers sont aussi remarquables : les sorbiers, les aubépines et les pommetiers. Enfin, l'écorce de certains arbres possède en elle-même une valeur décorative. Telle est notamment celle du platane et du bouleau.

Certaines pruches à port érigé font d'excellents écrans ou forment de spectaculaires arrière-plans de verdure derrière des massifs d'arbustes florifères. On peut les laisser pousser naturellement ou les planter en rangées et les tailler comme s'il s'agissait d'une haie.

Les arbres fruitiers, comme le pommier, le noyer et le pacanier, ont un double avantage : ils offrent leur ombre et leurs fruits. Si l'espace est limité, on donnera la préférence à des variétés naines. Il existe également des arbres fruitiers que l'on peut cultiver en bac et qui donnent de belles fleurs et des fruits.

Les climats difficiles ont aussi leurs arbres. L'olivier de Bohême et le févier supportent admirablement les climats chauds et secs tandis que les pins et les genévriers ne craignent pas l'air salin de la côte. En sol humide poussent les thuyas, les peupliers et les saules. Le ginkgo, le platane de Londres, le tilleul à petites feuilles et le sapin argenté arrivent même à triompher de l'atmosphère de nos villes polluée par la suie, la poussière et les gaz d'échappement des véhicules.

Les arbres ne demandent pas en général beaucoup de soins. De temps à autre, il est bon d'enlever les branches mortes, endommagées ou nuisibles, mais c'est une opération qu'il vaut mieux confier à un spécialiste. La prudence commande en effet de s'abstenir de tailler les arbres dont on ne peut atteindre la ramure en gardant les pieds au sol. Les risques sont

Les petits parterres paraissent moins exigus si on y plante de petits arbres. Ceux qui décorent cette terrasse ont subi certains traitements. Minutieusement rabattus, ils ont maintenant une taille qui se conserve sans trop de soins. Il existe par ailleurs des plantes naines obtenues par croisements et d'autres qu'on produit en greffant un arbre, normalement de grande taille, sur le système radiculaire d'une espèce plus petite.

trop grands. Il serait tout aussi imprudent d'embaucher pour ce travail des personnes qui ne seraient pas protégées par une assurance.

La maladie de l'orme Pendant de nombreuses générations, cet arbre majestueux, à la silhouette superbe, qu'est l'orme d'Amérique, a décoré nos pelouses. Mais depuis quelques années, il est victime de la maladie hollandaise de l'orme. Cet arbre familier est menacé de disparaître.

La maladie qui affecte l'orme est une infection cryptogamique, presque toujours mortelle, transportée par la larve des scolytes de l'orme. Les efforts pour la combattre ont surtout consisté à protéger les arbres sains par des pulvérisations d'insecticides, à détruire les insectes vecteurs, à traiter les arbres atteints à l'aide de fongicides et finalement, faute de mieux, à abattre les arbres condamnés. On a également essayé de créer des variétés d'ormes capables de résister à l'infection.

Les insecticides à base de méthoxychlore agissent assez bien contre les scolytes tandis qu'une injection massive de bénomyl, fongicide systémique, dans les troncs des arbres les protège durant un an environ.

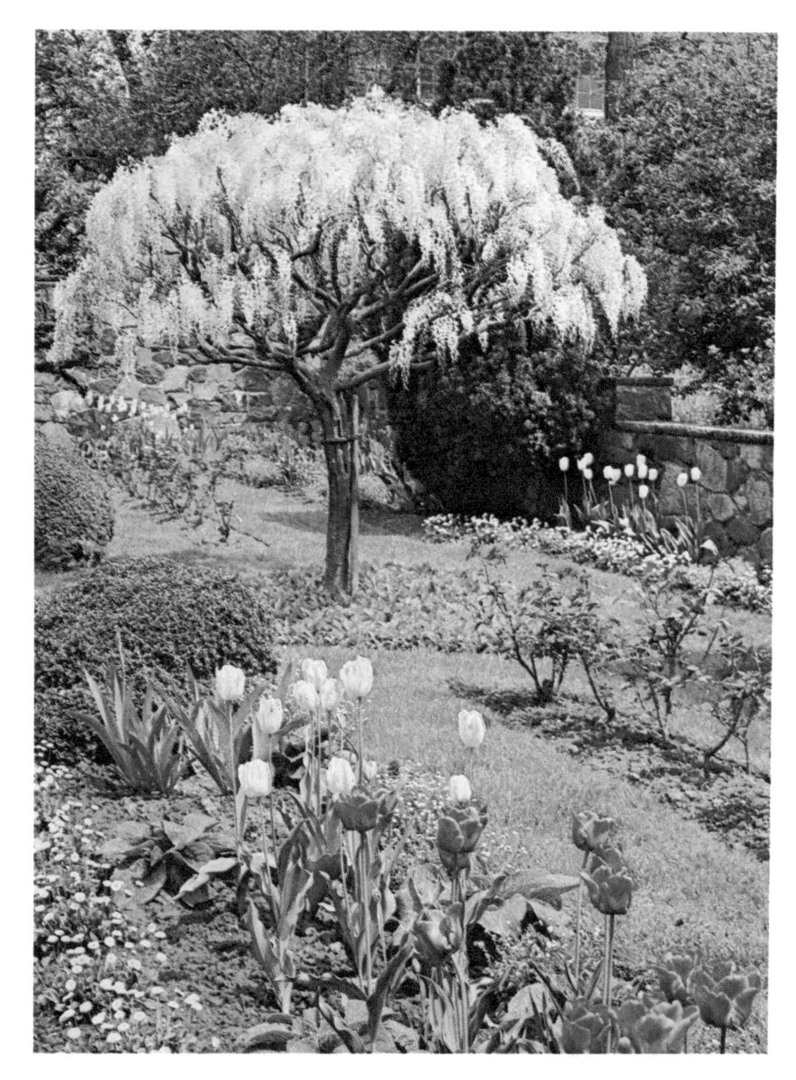

Cultivée comme un petit arbre, cette glycine à fleurs blanches produit un effet remarquable, surtout au printemps où ses grappes pendantes de fleurs semblent vouloir rivaliser de beauté avec les tulipes, les marguerites et le myosotis.

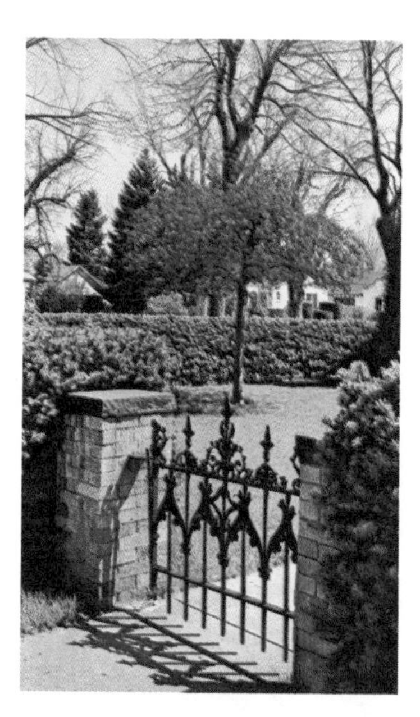

Le pommetier à fleurs roses (Malus) *est un arbre d'une grande valeur décorative qui pousse facilement. Il déploie sa grâce et son parfum au-dessus de cette terrasse (à gauche) ou flamboie de tous ses feux au milieu d'une pelouse.*

La solution la plus prometteuse semble être celle qu'ont trouvée les botanistes. En développant des hybrides d'ormes qui résistent à la maladie, ils ont contourné le problème. Cependant, ces nouveaux arbres, du moins le plus connu d'entre eux, qui est un orme urbain, n'ont de l'orme que le nom. Il leur manque l'admirable silhouette qui caractérisait l'orme d'Amérique. D'ici quelques années, les grandes pépinières offriront sans doute un « nouvel orme » résistant grâce auquel les générations futures pourront peut-être encore admirer ce bel arbre.

Cet arbuste (Chionanthus virginicus) *est le dernier à ouvrir ses feuilles à la fin du printemps. Ses délicates grappes de fleurs s'épanouissent tard, parfois même à la mi-été, bien après la floraison des autres arbres florifères.*

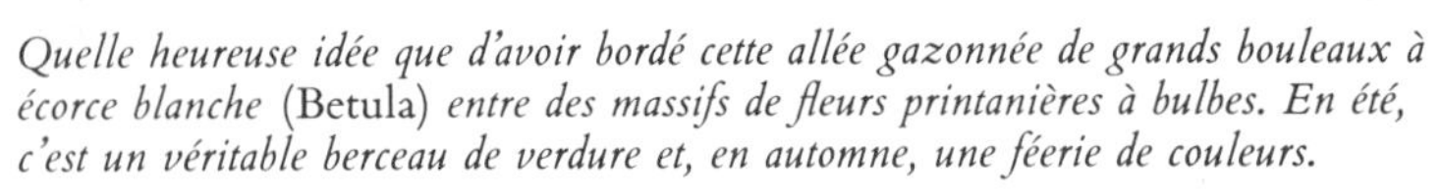

Quelle heureuse idée que d'avoir bordé cette allée gazonnée de grands bouleaux à écorce blanche (Betula) *entre des massifs de fleurs printanières à bulbes. En été, c'est un véritable berceau de verdure et, en automne, une féerie de couleurs.*

En haut, à droite : *Au printemps, des cornouillers florifères* (Cornus) *égaient de leurs inflorescences blanches et roses un petit coin de jardin. Leur feuillage se teinte de rouge en automne, tandis qu'ils portent des baies rouges.*

A droite : *Ce cerisier oriental en fleur* (Prunus serrulata), *nimbé de rose et de blanc, prend un relief particulier contre le ciel bleu.*

Les arbres et les arbustes prennent, au rythme des saisons, tantôt l'aspect d'un écran de verdure, tantôt l'apparence de grands bouquets de fleurs. Mais sous la neige qui dessine vaporeusement leur silhouette, ils offrent un spectacle magique.

Un épais massif d'arbres à feuilles persistantes constitue une bonne protection contre les vents d'hiver tout en isolant la terrasse des voisins et des passants. Ne dirait-on pas une charmante clairière en pleine forêt ?

Comme dans une gracieuse tapisserie, le rose délicat du cerisier en fleur se fond dans le vert subtil des arbustes. Les nuances des narcisses et des jacinthes complètent cette harmonie printanière qu'accentue le rose ocre de l'allée.

Des arbustes pour le décor

Aucun groupe de plantes ne présente autant de diversité que les arbustes. Ils englobent aussi bien les genévriers courts et trapus que les lilas dont la hauteur peut atteindre 6 m et plus. Quelques-uns ont des feuilles persistantes, d'autres des feuilles caduques ; leurs formes varient à l'infini.

Certains, comme le buis et les genévriers, présentent un feuillage remarquable, tandis que rosiers, camélias et rhododendrons sont réputés pour leurs fleurs. D'autres encore, le houx et le buisson ardent notamment, se couvrent de baies colorées.

On trouve des arbustes pour toutes les sortes de climats et de sols. On les utilise parfois même avec excès. Que de façades de maisons sont gâtées par des groupes d'arbustes trop rapprochés les uns des autres ou mal situés.

L'erreur vient peut-être de ce nom familier « plantations de fondations » dont on les a affublés.

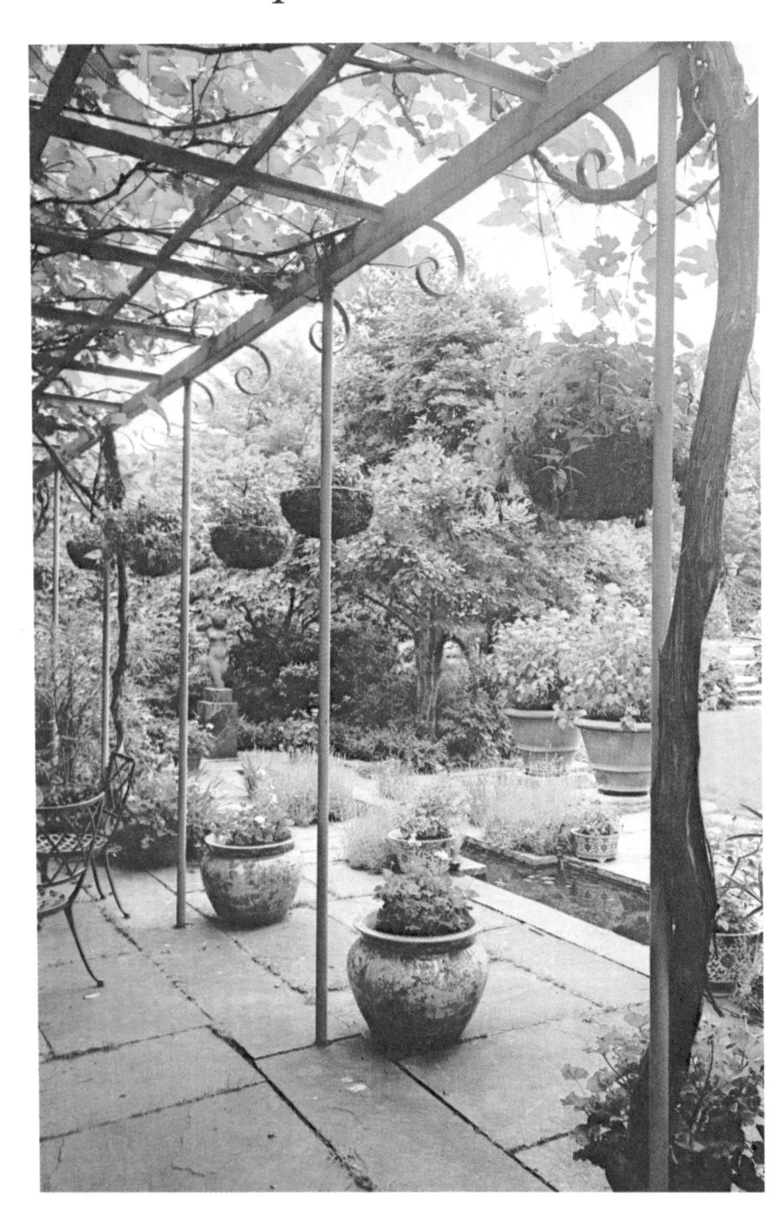

Décorée de plantes grimpantes, de géraniums dans des urnes et de fuchsias suspendus, cette terrasse ouvre sur un paradis de verdure. Les hortensias dans des bacs de grès doivent être mis en terre pour l'hiver dans les zones 3 à 7.

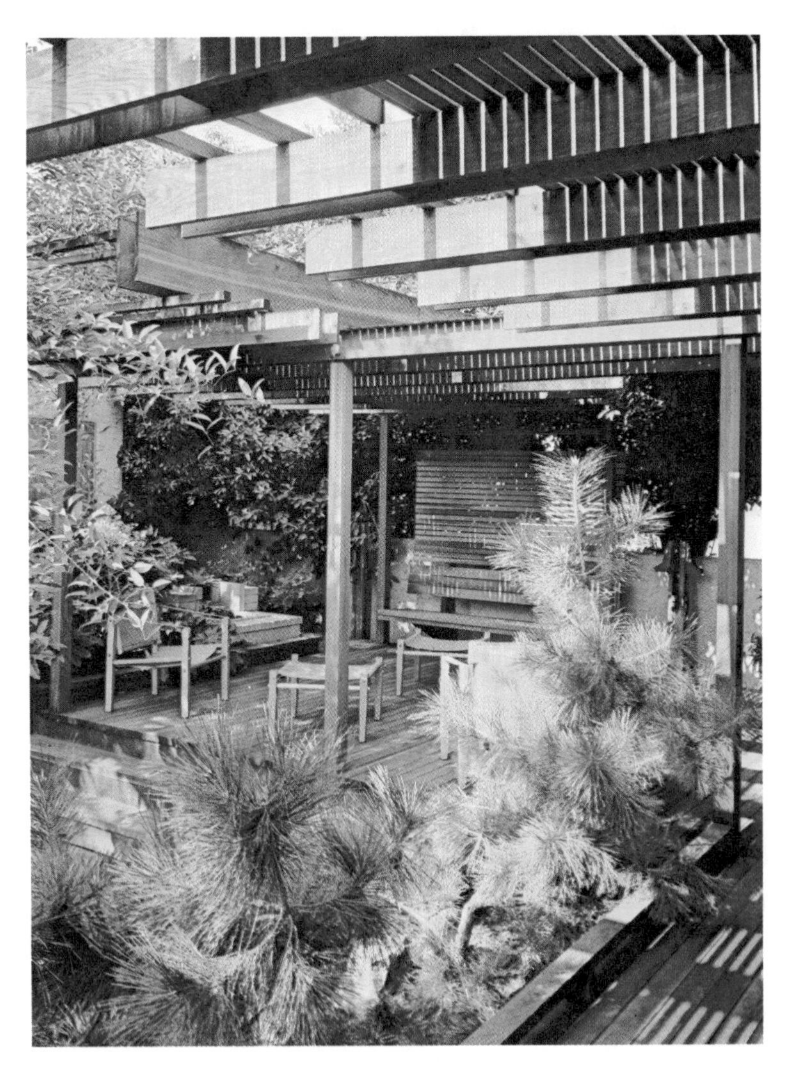

Une série de pins trapus et prostrés souligne le caractère rustique de cette maison de bois et structure l'espace sans le faire paraître étriqué. D'en bas, ils dissimulent la terrasse sans pour autant gêner la vue de ceux qui s'y trouvent.

Cela se passait à l'époque où, pour réduire les travaux d'excavation, on élevait la majeure partie des fondations des maisons au-dessus du niveau du sol. Il en résultait un mur de béton plutôt disgracieux qu'on s'empressait de dissimuler par des arbustes et des fleurs, surtout du côté de la rue.

On construit encore des maisons de la sorte et comme autrefois, peu importent leurs dimensions, on range devant elles une série d'arbustes décoratifs : troènes, ifs et forsythias. Avant d'arrêter son choix, cependant, il ne serait pas mauvais d'examiner les erreurs habituellement commises dans ce domaine.

Les plantes qu'on met en terre devant les maisons ont généralement pour objet de faire la transition entre les lignes verticales de l'habitation et les lignes horizontales du terrain. C'est un principe valable, mais il faut l'appliquer judicieusement. Toutes les plantes qui, adultes, auraient une taille disproportionnée par rapport à celle du mur auquel elles s'adossent devraient être écartées. Sinon, il faudra les rabattre régulièrement, au risque de détruire leur aspect naturel. On évitera en outre de planter des arbustes à des endroits où ils finiraient par faire obstacle à la lumière.

Entre les murs de la maison et les arbustes, il est sage de laisser suffisamment d'espace pour pouvoir circuler sans problème lorsque ceux-ci seront adultes. Précaution dont on se félicitera au moment du nettoyage des vitres. D'ailleurs, les plantations ont plus fière allure lorsqu'elles ne sont pas plaquées contre une structure. On aura également intérêt à les grouper avec un peu de fantaisie. Les lignes droites font toujours très sévère. Il vaut mieux planter des arbustes courts sous les fenêtres et des arbustes plus élancés entre celles-ci.

Des rhododendrons en pleine floraison et des massifs d'azalées sur le point de fleurir bordent une allée légèrement incurvée, sous une tonnelle. A l'arrière-plan, des genévriers côtoient des rosiers-tiges jaunes.

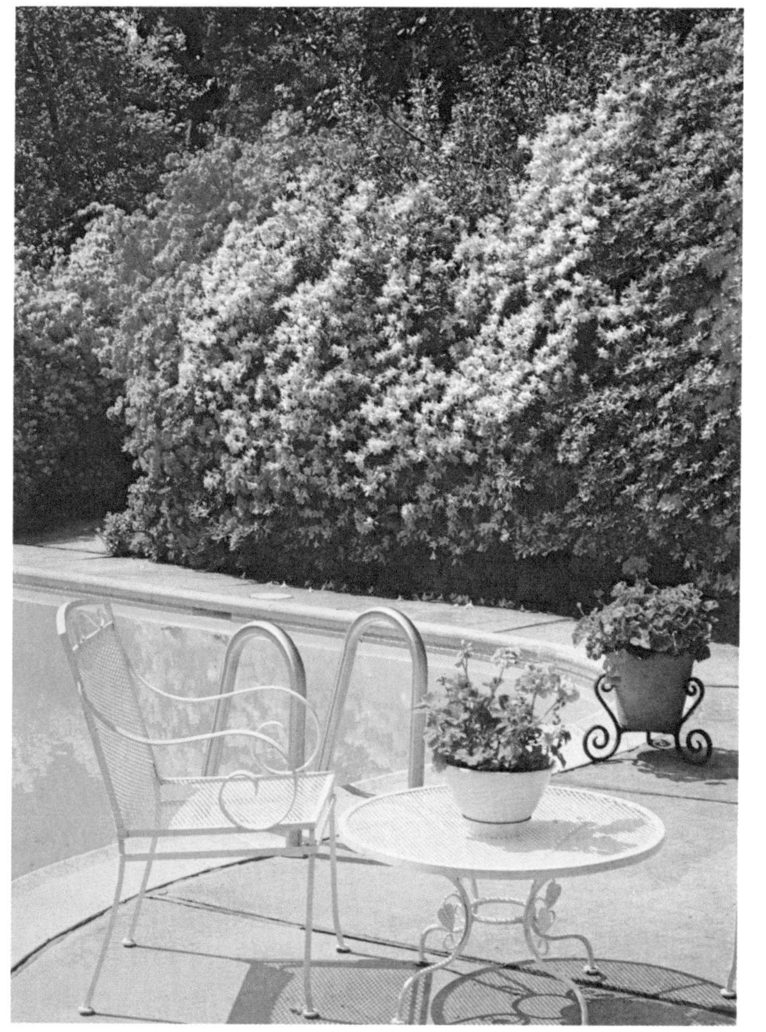

La piscine prend presque les allures d'un étang lorsque la clôture qui l'entoure se dissimule derrière des arbustes abondamment fleuris. Ici, des azalées assurent une certaine intimité et offrent aux amateurs de bains la beauté de leurs fleurs.

Côté rue, les arbustes les plus hauts se placent habituellement aux extrémités de la maison où, alliés à des sujets étalés, ils contribuent à créer une harmonie visuelle. Si ces plantations d'angle se situent dans le prolongement de la façade, la maison paraît plus grande.

C'est seulement dans les grandes propriétés, dans les parterres très classiques qu'on peut se permettre d'avoir des plantations rigoureusement symétriques de part et d'autre de l'entrée et, dans ce cas, on leur donne souvent des formes géométriques. On choisit alors des arbustes de croissance lente qui ont moins souvent besoin d'être taillés.

Pour les haies, on prend généralement aussi des arbustes, encore que certains arbres se prêtent à cette utilisation. Alignés ou groupés, taillés droit ou laissés au naturel, les arbustes font aussi de très beaux écrans. Ils peuvent servir à délimiter la zone du jardin potager et du jardin de fleurs, à dissimuler à la vue des coins moins attrayants ou à isoler le coin détente de la zone de jeux.

Le plus souvent, on préfère grouper les arbustes en massifs. Rien de plus joli, en effet, qu'un arrière-plan de verdure pour souligner les vifs coloris d'une plate-bande de fleurs. Mais certains arbustes ont une forme si originale et un feuillage si splendide qu'on ne peut résister au plaisir de les mettre en vedette. Encore faut-il qu'ils gardent leur beauté en toute saison. C'est le cas, par exemple, du buis et du houx du Japon.

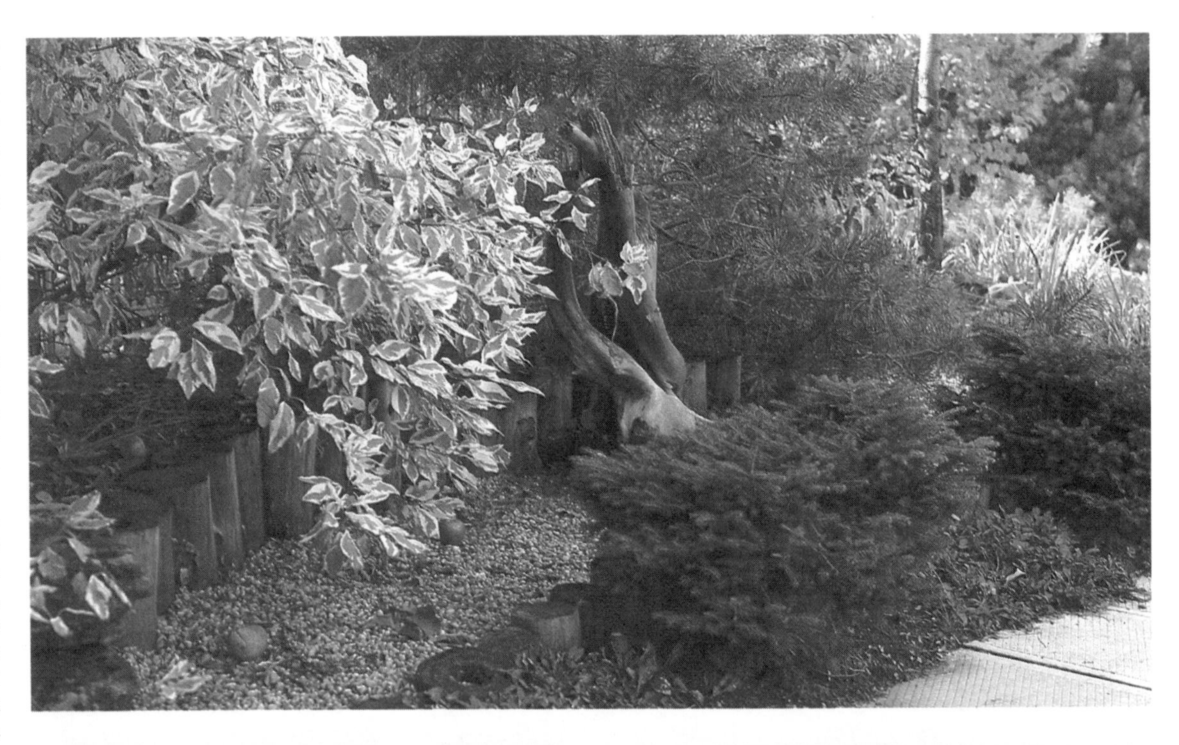

Dans ce jardin (en haut), on a su tirer parti de la variété des arbustes. Conifère nain et espèces à feuillage panaché et à feuillage uni s'y rencontrent.

Ce massif surélevé (ci-contre) et retenu par des rondins a l'air d'un véritable verger en miniature. Les arbustes y prennent un relief tout particulier.

Avec leur feuillage décoratif et leurs grosses grappes de fleurs, les espèces les plus développées parmi les rhododendrons méritent également d'être plantées en isolé. Il en va de même du laurier des montagnes, d'une espèce arbustive de l'érable du Japon et du pieris. Celui-ci porte des feuilles qui changent de couleur selon les saisons et produit des grappes de fleurs pendantes, semblables à celles du muguet, auxquelles succèdent des baies.

Plusieurs petits érables déploient par ailleurs un feuillage des plus intéressants et une silhouette élégante qui se profile sur le ciel après la chute des feuilles.

Les plus beaux spécimens d'arbustes, et ils sont nombreux, se prêtent souvent à la culture en bac, méthode très attrayante puisqu'elle permet de les placer où le décor le commande, c'est-à-dire aussi bien dans un parterre que sur une terrasse.

C'est sur des arbustes comme le buis, l'if et le troène que l'on pratique les techniques traditionnelles de l'art topiaire ; il s'agit d'une coupe ornementale qui donne aux plantes des formes géométriques ou fantaisistes. La culture en espalier est une autre

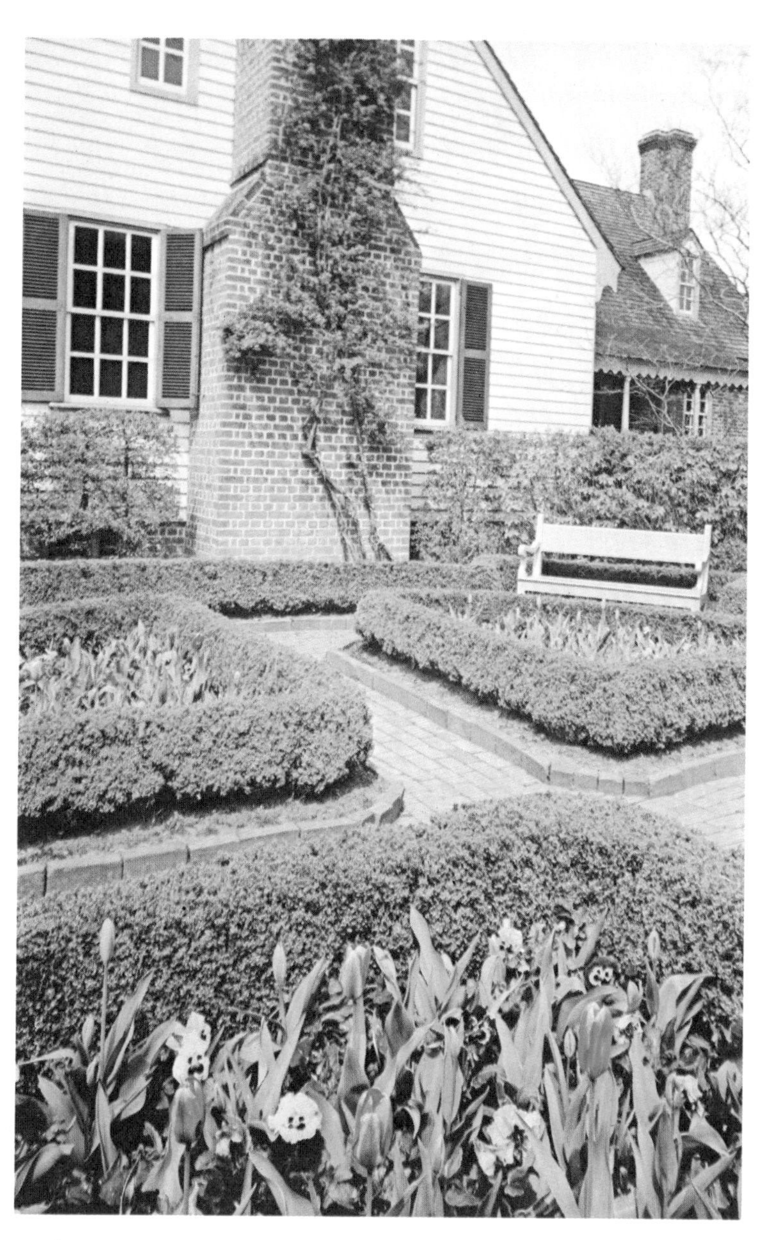

Une haie de lauriers des montagnes encercle un jardin à la française où des plates-bandes de tulipes et de pensées sont entourées de buis communs nains.

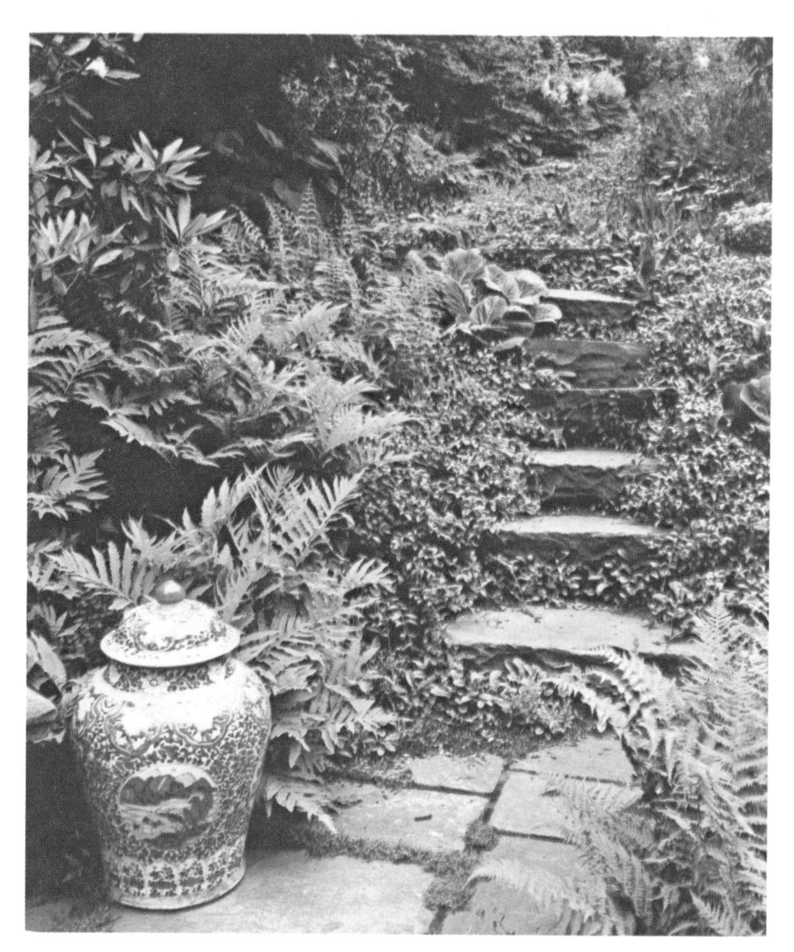

Dans les coins non ensoleillés, les pervenches et les dryoptérides font d'excellents couvre-sol. Pour la couleur, on choisira comme ici des arbustes qui préfèrent l'ombre : l'astilbe ou, si le terrain est humide, la lobélie cardinale.

technique ancienne parvenue jusqu'à nous : l'arbuste est palissé contre un mur ou un treillage. De nos jours, parmi les plantes cultivées ainsi, on remarque surtout le pyracantha, ou buisson ardent, et le camélia.

Les plantes grimpantes ont un charme bien particulier, mais il faut en user avec discrétion. Le lierre japonais de même que la vigne vierge ont des vrilles munies de ventouses terminales qui adhèrent à n'importe quel support lisse. Ils peuvent couvrir les murs de la maison et s'accrocher aux fenêtres. Quant aux glycines, ce sont des plantes grimpantes si vigoureuses qu'elles peuvent soulever la toiture d'une véranda. Mais les plantes grimpantes n'ont pas toutes cette énergie. La plupart se laissent docilement palisser sur un treillage de bois ou de fil métallique.

Lorsque le mur d'une maison, du côté sud, est recouvert d'une plante grimpante, la climatisation coûte souvent moins cher. S'il s'agit d'une plante à feuilles caduques, elle n'entravera pas le passage des chauds rayons du soleil en hiver, avantage non négligeable à une époque où l'on doit économiser l'énergie.

Plusieurs arbustes, cultivés en pépinière dans des bacs, se transplantent en tout temps. On peut ainsi les acheter au moment où ils portent leurs fleurs, leurs fruits ou leurs belles couleurs d'automne et être sûr de son choix.

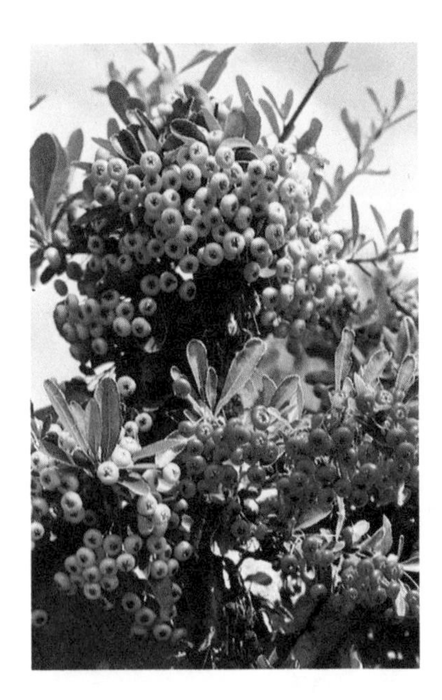

Le buisson ardent (Pyracantha coccinea) *est recherché pour ses grappes de baies vivement colorées. Elles durent parfois tout l'hiver.*

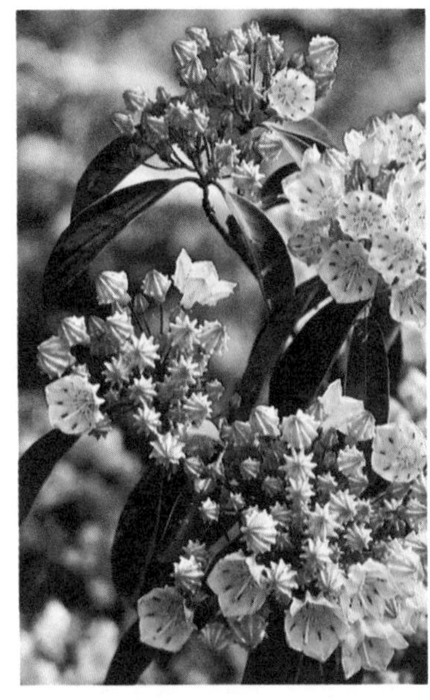

Le laurier des montagnes (Kalmia latifolia), *arbuste rustique à grandes feuilles persistantes, se revêt au début de l'été de fleurs roses, blanches ou rouges.*

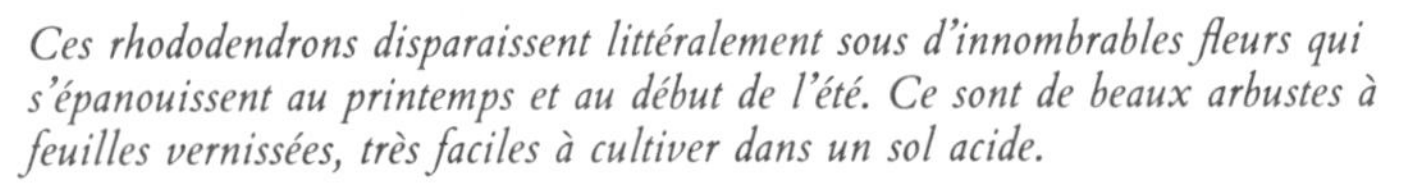

Ces rhododendrons disparaissent littéralement sous d'innombrables fleurs qui s'épanouissent au printemps et au début de l'été. Ce sont de beaux arbustes à feuilles vernissées, très faciles à cultiver dans un sol acide.

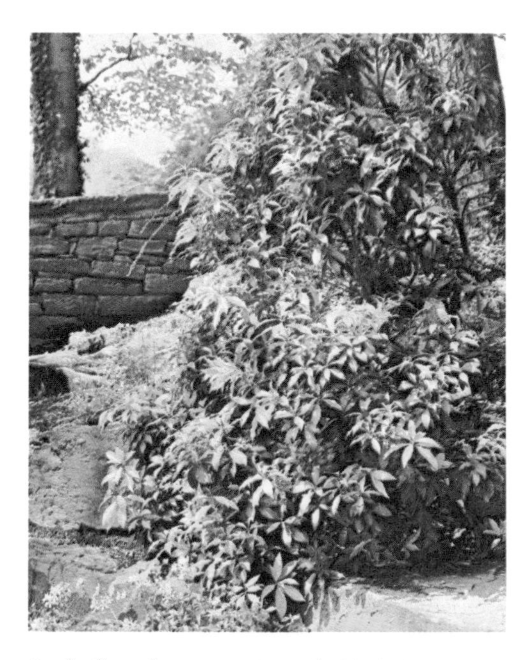

Le feuillage dense et persistant du Pieris japonica *est rouge cuivré au printemps et vert franc en été. Les pieris sont des arbustes qui se cultivent très bien isolément ; groupés, ils peuvent servir d'écran.*

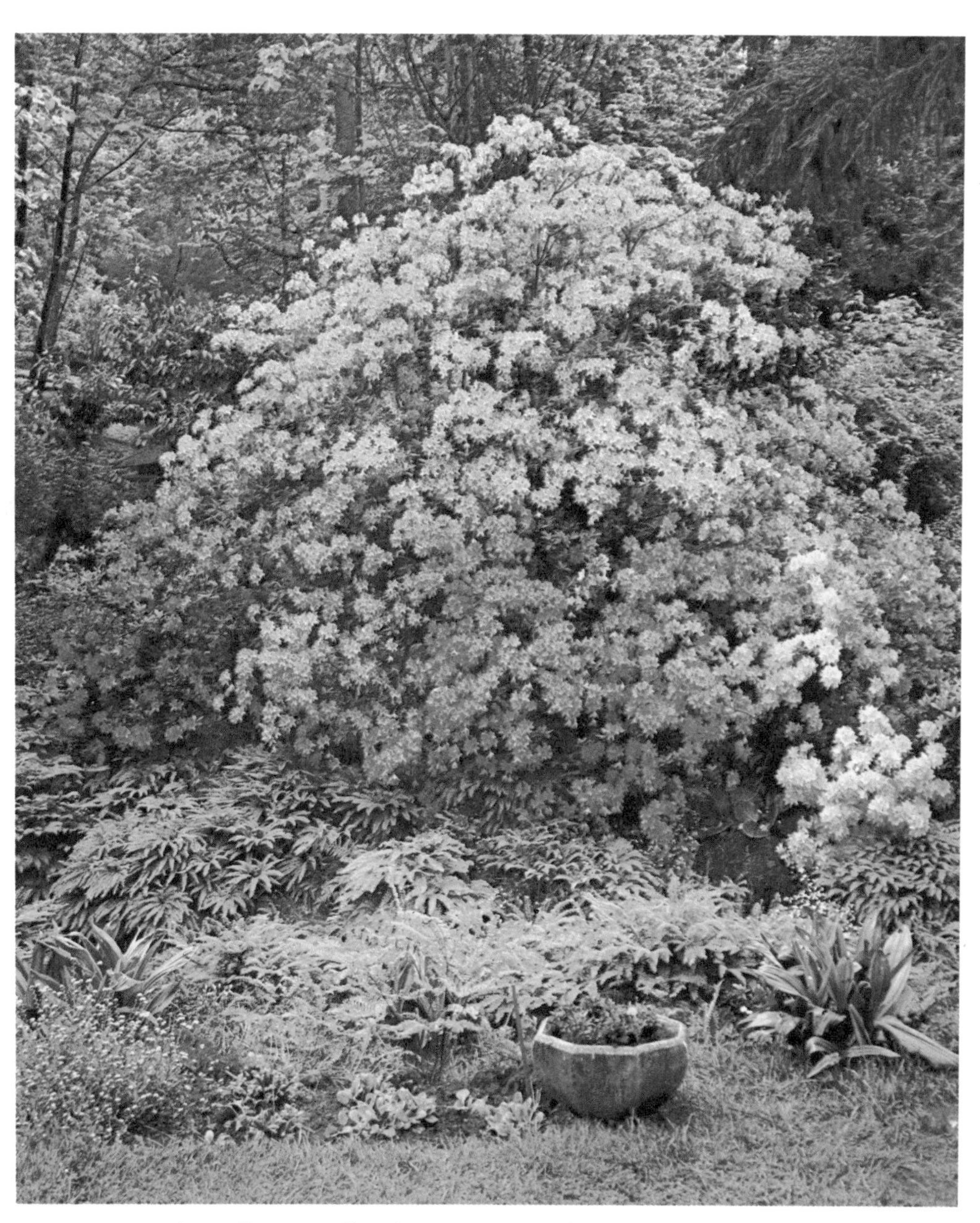

Cette immense azalée est d'une merveilleuse beauté. Lorsque ses fleurs jaune d'or et orange seront fanées, son feuillage d'un riche vert sombre fera contraste avec les fragiles capillaires du Canada (Adiantum pedatum).

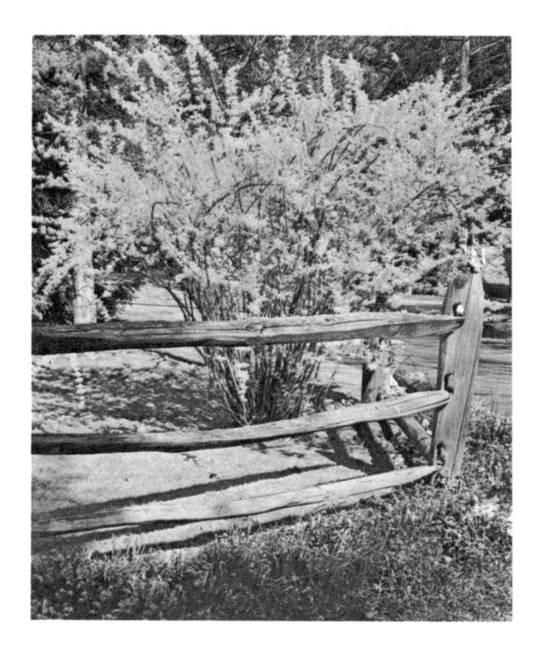

La gracieuse forme évasée du forsythia à fleurs jaunes fait de cet arbuste un élément décoratif exceptionnel. On lui trouvera un endroit, comme ici, où son charme est mis en valeur.

Des fleurs pour leur beauté

On imagine difficilement un jardin sans fleurs. Alors que les arbres et les arbustes servent à structurer l'espace et à donner au parterre ses lignes générales, les fleurs, avec leurs couleurs, leurs parfums et leurs innombrables formes, viennent ajouter une note de fantaisie et de gaieté.

Tous les jardiniers ont un faible pour elles. Non seulement parce qu'elles sont pour la plupart faciles à cultiver, mais aussi parce qu'on y trouve rapidement la récompense de ses efforts. Et peu à peu, on se laisse encourager par les succès obtenus et on tente sa chance avec des espèces un peu plus exigeantes et plus rares.

Les annuelles sont des fleurs qui s'épanouissent pendant une saison seulement, puis se fanent et meurent. Ce sont les plus cultivées, les plus colorées et les plus florifères. Certaines peuvent être semées en pleine terre, dès que le sol s'est réchauffé ; c'est le cas notamment des grandes capucines, du pied-d'alouette et des alysses odorants. La plupart cependant doivent être semées à l'intérieur, quelques semaines avant la mise au jardin.

On cultive les annuelles en plates-bandes ou sous forme de massifs pour combler les vides dans les bordures. On peut également les cultiver dans des corbeilles suspendues ou en pots. Les espèces de haute taille peuvent même servir d'écrans ou d'arrière-plan à une plate-bande. Enfin, certaines d'entre elles — zinnias, roses d'Inde — font de très beaux bouquets pour la maison.

Les bisannuelles sont des plantes qui fleurissent un an après les semis et qui meurent à la fin de la floraison. Elles sont un peu plus difficiles à cultiver que les annuelles et les vivaces. Parmi les bisannuelles les plus connues, on remarque la rose trémière, la pâquerette, la pensée et la campanule.

Glycines et clématites à fleurs bleues grimpent à l'assaut du mur et animent de leur éclat le cadre de la fenêtre. Les coloris sont repris en mineur par les géraniums roses de la bordure, les bégonias suspendus et l'azalée en bonsaï.

Ces quatre marches et les conifères qui les flanquent sont égayés par des plates-bandes de phlox et des corbeilles de géraniums roses. A l'arrière-plan, on aperçoit des pieds-d'alouette bleus, des liatris pourpres et des hémérocalles jaunes.

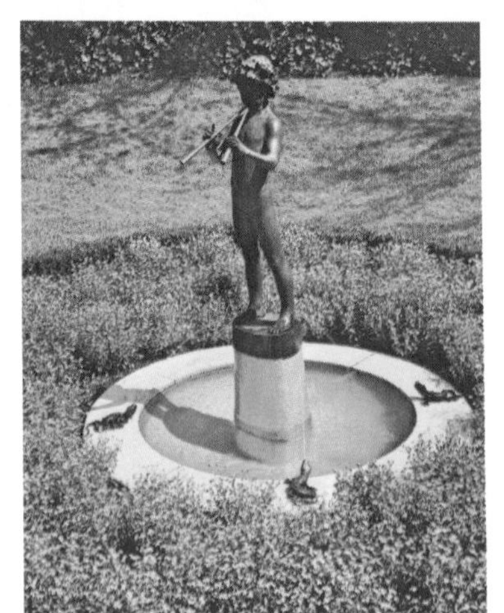

On obtient parfois de très jolis effets avec des plantations massives. Ici, une plate-bande circulaire de myosotis pose autour de la fontaine un ravissant nuage d'un bleu-mauve lumineux.

Les vivaces sont des plantes qui vivent au moins deux ans, mais dont la période de floraison est généralement de plus courte durée que celle des annuelles. Les hémérocalles font exception à cette règle. Certaines vivaces, comme les hostas, sont appréciées pour leur feuillage.

Les plantes à bulbes, vivaces elles aussi, mettent beaucoup de couleur dans le jardin. On en connaît plusieurs : les crocus, les jonquilles, les narcisses, les tulipes, les jacinthes et les lis, mais aussi les perce-neige, les scilles et les muscaris apparentés aux jacinthes. Les plantes bulbeuses non rustiques, comme les bégonias tubéreux et les glaïeuls, sont superbes en été, mais doivent être rentrées en hiver.

Lorsque la plate-bande est petite, il vaut mieux choisir des plantes de la même teinte : l'effet est plus harmonieux. Si l'espace est vraiment restreint, on obtient de bons résultats en groupant plusieurs plantes dans une vasque ou dans une plate-bande surélevée qui mettent les fleurs en relief. Un bac en bois, en plein soleil, garni de géraniums rouges et de pétunias blancs en cascade, ne passera jamais inaperçu. Les feuilles succulentes de l'orpin vivace ou de la joubarbe font un agréable contraste avec les fleurs, mais ces plantes ont besoin d'un endroit chaud et sec. Là où l'ombre domine, on cultivera les impatiens annuelles, les lobélies et les bégonias tubéreux, plantes qui poussent très bien dans des pots.

Ici et là, dans le jardin, on obtient de belles gammes de coloris avec des plantations de vivaces comme les hémérocalles, les iris, les pivoines, de couleurs identiques ou variées. Pour ajouter une touche de verdure, on complètera par des hostas ou des sceaux-de-Salomon.

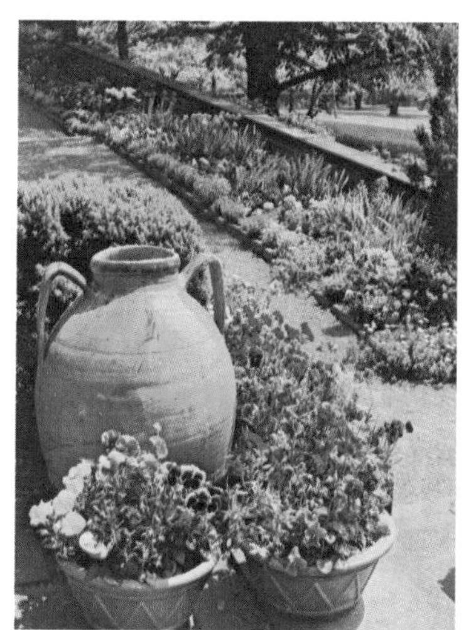

Cultivées en jardinières, des pensées déploient leurs charmes devant une bordure composée de tulipes (Tulipa), *de myosotis* (Myosotis) *et de primevères* (Primula), *charmantes fleurs printanières.*

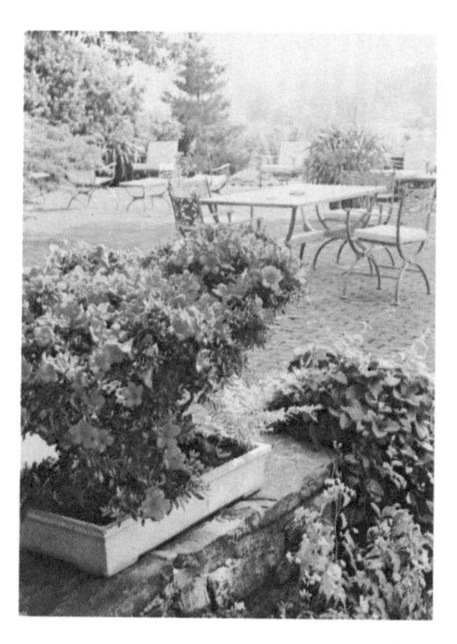

Voici une azalée à fleurs roses qui éclate comme un feu d'artifice au milieu de toute la verdure. Elle est entourée de bégonias à fleurs cireuses blanches (Begonia semperflorens) *et d'un chèvrefeuille* (Lonicera).

Pour atténuer la sévérité de ce mur, on l'a agrémenté d'une plate-bande de fleurs de haute taille, composée de mufliers annuels (Antirrhinum majus) *et de chardons bleus ou boules-bleues vivaces* (Echinops ritro). *Une bordure de plantes naines, des alysses odorants* (Lobularia maritima), *ourle la pelouse.*

Les annuelles sont très florifères. En plein soleil, les soucis jaunes ou orange seront en fleur du printemps à l'automne et les impatiens fleuriront à l'ombre durant tout l'été. A ces dernières, il suffira de donner un peu d'eau par temps sec.

Les plates-bandes de fleurs disparates sont incontestablement très jolies, elles aussi. Pour qu'il y ait constamment des fleurs, on les composera de plantes bulbeuses à floraison printanière et estivale, de quelques autres vivaces et d'annuelles.

Par exemple, une plantation composée de pivoines, d'hémérocalles et de chrysanthèmes serait belle dès le printemps, grâce aux pivoines, et demeurerait en fleurs jusque tard à l'automne, grâce aux chrysanthèmes.

Dans les plates-bandes composées, il est préférable de prévoir des massifs de fleurs assez importants. Les espèces de haute taille seront disposées à l'arrière, les fleurs de hauteur moyenne au centre, et les petites en bordure. Avec une telle disposition, on ne court pas le risque de se tromper. On peut très bien jouer sur la fantaisie et border la pelouse de « dômes » de hautes fleurs et étendre des « nappes » de petites fleurs vers l'arrière. Mais un tel arrangement est plus risqué. Le plus important, c'est de ne pas masquer les plantes basses par des plantes élevées.

Lorsqu'on est propriétaire d'un très vaste terrain, on peut se permettre d'aménager un jardin de fleurs, provision de bouquets pour orner la

La rose est sans rivale. Voici deux variétés qui se mettent mutuellement en valeur : les rouges 'Blaze Climber' et les roses 'Charlotte Armstrong'.

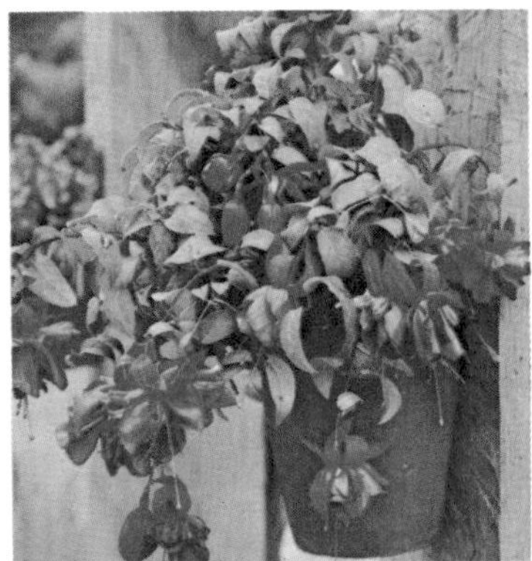

Avec leurs fleurs pendantes aux vifs coloris, les fuchsias hybrides sont parmi les plus belles plantes à cultiver en suspension l'été, à l'extérieur.

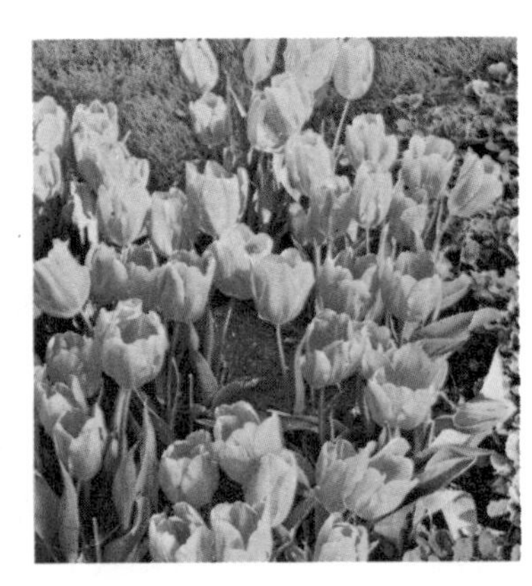

Comme massifs de fleurs printanières aux coloris éblouissants, rien ne vaut les tulipes hybrides. A leur palette, il ne manque que le bleu franc.

Quand on a la chance d'avoir une pièce d'eau dans son parterre, pourquoi ne pas y cultiver des nénuphars ? Leurs fleurs élégantes sont exquisément parfumées.

maison. Conçu comme un potager, ce jardin présente des planches régulières de fleurs qu'on coupe au besoin sans se préoccuper de l'esthétique de l'ensemble. Asters, cosmos, mufliers et zinnias, parmi les annuelles, et delphiniums, pyrèthres et leucanthèmes ou grandes marguerites, parmi les vivaces, sont toutes des plantes qui se prêtent bien à cette culture.

Bien que classés parmi les arbustes à cause de leurs tiges ligneuses, les rosiers — les floribundas en particulier — ont une longue période de floraison et produisent assez de fleurs pour qu'on puisse en couper sans nuire à leur valeur ornementale. Ce sont des plantes vivaces qui ne sont pas très rustiques ; il faut donc les protéger en hiver dans les régions froides.

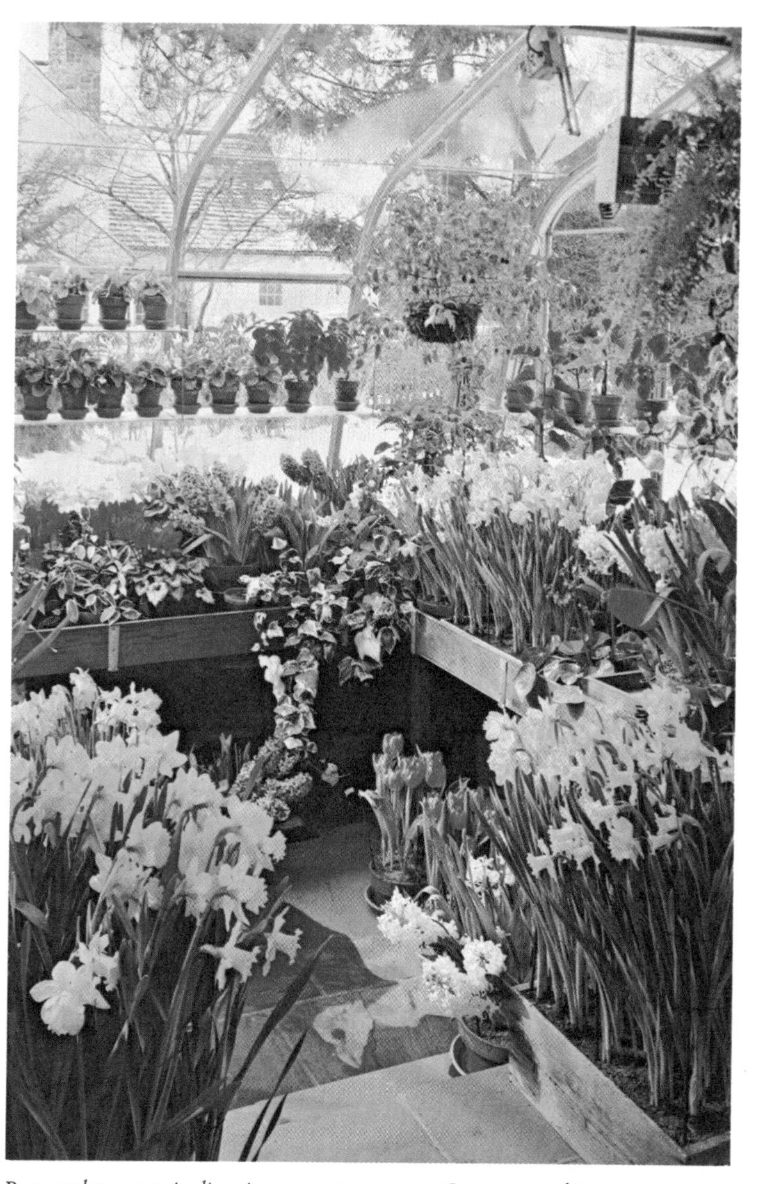

Pour prolonger un jardin, rien ne vaut une serre. On peut y cultiver toutes sortes de plantes tropicales, comme ces anthuriums à fleurs rouges (à droite) ; mais on peut tout aussi bien s'en servir pour commencer la culture des plantes rustiques ou semi-rustiques qu'on placera par la suite au jardin, en pots ou en pleine terre. C'est une bonne façon de multiplier les variétés et de prolonger la belle saison.

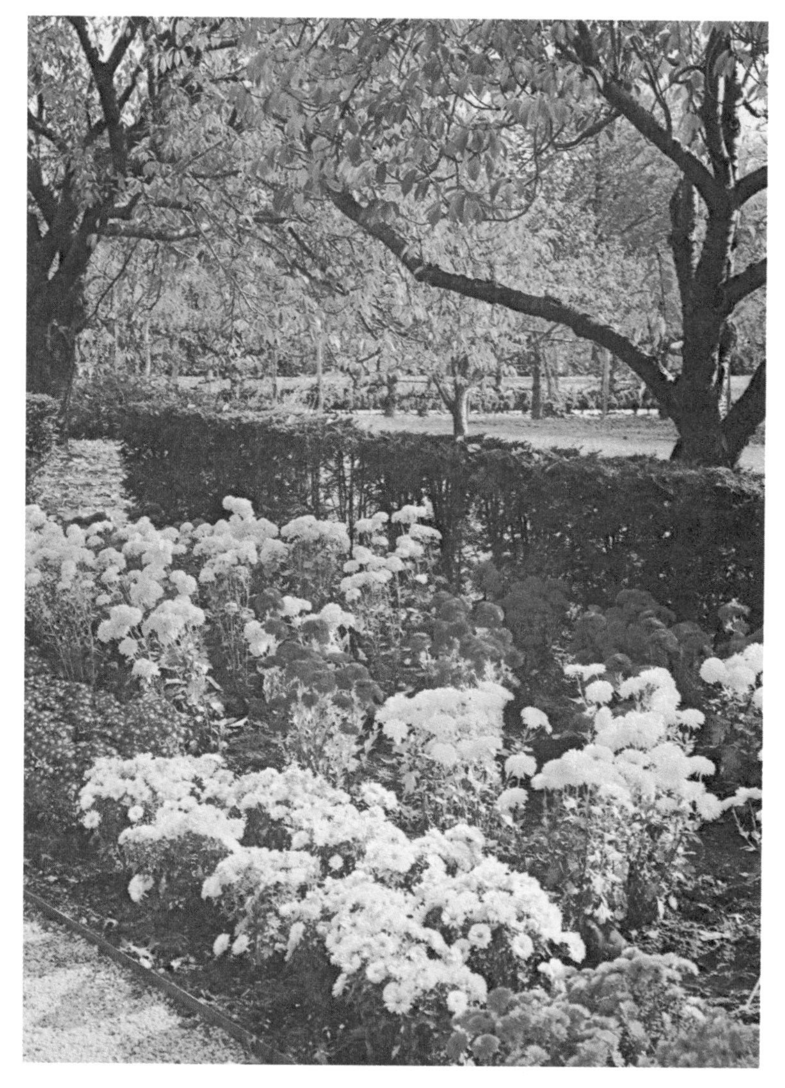

Aux belles teintes fauves des cerisiers répondent en automne les oranges, les jaunes, les roses ocre et les blancs des chrysanthèmes en plein épanouissement.

Le jardin d'agrément

Pelouse et plantes tapissantes

La pelouse est un élément essentiel du jardin. Elle met en valeur les plantes ornementales et embellit les zones de jeux ou de détente. C'est le décor idéal d'une demeure.

La pelouse n'a pas qu'une valeur esthétique. Elle rafraîchit l'air, isole le sol en hiver et en tempère la chaleur en été. Dans les climats extrêmement chauds, elle est beaucoup plus fraîche que le gazon artificiel ou les dallages de toutes sortes. On dit même que plus l'herbe est haute, plus elle dégage de fraîcheur.

Ce n'est pas sans raison que les pelouses sont devenues des éléments classiques de décoration dans les quartiers résidentiels d'Amérique du Nord. Par sa texture et sa couleur uniformes, par sa façon de souligner les reliefs du terrain, la pelouse met en valeur la maison qu'elle entoure et fait une belle toile de fond pour les plantations décoratives.

Malheureusement, on ne donne pas toujours à la pelouse les soins qu'elle exige. On s'attend à ce qu'elle résiste à tous les mauvais traitements, à ce qu'elle prospère sur n'importe quel terrain et conserve beauté et santé en dépit des tontes qui lui font perdre une partie de ses feuilles.

Pire encore : on oublie de lui donner de l'engrais, on l'arrose trop ou pas assez, on la tond trop ras, on la roule inutilement, quand on ne la piétine pas avec insouciance.

Le gazon Il est constitué de graminées qui ont la particularité de porter leurs méristèmes ou bourgeons tout près de la surface du sol, à la base des feuilles, si bien qu'ils ne sont pas endommagés lors de la tonte. Chez la plupart des autres plantes, la croissance s'effectue par le sommet des organes aériens. Elles mettent donc plus de temps à reprendre si ces organes sont coupés.

Les pelouses doivent être souvent tondues, sinon on risque de voir les mauvaises herbes envahir et étouffer les graminées.

L'expérience a permis de découvrir quelles sont les graminées qui conviennent le mieux à la pelouse d'ornement. Elles dérivent pour la plupart des espèces fourragères et, à quelques exceptions près, nous viennent d'Europe. Acclimatées en Amérique du Nord, elles ont donné naissance à de nouvelles espèces dont sont issues presque toutes les variétés que nous utilisons aujourd'hui.

En milieu urbain, seules les espèces originaires d'Europe demeurent vertes jusqu'à l'hiver. Dans les régions tempérées, elles gardent même leur couleur sous la neige.

L'herbe de la région des Prairies brunit au premier gel ; aussi n'est-elle pas utilisable dans les parterres.

Il n'y a pas que le gazon qui puisse servir de couvre-sol. Certaines plantes tapissantes peuvent très bien le remplacer : le pachysandre, la pervenche ou le lierre. Consulter le tableau, page 41.

Conditions culturales Les pelouses ne sont pas très exigeantes. Il faut les arroser et les fertiliser quand elles en manifestent le besoin, comme toute autre plante. Cependant, elles doivent être tondues régulièrement. La tonte régulière produit un gazon dense qui ne donne pas prise aux mauvaises herbes. Elle permet également de laisser sur place les débris d'herbes parce qu'ils sont courts.

Soleil Pour prospérer, le gazon a besoin de quatre à six heures de soleil par jour. Voici pourquoi. Quand un parterre est ombragé, c'est souvent parce qu'il y pousse des arbres. Or, privé de soleil, le gazon n'a plus la force de lutter contre les racines des arbres, qui sont généralement superficielles et gourmandes. Elles l'empêchent de tirer du sol la nourriture dont il a besoin.

Les graminées qui réussissent le mieux à l'ombre sont celles qui, comme le pâturin commun (*Poa trivialis*), ont de longues racines. Si certaines zones de la pelouse manquent un peu de soleil, on aura intérêt à leur donner plus d'engrais.

Engrais A moins que la terre ne soit très fertile, il est nécessaire de fertiliser la pelouse si on veut lui conserver sa qualité. Sans engrais, le gazon survivra, mais, fertilisé, il sera plus résistant, moins vulnérable aux mauvaises herbes et plus beau. Il existe des engrais de toutes sortes et on en crée sans arrêt de nouveaux et de plus efficaces. Lire l'étiquette du produit pour savoir à quelle fréquence l'utiliser.

Arrosage La fréquence des arrosages dépend du climat. Le gazon est en mesure de résister à une certaine aridité et un peu de sécheresse lui fait même parfois du bien. Mais durant les longues périodes de sécheresse, la pelouse sera plus belle si elle est arrosée.

Mauvaises herbes et ravageurs On élimine les premières avec des herbicides. Les seconds sont moins fréquents. Pour savoir quels traitements employer contre mauvaises herbes et ravageurs, se reporter aux pages 39, 40, 478 et 483.

Maladies Elles découlent généralement du climat, des activités saisonnières et de changements physiologiques. Pour en connaître le traitement, se reporter aux pages 39, 40 et 478. En règle générale, la meilleure solution consiste à sélectionner des variétés nouvelles qui résistent aux maladies.

Autres soins De temps à autre, il peut être nécessaire d'aérer, de déchaumer, d'alcaliniser, d'acidifier le sol, ou de lui ajouter des substances nutritives comme du fer. Mais ce sont là des soins dont l'effet dure plusieurs années. On en trouvera le détail dans les pages qui suivent.

Dans la plupart des cas, il suffira, pour avoir une belle pelouse, de la tondre périodiquement, de la fertiliser à intervalles réguliers et, au besoin, de l'arroser et d'enlever les mauvaises herbes.

Choix d'un gazon Les uns veulent un gazon court et serré, alors que d'autres se contentent d'un gazon de prairie composé de toutes sortes d'herbes. Les premiers consacreront beaucoup d'argent et de soins à leur parterre ; ils choisiront alors des herbes fines, comme celles dont on se sert pour les terrains de golf, qui demandent un soin infini. Les autres obtiendront une pelouse grossière, mais qui s'entretient facilement.

C'est finalement entre ces deux extrêmes qu'on devrait arrêter son choix. Il est possible d'obtenir un gazon qui, tout en étant beau, ne demande que peu de soins.

Il existe un très grand choix de graminées. Parmi les plus recommandées se trouvent les espèces sélectionnées de pâturin des prés, les fétuques de grande qualité, les ivraies vivaces et certaines variétés d'agrostides.

On fait parfois la distinction entre la pelouse qui orne l'avant de la propriété, et la pelouse utilitaire, moins exposée à la vue. Bien qu'il existe des types de semences pour chacun de ces emplois, il y a à vrai dire peu de différences entre les deux.

Etablissement On peut poser des plaques de gazon en toute saison, durant la période de croissance. Les semis, pour leur part, se font tôt au printemps, dès que le sol s'est ressuyé, ou tôt à l'automne, soit six semaines avant le premier gel.

Semences Il vaut mieux acheter les meilleures semences. Les mélanges moins chers renferment peu de pâturins fins et une plus grande proportion de plantes coriaces à grosses graines qui donnent un gazon rude.

Le mélange devrait toujours renfermer 5 à 10 pour cent d'ivraie. Celle-ci germe vite et protège les herbes à feuilles fines pendant qu'elles s'établissent.

Une nouvelle pelouse

Pour gazonner un terrain, on peut semer des graminées, repiquer les stolons de certaines espèces d'herbes ou installer des mottes ou des lisières de gazon.

De plus en plus, surtout dans les nouveaux quartiers, on installe des plaques de gazon cultivé par des spécialistes. On obtient de la sorte une pelouse « instantanée ».

On a intérêt à acheter ce gazon dans un établissement reconnu si l'on veut qu'il soit de bonne qualité et exempt de mauvaises herbes et de ravageurs. Le placage est une technique sûre et rapide, encore que coûteuse, mais il ne donnera pas plus satisfaction qu'une pelouse ensemencée si le sol sur lequel on pose les lisières est compact et infertile.

Le gazon en plaques supprime les soins que réclame, durant les premières semaines, une pelouse ensemencée. Cependant, il ne dispense pas des autres soins qui sont nécessaires à sa conservation.

Le terrain

On peut se procurer de la terre amendée ou incorporer de la tourbe au sol, mais finalement les résultats n'en valent ni le prix ni le travail. En effet, le gazon pousse à peu près partout dans la mesure où il est arrosé et fertilisé de façon convenable.

En outre, les radicelles que les graminées émettent chaque année et qui pénètrent dans la couche superficielle du sol contribuent à l'amender.

Préparation du terrain

Ameublir les terres compactes. Enlever toutes les matières étrangères, mais ne pas les enterrer.

Ecroûter le sol sur quelques centimètres. Y incorporer un engrais complet riche en phosphore, comme un fertilisant de formule 12-12-12 renfermant au moins 10 à 15 pour cent de phosphore. On peut aussi utiliser des superphosphates et leur ajouter de l'azote et du potassium.

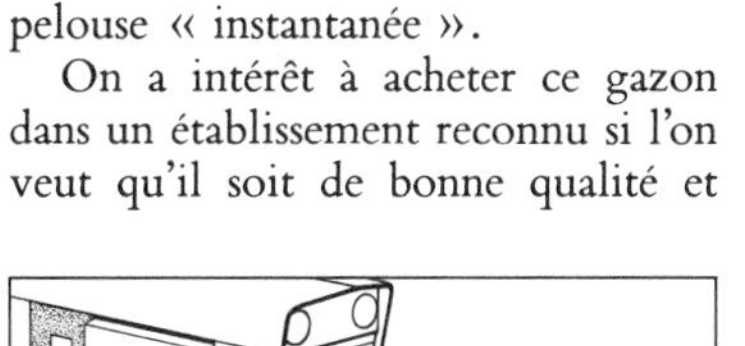

1. *Aménager une légère dénivellation de telle sorte que l'eau s'égoutte vers l'extérieur du terrain et dans toutes les directions. Etendre ensuite de la terre amendée et niveler le terrain en éliminant les bosses où la tondeuse couperait le gazon trop ras, ainsi que les creux où l'eau pourrait s'accumuler.*

2. *Bêcher le sol afin de l'ameublir, sans le morceler à l'excès. Les interstices entre les particules permettront aux graines de mieux pénétrer dans la terre. Enlever les roches et les détritus. Incorporer en surface les amendements : tourbe, gypse ou chaux. Niveler le sol de nouveau et arroser pour qu'il se tasse un peu.*

3. *Utiliser un épandeur pour semer les graines. Ne pas semer trop serré, car les plantules auront besoin d'espace pour produire leurs racines et leurs feuilles. Trop tassées, elles se flétriront au bout de quelques semaines. Pour le pâturin et la fétuque, on recommande 5 à 10 g de semences par mètre carré.*

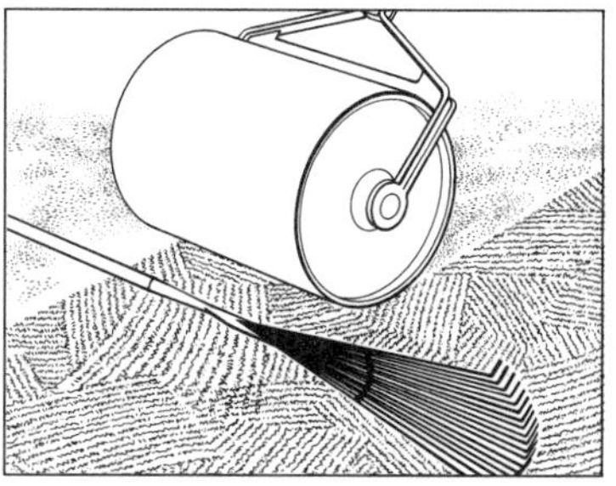

4. *Ratisser légèrement, par exemple avec le dos d'un râteau de bambou, de façon à ne recouvrir que la moitié des graines. Passer ensuite le rouleau vide une seule fois pour fixer les semences. Pour germer, les graines ont besoin de lumière, d'humidité, d'oxygène et de chaleur ; il ne faut donc pas les enterrer.*

5. *Le jour des semis, épandre un des fertilisants complets qui sont recommandés pour les nouvelles pelouses. Suivre le mode d'emploi inscrit sur l'empaquetage. Cet engrais est indispensable parce que les graines ne contiennent que les matières nutritives nécessaires à la germination et à l'enracinement.*

6. *Arroser généreusement durant les deux premières semaines ou jusqu'à ce que la pelouse soit bien établie : l'eau doit pénétrer de plusieurs centimètres dans le sol. Placer les arroseurs de façon que le jet d'eau atteigne toute la plantation, sans qu'on ait besoin de les déplacer, ce qui dérangerait les graines.*

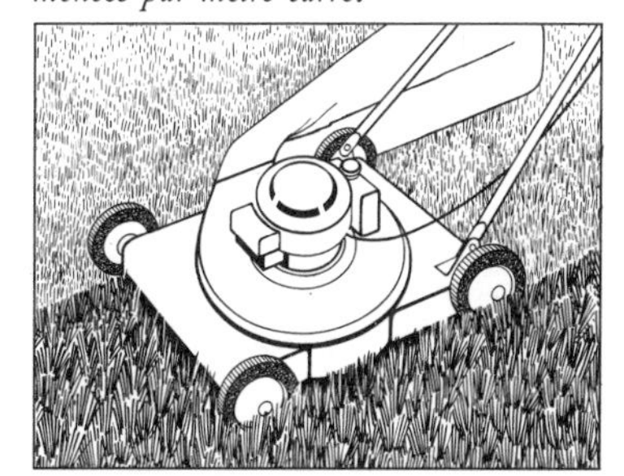

7. *Tondre le gazon dès qu'il atteint environ 6 cm. Ne jamais le tondre lorsqu'il est humide. Régler la hauteur de coupe à 5 cm la première année, sauf pour les agrostides, qui peuvent être coupées à 2,5 cm. Ratisser et ramasser les déchets d'herbes ou attacher un sac récolteur à la tondeuse.*

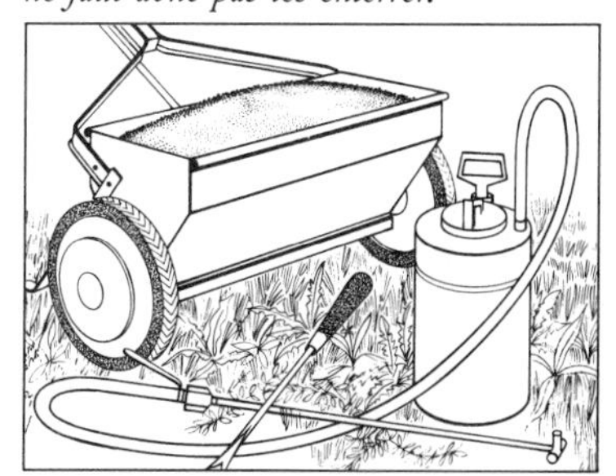

8. *Ne pas s'affoler si des mauvaises herbes font leur apparition. Tous les sols en contiennent, même ceux qui ont été tamisés. Plusieurs de ces herbes mourront avec les tontes hebdomadaires. D'autres seront éliminées l'année d'après à l'aide d'un engrais additionné d'un herbicide ou d'un produit préventif.*

Labour

Herser le sol de façon à briser les mottes, mais ne pas le retourner trop profondément sous peine d'en modifier la structure.

Ne pas donner trop de légèreté au sol ; utiliser la motobineuse rotative avec modération. Fractionnée en particules trop petites, la terre « fondra » sous les grosses pluies ; elle deviendra compacte et l'eau ne pourra y pénétrer en profondeur.

Les semences à gazon germent plus rapidement et plus efficacement lorsqu'elles peuvent s'insinuer entre des particules de terre.

Roulage du sol

Si le sol n'est pas trop léger, il ne sera pas utile de le rouler, opération qui peut parfois détruire les bons effets du binage.

Le roulage devient très utile quand le sol est sablonneux ; il peut alors servir à rétablir la capillarité. Il faut aussi rouler la terre lourde que les labours auraient rendue trop légère.

Placage du gazon

Les plaques de gazon sont généralement vendues en rouleaux. Leur mise en place varie selon les graminées utilisées.

On les pose un peu comme s'il s'agissait d'un tapis : par lisières ou par carrés. Le sol aura été préparé comme pour recevoir des semences.

Les semis

On utilise 15 g de semences par mètre carré (un peu moins pour les agrostides, un peu plus pour l'ivraie vivace). Avec un semoir, épandre la moitié des semences dans un sens et l'autre moitié dans le sens inverse.

Les semoirs à trémie et distributeur réglable permettent d'interrompre le débit au niveau des bordures. Mais les semoirs à plateau rotatif travaillent plus vite et couvrent mieux.

LES ARRONDIS

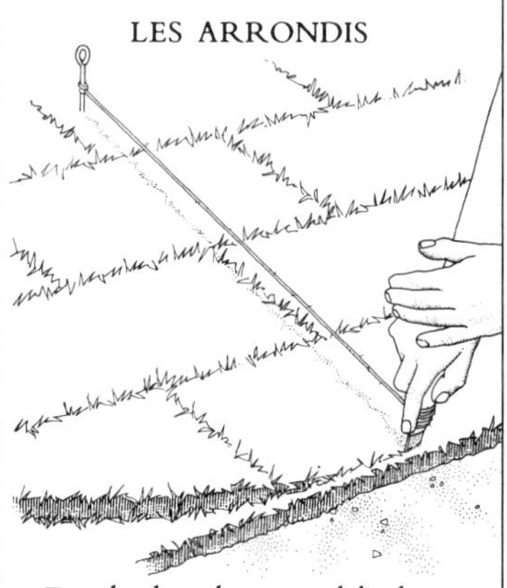

Etendre la pelouse au-delà du coin à arrondir. A l'aide d'une ficelle attachée à un piquet, tracer la courbe avec un couteau attaché à l'autre extrémité de la ficelle. Tailler la pelouse avec un coupe-bordure en demi-cercle tout le long de cette ligne.

POSE DU GAZON

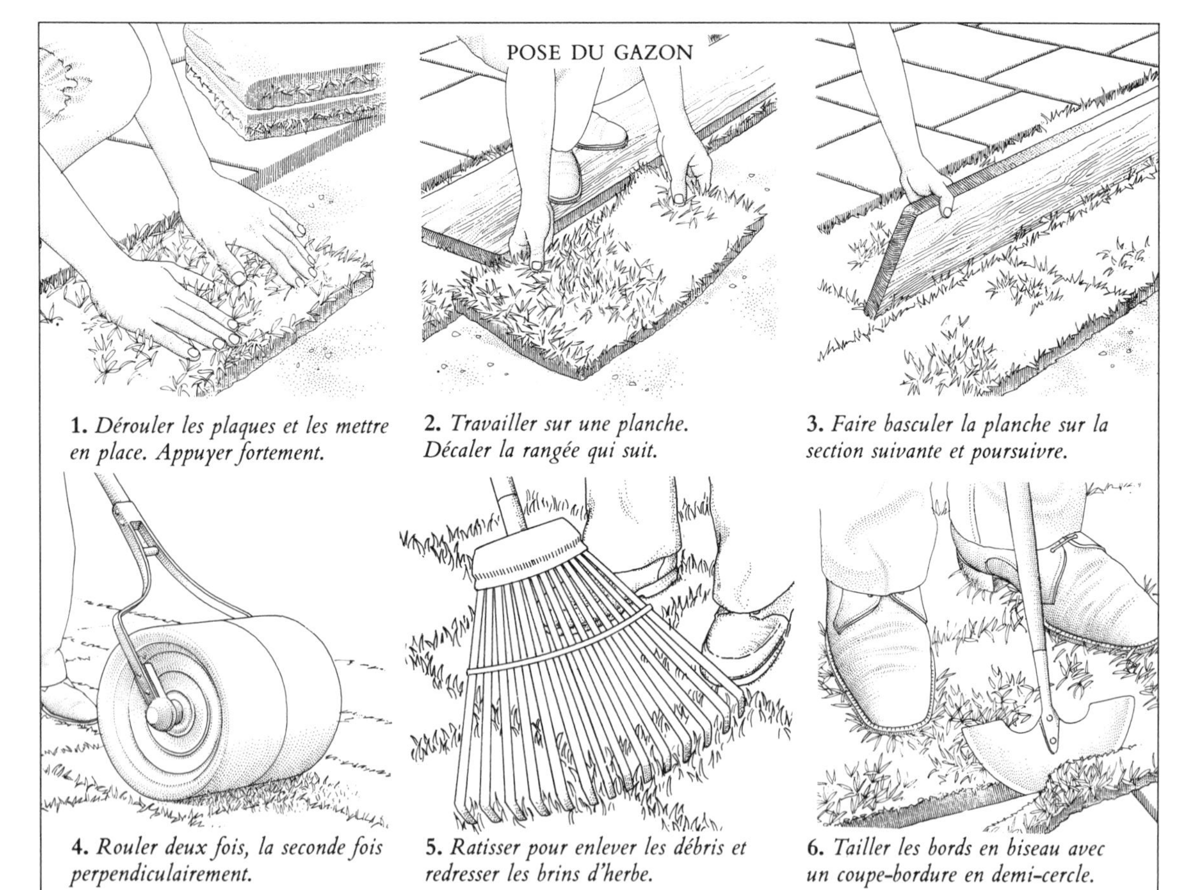

1. *Dérouler les plaques et les mettre en place. Appuyer fortement.*

2. *Travailler sur une planche. Décaler la rangée qui suit.*

3. *Faire basculer la planche sur la section suivante et poursuivre.*

4. *Rouler deux fois, la seconde fois perpendiculairement.*

5. *Ratisser pour enlever les débris et redresser les brins d'herbe.*

6. *Tailler les bords en biseau avec un coupe-bordure en demi-cercle.*

Les semis terminés, garder le sol humide. S'il s'assèche, les plantules ne survivront pas. En saison chaude, l'ivraie devrait sortir en une semaine, le pâturin et la fétuque en deux semaines.

Les paillis

Les couches de paille ralentissent l'évaporation de l'eau, mais, après un premier arrosage abondant, on doit quand même arroser un peu tous les jours.

Les paillis servent aussi à protéger les plantules contre les effets dévastateurs des grosses pluies. Tant que la surface du sol demeure rugueuse, la pluie y pénètre plutôt que de s'écouler en surface.

On peut utiliser comme paillis les matières suivantes : paille (une mince couche), excelsior, ramilles déchiquetées, branches de pin, débris végétaux des champs ou du jardin, jute. Ramilles et débris divers seront enlevés avant la première tonte.

Entretien de la pelouse

La tonte

En principe, on ne devrait jamais tondre la pelouse à plus de la moitié de sa hauteur.

Les organes verts d'une plante renferment en effet de la chlorophylle, matière essentielle à leur alimentation. Tondu trop ras, le gazon perd une partie de ces organes vitaux. De plus, dans les régions septentrionales en particulier, l'herbe a besoin de toutes ses réserves quand arrive le moment de la reprise au printemps. Une tonte excessive, à cette époque, peut lui causer un tort irréparable.

Mais il y a plus. La longueur des racines est proportionnelle à la hauteur du feuillage. Si le gazon est constamment tondu très ras, il ne pourra pas se doter des racines qu'il lui faut pour aller chercher profondément dans le sol l'humidité et les matières nutritives dont il a besoin.

Il vaut mieux garder une pelouse un peu trop longue plutôt qu'un peu trop courte. Si les conditions culturales ne sont pas excellentes, si la pelouse manque un peu de soleil et si le sol est pauvre, elle sera moins vulnérable.

La nature du gazon et son rôle peuvent aussi influencer la hauteur de coupe. Sur les terrains de golf, les « verts » sont constitués d'agrostides rampantes qui supportent la tonte à 0,5 cm de hauteur. Mais ils sont tondus tous les deux jours et font l'objet d'une surveillance constante.

Les agrostides de type colonial, plus dressées, conviennent mieux aux pelouses, mais demandent à être tondues deux fois par semaine à environ 2,5 cm de haut.

Les autres graminées, comme le pâturin des prés ou les fétuques de qualité, sont généralement tondues une fois par semaine à une hauteur de 2,5 à 5 cm. L'intervalle entre les tontes varie selon les graminées et la saison, la croissance étant beaucoup plus active au printemps qu'en automne.

Les tondeuses

Depuis la tondeuse mécanique et manuelle jusqu'aux immenses engins autotractés qui peuvent tondre de grandes surfaces de pelouse, il existe un vaste choix de tondeuses. Les plus répandues sont les automotrices et les tondeuses à essence. Certaines peuvent s'adapter à un petit tracteur.

Les tondeuses à moulinet motorisées, dont les lames mobiles coincent l'herbe sur une lame fixe et la coupent net, font généralement du meilleur travail que les tondeuses rotatives. Sur celles-ci, le ciseau est constitué d'une hélice horizontale dont les pales sont tranchantes ; elles coupent moins net, surtout si les lames sont mal affûtées.

La tondeuse rotative a une hélice horizontale dont les pales peuvent tondre du gazon de 45 cm de haut.

On confiera à un spécialiste l'entretien des tondeuses à moulinet, mais on pourra s'occuper soi-même des tondeuses rotatives. Ne pas oublier, d'abord, de débrancher l'appareil ou de retirer le fil connecteur de la bougie. Affûter également les lames pour ne pas déséquilibrer l'hélice.

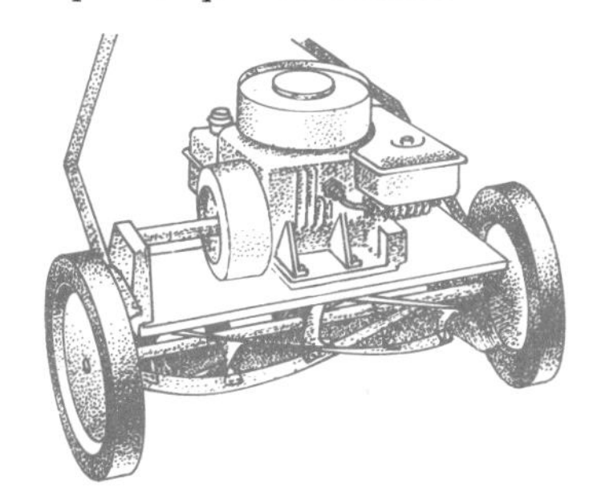

Cette tondeuse à moulinet présente des lames mobiles et une lame fixe.

La tondeuse à moulinet motorisée se révèle utile pour les pelouses qui demandent à être tondues ras, comme celles composées d'agrostides, de certaines variétés récentes de pâturin des prés à croissance réduite ou encore d'ivraie vivace.

Mais, d'une façon générale, on donne la préférence à la tondeuse rotative, moins chère, plus facile d'entretien et qui se prête à de nombreux usages.

AFFÛTAGE D'UNE TONDEUSE ROTATIVE

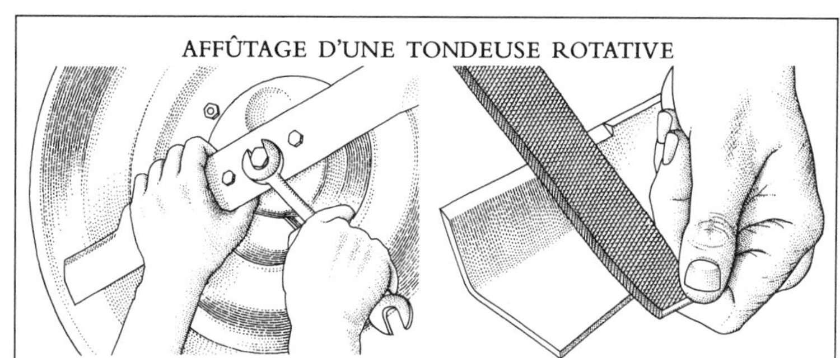

Débrancher la bougie pour éviter tout retour d'allumage. Enlever l'hélice, la coincer dans un étau et, avec une lime, redonner aux lames leur angle original en prenant soin de ne pas déséquilibrer l'hélice.

Pour certains gazons, on a intérêt à utiliser une tondeuse plus robuste. L'ivraie, coriace, a tendance à s'effilocher ; la fétuque se meurtrit aisément quand il fait chaud et sec, et le pâturin des prés présente des tiges rigides porteuses de semences durant deux ou trois semaines au printemps.

L'arrosage

Une pelouse exige au moins 2,5 cm d'eau par semaine quand il fait chaud et sec. Si les pluies sont insuffisantes, comme cela arrive dans les régions sèches des Prairies, il faut avoir recours à un système d'irrigation.

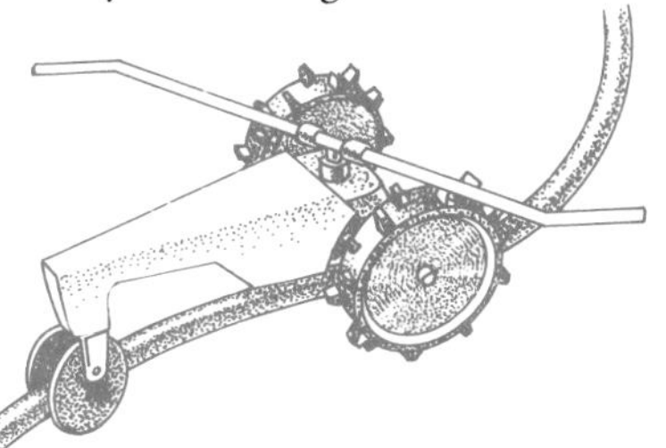

Les arroseurs rotatifs ont une bonne portée. Certains sont fixes, d'autres avancent lentement.

L'arrosage a deux fonctions : il fournit à la plante l'eau dont elle a besoin et oxygène le sol pour que les racines puissent respirer. En pénétrant dans le sol, l'eau attire l'air derrière elle et lui permet de s'infiltrer jusqu'aux racines les plus profondes. D'où la nécessité de laisser se ressuyer le sol entre des arrosages abondants.

Plus une pelouse est délicate, plus elle exige d'humidité. Tels sont les gazons constitués d'agrostides. Il faut les arroser plus souvent que ceux qui sont capables de résister à des périodes de sécheresse. La fétuque est tout indiquée pour les sols sablonneux ou sous les grands arbres, c'est-à-dire aux endroits où le gazon risque de manquer d'eau.

Originaire des Prairies, le chiendent s'est adapté à un climat aride. D'autres graminées se sont elles aussi plus ou moins habituées à un régime sec et seront capables de supporter de courtes périodes de sécheresse.

Les terres lourdes De tels sols (notamment les sols argileux) absorbent l'eau lentement, mais ne se déshydratent pas rapidement. Ils comportent en effet peu d'interstices, mais beaucoup de tubes capillaires, qui gardent l'humidité. Il faut arroser lentement et longtemps les terres argileuses afin que l'eau atteigne la région des racines. Mais on peut attendre au moins deux semaines avant de procéder à un nouvel arrosage.

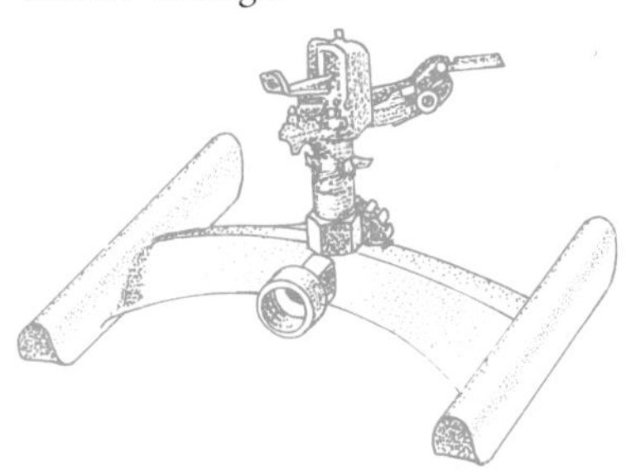

C'est la pression de l'eau qui fait tourner complètement ou partiellement le diffuseur de cet arroseur rotatif.

On améliore la porosité des sols lourds ou compacts en creusant des trous dans la pelouse à l'aide d'un rouleau aérateur motorisé.

Les terres sablonneuses A l'opposé des précédentes, elles ont le défaut d'être extrêmement poreuses, et, par conséquent, de s'assécher vite. Il faut donc les arroser plus souvent. En période de temps sec, on devra les arroser tous les trois ou quatre jours, mais peu longtemps à la fois.

Les arroseurs La qualité de l'eau, son volume et sa pression varient selon les localités. Il convient d'examiner ces facteurs avant de faire installer un système d'arrosage souterrain. La pression de l'eau peut modifier l'espacement des diffuseurs. Pour ce qui est des arroseurs en surface, il est bon d'en régler le jet en fonction du dessin de la pelouse.

Il y a gaspillage lorsque le débit de l'arroseur dépasse la capacité d'absorption du sol. On vérifiera également son efficacité en disposant des bocaux ici et là en deçà du rayon de portée de l'appareil ; ils devraient tous recevoir à peu près la même quantité d'eau.

La fertilisation

Il est toujours bon de donner de l'engrais à une pelouse. Cela la rend plus épaisse, plus belle et la protège contre les mauvaises herbes. Bien engraissé, le gazon supporte mieux le piétinement. En pénétrant plus profondément dans le sol, ses racines contribuent à l'ameublir, augmentent sa capacité de rétention d'eau et diminuent l'érosion.

Les engrais de pelouse n'ont pas la même composition que les engrais destinés aux fleurs et aux fruits. Leur composition peut aussi varier selon l'usage auquel on destine la pelouse.

Au moment de l'ensemencement d'une pelouse, il faut choisir un engrais riche en phosphate, mais, pour les travaux courants d'entretien, un engrais riche en azote, pauvre en phosphore et à teneur moyenne en potassium est préférable. Dans la région des Prairies, il se peut qu'on n'ait pas besoin de potassium.

L'épandeur à force centrifuge projette les engrais granulaires ou semences à la volée à partir d'un plateau rotatif.

L'azote favorise la formation des feuilles et donne un gazon d'une teinte plus riche. On y ajoute une petite quantité de phosphore et du potassium pour obtenir un engrais équilibré, mais aussi pour éviter de trop stimuler la croissance de la pelouse, cause de maladies.

Le distributeur d'engrais granulaires ou de semences couvre une bande de gazon de la largeur de l'appareil.

Proportions Les trois principaux éléments d'un engrais complet — azote (N), phosphore (P) et potassium (K) — se trouvent dans les proportions suivantes : 3-1-1, 5-2-3, etc. Le pourcentage des matières nutritives d'azote simple et d'oxyde de phosphore et de potassium serait de 30-10-10, 20-8-12, 10-6-4, etc.

Aux graminées les plus gourmandes, comme le groupe des pâturins des prés — 'Merion' et autres variétés — et quelques agrostides, on donne la dose maximale recommandée par le fabricant. Les fétuques se contentent d'une demi-dose. Quant aux autres espèces de graminées, elles se situent entre ces deux extrêmes.

Les fertilisants à base d'urée ne s'absorbent pas aussi facilement que des engrais plus solubles comme les nitrates d'ammoniaque, mais ils relâchent un tiers de leurs matières nutritives durant les deux premières semaines, un autre tiers durant les six à huit semaines qui suivent et le dernier tiers beaucoup plus tard.

Ce sont donc des engrais à action lente et, à ce titre, ils sont préférables aux engrais azotés solubles qui libèrent toutes leurs substances nutritives d'un seul coup et risquent de perturber l'équilibre physiologique du gazon. La poussée de croissance que ces derniers produisent cède en effet rapidement la place à une sorte d'épuisement coïncidant avec une période de carence alimentaire.

C'est la teneur en azote qui détermine la quantité d'engrais à épandre. En principe, 5 g d'azote par mètre carré suffisent, mais on peut augmenter cette dose s'il s'agit d'un engrais à action lente parce qu'il ne risque pas de brûler le gazon.

Les meilleurs engrais renferment toujours une certaine quantité d'azote à action lente, de même que du phosphore et du potassium. Les engrais organiques, comme les résidus de graisse et les eaux d'égout, quand elles sont traitées, sont absorbés lentement et ne brûlent pas le gazon.

Variations saisonnières Le premier épandage d'engrais se fait aussitôt que possible au printemps, le second à la fin du printemps, et le troisième au début de l'été. On peut épandre jusqu'à 20 g par mètre carré, mais, si la pelouse est de qualité, on fertilisera peu à la fois mais plus souvent (soit huit épandages de 2,5 g par mètre carré). En règle générale, on cessera de fertiliser à partir du milieu de l'été.

L'assimilation des engrais organiques dépend beaucoup du climat. Elle est plus rapide par temps chaud et humide.

Epandeurs Les épandeurs à force centrifuge sont les meilleurs : ils distribuent l'engrais à la volée. Les épandeurs à gravité ne couvrent que la largeur de la trémie à la fois.

Mauvaises herbes

Fort heureusement, on peut recourir aux herbicides pour lutter efficacement contre les mauvaises herbes. Les graminées indésirables constituent une exception puisqu'il est difficile de les éliminer sans endommager du même coup le gazon. Pour identifier les mauvaises herbes, voir page 483.

La plupart des graminées indésirables, de même que certaines mauvaises herbes, peuvent être éliminées avec un herbicide préventif: bensulide, DCPA ou siduron. On applique les granules ou on fait des vaporisations avant la germination des semences. L'herbicide doit être appliqué de façon uniforme, au bon moment.

Lutte contre la digitaire C'est avant la germination qu'il faut agir. La digitaire germe au moment où les forsythias sont en fleur. Les produits à employer sont le bensulide, le siduron et le DCPA. A l'exception du siduron, ces herbicides nuisent à la germination des bonnes graminées pendant deux ou trois mois.

Lutte contre les autres mauvaises herbes Les herbes à grandes feuilles, comme le plantain et les autres dicotylédones, réagissent à l'action d'herbicides sélectifs comme le 2,4-D. Ces herbicides systémiques donnent de meilleurs résultats sur des mauvaises herbes en formation et au printemps. Il faudra peut-être forcer la dose pour des herbes adultes ou par temps froid.

Les herbicides systémiques liquides sont généralement plus efficaces que ceux en granules. Attention cependant de ne pas atteindre d'autres plantes en vaporisant. Attendre un jour où il n'y a pas de vent et où le thermomètre marque 21°C.

Il faut être prudent quand on se sert d'herbicides, car ils peuvent endommager les plantes ornementales, surtout au printemps, alors que celles-ci sont en boutons.

La destruction des mauvaises herbes n'est qu'une étape du traitement. Ensuite, l'on doit stimuler la pousse du gazon. Il existe d'ailleurs des produits à la fois herbicides et fertilisants. On évitera toutefois d'en mettre sous les arbres et près des arbustes.

Mousses et algues

Souvent, la mousse se forme là où la terre est compacte ou le gazon mal nourri ainsi que dans les endroits ombragés. On l'éliminera en épandant de l'engrais, en améliorant le drainage et, au besoin, en aérant le sol.

Les algues ne poussent que là où l'eau s'accumule. Aussi suffit-il d'améliorer le drainage pour les voir disparaître.

Déchaumage

Les débris d'herbe qui s'accumulent sur le gazon, tonte après tonte, n'ont aucun effet nocif tant qu'il n'y en a pas beaucoup. Mais lorsqu'ils forment un tapis dense et compact, ils risquent d'empêcher l'eau et les engrais de pénétrer jusqu'aux racines.

Lorsque la couche de chaume est particulièrement épaisse et tassée, l'enlever à l'aide d'un râteau à déchaumer, mécanique ou motorisé.

Rénovation de la pelouse

Que faire quand une pelouse s'est vraiment détériorée ? On peut la retourner au complet et recommencer à neuf, c'est-à-dire l'ensemencer ou poser de nouvelles plaques de gazon. Mais c'est une mesure de dernier recours qui comporte des inconvénients. Le sol dénudé est sujet à l'érosion et les mauvaises herbes ensevelies avec le gazon repoussent.

Pour remettre une pelouse en état, un désherbage à fond suivi d'une bonne fertilisation suffisent souvent. Sinon, on procédera à un ensemencement partiel.

Rien ne sera réglé cependant si l'on se contente d'éparpiller des graines sur une pelouse déjà envahie par le chaume. Les travaux de rénovation commenceront très probablement par une importante tonte et un sérieux ratissage.

Pour protéger les futures plantules, vaporiser le gazon avec un herbicide préventif qui ralentira la croissance de l'ancienne végétation et permettra à la nouvelle de s'installer. Ainsi, appliqué avant l'ensemencement, le paraquat agira immédiatement et n'aura plus d'effet lors de la germination.

Scarifier le sol à l'aide d'un râteau à déchaumer réglé pour que les lames forment des sillons peu profonds. Lorsque le chaume a été complètement enlevé, ensemencer.

Arroser pour que le sol demeure constamment humide tant que le gazon n'est pas vraiment bien établi. On n'aura pas besoin d'étendre des paillis puisque les tiges des plantes détruites joueront le même rôle.

Avec un peu d'aide, les nouvelles variétés se multiplieront. Dans bien des cas, on n'a pas besoin d'utiliser de fertilisants chimiques. Se rappeler, néanmoins, qu'arrosage et fertilisation redonnent de la force à la végétation ancienne qui fera concurrence à la nouvelle.

Les travaux de rénovation ne débarrassent pas nécessairement une pelouse des mauvaises herbes qui l'avaient envahie. Il faudra les éliminer de nouveau.

Après la première tonte, on épandra un fertilisant tout usage qui stimulera la croissance du nouveau gazon et lui permettra de combler les vides. Ne pas employer d'herbicides sélectifs avant un an au moins, après quoi on appliquera engrais et fongicides aux périodes appropriées.

Acidité et alcalinité

Bien qu'assez tolérant, le gazon prospère mieux dans un sol dont le pH est de 5,5 à 7,5, c'est-à-dire de modérément acide à légèrement alcalin, 7 indiquant un sol neutre.

Si le terrain est très acide ou très alcalin, il faudra rectifier son pH avant d'y installer la pelouse. Incorporer de la chaux pour l'alcaliniser, du soufre pour l'acidifier.

Certains engrais ont tendance, à la longue, à acidifier le sol. Il faudra périodiquement effectuer soi-même des analyses ou les faire faire par le service d'analyse des sols des ministères provinciaux de l'agriculture.

L'agrostide préfère un sol modérément acide. Le pâturin demande un sol neutre ou à peine acide. Les autres graminées requièrent également un sol légèrement acide.

La quantité de chaux qu'il faut ajouter au sol pour en corriger l'acidité dépend de sa nature et de son degré d'acidité. De 10 à 25 kg de chaux broyée suffiront à rendre à peu près neutre un terrain de 100 m^2 légèrement acide. Il en faudra jusqu'à 40 kg si le sol est très acide et le traitement devra s'effectuer tous les ans pendant plusieurs années.

Pour acidifier un sol alcalin, appliquer de 5 à 25 kg de soufre simple pour 100 m^2, selon le degré d'alcalinité du sol.

Que faire quand la pelouse va mal

On évitera bien des problèmes en choisissant des graminées très robustes. Par ailleurs, une pelouse tondue régulièrement et bien entretenue résiste généralement aux maladies. On a intérêt aussi à semer des graines de diverses variétés. Ainsi, la pelouse n'est pas détruite si l'une des espèces succombe. Si, en dépit de ces précautions, le gazon va mal, on consultera à la page suivante le tableau des symptômes propres à ce genre de graminées. Il en est aussi question au chapitre intitulé « Ravageurs et maladies », qui commence à la page 444. Pour connaître les appellations commerciales des produits chimiques recommandés, se reporter au tableau des pages 480 à 482.

Note : Utiliser tous ces produits chimiques avec la plus grande prudence et suivre à la lettre les recommandations du fabricant.

Symptômes	Cause	Traitement
Monticules de sable ou de terre sur la pelouse.	Fourmis	Mettre du chlordane ou du diazinon dans les trous.
De minuscules ravageurs (0,5 cm) sucent le suc des feuilles et des collets. Marques de décoloration.	Punaises des céréales	ASP-51 (Aspon), carbaryl, chlorpyrifos ou diazinon en poudre. Aussi granules et vaporisation.
Des larves dévorent les racines ; le gazon jaunit. Les taupes mangent les larves mais endommagent les pelouses.	Larves de hannetons, de scarabées asiatiques et communs	Chlordane en poudre, en vaporisation ou en granules. L'effet de chaque traitement dure 5 ans.
Trous dans les feuilles, tiges rongées, plants entiers détruits.	Vers gris ou pyrales des prés	Chlorpyrifos, diazinon ou méthoxychlore en vaporisation.
Gros monticules de terre ; galeries sous l'herbe.	Taupes	Taupières. Cartouches fumigènes dans les galeries.
Substance gélatineuse apparaissant sur le gazon.	Algues ou lichens mucilagineux	Drainer et scarifier le sol. L'arroser avec 65 ml de sulfate de fer dissous dans 5 l d'eau ou 15 ml de sulfate de cuivre dissous dans 50 l d'eau. Surfacer et fertiliser.
Limbe des feuilles à taches rouge orangé sur des pustules. Feuilles jaune pâle.	Rouille du pâturin	Tous les 10 jours, de la mi-été à l'automne, vaporiser un fongicide au carbamate, comme le ferbam ou le thirame.
En été se forment des cercles vert sombre de 60 à 120 cm de diamètre. Plus tard, leur teinte pâlit ; des champignons apparaissent.	Ronds de sorcière (champignons)	Traiter au calcaire dolomitique au printemps et à l'automne. Tondre ras. Dissoudre de 10 à 15 ml de sulfate de cuivre dans 50 l d'eau et faire pénétrer ce mélange dans le sol.
Plaques de gazon jaune se couvrant d'une moisissure blanche cotonneuse. Se produit parfois après les fontes suivant un hiver long et rigoureux ou lorsque de l'azote a été appliqué après le mois d'août.	Moisissure des neiges	Traiter à l'anilazine, au bénomyl, au quintozène ou au thirame. Bien aérer le gazon. Le vaporiser après les premiers gels mais avant la neige. Répéter en cas de dégel important.
Petites taches jaune paille sur la pelouse, suivies de plaques croûtées. Des champignons peuvent se développer quand la neige a plus de 10 cm d'épaisseur. On les repère à la fonte.	Moisissure grise (*Typhula*)	Briser les plaques croûtées avec le râteau. Vaporiser de l'anilazine, du bénomyl-thirame, un fongicide au cadmium ou du quintozène. Vaporisation préventive avant les gels ; répéter après le dégel.
Taches brunes, ovales ou rondes, sur les feuilles.	Brûlure helminthosporienne	Vaporiser de l'anilazine, du chlorothalonil, du mancozèbe ou du thirame.

Symptômes	Cause	Traitement
Dépôts blancs et poudreux sur les feuilles.	Blanc	Vaporisation foliaire de cycloheximide ou de dinocap.
Substances gélatineuses roses ou rouges sur l'herbe à feuilles fines.	Plaque rose	Traiter à l'anilazine, au chlorothalonil ou au mancozèbe. Aérer la pelouse. Epandre 15 ml de sulfate d'ammoniaque par mètre carré, avant la fin de l'automne. Choisir des variétés vigoureuses comme 'Fylking'.
Rayures noires (spores de champignons) sur les feuilles qui se fendent.	Charbon strié	Vaporisation de bénomyl au printemps et à l'automne.

Les nouveaux gazons

Le choix des graminées est aujourd'hui très vaste. Certaines proviennent de clones supérieurs. D'autres ont été obtenues par synthèse à partir de plusieurs lignées sélectionnées. D'autres encore résultent de procédés d'hybridation extrêmement complexes, comme le croisement de lignées apparentées et sélectionnées effectué en serre. (C'est cette méthode qui a permis la création des pâturins hybrides Rutgers.)

Au moment de l'achat, on choisira un mélange de semences approprié à l'usage auquel on destine le gazon : pelouse d'ornement, pelouse pour zone de jeux ou pour terrain ombragé. Il existe en outre plusieurs variétés particulièrement adaptées à divers climats et à divers emplois.

Pâturin des prés *(Poa pratensis)* Les nombreuses variétés de pâturin des prés donnent un gazon de très grande qualité, qui pousse un peu lentement, mais qui est facile à entretenir une fois établi. Le pâturin se multiplie au moyen de rhizomes, supporte bien la tonte et montre beaucoup de tolérance, sauf quand il est planté en sol pauvre.

Le pâturin 'Merion' a été la première des variétés spéciales ; il constitue toujours un excellent choix, sauf là où sévissent de graves maladies. Les variétés 'Baron', 'Enmundi', 'Fylking', 'Pennstar' et 'Sydsport' descendent toutes d'ancêtres européens. Les autres variétés, comme 'Adelphi', 'Glade' et 'Plush', créées à l'université Rutgers, sont en règle générale plus courtes, d'un beau vert foncé et résistent bien aux maladies.

Ivraie vivace *(Lolium perenne)* Les ivraies améliorées peuvent être aussi belles que les pâturins, mais elles ne sont ni aussi envahissantes ni aussi tolérantes en ce qui concerne le climat et elles se tondent moins net. Elles ont cependant un avantage précieux : aucun autre gazon fin ne s'établit aussi rapidement. Les établissements locaux vous indiqueront les variétés qui conviennent à l'usage auquel vous destinez votre gazon.

Fétuque rouge *(Festuca rubra)* La fétuque de bonne qualité s'acclimate à un environnement sec, à un sol pauvre et au manque de soleil. Les variétés Chewings, notamment, sont renommées pour leur densité. Quant aux variétés rampantes, elles ont la propriété de stabiliser le sol et sont très envahissantes. Enfin, la fétuque rude donne un gazon très résistant.

Agrostides (diverses espèces d'*Agrostis*) Elles sont aussi élégantes que délicates. Elles exigent de fréquentes tontes et préfèrent un milieu humide. Elles prospèrent dans les régions pluvieuses des Provinces maritimes, ainsi que dans les zones en bordure des Grands Lacs.

Plantes tapissantes

Les plantes tapissantes ci-dessous sont présentées par ordre alphabétique d'après leur nom vulgaire le plus répandu. D'autres espèces sont citées dans les chapitres consacrés aux arbustes, aux plantes de rocaille et aux plantes vivaces.

Ces plantes se substituent au gazon pour recouvrir des terrains rocailleux ou en pente raide. Certaines supportent l'ombre et croissent sous les arbres. Bien établies, elles font obstacle aux mauvaises herbes.

Avant de faire son choix, on notera la zone de rusticité de la plante et l'on s'assurera qu'elle correspond à la région dans laquelle se situe le jardin.

Pour les méthodes de multiplication, on se reportera au chapitre sur les plantes vivaces.

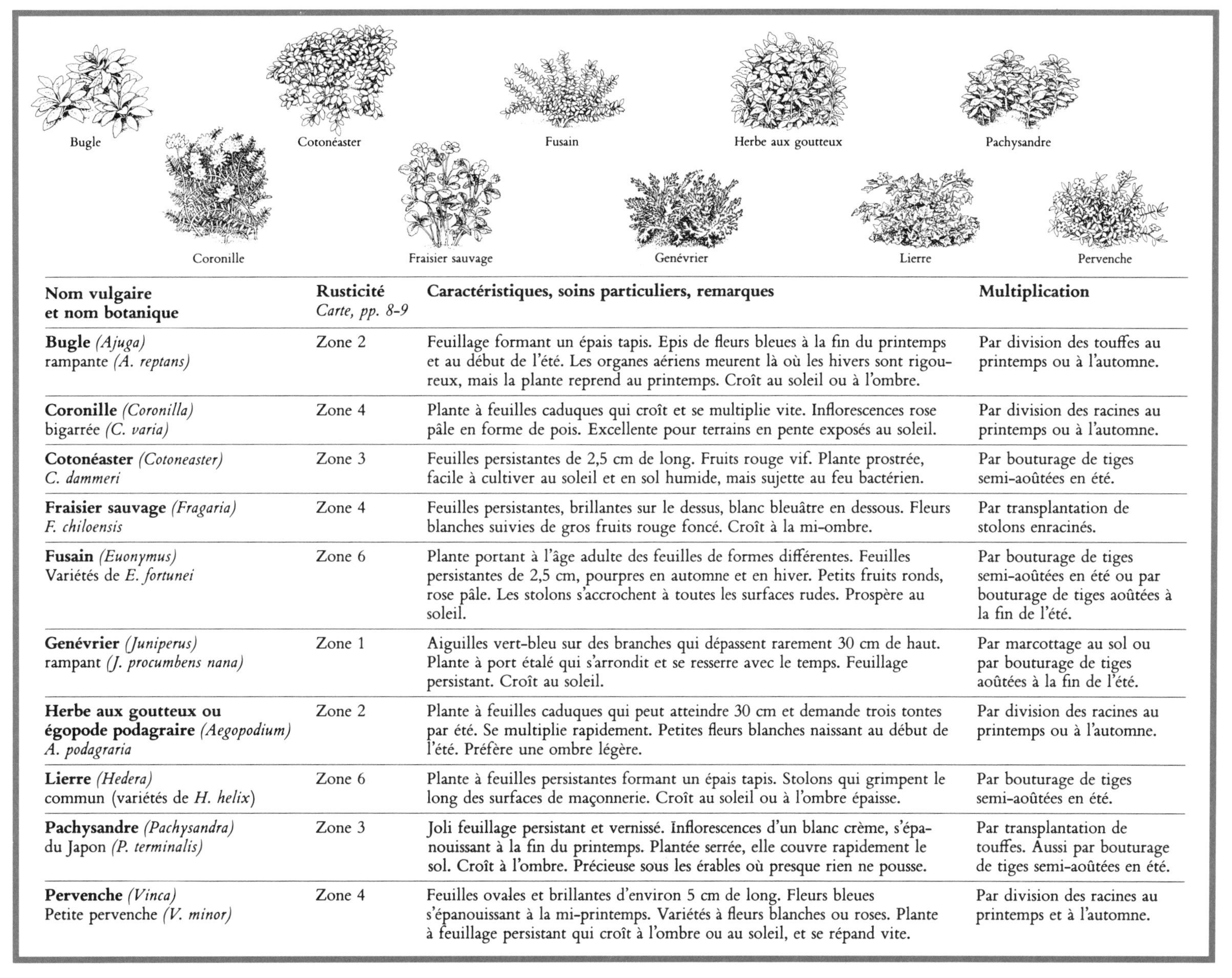

Nom vulgaire et nom botanique	Rusticité *Carte, pp. 8-9*	Caractéristiques, soins particuliers, remarques	Multiplication
Bugle *(Ajuga)* rampante *(A. reptans)*	Zone 2	Feuillage formant un épais tapis. Epis de fleurs bleues à la fin du printemps et au début de l'été. Les organes aériens meurent là où les hivers sont rigoureux, mais la plante reprend au printemps. Croît au soleil ou à l'ombre.	Par division des touffes au printemps ou à l'automne.
Coronille *(Coronilla)* bigarrée *(C. varia)*	Zone 4	Plante à feuilles caduques qui croît et se multiplie vite. Inflorescences rose pâle en forme de pois. Excellente pour terrains en pente exposés au soleil.	Par division des racines au printemps ou à l'automne.
Cotonéaster *(Cotoneaster)* *C. dammeri*	Zone 3	Feuilles persistantes de 2,5 cm de long. Fruits rouge vif. Plante prostrée, facile à cultiver au soleil et en sol humide, mais sujette au feu bactérien.	Par bouturage de tiges semi-aoûtées en été.
Fraisier sauvage *(Fragaria)* *F. chiloensis*	Zone 4	Feuilles persistantes, brillantes sur le dessus, blanc bleuâtre en dessous. Fleurs blanches suivies de gros fruits rouge foncé. Croît à la mi-ombre.	Par transplantation de stolons enracinés.
Fusain *(Euonymus)* Variétés de *E. fortunei*	Zone 6	Plante portant à l'âge adulte des feuilles de formes différentes. Feuilles persistantes de 2,5 cm, pourpres en automne et en hiver. Petits fruits ronds, rose pâle. Les stolons s'accrochent à toutes les surfaces rudes. Prospère au soleil.	Par bouturage de tiges semi-aoûtées en été ou par bouturage de tiges aoûtées à la fin de l'été.
Genévrier *(Juniperus)* rampant *(J. procumbens nana)*	Zone 1	Aiguilles vert-bleu sur des branches qui dépassent rarement 30 cm de haut. Plante à port étalé qui s'arrondit et se resserre avec le temps. Feuillage persistant. Croît au soleil.	Par marcottage au sol ou par bouturage de tiges aoûtées à la fin de l'été.
Herbe aux goutteux ou égopode podagraire *(Aegopodium)* *A. podagraria*	Zone 2	Plante à feuilles caduques qui peut atteindre 30 cm et demande trois tontes par été. Se multiplie rapidement. Petites fleurs blanches naissant au début de l'été. Préfère une ombre légère.	Par division des racines au printemps ou à l'automne.
Lierre *(Hedera)* commun (variétés de *H. helix*)	Zone 6	Plante à feuilles persistantes formant un épais tapis. Stolons qui grimpent le long des surfaces de maçonnerie. Croît au soleil ou à l'ombre épaisse.	Par bouturage de tiges semi-aoûtées en été.
Pachysandre *(Pachysandra)* du Japon *(P. terminalis)*	Zone 3	Joli feuillage persistant et vernissé. Inflorescences d'un blanc crème, s'épanouissant à la fin du printemps. Plantée serrée, elle couvre rapidement le sol. Croît à l'ombre. Précieuse sous les érables où presque rien ne pousse.	Par transplantation de touffes. Aussi par bouturage de tiges semi-aoûtées en été.
Pervenche *(Vinca)* Petite pervenche *(V. minor)*	Zone 4	Feuilles ovales et brillantes d'environ 5 cm de long. Fleurs bleues s'épanouissant à la mi-printemps. Variétés à fleurs blanches ou roses. Plante à feuillage persistant qui croît à l'ombre ou au soleil, et se répand vite.	Par division des racines au printemps et à l'automne.

Arbres

Les arbres occupent une place privilégiée dans un jardin. Peu de végétaux produisent autant d'effet sur l'environnement. Ce sont les rois de la nature.

Quoi de plus imposant dans un jardin qu'un grand arbre ! Souvent là quand nous n'y sommes plus, parfois présents tout le long de notre vie, les arbres confèrent au paysage une sorte de permanence. En hiver, leurs branches dénudées ou leur feuillage persistant conservent une sévère beauté, tandis qu'en été leur ombre est bienfaisante.

Les arbres n'ont pas qu'une valeur décorative. Ils assainissent l'atmosphère en transformant le gaz carbonique en oxygène. Ils dégagent aussi de la vapeur d'eau. Grâce au phénomène de transpiration, un grand arbre rejette par ses feuilles des milliers de litres d'eau par jour.

On choisit un arbre pour son feuillage, ses fleurs ou sa silhouette. Comme ce sont des végétaux de très longue durée et peu faciles à transplanter sitôt qu'ils ont atteint un certain âge, il est important de les placer tout de suite au bon endroit. On veillera à ce que l'arbre soit en harmonie avec l'environnement.

Le choix est parfois limité par les circonstances. On ne plantera pas un saule pleureur quand il y en a déjà un dans le jardin de son voisin. Quand ils sont trop rapprochés les uns des autres, les saules ont moins d'effet. Il ne serait pas heureux non plus d'imposer à ses voisins des arbres encombrants.

Il faut aussi respecter les proportions. Si beau que soit le hêtre avec ses feuilles et ses teintes automnales, il serait aussi déplacé dans un petit jardin de banlieue qu'un pommetier isolé au beau milieu d'un grand parc.

On plante également des arbres pour faire obstacle au vent. Sous ce rapport, les arbres à feuillage persistant, les conifères notamment, constituent le meilleur choix.

Si c'est l'ombre que l'on recherche, on ne plantera pas des arbres à forme érigée ou colonnaire comme le laurier sassafras ou le noyer royal, mais bien plutôt des arbres à port étalé ou pleureur comme l'érable, le bouleau ou le saule. Pour encadrer un parterre, rien ne vaut les formes évasées du bouleau à papier ou du févier, tandis qu'aux limites d'une propriété, on donnera la préférence aux formes arrondies du platane ou du chêne ou encore à la silhouette pyramidale du sapin qui créent une impression d'intimité en dissimulant les maisons environnantes.

On peut aussi jouer sur les différentes formes et tailles de feuilles pour créer des effets spéciaux. Les fines feuilles du févier ont la délicatesse des fougères ; les petites feuilles du bouleau et celles de nombreux érables japonais ont une texture particulière qui peut être utilisée avec bonheur.

Aujourd'hui, les jardins sont plutôt petits, si bien que tout le travail d'entretien est généralement effectué par le propriétaire. Les arbres et arbustes peuvent réduire ce travail. Une fois plantés, ils ne demandent que peu de soins. Ils forment un cadre idéal pour les plantes bulbeuses, vivaces ou annuelles, et leur ombre légère est bénéfique à de nombreuses espèces de fleurs.

Si l'on songe à isoler un arbre sur une pelouse, derrière une large platebande ou près d'une clôture, on étudiera attentivement les avantages et les inconvénients de son choix. Si c'est avant tout le port de l'arbre que l'on veut souligner, on se préoccupera surtout de son emplacement, de sa taille et de la qualité du sol.

Par contre, si l'on privilégie certaines caractéristiques de l'arbre, comme ses fleurs, ses fruits ou ses couleurs

Avec leur écorce blanche, les bouleaux font un très joli effet plantés en massif.

automnales, il faudra aussi connaître l'aspect qu'il prendra lorsqu'il n'aura plus ces atouts.

Les arbres à feuillage persistant sont très recherchés, non seulement parce qu'ils composent des écrans ou des haies, mais parce que leur forme est d'une réelle beauté. La plupart d'entre eux, et les conifères en particulier, résistent au vent et à la sécheresse sitôt qu'ils sont bien établis. On peut les planter isolément sur la pelouse et même le plus petit jardin peut abriter un conifère nain. C'est en hiver qu'on les apprécie le plus. Leur feuillage vert met un peu de couleur dans un paysage parfois terne. Leur valeur ornementale s'accroît encore si l'on choisit des espèces à feuillage doré, argenté ou bleuté, ou si l'on associe des sujets à feuilles vert uni à des variétés dont les feuilles sont panachées.

Choix de l'emplacement En règle générale, il n'est pas conseillé de planter des arbres près de la maison, non seulement parce que les racines peuvent endommager les fondations et la tuyauterie, mais aussi parce que les espèces à grand développement peuvent priver la maison de lumière et d'air. Pour les petits jardins, on choisira de préférence des conifères nains ou des arbres à feuilles caduques de taille moyenne comme le cerisier oriental ou le pommetier du Japon. Les arbres doivent demeurer en harmonie avec la maison et ne pas la couvrir d'ombre. Un grand arbre ou un sujet à port étalé ne convient pas à une petite pelouse. S'il surplombe une allée ou une entrée, les branches cassées par le vent sont à redouter et, en automne, les feuilles mortes deviennent glissantes lorsqu'il pleut. Dans un tel cas, il y a intérêt à donner la préférence à des arbres à port colonnaire ou fastigié qui sont aussi beaux que pratiques.

Là où l'espace le permet, un massif d'arbres produit toujours un meilleur effet qu'un sujet isolé, surtout si l'on a soin d'harmoniser les formes. On n'associera pas, par exemple, un grand arbre mince, un petit arbre arrondi et un autre de forme conique. Bien que la règle ne soit pas absolue, il est préférable de choisir des sujets qui appartiennent au même genre et qui ont à peu près les mêmes dimensions et la même silhouette. Trois aubépines ou trois pommetiers dont les fleurs et les fruits sont de couleur différente forment un joli massif, tout comme plusieurs érables japonais dont les feuilles n'ont pas toutes la même forme et qui se parent de divers coloris à l'automne. Les massifs de houx verts et panachés ressortent bien en hiver, surtout s'ils portent des baies de nuances différentes. Les conifères à feuillage doré ou argenté forment aussi des ensembles agréables, mais il vaut mieux planter isolément les sapins bleus qui sont d'une si impressionnante beauté.

L'espacement entre les arbres regroupés varie selon leur variété. Il faut les planter assez près pour obtenir un effet d'ensemble, mais les espacer suffisamment pour qu'ils ne se nuisent pas lorsqu'ils seront adultes. En demandant au pépiniériste chez qui on les achète quel sera leur étalement à maturité, on pourra évaluer l'espacement qu'il leur faut. Cette distance permettra de les élaguer s'ils deviennent trop gros.

Les plantations en écrans ou en brise-vent sont toujours faites plus serrées au début, mais on se rappellera qu'il faudra peut-être enlever un arbre sur deux pour que les autres puissent s'étaler en grandissant.

Pour constituer un écran, on peut, au début, faire alterner des conifères de croissance lente et des arbres à feuilles caduques de croissance rapide. Lorsque les conifères auront pris de l'ampleur, on enlèvera les autres arbres. Sur le choix des espèces les plus appropriées à cet usage, consulter un pépiniériste ou se renseigner auprès d'un centre de jardinage.

Le tableau commençant à la page 49 décrit un certain nombre d'arbres. On s'en servira pour faire un choix préliminaire, mais il existe tant d'espèces et de variétés qu'il vaut mieux consulter un catalogue et surtout se rendre dans des pépinières et voir les arbres avant de prendre une décision.

Plus que toute autre plante, ce sont les arbres qui donnent son ambiance au jardin. Les sapins, les marronniers, les cèdres et les ifs ne créent pas la même atmosphère que certaines espèces champêtres comme le bouleau, le chêne ou le saule pleureur. Les magnolias, les érables, les hêtres sont plus romantiques, tandis que le cerisier, le tilleul, le févier et certains sapins composent un agréable paysage dans un décor urbain.

Les arbres les plus courants coûtent peu cher, mais les essences rares peuvent être très coûteuses. Dans ce cas, il est encore plus important d'aller voir l'arbre désiré dans une pépinière, et, si possible, à l'époque où il est dans toute sa beauté, quand il porte ses fleurs, ses fruits ou quand il se colore de ses teintes d'automne.

Dès qu'ils ont atteint 4,50 m, les arbres coûtent cher, leur reprise est plus difficile et ils présentent des problèmes. Aussi vaut-il mieux acheter de petits arbres qu'on a le plaisir de voir grandir et dont on peut admirer le feuillage à hauteur d'œil.

Taille et élagage Il est sage d'examiner ses arbres une fois par an et de les faire tailler et élaguer par un spécialiste s'ils en ont besoin. Le propriétaire est en effet responsable des dommages que causent à un tiers les branches de ses arbres. Les soins à donner aux arbres fendus, le rabattage des arbres de haute taille, l'abattage des arbres malades ou encombrants sont du ressort du spécialiste qui possède les connaissances et l'équipement nécessaires pour effectuer ces travaux délicats, et parfois même dangereux, avec compétence, efficacité et sécurité.

Le propriétaire et la loi Le propriétaire est légalement responsable des dommages causés à la propriété d'autrui par les racines et les branches de ses arbres, de même que par les vaporisations qu'il effectue. Il peut être forcé de verser des indemnités.

On préviendra les dégâts en plantant ses arbres loin des murs ou des bâtiments. Les lézardes dans les murs sont principalement causées par le tassement du sol qui s'assèche, surtout s'il est argileux, à mesure que les racines des arbres y puisent l'humidité dont elles ont besoin. Les peupliers et les frênes sont les plus néfastes de ce point de vue ; il ne faut jamais les planter à proximité des maisons. Quant aux racines d'un gros érable, elles peuvent littéralement soulever un trottoir de béton. La longueur d'une racine est sensiblement égale à la hauteur de l'arbre adulte, mais certaines s'étalent bien davantage.

Les racines ne peuvent endommager les canalisations sanitaires, parce qu'elles sont scellées, mais elles s'infiltrent facilement dans les tuyaux de drainage. Lorsqu'une partie du jardin reste détrempée après une pluie, vérifier tous les tuyaux de drainage et enlever les racines qui pourraient s'y trouver.

Les haies ou les arbres qui envahissent les terrains voisins ou les voies publiques peuvent constituer un danger engageant la responsabilité du propriétaire. Celui-ci peut être forcé de tailler sa haie ou d'abattre les arbres dangereux. Si les dégâts sont déjà faits, le propriétaire peut être tenu de les réparer à ses frais.

Ces quelques restrictions, cependant, tombent sous le sens commun et elles sont si minimes qu'elles ne sauraient nous priver de tout ce qu'un arbre apporte à un jardin : son feuillage, ses fleurs ou ses fruits, son ombre bienfaisante, mais aussi et surtout sa silhouette majestueuse et sculpturale que rien, dans le monde végétal, ne peut vraiment égaler.

Plantation d'un arbre

Quand, où et comment creuser le trou de plantation

La plantation des arbres à feuilles caduques s'effectue en règle générale de la mi-automne au début du printemps lorsque la terre n'est ni détrempée ni gelée. Celle des arbres à feuilles persistantes se fait plus tôt à l'automne ou plus tard au printemps, lorsque le sol est chaud et humide. Les conifères se plantent au milieu du printemps ou au début de l'automne.

Les arbres arrivent de la pépinière avec leurs racines à nu ou dans une motte enveloppée de toile. Garder les racines humides si la plantation ne se fait pas tout de suite. Ceux qu'on va chercher soi-même sont parfois dans des pots, ce qui permet de les planter en toute saison, sauf en hiver. Si la plantation s'effectue en été, bien arroser l'arbre jusqu'à la mi-automne.

Première étape : le choix d'un emplacement. Il faut éliminer d'emblée les endroits marécageux où l'eau de pluie ne s'écoule pas, car les problèmes de croissance des jeunes arbres sont souvent reliés à un mauvais égouttement du sol.

Le trou de plantation doit être assez grand pour que les racines de l'arbre puissent s'étaler aisément dans toutes les directions. En règle générale, on lui donne 1 m de diamètre sur 50 cm de profondeur.

Pour planter un arbre dans la pelouse, tracer d'abord un cercle dans l'herbe (voir les illustrations ci-dessous). Enlever le gazon par plaques et mettre celles-ci de côté. Commencer à creuser au centre du cercle. Garder la terre de surface. Un changement de coloration indique que le sous-sol est atteint : celui-ci, moins riche en matières organiques, est généralement plus jaune ou plus pâle que la terre de surface. Le mettre aussi à part, sans le mélanger aux autres éléments.

Lorsque le trou est complètement creusé, le remplir d'eau pour vérifier le drainage. Si le sol met plus d'une heure à absorber l'eau, il faudra améliorer l'égouttement et peut-être même recourir à des travaux de drainage (voir « Structure et propriétés du sol », p. 436). Si l'imperméabilité du sol est due à une mince couche d'argile, il suffira de l'ameublir avec la fourche-bêche. Si cette couche est épaisse, il vaut mieux choisir un autre emplacement.

Tous les arbres ont besoin de tuteurs pendant les deux ou trois premières années de leur croissance. On utilise généralement de gros piquets en bois recouverts d'un enduit protecteur, vendus dans les pépinières. Ces tuteurs doivent être de la longueur du tronc (des racines aux premières branches). Un seul tuteur suffit pour les arbres dont les racines sont dénudées ; le ficher dans le sol avant de planter l'arbre pour ne pas abîmer les racines. Si les racines viennent en motte dans un sac de toile, insérer deux tuteurs, un de chaque côté de la motte, après avoir planté l'arbre.

Pour faciliter l'aération du sol, répandre des gravillons au fond du trou. Mais si le sol s'égoutte mal, les gravillons n'y changeront rien.

Couvrir les gravillons avec les mottes de gazon, herbe en dessous, et ajouter de l'engrais organique. Mélanger la terre de surface avec une égale quantité de terre plus profonde et mettre une mince couche de ce mélange au fond du trou. Bien tasser. Remplir alors le trou d'eau et laisser celle-ci s'égoutter.

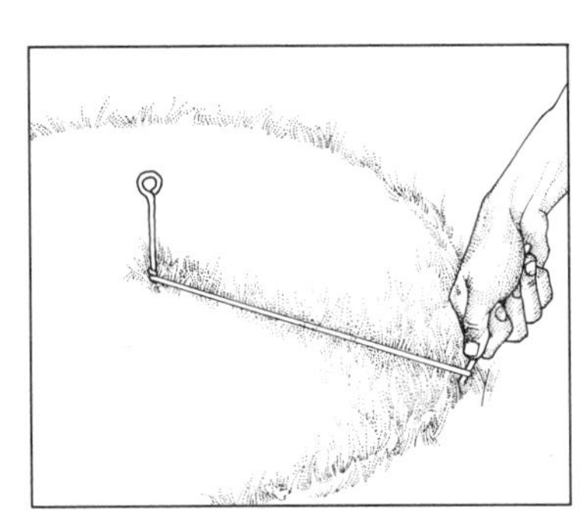

1. *Avec un piquet, un couteau et une ficelle, tracer un cercle de 1 m.*

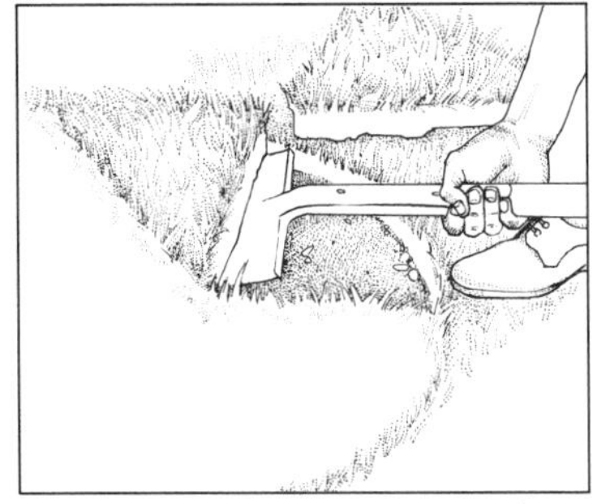

2. *Dégager des plaques de gazon dans le cercle et les empiler sur le côté.*

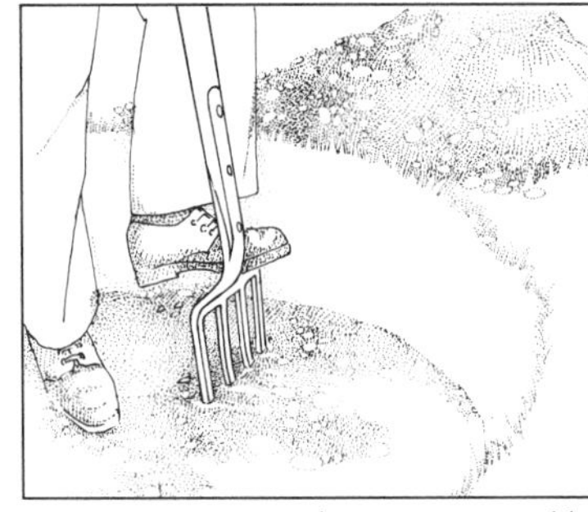

3. *Creuser un trou de 50 cm ; ameublir le fond et vérifier l'égouttement.*

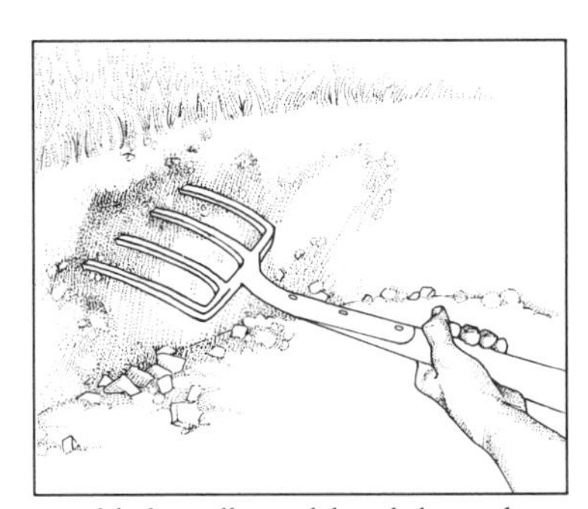

4. *S'il s'agit d'un sol lourd, briser les côtés du trou avec la fourche-bêche.*

5. *Planter un tuteur solide. Pour aérer le sol, disposer des gravillons.*

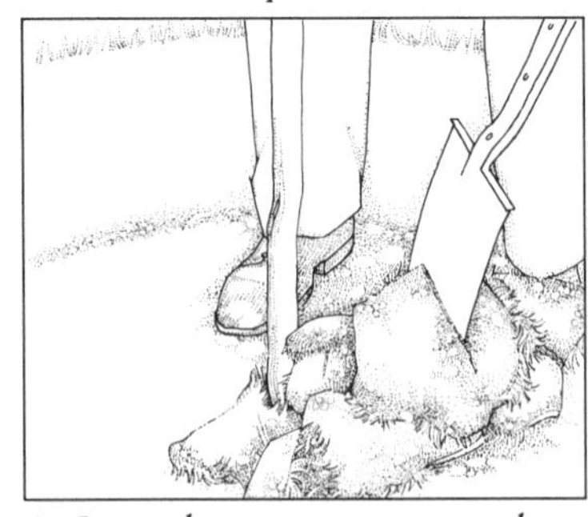

6. *Couper le gazon en morceaux de 10 cm ; les jeter dans le trou.*

7. *A titre d'engrais, ajouter du compost, du terreau de feuilles ou du fumier.*

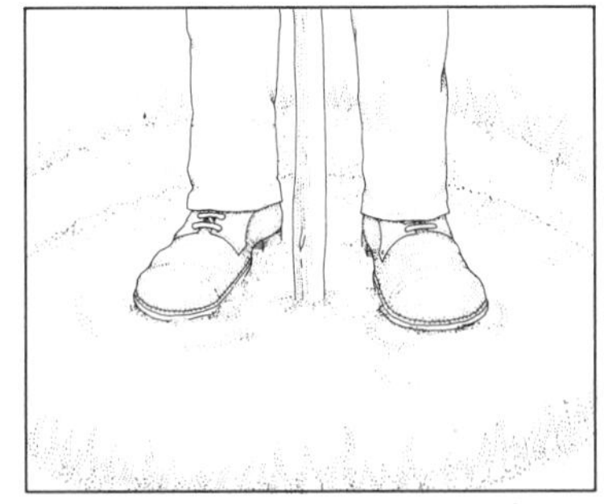

8. *Ajouter un peu de terre de surface et de sous-sol. Tasser et arroser.*

Plantation et tuteurage d'un jeune arbre

Avant de planter un arbre, il faut nettoyer les branches et les racines (voir ci-dessous). Retirer l'arbre de son contenant ; secouer la terre qui adhère aux racines et couper les parties mortes ou endommagées de celles-ci. Enlever aussi les racines qui s'enroulent autour de la motte. Mélanger ensuite la terre de surface qui reste avec de la tourbe, du compost bien décomposé ou du fumier, à raison de deux volumes de terre pour un volume d'additif. Bien émietter tous ces éléments pour qu'il n'y ait pas de poches d'air.

Si les racines de l'arbre sont à nu, former un monticule dans le fond du trou et y déployer les racines. Si les racines sont emballées dans de la toile, dégager celle-ci, mais ne pas l'enlever complètement.

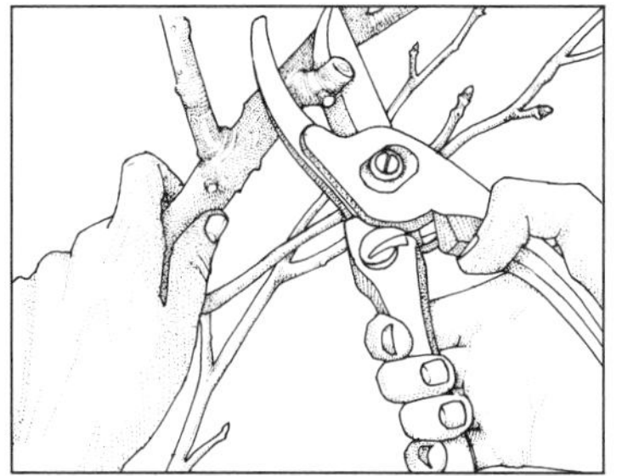

1. *Sur les grosses branches, couper ras tous les moignons.*

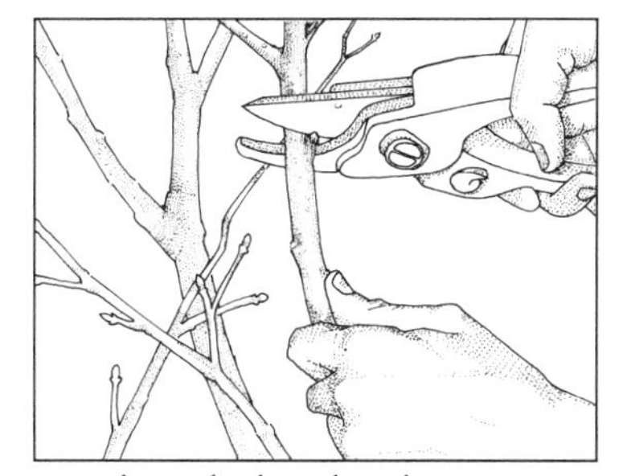

2. *Rabattre les branches abîmées au-dessus d'un œil extérieur.*

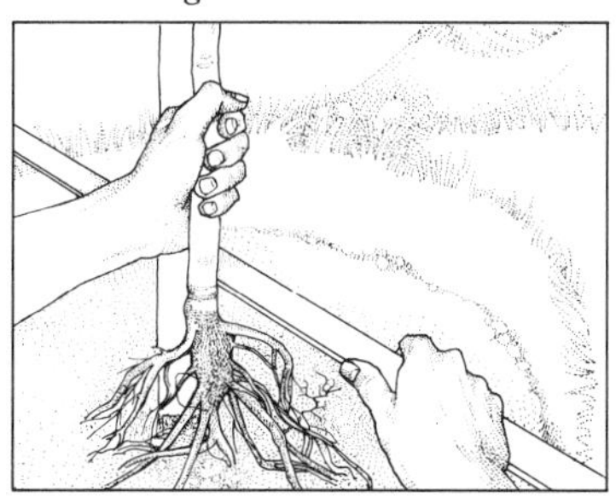

3. *Aligner l'ancienne marque de la terre sur le tronc avec la surface du sol.*

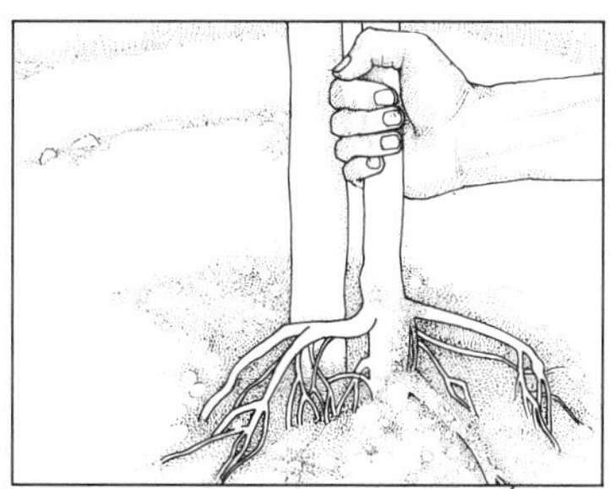

4. *Jeter un peu de terre enrichie dans le trou. Agiter l'arbre pour la tasser.*

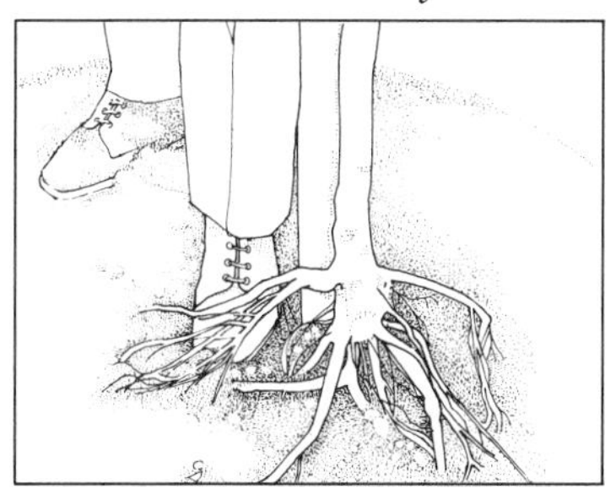

5. *Remplir le trou en tassant la terre à plusieurs reprises.*

6. *Niveler le sol. Arroser beaucoup et arracher les herbes pendant trois ans.*

La plantation se fait mieux à deux. Pendant qu'une personne maintient l'arbre en position — contre le tuteur s'il s'agit d'un arbre à racines nues — l'autre dépose une baguette de bois en travers du trou. Aligner avec la baguette l'ancienne marque laissée sur le tronc par la terre. On saura ainsi à quel niveau il faudra remplir le trou. Verser une partie du mélange terreux dans le trou. Si les racines de l'arbre sont à nu, agiter l'arbre de temps en temps pour que la terre couvre bien les racines. Presser la terre avec le pied si elle est sablonneuse. Si les racines sont enveloppées et que le sol est argileux, verser de l'eau pour comprimer la terre. Finir ensuite de remplir le trou. Fouler avec le pied.

Elever un monticule autour du lit de plantation de façon à former une cuvette qui retiendra l'eau. Sarcler régulièrement et ne pas laisser d'herbe pousser pendant deux ou trois ans.

Attacher ensuite l'arbre aux tuteurs. Les attaches en plastique fort ou en toile à sangle sont les meilleures. Elles comportent des coussinets de caoutchouc qui protègent le tronc. Pour un arbre dont les racines sont nues, un tuteur suffit. Poser alors l'attache à 10 cm au-dessous de la branche la plus basse. On peut aussi utiliser une bande de toile forte enroulée en huit autour du tronc et du tuteur et solidement attachée avec de la corde (voir ci-contre, à droite). Si l'arbre est courbe et risque de frotter contre le tuteur, ajouter une attache à cet endroit.

On utilise deux tuteurs pour empêcher l'arbre aux racines emmottées de se balancer dans le vent. Les placer de chaque côté de la motte et les attacher solidement à l'arbre avec de la corde ou du fil métallique en ayant soin de protéger le tronc avec des cales caoutchoutées.

Vérifier les attaches de temps à autre, surtout après des vents violents. Les relâcher à mesure que l'arbre se développe.

RACINES ABÎMÉES

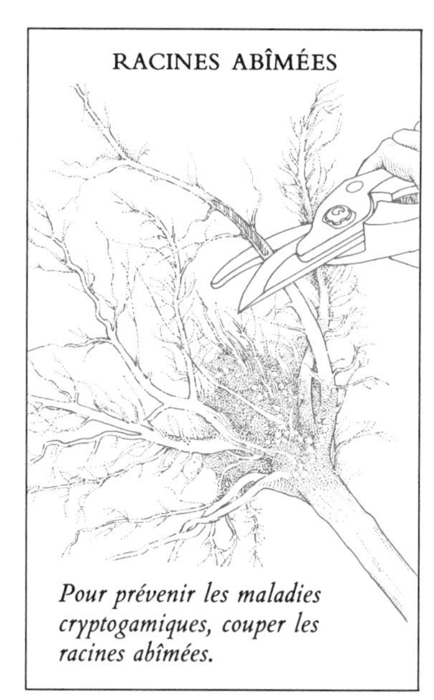

Pour prévenir les maladies cryptogamiques, couper les racines abîmées.

ATTACHE D'UN TUTEUR

Courroie *La passer autour de la tige et sa cale, et la boucler contre le tuteur.*

Toile *L'enrouler autour du tuteur, puis de la tige et encore du tuteur.*

Culture des arbres

Paillage et fertilisation après la plantation

Les paillis retiennent l'humidité, freinent la croissance des mauvaises herbes, favorisent celle d'organismes qui aèrent et enrichissent le terrain, protègent le sol contre les gels et les dégels en hiver et maintiennent une zone de fraîcheur autour des racines en été. En se décomposant, ils engraissent la terre.

La tourbe (mélangée à de la terre), le terreau de feuilles, l'écorce hachée, les écales de cacahouètes constituent de bons paillis. Au début de l'automne ou au printemps, lorsque le sol est humide et chaud, en étaler une couche de 10 cm environ sur toute la région occupée par les racines.

Les jeunes arbres n'ont en général pas besoin d'engrais. Mais une chute prématurée des feuilles, l'apparition de petites feuilles décolorées indiquent une carence alimentaire.

Creuser alors des trous dans le sol, à la périphérie des racines, dont l'étalement est équivalent à celui des branches, et y verser de l'engrais (voir les vignettes à droite). Il existe plusieurs engrais dont l'effet se fait sentir pendant un an ou plus.

On peut aussi enfoncer dans le sol des fertilisants en forme de chevilles. Si les racines sont inaccessibles, sous un pavage par exemple, forer des trous dans le tronc de l'arbre et y injecter un engrais liquide. Cette opération devrait être confiée à un spécialiste.

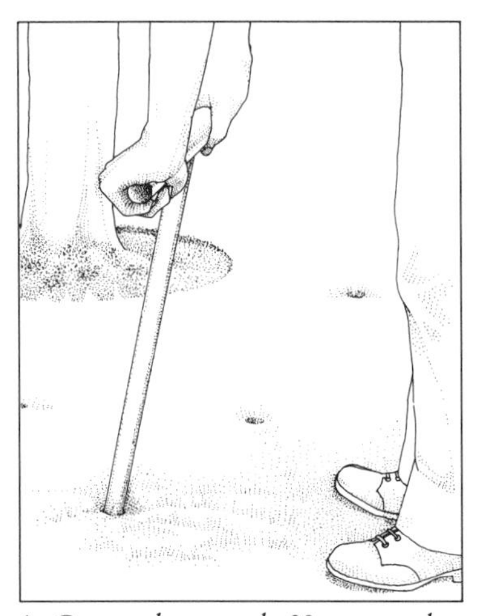

1. *Creuser des trous de 30 cm, tous les 50 cm, à la périphérie des racines.*

2. *Verser l'engrais. Remplir les trous de terre et bien tasser.*

Arrosage des arbres nouvellement plantés

Les arbres bien établis n'ont besoin d'être arrosés que durant les périodes d'extrême sécheresse. Mais quelques semaines après leur plantation, les jeunes arbres montrent parfois un feuillage flétri ; les essences à feuilles persistantes, surtout les conifères, brunissent. La cause ? Un manque d'eau ou des vents desséchants.

Imbiber alors le sol d'eau en lui faisant absorber environ 15 l d'eau à la fois chaque semaine. Vaporiser le feuillage avec un produit antidéshydratant pour diminuer l'évaporation.

Arroser généreusement et régulièrement les arbres cultivés dans des bacs.

Lorsqu'un jeune arbre se dessèche sous l'effet du vent, construire autour de lui un abri composé de trois ou quatre piquets autour desquels on enroulera de la grosse toile ou une épaisse pellicule de matière plastique. Donner à l'abri la même hauteur que l'arbre, mais en laisser l'extrémité supérieure ouverte pour que la pluie puisse pénétrer.

Suppression des gourmands sur les arbres greffés

On appelle gourmand une pousse qui apparaît à la base du tronc. Elle prive la plante d'une partie de son énergie et doit être enlevée, surtout chez les sujets greffés sur le système radiculaire d'une espèce voisine. Chez ceux-ci, le gourmand apparaît sur le porte-greffe. S'il n'est pas éliminé, la plante retournera vite à son état premier.

Arracher le gourmand : le sectionner favoriserait sa multiplication.

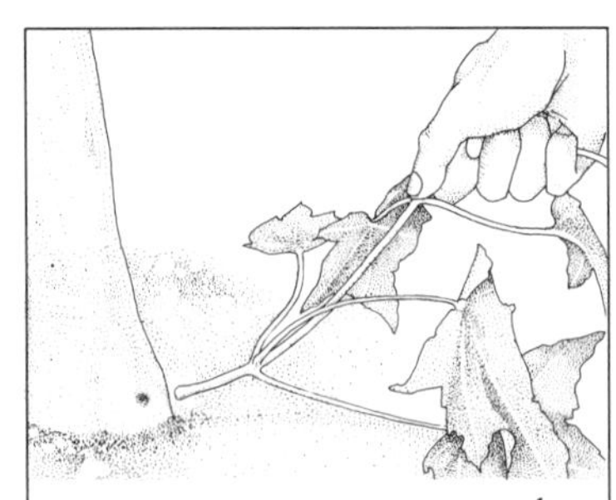

Ne jamais couper un gourmand. Tirer dessus fermement.

Choix d'une nouvelle tige maîtresse

Quand ils sont jeunes, les arbres à port conique ou colonnaire sont parfois endommagés par des vents violents. Leur flèche se déforme ou la tige maîtresse, érigée, de laquelle partent les branches, se casse. Pour la remplacer, choisir alors une autre belle pousse verticale, située le plus près possible de la blessure de la tige.

Prendre un bambou solide, assez long pour dépasser de 60 cm le haut de la nouvelle tige maîtresse. Relâcher l'attache supérieure du tuteur et insérer le bambou entre les deux. Attacher de nouveau. Assujettir la base du bambou au moyen d'une corde solide ou d'une attache en fil métallique. Attacher la nouvelle pousse au bambou en plusieurs endroits et supprimer la branche abîmée au ras de la nouvelle tige maîtresse. Laisser le bambou en place pendant deux ans environ ou jusqu'à ce que la nouvelle tige puisse résister aux vents. Vérifier les attaches de temps à autre pour s'assurer qu'elles ne nuisent pas à la croissance de la nouvelle flèche.

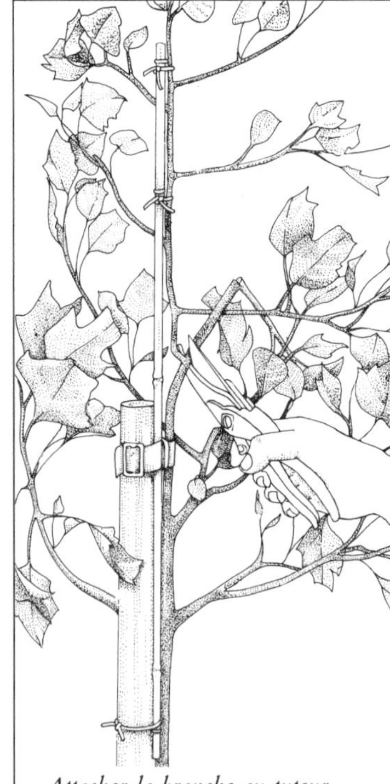

Attacher la branche au tuteur. Couper l'ancienne tige maîtresse.

Suppression d'une flèche concurrente sur un jeune arbre

Certains arbres, surtout ceux à port érigé, conique ou pyramidal, forment parfois vers l'extrémité de leur flèche une sorte de fourche d'où naît une seconde flèche. La garder, c'est risquer de compromettre la beauté de l'arbre.

S'il s'agit d'un arbre à tronc unique, comme les conifères, supprimer entièrement la flèche concurrente à son point d'émergence. Sur les arbres qui émettent des pousses latérales, rabattre la flèche secondaire à la moitié de sa hauteur en la taillant en biseau, au sécateur, au-dessus d'un œil tourné vers l'extérieur et vers le haut. Cela la forcera à émettre des pousses horizontales. Effectuer cette opération au début du printemps dans les régions où l'hiver est rigoureux.

Couper les flèches concurrentes sur les troncs uniques.

Rabattage d'une branche trop longue

Généralement, l'arbre émet ses branches de façon normale. Il arrive cependant qu'une branche pousse avec trop de vigueur et déséquilibre la silhouette naturelle de l'arbre tout en nuisant à sa santé. Il faut la tailler. Au cours de la période de dormance de l'arbre, rabattre cette branche des deux tiers, près d'une branche latérale poussant dans la même direction. Si elle mesure plus de 2,5 cm de diamètre, enduire la plaie d'un produit protecteur.

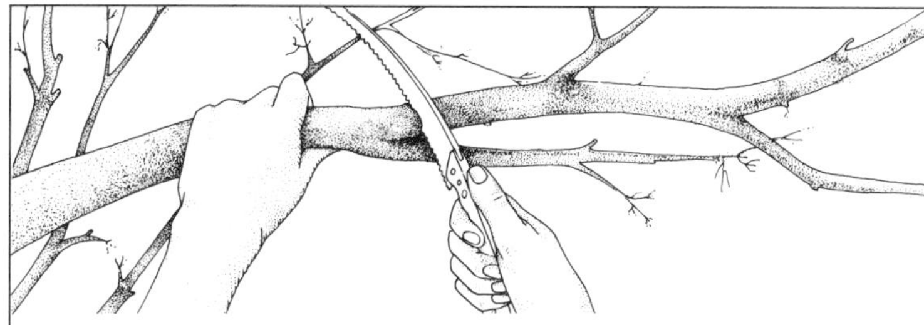

Maintenir la silhouette de l'arbre en rabattant les branches trop vigoureuses. Les rabattre des deux tiers, près d'une tige latérale.

Suppression des pousses partant du tronc

On distingue deux sortes de pousses latérales sur le tronc d'un arbre : celles qui apparaissent autour de la plaie lorsqu'on coupe une grosse branche et celles qui apparaissent sur le tronc des jeunes arbres non formés.

Couper les premières au ras du tronc. Rabattre légèrement les secondes. Lorsque le tronc a atteint la hauteur désirée, les supprimer. Utiliser un sécateur.

Enlever les petites branches qui poussent sur les gros troncs.

Suppression des grosses branches indésirables

On doit parfois supprimer une grosse branche, soit parce qu'elle a été abîmée, soit parce qu'elle pousse de façon bizarre, ou parce qu'elle surplombe le terrain du voisin. Elle risque cependant d'être emportée par son poids durant l'opération et de déchirer l'écorce du tronc.

Pour éliminer ce risque, scier la branche à 50 cm du tronc. Si cette méthode ne convient pas, attacher la branche encombrante à une branche supérieure et la couper en conservant un moignon de 50 cm. Couper alors celui-ci au tiers de son diamètre, par en dessous et au ras du tronc, et terminer l'opération en sciant par-dessus.

Enfin, nettoyer la plaie proprement à l'aide d'une serpette et l'enduire d'un produit cicatrisant spécial. On réduit ainsi les risques de contamination en empêchant les spores de champignons ou d'autres maladies de pénétrer dans les tissus du tronc.

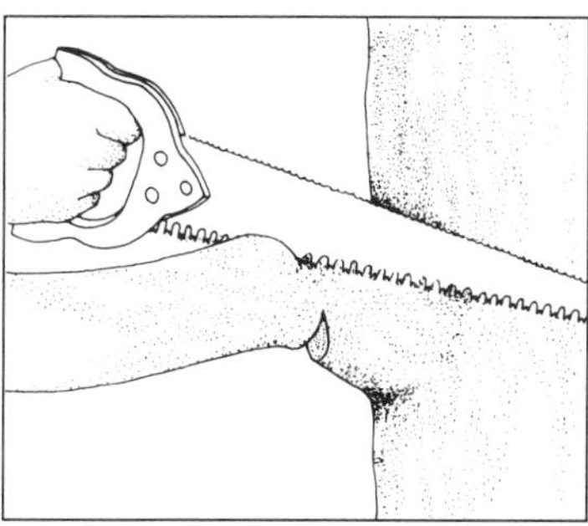

1. *Couper une branche indésirable à 50 cm environ du tronc.*

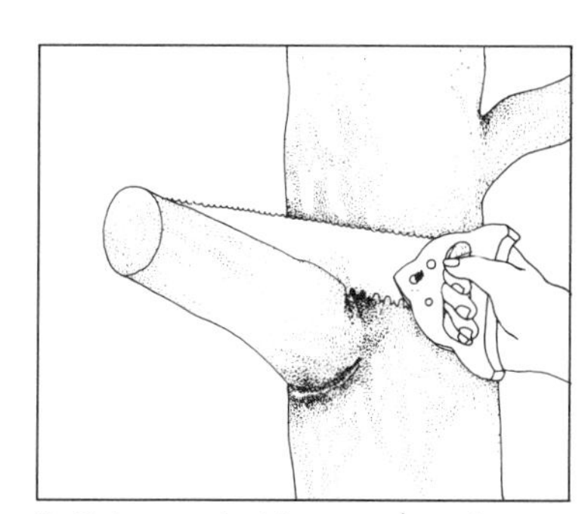

2. *Faire une incision sous le moignon qui reste et scier par-dessus.*

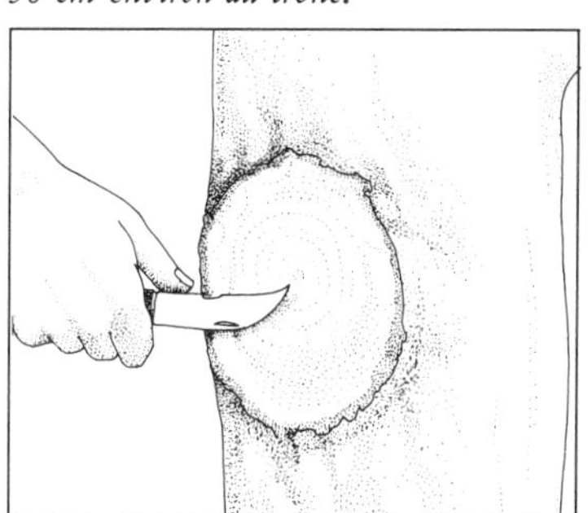

3. *Parer au couteau les bords de la plaie pour que la coupe soit lisse.*

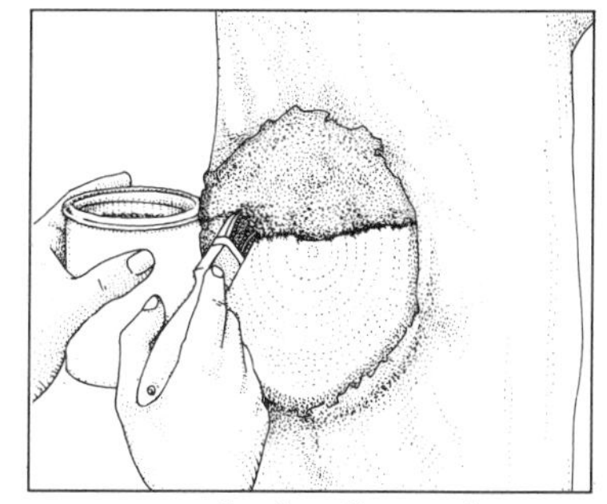

4. *Recouvrir la plaie d'un produit cicatrisant pour prévenir les maladies.*

Ravageurs et maladies

Les symptômes des maladies les plus courantes affectant les arbres sont décrits dans ce tableau. Dans le cas d'un symptôme non mentionné ici, se reporter à la section illustrée commençant à la page 444. Les appellations commerciales des produits chimiques se trouvent aux pages 480 à 482.

Symptômes	Cause	Traitement
Aiguilles persistantes		
Aiguilles collantes ou déformées ; présence possible de fumagine. On peut voir les insectes.	Pucerons, cochenilles farineuses ou cercopes	Chlorpyrifos, diazinon, malathion ou vaporisation d'huile miscible ou émulsionnée en période de dormance.
	Acariens	Dicofol, endosulfan ou tétradifon.
Aiguilles rognées ou trouées. On peut voir les insectes.	Chenilles burcicoles, insectes gallicoles, larves de spongieuses, mineuses ou larves de tenthrèdes	*Bacillus thuringiensis,* carbaryl, diazinon, malathion ou méthoxychlore.
Trous dans les aiguilles. Pousses et tiges endommagées par des insectes perceurs.	Perce-rameaux du pin, noduliers du pin, charançons	Carbaryl, diazinon, diméthoate, lindane ou méthoxychlore.
Dépôts croûtés, collants ou cireux sur les aiguilles et les tiges.	Cochenilles	Vaporisation d'huile miscible ou émulsionnée en période de dormance. Arrosage de diazinon ou de malathion à la fin du printemps ou au début de l'été.
Chancres ou branches qui exsudent de la résine. Des boursouflures jaunes suintent des chancres.	Chancres cytosporiens	Couper et détruire les branches atteintes ; recouvrir les plaies d'un enduit protecteur. Fertiliser les arbres.
Les pousses meurent. Minuscules fructifications noires sur les aiguilles. Rameaux et cônes sont attaqués.	Brûlure des aiguilles et des rameaux (champignons)	Vaporiser les nouvelles pousses de bénomyl ou d'un fongicide au cuivre. Répéter 2 fois à 10 jours d'intervalle. Fertiliser régulièrement.
Des taches jaunes apparaissent sur les aiguilles, suivies de brunissement complet et de chute.	Rouge (champignons)	Vaporiser 2 ou 3 fois à 15 jours d'intervalle de la bouillie bordelaise ou du manèbe.
Aiguilles et rameaux se couvrent d'une gélatine orange. Des chancres se manifestent parfois.	Rouille (champignons)	Couper et détruire les organes malades. Vaporiser du carbamate 4 ou 5 fois à 10 jours d'intervalle.

Symptômes	Cause	Traitement
Grandes feuilles		
L'arbre perd sa forme. Insectes nuisibles, miellat ou fumagine.	Pucerons, punaises de l'érable, cicadelles, psylles ou mouches blanches	Huile miscible ou émulsionnée, en dormance. Arrosage de diazinon, de malathion ou de méthoxychlore.
	Acariens	Dicofol ou endosulfan.
Feuilles pointillées de blanc argent ; frisent et se dessèchent.	Pucerons, punaises réticulées, psylles, thrips, mouches blanches	Chlorpyrifos, diazinon, malathion ou vaporisation d'huile miscible ou émulsionnée en période de dormance.
	Acariens	Dicofol, endosulfan ou vaporisation d'huile miscible ou émulsionnée en période de dormance.
Trous dans les tiges et les branches. Présence de galles.	Divers insectes	Carbaryl, diazinon, diméthoate, lindane ou méthoxychlore.
Feuilles trouées ou effilochées.	Chenilles géomètres, chrysomèles, galles des feuilles, mineuses, tordeuses, scarabées du rosier	*Bacillus thuringiensis,* carbaryl, diazinon, malathion, méthoxychlore ou vaporisation d'huile miscible ou émulsionnée en période de dormance.
Ecailles sur les branches, les tiges et les feuilles. L'arbre s'étiole.	Cochenilles	Vaporisation d'huile miscible ou émulsionnée, en dormance. Chlorpyrifos, diazinon ou malathion, fin printemps.
Feuilles qui brunissent ou se tachent. Pousses qui noircissent. Chancres.	Anthracnose (champignons)	Vaporiser avec du cuivre, du dodine, du ferbam ou du manèbe. Couper les organes atteints.
Feuilles, rameaux et fleurs se flétrissent subitement.	Brûlure bactérienne	Vaporiser un antibiotique ou de la bouillie bordelaise quand les fleurs s'ouvrent.
Gonflement sur les racines, les rameaux et les troncs.	Tumeur du collet (bactérienne)	Enlever si possible les tumeurs ou étendre un onguent à 0,92 pour cent de bacticine.
Branches frêles ; feuilles tombent.	Maladie hollandaise de l'orme	Vaporisation de méthoxychlore.
Taches brunes, noires ou pourpres.	Tache des feuilles (champignons)	Vaporisation de bénomyl, captane, dodine ou manèbe.
Sur l'écorce, plaques aqueuses ; taches rosâtres au printemps.	Chancre nectrien (champignons)	Vaporisation de chlorothalonil, mancozèbe ou thirame.
Moisissure verte sur les feuilles et les jeunes fruits.	Gale (champignons)	Vaporiser du bénomyl, du dodine ou du mancozèbe au début de l'été.
Les feuilles du sommet se fanent.	Flétrissure (champignons)	Enlever les plantes atteintes. Imbiber le sol de terrazole.

Arbres à feuilles caduques

Les arbres à feuilles caduques sont ceux qui perdent leurs feuilles durant leur période de dormance. Ils sont classés ci-dessous par ordre alphabétique d'après leur nom vulgaire le plus connu. Espèces et variétés figurent aussi dans ce tableau.

La survie des arbres à feuilles caduques est liée à plusieurs facteurs, mais on peut assez bien juger de leur rusticité par leur degré de résistance au froid. Pour savoir si une essence peut résister aux froids qui sévissent en hiver dans votre région, prenez note de sa zone de rusticité dans la colonne intitulée « Rusticité » et reportez-vous à la carte des pages 8 et 9.

Les chiffres, dans la colonne de droite, indiquent la hauteur que les sujets des différentes espèces ou variétés devraient normalement atteindre. Cette hauteur dépend toutefois de certains facteurs naturels et des soins que l'on apporte à l'arbre. Certains arbres poussent plus haut à l'état sauvage qu'en culture ; dans ces cas, la hauteur maximale de l'arbre arrivé à maturité est inscrite entre parenthèses.

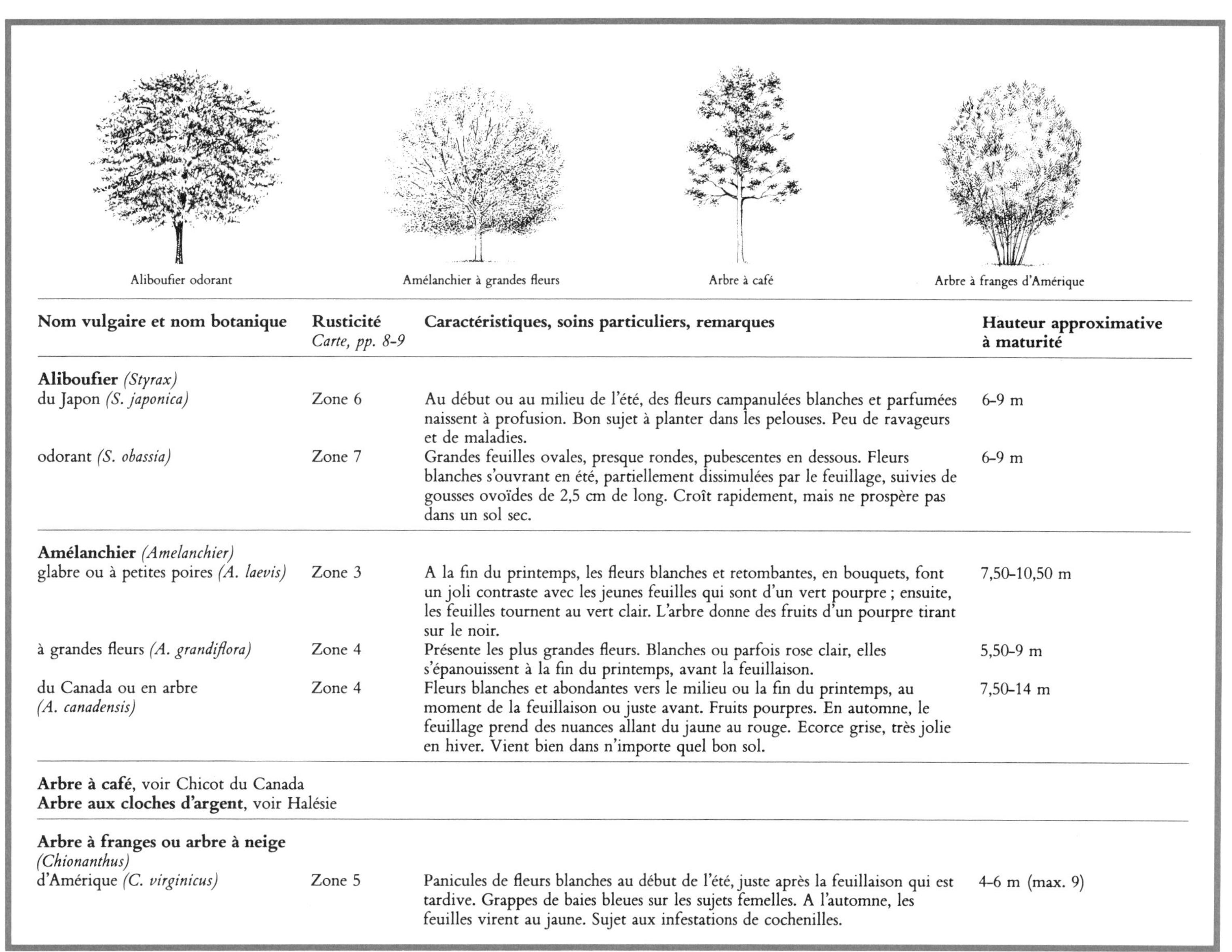

Aliboufier odorant — Amélanchier à grandes fleurs — Arbre à café — Arbre à franges d'Amérique

Nom vulgaire et nom botanique	Rusticité *Carte, pp. 8-9*	Caractéristiques, soins particuliers, remarques	Hauteur approximative à maturité
Aliboufier *(Styrax)*			
du Japon *(S. japonica)*	Zone 6	Au début ou au milieu de l'été, des fleurs campanulées blanches et parfumées naissent à profusion. Bon sujet à planter dans les pelouses. Peu de ravageurs et de maladies.	6-9 m
odorant *(S. obassia)*	Zone 7	Grandes feuilles ovales, presque rondes, pubescentes en dessous. Fleurs blanches s'ouvrant en été, partiellement dissimulées par le feuillage, suivies de gousses ovoïdes de 2,5 cm de long. Croît rapidement, mais ne prospère pas dans un sol sec.	6-9 m
Amélanchier *(Amelanchier)*			
glabre ou à petites poires *(A. laevis)*	Zone 3	A la fin du printemps, les fleurs blanches et retombantes, en bouquets, font un joli contraste avec les jeunes feuilles qui sont d'un vert pourpre ; ensuite, les feuilles tournent au vert clair. L'arbre donne des fruits d'un pourpre tirant sur le noir.	7,50-10,50 m
à grandes fleurs *(A. grandiflora)*	Zone 4	Présente les plus grandes fleurs. Blanches ou parfois rose clair, elles s'épanouissent à la fin du printemps, avant la feuillaison.	5,50-9 m
du Canada ou en arbre *(A. canadensis)*	Zone 4	Fleurs blanches et abondantes vers le milieu ou la fin du printemps, au moment de la feuillaison ou juste avant. Fruits pourpres. En automne, le feuillage prend des nuances allant du jaune au rouge. Ecorce grise, très jolie en hiver. Vient bien dans n'importe quel bon sol.	7,50-14 m
Arbre à café, voir Chicot du Canada			
Arbre aux cloches d'argent, voir Halésie			
Arbre à franges ou arbre à neige *(Chionanthus)*			
d'Amérique *(C. virginicus)*	Zone 5	Panicules de fleurs blanches au début de l'été, juste après la feuillaison qui est tardive. Grappes de baies bleues sur les sujets femelles. A l'automne, les feuilles virent au jaune. Sujet aux infestations de cochenilles.	4-6 m (max. 9)

ARBRES À FEUILLES CADUQUES *(suite)*

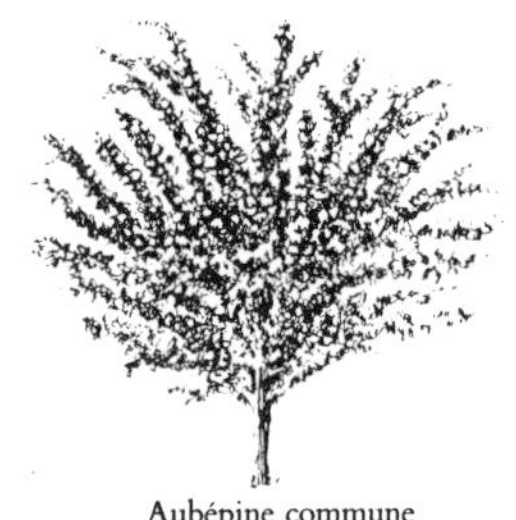
Aubépine commune

Bois-de-fer

Bouleau blanc d'Europe

Nom vulgaire et nom botanique	Rusticité *Carte, pp. 8-9*	Caractéristiques, soins particuliers, remarques	Hauteur approximative à maturité
Arbre à franges *(Chionanthus)* — suite			
de Chine *(C. retusus)*	Zone 6	L'arbre se couvre de fleurs blanches du début au milieu de l'été. Feuilles et bouquets deux fois plus petits que ceux de *C. virginicus*. Excellent petit arbre.	4,50-6 m
Arbre-à-liège de l'Amour, voir Phellodendron de l'Amour			
Arbre à noix piquées, voir Caryer			
Arbre aux quarante écus, voir Ginkgo			
Aubépine *(Crataegus)*			
d'Arnold *(C. arnoldiana)*	Zone 2	Fleurs blanches au début du printemps, suivies de fruits écarlates. Silhouette décorative en hiver.	6-7,50 m
ergot-de-coq *(C. crus-galli)*	Zone 2	Espèce rustique donnant beaucoup d'épines et de fruits rouges. Feuilles vernissées.	7,50-10,50 m
C. mordenensis 'Snowbird'	Zone 3	Créé par le ministère de l'Agriculture du Canada à Morden (Manitoba). Présente des fleurs doubles blanches.	4-4,50 m
C. m. 'Toba'	Zone 3	Fleurs doubles rose pâle devenant plus foncées.	4-4,50 m
commune *(C. oxyacantha)*	Zone 6	Grappes de 6 à 12 fleurs blanches suivies, en automne, de drupes écarlates. Le feuillage reste vert en automne. Branches basses et denses donnant à l'arbre un port arrondi.	4,50-7,50 m
C. o. paulii	Zone 6	Magnifiques fleurs doubles d'un rouge écarlate vif.	4,50-7,50 m
C. o. plena	Zone 6	Variété remarquable par ses fleurs doubles et blanches.	4,50-7,50 m
C. o. 'Superba'	Zone 6	Fleurs simples rouge foncé.	4,50-7,50 m
de Lavallé *(C. lavallei)*	Zone 5	Cultivé surtout pour ses fruits vermillon qui restent sur l'arbre presque tout l'hiver. Les feuilles virent au rouge bronze à l'automne, tandis que les fleurs sont blanches maculées de rouge.	4,50-7,50 m
de Washington *(C. phaenopyrum)*	Zone 5	Arbre à cime arrondie et dense. Fleurs blanches au début de l'été. Fruits rouges qui durent jusqu'à l'hiver. Feuilles virant au rouge à l'automne.	6-9 m
Bois dur, voir Ostryer de Virginie			
Bois-de-fer, voir Ostryer de Virginie			
Bois jaune, voir Tulipier de Virginie			
Bouleau *(Betula)*			
blanc d'Europe ou verruqueux *(B. pendula)*	Zone 2	Arbre gracieux à écorce blanche, et rameaux souples et pendants. Très joli, notamment près de conifères. Culture facile mais longévité réduite. Comme tous les bouleaux, il est préférable de le transplanter jeune.	9-12 m (max. 18)
pleureur *(B. p. gracilis)*	Zone 2	Branches fines et gracieusement retombantes ; feuilles très découpées.	9-12 m
gris ou rouge *(B. populifolia)*	Zone 3	Ecorce blanche mouchetée de noir. Pousse bien dans une terre pauvre.	4,50-9 m

Caryer (noyer tendre)

Catalpa commun nain

Cerisier du Japon

Chain doré

Nom vulgaire et nom botanique	**Rusticité** *Carte, pp. 8-9*	**Caractéristiques, soins particuliers, remarques**	**Hauteur approximative à maturité**
Bouleau *(Betula)* — suite			
à papier *(B. papyrifera)*	Zone 2	Le plus blanc de tous les bouleaux. Feuilles d'un jaune brillant à l'automne. Donne plus d'ombre et est moins sensible aux attaques des insectes perceurs que *B. pendula*.	15-21 m (max. 36)
flexible ou merisier rouge *(B. lenta)*	Zone 4	Ecorce d'un brun rougeâtre sombre ressemblant à celle du cerisier. Renommé pour ses chatons retombants et son feuillage virant au jaune à l'automne. Se cultive dans un sol riche et humide.	12-15 m (max. 23)
Caryer *(Carya)*			
Pécanier ou pacanier *(C. illinoinensis* ou *C. pecan)*	Zone 5	Produit des noix douces dans des coquilles faciles à briser. Se transplante très jeune. Dans les régions où la période de croissance est brève, l'espèce donne moins de fruits.	18-24 m (max. 45)
Noyer tendre ou arbre à noix piquées *(C. ovata)*	Zone 4	Ecorce gris clair et hirsute ; noix ovoïdes comestibles.	18-24 m (max. 36)
Catalpa *(Catalpa)*			
de l'Ouest *(C. speciosa)*	Zone 5	Plus vigoureux que *C. bignioides* 'Nana' et à gousses de graines beaucoup plus larges. Feuillaison très tardive au printemps.	12-18 m
commun nain *(C. bignioides* 'Nana'*)*	Zone 5	Epis dressés de belles fleurs blanches, suivis de longues gousses retombantes qui persistent tout l'hiver.	4,50-6 m
Cerisier *(Prunus)*			
du Japon *(P. subhirtella)*	Zone 6	Fleurs rose pâle et abondantes à la mi-printemps, suivies de fruits bleu-noir en été. Petites feuilles de moins de 5 cm de long.	6-9 m
Merisier des oiseaux à fleurs doubles *(P. avium plena)*	Zone 4	Fleurs doubles et blanches en fin de printemps. Arbre de haute taille, très résistant.	12-15 m (max. 21)
oriental *(P. serrulata* 'Amanogawa'*)*	Zone 6	Fleurs semi-doubles et rose pâle.	4,50-6 m
P. s. 'Fugenzo'	Zone 6	Grandes fleurs doubles, d'un rose d'abord foncé, qui pâlit ensuite.	6-7,50 m
P. s. 'Sekiyama'	Zone 6	Synonyme de *P. s.* 'Kwanzan'. Fleurs doubles et retombantes d'un rose soutenu. Feuilles bronze, tournant au vert.	6-7,50 m
P. s. 'Shirotae'	Zone 6	Excellente variété à fleurs semi-doubles ou doubles, agréablement parfumées.	6-7,50 m
de Yedo *(P. yedoensis)*	Zone 7	Espèce à croissance rapide offrant des fleurs blanches délicatement lavées de rose et légèrement parfumées.	6-7,50 m
Chain doré *(Laburnum)*			
L. watereri	Zone 6	Des fleurs jaunes réunies en grappes souples apparaissent à la fin du printemps, et sont suivies de gousses brunes de 5 cm qui persistent en hiver et renferment des graines toxiques. Feuilles à 3 folioles. Bon petit arbre.	4,50-6 m (max. 9)

ARBRES À FEUILLES CADUQUES *(suite)*

Charme européen

Châtaignier de Chine

Chêne blanc

Chicot du Canada

Nom vulgaire et nom botanique	Rusticité *Carte, pp. 8-9*	Caractéristiques, soins particuliers, remarques	Hauteur approximative à maturité
Chalef à feuilles étroites, voir Olivier de Bohême			
Charme *(Carpinus)*			
de Caroline *(C. caroliniana)*	Zone 3	Arbre à multiples branches et à écorce grise et lisse. Feuilles devenant rouges en automne. Se couvre de chatons suivis de samares. A besoin d'un peu d'ombre et doit être placé à l'abri du vent.	6-9 m (max. 10,50)
européen *(C. betulus)*	Zone 6	Feuillage qui jaunit à l'automne. Plusieurs formes à port vertical. A transplanter jeune. Convient bien aux haies et se prête à la taille dans les premières années.	10,50-13,50 m (max. 18)
du Japon *(C. japonica)*	Zone 5	Feuilles dentées virant au rouge à l'automne. Croissance lente ; forme en éventail.	9-12 m (max. 13,50)
Châtaignier de Chine *(Castanea)*			
C. mollissima	Zone 6	L'espèce la moins exposée à souffrir de la brûlure du châtaignier. Pour améliorer la pollinisation et obtenir une meilleure récolte de châtaignes, planter ensemble deux sujets, de variété différente de préférence, en les espaçant d'environ 30 m.	12-15 m (max. 18)
Chêne *(Quercus)*			
des marais *(Q. palustris)*	Zone 4	Branches inférieures retombantes. Feuilles rouges en automne. Demande un sol acide.	9-15 m (max. 23)
rouge *(Q. borealis* ou *Q. rubra)*	Zone 3	Feuilles d'un rouge riche en automne. Facile à transplanter ; croît rapidement.	15-18 m (max. 24)
écarlate *(Q. coccinea)*	Zone 4	Feuilles vert brillant tournant à l'écarlate vif en automne. Ramure peu dense. Difficile à transplanter.	15-18 m (max. 24)
imbriqué ou à lattes *(Q. imbricaria)*	Zone 4	Feuilles brillantes vert sombre virant au rouge rouille en automne. Sans taille, l'arbre prend un port arrondi avec l'âge. On peut aussi le planter en rangée et le tailler de façon à obtenir une haie haute ou un brise-vent.	12-15 m (max. 24)
de Shumard *(Q. shumardii)*	Zone 4	Bel arbre à bois dur, ressemblant à *Q. coccinea*.	15-23 m (max. 36)
blanc *(Q. alba)*	Zone 4	Branches étalées donnant à l'arbre un port bien arrondi. En automne, le feuillage devient d'un rouge pourpre ; la chute des feuilles est tardive. Espèce de croissance lente, mais d'une étonnante longévité. Se transplante mieux quand l'arbre est jeune.	15-23 m (max. 30)
Chicot du Canada ou arbre à café *(Gymnocladus)*			
G. dioica	Zone 5	Ecorce rugueuse. Feuilles composées de 45 à 90 cm qui demeurent vertes à l'automne. Gousses brun rougeâtre de 20 cm de long. Silhouette élégante en hiver.	12-15 m (max. 27)

Cornouiller de Floride

Cornouiller mâle

Nom vulgaire et nom botanique	Rusticité *Carte, pp. 8-9*	Caractéristiques, soins particuliers, remarques	Hauteur approximative à maturité
Cormier, voir Sorbier			
Cornouiller *(Cornus)*			
de Floride *(C. florida)*	Zone 6	En fin de printemps apparaissent de minuscules fleurs verdâtres entourées de grandes bractées blanches ou roses ressemblant aux pétales d'une fleur. Les feuilles deviennent orange vif et écarlates en automne, et les fruits rouge vif attirent les oiseaux. En hiver, les gros bourgeons floraux et les rameaux horizontaux et entrelacés ont du charme.	3-6 m (max. 12)
du Japon *(C. kousa)*	Zone 6	Espèce plus compacte que *C. florida ;* floraison à la mi-été. Les bractées effilées, longues et très voyantes passent du vert au blanc, puis au rose. Des fruits rouges, semblables à de grosses framboises, apparaissent en automne et durent plusieurs semaines.	4,50-6 m
Cornouiller mâle *(Cornus)*			
C. mas	Zone 5	Arbre court à port arrondi. Feuilles vert sombre. Bouquets arrondis de petites fleurs jaunes au début du printemps. Le feuillage rougit à l'automne. Utile comme brise-vent ou comme écran. Tolère l'ombre et pousse en milieu urbain.	4,50-6 m (max. 7,50)
Cyprès chauve, voir p. 64			
Erable *(Acer)*			
du Sakhalin *(A. ginnala)*	Zone 2	A la fin de l'été, les samares deviennent rouges et, à l'automne, tout le feuillage prend une teinte écarlate brillante. Espèce peu exposée aux ravageurs.	4,50-6 m
à Giguère ou du Manitoba *(A. negundo)*	Zone 2	Pas de changement de coloris à l'automne. Espèce à croissance rapide, à bois tendre et peu résistant, très productive. Recommandée là où il fait très sec en été et très froid en hiver.	9-15 m (max. 21)
de David *(A. davidii)*	Zone 7	Ecorce verte et luisante, striée de blanc. Feuilles de 20 cm de long, rouges virant rapidement au vert. Fleurs jaune-vert joliment disposées. Le feuillage devient jaune, rouge et pourpre en automne.	6-11 m (max. 13,50)
du Japon *(A. japonicum)*	Zone 6	Feuilles lobées tournant au rouge vif en automne.	6-9 m
japonais *(A. palmatum)*	Zone 6	Semblable à *A. japonicum,* sauf pour les feuilles qui sont encore plus lobées. Feuillage rouge vif en automne. Prospère à la mi-ombre, dans une terre riche.	4,50-6 m
plane ou de Norvège *(A. platanoides)*	Zone 5	Au printemps, l'arbre se couvre de petites fleurs jaunes, précédant la feuillaison. Le feuillage automnal est jaune. Espèce à racines superficielles et gourmandes qui nuisent aux arbustes plantés au-dessous mais n'endommagent pas les plantes tapissantes.	15-18 m (max. 27)

ARBRES À FEUILLES CADUQUES *(suite)*

Erable à sucre

Févier

Frêne d'Amérique

Fustet

Nom vulgaire et nom botanique	**Rusticité** *Carte, pp. 8-9*	**Caractéristiques, soins particuliers, remarques**	**Hauteur approximative à maturité**
Erable *(Acer)* — suite			
A. p. 'Crimson King'	Zone 4	Feuilles rouge foncé tout l'été.	15-18 m
A. p. 'Summershade'	Zone 5	Variété érigée à feuilles coriaces, résistant bien à la chaleur.	15-18 m
globulaire *(A. p.* 'Globosum'*)*	Zone 5	Cime arrondie qui garde sa forme sans taille.	4,50-6 m
A. p. 'Drummondii'	Zone 5	Feuilles vertes panachées de blanc.	7,50-9 m
gris *(A. griseum)*	Zone 6	Jolie écorce brun-rouge qui s'exfolie comme celle du bouleau à papier.	6-7,50 m
argenté ou plaine blanche *(A. saccharinum)*	Zone 2	Sous la brise, l'arbre semble changer de couleur à cause de ses feuilles blanc argenté au revers.	18-27 m (max. 38)
à feuilles laciniées *(A. s.* 'Wieri'*)*	Zone 3	Feuilles dont le limbe est profondément et gracieusement découpé.	18-27 m (max. 40)
à sucre *(A. saccharum)*	Zone 4	Feuilles d'un vert vif à revers blanchâtre, virant au jaune lumineux en automne. Branches arquées, parfois même retombantes. La structure de cet érable risque de subir des déformations pendant l'hiver. C'est la sève de cet arbre qui donne le sirop d'érable.	15-23 m (max. 36)
Sycomore ou faux platane *(A. pseudoplatanus)*	Zone 5	Pas de changement de coloris à l'automne. Espèce utile au bord des cours d'eau.	15-18 m (max. 30)
Faux acacia, voir Robinier			
Févier *(Gleditsia)*			
épineux ou d'Amérique *(G. triacanthos)*	Zone 4	Feuilles ressemblant à des frondes de fougères. Gousses de 45 cm de long, se détachant de l'arbre. Epines ramifiées et dangereuses. Arbre facile à transplanter. Pousse bien en ville.	10,50-22,50 m (max. 36)
G. t. 'Moraine'	Zone 4	Semblable à *G. triacanthos*, sauf qu'il est dépourvu d'épines.	10,50-18 m
G. t. 'Rubylace'	Zone 4	Feuilles pourpres virant au vert bronze en été. Variété sans épines.	10,50-18 m
G. t. 'Sunburst'	Zone 4	Arbre à croissance lente, non épineux, pouvant supporter de grandes chaleurs. Feuillage jaune.	9-15 m
Frêne *(Fraxinus)*			
vert *(F. pennsylvanica lanceolata)*	Zone 2	Le feuillage vert clair devient jaune vif à l'automne. Résiste bien au vent. Il existe une variété stérile.	12-15 m (max. 18)
d'Amérique ou blanc *(F. americana)*	Zone 3	Les feuilles composées prennent à l'automne diverses teintes variant du jaune au pourpre. On peut obtenir des variétés stériles.	15-21 m (max. 30)
Fustet *(Cotinus)*			
pourpre *(C. coggygria purpureus)*	Zone 5	Fleurs pourpres réunies en panicules lâches et plumeuses en été. Feuilles arrondies de 7 cm de long, vert-bleu en été, virant au jaune ou à l'orangé vif en automne. Les sujets nouvellement transplantés demandent des arrosages généreux pendant les deux ou trois premières années.	4-4,50 m (max. 7,50)

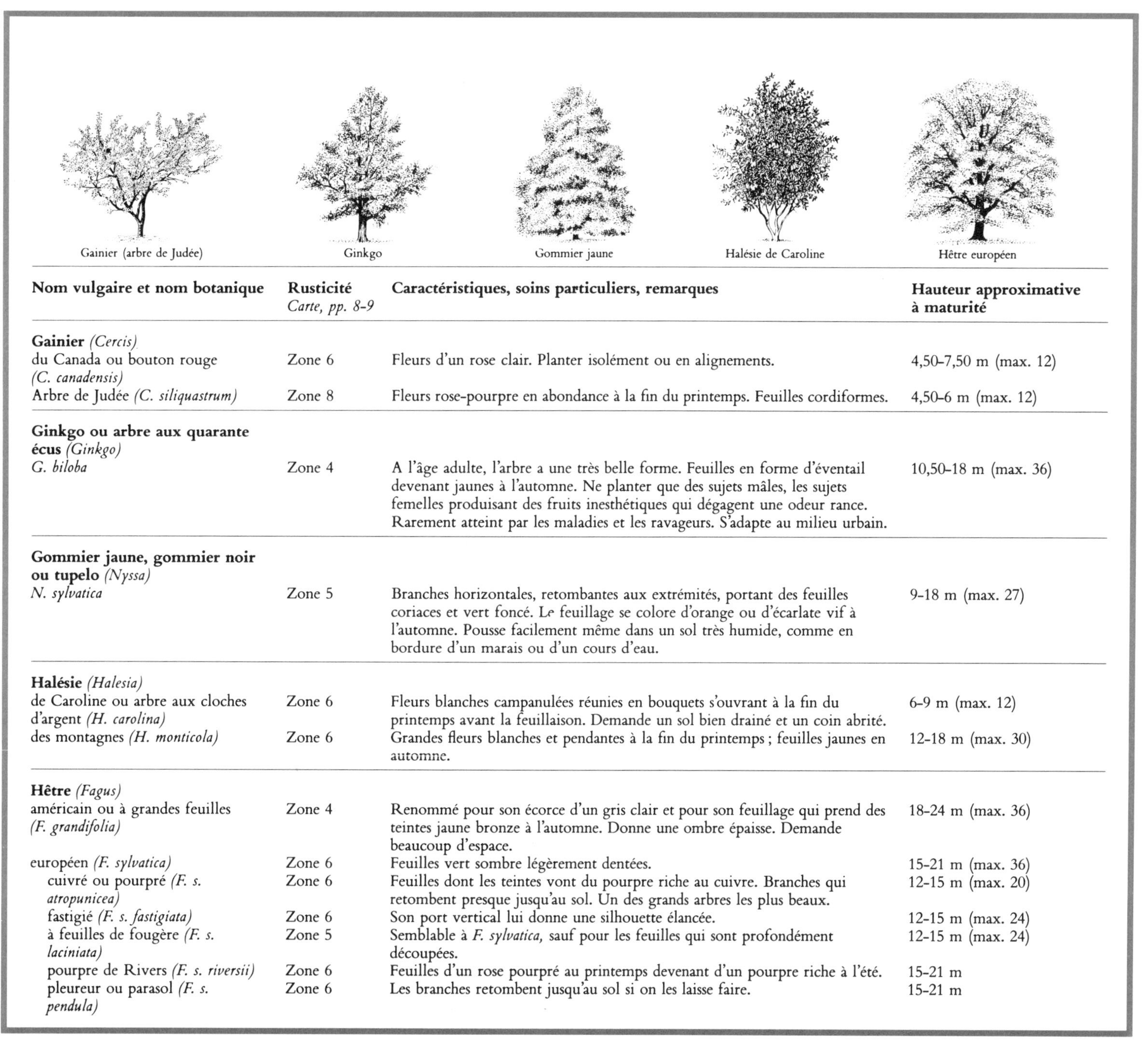

Gainier (arbre de Judée) — Ginkgo — Gommier jaune — Halésie de Caroline — Hêtre européen

Nom vulgaire et nom botanique	Rusticité *Carte, pp. 8-9*	Caractéristiques, soins particuliers, remarques	Hauteur approximative à maturité
Gainier *(Cercis)*			
du Canada ou bouton rouge *(C. canadensis)*	Zone 6	Fleurs d'un rose clair. Planter isolément ou en alignements.	4,50-7,50 m (max. 12)
Arbre de Judée *(C. siliquastrum)*	Zone 8	Fleurs rose-pourpre en abondance à la fin du printemps. Feuilles cordiformes.	4,50-6 m (max. 12)
Ginkgo ou arbre aux quarante écus *(Ginkgo)*			
G. biloba	Zone 4	A l'âge adulte, l'arbre a une très belle forme. Feuilles en forme d'éventail devenant jaunes à l'automne. Ne planter que des sujets mâles, les sujets femelles produisant des fruits inesthétiques qui dégagent une odeur rance. Rarement atteint par les maladies et les ravageurs. S'adapte au milieu urbain.	10,50-18 m (max. 36)
Gommier jaune, gommier noir ou tupelo *(Nyssa)*			
N. sylvatica	Zone 5	Branches horizontales, retombantes aux extrémités, portant des feuilles coriaces et vert foncé. Le feuillage se colore d'orange ou d'écarlate vif à l'automne. Pousse facilement même dans un sol très humide, comme en bordure d'un marais ou d'un cours d'eau.	9-18 m (max. 27)
Halésie *(Halesia)*			
de Caroline ou arbre aux cloches d'argent *(H. carolina)*	Zone 6	Fleurs blanches campanulées réunies en bouquets s'ouvrant à la fin du printemps avant la feuillaison. Demande un sol bien drainé et un coin abrité.	6-9 m (max. 12)
des montagnes *(H. monticola)*	Zone 6	Grandes fleurs blanches et pendantes à la fin du printemps ; feuilles jaunes en automne.	12-18 m (max. 30)
Hêtre *(Fagus)*			
américain ou à grandes feuilles *(F. grandifolia)*	Zone 4	Renommé pour son écorce d'un gris clair et pour son feuillage qui prend des teintes jaune bronze à l'automne. Donne une ombre épaisse. Demande beaucoup d'espace.	18-24 m (max. 36)
européen *(F. sylvatica)*	Zone 6	Feuilles vert sombre légèrement dentées.	15-21 m (max. 36)
cuivré ou pourpré *(F. s. atropunicea)*	Zone 6	Feuilles dont les teintes vont du pourpre riche au cuivre. Branches qui retombent presque jusqu'au sol. Un des grands arbres les plus beaux.	12-15 m (max. 20)
fastigié *(F. s. fastigiata)*	Zone 6	Son port vertical lui donne une silhouette élancée.	12-15 m (max. 24)
à feuilles de fougère *(F. s. laciniata)*	Zone 5	Semblable à *F. sylvatica,* sauf pour les feuilles qui sont profondément découpées.	12-15 m (max. 24)
pourpre de Rivers *(F. s. riversii)*	Zone 6	Feuilles d'un rose pourpré au printemps devenant d'un pourpre riche à l'été.	15-21 m
pleureur ou parasol *(F. s. pendula)*	Zone 6	Les branches retombent jusqu'au sol si on les laisse faire.	15-21 m

ARBRES À FEUILLES CADUQUES *(suite)*

Katsura

Laurier sassafras

Magnolia de Soulange

Marronnier d'Inde

Nom vulgaire et nom botanique	**Rusticité** *Carte, pp. 8-9*	**Caractéristiques, soins particuliers, remarques**	**Hauteur approximative à maturité**
Katsura *(Cercidiphyllum)*			
C. japonicum	Zone 5	Tronc souvent ramifié à la base et branches étalées. Ne conserver qu'un tronc pour obtenir un port colonnaire. Feuillage vert-bleu devenant jaune puis écarlate en automne. Exige beaucoup d'humidité.	7,50-12 m (max. 30)
Laurier sassafras ou laurier des Iroquois *(Sassafras)*			
S. albidum	Zone 6	Petites fleurs insignifiantes. Feuilles en forme de moufle devenant d'un rouge ou d'un jaune flamboyant en automne. Baies bleu sombre sur des pétioles rouge vif également en automne. Difficile à transplanter, mais survit en sol pauvre. Nombreux rejets.	12-18 m
Magnolia *(Magnolia)*			
à feuilles de saule *(M. salicifolia)*	Zone 6	A la fin du printemps, des boutons tendres et pubescents s'épanouissent en fleurs blanches et parfumées qui apparaissent avant les feuilles. Celles-ci deviennent jaunes en automne. Froissées, elles dégagent une odeur d'anis. En hiver, attention à la cochenille du magnolia qui attaque espèces et variétés. Voir traitement, p. 445.	5,50-9 m
à feuilles acuminées *(M. acuminata)*	Zone 5	Petites fleurs jaune-vert, peu voyantes, à la fin du printemps. Beaux fruits de 7,5 à 10 cm, roses ou rouges, en automne. Feuilles attrayantes se terminant en pointe fine et allongée, et recouvertes d'un duvet vert clair en dessous. Arbre très décoratif et de croissance rapide.	15-21 m (max. 27)
M. kobus	Zone 5	Fleurs blanches en forme de lis, marquées d'une ligne violacée à la base. Naissent au milieu du printemps et durent peu.	6-9 m
M. k. 'Merrill'	Zone 5	Fleurit à un âge plus précoce que les autres magnolias. Fleurs blanches et parfumées de 10 cm apparaissant avant les feuilles au milieu ou à la fin du printemps.	15 m
de Soulange *(M. soulangiana)*	Zone 5	Grandes fleurs pourpres, même sur de jeunes sujets. Variétés nombreuses dont les fleurs vont du blanc au rose. Arbres à un ou plusieurs troncs.	4,50-7,50 m
Marronnier *(Aesculus)*			
d'Inde *(A. hippocastanum)*	Zone 5	Panicules de grandes fleurs blanches marquées de rouge à la fin du printemps. Feuilles palmées de grande taille, composées de 5 à 7 folioles, toxiques au début du printemps. Demeurent vertes en automne. Production abondante de marrons, toxiques lorsqu'ils ne sont pas traités. Sujet à la brûlure de fin d'été.	13,50-18 m (max. 23)
A. h. baumannii	Zone 5	Fleurs blanches doubles, stériles, c'est-à-dire qui ne produisent pas de fruits, ce qui réduit l'entretien du parterre.	13,50-18 m
de l'Ohio *(A. glabra)*	Zone 2	Port arrondi, feuillage automnal orange. Jeunes feuilles et graines toxiques.	6-7,50 m (max. 9)

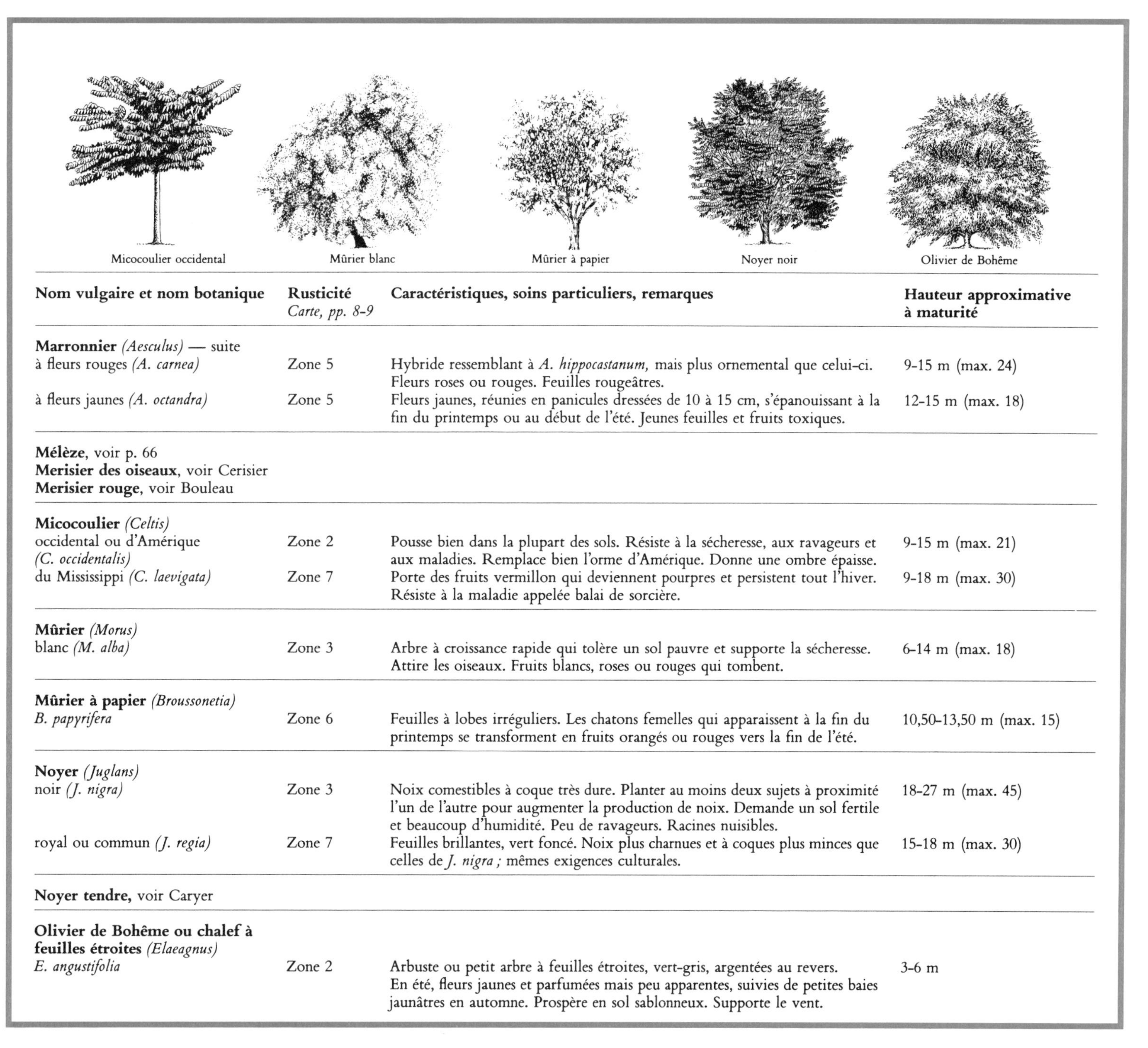

Nom vulgaire et nom botanique	Rusticité *Carte, pp. 8-9*	Caractéristiques, soins particuliers, remarques	Hauteur approximative à maturité
Marronnier *(Aesculus)* — suite			
à fleurs rouges *(A. carnea)*	Zone 5	Hybride ressemblant à *A. hippocastanum,* mais plus ornemental que celui-ci. Fleurs roses ou rouges. Feuilles rougeâtres.	9-15 m (max. 24)
à fleurs jaunes *(A. octandra)*	Zone 5	Fleurs jaunes, réunies en panicules dressées de 10 à 15 cm, s'épanouissant à la fin du printemps ou au début de l'été. Jeunes feuilles et fruits toxiques.	12-15 m (max. 18)
Mélèze, voir p. 66			
Merisier des oiseaux, voir Cerisier			
Merisier rouge, voir Bouleau			
Micocoulier *(Celtis)*			
occidental ou d'Amérique *(C. occidentalis)*	Zone 2	Pousse bien dans la plupart des sols. Résiste à la sécheresse, aux ravageurs et aux maladies. Remplace bien l'orme d'Amérique. Donne une ombre épaisse.	9-15 m (max. 21)
du Mississippi *(C. laevigata)*	Zone 7	Porte des fruits vermillon qui deviennent pourpres et persistent tout l'hiver. Résiste à la maladie appelée balai de sorcière.	9-18 m (max. 30)
Mûrier *(Morus)*			
blanc *(M. alba)*	Zone 3	Arbre à croissance rapide qui tolère un sol pauvre et supporte la sécheresse. Attire les oiseaux. Fruits blancs, roses ou rouges qui tombent.	6-14 m (max. 18)
Mûrier à papier *(Broussonetia)*			
B. papyrifera	Zone 6	Feuilles à lobes irréguliers. Les chatons femelles qui apparaissent à la fin du printemps se transforment en fruits orangés ou rouges vers la fin de l'été.	10,50-13,50 m (max. 15)
Noyer *(Juglans)*			
noir *(J. nigra)*	Zone 3	Noix comestibles à coque très dure. Planter au moins deux sujets à proximité l'un de l'autre pour augmenter la production de noix. Demande un sol fertile et beaucoup d'humidité. Peu de ravageurs. Racines nuisibles.	18-27 m (max. 45)
royal ou commun *(J. regia)*	Zone 7	Feuilles brillantes, vert foncé. Noix plus charnues et à coques plus minces que celles de *J. nigra ;* mêmes exigences culturales.	15-18 m (max. 30)
Noyer tendre, voir Caryer			
Olivier de Bohême ou chalef à feuilles étroites *(Elaeagnus)*			
E. angustifolia	Zone 2	Arbuste ou petit arbre à feuilles étroites, vert-gris, argentées au revers. En été, fleurs jaunes et parfumées mais peu apparentes, suivies de petites baies jaunâtres en automne. Prospère en sol sablonneux. Supporte le vent.	3-6 m

ARBRES À FEUILLES CADUQUES *(suite)*

Ostryer de Virginie

Parrotia

Pêcher 'Double White'

Peuplier baumier à feuilles subcordées

Nom vulgaire et nom botanique	Rusticité *Carte, pp. 8-9*	Caractéristiques, soins particuliers, remarques	Hauteur approximative à maturité
Ostryer de Virginie, bois dur ou bois-de-fer *(Ostrya)*			
O. virginiana	Zone 3	Fleurs vertes insignifiantes remplacées par de beaux fruits en forme d'outre, qui demeurent sur l'arbre tout l'été. Croissance lente ; transplantation hasardeuse.	7,50-10,50 m (max. 18)
Pacanier, voir Caryer			
Parrotia *(Parrotia)*			
de Perse *(P. persica)*	Zone 7	Espèce à ramure étalée. La floraison précède la feuillaison. Fleurs sans pétales mais à étamines rouge vif au printemps. En automne, le feuillage devient jaune, orange ou écarlate. Tronc décoratif dont l'écorce se soulève par plaques. Peu vulnérable aux ravageurs et aux maladies. Difficile à transplanter.	4,50-6 m (max. 9)
Pécanier, voir Caryer			
Pêcher *(Prunus)*			
P. persica 'Double Red'	Zone 6	Floraison plus hâtive que chez les autres pêchers d'ornement.	5,50-7,50 m
P. p. 'Double White'	Zone 6	Se couvre de fleurs blanches doubles au milieu du printemps.	5,50-7,50 m
P. p. 'Helen Borchers'	Zone 6	Fleurs d'un rose vif pouvant atteindre jusqu'à 6,5 cm de diamètre.	5,50-7,50 m
P. p. 'Iceberg'	Zone 6	Très belle variété à fleurs blanches.	5,50-7,50 m
P. p. 'Weeping Double Pink'	Zone 6	Port pleureur et fleurs roses doubles.	5,50-7,50 m
P. p. 'Weeping Double Red'	Zone 6	Branches gracieusement retombantes.	5,50-7,50 m
Peuplier *(Populus)*			
baumier à feuilles subcordées *(P. candicans)*	Zone 3	Les feuilles dentées, pubescentes au revers, ont souvent plus de 15 cm de long.	15-21 m (max. 30)
de Berlin *(P. berolinensis)*	Zone 2	Espèce rustique souvent utilisée comme brise-vent dans les climats rigoureux.	12-15 m (max. 23)
blanc pyramidal *(P. alba* 'Pyramidalis'*)*	Zone 4	Port colonnaire, semblable à celui du peuplier de Lombardie mais qui résiste mieux au vent.	9-15 m
pyramidal de Caroline *(P. canadensis eugenei)*	Zone 2	Port pyramidal ; feuilles vernissées et coriaces. Racines envahissantes : ne pas planter cet arbre près des canalisations.	18-26 m (max. 41)
à feuilles deltoïdes, Liard ou du Canada *(P. deltoides)*	Zone 2	Chatons cotonneux laissant tomber une bourre qui peut causer des allergies. Utiliser de préférence les sujets mâles.	18-24 m (max. 27)
du Japon *(P. maximowiczii)*	Zone 5	Très étalées, les branches portent des feuilles épaisses et coriaces, plus hâtives que chez les autres peupliers. Protéger cette espèce contre le chancre du peuplier (p. 463).	15-21 m (max. 30)

Phellodendron de l'Amour

Platane de Londres

Poirier Callery

Nom vulgaire et nom botanique	Rusticité *Carte, pp. 8-9*	Caractéristiques, soins particuliers, remarques	Hauteur approximative à maturité
Peuplier *(Populus)* — suite			
de Lombardie ou d'Italie *(P. nigra* 'Italica'*)*	Zone 4	Espèce de croissance rapide mais de faible longévité. Branches parallèles au tronc principal. Silhouette élancée.	18-21 m
P. bernardi	Zone 2	Espèce très recommandée. Port érigé. Arbre très rustique, d'une grande utilité dans les Prairies.	12-15 m
P. 'Griffin'	Zone 1	Hybride à port vertical et à feuilles vert clair.	9-12 m
faux tremble ou tremble *(P. tremuloides)*	Zone 1	Feuilles de 7,5 cm qui tremblent au moindre souffle d'air et qui virent au jaune vif en automne. Espèce à planter en groupe.	15-21 m (max. 30)
argenté *(P. alba nivea)*	Zone 2	Ecorce gris-blanc ; feuilles couleur argent au revers. Espèce vigoureuse qui demande beaucoup d'espace.	15-21 m (max. 30)
Phellodendron de l'Amour ou arbre-à-liège de l'Amour *(Phellodendron)*			
P. amurense	Zone 3	Ecorce rugueuse, tendre et poreuse. Port élégant, très étalé. Les arbres femelles portent de petites baies noires de 0,5 cm qui peuvent être ennuyeuses quand elles tombent sur le sol. Feuilles et baies dégagent une odeur de térébenthine quand on les froisse. Le feuillage fait peu d'ombre et n'empêche pas le gazon de pousser. S'adapte à tous les sols. Résiste aux ravageurs et aux maladies et supporte la pollution. En dépit de son nom, ce n'est pas cet arbre qui produit du liège, mais le *Quercus suber* ou chêne-liège.	9-14 m (max. 15)
Plaine blanche, voir Erable argenté			
Platane *(Platanus)*			
d'Occident ou de Virginie *(P. occidentalis)*	Zone 5	Essence caractéristique par son écorce qui se détache en lambeaux et par des grappes de fruits sphériques. Après transplantation, reprend lentement sa croissance.	18-24 m
de Londres *(P. acerifolia)*	Zone 6	Morceaux d'écorce couleur crème qui se détachent et laissent apparaître un tronc jaune. Espèce qui ressemble beaucoup à *P. occidentalis.* Donne des fruits sphériques, en grappes de 2. Essence qui convient tout à fait dans les jardins de ville.	15-23 m
Poirier *(Pyrus)*			
Callery *(P. calleryana)*	Zone 5	Grappes de fleurs blanches s'ouvrant tard au printemps, suivies de petits fruits couleur rouille non comestibles, mais qui attirent les oiseaux. Arbre idéal pour décorer les rues. Feuillage vernissé prenant une belle teinte écarlate vif en automne.	4,50-7,50 m (max. 9)

Pommier carmin

Pommier 'Red Jade'

Prunier myrobolan à feuilles pourpres

Nom vulgaire et nom botanique	Rusticité *Carte, pp. 8-9*	Caractéristiques, soins particuliers, remarques	Hauteur approximative à maturité
Pommier *(Malus)*			
d'Arnold *(M. arnoldiana)*	Zone 5	Arbre à port étalé. Boutons floraux rose-rouge. Fleurs roses à l'extérieur et blanches à l'intérieur, suivies de fruits jaunes en automne. Beau sujet.	6-7,50 m
carmin *(M. atrosanguinea)*	Zone 5	Feuilles luisantes, fleurs pourpres, fruits rouges. Résiste à la tavelure du pommier.	5,50-6 m
du Japon *(M. floribunda)*	Zone 5	Beau pommier d'ornement. Espèce à cime arrondie, très ramifiée et à port étalé. Fleurs rose-rouge parfumées naissant à la fin du printemps et tournant au blanc. Fruits rouge et jaune de la fin de l'été à la mi-automne.	7,50-9 m
M. 'Almey'	Zone 2	Fleurs rouge vif à cœur blanc. Fruits vermillon qui restent dans l'arbre jusque tard en hiver.	6 m
M. 'Dolgo'	Zone 2	Fleurs blanches parfumées n'apparaissant que tous les deux ans à la fin du printemps. Floraison abondante. Fruits rouges apparaissant à la fin de l'été ; ils donnent une excellente gelée. Arbre à port très étalé, rustique et peu sensible à la tavelure.	10,50-12 m
M. 'Dorothea'	Zone 4	L'un des rares pommiers à porter des fleurs semi-doubles, rose foncé, naissant à la fin du printemps. Celles-ci apparaissent même sur de très jeunes sujets et sont suivies d'abondants fruits jaunes. Arbre sensible à la tavelure.	6-7,50 m
M. 'Hopa'	Zone 2	Fleurs mauves suivies de fruits rouges qui donnent une excellente gelée.	9 m
M. 'Katherine'	Zone 4	Fleurs doubles rose et blanc à la fin du printemps. Petits fruits d'un rouge mat.	4,50-6 m
M. 'Kelsey'	Zone 2	Fleurs doubles d'un rose vibrant.	4,50 m
M. 'Profusion'	Zone 2	Fleurs d'un rouge pourpre devenant rose. Feuilles pourpres au début, virant au vert bronze.	6 m
M. 'Red Jade'	Zone 5	Rameaux retombants. Fleurs simples blanches ; fruits rouge vif durables.	4,50-6 m
M. 'Royalty'	Zone 2	Fleurs roses. Feuillage pourpre qui conserve sa couleur.	6 m
de Hupeh *(M. hupehensis)*	Zone 5	Petit arbre à rameaux étalés en éventail et gracieusement retombants. Boutons rose foncé s'épanouissant en fleurs blanches à la fin du printemps. Floraison abondante tous les deux ans. Fruits jaune-vert nuancés de rouge.	5,50-7,50 m
Prunier *(Prunus)*			
à fleurs *(P. blireiana)*	Zone 6	Au printemps, les feuilles ont une teinte cuivrée qu'elles gardent jusqu'à l'été. Fleurs doubles rose clair. Les branches fleurissent bien à l'intérieur. Exige une taille sévère pour prospérer.	6-9 m
myrobolan à feuilles pourpres *(P. cerasifera atropurpurea)*	Zone 5	Feuilles dont la teinte rouge cuivre s'intensifie au soleil et persiste tout l'été. Les fleurs rose clair sont éphémères. Elles sont remplacées, à l'automne, par des fruits pourpres de 2,5 cm de diamètre, comestibles.	6-7,50 m

Prunus, voir Cerisier, Pêcher, Prunier

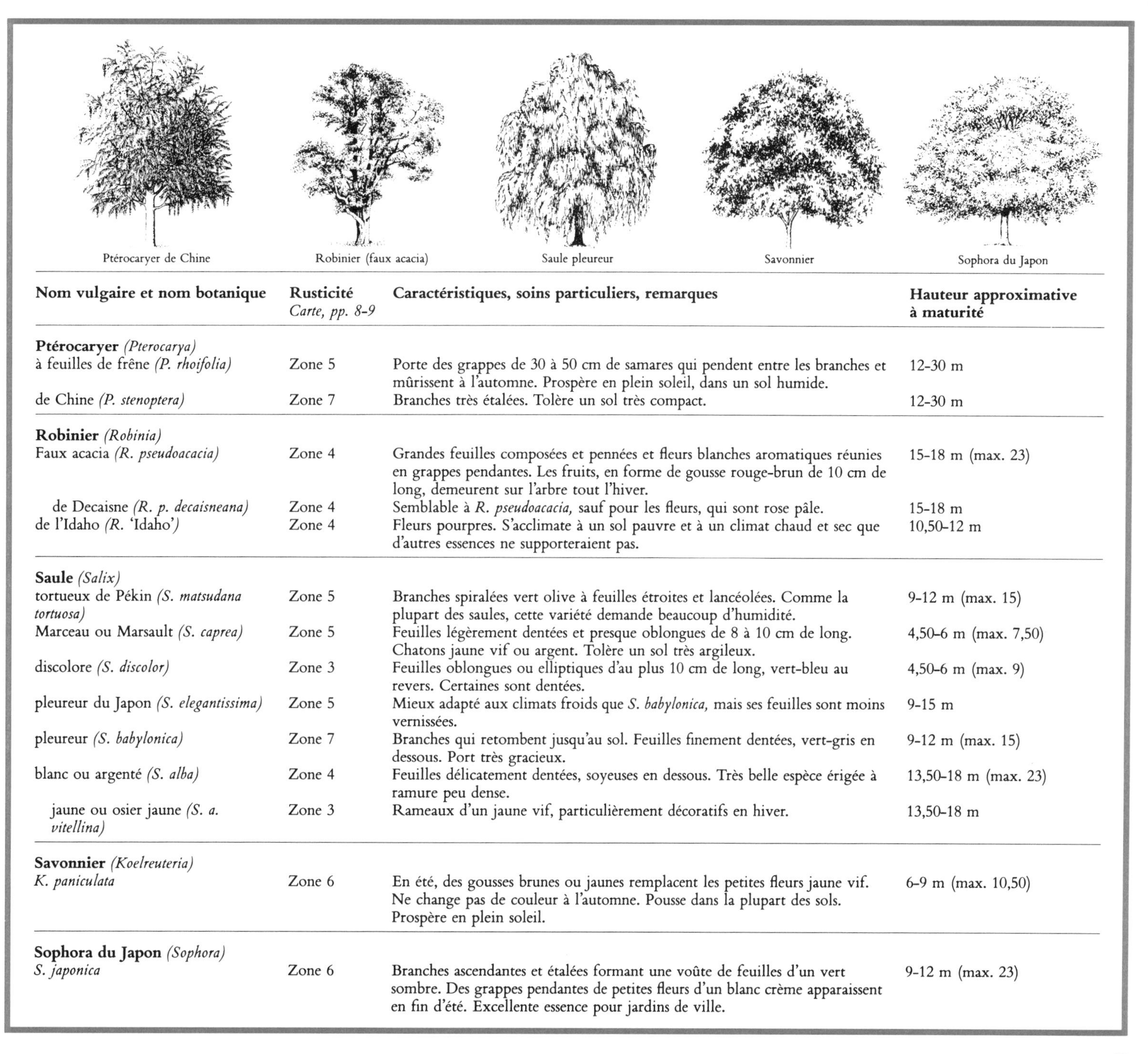

Ptérocaryer de Chine — Robinier (faux acacia) — Saule pleureur — Savonnier — Sophora du Japon

Nom vulgaire et nom botanique	Rusticité *Carte, pp. 8-9*	Caractéristiques, soins particuliers, remarques	Hauteur approximative à maturité
Ptérocaryer *(Pterocarya)*			
à feuilles de frêne *(P. rhoifolia)*	Zone 5	Porte des grappes de 30 à 50 cm de samares qui pendent entre les branches et mûrissent à l'automne. Prospère en plein soleil, dans un sol humide.	12-30 m
de Chine *(P. stenoptera)*	Zone 7	Branches très étalées. Tolère un sol très compact.	12-30 m
Robinier *(Robinia)*			
Faux acacia *(R. pseudoacacia)*	Zone 4	Grandes feuilles composées et pennées et fleurs blanches aromatiques réunies en grappes pendantes. Les fruits, en forme de gousse rouge-brun de 10 cm de long, demeurent sur l'arbre tout l'hiver.	15-18 m (max. 23)
de Decaisne *(R. p. decaisneana)*	Zone 4	Semblable à *R. pseudoacacia,* sauf pour les fleurs, qui sont rose pâle.	15-18 m
de l'Idaho *(R. 'Idaho')*	Zone 4	Fleurs pourpres. S'acclimate à un sol pauvre et à un climat chaud et sec que d'autres essences ne supporteraient pas.	10,50-12 m
Saule *(Salix)*			
tortueux de Pékin *(S. matsudana tortuosa)*	Zone 5	Branches spiralées vert olive à feuilles étroites et lancéolées. Comme la plupart des saules, cette variété demande beaucoup d'humidité.	9-12 m (max. 15)
Marceau ou Marsault *(S. caprea)*	Zone 5	Feuilles légèrement dentées et presque oblongues de 8 à 10 cm de long. Chatons jaune vif ou argent. Tolère un sol très argileux.	4,50-6 m (max. 7,50)
discolore *(S. discolor)*	Zone 3	Feuilles oblongues ou elliptiques d'au plus 10 cm de long, vert-bleu au revers. Certaines sont dentées.	4,50-6 m (max. 9)
pleureur du Japon *(S. elegantissima)*	Zone 5	Mieux adapté aux climats froids que *S. babylonica,* mais ses feuilles sont moins vernissées.	9-15 m
pleureur *(S. babylonica)*	Zone 7	Branches qui retombent jusqu'au sol. Feuilles finement dentées, vert-gris en dessous. Port très gracieux.	9-12 m (max. 15)
blanc ou argenté *(S. alba)*	Zone 4	Feuilles délicatement dentées, soyeuses en dessous. Très belle espèce érigée à ramure peu dense.	13,50-18 m (max. 23)
jaune ou osier jaune *(S. a. vitellina)*	Zone 3	Rameaux d'un jaune vif, particulièrement décoratifs en hiver.	13,50-18 m
Savonnier *(Koelreuteria)*			
K. paniculata	Zone 6	En été, des gousses brunes ou jaunes remplacent les petites fleurs jaune vif. Ne change pas de couleur à l'automne. Pousse dans la plupart des sols. Prospère en plein soleil.	6-9 m (max. 10,50)
Sophora du Japon *(Sophora)*			
S. japonica	Zone 6	Branches ascendantes et étalées formant une voûte de feuilles d'un vert sombre. Des grappes pendantes de petites fleurs d'un blanc crème apparaissent en fin d'été. Excellente essence pour jardins de ville.	9-12 m (max. 23)

ARBRES À FEUILLES CADUQUES *(suite)*

Sorbier d'Europe

Tilleul de Crimée

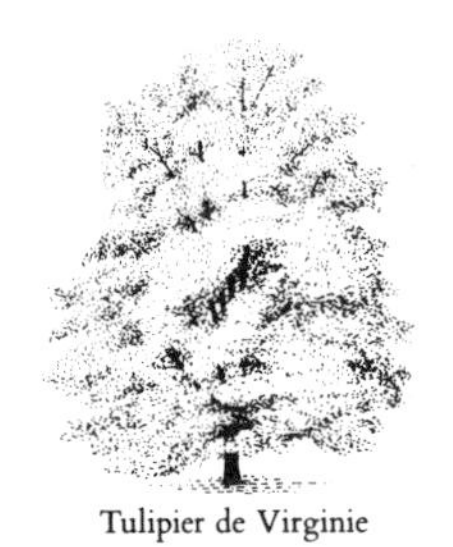
Tulipier de Virginie

Virgilier

Zelkova

Nom vulgaire et nom botanique	**Rusticité** *Carte, pp. 8-9*	**Caractéristiques, soins particuliers, remarques**	**Hauteur approximative à maturité**
Sorbier *(Sorbus)*			
d'Amérique ou cormier *(S. americana)*	Zone 3	Feuilles composées d'une quinzaine de folioles. Fleurs blanches à la fin du printemps, suivies par des baies rouges en automne. Préfère un sol acide.	6-9 m
d'Europe *(S. aucuparia)*	Zone 3	Ses feuilles rougeâtres et ses grappes de fruits rouge vif à l'automne en font un beau sujet à planter dans une pelouse.	6-9 m (max. 15)
de Corée *(S. alnifolia)*	Zone 4	Abondantes fleurs de 2,5 cm de diamètre. En automne, les feuilles virent à l'orange et à l'écarlate. L'écorce est lisse et gris foncé.	7,50-10,50 m (max. 18)
Tilleul *(Tilia)*			
d'Amérique ou bois blanc *(T. americana)*	Zone 2	Feuilles à texture rugueuse pouvant atteindre 20 cm de long. Au début de l'été, petites fleurs aromatiques qui attirent les abeilles.	12-18 m (max. 35)
de Crimée *(T. euchlora)*	Zone 5	Arbre de croissance rapide, jetant une ombre épaisse. Branches légèrement pendantes. Feuilles cordiformes et vernissées.	7,50-12 m (max. 20)
à petites feuilles *(T. cordata)*	Zone 3	Croissance lente et port pyramidal. Bonne essence pour le jardin urbain.	9-15 m (max. 30)
T. c. 'Glenleven'	Zone 3	Les jeunes rameaux d'un vert clair tirant sur le jaune sont particulièrement jolis en hiver. Essence recommandée en milieu urbain.	9-15 m
T. c. 'Greenspire'	Zone 3	Branches qui irradient autour d'un tronc droit. Feuilles d'environ 8 cm de long. Variété de croissance rapide, recommandée en milieu urbain.	9-15 m
argenté *(T. tomentosa)*	Zone 6	Grandes feuilles arrondies dont le revers est couvert de duvet blanc argenté, d'où son nom vulgaire. Branches dressées donnant à l'arbre un port pyramidal. Moins recommandé en milieu urbain que les autres tilleuls, parce que la suie adhère au duvet des feuilles.	12-18 m (max. 30)
Tulipier de Virginie ou bois jaune *(Liriodendron)*			
L. tulipifera	Zone 5	Fleurs jaune-vert et orange, en forme de tulipe, au début de l'été ; feuillage jaune d'or en automne. Très bel arbre dans une pelouse ; demande un sol riche et modérément humide. Précieux pour la plantation en isolé.	15-20 m (max. 55)
Tupelo, voir Gommier jaune			
Virgilier *(Cladrastis)*			
C. lutea	Zone 4	Feuilles vert vif et fleurs blanches, parfumées et retombantes, naissant au début de l'été. Prend un beau port arrondi avec les années.	9-14 m (max. 18)
Zelkova *(Zelkova)*			
du Japon *(Z. serrata)*	Zone 6	Exempt de maladie ; de croissance assez rapide. Bon substitut de l'orme d'Amérique.	15-18 m (max. 30)

Conifères

Les conifères sont des arbres qui portent des cônes ; la plupart ont des feuilles persistantes en forme d'aiguilles. Ils sont classés ci-dessous d'après leur nom vulgaire le plus connu. Le nom générique suit entre parenthèses et en italique. Les espèces et les variétés recommandées figurent également dans ce tableau.

La vitalité d'un arbre est liée à un grand nombre de facteurs parmi lesquels la résistance au gel, ou rusticité. Pour savoir si une essence est en mesure de résister aux froids qui sévissent dans votre région en hiver, prenez note de sa zone de rusticité dans la colonne intitulée « Rusticité » et reportez-vous à la carte des pages 8 et 9.

Les chiffres qui apparaissent dans la colonne de droite donnent la hauteur que l'arbre est censé atteindre s'il reçoit les soins voulus et si ses exigences culturales sont respectées. Certains arbres, cependant, se développent davantage à l'état sauvage. Les chiffres entre parenthèses indiquent leur hauteur maximale.

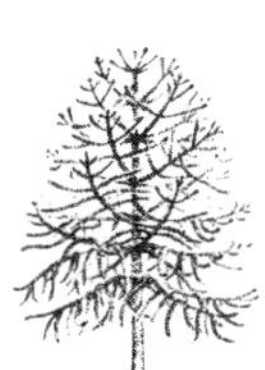
Araucaria araucana (désespoir des singes)

Cèdre glauque de l'Atlas

Cèdre du Japon

Nom vulgaire et nom botanique	Rusticité *Carte, pp. 8-9*	Caractéristiques, soins particuliers, remarques	Hauteur approximative à maturité
Araucaria *(Araucaria)*			
Désespoir des singes *(A. araucana)*	Zone 8	Port remarquable, plutôt conique. Rameaux entrelacés mais peu denses, ne jetant pas beaucoup d'ombre. Feuilles vert foncé, étroitement imbriquées, rigides et très durables.	16,50-18 m
Arbre aux quarante écus, voir Ginkgo, p. 55			
Cèdre *(Cedrus)*			
de l'Atlas *(C. atlantica)*	Zone 7	Cime conique s'élargissant avec l'âge. Feuilles vert clair de moins de 2,5 cm de long, à jolis reflets argentés. Cônes brun pâle souvent de 7,5 cm. Comme tous les cèdres, cette espèce demande beaucoup d'espace et prospère dans un sol humide mais bien drainé.	21-24 m (max. 30)
glauque de l'Atlas *(C. a. glauca)*	Zone 7	Beau feuillage bleuté.	24-30 m
C. a. fastigiata	Zone 7	Feuilles aciculaires bleu-gris à reflets argentés. Port vertical, forme étroite.	15-21 m
du Liban *(C. libani)*	Zone 6	Feuilles de 2,5 cm, de vert foncé à vert clair. Cônes bruns de 10 cm de long.	21-24 m (max. 30)
de l'Himalaya *(C. deodara)*	Zone 8	Branches retombantes caractéristiques de cette espèce. Feuilles de 5 cm de long, vert-bleu. Cônes rouge-brun de 13 cm de long, à écailles coriaces.	21-24 m (max. 45)
Cèdre blanc, voir Thuya			
Cèdre du Japon *(Cryptomeria)*			
C. japonica	Zone 6	Nombreuses petites feuilles en forme de poinçon, petits cônes et écorce brun orangé vif, filamenteuse. Le feuillage brunit en hiver. Beau spécimen à planter isolément. Ne peut tolérer de longues périodes de chaleur ou de sécheresse et des vents glacés en hiver.	9-30 m
C. j. lobbii	Zone 6	Semblable à *C. japonica*, mais quelque peu plus rustique.	15-21 m
Cèdre de l'Ouest, voir Thuya			
Cèdre rouge, voir Genévrier			

CONIFÈRES *(suite)*

Cyprès chauve de Louisiane

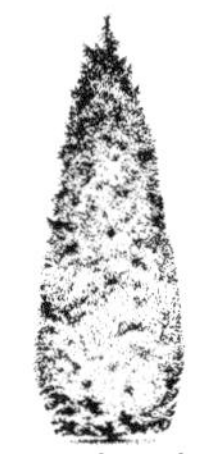

Cyprès de Leyland

Epinette de Serbie

Nom vulgaire et nom botanique	Rusticité *Carte, pp. 8-9*	Caractéristiques, soins particuliers, remarques	Hauteur approximative à maturité
Cèdre rouge de l'Ouest, voir Genévrier			
Cyprès chauve *(Taxodium)* de Louisiane *(T. distichum)*	Zone 5	Feuillage vert clair, léger et caduc devenant orangé en automne. Ecorce écailleuse brun clair. Racines superficielles à grosses excroissances arrondies appelées pneumatophores, émergeant du sol. Prospère en sol humide.	30-36 m
Cyprès de Leyland *(Cupressocyparis)* *C. leylandii*	Zone 7	Bouquets plats de feuilles en forme d'écailles vert-gris. Prospère aussi bien en sol humide qu'en terrain sec. Supporte bien la taille. Excellent pour faire des haies élevées ou des écrans. Croît rapidement.	12-18 m
Désespoir des singes, voir Araucaria			
Epinette *(Picea)* du Colorado *(P. pungens)*	Zone 2	Conifère extrêmement rustique à aiguilles acérées vert-bleu. La fameuse épinette bleue de 'Koster' est une variété sélectionnée de cette espèce. Vulnérable aux attaques du chermes de l'épicéa. L'une des rares épinettes à supporter la ville.	21-30 m
P. asperata	Zone 5	Aiguilles vert clair teintées de bleu pouvant demeurer sur l'arbre jusqu'à 7 ans. Feuillage dense. Ecorce brun-gris qui se soulève par plaques.	18-23 m
d'Engelmann *(P. engelmannii)*	Zone 3	Garde ses branches inférieures plus longtemps que d'autres épinettes. Feuillage vert-bleu. Demande beaucoup d'espace. Arbre très rustique.	23-45 m
de Norvège *(P. abies* ou *P. excelsa)*	Zone 2	Branches retombantes aux extrémités. Feuillage d'un beau vert foncé. Variétés nombreuses dont quelques formes naines et une à feuillage jaune foncé. Croît rapidement, surtout en bas âge.	45-50 m
de Serbie *(P. omorika)*	Zone 3	Les branches retombent avec l'âge. Aiguilles vertes, brillantes et plates, décorées au revers de 2 bandes blanches.	27-35 m
blanche *(P. glauca)*	Zone 1	Conifère d'une certaine beauté. Branches ascendantes qui retombent aux extrémités ; feuillage vert-bleu. Résiste bien à la sécheresse et à la chaleur. Variété naine et plusieurs à feuillage compact.	21-27 m
Faux cyprès *(Chamaecyparis)* du Japon *(C. obtusa)*	Zone 5	Branches plates portant des feuilles en forme d'écailles plates d'un vert brillant sur le dessus, striées de blanc au revers. Cônes brun orangé de 1 cm de large. Ecorce brun-rouge. Plusieurs variétés sont de croissance lente. Certaines ne dépassent pas de 90 cm à 3 m. D'autres ont un riche feuillage jaune. Exigent un sol humide.	20-21 m

Faux cyprès de Lawson

Faux mélèze

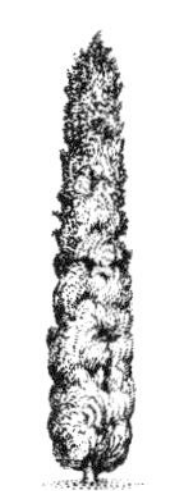
Genévrier de Chine

If d'Europe

Nom vulgaire et nom botanique	Rusticité *Carte, pp. 8-9*	Caractéristiques, soins particuliers, remarques	Hauteur approximative à maturité
Faux cyprès *(Chamaecyparis)* — suite			
de Lawson *(C. lawsoniana)*	Zone 7	Branches retombantes à écorce brun-rouge. Feuilles en forme d'écailles vertes ou vert-bleu. Il existe des variétés à feuillage argent, bleu, jaune ou à pointes blanches. Cônes mâles rougeâtres, cônes femelles bruns quand ils sont mûrs. Demande beaucoup d'humidité.	23-24 m
de Sawara *(C. pisifera)*	Zone 4	Espèce pyramidale étroite à branches horizontales. Ecorce brun-rouge qui se soulève par plaques chez les sujets âgés. Variétés à branches à pointes jaunes ou à feuilles bleu clair ou gris argent. Ramure peu touffue.	4,50-18 m
Faux mélèze *(Pseudolarix)*			
P. amabilis	Zone 7	Feuilles aciculaires devenant jaune d'or avant de tomber en automne. Cônes ovoïdes brun clair qui se brisent en éclats. Non attaqué par les ravageurs des vrais mélèzes.	6-15 m
Genévrier *(Juniperus)*			
de Chine *(J. chinensis)*	Zone 5	Nombreuses variétés, certaines à feuillage vert-bleu ou bleu acier.	6-11 m (max. 20)
J. c. stricta	Zone 4	Forme étroite et érigée, souvent vendue sous le nom de *J. excelsa stricta.*	6-11 m
de Virginie ou cèdre rouge *(J. virginiana)*	Zone 3	Comme beaucoup de genévriers, cette espèce présente des feuilles en aiguilles sur les jeunes branches et des feuilles en écailles sur les vieux rameaux. Fruits bleu foncé. Ecorce d'un brun rougeâtre qui se soulève par bandes. Pousse bien en sol rocailleux. Variétés à aiguilles vert-gris ou teintées de jaune au sommet.	15-23 m (max. 30)
J. rigida	Zone 7	Excellent conifère à branches retombantes. Feuilles aciculaires.	7,50-10,50 m
des Rocheuses ou cèdre rouge de l'Ouest *(J. scopulorum)*	Zone 2	Se divise souvent en fourche à la base, comme *J. virginiana.* Fruits bleus mûrissant durant la deuxième année.	7,50-10,50 m (max. 15)
Ginkgo, voir p. 55			
If *(Taxus)*			
d'Europe ou commun *(T. baccata)*	Zone 7	Cime large et arrondie. Pousse à l'ombre aussi bien qu'au soleil et supporte la taille. Exposé, comme tous les ifs, aux attaques du charançon noir de la vigne, et d'autres ravageurs. Le feuillage et les baies de tous les ifs sont toxiques.	6-12 m (max. 18)
d'Irlande *(T. b. stricta* ou *T. b. fastigiata)*	Zone 7	Variété à port érigé et colonnaire. Branches dressées, habillées d'un feuillage dense et vert foncé poussant dans toutes les directions.	6-12 m
du Japon *(T. cuspidata capitata)*	Zone 4	Les sujets femelles portent des baies écarlates. Cet if est plus vigoureux et plus rustique que *T. baccata.* Quelques formes de *T. cuspidata* sont également plus denses et plus étalées.	9-12 m (max. 15)

CONIFÈRES *(suite)*

Mélèze d'Europe

Métaséquoia

Pin noir d'Autriche

Nom vulgaire et nom botanique	Rusticité *Carte, pp. 8-9*	Caractéristiques, soins particuliers, remarques	Hauteur approximative à maturité
Mélèze *(Larix)*			
d'Europe *(L. decidua)*	Zone 3	Comme tous les mélèzes, celui-ci perd ses aiguilles à l'automne. Port pyramidal qui devient irrégulier avec le temps.	12-18 m (max. 30)
du Japon *(L. leptolepis)*	Zone 2	Espèce de croissance rapide à feuilles vert bleuâtre et à cônes ovoïdes.	12-18 m (max. 30)
Métaséquoia *(Metasequoia)*			
M. glyptostroboides	Zone 5	Conifère à feuilles aciculaires caduques virant au bronze en automne. En sol humide, peut grandir de 1 m ou plus chaque année. Le tronc peut atteindre 2,75 m de diamètre.	24-30 m (max. 35)
Pin *(Pinus)*			
noir d'Autriche *(P. nigra)*	Zone 4	Aiguilles vert foncé. Port pyramidal. Prospère en sols alcalins. Croît vite.	21-27 m
blanc *(P. strobus)*	Zone 2	Arbre élégant. Aiguilles souples groupées par 5.	18-30 m (max. 45)
rouge du Japon *(P. densiflora)*	Zone 5	Se reconnaît au rouge orangé de son tronc et de ses vieilles branches.	24-27 m
blanc du Japon *(P. parviflora)*	Zone 5	Longues aiguilles en groupes de 5, généralement au sommet des ramilles.	18-23 m
Napoléon *(P. bungeana)*	Zone 6	Aiguilles vert foncé en groupes de 3. Peut avoir plusieurs troncs. Ecorce multicolore qui se lève par plaques et révèle une écorce interne crème.	18-23 m
flexible ou souple *(P. flexilis)*	Zone 2	Aiguilles rigides groupées par 3. Cônes ovoïdes. Croissance lente.	15-21 m
ponderosa *(P. ponderosa)*	Zone 2	Aiguilles en groupes de 2 ou de 3. Croissance rapide. Pour parcs et grands jardins.	30-45 m (max. 60)
rouge ou résineux *(P. resinosa)*	Zone 2	Aiguilles vertes brillantes, par 2. Ecorce rougeâtre. Pousse vigoureusement, même dans un sol pauvre.	18-23 m
sylvestre ou écossais *(P. sylvestris)*	Zone 2	Son écorce rouge le rend tout particulièrement décoratif en hiver.	12-27 m
tordu *(P. contorta)*	Zone 6	Branches nombreuses. Aiguilles vert foncé par groupes de 2. Cônes de 7,5 cm de long. Cime arrondie. Pousse en sols secs ou humides.	7,50-9 m
lodgepole ou de Murray *(P. c. latifolia)*	Zone 1	Aiguilles courtes et tordues, 2 par 2. Espèce très vigoureuse.	15-24 m
cembro *(P. cembra)*	Zone 2	Aiguilles d'un vert bleuâtre, longues de presque 13 cm et abondantes, par groupes de 5 sur les branches. Feuillage très dense, port pyramidal. Graines comestibles.	15-23 m
Pruche ou tsuga *(Tsuga)*			
de l'Est ou du Canada *(T. canadensis)*	Zone 4	Feuilles brillantes, vert foncé sur le dessus et marquées de 2 bandes blanchâtres au revers. Racines peu profondes. Facile à transplanter et tolérant quant au sol, mais peu résistant aux grands vents et à la pollution urbaine. Se taille pour former une haie.	21-23 m
de Caroline *(T. caroliniana)*	Zone 7	Semblable à *T. canadensis,* mais résiste mieux à la pollution urbaine.	13,50-15 m
du Japon *(T. diversifolia)*	Zone 7	Feuillage dense. Les aiguilles restent jusqu'à 10 ans sur l'arbre.	15-21 m

Pruche de l'Ouest

Sapin argenté

Sapin de Douglas

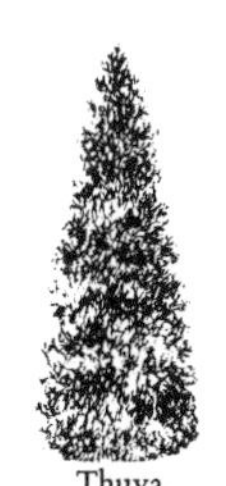
Thuya

Nom vulgaire et nom botanique	Rusticité *Carte, pp. 8-9*	Caractéristiques, soins particuliers, remarques	Hauteur approximative à maturité
Pruche ou tsuga *(Tsuga)* — suite			
de l'Ouest *(T. heterophylla)*	Zone 5	Arbre plutôt en hauteur, ses branches latérales étant retombantes et courtes. Prospère dans des régions où les étés sont humides. Non recommandé pour les régions de l'est du Canada.	27-36 m (max. 60)
Sapin *(Abies)*			
baumier ou blanc *(A. balsamea)*	Zone 1	Feuilles vertes, brillantes, arrondies ou entaillées à la pointe. Silhouette étroite.	9-18 m (max. 23)
de Grèce ou de Céphalonie *(A. cephalonica)*	Zone 5	Feuilles en forme d'aiguilles acérées, de 2,5 cm de long au plus, très étalées autour des pousses.	23-27 m (max. 36)
de Corée *(A. koreana)*	Zone 4	Port pyramidal remarquable. Aiguilles d'un blanc argenté au revers.	13,50-15 m
Nikko *(A. homolepis)*	Zone 3	Branches espacées uniformément. Aiguilles de 2,5 cm de long à bandes blanches au revers ; cônes pourpres de 10 cm de long au plus.	18-24 m (max. 36)
de Veitch *(A. veitchii)*	Zone 5	Aiguilles pointant vers l'extérieur et relevées, blanches au revers. Cônes d'un bleu pourpre dépassant 5 cm de long.	15-21 m
argenté ou du Colorado *(A. concolor)*	Zone 4	Aiguilles bleuâtres ou vertes et grands cônes d'un vert pourpré. Résiste assez bien à la sécheresse et à la chaleur. La meilleure espèce pour jardins de ville.	18-24 m (max. 36)
Sapin de Douglas *(Pseudotsuga)*			
P. menziesii ou *P. taxifolia*	Zone 7	Courtes aiguilles plates portant 2 bandes de couleur claire au revers. Cônes ovoïdes et retombants, dépassant souvent 10 cm de long. Espèce superbe.	27-30 m (max. 90)
bleu *(P. m. glauca)*	Zone 3	Aiguilles tendres vert-bleu. A cultiver dans un endroit abrité. Racines peu profondes ; des vents violents peuvent arracher l'arbre.	24-27 m (max. 45)
P. m. pendula	Zone 7	Semblable à *P. menziesii,* sauf pour les branches qui sont retombantes.	21-24 m
Thuya *(Thuja)*			
occidental, cèdre blanc ou cèdre *(T. occidentalis)*	Zone 3	Feuillage de vert sombre à jaunâtre. Cônes d'environ 1 cm de long. Les variétés diffèrent de hauteur et de forme, certaines ayant des feuilles jaunes, vert-bleu ou panachées. Ecorce rougeâtre. Arbre à croissance assez lente et souvent de faible longévité. Cette espèce demande plus d'humidité que les autres thuyas.	4,50-13,50 m (max. 18)
géant ou cèdre de l'Ouest *(T. plicata* ou *T. lobbii)*	Zone 6	Feuilles plates, brillantes et d'un vert vif, marquées de blanc au revers. Elles virent au cuivre à la fin de l'automne et gardent cette teinte tout l'hiver.	45-60 m
oriental ou de Chine *(T. orientalis* ou *Platycladus orientalis)*	Zone 7	Ramure très dense et feuillage vert vif. Cônes ovoïdes à écailles terminées par un petit bec recourbé. Variétés à port pyramidal ou à feuillage jaune, bleu ou panaché.	6-15 m
Tsuga, voir Pruche			

Conifères nains pour bordures et rocailles

Les espèces suivantes ont une hauteur très limitée, variant entre une dizaine de centimètres et 50 cm. Elles se cultivent le long d'un mur, dans une rocaille, dans un bac ou là où l'espace est restreint.

Le terme « nain » qualifie généralement une croissance extrêmement lente plutôt qu'il ne décrit la taille de l'espèce. Lorsqu'on les achète très jeunes, c'est-à-dire quand ils n'ont encore que quelques centimètres de hauteur, les conifères nains conservent une taille relativement petite pendant de nombreuses années.

Pour savoir si un conifère nain peut survivre l'hiver dans votre région, notez sa zone de rusticité dans la colonne intitulée « Rusticité », puis reportez-vous à la carte donnée aux pages 8 et 9.

Sauf indication contraire, les conifères nains ont les mêmes exigences culturales que les grands conifères.

Cèdre du Japon (*Cryptomeria japonica vilmoriniana*)

Epinette (*Picea abies nidiformis*)

Faux cyprès (*Chamaecyparis lawsoniana minima aurea*)

Genévrier (*Juniperus communis compressa*)

Nom vulgaire et nom botanique	Rusticité *Carte, pp. 8-9*	Caractéristiques, soins particuliers, remarques
Cèdre du Japon *(Cryptomeria)*		
C. japonica compressa	Zone 6	Plante buissonnante à nombreux rameaux et ramilles ascendants. Feuilles petites et fines chez les jeunes sujets, longues et recourbées en poinçon chez les sujets plus âgés. Ne dépasse pas 60 cm de hauteur et 75 cm d'étalement en 30 ans.
C. j. cristata	Zone 6	Nouvelles pousses cristées aux extrémités et garnies de bouquets de feuilles très serrées. Cônes sphériques d'environ 2,5 cm de diamètre.
C. j. globosa nana	Zone 6	Feuillage vert clair. Silhouette conique chez les sujets jeunes ; cime arrondie chez les sujets adultes.
C. j. vilmoriniana	Zone 6	En hiver, le feuillage prend une belle teinte bronze rougeâtre. Variété de croissance lente à port dense et arrondi.
Epinette *(Picea)*		
P. abies nidiformis	Zone 2	Cime aplatie formée d'un entrelacs de branches garnies d'aiguilles filiformes vert foncé. Hauteur maximale de 1 m.
P. glauca albertiana conica	Zone 4	Feuillage tendre, vert gazon. Port pyramidal et buissonnant d'une très grande régularité et très attrayant. En 40 ans, sa hauteur pourra rester inférieure à 3 m.
P. mariana nana	Zone 2	Arbuste en boule irrégulière à délicates feuilles gris-bleu et denses sur des pousses qui irradient vers l'extérieur. Conifère intéressant pour les jardins de rocaille.
Faux cyprès *(Chamaecyparis)*		
C. lawsoniana minima aurea	Zone 7	Les extrémités des nouvelles pousses sont jaune clair, mais deviennent vert jaunâtre ou vert franc l'année suivante. Branches entrelacées. Port arrondi devenant conique avec l'âge.
C. l. m. glauca	Zone 7	Feuilles vert-gris ou bleuâtres ; branches entrelacées donnant un port arrondi.
C. pisifera nana	Zone 4	Les feuilles sont groupées en forme d'éventail. Le port est arrondi chez les sujets jeunes ; la base est étalée et la cime prend la forme d'un dôme chez les sujets adultes.
Genévrier *(Juniperus)*		
J. chinensis pfitzeriana aurea	Zone 2	Renommé pour ses branches gracieusement retombantes. Pousses terminales d'un jaune intense, devenant plus tard vert jaunâtre.
J. communis compressa	Zone 2	Aiguilles gris-bleu. Très ramifié, frondaison dense, silhouette élancée, port colonnaire ; conifère idéal là où il y a peu d'espace, puisqu'il dépasse rarement 1 m de hauteur. Belle plante de rocaille.
J. c. echiniformis	Zone 2	Ramure extrêmement dense et compacte ; feuilles vert foncé légèrement épineuses. Variété recommandée pour les rocailles ou pour la culture en bac. Ne dépasse pas 15 cm de hauteur et 30 cm d'étalement en 10 ans.
J. horizontalis 'Bar Harbor'	Zone 2	Forme rampante à beau feuillage bleu. Cette espèce forme un tapis très attrayant si on plante plusieurs sujets ensemble.

Nom vulgaire et nom botanique	Rusticité *Carte, pp. 8-9*	Caractéristiques, soins particuliers, remarques
If *(Taxus)*		
T. baccata compacta	Zone 7	Feuillage vernissé vert foncé prenant une jolie teinte brun rougeâtre en hiver. Branches ascendantes et de croissance lente formant une ramure dense.
T. cuspidata aurescens	Zone 4	Feuillage jaune vif devenant vert l'année suivante. Ramilles dressées se développant sur des branches ascendantes.
T. c. nana	Zone 4	Feuilles courtes et vert foncé. Branches horizontales.
Pin *(Pinus)*		
mugho *(P. mugo mugo)*	Zone 1	Ramure très dense à aiguilles vert foncé d'environ 4 cm de long. Hauteur et étalement n'excéderont pas 1,50 m après 50 ans.
P. densiflora umbraculifera	Zone 5	Les jeunes sujets ont un port globuleux qui s'apparente davantage au parasol avec l'âge. Chez les sujets âgés, l'écorce rouge se lève par plaques.
P. strobus nana	Zone 3	Ramure irrégulière donnant à la plante une silhouette conique à plusieurs flèches. La cime s'étale à mesure que la plante vieillit.
P. sylvestris watereri	Zone 3	Feuilles bleu-vert d'au plus 4 cm de long sur des branches à demi érigées. Ramure très dense. La hauteur peut excéder 4 m après 25 ans si la plante n'est pas taillée chaque année.
Pruche *(Tsuga)*		
T. canadensis hussii	Zone 4	Petites ramilles couvertes de feuilles. Les pousses terminales dépourvues de flèches donnent à cette espèce une silhouette irrégulière. Port érigé.
T. c. pendula	Zone 4	Cette pruche peut dépasser 3 m si elle n'est pas taillée tous les ans. La planter près des murs de soutènement, où elle se trouvera à l'abri des grands vents.
Sapin *(Abies)*		
A. balsamea hudsonia	Zone 1	Feuilles arrondies, vert foncé, aromatiques et de près de 2,5 cm de long. Les jeunes branches poussent horizontalement, donnant à la plante une silhouette aplatie. Vient bien en sol légèrement alcalin.
A. koreana prostrata	Zone 4	Feuilles à limbe vert-gris et brillant sur le dessus, argenté au revers. Forme peu étalée du sapin de Corée. Hauteur de 60 cm et étalement de 1,20 m à 14 ans.
A. lasiocarpa compacta	Zone 2	Feuilles bleu argent de 4 cm de long. Branches à écorce liégeuse gris clair, poussant symétriquement par rapport au tronc. Port conique.
Sapin de Douglas *(Pseudotsuga)*		
P. menziesii nana	Zone 7	Feuilles vert-bleu. Port arrondi, mais silhouette quelque peu irrégulière. Mesure environ 18 cm de haut et autant d'étalement après 10 ans.
Thuya ou cèdre *(Thuja)*		
T. occidentalis caespitosa	Zone 3	Véritable arbre miniature à cime arrondie et feuilles retombantes allant du vert au jaune. Excellente plante de rocaille.
T. o. 'Hetz Midget'	Zone 3	Semblable à *T. o. caespitosa,* mais à feuillage jaune d'or.
T. o. 'Rheingold'	Zone 3	Feuillage jaune-vert en été, devenant cuivre en hiver. Atteint 1,80 m en 30 ans. Port pyramidal.
T. orientalis aurea nana	Zone 6	Feuilles vert-jaune portées sur des ramilles verticales. Port arrondi et feuillage dense. Espèce recommandée pour les rocailles.
T. plicata cuprea	Zone 7	Nouvelles pousses jaune d'or. Forme conique. Ne dépasse pas 60 cm.

If *(Taxus cuspidata nana)*

Pin mugho *(Pinus mugo mugo)*

Pruche *(Tsuga canadensis pendula)*

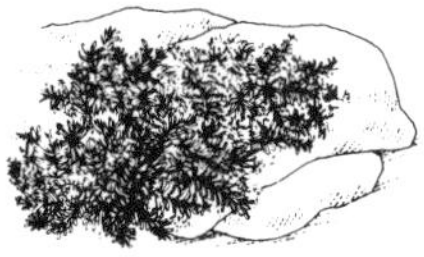

Sapin *(Abies balsamea hudsonia)*

Sapin de Douglas *(Pseudotsuga menziesii nana)*

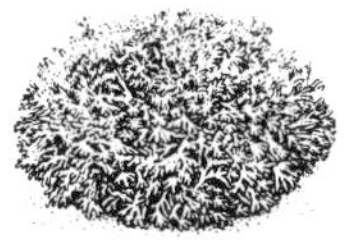

Thuya ou cèdre *(Thuja occidentalis caespitosa)*

Arbustes et plantes grimpantes

Les arbustes comptent parmi les plantes les plus utiles. Non seulement servent-ils à mettre d'autres plantes du jardin en valeur, mais ils sont eux-mêmes très décoratifs.

Pieris japonica *est un arbuste à grandes feuilles persistantes, qui se pare de fleurs blanches au printemps. Il pousse à l'ombre.*

C'est par leur mode de croissance plutôt que par leur taille que les arbustes diffèrent des arbres. Les uns et les autres présentent des branches robustes et ligneuses qui ne meurent pas en hiver. Mais, alors que les arbres ont, en règle générale, un tronc unique d'où partent les branches, les arbustes se ramifient généralement au niveau du sol ou juste au-dessous. C'est ainsi que le lilas commun, ou lilas des jardins *(Syringa vulgaris)*, appartient à la catégorie des arbustes, alors même qu'il peut atteindre 6 m de hauteur, tandis que le cornouiller de Floride *(Cornus florida)*, qui n'excède pas 3 m de hauteur, se range parmi les arbres. On peut, par le rabattage ou la taille, donner à un grand arbuste l'aspect d'un petit arbre tout comme on peut forcer un arbre à prendre le port d'un arbuste. Enfin, la plupart des plantes grimpantes se classent parmi les arbustes à cause de leurs branches ligneuses persistantes.

Les arbustes jouent un rôle prépondérant dans l'aménagement d'un jardin. Ils forment le cadre permanent dans lequel viennent s'insérer, année après année, ces éléments de fantaisie que sont les plantes annuelles.

Feuillage caduc ou persistant Les plantes à feuillage caduc sont celles dont les feuilles tombent chaque automne. Elles passent l'hiver en état de dormance pour reprendre leur croissance au printemps. Par rapport aux plantes à feuillage persistant, c'est-à-dire qui gardent leurs feuilles toute l'année, les plantes à feuillage caduc ont souvent cette qualité de déployer au printemps ou en été leurs admirables fleurs et de s'éteindre à l'automne dans un flamboiement de teintes fauves. En général, elles sont moins coûteuses que les plantes à feuillage persistant et leur croissance est plus rapide.

Mais celles-ci ont aussi leurs atouts. En plus d'être les seules à conserver leur couleur en hiver, plusieurs d'entre elles prospèrent à l'ombre et font un agréable contraste avec la végétation plus exubérante et plus colorée des autres plantations du jardin.

Parmi les plantes à feuillage persistant, on distingue celles qui portent de grandes feuilles et celles qui ont des aiguilles. Plus on descend vers le sud, plus le nombre des espèces à grandes feuilles persistantes augmente. Certaines plantes, comme le magnolia, se caractérisent par des variétés à feuillage persistant croissant dans le sud et par d'autres à feuillage caduc croissant plus au nord. D'autres encore, comme le troène de Californie, ne perdent leurs feuilles que dans les régions où l'hiver est rigoureux. D'autres enfin, comme le laurier de montagne *(Kalmia latifolia)* et le *Rhododendron maximum* gardent un feuillage vert presque partout.

Les conifères prospèrent dans la plupart des régions du Canada. Leur silhouette et leurs coloris varient plus que leur feuillage. Aussi les regroupe-t-on souvent avec des arbustes à feuilles caduques.

Avant de choisir des arbustes, il est préférable de consulter la carte des zones de rusticité, aux pages 8 et 9. On tiendra compte également de la nature du sol — sablonneux ou argileux —, de son pH, de l'humidité ambiante, des précipitations, de l'ensoleillement, de l'altitude ou du voisinage de la mer. Le tableau qui commence à la page 110 présente les caractéristiques des principaux arbustes et indique les soins particuliers qu'ils exigent. On obtiendra des renseignements très précis en s'adressant à une pépinière réputée ou en consultant un fonctionnaire autorisé du ministère provincial de l'Agriculture.

Utilisation des arbustes On distingue quatre types de silhouettes chez les arbustes : érigée, arrondie, pleureuse ou étalée. On choisira celle qui convient le mieux.

Dans le cas d'une haie devant servir de brise-vent, on choisira le myrique de Pennsylvanie *(Myrica pensylvanica)*, arbuste résistant à port érigé, tandis que le buis commun *(Buxus sempervirens)*, de forme arrondie et supportant bien la taille, convient aux haies basses limitant une propriété. Pour embellir un jardin de petites dimensions, on n'ira pas choisir une viorne à port arrondi qui manquerait d'espace longtemps avant d'avoir atteint une hauteur intéressante. Par contre, là où il y a de l'espace ou pour masquer les vues indésirables, comme le coin à compost, de grandes plantes à feuillage persistant conviennent mieux : cèdre *(Thuja occidentalis)*, rhododendron, laurier de montagne *(Kalmia latifolia)*, houx *(Ilex)*, ou genévrier érigé. Efficaces durant la belle saison, les arbustes à feuillage caduc le seraient moins en hiver avec leurs branches dénudées.

Bien utilisés, les arbustes servent à structurer l'espace ; ils guident tout naturellement l'œil et le pas vers les points d'intérêt que l'on désire mettre en valeur. Dans un petit jardin, ils peuvent modifier la perspective et donner l'impression d'une plus grande profondeur.

Les arbustes et les plantes tapissantes ou grimpantes peuvent servir à dissimuler à la vue des aspects peu esthétiques de la maison ou du jardin. Le genévrier rampant masque parfaitement une bouche d'accès sans empêcher d'en soulever le couvercle. Une clôture en chaînons métalliques disparaît sous le beau manteau d'une glycine *(Wisteria floribunda)*. Là où le climat est doux, les diverses variétés grimpantes du lierre commun *(Hedera helix)* font d'une clôture un écran de feuillage ou constituent, contre un mur en blocs de ciment, un bel arrière-plan de verdure pour plantes florifères. Un chèvrefeuille à feuilles persistantes *(Lonicera nitida)* attaché à un treillage masque à merveille des poubelles, un tas de compost ou une remise à outils tout en parfumant délicieusement l'air.

Plusieurs espèces d'arbustes ont l'avantage de se couvrir en saison de fleurs odorantes ; on les plante de

La glycine, plante grimpante rustique à feuilles caduques, se couvre de fleurs parfumées à la fin du printemps et au début de l'été.

préférence près des portes et des fenêtres. Le lilas, le seringa et certaines viornes appartiennent à cette catégorie ; ils ajoutent beaucoup au charme d'une terrasse, d'un parterre ou d'une piscine.

Certains arbustes préfèrent la mi-ombre ; ils servent à décorer les zones ombragées du jardin. Tels sont notamment l'hamamélis *(Hamamelis virginiana)* et l'hydrangée. Le daphné, le magnolia, le skimmia et plusieurs viornes se passent également très bien du plein soleil.

Les coloris Par leurs coloris, les arbustes jouent un rôle important dans l'aménagement du jardin, et leur emplacement doit être calculé avec soin puisque ce sont des plantations permanentes.

Il faut savoir, avant d'arrêter son choix, si l'on veut que deux arbustes voisins soient en fleurs en même temps, et, dans l'affirmative, si les coloris de leurs fleurs se marient bien. Doit-on opter pour l'arbuste à feuilles persistantes décoré en saison de fleurs et de fruits ou pour celui qui, à cause de son feuillage caduc, change d'aspect de saison en saison ? Peut-on les grouper ou doit-on les planter séparément ?

Les possibilités d'arrangement sont presque infinies, mais certains principes peuvent guider l'amateur dans son choix. Par exemple, il est toujours heureux d'associer un feuillage teinté de gris à des fleurs blanches aux abords d'une pièce d'eau. Les arbustes à feuilles grises ou argentées se placent très bien entre des arbustes au feuillage vivement coloré qu'il serait difficile de juxtaposer. L'un des plus beaux, de ce point de vue, est *Elaeagnus commutata* dont le feuillage argenté luit doucement au soleil.

Le mariage du bleu et du blanc contre un mur de brique est toujours très heureux. On obtient un tel effet en groupant des variétés à fleurs blanches et des variétés à fleurs bleues de l'espèce *Buddleia davidii* dont la floraison a lieu à la fin de l'été.

Plutôt que de grouper des arbustes dont les coloris contrasteraient trop fortement, il est préférable de marier des tons dégradés comme, par exemple, des nuances d'argent, de gris et de rose, ou encore de combiner le bleu, le mauve, le rose, le pourpre et le blanc.

De là à bannir tous les contrastes appuyés, il y a un pas à ne pas franchir cependant. Voici d'ailleurs dans ce sens une combinaison qui ne rate jamais son effet : un tapis de bruyère herbacée *(Erica carnea)* aux belles fleurs d'un pourpre ou d'un rouge vibrant, au pied d'un hamamélis dont les fleurs sont d'un jaune vif. Comme ce sont deux espèces qui fleurissent tard à l'automne, elles créeront un superbe jeu de couleurs à une saison où le jardin est déjà presque entièrement dépouillé et décoloré.

Judicieusement dosée, la couleur ne sert pas qu'à embellir le jardin, elle peut aussi en modifier les perspectives. Des teintes douces utilisées à l'extrémité d'une propriété créent une impression de profondeur. Cet effet sera d'autant plus prononcé qu'on aura su choisir des arbustes à feuillage vivement coloré pour décorer les abords du jardin. Il suffirait d'en ajouter quelques autres sur des plans intermédiaires ou à mi-chemin pour multiplier les perspectives.

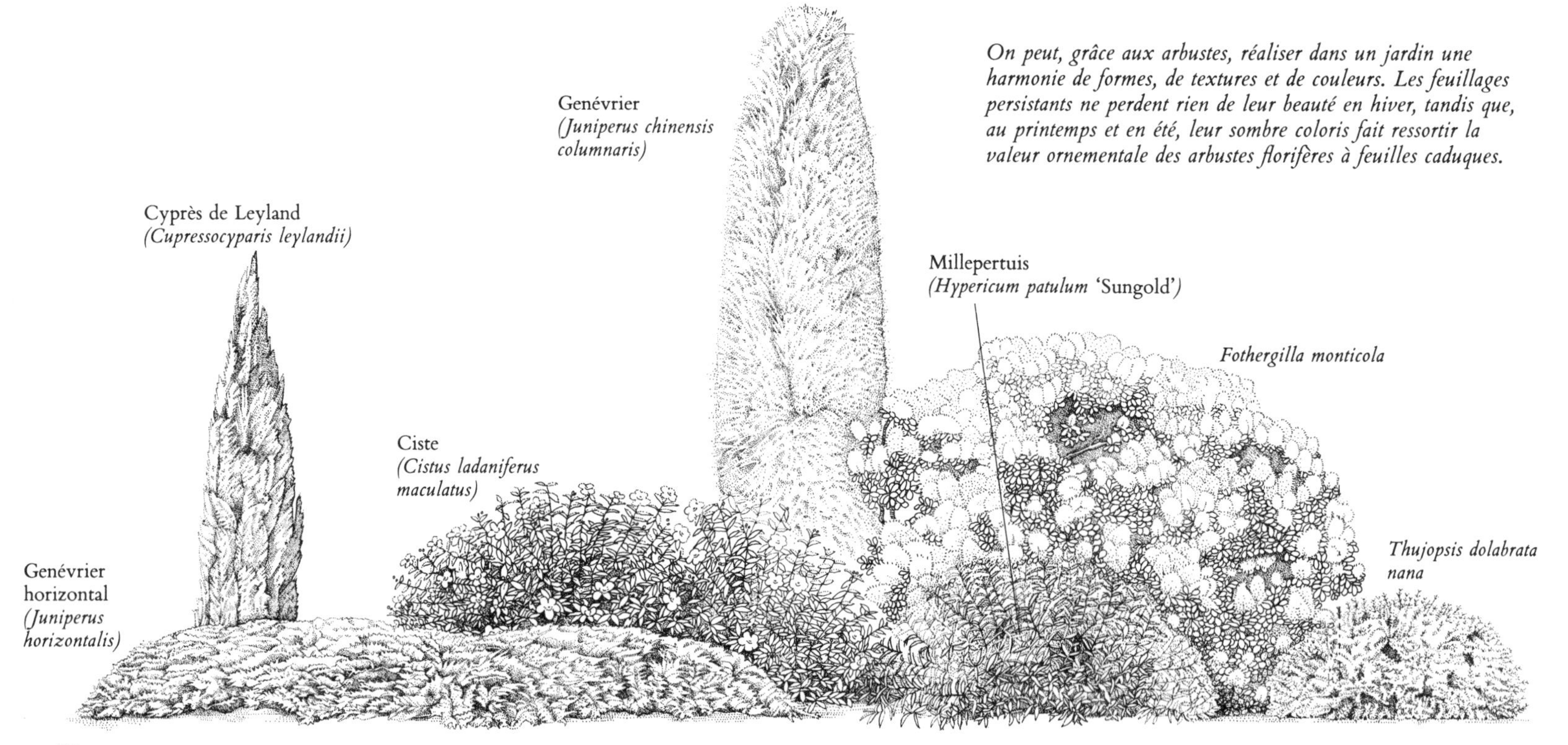

On peut, grâce aux arbustes, réaliser dans un jardin une harmonie de formes, de textures et de couleurs. Les feuillages persistants ne perdent rien de leur beauté en hiver, tandis que, au printemps et en été, leur sombre coloris fait ressortir la valeur ornementale des arbustes florifères à feuilles caduques.

Plantation et entretien

Comment planter des arbustes de plein vent

Dans les pépinières, les arbustes sont vendus sous trois formes: dans des pots, à racines nues, ou emmottés.

Les arbustes livrés en pots sont des plants bien établis, cultivés dans des pots de tourbe ou d'un succédané de tourbe. Ils peuvent être plantés en pleine terre en toute saison, sauf en plein hiver. Si la transplantation s'effectue en été, bien arroser le sol jusqu'à l'automne; la sécheresse serait fatale aux plantes nouvellement transplantées.

Les arbustes emmottés ont leurs racines entourées d'une motte de terre retenue par de la toile de jute. Les plantes dont la reprise est difficile sont souvent livrées de cette façon pour que leur système radiculaire ne soit pas endommagé. Les plantes dont la reprise se fait facilement sont vendues non emmottées.

Les arbustes emmottés ou à racines nues sont mis en terre de préférence à l'automne ou au tout début de l'hiver, une fois la dormance établie mais avant que la terre gèle, ou alors, tôt au printemps. Si les espèces à feuilles caduques sont transplantées en dehors de leur période de dormance, leur cycle végétatif risque d'être perturbé, et elles donneront naissance à des pousses malingres et fragiles. Transplanter les espèces à feuilles persistantes plus tôt à l'automne ou plus tard au printemps.

Avant de transplanter, il faut d'abord préparer le sol. Tout d'abord, retirer de la plate-bande toutes les mauvaises herbes vivaces. Creuser un trou de la profondeur de la bêche et le laisser en attente pendant deux semaines si possible. Si la plantation ne peut attendre, tasser fermement le fond du trou avec les pieds.

L'espacement entre les arbustes doit être égal à la moitié de leur étalement total. Par exemple, deux arbustes dont l'étalement sera respectivement de 1,20 m et de 1,80 m seront plantés à 1,50 m l'un de l'autre.

Creuser un trou dont la profondeur sera égale à celle du pot ou de la motte et le diamètre légèrement supérieur. Si les racines de la plante sont nues, leur ménager assez d'espace pour qu'elles s'étalent bien.

Ajuster la profondeur du trou à la plante elle-même. Si elle est en pot, la surface du mélange terreux doit être de niveau avec le sol; si elle est emmottée ou à racines nues, aligner avec le sol l'ancienne marque laissée sur la tige par la terre. Ne pas retirer l'enveloppe de jute.

Mélanger la terre retirée du trou à du compost bien décomposé, du fumier ou de la tourbe à raison de deux volumes de terre pour un volume de matières organiques. Ameublir la terre au fond du trou et nettoyer la plante (voir ci-dessous).

Avant de retirer les arbustes de leur pot, bien les arroser. Examiner le système radiculaire; s'il est clairsemé, retourner l'arbuste à la pépinière.

Couper d'abord les parties de racines abîmées sur les sujets à racines nues. Etaler ensuite les racines saines sur un petit monticule ménagé au fond du trou.

Installer l'arbuste dans le trou de plantation en le tenant bien droit par la base du tronc. Jeter la terre préparée tout autour. Pour les sujets en pot ou en motte, remplir le trou à moitié, arroser généreusement et attendre que l'eau ait été absorbée avant de continuer le remplissage. Tasser fermement la terre; en remettre d'autre et bien fouler encore une fois. Détremper le sol entourant l'arbuste.

Si les racines de l'arbuste sont à nu, secouer celui-ci légèrement, de haut en bas, pour que la terre glisse entre les racines. Fouler le sol à plusieurs reprises.

1. *Vérifier la profondeur du trou. La base du tronc sera au niveau du sol.*

2. *Ameublir le fond. Ajouter de la tourbe ou du fumier à la terre excavée.*

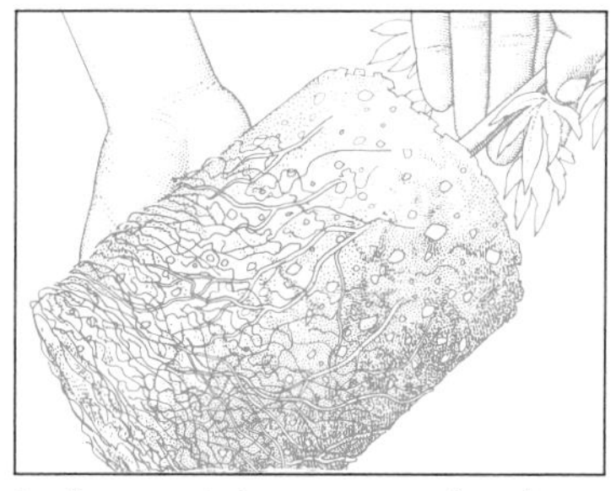

3. *Arroser généreusement, puis retirer le pot. Vérifier l'état des racines.*

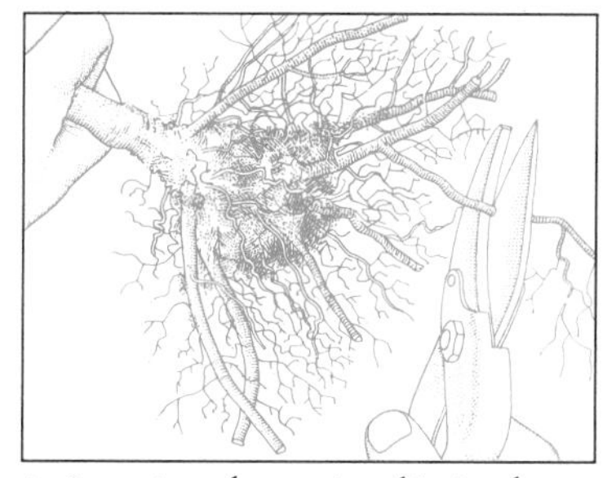

4. *Supprimer les parties abîmées des racines non emmottées.*

5. *Tenir la plante en place et remplir le trou. Eliminer les poches d'air.*

6. *Fouler le sol. Ajouter de la terre au besoin et arroser généreusement.*

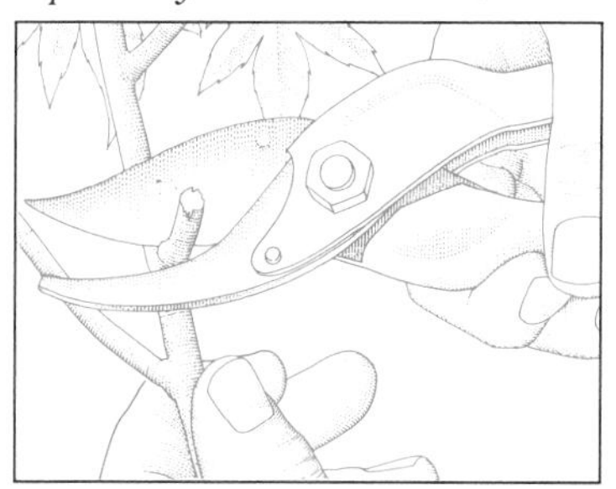

7. *Couper les moignons de branches au ras de la tige.*

8. *Couper les tiges malades ou meurtries juste au-dessus d'un œil.*

Plante grimpante contre un mur ou une clôture

Le sol qui se trouve au pied d'un mur ou d'une clôture est en général très sec, surtout du côté sous le vent qui reçoit moins de pluie lorsque mur et clôture font obstacle aux vents dominants. Or, c'est aussi de ce côté qu'on plante les plantes grimpantes semi-rustiques qui résistent difficilement à la bise. Il sera donc nécessaire d'ajouter au sol des matières organiques pour augmenter sa capacité de rétention d'eau.

Planter les espèces qui s'accrochent naturellement à 8 cm du mur, les autres à 15 cm. Utiliser des paillis pour conserver l'humidité.

Le lierre, la vigne vierge et l'hydrangée grimpant s'accrochent d'eux-mêmes aux murs. D'autres plantes grimpantes ont besoin d'un treillage ou d'attaches.

Il existe des filets de plastique rigides dont les mailles de 10 à 15 cm procurent un bon support. Ils simplifient le palissage et empêchent les jeunes pousses de se blesser en frottant contre le mur.

Avant de planter, fixer les supports à environ 2 cm du mur pour que les tiges puissent s'enrouler autour d'eux.

La plupart des plantes grimpantes ont tendance à pousser en s'écartant du mur ; il faut donc attacher les jeunes pousses au support le plus rapidement possible après la mise en terre. Utiliser de la ficelle, des bandes de tissu, des liens plastifiés ou des anneaux spéciaux. Le fil métallique nu est à proscrire : il peut couper ou étrangler les tiges. Une fois attachées, les tiges continueront à s'enrouler.

1. *Faire un trou à 30 cm du mur. Etaler les racines vers la périphérie.*

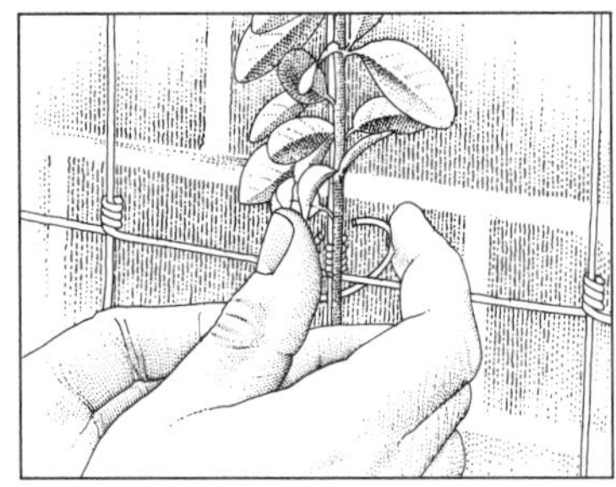

2. *Attacher chaque tige au support avec de la ficelle ou des anneaux spéciaux.*

Tuteurage d'un arbuste vulnérable au vent

Les arbustes colonnaires de plus de 90 cm de haut, qui sont exposés au vent, doivent absolument être tuteurés dès la mise en terre.

Le tuteur doit être fort et suffisamment long pour atteindre la base de la tête de l'arbuste. On en trouve dans les centres de jardinage ou les pépinières et ils sont en général déjà enduits d'un produit contre la pourriture. Ne pas utiliser de tuteur qui ne serait pas traité.

Enfoncer le tuteur près de la souche de l'arbuste en faisant attention de ne pas endommager les racines. Y fixer la plante avec un collier spécial ou avec des liens de toile ou de tissu solide.

Les liens qui s'attachent aux arbres sont coussinés de façon à isoler la tige du tuteur. On peut tout aussi bien utiliser des bandes de tissu disposées en huit autour du tuteur, puis du tronc.

Un seul lien dans le haut du tuteur suffit pour un arbuste de moins de 1,80 m ; rajouter un second lien, à la moitié du tuteur, pour les sujets de plus grande taille.

A la mi-été et en automne, s'assurer que les attaches ne sont pas devenues trop petites. Les desserrer au besoin.

DEUX MÉTHODES DE TUTEURAGE

Collier *Placer autour du tuteur et de l'arbre, tampon au milieu.*

Liens de toile *A enrouler plusieurs fois en formant un huit.*

Plantation d'un arbuste dans la pelouse

Un arbuste isolé aura meilleure apparence si l'on découpe son lit de plantation. Pour ce faire, planter un piquet au centre du trou. Y attacher une ficelle ; calculer le rayon du cercle qu'on veut tracer et, à la longueur voulue, attacher un couteau en guise de pointe de compas.

Tenir la ficelle tendue et tracer dans l'herbe la circonférence à découper. Avec une pelle, couper le gazon en suivant le tracé. Le décoller par plaques et le mettre de côté.

Creuser le trou et planter l'arbuste selon la méthode habituelle. Les plaques de pelouse pourront être déposées au fond du trou, gazon en dessous : en pourrissant, elles se transformeront en humus.

Les dimensions du lit de plantation doivent correspondre à l'étalement de l'arbuste adulte, mais on peut se contenter au début d'un périmètre plus réduit, qu'on agrandira à mesure que l'arbuste poussera.

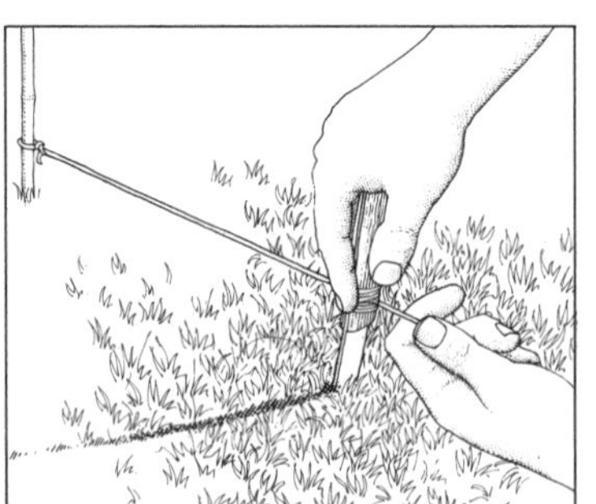

1. *Tracer un cercle avec un couteau relié à un piquet par une ficelle.*

2. *Couper le gazon. Le mettre de côté pour servir d'humus.*

Culture d'arbustes en bac

Faux cyprès
(Chamaecyparis lawsoniana minima aurea)

Lavande
(Lavandula officinalis)

Millepertuis à grandes fleurs
(Hypericum calycinum)

Oranger du Mexique
(Choisya ternata)

Rhododendron 'Mary Fleming'

Plusieurs arbustes décoratifs se cultivent fort bien en bac. L'espace réduit au niveau des racines accentue même parfois la floraison.

Parmi les sujets qui ne se prêtent pas à ce type de culture, il y a les espèces à racines épaisses et charnues.

Voici quelques plantes recommandées pour la culture en bac : l'aucuba, le buisson ardent, le camélia, le cerisier, le chèvrefeuille, la clématite, le deutzie, le forsythie, le fusain, la glycine, le groseillier, le kerria, le millepertuis, le pyracanthe, la spirée, le tamaris et le weigela. Dans les zones inférieures à la zone 6, mettre les bacs en terre à l'automne pour empêcher le gel de tuer les plantes.

Plantation Planter un arbuste, dont la hauteur maximale sera de 1,20 à 1,50 m et l'étalement de 90 cm à 1,20 m, dans un bac d'au moins 75 cm de large et 45 cm de profondeur. Forer des trous de drainage s'il n'y en a pas.

Déposer au fond du bac de 2 à 4 cm de matériel de drainage : tessons de grès, cailloutis ou gravier.

Ajouter une couche suffisante de mélange terreux ou d'un succédané pour que la base de la tige soit au niveau du rebord du bac. On peut mélanger un volume de sable grossier à trois volumes de tourbe et utiliser ce substrat en y ajoutant 4 c. à soupe d'un fertilisant complet par boisseau (36 dm^3).

S'assurer que la motte est humide et les racines en bon état avant de mettre l'arbuste en terre. Verser du mélange terreux tout autour et bien tasser.

Remplir le bac jusqu'à 1,5 cm du rebord. Arroser généreusement ; laisser l'eau pénétrer, puis arroser encore.

Entretien et fertilisation Quand elles sont enfermées dans un bac, les racines de l'arbuste ne peuvent aller chercher l'eau dont elles ont besoin. Aussi faut-il arroser dès que le sol de surface paraît sec.

L'année suivante et, par la suite, tous les mois si les feuilles sont petites et décolorées et la croissance peu marquée, fertiliser le sol avec un engrais liquide.

Pour retarder la croissance des arbustes exubérants sans nuire à leur santé, raccourcir les racines chaque année ou tous les deux ans. De toute façon, il faudra tailler racines et tiges en automne ou au début du printemps tous les quatre à six ans. Pour ce faire, dépoter la plante et enlever une tranche de 10 cm à la motte. Nettoyer le bac et replanter l'arbuste dans du mélange terreux frais.

PLANTATION DANS UN BAC

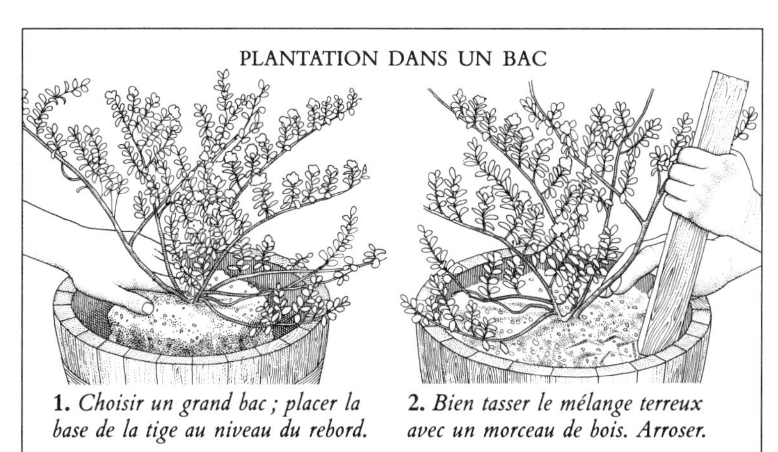

1. *Choisir un grand bac ; placer la base de la tige au niveau du rebord.*

2. *Bien tasser le mélange terreux avec un morceau de bois. Arroser.*

TAILLE D'UN ARBUSTE

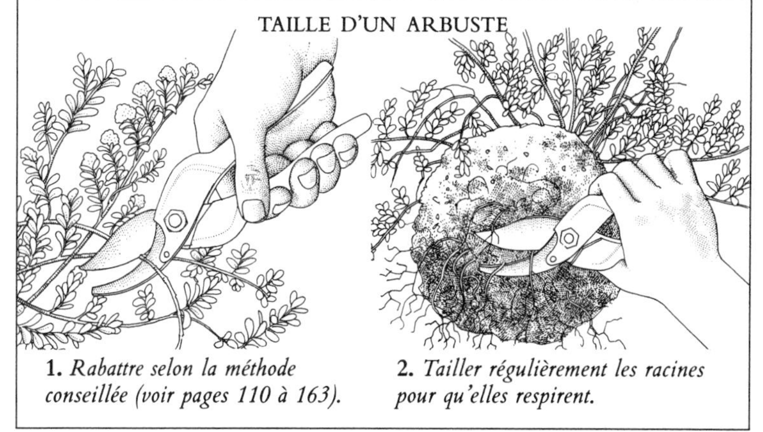

1. *Rabattre selon la méthode conseillée (voir pages 110 à 163).*

2. *Tailler régulièrement les racines pour qu'elles respirent.*

Entretien des arbustes selon les saisons

Paillage, arrosage et apport d'engrais

Dès leur mise en terre, alors que le sol est humide, étendre une couche de 5 cm de paillis entre les arbustes et autour d'eux pour conserver au sol son humidité et empêcher la prolifération des mauvaises herbes. Le paillis peut même enrichir le terrain s'il est fait de matières organiques comme du terreau de feuilles, de la paille ou des copeaux d'écorce qui finissent par se décomposer et fertiliser le sol. Disposer une nouvelle couche de paillis tous les printemps.

Si l'arbuste a été planté en automne ou au début du printemps, l'arrosage effectué au moment de la plantation sera suffisant à moins que la plante ne soit exposée à une longue période de sécheresse. Si l'arbuste a été planté à la fin du printemps ou en été, les arrosages devront être fréquents durant les premières semaines.

La fertilisation avec un engrais granulaire complet se fait à la fin de l'hiver ou au tout début du printemps. Epandre les granules autour de la plante à raison de 250 ml par mètre carré ou moins selon la qualité du sol, après avoir enlevé le paillis. Les mélanger au sol avec une binette.

Au besoin, vaporiser la plante avec un insecticide par temps sec, mais non en plein soleil.

Pour garder l'humidité après la plantation, étaler un paillis de tourbe ou de terreau de feuilles.

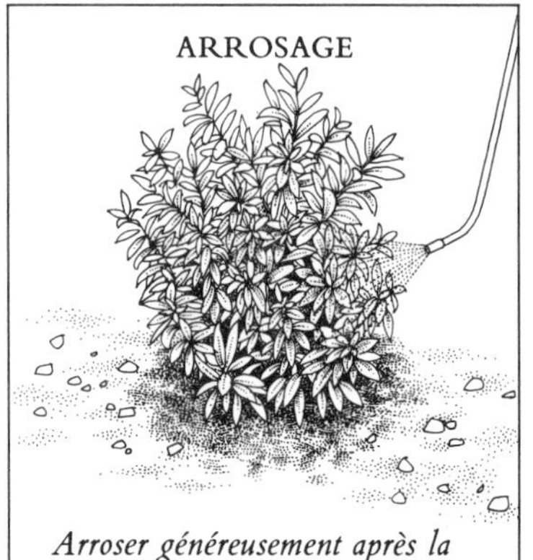

Arroser généreusement après la plantation. Utiliser un ajutage pour réduire la pression.

Protection pendant l'hiver des arbustes délicats

De nombreux arbustes ne sont pas assez rustiques pour supporter sans protection des hivers rigoureux.

Au moment de la plantation, choisir un endroit abrité — par exemple, le côté sud d'un mur ou d'une haute clôture, ou l'arrière d'une haie de conifères dense. Plantées entre des arbres, les espèces qui tolèrent l'ombre seront protégées des vents les plus violents.

Mais, si l'hiver est très rigoureux, cette protection ne suffit pas. Durant les grands froids, protéger les arbustes délicats contre le vent en les enveloppant de paille ou de rameaux de conifères.

S'il s'agit de très grands arbustes, envelopper les branches d'un matériau isolant maintenu en place par de la toile de jute attachée avec de la ficelle. Les plantes qui se ramifient de la base, comme les fuchsias, demandent à être protégées à cet endroit vital. Entourer le pied de la plante d'une couche de 15 à 25 cm de paille, de tourbe ou même de sable grossier à la fin de l'automne, et ne pas l'enlever avant le printemps.

Protéger les arbustes et les plantes grimpantes placés contre un mur au moyen d'un matelas de paille maintenu avec du grillage (appelé « grillage à poule »). On fabrique ces matelas en disposant une épaisseur de 10 à 15 cm de paille entre deux bandes de grillage qu'on attache ensemble aux quatre extrémités. Par mauvais temps, installer ce matelas protecteur devant les plantes.

Les arbustes en plein vent peuvent être protégés de la même façon. Faire un cylindre avec le grillage et le mettre autour de la plante. On peut au besoin y ajouter un couvercle fabriqué avec les mêmes matériaux.

On peut également construire une tente indienne avec six piquets de bambou attachés ensemble au sommet, et à l'intérieur de laquelle on dispose de la paille ou des rameaux de conifères. L'abri sera assujetti avec de la ficelle enroulée autour du paillis jusqu'à mi-hauteur. On peut aussi envelopper le paillis de jute.

Pour protéger les arbustes à feuilles persistantes, les vaporiser en automne et en hiver avec un produit hydrofuge. Des cadres robustes en lattes de bois les empêcheront d'être écrasés sous la neige glissant du toit.

Grillage à poule *Tasser de la paille entre deux bandes de grillage. Placer ce matelas devant les plantes situées près d'un mur ou autour des arbustes.*

Tente indienne *La construire avec des piquets. Remplir de rameaux ou couvrir avec du jute.*

Sac en plastique *Planter quatre piquets et enfiler un sac en plastique sans fond.*

Suppression des gourmands indésirables

On appelle gourmands les pousses qui apparaissent à la base de la plante ou qui sortent du sol.

Sur la plupart des arbustes, ils font partie de la plante et peuvent être conservés. Il faut cependant les enlever chez les arbustes greffés sur un porte-greffe, car ils risquent d'affaiblir le sujet. C'est le cas du houx, du magnolia, du camélia, du rhododendron et du lilas.

Ces gourmands indésirables sortent du système radiculaire et apparaissent en dessous du point de greffe. Chez les arbustes, ce point est en règle générale situé sous la surface du sol ; c'est pourquoi les gourmands sortent effectivement du sol.

Pour éliminer un gourmand indésirable, l'arracher à la main jusqu'à son point d'émergence. Ne pas en couper uniquement la partie aérienne, car ceci favorise sa croissance.

GOURMANDS INDÉSIRABLES

Dégager le point d'attache du gourmand et arracher celui-ci.

Pour augmenter la production de baies

L'intérêt de certains arbustes réside dans leurs baies colorées qui décorent leurs branches en automne ou en hiver. Or, divers facteurs peuvent nuire à la fructification.

Certaines variétés produisent plus de baies que d'autres de la même espèce ; on a intérêt à choisir celles-là et à les acheter d'un pépiniériste sérieux.

Les conditions culturales ont aussi une grande importance. Un arbuste de plein soleil comme le pyracanthe peut pousser à l'ombre, mais il donne beaucoup moins de fleurs et de fruits. Autre facteur essentiel : l'alcalinité ou l'acidité du sol en fonction des exigences de la plante.

Certains arbustes, par ailleurs, sont dioïques : fleurs mâles et femelles croissent sur des sujets différents et la pollinisation doit être croisée pour qu'il y ait des fruits. On recommande alors — et c'est le cas du houx, du skimmia et de l'aucuba — de grouper des sujets mâles et femelles.

Les conditions atmosphériques peuvent influencer la récolte. S'il survient une sécheresse au moment de la floraison ou lorsque les baies sont en train de se former, fleurs et fruits peuvent tomber prématurément. Le gel lors de la floraison aurait le même effet. Et si le temps est pluvieux et froid durant cette période, les insectes butineurs, comme les abeilles, qui assurent la pollinisation, risquent d'être moins diligents.

Enfin, les oiseaux peuvent être nocifs. S'ils causent des dégâts importants, recouvrir les arbustes d'un filet ou d'une pièce de coton noir.

Transplantation d'un arbuste adulte

Un arbuste établi peut être transplanté du début de l'automne à la fin du printemps, à condition que la terre ne soit ni gelée ni détrempée.

La transplantation ne présente qu'un seul risque, celui d'abîmer les racines. Pour l'éviter, creuser une tranchée circulaire et profonde autour de l'arbuste sur une périphérie correspondant à son étalement.

Soulever la plante à la pelle et enlever l'excédent de terre ; la motte sera moins lourde, et le trou à creuser moins grand.

Planter le sujet comme s'il s'agissait d'un arbuste emmotté (voir p. 73). Arroser généreusement.

1. *Creuser une tranchée autour de l'arbuste et le soulever.*

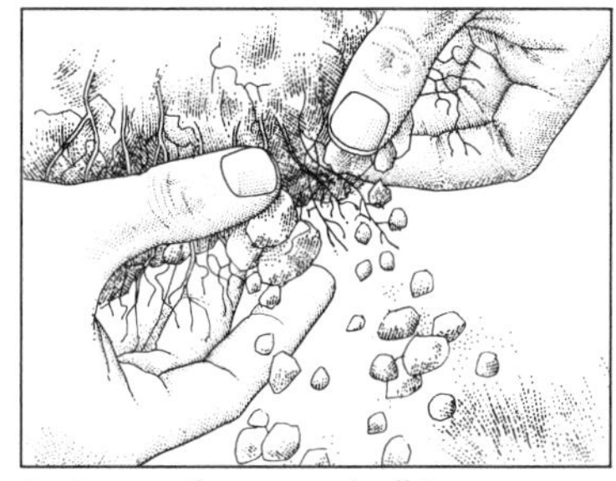

2. *Secouer la terre qui adhère aux racines avant de le replanter.*

En automne, le cotonéaster se charge de lourdes grappes de baies rouge vif très décoratives qui persistent une partie de l'hiver.

Arbustes à feuilles persistantes

Ces espèces tolèrent souvent mal le froid et la sécheresse. Le choix de leur emplacement est donc primordial.

Choisir pour ces arbustes qui ne résistent pas au vent des endroits abrités et s'assurer qu'ils ne manquent jamais d'humidité. S'ils sont exposés à des vents desséchants, les vaporiser avec un produit spécial ou les abriter derrière un écran de toile de jute.

L'arrosage est capital pour les sujets cultivés en bac. Un manque d'eau se signale par le brunissement des branches inférieures. Il vaut mieux ne pas attendre ce signal et arroser dès que la surface du mélange est sèche.

Les plantes en bac peuvent aussi manquer d'aliments nutritifs. On s'en aperçoit à un ralentissement de la croissance : les feuilles pâlissent. A titre préventif, donner tous les mois un engrais solide ou liquide, depuis la mi-printemps jusqu'à la fin de l'été.

Que faire quand les arbustes se portent mal

Les principaux ennuis qui peuvent se présenter sont énumérés ci-dessous. On en trouvera d'autres au chapitre intitulé « Ravageurs et maladies », page 444. Les appellations commerciales des produits chimiques se trouvent aux pages 480 à 482.

Symptômes	Cause	Traitement
Arbuste déformé. Ravageurs apparents.	Pucerons, punaises réticulées, cicadelles, psylles, mouches blanches	Vaporisation de diazinon ou de malathion en période de dormance ; arrosage au méthoxychlore.
	Chermès, phytoptes, acariens	Dicofol, endosulfan ou tétradifon.
Feuilles séchées ou frisées avec points argentés.	Pucerons, punaises réticulées, psylles, thrips ou mouches blanches	Emploi de chlorpyrifos, diazinon, malathion, huile miscible ou émulsionnée.
Fumagine ; ravageurs apparents.	Rouille ou acariens	Emploi de dicofol, endosulfan, huile miscible ou émulsionnée, tétradifon.
Feuilles trouées, bords déchiquetés.	Chenilles géomètres, chrysomèles, gale des feuilles, mineuses, tordeuses, scarabées du rosier, larves de la tenthrède ou livrées	Emploi de *Bacillus thuringiensis*, carbaryl, diazinon, malathion, huile miscible ou émulsionnée.
Feuilles rongées ou enroulées.	Mineuses, tordeuses	Emploi de *Bacillus thuringiensis*, carbaryl, diazinon, malathion ou méthoxychlore.
Feuilles rongées, pousses ou racines dévorées.	Charançons des racines	Emploi de carbaryl, diazinon, diméthoate, lindane ou méthoxychlore.
Ecailles sur les branches, les feuilles et les tiges.	Cochenilles	Huile miscible ou émulsionnée en période de dormance ; chlorpyrifos, diazinon ou malathion.

Répression des mauvaises herbes

Adulte, l'arbuste jette trop d'ombre autour de lui pour que les mauvaises herbes puissent proliférer. Mais tant que sa ramure ne s'est pas complètement développée, les mauvaises herbes apparaissent. Les extirper aussitôt.

La binette est l'arme classique contre les mauvaises herbes naissantes. Procéder délicatement au désherbage pour ne pas endommager le système radiculaire des arbustes, qui est généralement à fleur de terre.

On peut aussi utiliser des herbicides en veillant à ne pas en éclabousser les feuilles des arbustes. Protéger celles-ci durant le traitement avec un morceau de carton, de contre-plaqué ou tout autre écran. Les insecticides au paraquat deviennent inactifs au contact du sol et ne risquent pas d'endommager les racines des arbustes.

Réprimer la croissance des mauvaises herbes en étalant au printemps un paillis de 2 à 4 cm d'épaisseur.

On peut aussi les étouffer en cultivant au même endroit des plantes utiles, comme du gazon.

Symptômes	Cause	Traitement
Feuilles tachetées ou virant au brun. Pousses noircies. Tiges attaquées par des chancres.	Anthracnose (champignon)	Vaporisation de cuivre, dodine ou manèbe. Détruire les organes atteints.
Fleurs, jeunes feuilles et ramilles se flétrissent brusquement et noircissent.	Feu bactérien	Vaporisation d'un antibiotique ou de bouillie bordelaise à la floraison.
Pourriture grise sur les feuilles, les boutons et les fleurs.	Botrytis (champignon)	Vaporisation de chlorothalonil ou dichloran.
Tumeurs sur les racines, les ramilles et le tronc, surtout chez les rosacées.	Tumeur du collet (bactérie)	Enlever les tumeurs ou appliquer un onguent à 0,92 pour cent de bacticine. Détruire le sujet si la tumeur est grande et à la base.
Taches brunes, pourpres ou noires entourées de jaune sur les feuilles.	Tache des feuilles	Vaporisation de bénomyl, captane, dodine, folpet ou manèbe.
Plaques imbibées d'eau qui se fendillent sur l'écorce ; taches rosâtres au printemps.	Chancre nectrien (champignon)	Détruire les organes atteints. Vaporiser au printemps de la bouillie bordelaise ou de la chaux sulfureuse liquide.
Taches décolorées sous les pétales. Flétrissement de la fleur.	Brûlure des pétales (champignon)	Vaporiser de bénomyl tous les 5 jours durant la floraison.
Poudre blanche sur les feuilles qui noircissent.	Blanc (champignon)	Vaporisation de cyclohexímide, dinocap ou soufre.
Taches rouille-orange sur les feuilles.	Rouille (champignon)	Vaporisation de chlorothalonil, mancozèbe ou thirame.
Pourriture verte sur les feuilles et les jeunes fruits qui deviennent noirs et galeux. Chute des feuilles.	Tavelure (champignon)	Vaporisation de bénomyl, dodine, folpet ou mancozèbe à la fin du printemps ou au début de l'été.

Multiplication des arbustes par bouturage

Boutures aoûtées d'arbustes à feuillage caduc

Un grand nombre d'arbustes à feuilles caduques se multiplient par boutures aoûtées, ou ligneuses, prélevées à la fin de l'automne ou au début de l'hiver sur des tiges vigoureuses ayant achevé leur première saison de croissance.

Les boutures sont prélevées après la chute des feuilles, au moment où l'arbuste est déjà entré en dormance. (Pour plus de détails, voir les tableaux commençant à la page 110.)

Dans les régions tempérées où le sol ne gèle pas à plus de 2,5 à 5 cm de profondeur, choisir un endroit à l'abri du vent et bien ameublir le sol. Si la terre est lourde, l'amender avec du sable grossier ou avec de la perlite et du compost (ou de la tourbe), à raison d'environ deux volumes de terre pour un volume d'amendement.

Creuser une tranchée étroite de la profondeur d'un fer de bêche. Au fond de cette tranchée, mettre 2,5 à 5 cm de sable ou de perlite.

Prélever, en la coupant à la base, une pousse de l'année de la grosseur d'un crayon. En détacher un segment de 25 à 30 cm (une même tige peut donner 2 ou 3 boutures). Ne pas utiliser la sommité de la pousse qui est plus molle, s'enracine mal et donne des tiges malingres.

Nettoyer la bouture ; la couper juste sous un œil à la base et juste au-dessus d'un œil au sommet.

Si le froid est vif, insérer les boutures verticalement à une distance de 8 à 10 cm l'une de l'autre dans la tranchée (voir ci-dessous). Quand celle-ci sera remplie, la moitié ou les deux tiers de la bouture seront enfouis dans le sol. Remplir la tranchée et bien fouler la terre avec le pied.

Lorsque les boutures verticales se déplacent à cause du gel, les enfoncer jusqu'à ce que la base soit bien replacée dans le sable. Avec le désherbage et l'arrosage, ce sont les seuls soins que requièrent ces boutures.

Dans les régions très froides, coucher les boutures, attachées par groupes de 6, sous 15 à 20 cm de sable ou de terre. Au début du printemps, les dégager et les planter une à une dans une tranchée (voir fig. 2).

Au printemps suivant, les boutures qui s'enracinent facilement pourront être transplantées de façon permanente. Les boutures plus lentes resteront en place une autre année.

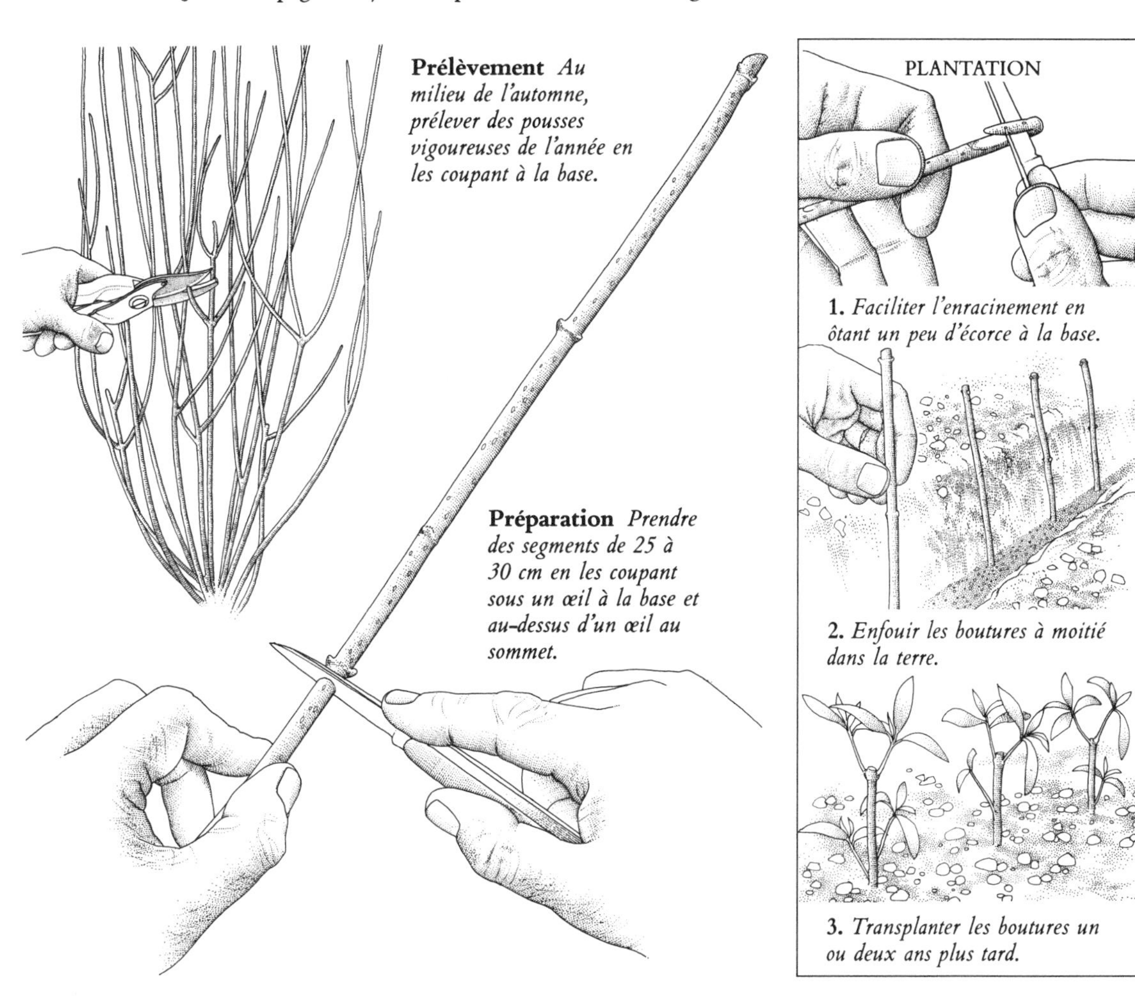

Prélèvement *Au milieu de l'automne, prélever des pousses vigoureuses de l'année en les coupant à la base.*

Préparation *Prendre des segments de 25 à 30 cm en les coupant sous un œil à la base et au-dessus d'un œil au sommet.*

PLANTATION

1. *Faciliter l'enracinement en ôtant un peu d'écorce à la base.*

2. *Enfouir les boutures à moitié dans la terre.*

3. *Transplanter les boutures un ou deux ans plus tard.*

Boutures aoûtées d'arbustes à feuillage persistant

C'est du début au milieu de l'automne que se fait le prélèvement de ces boutures. S'il s'agit d'espèces à grandes feuilles, prélever des boutures terminales de 10 à 15 cm sur des pousses de l'année ; enlever les feuilles inférieures et insérer la bouture dans un mélange à enracinement composé soit de sable, soit de tourbe (1/2) et de perlite (1/2). Dans les régions tempérées, transplanter les boutures sitôt qu'elles ont des racines ; là où l'hiver est rigoureux, les garder sous châssis froid pour le premier hiver.

Peu de conifères se bouturent facilement. A la fin de l'été, prélever des boutures aoûtées, avec ou sans talon (voir p. 80), sur des pousses latérales courtes. Leur faire prendre racine en serre ou sous châssis froid.

Dans certains cas, l'enracinement se fait plus facilement si la bouture est blessée. Enlever d'abord un fin morceau d'écorce à la base de la bouture.

Prévenir le dessèchement Pour éviter l'évaporation par les feuilles, asperger les boutures avec un anti-déshydratant.

Boutures semi-aoûtées prélevées en été

La multiplication de certaines espèces — aucuba, caryoptère et oranger du Mexique — se fait mieux à partir de boutures semi-aoûtées.

Les tiges semi-aoûtées sont des pousses de l'année dont la base est déjà ligneuse, mais dont l'extrémité est tendre parce qu'elle n'a pas fini de croître. Le prélèvement se fait habituellement du milieu à la fin de l'été.

Ces boutures nécessitent une certaine attention tant qu'elles ne sont pas enracinées. Les éléments importants sont une caissette de multiplication (avec ou sans chaleur de fond), des arrosages réguliers et une protection contre les rayons directs du soleil.

Lorsque les jeunes plants ont des racines, ils peuvent être mis en pot ou placés en couche à l'extérieur, mais ils ne seront transplantés définitivement qu'un ou deux ans plus tard.

Prélever des boutures de 15 à 20 cm sur des tiges latérales de l'année ; elles se reconnaissent facilement car elles présentent des feuilles en pleine croissance. Couper chaque pousse près de la tige principale.

Eliminer les feuilles inférieures et tailler la bouture net, juste en dessous d'un nœud. Couper la partie tendre, à l'extrémité, juste au-dessus d'une feuille, de façon que la bouture ait 5 à 10 cm de long.

Boutures à talon Les boutures semi-ligneuses s'enracinent souvent mieux lorsqu'elles conservent à la base un morceau de la tige mère appelé talon. La présence de ce talon favorise l'enracinement en empêchant les substances élaborées par les feuilles de se perdre dans le sol. Les boutures de certains arbustes, tels que le pyracanthe et le céanothe, ne prennent racine que très rarement si elles n'ont pas de talon.

Commencer par prélever une tige principale comportant plusieurs pousses latérales et, de préférence, sans fleur. Au point d'insertion de la tige latérale, pratiquer une incision en V dans la tige mère à l'aide d'un couteau bien affûté. L'incision doit être assez profonde pour que soit prélevée une partie du cambium (couche de tissu située juste sous l'écorce).

Tailler l'extrémité de la bouture de façon qu'elle ait entre 5 et 8 cm de long. La multiplication se fait alors tel qu'expliqué à la page suivante.

Prélèvement *Vers la fin de l'été, choisir des pousses latérales de l'année, ayant 15 à 20 cm et présentant des feuilles. Les couper, avec un sécateur, près de la tige principale.*

Préparation *Eliminer les feuilles inférieures et couper net, juste en dessous d'un œil. Donner à la bouture une longueur de 5 à 10 cm en coupant l'extrémité de la tige, qui est tendre.*

BOUTURES À TALON

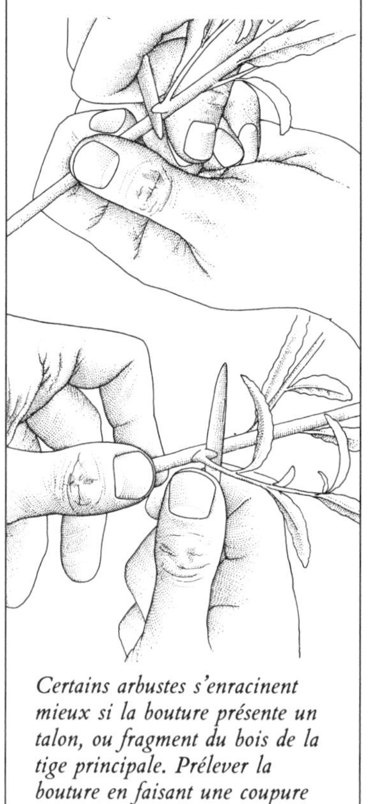

Certains arbustes s'enracinent mieux si la bouture présente un talon, ou fragment du bois de la tige principale. Prélever la bouture en faisant une coupure en V au point d'insertion de la pousse sur la tige.

Soins à donner aux boutures semi-aoûtées

Après avoir prélevé les boutures, remplir un pot jusqu'au rebord d'un mélange terreux léger pour les semis ou d'un mélange composé à volume égal de tourbe et de sable grossier.

La taille du pot dépend de la longueur et du nombre des boutures. Un pot de 7,5 cm suffit pour 5 boutures environ et un pot de 13 cm peut contenir une dizaine de sujets. Au-delà de ce nombre, utiliser une caissette.

Pratiquer dans le mélange un trou d'une profondeur égale au tiers de la longueur de la bouture. Planter la bouture et tasser la terre avec les doigts. Faire de même pour toutes les boutures en les espaçant uniformément. Arroser généreusement avec un pulvérisateur ou un arrosoir à jet fin.

A ce point-ci de l'opération, trois éléments sont essentiels : l'humidité, la chaleur et une ombre partielle.

Les deux premiers éléments seront assurés si les boutures sont placées dans une petite serre confectionnée avec un sac de plastique transparent et deux bouts de fil métallique galvanisé de 30 à 40 cm de long (des cintres en métal font très bien l'affaire). Courber les fils de façon à planter les extrémités dans le mélange terreux ; les deux arcs doivent se croiser. Enfiler le sac de plastique sur ce support et l'attacher sous le rebord du pot avec de la ficelle, du ruban adhésif ou une bande élastique. Faire de même pour une caissette.

Placer ensuite le pot ou la caissette sous châssis froid ou dans une serre ombragée. Le soleil direct risquerait de surchauffer l'atmosphère.

Pour la plupart des plantes rustiques, la température du terreau doit être maintenue entre 16 et 18°C. Il n'est pas nécessaire mais il est avantageux d'avoir recours à un chauffage de fond ou de placer la caissette près des bouches de chaleur de la serre. Il existe des caissettes munies de résistances électriques qui gardent le mélange chaud, ce qui contribue à accélérer la formation des racines.

L'enracinement devrait se produire en deux ou trois semaines si les boutures ont été prélevées à la bonne époque, et de la bonne façon, et si elles sont dans un mélange terreux qui leur convient. Le maintien de la température et de l'humidité à un niveau constant sont aussi des facteurs essentiels.

L'acclimatation des boutures Il s'agit ensuite d'acclimater les boutures à une atmosphère moins clémente que celle de leur tente de plastique. Les laisser dans la serre ou sous le châssis, mais soulever le sac de 1 cm ou y percer quelques trous pour que l'air pénètre. Eviter la lumière trop vive. Une semaine plus tard, soulever le sac davantage ou percer d'autres trous.

Attendre encore sept jours avant d'enlever le sac, puis arroser. Sept jours plus tard, la mise en pots individuels peut se faire.

Le rempotage Déterrer les boutures et les séparer avec précaution. Préparer pour chaque bouture un pot de 9 cm en y mettant une couche de matériel de drainage recouverte d'une couche de mélange terreux. Installer le jeune plant et remplir le pot jusqu'à la première paire de feuilles.

Tasser le mélange pour qu'il soit à 1,5 cm du rebord. Arroser généreusement. Garder la plante en serre ou sous châssis et ne jamais laisser la terre se dessécher.

Il faut compter trois semaines pour que les racines atteignent les parois du pot. S'il s'agit d'un sujet rustique, il sera mis en pleine terre immédiatement. Sinon, il faudra le rempoter et le garder en serre ou sous châssis tout l'hiver. Au printemps suivant, on le transplantera dans le jardin.

1. *Remplir un pot de tourbe et de sable et y enfouir les boutures d'un tiers.*

2. *Arroser généreusement à l'aide d'un pulvérisateur ou d'un arrosoir à jet fin.*

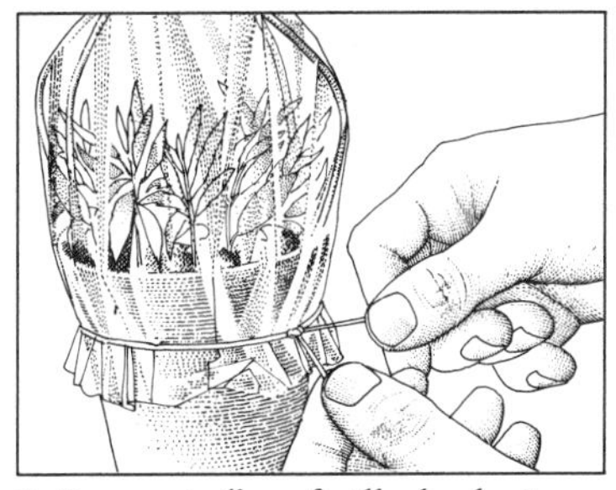

3. *Recouvrir d'une feuille de plastique maintenue avec du fil de fer galvanisé.*

4. *Après l'enracinement, soulever le plastique pour acclimater la bouture.*

5. *Trois semaines plus tard environ, séparer délicatement les boutures.*

6. *Les planter une à une dans des pots de 9 cm remplis de mélange terreux.*

7. *Lorsque les plants sont établis, les transplanter en pleine terre.*

Boutures herbacées prélevées à l'extrémité des tiges

Les boutures herbacées sont les extrémités vertes des tiges, prélevées quand elles sont encore jeunes. Bien que cette méthode soit couramment utilisée pour la multiplication des plantes herbacées vivaces et rustiques ainsi que des plantes d'intérieur, elle n'est guère pratique pour multiplier les arbustes et les arbres, car des soins constants seront nécessaires depuis le prélèvement de la bouture jusqu'à sa mise en pot. Néanmoins, c'est la méthode à suivre si l'on veut prélever des boutures au début de l'été.

Il faudra utiliser une caissette de multiplication chauffante, et surveiller le degré d'humidité et l'intensité de la lumière. On aura intérêt à employer un système de brumisation artificielle. Le repiquage en pleine terre se fera après un ou deux ans.

A la mi-été au plus tard, prélever des boutures herbacées de 5 à 10 cm présentant 4 ou 5 paires de feuilles, prises sur des tiges jeunes, non fleuries, fermes mais non ligneuses.

Avec un couteau bien affûté ou une lame de rasoir, faire une coupe nette en biseau juste en dessous de la paire de feuilles la plus proche de la tige principale. Eliminer les deux premières paires de feuilles en prenant soin de ne pas abîmer la tige.

On peut placer une dizaine de boutures dans un pot de 13 cm rempli jusqu'au rebord d'un substrat léger ou d'un mélange à volume égal de tourbe et de sable grossier.

Dans le mélange, pratiquer des trous ayant environ le tiers de la longueur des boutures. Y planter les sujets et tasser le mélange avec les doigts. Procéder comme pour les boutures semi-aoûtées, mais accorder plus de temps à chaque étape.

Multiplication à partir de fragments de racine

Certaines plantes, herbacées ou ligneuses, se multiplient facilement à partir de leurs racines, surtout de celles qui ont été blessées. Cette méthode convient aux spirées, aux cotonéasters et aux sumacs.

En automne, en hiver ou tôt au printemps, déterrer toute la plante ou une partie seulement et prélever une grosse racine située près de la tige principale.

Avec un couteau bien affûté, tronçonner la racine qui a été prélevée en segments de 4 cm. (On peut prélever des racines plus fines, mais elles devront avoir de 5 à 8 cm de long et être plantées horizontalement à 1,5 cm de profondeur.) Tailler chaque fragment de racine à angle droit du côté de la souche, en biseau à l'autre extrémité.

Remplir un pot jusqu'au rebord de bon terreau ou d'un mélange composé en parties égales de tourbe et de sable grossier.

A l'aide d'un plantoir, creuser un trou d'une profondeur égale à la hauteur de la bouture.

Planter la bouture de façon que l'extrémité qui a été coupée à angle droit soit de niveau avec le mélange. Un pot de 13 cm de diamètre peut recevoir 6 boutures.

Recouvrir le mélange d'une couche de 1 cm de sable grossier et l'asperger d'eau. Placer ensuite les boutures dans une serre ou sous châssis froid. Bien surveiller la température et l'humidité pour qu'elles soient constantes.

Six mois après la multiplication, séparer les boutures, les empoter individuellement et les cultiver comme des boutures semi-aoûtées (voir p. 81).

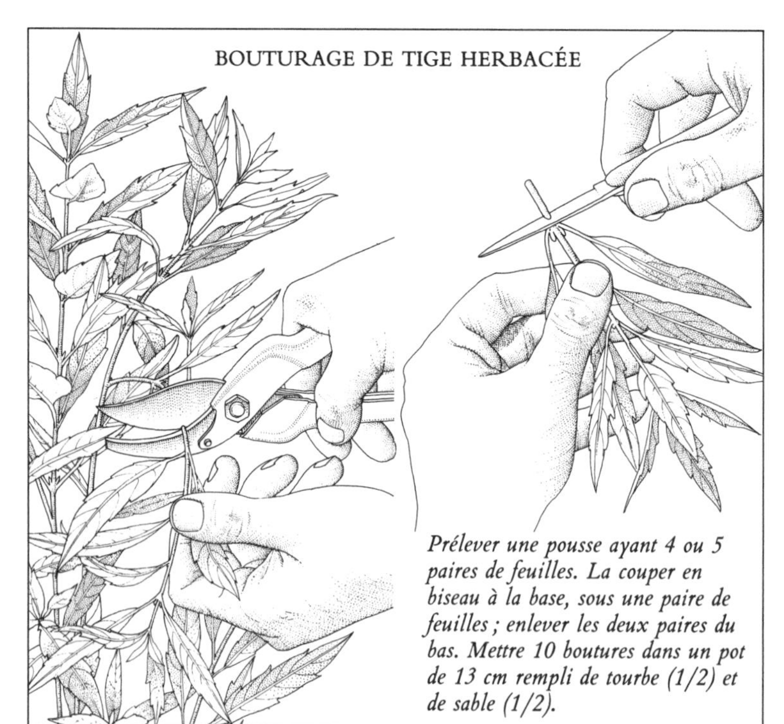

BOUTURAGE DE TIGE HERBACÉE

Prélever une pousse ayant 4 ou 5 paires de feuilles. La couper en biseau à la base, sous une paire de feuilles ; enlever les deux paires du bas. Mettre 10 boutures dans un pot de 13 cm rempli de tourbe (1/2) et de sable (1/2).

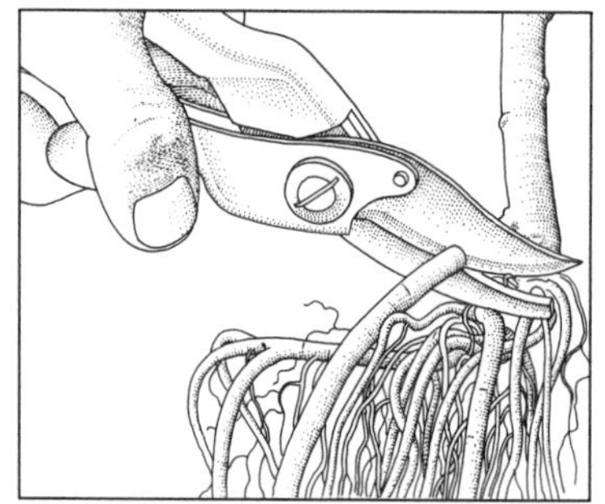

1. *Avec le sécateur, prélever une grosse racine située près de la tige principale.*

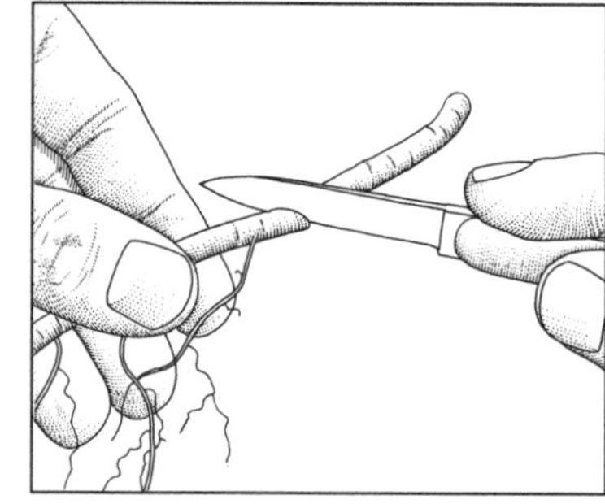

2. *Couper droit au sommet et en biseau à la base des fragments de 4 cm.*

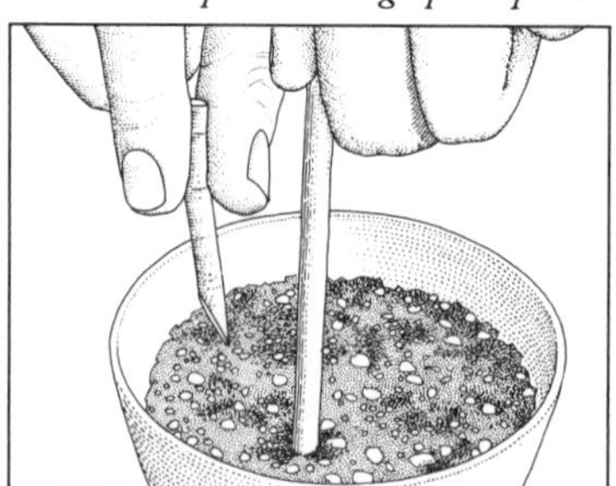

3. *Les enfouir dans le mélange. Le sommet de la bouture doit affleurer.*

4. *Six mois plus tard, les transplanter dans des pots de 9 cm.*

La bouture d'œil en vert : rapide, efficace

Ce type de bouture est celui que l'on doit utiliser si l'on veut obtenir de nombreux sujets à partir d'un petit nombre de plantes. De plus, si elles sont prélevées au bon moment, les boutures d'œil en vert croissent beaucoup plus rapidement. Cependant, un an après l'enracinement, les plants obtenus à partir de boutures semi-aoûtées ou aoûtées seront plus développés.

A la fin de l'été ou au début de l'automne, prélever des pousses latérales semi-aoûtées, c'est-à-dire dont la croissance a commencé au printemps. Ces pousses devront présenter plusieurs feuilles et un œil latent à l'aisselle de chaque feuille.

Avec un couteau bien affûté, couper en biseau la base de la tige, à 2 cm environ sous la feuille la plus basse. Tailler ensuite la pousse à angle droit juste au-dessus de l'œil axillaire. Préparer ainsi 3 ou 4 boutures par tige.

Avec le couteau, gratter légèrement l'écorce de la tige et plonger la blessure dans de la poudre d'hormones à enracinement.

Remplir un pot jusqu'au rebord de substrat sablonneux ou d'un mélange composé en parties égales de tourbe et de sable grossier ou de perlite. Planter les boutures de manière que l'œil soit placé juste à la surface du mélange. Des pots de 15 à 18 cm de diamètre peuvent contenir une douzaine de boutures.

Arroser délicatement avec un pulvérisateur manuel ou en faisant glisser de l'eau le long des doigts. Couvrir le pot d'une cloche fabriquée avec du fil de fer et un sac de plastique transparent (voir p. 81). Placer les boutures dans une serre ou sous châssis froid. Ne pas exposer les boutures au soleil.

Six mois plus tard, acclimater les jeunes plants et les rempoter individuellement.

Mettre du matériel de drainage et une couche de mélange poreux dans des pots de 9 cm. Dépoter les boutures et les séparer délicatement. Placer chaque bouture au centre du pot et remplir jusqu'à ce que le mélange atteigne la base de la feuille d'origine.

Tasser le mélange pour qu'il soit à 1,5 cm sous le rebord et arroser généreusement. Garder les pots dans une serre ou sous châssis froid. Ne jamais laisser le mélange se dessécher.

Trois à six semaines plus tard, les racines auront sans doute rejoint les parois du pot. Si la plante est rustique, la mettre en pleine terre dans un endroit abrité. Rempoter les sujets plus fragiles et les garder durant une année en serre ou sous châssis froid avant de les transplanter de façon permanente au jardin.

1. *A la fin de l'été, prélever une pousse comportant plusieurs feuilles.*

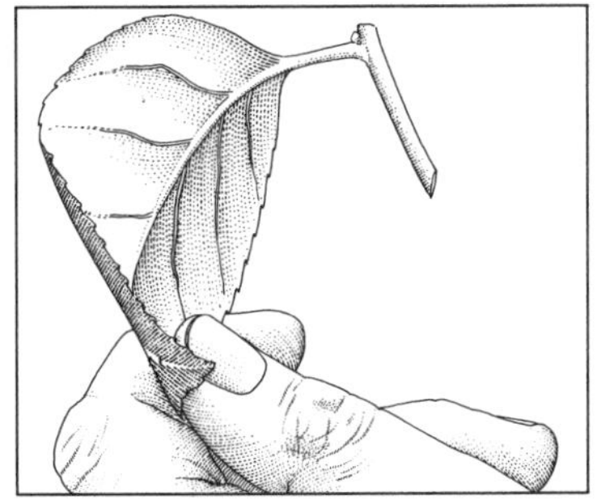

2. *Couper droit au-dessus de l'aisselle, et en biseau 2 cm en dessous.*

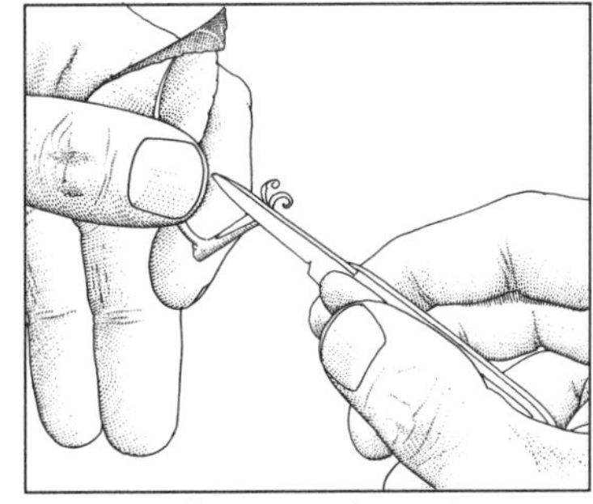

3. *Gratter l'écorce et plonger la blessure dans de la poudre d'hormones.*

4. *Enfouir la bouture jusqu'à l'aisselle de la feuille dans un mélange humide.*

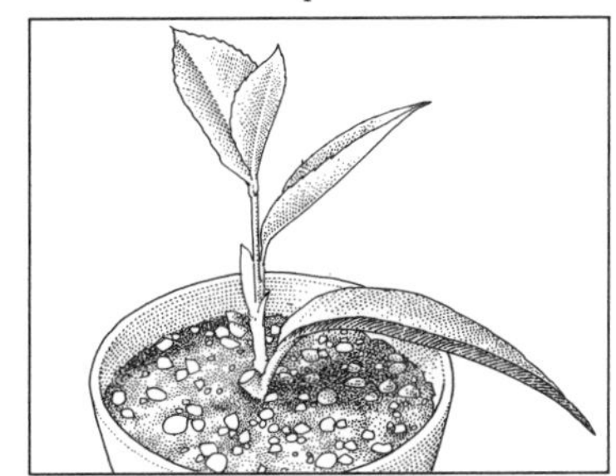

5. *Six mois plus tard, planter la bouture dans un pot de 9 cm.*

L'ennemi des boutures : la pourriture grise

Le plus grand ennemi des boutures est le botrytis ou pourriture grise. C'est une maladie cryptogamique, c'est-à-dire causée par un champignon qui recouvre les tiges, les feuilles ou les boutons floraux d'un duvet gris-blanc et qui sévit de l'automne au début du printemps.

La pourriture grise se développe sur des tissus morts ou endommagés et prolifère dans un milieu froid et humide. Elle est très contagieuse. Si elle se manifeste sur une bouture, il faut détruire celle-ci. Ne pas s'en servir pour faire du compost.

Une bonne hygiène diminue les risques de propagation. Vérifier toutes les boutures une fois par semaine et enlever les feuilles malades ou mortes. Un fongicide à base de bénomyl ou de captane est efficace.

Les hormones d'enracinement pour stimuler la croissance

Différents produits vendus sous forme de liquide ou de poudre contiennent des hormones qui, appliquées à la base des boutures, favorisent l'enracinement.

Ces hormones existent dans les plantes, mais en quantité trop faible pour accélérer l'enracinement. Des espèces telles que celles qui appartiennent au genre *Chimonanthus,* dont le bouturage est souvent difficile, pourront être stimulées par des apports d'hormones. Cependant, les espèces qui prennent racine facilement, comme le lierre commun *(Hedera helix),* réagiront mal à ces applications.

Les poudres et liquides à enracinement sont de forces diverses : les plus faibles conviennent aux boutures herbacées, les plus forts aux boutures aoûtées. Il existe aussi des formules tout usage. Pour un petit nombre de boutures herbacées ou ligneuses, utiliser une préparation tout usage.

Multiplication des arbustes par marcottage

Principes de base du marcottage

Cette méthode repose sur la disposition qu'a une tige entaillée, égratignée ou cassée d'émettre des racines à partir de la blessure si celle-ci est en contact avec le sol. Elle ne nécessite ni serre ni châssis.

Le marcottage se pratique de préférence sur des branches de l'année, donc tendres et qui n'ont pas fleuri.

Les arbustes à feuillage caduc doivent être marcottés en automne ou en hiver et les arbustes à feuillage persistant en automne ou au printemps.

Pour commencer, bêcher le sol autour de l'arbuste choisi comme plante mère. Choisir une tige flexible et l'abaisser jusqu'à ce qu'elle touche le sol par un point situé à environ 25 à 30 cm de son extrémité. Eliminer les feuilles qui se trouvent à cet endroit (voir l'illustration).

Entailler peu profondément le dessous de la branche en dirigeant le couteau vers l'extrémité du rameau, ou tordre la tige pour meurtrir légèrement les tissus.

Creuser un trou de 8 à 10 cm de profondeur et le remplir partiellement de tourbe (1/2) et de sable grossier (1/2). Abaisser la tige dans le trou de sorte qu'elle fasse un angle aigu à l'endroit de la blessure.

Maintenir la branche au sol à l'aide d'un crochet en fil de fer galvanisé de 15 à 20 cm de long. Tuteurer l'extrémité et remplir le trou.

Faire de même avec d'autres branches. Ne pas laisser le sol se dessécher.

La plupart des tiges auront pris racine un an plus tard. Pour s'en assurer, gratter délicatement le sol.

S'il paraît bien établi, séparer le nouveau sujet de la plante mère ; le dégager avec une bonne motte de terre et le transplanter.

Si les racines sont clairsemées, mais que la tige est saine, remettre la terre en place et attendre quelques mois avant de vérifier à nouveau.

Toutes les branches de l'année peuvent servir à produire d'autres arbustes sans être détachées de la plante mère.

1. *Abaisser une branche jusqu'au sol. A une distance de 25 à 30 cm de son sommet, creuser un trou de 8 à 10 cm de profondeur.*

2. *Effeuiller la partie de la branche qui sera au-dessus du trou.*

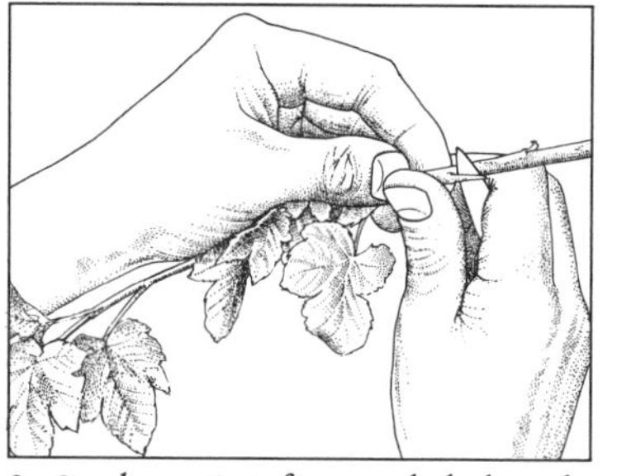

3. *Sur la partie inférieure de la branche, pratiquer une entaille peu profonde en coupant vers l'extrémité, ou tordre la tige pour meurtrir les tissus.*

4. *Couder la branche à la blessure et la maintenir avec un crochet.*

5. *Tuteurer l'extrémité dressée, remplir le trou et bien arroser.*

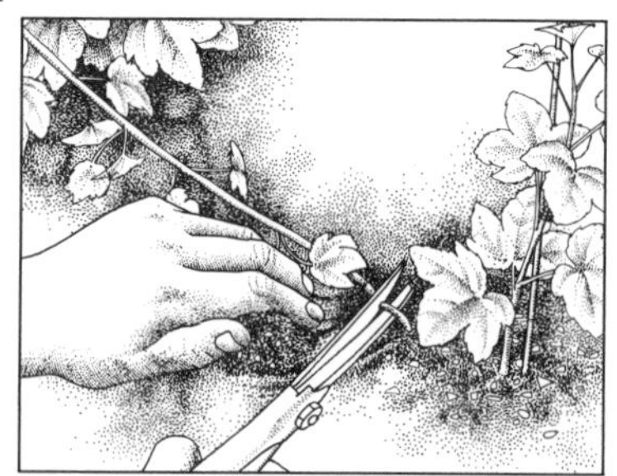

6. *Un an plus tard, détacher la marcotte et la transplanter.*

Marcottage en serpenteau pour plantes grimpantes

Le marcottage en serpenteau, ou marcottage chinois, se pratique sur les plantes grimpantes et les arbustes sarmenteux à tiges longues et flexibles, comme le chèvrefeuille ou le jasmin. Il s'effectue à la même époque que le marcottage classique sur des pousses retombantes de l'année.

Abaisser délicatement une tige et creuser un trou de 5 cm de profondeur là où elle touche le sol.

Faire une écorchure sur la face inférieure de la tige et maintenir celle-ci en place avec un crochet de fil métallique ou une épingle à cheveux.

Remplir le trou d'un mélange composé de tourbe (1/2) et de sable grossier (1/2). Recouvrir de terre et tasser avec les doigts.

Laisser les deux paires de feuilles suivantes à l'air libre et répéter l'opération tout au long de la tige. Bien arroser et ne pas laisser le sol se dessécher.

Un an plus tard, les marcottes devraient avoir pris racine. Vérifier en grattant la terre qui les entoure. Si elles sont bien enracinées, les détacher les unes des autres et les transplanter. Si les racines ne sont pas assez développées, enterrer à nouveau la marcotte tout entière et attendre quelques mois avant de procéder à une nouvelle vérification.

La transplantation se fait plus facilement si on installe d'abord les marcottes dans de petits pots qu'on enterre. Lorsque les boutures auront pris racine, il sera possible de les transplanter sans risquer d'endommager les jeunes racines.

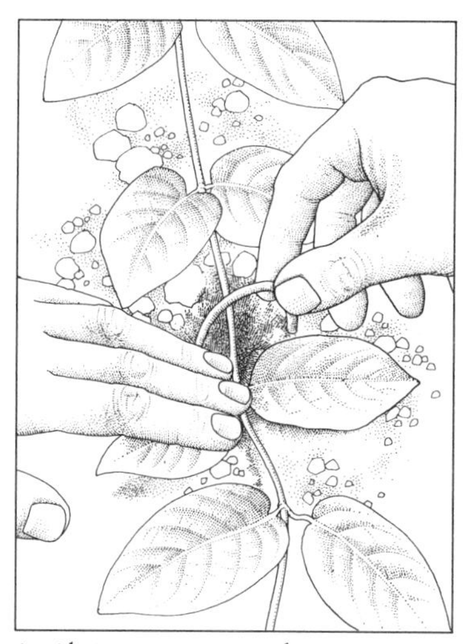

1. *Abaisser une pousse, la maintenir avec un crochet dans un trou de 10 cm. Remplir le trou de mélange léger.*

2. *Répéter l'opération sur toute la longueur de la tige en laissant chaque fois deux paires de feuilles à l'air libre.*

Marcottage aérien pour tiges rigides ou tiges hautes

Le marcottage aérien se pratique de la fin du printemps à la mi-été. Choisir une pousse de l'année et enlever les feuilles du milieu. Faire une entaille peu profonde de 2,5 cm de long jusqu'au cambium. Appliquer de la poudre d'hormones.

Entourer la blessure d'un manchon de matière plastique de 10 à 13 cm de large ; attacher le bas (voir l'illustration). Remplir ce manchon d'un mélange humide de tourbe (1/3), de sable grossier (1/3) et de sphaigne (1/3). Attacher le haut.

Dix semaines plus tard, on devrait voir ou sentir les racines. Oter le manchon et détacher la marcotte en coupant en dessous des racines. Mettre le nouveau sujet dans un pot de 10 à 15 cm rempli d'un mélange léger et humide et le garder sous châssis froid fermé pendant deux semaines.

Acclimater la plante en ouvrant progressivement le châssis ; la transplanter au jardin au printemps.

1. *Choisir une pousse de l'année et lui enlever une paire de feuilles.*

2. *Faire une entaille de 2,5 cm dans le bois ; appliquer de la poudre.*

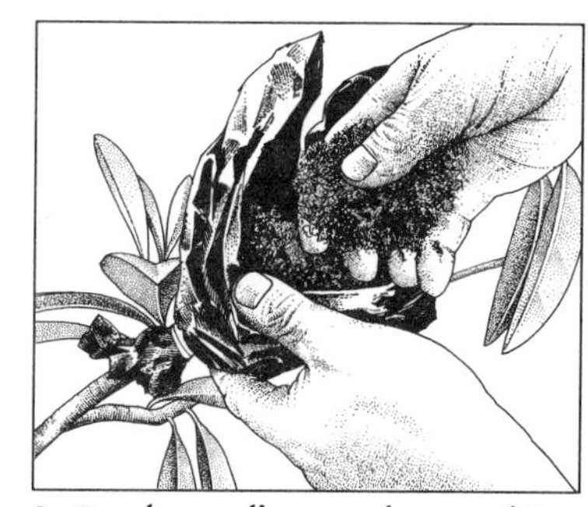

3. *Envelopper d'un manchon attaché à la base et le remplir de terre.*

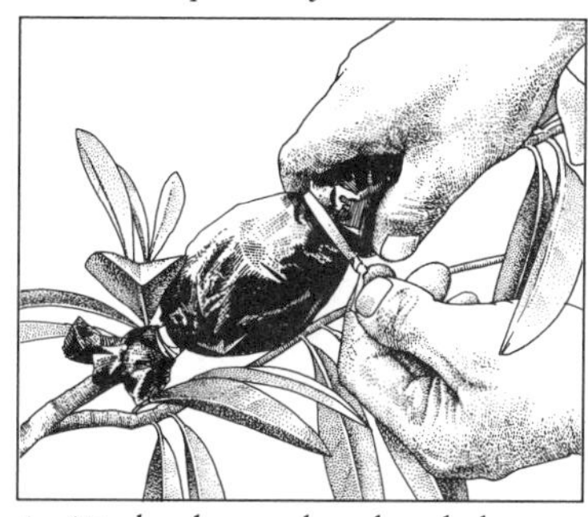

4. *Attacher le manchon dans le haut et le laisser en place 10 semaines.*

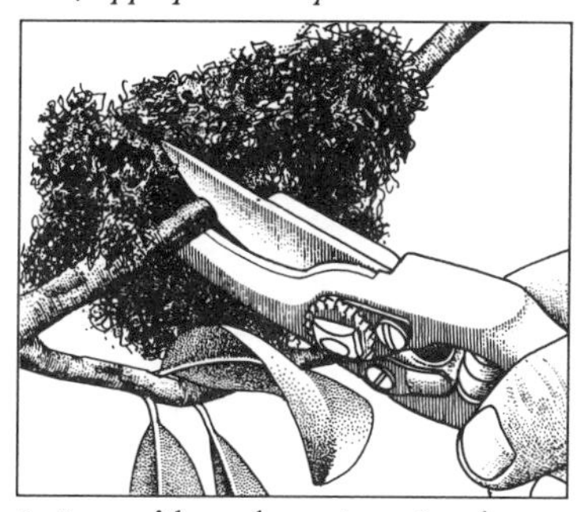

5. *Lorsqu'il y a des racines, ôter le manchon et détacher le nouveau sujet.*

6. *Le planter dans un pot de 10 cm. Garder humide et à l'abri 15 jours.*

Multiplication par semis, rejets et division

Cueillette et préparation des graines pour les semis

Les graines d'arbustes ne mûrissent pas toutes à la même saison. L'apparition des oiseaux est un signal qu'elles sont mûres. Encore faut-il agir avant eux et avant que les graines, trop mûres, ne s'éparpillent sur le sol. Généralement, la cueillette se fait en automne. Dans les régions froides, certaines espèces comme le chèvrefeuille donnent leurs graines à la fin du printemps, tandis que celles du kolkwitzie sont prêtes à la fin de l'été, et celles de plusieurs variétés de rhododendron à la mi-automne.

Les semences de plusieurs espèces — azalée, rhododendron, piéris, laurier de montagne, buddleia, cléthra, deutzie, enkianthus, millepertuis, hydrangée, potentille, kolkwitzie, seringa, spirée et weigela — germent sans qu'il soit besoin de les préparer.

D'autres, comme celles de l'épine-vinette, du lilas, du thuya, de l'épinette et du pin, doivent séjourner deux à trois mois au froid, c'est-à-dire être en dormance, avant de pouvoir germer. Dans les régions froides, on sèmera ces graines à l'extérieur sous châssis froid en automne ; elles germeront le printemps suivant. On peut aussi les enfermer dans un sac de plastique rempli de tourbe à peine humide et les garder au réfrigérateur (4°C) pendant deux ou trois mois avant de les semer.

Certains arbustes, comme le cotonéaster, le houx et le genévrier, doivent avoir une double période de dormance : la première en couche chaude, la seconde en couche froide.

Semées à l'extérieur, ces graines peuvent mettre jusqu'à deux ans à germer. Cette période d'attente est beaucoup plus courte si l'on enferme les graines dans un sac de plastique rempli de tourbe humide. Garder le sac à la température de la pièce pendant cinq mois environ, soit la durée de la première période de dormance, puis placer le sac au réfrigérateur pour trois autres mois, durée de la seconde période de dormance. Semer ensuite les graines.

Quand il s'agit de graines pulpeuses, comme celles de l'if, extraire cette pulpe avant de mettre ces graines en réserve ou de les semer. Faire tremper les graines dans de l'eau pour ramollir la chair : les bonnes graines sont celles qui coulent, les autres flottent.

Débarrasser les graines non pulpeuses de leur enveloppe. Poudrer toutes les semences de roténone contre les charançons et autres ravageurs.

Certaines semences, dont celles du genêt et de la glycine, ont un tégument dormant qu'il faut enlever à la main ou avec de l'eau chaude ou de l'acide sulfurique. Lorsque les graines sont grosses, on peut réduire ce tégument avec une lime ou avec un couteau.

L'eau qui servira à attendrir le tégument doit être à 90°C au moins. La verser sur les graines et les laisser tremper toute une nuit. Si l'on utilise de l'acide sulfurique (produit dangereusement corrosif), en couvrir complètement les graines et vérifier de temps à autre l'action de l'acide en sortant une graine avec des pincettes en bois. Ce traitement a pour but de rendre la graine perméable à l'eau. Rincer ensuite les graines à l'eau et les semer immédiatement en châssis froid ou dans des pots gardés à l'intérieur. Si les semis ont lieu sous châssis à l'automne, protéger les graines contre les rongeurs. Installer un grillage fin, de type « moustiquaire », sur les pots ou le châssis. Pour de plus amples détails sur les semis, se reporter à la page 208.

Multiplication des arbustes par rejets

Plusieurs espèces d'arbres et d'arbustes se reproduisent naturellement au moyen de pousses qui émergent du sol et qu'on appelle des rejets.

La multiplication au moyen de rejets n'est efficace que si les rejets ont des racines. Les rejets des plantes greffées : certains rosiers, les rhododendrons, les lilas, les viornes et l'hamamélis, reproduisent le porte-greffes du sujet et non ses organes aériens. Le deutzie, le forsythie, le seringa, les rosiers non hybrides, la spirée, le sumac et quelques espèces de *Prunus* donnent de véritables rejets.

Entre la mi-automne et le début du printemps, dégager le rejet à la base. S'il a des racines, le couper le plus près possible de son point d'origine, tige ou racine, le soulever avec précaution et le mettre en terre.

S'il n'en a pas, le mettre dans une planche de multiplication.

BOUTURAGE DES REJETS

En automne ou en hiver, déterrer le rejet. S'il a des racines, le couper près de son point d'origine, tige ou racine ; le soulever et le planter.

Multiplication des arbustes par division

De nombreux arbustes produisent leurs tiges principales à partir de bourgeons souterrains, si bien que chacune de celles-ci est porteuse de racines. Ces arbustes se multiplient par division tout comme les vivaces semi-ligneuses. C'est une méthode avantageuse puisqu'elle permet d'obtenir immédiatement des sujets en plein développement.

La division convient notamment au clérodendron, à l'indigotier, au kerria de même qu'à la ronce.

Déterrer l'arbuste et le diviser en deux ou trois touffes de même taille présentant chacune de nombreuses racines saines. Les planter aussitôt.

Cette division se fait de préférence au printemps, mais elle peut aussi s'effectuer entre la mi-automne et la mi-printemps. Toutefois, il faut attendre qu'il ait au moins trois ans avant de diviser un arbuste.

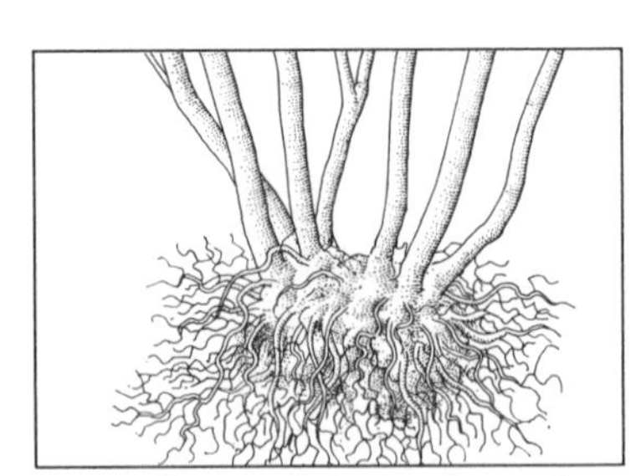

1. *Les plantes à diviser produisent leurs tiges principales sous la surface du sol.*

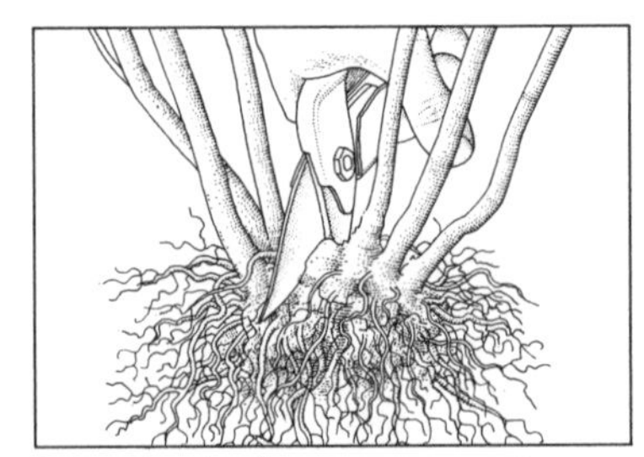

2. *Diviser la plante avec ses racines en touffes égales et les planter.*

Taille des arbustes et des plantes grimpantes

Un arbuste souffre rarement de n'être pas taillé. On le taille le plus souvent pour restreindre sa croissance, améliorer sa silhouette ou supprimer les branches mortes ou malades, ce qui, bien entendu, est essentiel. Chez certains sujets, la croissance est meilleure si la lumière pénètre au centre de la ramure ; en ce cas, on coupe les vieilles branches centrales. D'autres produisent des fleurs plus grosses, mais peut-être moins nombreuses, si on les taille tous les ans.

On se sert surtout de trois outils pour la taille : le sécateur pour les petites tiges, les cisailles à long manche pour les grosses tiges et la scie d'élagage pour les grosses branches. Une serpette bien aiguisée est aussi utile pour parer les grandes plaies.

Pour raccourcir une branche, faire la coupe juste au-dessus d'un œil ou d'une pousse tournés vers l'extérieur. Couper en biseau, parallèlement à l'angle formé par l'œil avec la tige, mais jamais transversalement.

S'il s'agit d'une branche entière, couper à ras du tronc ou de la branche principale et parer la plaie avec une serpette. Recouvrir la blessure d'un enduit cicatrisant spécial ou de n'importe quelle peinture domestique à base d'huile pour empêcher des spores malsaines de pénétrer dans le bois par la plaie. C'est une précaution qui, sans être essentielle, est utile.

Ajouter deux poignées d'engrais complet par mètre carré et étendre autour des arbustes sévèrement rabattus un paillis de 5 cm d'épaisseur.

Suppression des branches mortes ou trop longues

Cette méthode s'applique à la plupart des arbustes et fait partie de l'entretien de routine. Elle se pratique en tout temps. On aura sans doute tendance à y avoir recours lorsqu'une longue branche défigure la silhouette d'un arbuste ou lorsqu'un orage a endommagé un rameau. Mais il est sage de faire un examen général des arbustes, chaque printemps, pour déterminer ceux qu'il faudra tailler.

Rabattre le bois mort ou abîmé jusqu'au tissu sain et au-dessous d'un œil ou d'une pousse tournés vers l'extérieur. Couper ensuite les pousses malingres à ras d'une grosse branche. Réduire de moitié les branches trop vigoureuses en coupant près d'une forte pousse ou d'un œil tournés vers l'extérieur.

Ce type de taille sélective convient à plusieurs arbustes et notamment au daphné, au fusain, au *Hebe*, à la potentille, au ciste, à la viorne de Burkwood et au *Viburnum carlesii*.

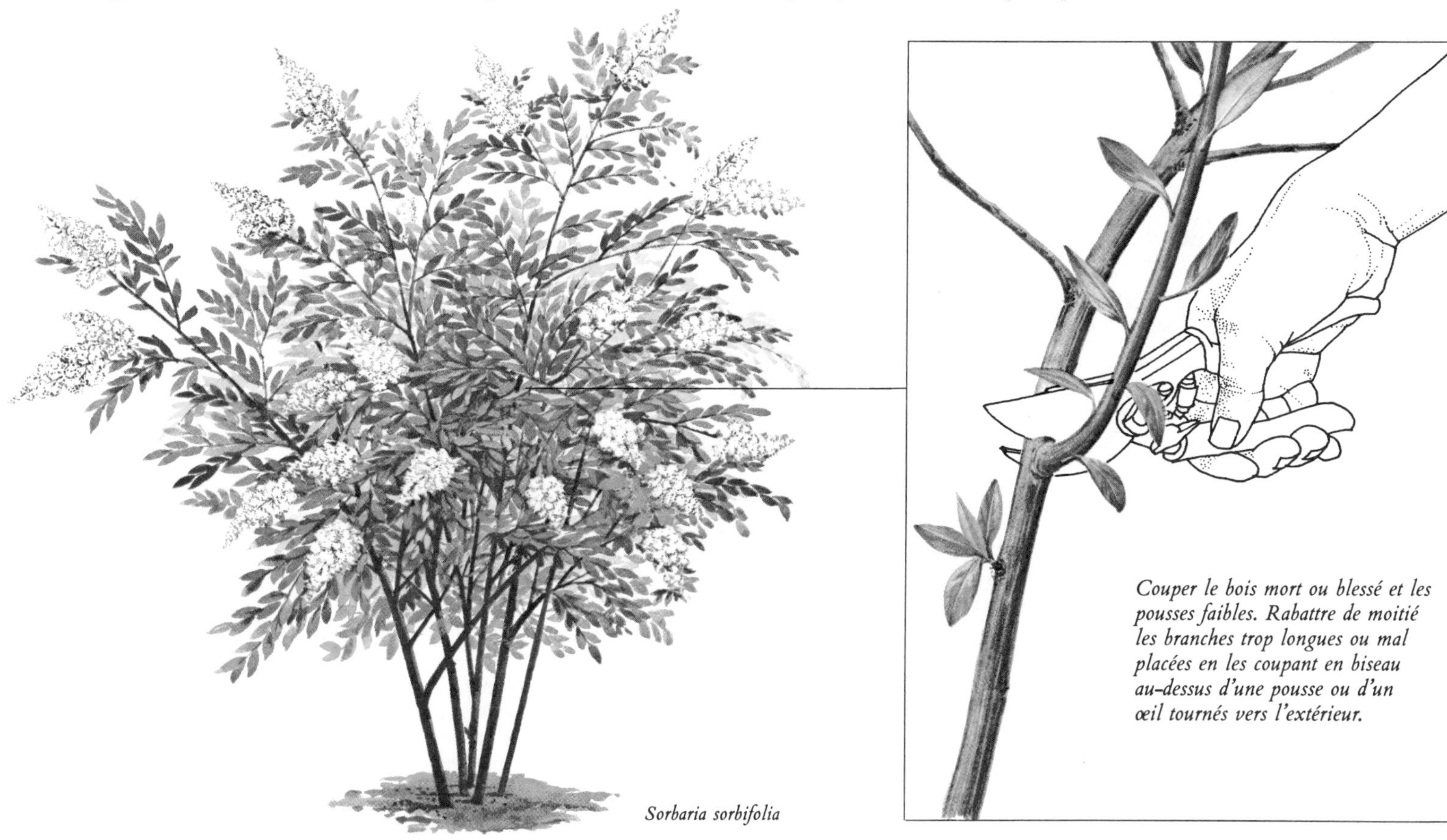

Sorbaria sorbifolia

Couper le bois mort ou blessé et les pousses faibles. Rabattre de moitié les branches trop longues ou mal placées en les coupant en biseau au-dessus d'une pousse ou d'un œil tournés vers l'extérieur.

Arbustes qui fleurissent sur du vieux bois

En vieillissant, certains arbustes perdent leur forme; leur feuillage devient trop dense et ils produisent moins de fleurs. Ceux qui fleurissent sur des tiges de l'année précédente devraient être taillés tous les ans, après la floraison.

En premier lieu, enlever ou raccourcir quelques-unes des branches les plus vieilles. Elaguer ensuite au besoin les nouvelles pousses faibles. Toujours couper au-dessus d'une branche latérale vigoureuse.

ARBUSTES AINSI TAILLÉS	
Buddléia à feuilles alternes	Kolkwitzie
Deutzie	*Prunus triloba*
Faux amandier	Robinier
Forsythie	Seringa
Groseillier	Stephanandra
Hydrangea macrophylla	Weigela

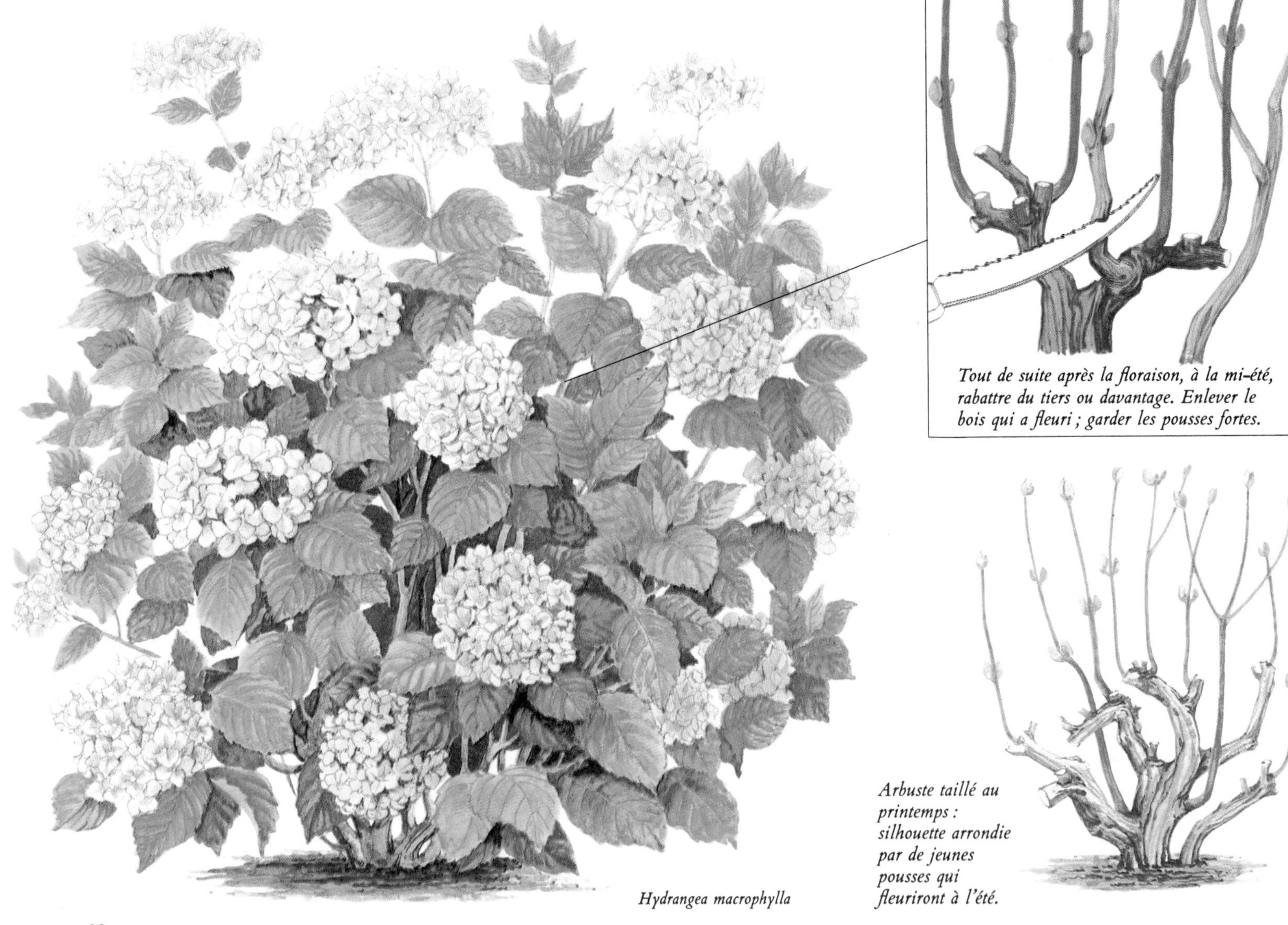

Tout de suite après la floraison, à la mi-été, rabattre du tiers ou davantage. Enlever le bois qui a fleuri; garder les pousses fortes.

Hydrangea macrophylla

Arbuste taillé au printemps: silhouette arrondie par de jeunes pousses qui fleuriront à l'été.

Arbustes qui fleurissent sur des pousses nouvelles

Certains arbustes fleurissent sur des pousses de la saison. Pour limiter leur développement et pour obtenir des fleurs plus grosses bien que moins nombreuses, rabattre les arbustes au printemps, au début de la croissance.

Couper toutes les tiges de l'année précédente à deux ou trois yeux de leur empattement. A moins de vouloir éclaircir la ramure, éviter de rabattre le vieux bois.

Après la taille, ajouter un peu d'engrais complet. Pailler sur 5 cm d'épaisseur avec de la tourbe, du compost ou du fumier.

ARBUSTES ET PLANTES GRIMPANTES AINSI TAILLÉS

Buddleia davidii
Caryoptère
Céanothe (à feuillage caduc)
Fuchsia magellanica
Gattilier
Genêt d'Espagne
Hydrangea arborescens grandiflora
Hydrangée paniculée à grandes fleurs
Indigotier
Sorbaria
Spiraea bumalda, S. japonica
Tamarix pentandra

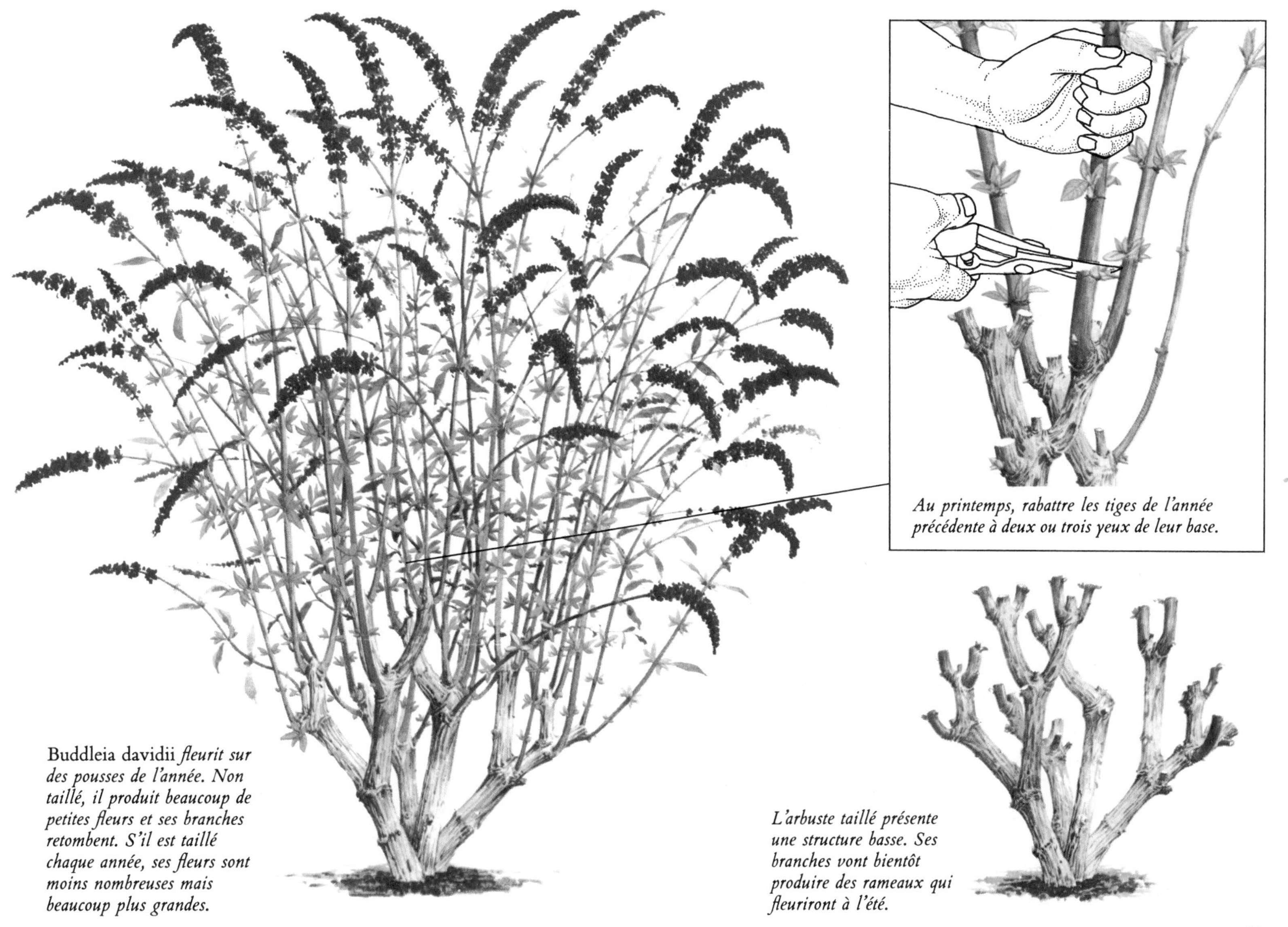

Au printemps, rabattre les tiges de l'année précédente à deux ou trois yeux de leur base.

Buddleia davidii *fleurit sur des pousses de l'année. Non taillé, il produit beaucoup de petites fleurs et ses branches retombent. S'il est taillé chaque année, ses fleurs sont moins nombreuses mais beaucoup plus grandes.*

L'arbuste taillé présente une structure basse. Ses branches vont bientôt produire des rameaux qui fleuriront à l'été.

Rabattage des arbustes trop développés

Certains arbustes, surtout les espèces à feuillage persistant, n'ont pas besoin de taille avant plusieurs années, à moins qu'ils ne soient trop gros ou dégarnis à la base. Au printemps, rabattre toutes les grosses branches à quelques centimètres du sol en se servant d'une scie d'élagage. Donner un peu d'engrais complet. Pailler ; arroser beaucoup en période de sécheresse. L'arbuste ne fleurira pas l'été suivant, mais il sera plus beau quelques années plus tard.

ARBUSTES AINSI TAILLÉS	
Aucuba	Oléana
Chalef	Pieris
If	*Prunus laurocerasus* et variétés
Mahonie	Troène
Myrique	Viorne

Prunus laurocerasus schipkaensis

Avec des cisailles, enlever au printemps la partie supérieure des branches.

Scier les branches à quelques centimètres du sol. Appliquer un enduit cicatrisant.

Pour rajeunir un vieil arbuste

Avec l'âge, certains arbustes deviennent si gros et si encombrés de branches qu'on peut être tenté de rabattre celles-ci jusqu'au sol. Une taille moins considérable donne généralement de meilleurs résultats. Elle est moins sévère que celle qui est recommandée à la page précédente.

Au printemps, avant la pousse des feuilles, rabattre les vieilles branches à différentes hauteurs de 0,60 à 1,50 m. Supprimer les branches les plus fines et les gourmands qui poussent à la base. Fertiliser avec un engrais complet et étendre un paillis.

ARBUSTES AINSI TAILLÉS	
Aucuba	Marronnier
Chalef	Oranger du Mexique
Cotonéaster	Seringa
Fothergilla	Troène
Hibiscus syriacus	Viorne
Lilas (*Syringa*)	

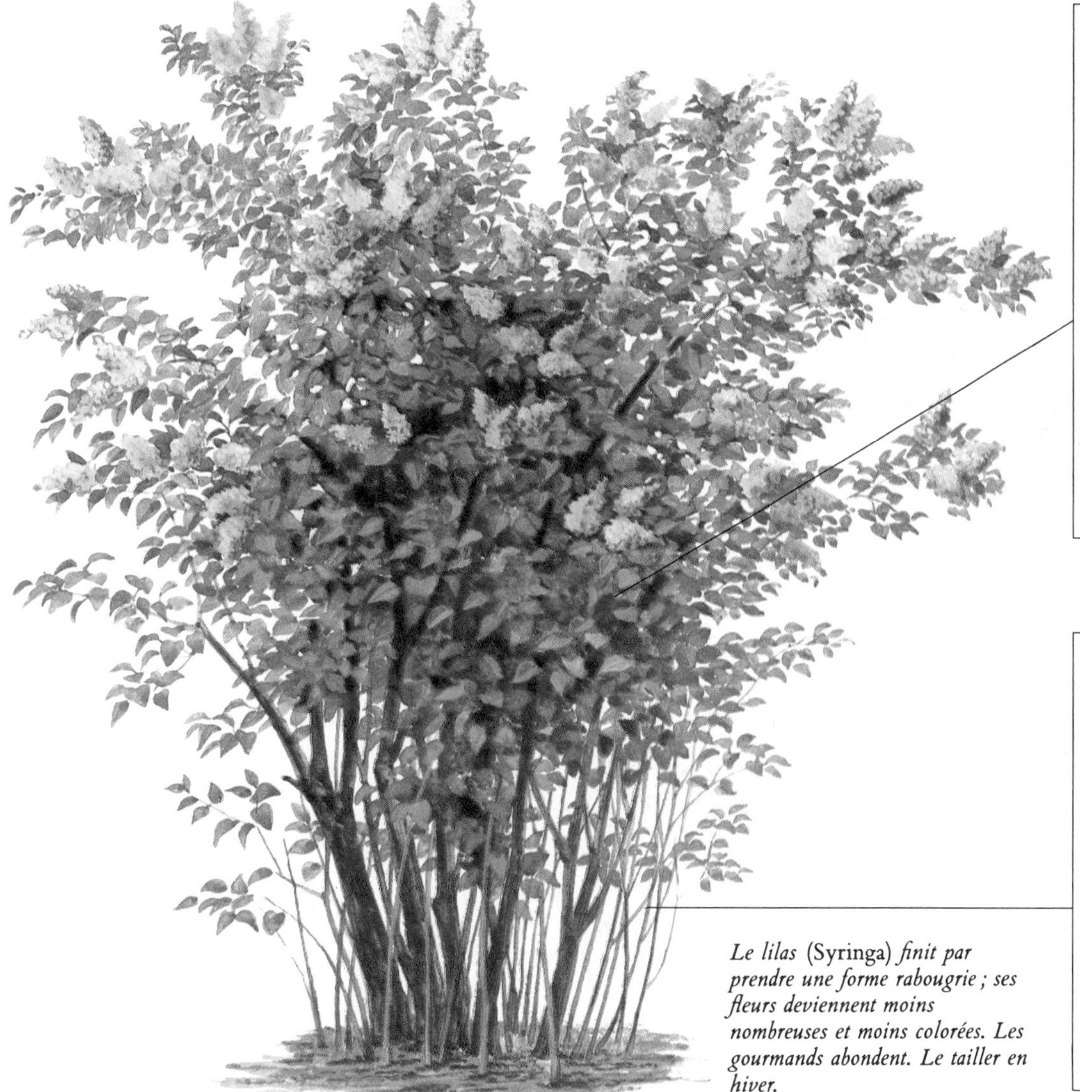

Le lilas (Syringa) *finit par prendre une forme rabougrie ; ses fleurs deviennent moins nombreuses et moins colorées. Les gourmands abondent. Le tailler en hiver.*

Avant l'apparition des feuilles, rabattre les vieilles branches à 0,60-1,50 m du sol.

Couper les gourmands sous le sol avec une scie d'élagage ou une bêche.

Pour limiter le développement des plantes grimpantes

On ne taille la plupart des plantes grimpantes que lorsqu'elles deviennent trop envahissantes. C'est après la floraison que l'on rabat les espèces à fleurs, et c'est au printemps ou en été que l'on taille celles que l'on cultive pour leur feuillage.

Tailler sans les détacher les espèces qui grimpent d'elles-mêmes. Détacher les autres de leur support ; enlever les pousses latérales et garder les branches principales.

Si certaines des branches principales semblent vieilles, les supprimer et garder les plus jeunes.

Pour la clématite, voir page 96; pour la glycine, page 108.

ARBUSTES AINSI TAILLÉS

Actinidie
Chèvrefeuille
Clematis montana
Hydrangée grimpante
Jasmin trompette
Renouée
Vigne vierge

Les plantes grimpantes, comme ce chèvrefeuille (Lonicera), *qui adhèrent à un mur par des ventouses se taillent comme une haie après la floraison, ou au printemps si elles ne sont pas florifères. Les autres seront détachées de leur support.*

Après avoir détaché la plante grimpante de son support, vérifier l'état des branches principales. Si elles sont vieilles, les rabattre jusqu'à une jeune tige vigoureuse près de leur base. Sinon, les garder mais leur enlever les pousses latérales.

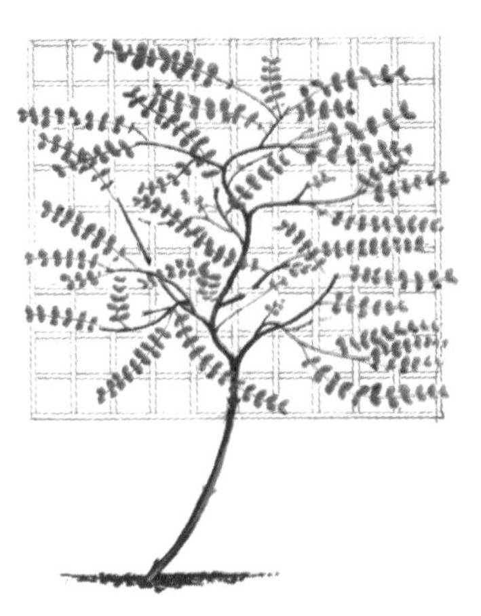

Rattacher la plante taillée sur son support. Les sujets florifères devraient fleurir de nouveau l'année suivante.

Taille des arbustes cultivés en espalier

Certains arbustes, renommés pour leur feuillage, leurs fleurs ou leurs baies, se prêtent à la culture en espalier. Les premières années, tailler l'arbuste de façon à obtenir des branches bien orientées. Chaque printemps, raccourcir du tiers ou de moitié les branches principales choisies pour constituer l'armature. Lorsque l'arbuste remplit le treillage, rabattre chaque année les pousses terminales à environ 2 cm de la longueur désirée. Supprimer aussi toutes les branches qui s'écartent du mur. Lorsque les fleurs naissent sur de nouvelles pousses, tailler l'arbuste très tôt au printemps. Si les fleurs naissent sur du bois de l'année précédente, tailler l'arbuste après qu'elles se sont épanouies.

ARBUSTES AINSI TAILLÉS	
Céanothe (à feuillage persistant)	If
Cognassier	Jasmin
Cotonéaster	Pyracanthe
Forsythie	Viorne

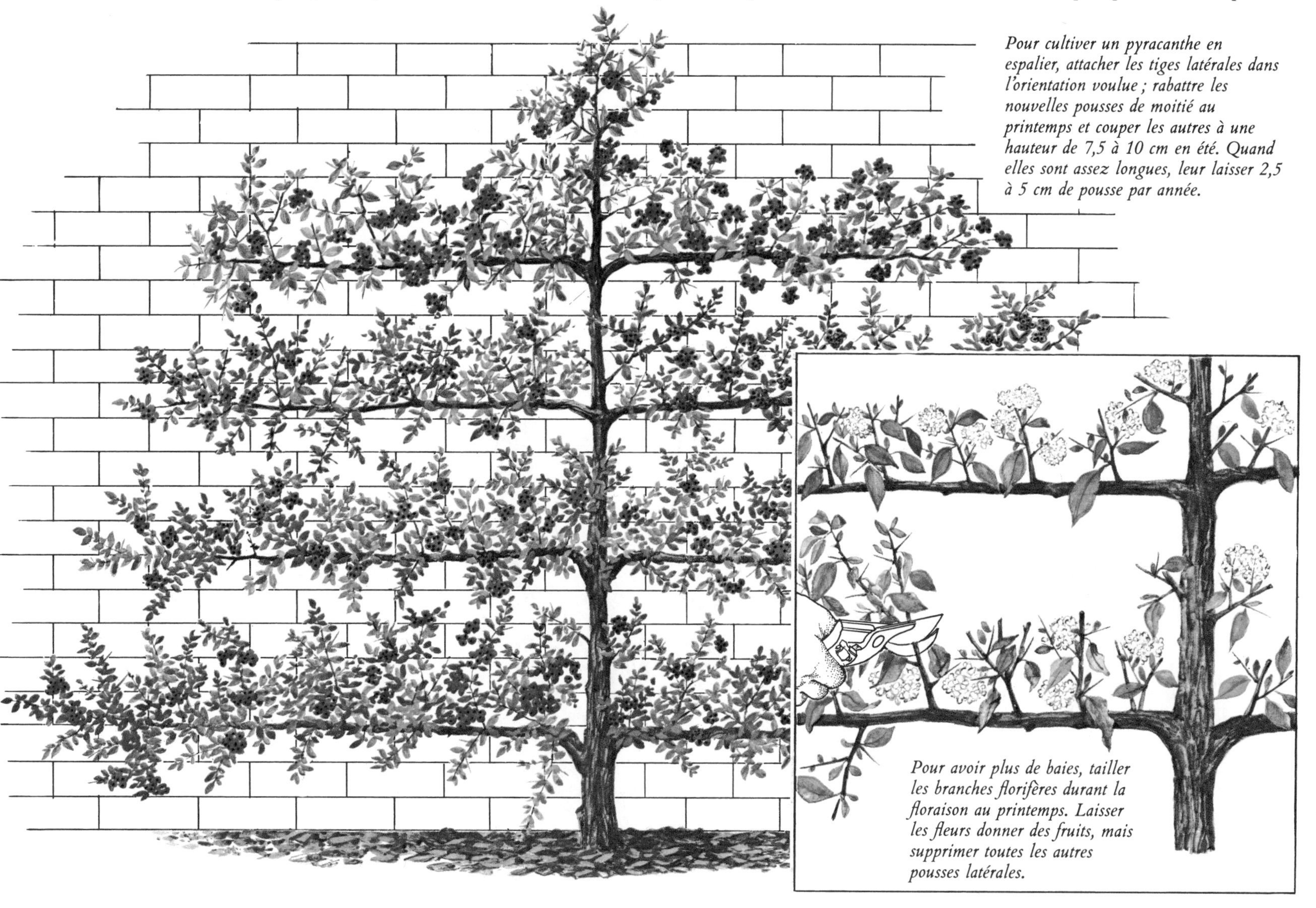

Pour cultiver un pyracanthe en espalier, attacher les tiges latérales dans l'orientation voulue ; rabattre les nouvelles pousses de moitié au printemps et couper les autres à une hauteur de 7,5 à 10 cm en été. Quand elles sont assez longues, leur laisser 2,5 à 5 cm de pousse par année.

Pour avoir plus de baies, tailler les branches florifères durant la floraison au printemps. Laisser les fleurs donner des fruits, mais supprimer toutes les autres pousses latérales.

La taille de 30 arbustes communs, vue de près

TAILLE AU DÉBUT DU PRINTEMPS

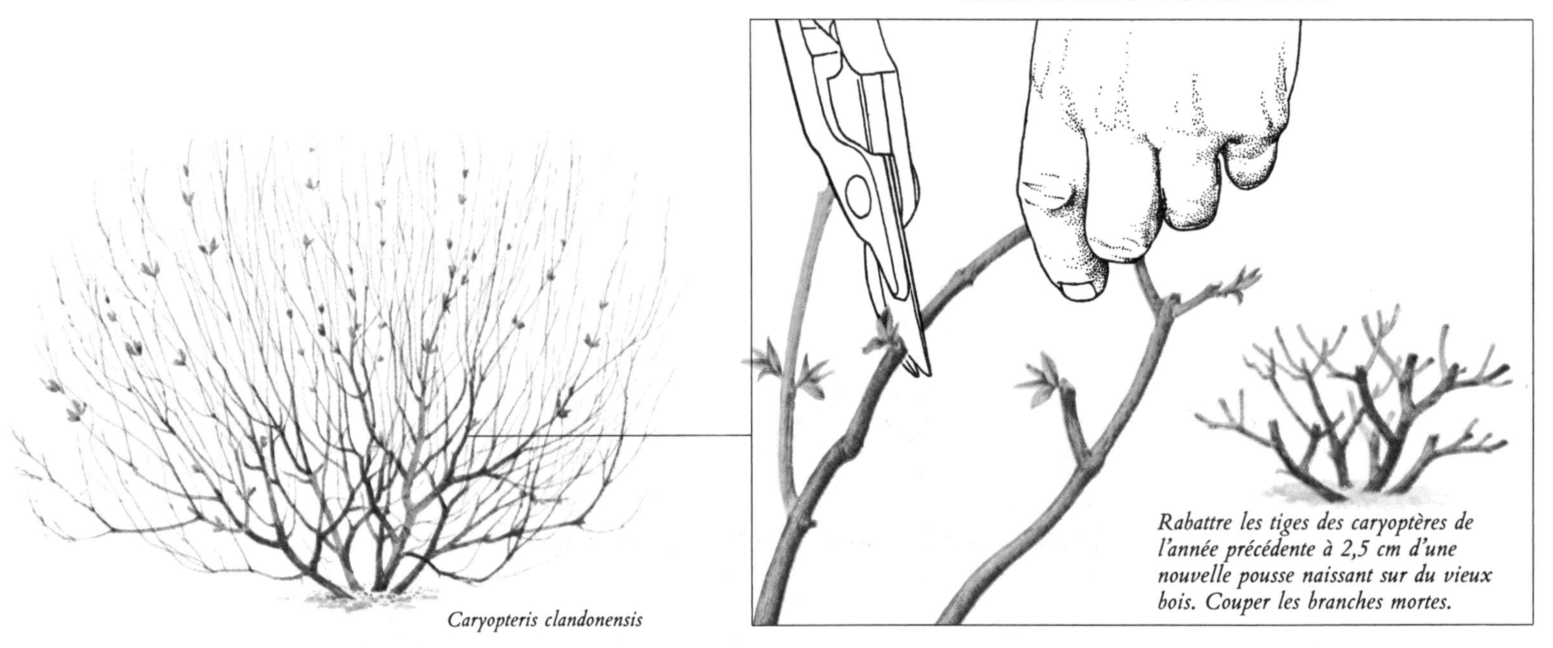

Caryopteris clandonensis

Rabattre les tiges des caryoptères de l'année précédente à 2,5 cm d'une nouvelle pousse naissant sur du vieux bois. Couper les branches mortes.

TAILLE APRÈS LA FLORAISON

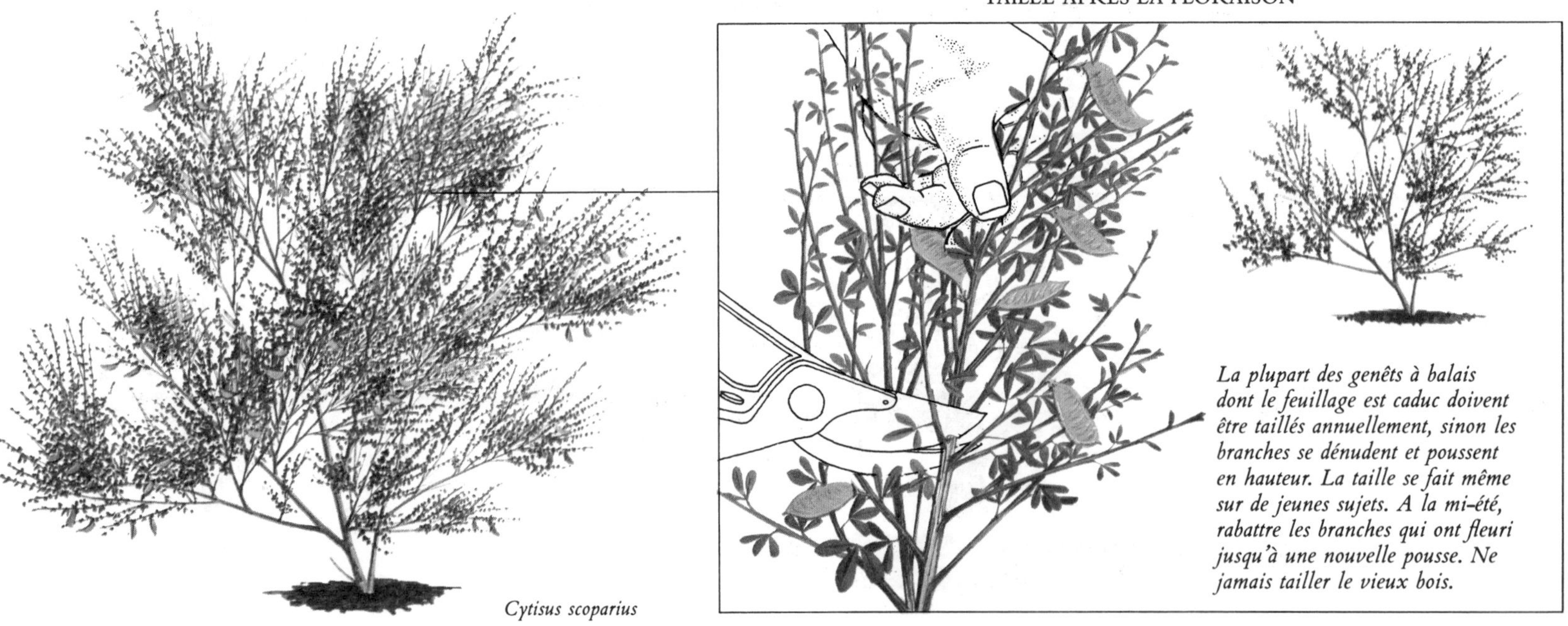

Cytisus scoparius

La plupart des genêts à balais dont le feuillage est caduc doivent être taillés annuellement, sinon les branches se dénudent et poussent en hauteur. La taille se fait même sur de jeunes sujets. A la mi-été, rabattre les branches qui ont fleuri jusqu'à une nouvelle pousse. Ne jamais tailler le vieux bois.

TAILLE AU DÉBUT DU PRINTEMPS

Spartium junceum

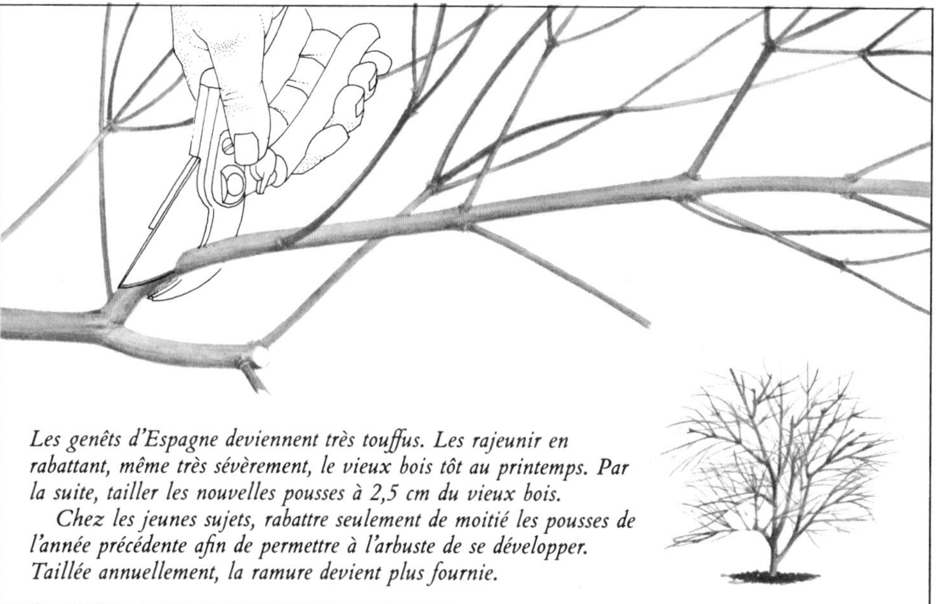

Les genêts d'Espagne deviennent très touffus. Les rajeunir en rabattant, même très sévèrement, le vieux bois tôt au printemps. Par la suite, tailler les nouvelles pousses à 2,5 cm du vieux bois.

Chez les jeunes sujets, rabattre seulement de moitié les pousses de l'année précédente afin de permettre à l'arbuste de se développer. Taillée annuellement, la ramure devient plus fournie.

TAILLE APRÈS LA FLORAISON

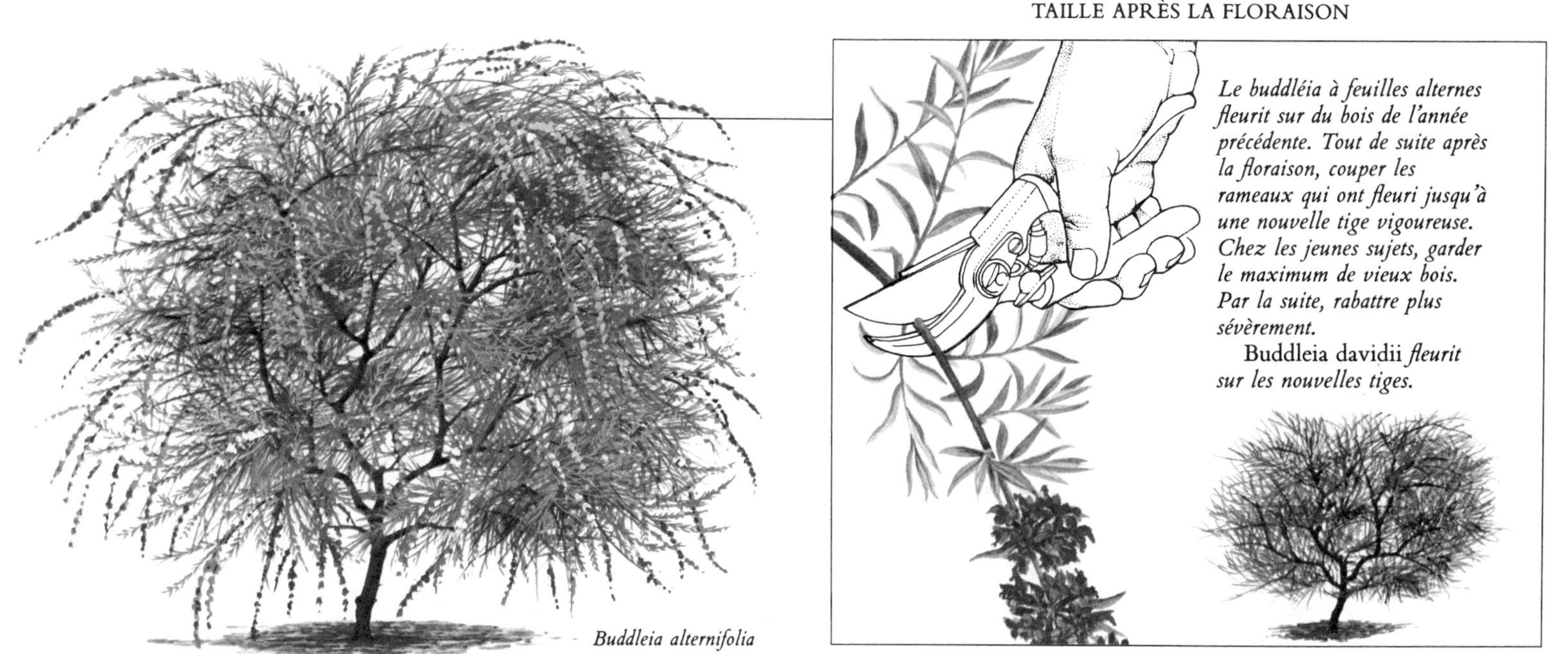

Le buddléia à feuilles alternes fleurit sur du bois de l'année précédente. Tout de suite après la floraison, couper les rameaux qui ont fleuri jusqu'à une nouvelle tige vigoureuse. Chez les jeunes sujets, garder le maximum de vieux bois. Par la suite, rabattre plus sévèrement.

Buddleia davidii *fleurit sur les nouvelles tiges.*

Buddleia alternifolia

TAILLE AU PRINTEMPS

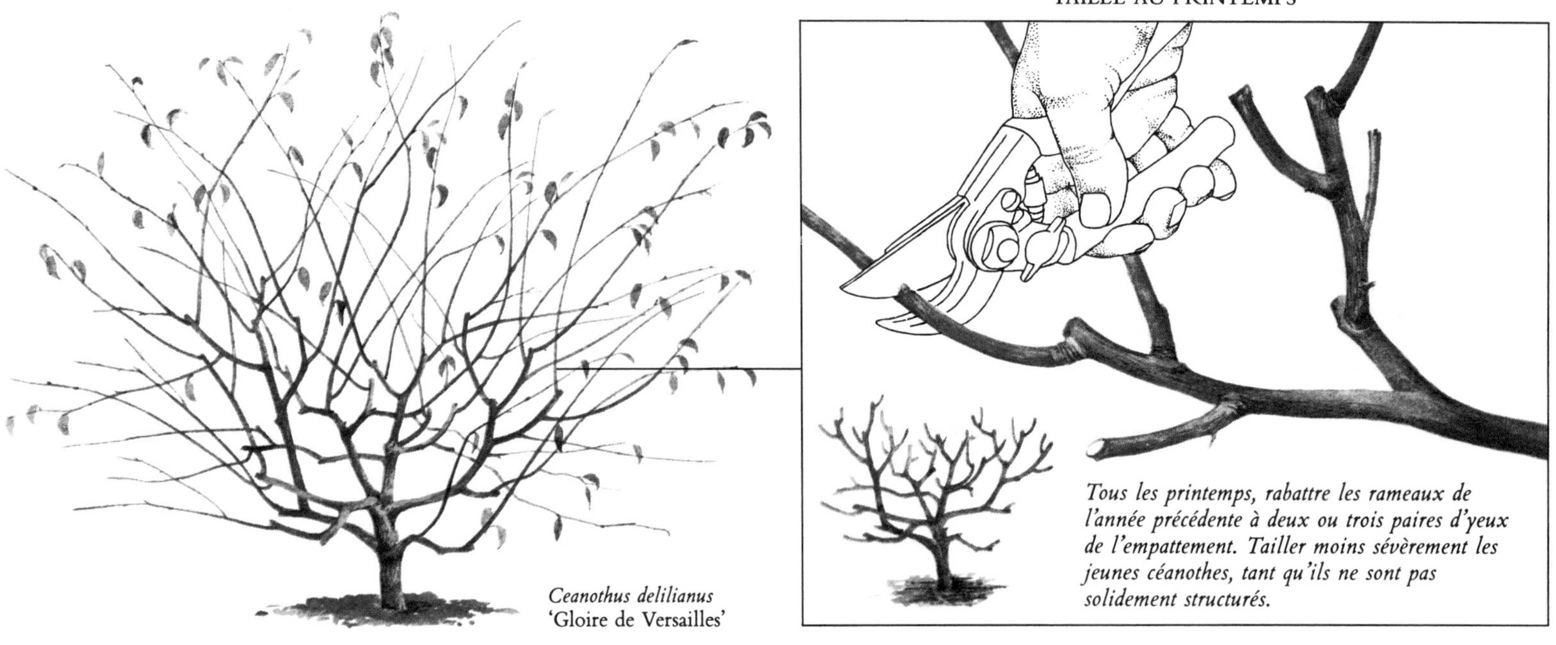

Ceanothus delilianus
'Gloire de Versailles'

Tous les printemps, rabattre les rameaux de l'année précédente à deux ou trois paires d'yeux de l'empattement. Tailler moins sévèrement les jeunes céanothes, tant qu'ils ne sont pas solidement structurés.

TAILLE AU BESOIN

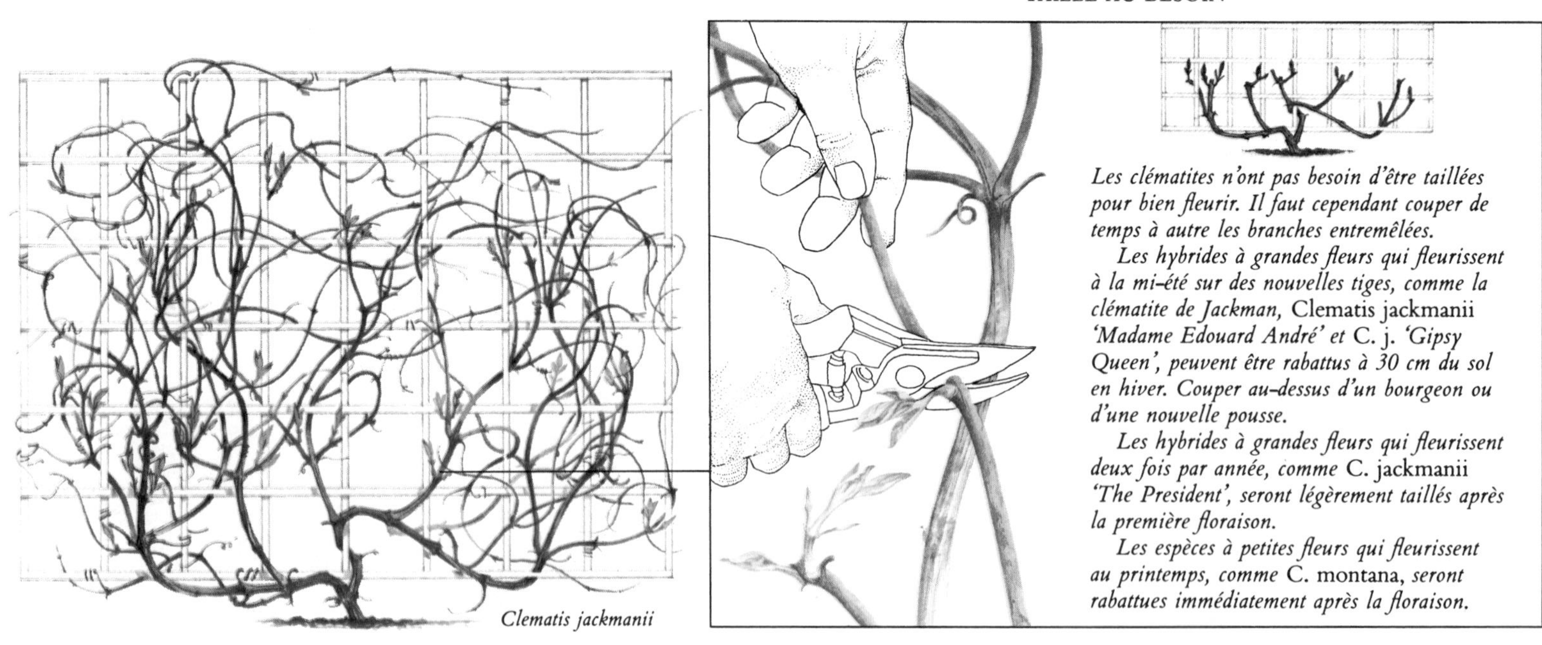

Clematis jackmanii

Les clématites n'ont pas besoin d'être taillées pour bien fleurir. Il faut cependant couper de temps à autre les branches entremêlées.

Les hybrides à grandes fleurs qui fleurissent à la mi-été sur des nouvelles tiges, comme la clématite de Jackman, Clematis jackmanii *'Madame Edouard André' et* C. j. *'Gipsy Queen', peuvent être rabattus à 30 cm du sol en hiver. Couper au-dessus d'un bourgeon ou d'une nouvelle pousse.*

Les hybrides à grandes fleurs qui fleurissent deux fois par année, comme C. jackmanii *'The President', seront légèrement taillés après la première floraison.*

Les espèces à petites fleurs qui fleurissent au printemps, comme C. montana, *seront rabattues immédiatement après la floraison.*

TAILLE APRÈS LA FLORAISON

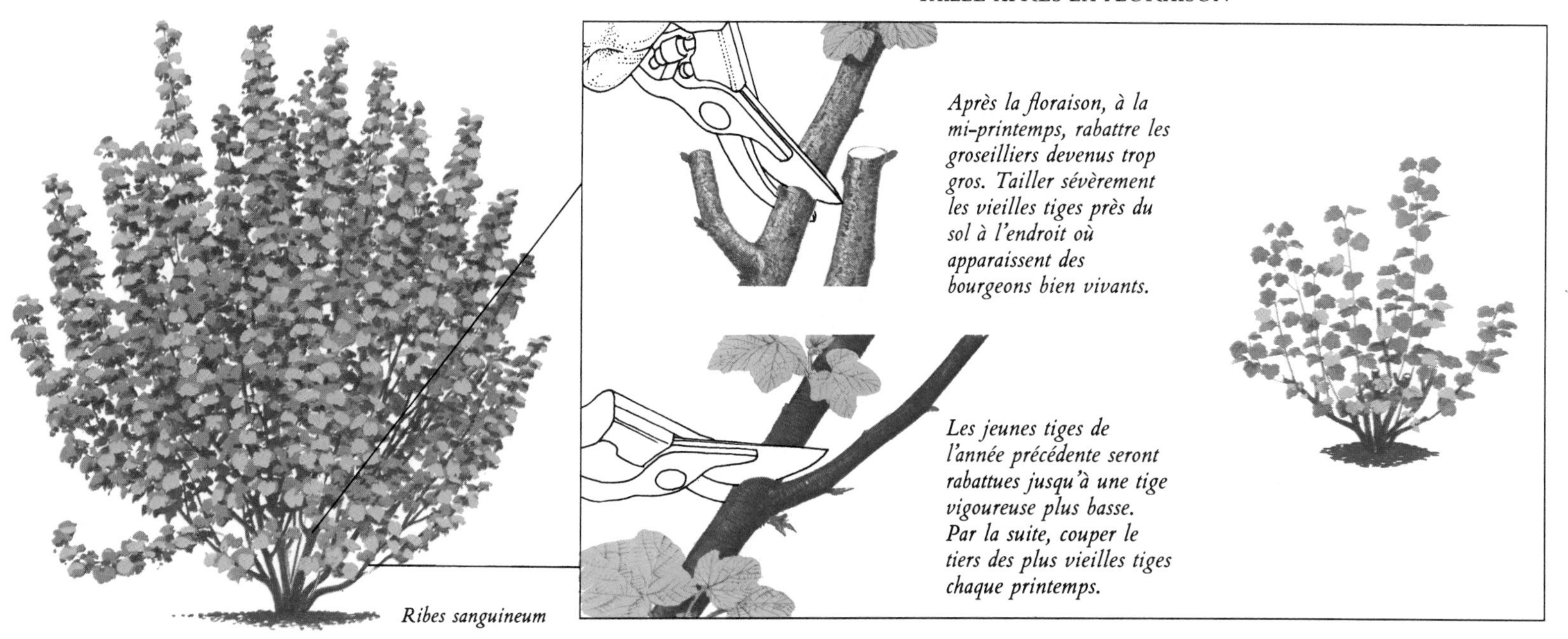

Ribes sanguineum

TAILLE À LA MI-ÉTÉ

Deutzia gracilis

TAILLE AU DÉBUT DU PRINTEMPS

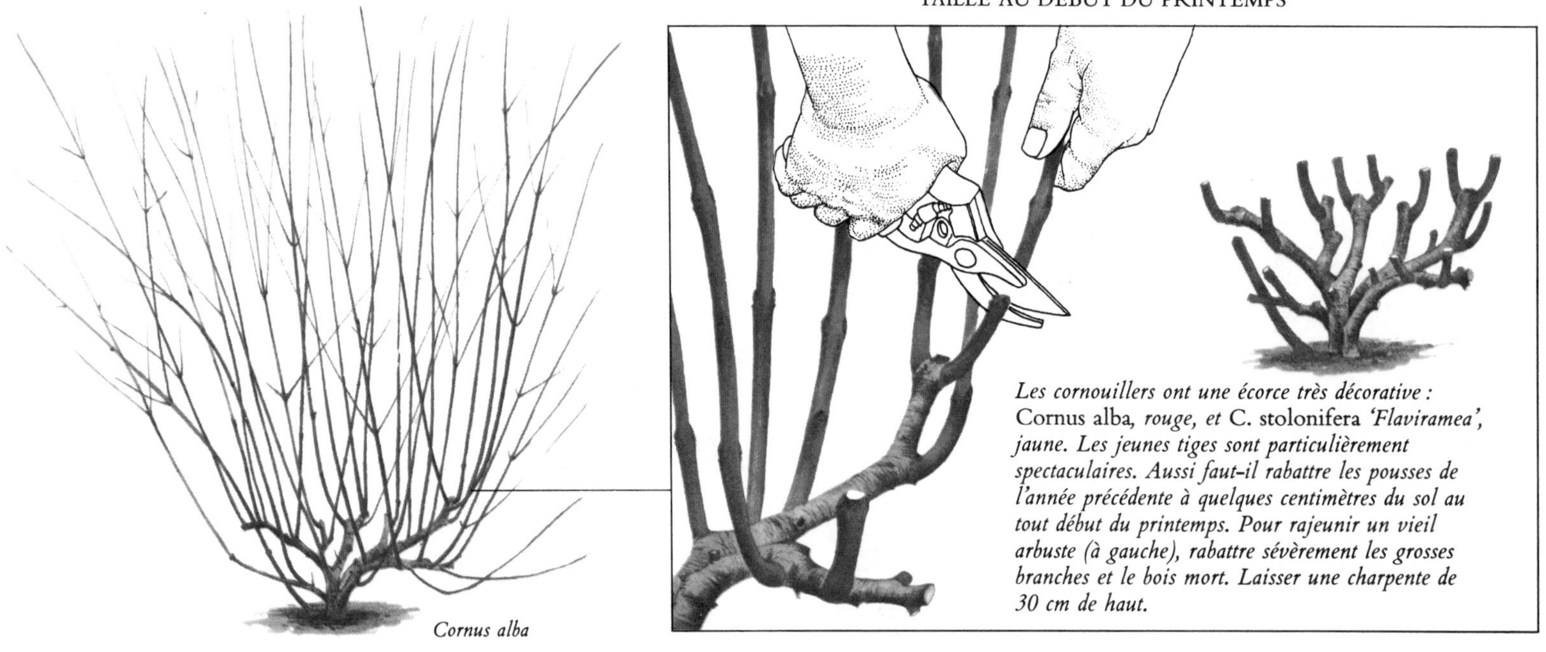

Les cornouillers ont une écorce très décorative : Cornus alba, *rouge, et* C. stolonifera *'Flaviramea', jaune. Les jeunes tiges sont particulièrement spectaculaires. Aussi faut-il rabattre les pousses de l'année précédente à quelques centimètres du sol au tout début du printemps. Pour rajeunir un vieil arbuste (à gauche), rabattre sévèrement les grosses branches et le bois mort. Laisser une charpente de 30 cm de haut.*

Cornus alba

TAILLE APRÈS LA FLORAISON PRINTANIÈRE

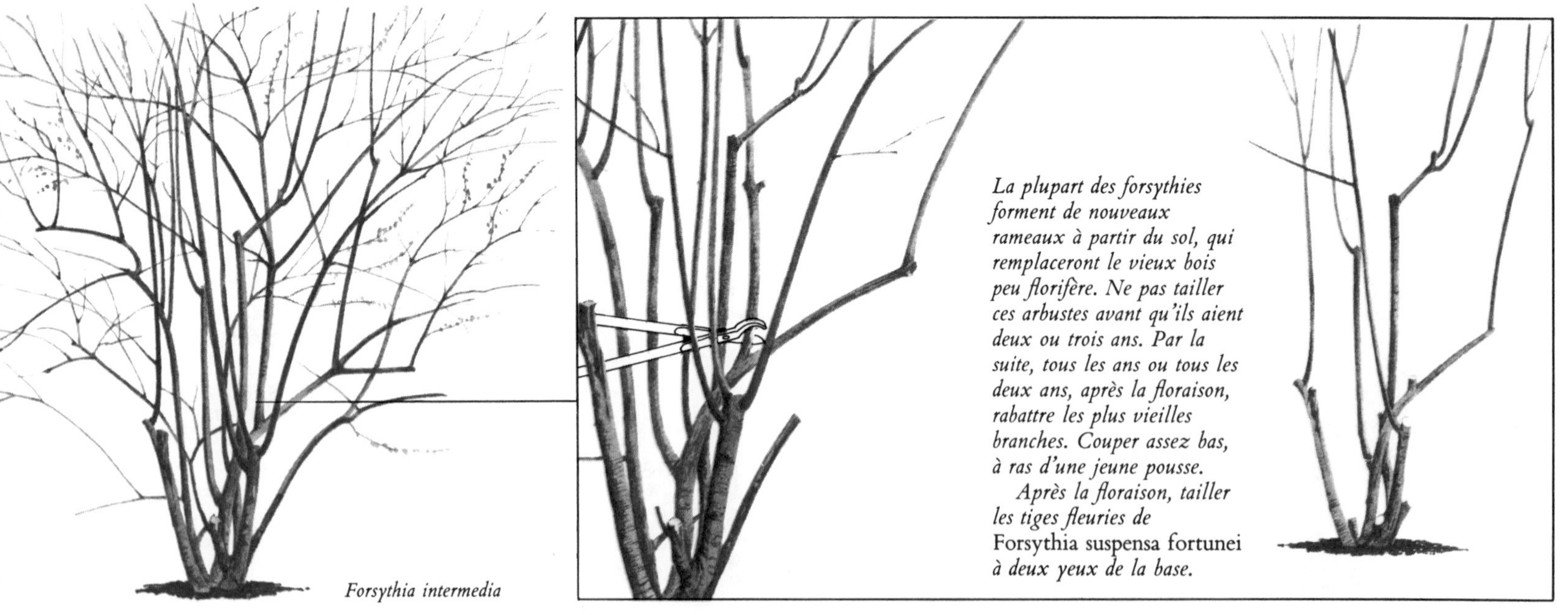

La plupart des forsythies forment de nouveaux rameaux à partir du sol, qui remplaceront le vieux bois peu florifère. Ne pas tailler ces arbustes avant qu'ils aient deux ou trois ans. Par la suite, tous les ans ou tous les deux ans, après la floraison, rabattre les plus vieilles branches. Couper assez bas, à ras d'une jeune pousse.

Après la floraison, tailler les tiges fleuries de Forsythia suspensa fortunei *à deux yeux de la base.*

Forsythia intermedia

TAILLE AU DÉBUT DU PRINTEMPS

Fuchsia magellanica

Genre peu rustique. Les tiges peuvent geler au niveau du sol en hiver. Au printemps, rabattre les tiges mortes juste au-dessus d'une nouvelle pousse, près du sol. Si les branches principales survivent en hiver, tailler les rameaux secondaires à un ou deux yeux de leur base et couper les pousses faibles.

TAILLE AU PRINTEMPS

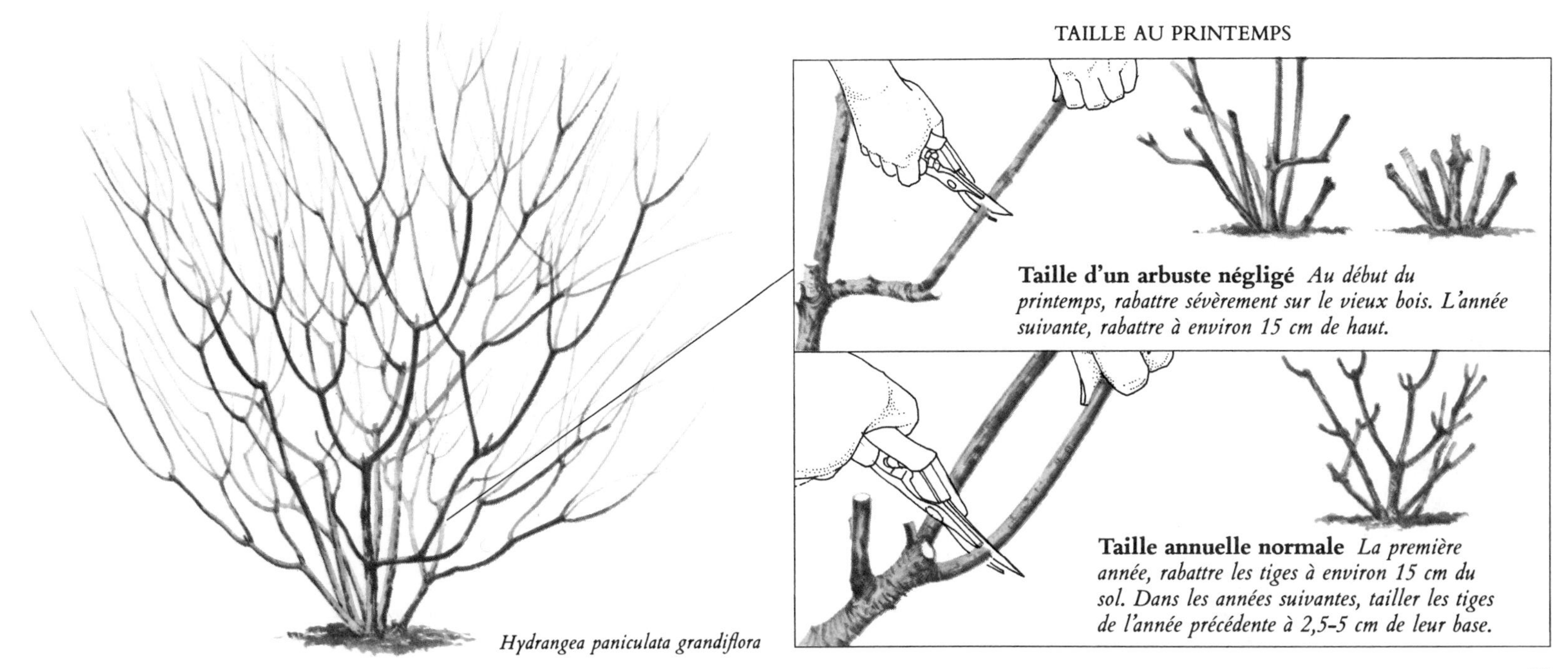

Hydrangea paniculata grandiflora

Taille d'un arbuste négligé *Au début du printemps, rabattre sévèrement sur le vieux bois. L'année suivante, rabattre à environ 15 cm de haut.*

Taille annuelle normale *La première année, rabattre les tiges à environ 15 cm du sol. Dans les années suivantes, tailler les tiges de l'année précédente à 2,5-5 cm de leur base.*

Hypericum calycinum

TAILLE AU DÉBUT DU PRINTEMPS

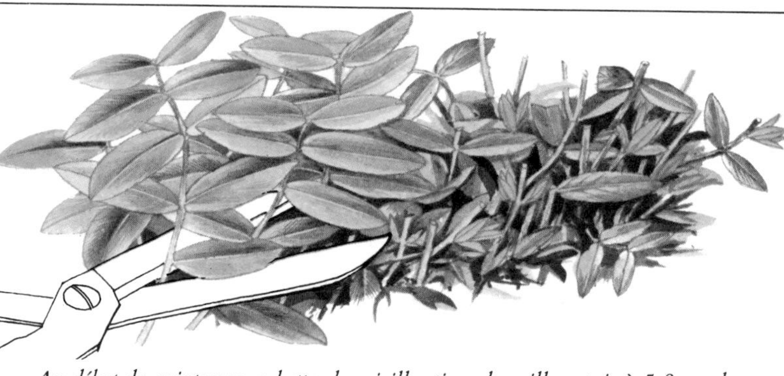

Au début du printemps, rabattre les vieilles tiges du millepertuis à 5-8 cm de leur base. Enlever aussi les feuilles mortes et les débris entre les branches. Les jeunes pousses repartiront très vite et fleuriront en été.

Hypericum patulum

TAILLE AU DÉBUT DU PRINTEMPS

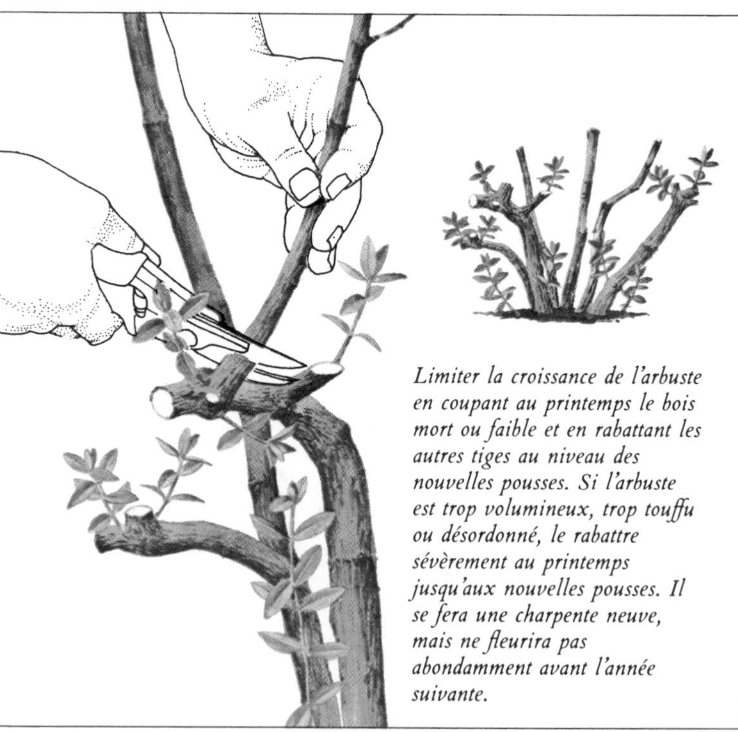

Limiter la croissance de l'arbuste en coupant au printemps le bois mort ou faible et en rabattant les autres tiges au niveau des nouvelles pousses. Si l'arbuste est trop volumineux, trop touffu ou désordonné, le rabattre sévèrement au printemps jusqu'aux nouvelles pousses. Il se fera une charpente neuve, mais ne fleurira pas abondamment avant l'année suivante.

TAILLE À LA FIN DU PRINTEMPS

Kerria japonica

Le kerria produit chaque année de nouvelles pousses qui sortent du sol. Elles fleurissent l'année suivante et souvent meurent ensuite. Favoriser leur croissance en enlevant les tiges qui ont fleuri. Rabattre à ras du sol ou, si les rameaux sont vigoureux, au point de départ des jeunes pousses. Rabattre jusqu'au sol toutes les tiges de Kerria japonica pleniflora.

TAILLE AU MILIEU DU PRINTEMPS

Lavandula officinalis

Sans taille, la lavande se déforme et se dégarnit. Rabattre les épis floraux fanés ainsi que 2,5 cm des branches. Faire cette taille au printemps, même si on a supprimé les épis fanés à l'automne. Rabattre sévèrement les sujets jeunes pour leur donner un port buissonnant. Ne pas couper le vieux bois des sujets plus âgés, car les rameaux taillés pourraient mourir.

TAILLE APRÈS LA FLORAISON

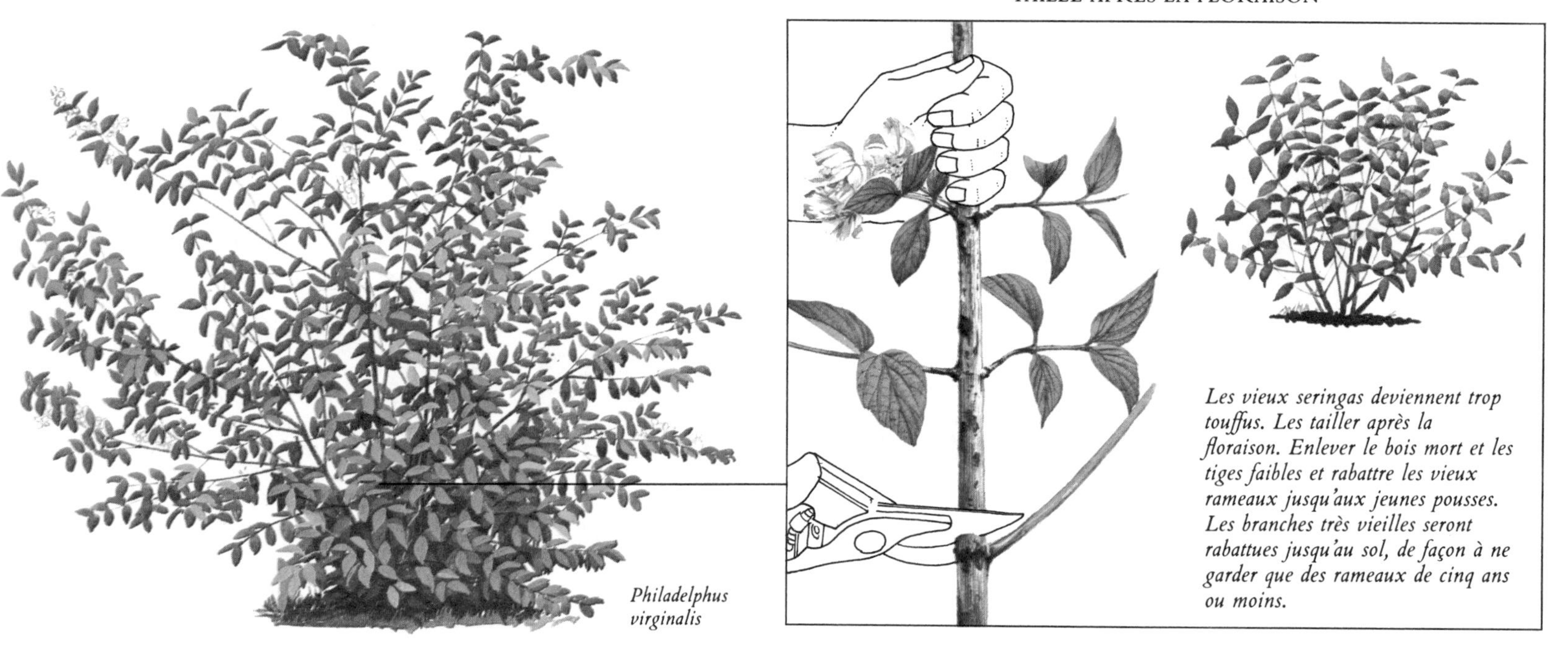

Philadelphus virginalis

Les vieux seringas deviennent trop touffus. Les tailler après la floraison. Enlever le bois mort et les tiges faibles et rabattre les vieux rameaux jusqu'aux jeunes pousses. Les branches très vieilles seront rabattues jusqu'au sol, de façon à ne garder que des rameaux de cinq ans ou moins.

TAILLE AU DÉBUT DE L'ÉTÉ

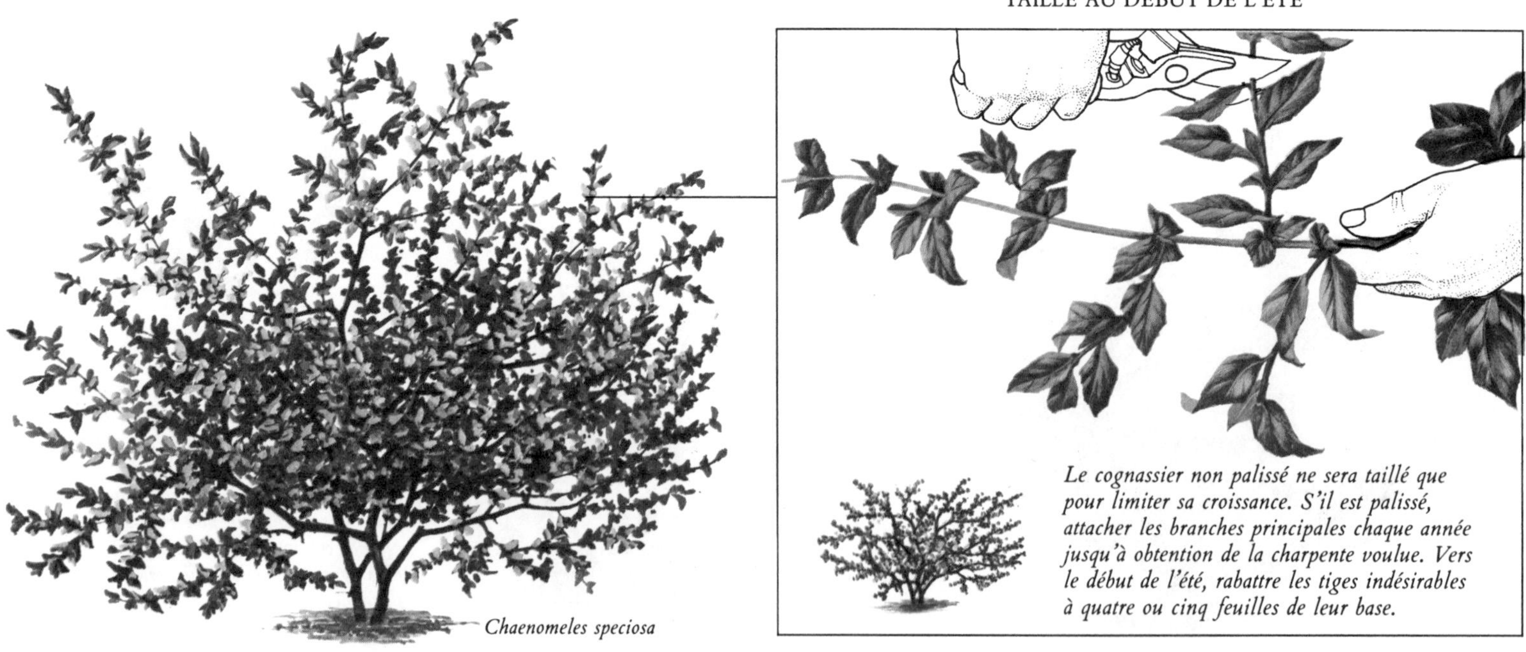

Chaenomeles speciosa

Le cognassier non palissé ne sera taillé que pour limiter sa croissance. S'il est palissé, attacher les branches principales chaque année jusqu'à obtention de la charpente voulue. Vers le début de l'été, rabattre les tiges indésirables à quatre ou cinq feuilles de leur base.

TAILLE APRÈS LA FLORAISON

Rubus cockburnianus

Rubus cockburnianus *(ronce) est un framboisier cultivé pour ses tiges qui sont blanches en hiver. Après la floraison, à la mi-été, couper les tiges qui ont fleuri ; les autres seront blanches en hiver et fleuriront l'année suivante. Si l'on ne tient pas aux fleurs et que l'on préfère obtenir des tiges blanches, tailler l'arbuste à la fin de l'hiver.*

TAILLE AU MILIEU DU PRINTEMPS

Santolina chamaecyparissus

Les santolines finissent par se dégarnir et perdre leur port compact si elles ne sont pas sévèrement rabattues au milieu du printemps. Couper les longues tiges au-dessus d'un bouquet de jeunes pousses se formant à la base : elles fleuriront. Tailler les haies au printemps ou en été.

TAILLE APRÈS LA FLORAISON

Spiraea arguta

Certaines spirées, comme Spiraea arguta *et* S. thunbergii, *produisent des fleurs sur du bois de l'année précédente. A la fin du printemps, après la floraison, rabattre les sujets âgés et touffus en coupant les tiges au point de croissance des jeunes pousses.*

Raccourcir tous les ans les tiges ayant fleuri, qu'il s'agisse de jeunes ou de vieux sujets. Couper simplement la partie qui a fleuri. Les jeunes pousses latérales qui apparaissent déjà fleuriront l'année suivante.

TAILLE AU PRINTEMPS

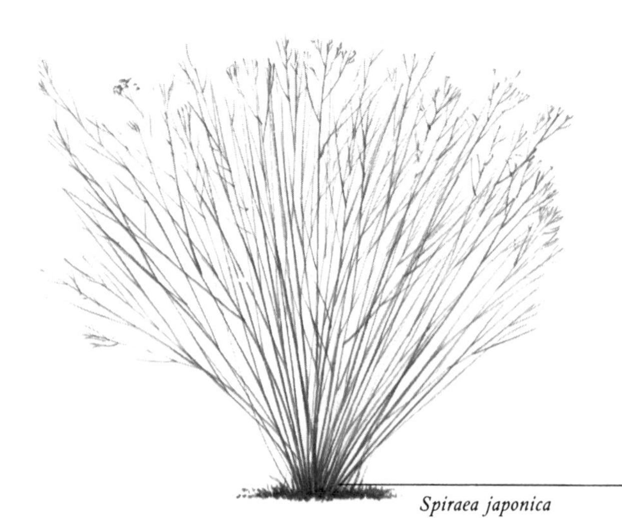

Spiraea japonica

Spiraea japonica *(spirée du Japon) à fleurs roses et son hybride à fleurs blanches ou carmin,* S. bumalda, *fleurissent sur des pousses de l'année qu'on peut rabattre presque à ras du sol au début du printemps. Rabattre les tiges vigoureuses à 5-8 cm du sol. Couper entièrement les tiges faibles. De nouvelles pousses sortiront et fleuriront en été. Enlever les fleurs au fur et à mesure qu'elles se fanent.*

TAILLE EN HIVER

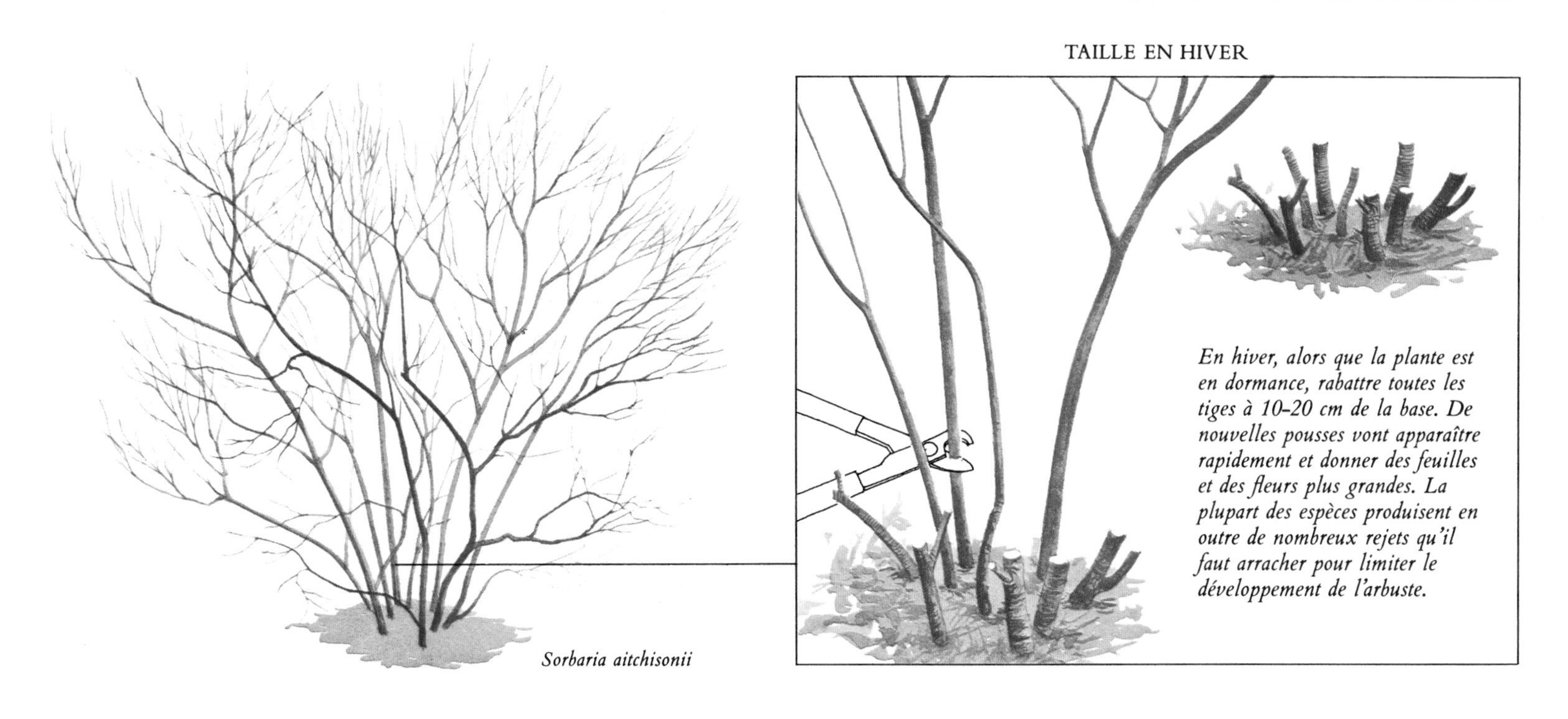

Sorbaria aitchisonii

En hiver, alors que la plante est en dormance, rabattre toutes les tiges à 10–20 cm de la base. De nouvelles pousses vont apparaître rapidement et donner des feuilles et des fleurs plus grandes. La plupart des espèces produisent en outre de nombreux rejets qu'il faut arracher pour limiter le développement de l'arbuste.

TAILLE EN ÉTÉ

Stephanandra incisa

Les stephanandras sont réputés pour les vifs coloris de leurs feuilles en automne et de leurs tiges en hiver. Une taille annuelle stimule la pousse de nouvelles tiges. Elle permet aussi à la lumière de pénétrer au centre de l'arbuste, ce qui favorise la croissance. Après la floraison, rabattre les tiges qui ont fleuri jusqu'à une nouvelle pousse vigoureuse, près du sol, ou à ras de terre. Supprimer toutes les tiges faibles.

TAILLE EN HIVER

Rhus typhina laciniata

Plusieurs espèces de ce genre sont appréciées pour les beaux coloris de rouge et d'orange que prend leur feuillage en automne. Pour obtenir des couleurs vives et de très grandes feuilles, rabattre le bois de l'année précédente jusqu'à 10 cm du vieux bois à la fin de l'hiver. On obtiendra de la sorte un sujet ayant une charpente courte et vigoureuse.

TAILLE AU DÉBUT DU PRINTEMPS

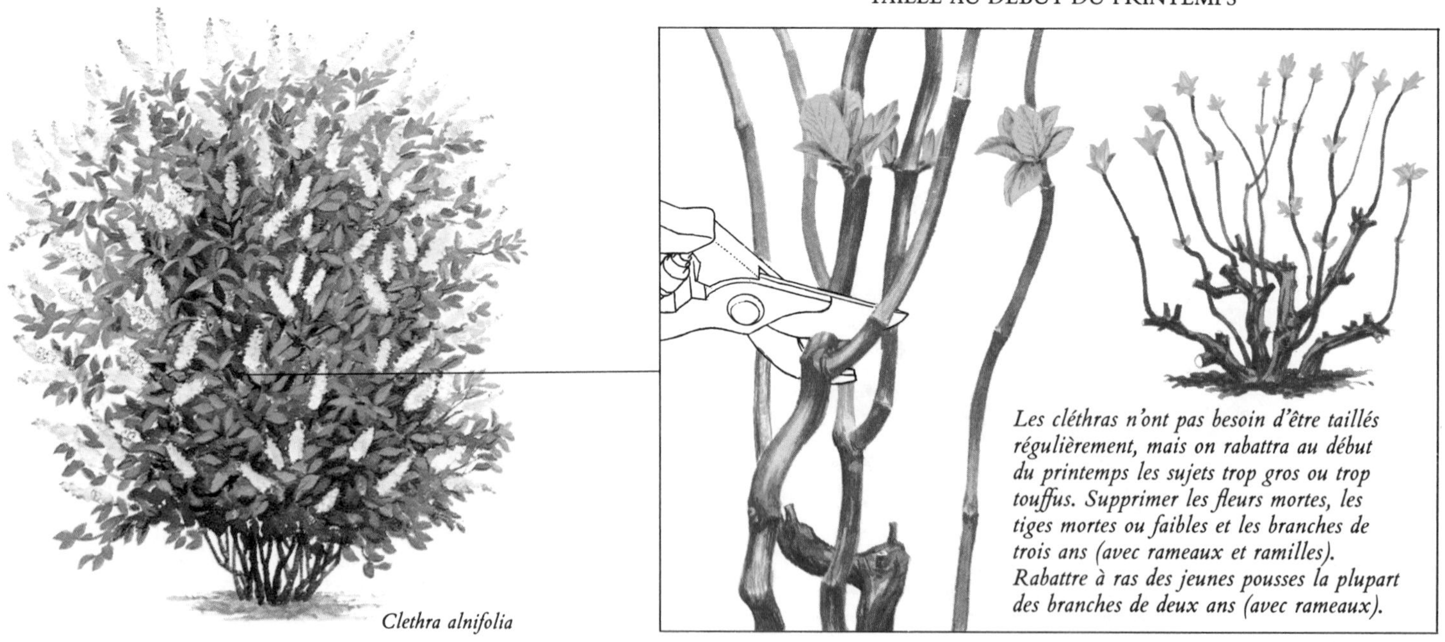

Clethra alnifolia

Les cléthras n'ont pas besoin d'être taillés régulièrement, mais on rabattra au début du printemps les sujets trop gros ou trop touffus. Supprimer les fleurs mortes, les tiges mortes ou faibles et les branches de trois ans (avec rameaux et ramilles). Rabattre à ras des jeunes pousses la plupart des branches de deux ans (avec rameaux).

TAILLE AU PRINTEMPS

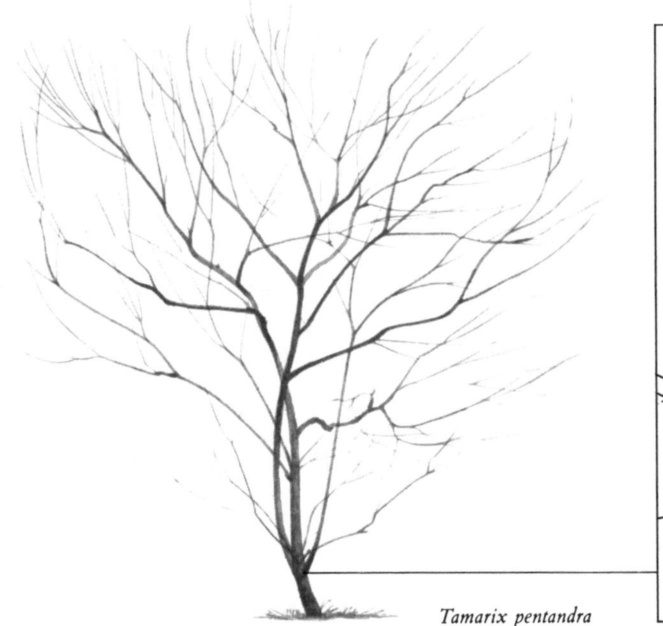

Tamarix pentandra

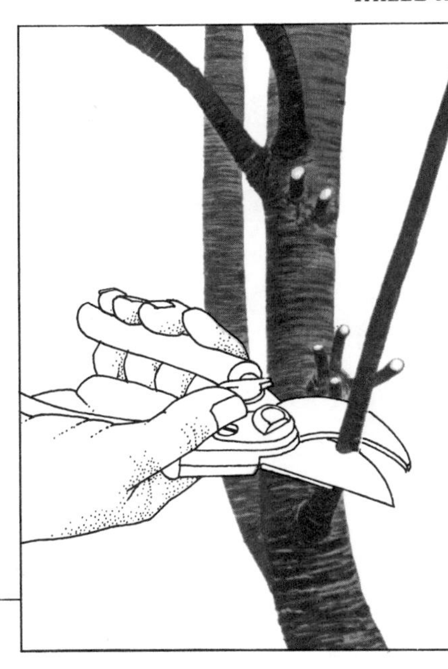

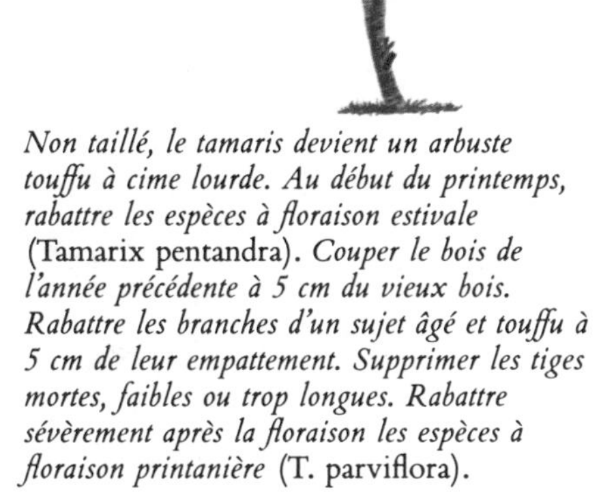

Non taillé, le tamaris devient un arbuste touffu à cime lourde. Au début du printemps, rabattre les espèces à floraison estivale (Tamarix pentandra). *Couper le bois de l'année précédente à 5 cm du vieux bois. Rabattre les branches d'un sujet âgé et touffu à 5 cm de leur empattement. Supprimer les tiges mortes, faibles ou trop longues. Rabattre sévèrement après la floraison les espèces à floraison printanière* (T. parviflora).

TAILLE À LA FIN DE L'HIVER

Vitex agnus-castus

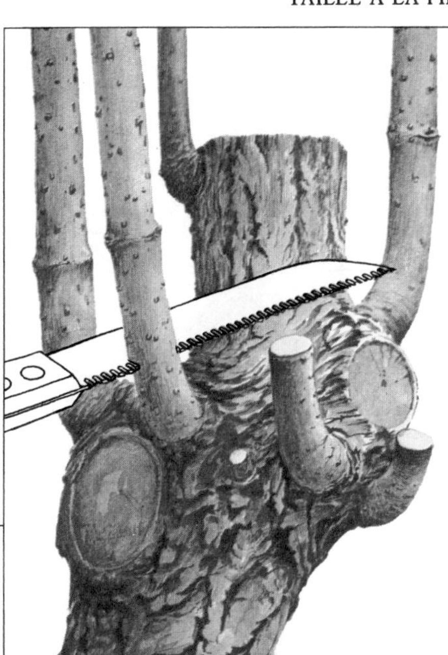

Le gattilier doit être rabattu sévèrement à la fin de chaque hiver. Pour garder l'arbuste petit, couper toutes les tiges à 5-8 cm du sol. On peut aussi le laisser pendant quelques années se bâtir une charpente de grosses branches puis rabattre les tiges de l'année à 5-8 cm du vieux bois en hiver. Enlever toutes les pousses faibles. Pour couper les tiges fortes, employer une scie d'élagage plutôt qu'un sécateur et appliquer un enduit cicatrisant.

TAILLE EN ÉTÉ, APRÈS LA FLORAISON

Weigela florida

Les weigelas deviennent rapidement trop touffus et leur production de fleurs diminue. Après la floraison en été, supprimer les pousses mortes ou faibles et rabattre les tiges qui ont fleuri à la hauteur d'une pousse jeune. Si l'arbuste est vieux et négligé, rabattre les vieilles branches à quelques centimètres du sol. Lorsque des feuilles d'un vert uni apparaissent sur Weigela florida *'Variegata', enlever la pousse.*

TAILLE EN ÉTÉ ET EN HIVER

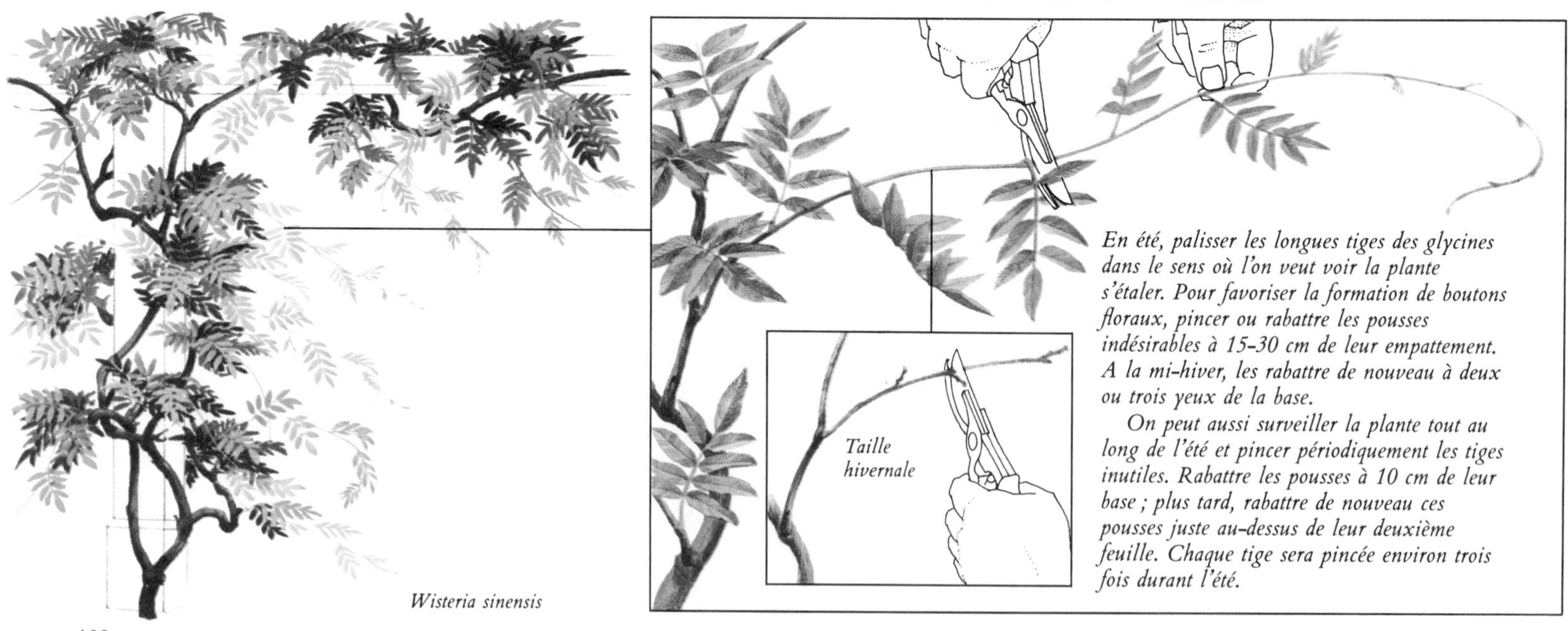

Wisteria sinensis

En été, palisser les longues tiges des glycines dans le sens où l'on veut voir la plante s'étaler. Pour favoriser la formation de boutons floraux, pincer ou rabattre les pousses indésirables à 15-30 cm de leur empattement. A la mi-hiver, les rabattre de nouveau à deux ou trois yeux de la base.

On peut aussi surveiller la plante tout au long de l'été et pincer périodiquement les tiges inutiles. Rabattre les pousses à 10 cm de leur base ; plus tard, rabattre de nouveau ces pousses juste au-dessus de leur deuxième feuille. Chaque tige sera pincée environ trois fois durant l'été.

Petit guide des arbustes

On trouvera dans les pages qui suivent un tableau des arbustes que l'on peut cultiver dans les diverses régions d'Amérique du Nord. Outre la description des espèces mentionnées, ce tableau comprend des remarques sur la culture de ces plantes.

Les plantes grimpantes font l'objet d'un tableau distinct qui suit celui des arbustes.

Nom et description générale En botanique, les plantes sont classifiées d'après le genre auquel elles appartiennent. Elles sont ensuite subdivisées en espèces, en fonction d'un caractère commun qui les distingue des autres plantes du même genre.

Dans la première colonne des pages de gauche, les arbustes sont identifiés par leur nom vulgaire et leur nom générique. Ce dernier est toujours en italique et entre parenthèses (*Cornus*). Dans certains cas, le nom vulgaire et le nom botanique de l'arbuste sont correspondants (*fuchsia, magnolia*). Les plantes sont aussi classées d'après leur nom vulgaire.

Les caractéristiques des arbustes, quand elles valent pour l'ensemble des sujets d'un même genre, sont données dans la première colonne de la page de gauche. Les remarques apparaissant en page de droite s'appliquent aux espèces, variétés ou hybrides énumérés.

Quant aux illustrations, elles ne sont pas représentatives du genre dans son ensemble, mais reproduisent une espèce en particulier.

Utilisation et culture Chaque plante a ses qualités propres. Certaines font de belles haies, d'autres des brise-vent. D'autres, enfin, sont purement ornementales.

Leurs exigences culturales diffèrent aussi : composition du sol, degré d'ensoleillement, arrosage, drainage du terrain, taille, apport d'engrais et de pesticide.

Dans le cas des maladies et des ravageurs, on consultera l'index, sous chaque symptôme en particulier.

Lorsque ces renseignements s'appliquent à l'ensemble des plantes d'un même genre, ils sont groupés dans les pages de gauche sous la rubrique « Utilisation et culture ». On trouvera de plus amples détails sur la plantation des arbustes et sur les soins à leur donner aux pages 73 à 78. Pour ce qui est de la taille, se reporter aux pages 87 à 108.

Multiplication La façon la plus économique et la plus satisfaisante d'obtenir de nouveaux arbustes consiste à multiplier ceux qu'on a déjà. La multiplication par bouturage des tiges aoûtées ou par marcottage des branches au sol ne pose pas de problème. Il existe cependant quelques autres techniques qui sont décrites aux pages 79 à 86.

Dans les tableaux, les méthodes les mieux appropriées à chaque genre sont brièvement indiquées sous « Multiplication ».

Espèces et variétés La première colonne des pages de droite donne une liste de plantes couramment cultivées. Chacune de ces plantes est identifiée par un premier nom qui désigne le genre auquel elle appartient, puis par un second qui désigne l'espèce. Dans certains cas, un troisième nom identifie une variété. Le nom du genre est toujours écrit en toutes lettres lors de sa première utilisation et commence par une majuscule. Par la suite, on ne donne que la lettre initiale. Il en va de même du nom désignant l'espèce.

Les noms de genre et d'espèce, en latin, s'écrivent toujours en italique. De même les noms de variétés naturelles, par exemple : *veitchii* dans *Gardenia jasminoides veitchii*. Les noms de variétés horticoles s'écrivent en caractères romains et entre bractées : *G. j.* 'August Beauty'.

Les espèces se reproduisent par semis. Les variétés, cependant — qu'elles aient été obtenues par hybridation artificielle ou naturelle ou par mutations morphologiques ou « sports » —, se reproduisent uniquement ou presque par la méthode végétative : boutures, division, greffes ou marcottage.

Lorsqu'on commande un arbuste, il est préférable d'utiliser son nom complet. En effet, le feuillage, la taille, la rusticité, les coloris des fleurs, l'époque de la floraison et les exigences culturales sont des facteurs qui peuvent varier d'une espèce à l'autre, voire d'une variété à l'autre.

Rusticité Il est primordial de choisir des plantes adaptées au climat de la région où elles seront cultivées. C'est pourquoi le tableau des arbustes contient des indications relatives à la rusticité des plantes. En gros, la rusticité, c'est la résistance des plantes aux rigueurs du climat et surtout au froid. La carte des pages 8 et 9 à laquelle on renvoie le lecteur est une version simplifiée de la carte des zones de rusticité du Canada établie par le ministère de l'Agriculture (à laquelle on peut toujours se référer pour des précisions supplémentaires). Les zones qui y sont délimitées permettent de voir dans quelles régions une espèce donnée peut se développer. On se rappellera que la délimitation de ces zones est basée sur les températures minimales et qu'une différence de 5°C sépare chaque zone de celles qui lui sont limitrophes.

Cependant, plusieurs facteurs autres que le froid, l'altitude par exemple, peuvent faire varier les minima à l'intérieur d'une zone. Il faudra donc parfois compléter les renseignements donnés ici en fonction des microclimats qui existent dans la région où l'on se trouve.

Le froid n'est pas le seul facteur qui entrave la croissance d'une plante. Les vents sont parfois encore plus dommageables. Cependant, tel arbuste qui ne résisterait pas à l'hiver en situation exposée peut fort bien survivre s'il est placé à l'abri d'une clôture ou d'un mur. On notera également les dates des premiers et des derniers gels, ainsi que l'humidité relative et le degré d'ensoleillement nécessaires à la plante.

Bref, cette question est délicate et pour ne pas faire de mauvais choix, il est toujours préférable de se renseigner auprès d'un pépiniériste local. Certains arbustes exigent en effet des hivers froids pour bien se porter et survivraient mal en zone tempérée.

Caractéristiques et remarques On trouve sous cette rubrique la description des particularités propres à une espèce ou à une variété, à l'intérieur d'un même genre. Ces particularités portent sur le feuillage, l'époque de la floraison, la taille, la couleur ou le parfum des fleurs, ou encore sur la nature des fruits.

Comme l'hiver au Canada dure parfois cinq mois, on a pris soin de noter l'apparence des arbustes durant la morte saison en identifiant spécifiquement ceux dont l'écorce peut constituer un élément décoratif.

Certaines espèces exigent des soins culturaux spéciaux. Les unes ne tolèrent pas la sécheresse en été ; les autres redoutent un excès d'humidité. Certaines demandent à être cultivées au soleil, d'autres à l'ombre.

Tous les arbustes ne poussent pas non plus dans les mêmes sols. Certains préfèrent une terre acide, d'autres une terre alcaline. Les uns viennent bien en terrain sec, tandis que les autres prospèrent en terrain marécageux. Il y a des arbustes qui tolèrent la pollution urbaine ; il y en a d'autres qui ne souffrent pas du voisinage de la mer. Toutes ces précisions apparaissent dans le tableau sous « Caractéristiques ornementales et remarques ».

Hauteur et étalement Ce sont les dimensions qu'un sujet en bonne santé atteint lorsqu'il est arrivé à maturité. Elles peuvent varier avec le climat, l'emplacement de la plante, le degré d'ensoleillement, la nature du sol et les soins que reçoit l'arbuste, surtout en période d'établissement. La taille joue aussi un rôle.

	Nom vulgaire et nom botanique, description générale	Utilisation et culture	Multiplication *(voir aussi p. 79)*
 *Abelia grandiflora*	**Abelia** *(Abelia)* Petites fleurs tubuleuses ou campanulées s'épanouissant en été. La gamme des coloris inclut le blanc et diverses nuances de rose. Feuilles petites, d'un vert bronze remarquable chez certaines espèces. Branches gracieusement arquées.	Certaines espèces ont une ramure touffue qui se prête bien à la culture en haie. Arbuste vigoureux qu'on peut tailler à volonté au printemps selon l'utilisation à laquelle on le destine au jardin. Se cultive dans un sol riche en humus et bien drainé, en plein soleil ou à la mi-ombre.	Par boutures herbacées à la fin du printemps ou par boutures semi-aoûtées en été. Chez les espèces à feuillage caduc, donner la préférence à des boutures aoûtées et sans feuilles à l'automne. Se multiplie aussi par marcottage au sol au printemps. Les graines mûres se conservent jusqu'à un an dans des contenants bien fermés.
 *Abeliophyllum distichum*	**Abeliophyllum** *(Abeliophyllum)* Ressemble au forsythie par son port et sa floraison abondante, mais ses fleurs sont plus petites. Elles viennent en grappes grosses comme le doigt à la mi-printemps ; rose clair, elles tournent rapidement au blanc. Feuilles ovales de 2,5 à 5 cm de long.	Un seul sujet planté devant des conifères prend beaucoup d'intérêt. Prospère en plein soleil ou à la mi-ombre dans une terre de jardin ordinaire bien drainée.	Semer les graines quand elles sont mûres. Prélever des boutures semi-aoûtées et feuillées en été ou des boutures aoûtées et sans feuilles à l'automne.
 *Acanthopanax sieboldianus*	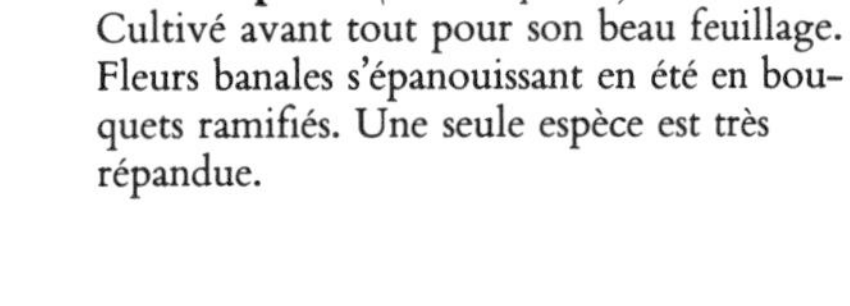 **Acanthopanax** *(Acanthopanax)* Cultivé avant tout pour son beau feuillage. Fleurs banales s'épanouissant en été en bouquets ramifiés. Une seule espèce est très répandue.	Très utilisé en bordure ou pour décorer une pelouse. Se cultive en ville, car c'est un arbuste qui tolère la pollution et la suie. Peut être taillé, notamment pour former une haie. Constitue une barrière redoutable à cause des épines qui se trouvent à la base des feuilles. Prospère à l'ombre dans n'importe quelle bonne terre et, en règle générale, n'est attaqué par aucun ravageur.	Semer les graines après stratification ou utiliser des boutures de racines. On peut aussi prélever des boutures semi-aoûtées et feuillées en été.
 *Vaccinium corymbosum*	**Airelle** *(Vaccinium)* Feuilles alternes, à court pétiole, dont les marges portent de fins poils. Elles virent à l'écarlate vif ou au cramoisi en automne. Petites fleurs peu visibles, suivies de baies, comestibles chez certaines espèces. On retrouve dans ce genre les arbustes produisant le bleuet, ou myrtille, et la canneberge.	Peu facile à transplanter. N'acheter que des sujets à racines emmottées et enveloppées dans du jute. Cultiver en plein soleil ou à la mi-ombre dans un sol tourbeux et acide à pH de 4 ou 5. Demande une terre constamment humide. Freiner la croissance des mauvaises herbes avec des paillis de copeaux de bois ou de sciure de bois dur. Pour empêcher les oiseaux de dévorer les baies, il faut parfois couvrir les plants d'étamine, de filet ou de grillage.	Semer les graines quand elles sont mûres. Diviser les racines des plantes prostrées au début du printemps. Prélever des boutures semi-aoûtées en été. Chez les espèces à feuillage caduc, utiliser des boutures aoûtées et dépourvues de feuilles en automne. Marcotter les pousses au sol au printemps ou en automne.

Alisier, voir Viorne
Amandier, voir Cerisier

Espèces et variétés	Rusticité *(carte, pp. 8-9)*	Caractéristiques ornementales et remarques	Hauteur et étalement à maturité
A feuillage caduc *Abelia schumannii*	Zone 7	Feuilles ovales, légèrement dentées, d'environ 2,5 cm de long. Fleurs rose foncé à lavande s'épanouissant de la mi-été au début de l'automne.	H 1,80 m ; E 1,80 m
A feuillage persistant ou semi-persistant *A.* 'Edward Goucher' (rose)	Zone 7	Feuilles semi-persistantes. Fleurs rose lavande s'épanouissant de la mi-été au début de l'automne. Même détruit jusqu'au sol, l'arbuste, généralement, survit.	H 1,50 m ; E 1,50 m
A. grandiflora (brillant)	Zone 7	Feuilles semi-persistantes, ou caduques dans les régions froides, qui virent au pourpre bronze en automne. Bouquets d'au plus 4 fleurs roses de la fin de l'été à la fin de l'automne, persistant jusqu'au gel. Forme de belles haies.	H 1,50 m ; E 1,50 m
A feuillage caduc *Abeliophyllum distichum*	Zone 5	Feuillage vert-bleu. Feuilles opposées, couvertes de courts poils sur les deux faces. Dans les régions où l'hiver est rigoureux, les boutons floraux pourpres peuvent être endommagés par le froid si les plants ne sont pas protégés.	H 1,20 m ; E 1,20 m
A feuillage caduc *Acanthopanax sessiflorus*	Zone 4	Là où l'espace le permet, il est avantageux de cultiver un sujet mâle et un sujet femelle de façon à obtenir des fruits, qui sont noirs et luisants. Arbuste apprécié pour son feuillage vert et brillant et pour sa tolérance à l'égard de l'ombre.	H 3,65 m ; E 2,45-3 m
A. sieboldianus	Zone 5	Feuilles composées au maximum de 7 folioles cunéiformes et digitées à l'extrémité d'un pétiole, sur des branches retombantes. Feuillage d'un beau vert sombre et luisant, virant au jaune à l'automne avant de tomber. L'arbuste produit des fleurs blanc-vert en nombre restreint, mais cette maigre floraison passe inaperçue tant le feuillage est décoratif. Les sujets cultivés au jardin produisent rarement des fruits, car il est peu fréquent d'y trouver à proximité l'un de l'autre un sujet mâle et un sujet femelle.	H 2,75 m ; E 1,80-3 m
A feuillage caduc *Vaccinium corymbosum* (en corymbe ou bleuet)	Zone 4	Ramilles verruqueuses vert clair. Feuilles elliptiques de 5 à 7,5 cm de long qui virent à l'écarlate brillant en automne. Fleurs rosées ou blanches, en forme d'urne, apparaissant à la fin du printemps et suivies d'innombrables fruits comestibles, noir-bleu. Ces arbustes peuvent servir de haie.	H 3,65 m ; E 3 m
V. parvifolium	Zone 3	Fleurs rosées. Baies rouges d'environ 0,5 cm de diamètre.	H 3 m ; E 1,80-2,45 m
A feuillage persistant *V. ovatum*	Zone 7	Ramilles pubescentes. Feuilles légèrement dentées, vert vif et vernissées sur le dessus. Fleurs campanulées roses ou blanches s'ouvrant en été. Baies noires.	H 3 m ; E 1,80-2,45 m
V. vitis-idaea (Vigne d'Ida ou canneberge)	Zone 1	Feuilles ovales, vertes et brillantes sur des pousses dressées. Fleurs en forme d'urne ou de clochette, roses ou blanches, s'ouvrant à la fin du printemps ou au début de l'été. Fruits rouge vif. Une fois établie, cette espèce à port rampant est utile comme couvre-sol, spécialement dans les jardins de fleurs sauvages.	H 0,15 m ; E 0,45 m

Nom vulgaire et nom botanique, description générale	Utilisation et culture	Multiplication *(voir aussi p. 79)*
Amandier nain de Russie, voir Cerisier **Amandier rose à fleurs doubles,** voir Cerisier		
Angélique ou aralie *(Aralia)* Grand arbuste à longues feuilles d'aspect exotique. Tiges garnies d'épines acérées.	Se cultive en plein soleil mais à l'écart des allées où les épines pourraient blesser les passants. Bel arbuste à planter en isolé.	Semer les graines dès qu'elles sont mûres. Prélever les rejets au printemps.
Aralie, voir Angélique **Arbousier d'Amérique,** voir Symphorine **Arbousier nain,** voir Arctostaphyle **Arbre-au-poivre,** voir Gattilier **Arbre-aux-pois,** voir Caraganier		
Arctostaphyle *(Arctostaphylos)* Jolies feuilles alternes à marge lisse. Petites fleurs cireuses, souvent pendantes, en forme de cloche ou d'urne et réunies en grappes. Fruits rouges ou brunâtres semblables à de petites pommes. La plupart de ces plantes ont des branches tordues et une écorce lisse allant du rouge au pourpre.	Arbuste difficile à transplanter : il vaut mieux l'acheter en pot. L'installer au soleil dans un sol sablonneux et bien drainé. Le protéger du vent. Arroser durant les périodes de sécheresse. Pincer les bourgeons apicaux durant la période végétative pour obtenir une croissance plus équilibrée.	On peut garder les graines mûres jusqu'à un an dans un endroit sec et frais. La germination réussit mieux si les graines ont été stratifiées pendant trois mois, avant les semis, dans un mélange de tourbe et de sable à 4°C. Prélever des boutures semi-aoûtées au début de l'été ou des boutures fermes à la fin de l'été. Marcotter au sol les branches du bas.
Argousier *(Hippophae)* Plante à feuillage argenté et à baies orange. Cultiver ensemble des sujets mâles et femelles pour obtenir des fruits.	Tolère le sel. On peut donc cultiver cette plante au voisinage de la mer ou le long des routes où l'on épand du sel en hiver.	Par semis, mais de préférence par marcottage pour bien identifier les sujets mâles et femelles.
Avelinier doré, voir Noisetier **Berbéris,** voir Epine-vinette **Bleuet,** voir Airelle **Bois gentil,** voir Daphné **Bois à sept écorces,** voir Physocarpe **Boule-de-neige,** voir Viorne **Bourdaine,** voir Viorne **Bousserole,** voir Arctostaphyle		
Bruyère *(Erica)* Plantes de taille variée, allant du petit arbre au couvre-sol. Feuilles en forme d'aiguilles, en groupes de 6 au plus. Petites fleurs blanches, rose clair, rose foncé ou orange, réunies en bouquets et parfois inclinées. Fruits en forme de capsules.	Cultiver les sujets à port prostré en groupes assez nombreux. Les planter en plein soleil ou dans un endroit modérément ombragé et ajouter beaucoup de tourbe. La plupart préfèrent un sol acide. Tailler de temps à autre pour stimuler la croissance des pousses secondaires et garder à la plante une silhouette équilibrée.	Semer les graines quand elles sont mûres. Prélever des boutures semi-aoûtées en été ou diviser les racines.

Aralia elata

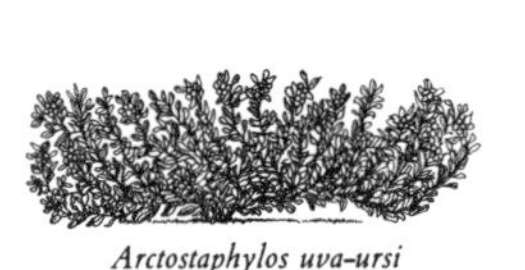
Arctostaphylos uva-ursi

Hippophae rhamnoides

Erica carnea

Espèces et variétés	Rusticité *(carte, pp. 8-9)*	Caractéristiques ornementales et remarques	Hauteur et étalement à maturité
A feuillage caduc *Aralia elata* (du Japon)	Zone 5	Grappes terminales de fleurs en août.	H 1,50-4,50 m ; E 1,50-3 m
A feuillage persistant *Arctostaphylos alpina* (Arbousier nain)	Zone 2	Demande un sol acide et un milieu humide.	H 0,60 m ; E 1,20 m
A. columbiana	Zone 7	Ramure peu dense ; branches robustes à écorce rouge. Branches et feuilles duveteuses. Fleurs blanches du début au milieu du printemps, suivies de fruits rouges en été.	H 0,90-4,50 m; E 0,45-3 m
A. uva-ursi (Raisin d'ours ou bousserole)	Zone 1	Bel arbuste tapissant pour sols pauvres et rocailleux et talus sablonneux. Baies rouges en automne.	H 0,30 m ; E 1,20 m
A feuillage caduc *Hippophae rhamnoides* (commun)	Zone 2	Etroites feuilles argentées sur des branches épineuses. Les baies attirent les oiseaux. Pousse bien dans la région des Prairies.	H 3-4,50 m ; E 2,45-3 m
A feuillage persistant *Erica carnea* (herbacée)	Zone 6	Fleurs rose vermeil s'ouvrant de la mi-hiver à la fin du printemps, selon la région et l'exposition. Supporte un sol légèrement alcalin. Excellente plante de rocaille.	H 0,30 m ; E 0,15-0,30 m
E. c. 'Springwood Pink'	Zone 5	Plante vigoureuse à fleurs d'un rose vif au début du printemps.	H 0,15 m ; E 0,45 m
E. c. 'Vivelli'	Zone 5	Fleurs hâtives, rouge carmin. Feuillage vert bronze.	H 0,15-0,23 m; E 0,30-0,45 m
E. ciliaris	Zone 8	Feuilles grisâtres à marge pubescente. Petites inflorescences rouges réunies en bouquets terminaux de 13 cm de longueur et s'épanouissant au début de l'été.	H 0,30 m; E 0,15-0,30 m
E. cinerea (cendrée)	Zone 7	Feuilles vertes et brillantes, groupées par 3, devenant cuivre à l'automne. Fleurs rose pourpré du début de l'été au début de l'automne. Quand elles sont fanées, tailler sévèrement l'arbuste pour favoriser la ramification. Tolère un sol alcalin.	H 0,45 m ; E 0,15-0,30 m

	Nom vulgaire et nom botanique, description générale	Utilisation et culture	Multiplication (voir aussi p. 79)
	Bruyère *(Erica)* — suite		
 *Calluna vulgaris*	**Bruyère commune** *(Calluna)* Feuilles petites et opposées, produites en une telle abondance que les ramilles disparaissent presque sous leur nombre. Petites fleurs pendantes groupées en épis terminaux très denses.	Excellente plante tapissante sur les talus où le sol est modérément humide, sablonneux et acide. Ne pas utiliser en sol très fertile pour que la plante ne pousse pas tout en hauteur. Prospère en plein soleil ; dans les régions où le soleil est très intense, la situer plutôt à l'ombre. Tailler de temps à autre tôt au printemps pour garder à l'arbuste sa silhouette ramassée. L'effet est plus saisissant lorsqu'on cultive ensemble plusieurs sujets de même type. Survit dans les zones inférieures à 6 à la condition d'être protégé en hiver par une épaisse couche de neige.	Par semis de graines mûres ou par division des racines. Prélever des boutures semi-aoûtées en été ou des boutures aoûtées à la fin de l'été.
 *Daboecia cantabrica*	**Bruyère d'Irlande** *(Daboecia)* Ressemble beaucoup à la bruyère. Feuilles alternes et elliptiques d'environ 1 cm de long. Petites fleurs campanulées réunies en bouquets terminaux légèrement retombants.	Belle plante de rocaille. Prospère en plein soleil mais tolère un peu d'ombre. Demande un sol humide et sablonneux auquel on a ajouté beaucoup de tourbe.	Semer les graines sans attendre quand elles sont mûres ou les garder jusqu'à un an dans un endroit sec. Prélever des boutures semi-aoûtées au début de l'été ou des boutures aoûtées à la fin de l'été.
 *Buddleia davidii*	**Buddleia** *(Buddleia)* A un rythme de croissance extrêmement rapide, mais lent à reprendre au printemps. Arbuste renommé pour ses grands bouquets de petites fleurs. Feuilles alternes chez *B. alternifolia,* opposées chez tous les autres buddleias.	Exige une exposition ensoleillée et préfère un sol riche et gras, bien égoutté. Ne demande pas d'engrais, à moins que le sol ne soit extrêmement pauvre. Dans les régions où l'hiver est rigoureux, les branches de certaines espèces ou variétés meurent, mais la croissance reprend au printemps. Tailler *B. davidii* tôt au printemps, avant la reprise ; les autres espèces énumérées ici, après la floraison.	Semer les graines quand elles sont mûres ou les conserver jusqu'à un an dans un endroit sec et frais. Prélever des boutures herbacées et feuillées au début de l'été ou fermes et feuillées à la fin de l'été. En automne, utiliser des boutures aoûtées sans feuilles, mais les garder à l'intérieur pour l'hiver, là où il fait froid.

Espèces et variétés	**Rusticité** *(carte, pp. 8-9)*	**Caractéristiques ornementales et remarques**	**Hauteur et étalement à maturité**
Erica darleyensis	Zone 8	Petites feuilles à marge enroulée et groupées par 4. Fleurs d'un rose-pourpre pâle du début de l'hiver au printemps. Tolère un sol alcalin.	H 0,60 m ; E 0,30-0,60 m
E. d. 'Silberschmelze'	Zone 5	Arbuste à floraison estivale. Fleurs blanches et persistantes.	H 0,45 m ; E 0,30-0,45 m
E. mediterranea	Zone 8	Feuilles groupées par 4 ou 5 sur des branches dressées. Petites fleurs rouge sombre à étamines saillantes s'ouvrant à la mi-printemps.	H 1,80 m ; E 0,90-1,50 m
E. purpurascens 'George Rendall'	Zone 5	Fleurs rose intense au début du printemps dans les régions où le climat est froid, et à la mi-hiver dans les climats plus doux.	H 0,45 m ; E 0,30-0,45 m
E. tetralix (quaternée)	Zone 5	Feuilles grisâtres à marge pubescente groupées par 4. Petites fleurs rose-rouge s'épanouissant du début de l'été à la mi-automne. Préfère un sol humide contenant beaucoup de tourbe. Port généralement prostré.	H 0,60 m ; E 0,30-0,45 m
E. vagans (vagabonde)	Zone 7	Feuilles groupées par 4 ou 5. Fleurs pourpre rosé en bouquets de 15 cm s'épanouissant de la mi-été à la mi-automne. Variétés à fleurs blanches, rose foncé ou rouges. Port étalé.	H 0,30 m ; E 0,15-0,30 m
A feuillage persistant *Calluna vulgaris*	Zone 6	C'est l'authentique bruyère commune. Fleurs rose vermeil qui s'épanouissent de la mi-été à la mi-automne. Les feuilles des variétés courantes vont du vert-jaune au vert foncé en passant par le gris. Fleurs simples ou doubles, rouges, roses, blanches ou pourpres. L'époque de la floraison varie selon les variétés, mais va en règle générale de la mi-été à la mi-automne. Arbuste bas et étalé, ou arrondi et buissonnant.	H 0,45 m ; E 0,15-0,30 m
A feuillage persistant *Daboecia cantabrica*	Zone 7	Produit de nombreuses fleurs rose-pourpre ne dépassant pas 1,5 cm de longueur, du début de l'été à la mi-automne. Port érigé ; silhouette bien découpée.	H 0,45 m ; E 0,15-0,30 m
D. c. alba	Zone 7	Semblable à *D. cantabrica,* mais à fleurs blanches.	H 0,45 m ; E 0,15-0,30 m
D. c. praegerae	Zone 7	Fleurs d'un rose vermeil appuyé, un peu plus grandes que celles de *D. cantabrica.*	H 0,30 m ; E 0,15-0,30 m
A feuillage caduc *Buddleia alternifolia* (à feuilles alternes)	Zone 5	Feuilles lancéolées, vertes au revers. Longues guirlandes de fleurs minuscules d'un bleu lavande s'ouvrant au début de l'été sur des rameaux de l'année précédente. Branches retombantes. Arbuste très rustique.	H 3 m ; E 4,50 m
B. davidii	Zone 5	Fleurs parfumées, pourpre clair et à gorge orange, groupées en plumets denses, longs et retombants, s'épanouissant de la fin de l'été au premier gel. Elles attirent les papillons. Selon les variétés, la floraison va du blanc au pourpre et au cramoisi.	H 3,65 m ; E 2,45 m
B. globosa	Zone 9	Feuilles elliptiques semi-persistantes, fauves et duveteuses au revers. Fleurs jaunes et parfumées en panicules globuleuses de 10 à 20 cm, vers la fin du printemps.	H 4,50 m ; E 3 m

	Nom vulgaire et nom botanique, description générale	Utilisation et culture	Multiplication *(voir aussi p. 79)*
 *Buxus sempervirens suffruticosa*	**Buis** *(Buxus)* Renommé principalement pour son feuillage vert foncé qui devient très dense chez les sujets adultes. De minuscules fleurs dépourvues d'intérêt s'ouvrent à la mi-printemps.	Se prête remarquablement à la culture en haie ou à la taille ornementale. Affectionne les sols alcalins ou neutres. Dans les régions où les hivers sont froids, le protéger du soleil et des vents qui peuvent brûler les feuilles.	Semer les graines dès qu'elles sont mûres, ou, encore, les stratifier, ou les garder jusqu'à un an dans un endroit sec et frais. La multiplication peut aussi se faire par division des racines, par boutures de tiges semi-aoûtées et feuillées au printemps ou en automne, ou par boutures de tiges aoûtées sans feuilles en automne.
	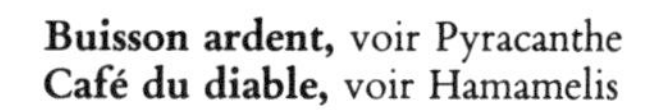 **Buisson ardent,** voir Pyracanthe **Café du diable,** voir Hamamelis		
 *Callicarpa dichotoma*	**Callicarpa** *(Callicarpa)* Bouquets de fleurs petites et tubuleuses s'épanouissant durant l'été, la plupart cachées par le feuillage denté. En automne, les feuilles virent au jaune avant de tomber et des grappes de baies apparaissent.	Prospère en plein soleil et demande un sol fertile. Dans plusieurs régions, le froid fait mourir les plantes jusqu'au sol en hiver, mais la croissance reprend au printemps et l'arbuste donne à nouveau des fleurs et des fruits.	Semer les graines quand elles sont mûres ou les garder dans un endroit frais et sec. Multiplier la plante par division des racines ou par boutures semi-aoûtées et feuillées en été, ou encore par boutures aoûtées et sans feuilles à l'automne.
	Calottes, voir Ronce		
 *Camellia japonica*	**Camélia** *(Camellia)* Arbuste très décoratif. Feuilles vert foncé, épaisses et coriaces, en position alterne. Elles mesurent habituellement 10 cm de longueur. Fleurs remarquables, sphériques ou cupuliformes, simples ou doubles et d'aspect cireux. L'époque de la floraison diffère selon les variétés.	Arbuste idéal pour mettre une touche de couleur dans le jardin. Vient bien à la mi-ombre mais supporte le plein soleil. Redoute cependant le vent. Le transplanter au printemps dans les régions où l'hiver est rigoureux, en choisissant un sol légèrement acide et bien drainé. Fertiliser tôt au printemps, puis de nouveau au début de l'été. Disposer un paillis autour du plant au printemps pour garder le sol frais et humide tout l'été.	Par boutures de tiges semi-aoûtées en été.
	Canneberge, voir Airelle		

Espèces et variétés	Rusticité *(carte, pp. 8-9)*	Caractéristiques ornementales et remarques	Hauteur et étalement à maturité
A feuillage persistant			
Buxus microphylla japonica	Zone 6	Jeunes branches de forme ailée. Feuilles de moins de 2,5 cm de long. Développe une ramure très ouverte.	H 1,80 m ; E 1,80 m
B. m. koreana	Zone 5	L'une des variétés les plus rustiques, même s'il arrive que son feuillage brunisse pendant l'hiver.	H 0,60 m ; E 0,60 m
B. sempervirens (commun)	Zone 7	Feuilles arrondies d'un vert brillant sur le dessus et d'un vert uni un peu plus clair au revers.	H 6 m ; E 3 m
B. s. handsworthii	Zone 7	A cause de son port érigé, cet arbuste convient bien à la culture en haie. Feuillage vert foncé.	H 1,80 m ; E 1,20 m
B. s. suffruticosa (commun nain)	Zone 7	Variété à port prostré, tout indiquée pour la culture en haie ou en bordure, particulièrement dans les jardins à la française.	H 0,90 m ; E 0,90 m
A feuillage caduc			
Callicarpa bodinieri giraldii	Zone 7	Feuilles elliptiques de 10 cm de long qui virent au rose ou au pourpre avant de tomber. Bouquets de très petites fleurs lilas, suivies de jolies baies d'un violet bleuté qui persistent une partie de l'hiver. Port érigé.	H 2,45 m ; E 1,80 m
C. dichotoma	Zone 7	Feuilles largement dentées de 2,5 à 7,5 cm de long. Fleurs roses de seulement 1 cm de diamètre, suivies de petites baies dont la couleur va du lilas au violet. A l'automne, les tiges prennent une teinte pourpre.	H 1,20 m ; E 1,20 m
C. japonica	Zone 6	Feuilles à peine dentées et d'au plus 13 cm de long. Nombreuses toutes petites fleurs roses ou blanches s'épanouissant à la mi-été, suivies de beaux fruits violets qui persistent jusqu'à ce que les feuilles jaunissent et tombent à la mi-automne.	H 1,20 m ; E 1,20 m
A feuillage persistant			
Camellia japonica (Rose du Japon)	Zone 8	L'époque de la floraison varie selon la variété et le climat. Plusieurs variétés à fleurs doubles et semi-doubles, blanches, rouges ou roses.	H 9 m ; E 4,50 m
C. j. 'C. M. Wilson'	Zone 8	Grandes fleurs rose clair, semblables à l'anémone, à la mi-saison.	H 9 m ; E 3,65 m
C. j. 'Colonel Firey'	Zone 8	Grandes fleurs majestueuses et rouge foncé, qui s'épanouissent du milieu jusqu'à la fin de la saison.	H 9 m ; E 3,65 m
C. sasanqua (odorant)	Zone 8	Feuilles d'environ 5 cm de long seulement. Floraison plus hâtive que celle de *C. japonica* et de ses variétés. Fleurs blanches, roses ou pourpres, simples, semi-doubles ou doubles. Ramure peu touffue s'apparentant à celle du saule.	H 6 m ; E 3 m
C. s. 'Cleopatra'	Zone 8	Fleurs rose carmin et semi-doubles. Arbuste très touffu.	H 6 m ; E 3 m
C. s. 'Yuletide'	Zone 8	Belles fleurs rouge feu garnies d'étamines jaunes. Arbuste buissonnant.	H 6 m ; E 3 m

	Nom vulgaire et nom botanique, description générale	Utilisation et culture	Multiplication *(voir aussi p. 79)*
Caragana arborescens	**Caraganier ou arbre-aux-pois** *(Caragana)* Arbuste rustique, à fleurs jaune vif, qui vient bien en sol pauvre.	Prospère en plein soleil mais tolère la mi-ombre. Certaines des variétés naines se cultivent bien en haie.	Les espèces se multiplient par semis ; les variétés, par boutures herbacées ou partiellement mûres.
Caryopteris clandonensis	**Caryoptère** *(Caryopteris)* Abondantes fleurs bleues à étamines saillantes, réunies en bouquets serrés. Fruits ailés dont la forme rappelle celle des noix.	Arbuste très décoratif par ses petites fleurs curieuses d'un joli bleu clair. La floraison s'étend de la fin de l'été jusqu'aux premiers grands froids. Demande un sol sablonneux qui s'égoutte bien. Prospère en plein soleil. Bien pailler le sol autour de la plante dès que le gel s'est installé. Dans les régions septentrionales, les organes aériens de l'arbuste meurent durant l'hiver, mais de nouvelles pousses apparaissent au printemps si l'on coupe toute la plante au ras du sol.	Par boutures de tiges fermes à la fin de l'été ou par boutures aoûtées sans feuilles en automne.
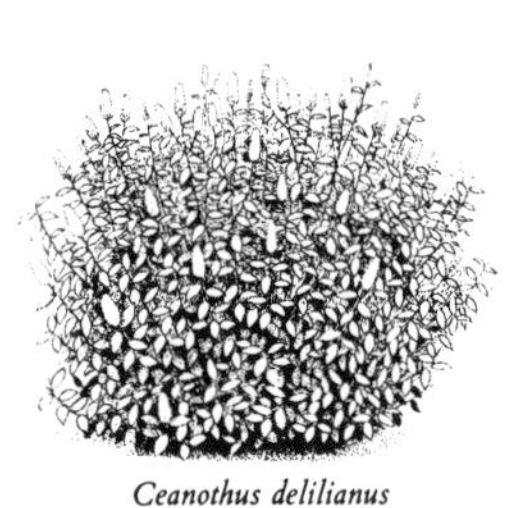 *Ceanothus delilianus*	**Céanothe** *(Ceanothus)* Arbuste à petites fleurs groupées en panicules dressées et ramifiées ressemblant à des épis. A maturité, les fruits s'ouvrent en 3 segments distincts.	Prospère au soleil, dans un sol léger, bien drainé et modérément acide. Arroser généreusement durant l'année qui suit la transplantation. Par la suite, arroser moins copieusement, plusieurs espèces étant exposées à la pourriture des racines causée par un champignon qui apparaît dans les sols mal drainés. Attention aux pucerons et aux mouches blanches qui parfois envahissent les plants. Des pulvérisations de malathion donnent de bons résultats. Le céanothe résiste à la sécheresse, mais c'est un arbuste qui ne vit pas longtemps.	Faire tremper les graines 12 heures dans l'eau chaude et les stratifier pendant trois mois à 4°C. Prélever des boutures herbacées au printemps ou semi-aoûtées en été. On peut aussi pratiquer le marcottage au sol.

Cèdre rouge, voir Genévrier

Espèces et variétés	Rusticité *(carte, pp. 8-9)*	Caractéristiques ornementales et remarques	Hauteur et étalement à maturité
A feuillage caduc *Caragana arborescens* (arborescent ou de Sibérie)	Zone 2	Arbuste développé devenant arborescent avec l'âge.	H 3,65-5,50 m ; E 2,45-3 m
C. a. 'Lorbergii'	Zone 2	Plus petit et plus florifère que *C. arborescens.*	H 2,45 m ; E 1,80 m
C. a. 'Pendula' (pleureur)	Zone 2	Variété pleureuse ordinairement greffée sur l'espèce afin de produire un arbre de petite taille.	H 1,50-2 m ; E 1,50-2 m
C. pygmaea (nain)	Zone 2	Arbuste touffu en forme de monticule, qui se couvre d'abondantes fleurs jaunes au début de l'été.	H 1,20 m ; E 1,20 m
A feuillage caduc *Caryopteris clandonensis*	Zone 6	Fleurs d'un bleu vif qui s'ouvrent à la fin de l'été. Cet arbuste est un hybride issu de *C. incana* et de *C. mongholica.*	H 1,20 m ; E 1,20 m
C. c. 'Blue Mist'	Zone 6	Fleurit davantage à l'automne que *C. clandonensis.* Convient tout particulièrement aux petits jardins.	H 0,60 m ; E 0,90 m
C. c. 'Heavenly Blue'	Zone 6	Fleurs d'un bleu plus foncé que celles de *C. c.* 'Blue Mist', s'épanouissant en automne. Un seul sujet bien établi peut parfois porter plus de 30 inflorescences. Excellent pour petits jardins.	H 0,60 m ; E 0,45 m
C. incana	Zone 8	Feuilles ovales et dentées atteignant 7,5 cm de longueur, couvertes d'une épaisse toison de poils gris au revers. Fleurs bleu-pourpre s'épanouissant à l'aisselle des feuilles supérieures du début au milieu de l'automne. Est considéré comme moins décoratif que les variétés de *C. clandonensis.*	H 1,50 m ; E 1,20 m
A feuillage caduc *Ceanothus delilianus*	Zone 7	Feuilles de 7,5 cm de long. Espèce hybride, recherchée comme plante grimpante. Se caractérise par de minuscules fleurs bleues apparaissant en grand nombre à la mi-printemps. Fleurs plus abondantes si l'on taille la plante.	H 1,80 m ; E 0,90 m
C. d. 'Autumn Blue'	Zone 7	Arbuste dont les fleurs qui vont du bleu clair au bleu foncé produisent un effet saisissant.	H 0,90 m ; E 0,90 m
C. d. 'Gloire de Plantieres'	Zone 7	Fleurs d'un bleu sombre.	H 0,90 m ; E 0,90 m
C. d. 'Gloire de Versailles'	Zone 7	Fleurs parfumées, bleu poudre. Se cultive bien en espalier. L'une des variétés les plus recherchées de *C. delilianus.*	H 2,45 m ; E 2,45 m
A feuillage persistant *C. arboreus* 'Ray Hartman'	Zone 9	Fleurs variant du bleu clair au bleu vif et s'épanouissant au tout début du printemps. Attire les papillons. Peut être cultivé aussi bien comme un arbuste que comme un petit arbre.	H 3-6 m ; E 4,50 m
C. cyaneus 'Sierra Blue'	Zone 8	Arbuste qui émet de nombreux rameaux jusqu'au sol. Feuillage dense, riche et d'un vert brillant descendant jusqu'à la souche. Fleurs d'un bleu appuyé s'épanouissant à profusion au printemps. Peut être taillé si l'on veut s'en servir pour composer une haie régulière ou un écran décoratif.	H 1,80-3,65 m ; E 1,50-2,45 m

	Nom vulgaire et nom botanique, description générale	Utilisation et culture	Multiplication *(voir aussi p. 79)*
 *Prunus laurocerasus* 'Otto Luykens'	**Cerisier** *(Prunus)* Genre très connu, groupant de nombreuses espèces de plantes à feuillage caduc ou persistant. Fleurs bisexuées à 5 pétales. Feuilles simples et alternes, habituellement dentées. Les sujets à feuilles caduques sont cultivés surtout pour leurs fleurs printanières et parfois aussi pour leurs fruits comestibles. Ceux à feuilles persistantes sont appréciés pour leur feuillage, leurs fleurs et leurs fruits ornementaux.	Cultiver le cerisier en plein soleil ou à la mi-ombre. En hiver, protéger les formes à feuillage persistant des grands vents. Voir à ce que les racines ne manquent jamais d'humidité.	Prélever des boutures semi-aoûtées en été ou semer des graines stratifiées.
 *Elaeagnus umbellata*	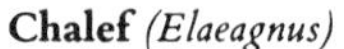 **Chalef** *(Elaeagnus)* Feuilles alternes, coriaces, très ornementales. Les chalefs à feuillage caduc portent souvent de beaux fruits.	Cultiver le chalef en isolé ou en haie. Arbuste particulièrement recommandé pour la région des Prairies ou au voisinage de la mer à cause de la tolérance dont il fait preuve à l'égard du vent et de la sécheresse du sol. Prospère en plein soleil, mais tolère une ombre très partielle. Arroser généreusement les sujets nouvellement transplantés durant leur premier été.	Soumettre les graines à la stratification durant trois mois à 4°C ou les garder un an au plus dans un endroit sec et frais. Prélever des boutures de racines au printemps ou marcotter au sol pour obtenir de nouveaux plants. Prendre des boutures de tiges semi-aoûtées et feuillées en été. Multiplier les espèces à feuillage persistant au moyen de boutures aoûtées sans feuilles à l'automne ou par rejets.

Espèces et variétés	Rusticité *(carte, pp. 8-9)*	Caractéristiques ornementales et remarques	Hauteur et étalement à maturité
A feuillage caduc *Prunus cistena* (de sable à feuilles pourpres)	Zone 4	Arbuste très attrayant par son feuillage violet et ses fleurs blanches simples qui s'épanouissent en même temps que les feuilles. Aux fleurs succèdent de jolis fruits pourpres.	H 1,50-2,10 m ; E 1,50 m
P. glandulosa albiplena (Faux amandier)	Zone 5	Arbuste bas qui se plante bien sous les fenêtres ou devant des arbustes plus grands. Donne chaque année en abondance de merveilleuses fleurs doubles blanches s'épanouissant à la fin du printemps.	H 1,20 m ; E 1,20 m
P. g. sinensis	Zone 5	Feuilles lancéolées vert foncé et fleurs doubles roses.	H 1,20 m ; E 1,20 m
P. tenella (Amandier nain de Russie)	Zone 2	Donne la floraison la plus hâtive de tous les cerisiers. Fleurs roses.	H 0,90-1,20 m ; E 1,80-2,45 m
P. tomentosa (Cerisier tomenteux)	Zone 2	Arbuste utile. Port parfois arborescent. Petites fleurs rose clair s'estompant par la suite vers le blanc et naissant à la mi-printemps. Des fruits rouge vif, comestibles, succèdent aux fleurs, du début au milieu de l'été. A cultiver en isolé ou en haie.	H 2,75 m ; E 1,20-1,80 m
P. triloba 'Multiplex' (Amandier rose à fleurs doubles)	Zone 2	Petites fleurs doubles et roses s'épanouissant avant la feuillaison, à la mi-printemps.	H 3,65 m ; E 3 m
A feuillage persistant *P. laurocerasus* 'Otto Luykens' (Laurier-amande ou laurier-cerise)	Zone 7	Feuilles vert foncé et épis floraux blancs au printemps, suivis de fruits pourpres ou noirs. Ramure dense et étalée.	H 3-6 m ; E 3-6 m
P. l. schipkaensis	Zone 7	Feuilles de 5 à 12 cm de long, vert foncé. Elégante variété dont la rusticité est plus fiable que celle de l'espèce.	H 2,75 m ; E 0,60-0,90 m
P. l. zabeliana	Zone 7	Feuilles plus étroites que celles de *P. l. schipkaensis,* sur des branches horizontales. Port plus étalé que l'espèce.	H 1,50 m ; E 3 m
A feuillage caduc *Elaeagnus angustifolia* (Olivier de Bohême)	Zone 2	Peut prendre la forme d'un arbre ou d'un arbuste. Très beau feuillage argenté. Espèce robuste qui croît dans n'importe quel sol et résiste à la sécheresse. Son écorce brune et écailleuse est très décorative en hiver.	H 6 m ; E 3-3,65 m
E. commutata (à fruits argent)	Zone 2	Port érigé ; feuilles d'oblongues à ovales, de teinte argentée, atteignant 10 cm de longueur. Petites fleurs jaunes très parfumées s'ouvrant à la fin du printemps. Fruits ovoïdes de couleur argent.	H 3,65 m ; E 1,20-1,80 m
E. umbellata	Zone 5	Espèce robuste. Feuilles elliptiques ou ovales, argentées au revers, portées par des branches étalées dont l'écorce lève par plaques. Fleurs aromatiques d'un blanc-jaune s'épanouissant à la fin du printemps ou au début de l'été. Fruits tachetés d'argent se colorant de rouge par la suite.	H 4,50 m ; E 1,80-3 m
A feuillage persistant *E. pungens*	Zone 7	Plante attrayante pour climats doux. Petites fleurs pendantes d'un blanc argenté dont le parfum rappelle celui du gardénia. Elles s'épanouissent à la mi-automne. Feuilles à revers argenté pouvant atteindre 13 cm de longueur. Fruits bruns devenant rouges à maturité. Tolère la taille.	H 3,65 m ; E 2,45-3,65 m
E. p. fruitlandii	Zone 7	Semblable à *E. pungens*, sauf pour les feuilles qui sont plus arrondies.	H 3,65 m ; E 2,45-3,65 m

Nom vulgaire et nom botanique, description générale	Utilisation et culture	Multiplication *(voir aussi p. 79)*
Chèvrefeuille *(Lonicera)* Feuilles opposées. Fleurs campanulées ou tubuleuses réunies en bouquets terminaux ou en paires axillaires. Souvent parfumées, les inflorescences peuvent être blanches, roses, rouges ou jaunes. Elles sont suivies de baies charnues blanches, rouges, jaunes, bleues ou noires, qui font les délices des oiseaux.	S'associe avec bonheur à des bordures d'arbustes. Préfère un sol humide et riche, une exposition ensoleillée ou partiellement ombragée. Arbuste très facile à cultiver et rarement atteint par des ravageurs ou des maladies. Tailler après la floraison pour bien structurer la plante. En hiver, rabattre jusqu'au sol quelques-unes des plus vieilles tiges pour favoriser la croissance de jeunes pousses vigoureuses.	Stratifier les graines dès qu'elles sont mûres ou les garder jusqu'à un an dans un endroit sec et frais, après quoi les stratifier pendant trois mois à 4°C. Si elles n'ont pas germé après quatre mois, les stratifier de nouveau trois mois à 4°C. Se prête au marcottage au sol ou à la division des racines. Prélever des boutures semi-aoûtées en été ou des boutures aoûtées en automne. Multiplier les sujets à feuillage caduc au moyen de boutures aoûtées dépourvues de feuilles, en automne.
Clérodendron *(Clerodendrum)* Feuilles opposées et souvent lobées. Fleurs décoratives apparaissant en panicules et dont le calice est souvent plus coloré que la corolle, tubuleuse. Etamines saillantes. Fruits charnus à l'automne.	Arbuste à cultiver en plein soleil, dans un sol fertile et bien drainé. Ne pas biner autour des racines pour éviter l'apparition de nombreux rejets qui gâteraient l'apparence de la plante.	Stratifier les graines pendant trois mois à 4°C ou les garder jusqu'à un an dans un endroit frais et sec avant la stratification. Prélever des boutures semi-aoûtées en été. Après la chute des feuilles, arracher les gourmands et les planter.
Cléthra *(Clethra)* Feuilles dentées à court pétiole. Fleurs blanches et parfumées réunies en épis terminaux.	Arbuste particulièrement décoratif lorsqu'il est planté aux limites d'un bosquet. Demande une exposition en plein soleil et s'adapte à un sol neutre ou acide.	Prélever des boutures fermes à la fin de l'été. Se prête à la division des racines et au marcottage au sol. Transplanter en automne des rejets pourvus de racines.
Cognassier *(Chaenomeles* ou *Cydonia)* Branches légèrement anguleuses. Fleurs précédant la feuillaison ou s'épanouissant immédiatement après. Fruits aromatiques, jaunes ou verts, avec lesquels on fait de la confiture.	Prospère en plein soleil, dans un sol ordinaire. Supporte aussi bien la sécheresse que l'humidité. Les feuilles peuvent jaunir en sol alcalin (voir p. 452). Le tailler de temps à autre. Le protéger contre les cochenilles (voir p. 459) et contre le feu bactérien (voir p. 463).	Diviser les racines ou marcotter au sol les branches du bas. Prélever des boutures semi-aoûtées en été ou des boutures aoûtées et sans feuilles en automne.

Corchorus du Japon, voir Kerria
Corête, voir Kerria

Lonicera tatarica

Clerodendrum trichotomum

Clethra alnifolia

Chaenomeles speciosa

Espèces et variétés	Rusticité *(carte, pp. 8-9)*	Caractéristiques ornementales et remarques	Hauteur et étalement à maturité
A feuillage caduc			
Lonicera fragrantissima (à fleurs odorantes)	Zone 6	Feuilles ovales et épaisses, vert sombre, atteignant 5 cm de longueur, à limbe plus foncé sur le dessus qu'en dessous. Inflorescences blanc crème de la mi-hiver à la mi-printemps, intensément parfumées. Fruits rouges apparaissant à la fin du printemps. Feuillage semi-persistant là où l'hiver est doux. Tolère un sol argileux.	H 1,80 m ; E 1,80 m
L. korolkowii 'Zabelii'	Zone 2	Feuilles ovales et pointues de 2,5 cm, pubescentes en dessous, d'un superbe vert bleuté. Fleurs rose clair s'épanouissant à la fin du printemps et au début de l'été, suivies de fruits rouges à la fin de l'été.	H 3,65 m ; E 1,80-2,45 m
L. tatarica (de Tartarie)	Zone 2	Feuilles ovales et pointues de plus de 5 cm de long. Inflorescences délicatement parfumées, allant du rose au blanc et s'épanouissant à la fin du printemps et au début de l'été. Fruits jaunes ou rouges du milieu à la fin de l'été. Port érigé et net.	H 2,75 m ; E 1,80-2,45 m
L. xylosteum 'Claveyi'	Zone 2	Arbuste court à fleurs blanc crème et à ramure touffue. Excellent pour former une haie. Fruits rouges.	H 0,90 m ; E 0,90-1,20 m
A feuillage persistant			
L. nitida	Zone 8	Feuilles ovales et vert foncé d'environ 1,5 cm de long. Inflorescences blanc crème, parfumées mais peu voyantes, apparaissant à la fin du printemps. Fruits d'un pourpre bleuté faisant leur apparition du début au milieu de l'automne. Espèce très ornementale en haie. Résiste aux embruns et au vent.	H 1,80 m ; E 1,80 m
L. pileata (duveteux)	Zone 7	Feuilles semi-persistantes, d'oblongues à ovales et vernissées, dépassant en règle générale 2,5 cm de longueur. Fleurs blanches et odorantes du milieu à la fin du printemps et fruits pourpres à la mi-automne. Belle plante pour les jardins de rocaille au voisinage de la mer.	H 0,60 m ; E 0,60-1,20 m
A feuillage caduc			
Clerodendrum trichotomum	Zone 8	Feuilles elliptiques ou ovales, souvent lobées et atteignant 18 cm de longueur. Fleurs rose clair et parfumées groupées en panicules et garnies d'étamines saillantes. Baies bleues et calices rouges protubérants font un bel effet à la fin de l'été ou au début de l'automne et persistent jusqu'à la mi-automne et même davantage.	H 6 m ; E 4,50 m
A feuillage caduc			
Clethra alnifolia (glabre)	Zone 5	Feuilles oblongues à extrémités pointues n'excédant pas 13 cm de longueur. Belles teintes fauves en automne. Petites fleurs à odeur âcre, s'épanouissant à la mi-été.	H 2,75 m ; E 2,75 m
C. a. rosea	Zone 5	Le feuillage prend des teintes d'orange et de jaune en automne. Fleurs rose pâle. Demande beaucoup d'humidité. Excellente variété à cultiver au voisinage de la mer.	H 2,75 m ; E 2,75 m
A feuillage caduc			
Chaenomeles japonica	Zone 5	Fleurs rouge brique suivies de fruits jaunes de près de 5 cm. Croissance lente.	H 0,90 m ; E 0,60-0,90 m
C. speciosa ou *C. lagenaria* (du Japon)	Zone 5	Fleurs simples, semi-doubles ou doubles dont les coloris vont du blanc au rose, au rouge et à l'orange. Fruits en forme de poire de 5 à 6,5 cm de long, aromatiques. Port étalé. Variétés très nombreuses.	H 1,80-3 m ; E 1,80 m

Nom vulgaire et nom botanique, description générale	Utilisation et culture	Multiplication *(voir aussi p. 79)*
 *Cornus alba sibirica* **Cornouiller** *(Cornus)* Arbuste à baies ornementales en automne. Certaines espèces présentent des ramilles colorées dont l'effet est saisissant en hiver, dans un paysage enneigé.	La plupart des espèces viennent aussi bien en plein soleil qu'à la mi-ombre, dans un sol riche. Bien arroser en période de chaleur et de sécheresse. En règle générale, le cornouiller résiste aux ravageurs et aux maladies. Il est rustique et de culture facile.	Par boutures de tiges semi-aoûtées en été ou par boutures de tiges aoûtées dépourvues de feuilles en automne.
 *Corylopsis pauciflora* **Corylopsis** *(Corylopsis)* Feuilles vert lime, dentées et à nervures saillantes. Fleurs jaunes si hâtives au printemps qu'en certains endroits elles peuvent être endommagées par les derniers gels.	Arbuste élégant dans un bosquet ou devant des conifères. Prospère en plein soleil ou à la mi-ombre. Le cultiver dans un sol sablonneux enrichi de généreux apports de tourbe. Ne tolère pas les terrains alcalins.	Stratifier les graines pendant cinq mois à 21°C et pendant trois autres mois à 4°C avant les semis. Prélever des boutures semi-aoûtées en été.
Cotonéaster *(Cotoneaster)* Arbuste à petites fleurs blanches ou rosées s'épanouissant au printemps ou en été, mais surtout réputé pour sa ramure décorative, son feuillage et ses petites baies rouges ou noires qui apparaissent en automne et persistent durant l'hiver chez beaucoup de sujets. Plante très rustique.  *Cotoneaster horizontalis*	Les espèces prostrées, moins exubérantes, s'intègrent bien aux jardins de rocaille. Les planter en plein soleil ou à la mi-ombre dans une bonne terre. Attention aux insectes perceurs (vaporiser du lindane) et aux punaises réticulées (voir p. 449). Attention aussi au feu bactérien (voir p. 463) qui se manifeste par des chancres à la base des tiges nécrosées jusqu'au sol.	Semer les graines quand elles sont mûres ou les entreposer pendant un an dans un endroit sec et frais. Dans certains cas, la germination demande deux ans. Toutes les espèces se prêtent au marcottage au sol. La multiplication peut aussi se faire par boutures semi-aoûtées en été ou par boutures aoûtées sans feuilles en automne.

Espèces et variétés	Rusticité *(carte, pp. 8-9)*	Caractéristiques ornementales et remarques	Hauteur et étalement à maturité
A feuillage caduc			
Cornus alba (de Tartarie)	Zone 2	Feuilles ovales, vert-bleu au revers, virant au rouge en automne. Ramilles d'un rouge vif, d'une grande beauté en hiver. Fleurs au début de l'été. Fruits bleu clair.	H 2,75 m ; E 1,20-2,45 m
C. a. 'Elegantissima' (à feuillage argenté)	Zone 2	L'un des plus utiles parmi les cornouillers à feuillage panaché. Feuilles bordées de blanc qui gardent leurs coloris, même à l'ombre.	H 1,80 m ; E 1,20-1,80 m
C. a. sibirica (de Sibérie)	Zone 6	Feuillage qui rougit à l'automne. Fleurs crème à la fin du printemps et petites baies bleues. Emonder au début du printemps pour favoriser la multiplication de ramilles rouges en hiver. Tolère l'humidité.	H 2,45 m ; E 1,20-2,45 m
C. a. 'Spaethii' (de Spaeth)	Zone 2	Variété à feuillage panaché de jaune qui s'associe bien au cornouiller à feuillage argenté. Ecorce d'un rouge vif en hiver.	H 1,80 m ; E 1,20 m
C. sanguinea (sanguin)	Zone 4	Semblable à *C. alba.* Ramilles d'un rouge plus foncé. Fruits pourpres.	H 3,65 m ; E 1,20-2,45 m
C. stolonifera (Hart rouge)	Zone 2	Drageons produisant des touffes serrées. Fleurs blanches à la fin du printemps ou au début de l'été. Soumettre les graines mûres à une stratification de trois mois à 4°C. Prélever et transplanter les rejets à l'automne ; ils s'enracinent facilement. Arbuste utile pour combattre l'érosion et contenir les talus.	H 1,80 m ; E 1,20-2,45 m
C. s. 'Flaviramea' (à branches jaunes)	Zone 2	Ramilles d'un jaune teinté de vert. Variété qui demande un sol humide.	H 1,80 m ; E 1,20-2,45 m
A feuillage caduc			
Corylopsis pauciflora	Zone 7	Feuilles ovales, cordiformes à la base, de 5 à 7,5 cm de long. Fleurs réunies en grappes.	H 1,80 m ; E 3 m
C. spicata	Zone 7	Semblable à *C. pauciflora,* mais ses feuilles ont 7,5 à 10 cm de long. Grappes d'une douzaine de fleurs.	H 1,80 m ; E 3 m
A feuillage caduc			
Cotoneaster acutifolius (de Pékin)	Zone 2	Le plus souvent cultivé en haie. S'insère bien dans une bordure d'arbustes. Porte des fruits noirs sur des branches arquées.	H 1,20-3 m ; E 0,90-4 m
C. adpressus (rampant)	Zone 4	Fleurs roses s'ouvrant au début de l'été. Fruits rouges. Espèce prostrée qui croît lentement et convient bien aux rocailles.	H 0,15 m ; E 0,60-0,90 m
C. apiculatus	Zone 4	Feuilles pointues aux extrémités. Espèce ornementale à fleurs roses et à fruits écarlates.	H 1,20 m ; E 0,90-1,20 m
C. horizontalis	Zone 5	Branches fourchues et très étalées portant des feuilles arrondies. Arbuste à feuillage semi-persistant dans les régions à climat doux, caduc là où le climat est moins clément. Fleurs roses et fruits rouge vif tôt en été. Se cultive en espalier.	H 0,60 m ; E 0,90-1,50 m
C. h. perpusillus	Zone 4	Feuilles plus petites que celles de *C. horizontalis.* Arbuste plus court.	H 0,45 m ; E 0,60-0,90 m
A feuillage persistant			
C. dammeri	Zone 4	Fleurs blanches et fruits rouges. Là où le sol n'est pas tassé, les branches prostrées de cette espèce s'enracinent aux articulations et contribuent à contenir les talus. Les fruits attirent souvent les oiseaux en début d'hiver.	H 0,30 m ; E 0,30-0,60 m
C. microphyllus (à petites feuilles)	Zone 5	Arbuste spectaculaire souvent utilisé à des fins ornementales à cause de ses feuilles vernissées, de ses fleurs blanches et de ses nombreuses baies écarlates.	H 0,60 m ; E 4,50 m

Nom vulgaire et nom botanique, description générale	Utilisation et culture	Multiplication *(voir aussi p. 79)*
Cytise *(Cytisus)* Pourpres ou blanches, les fleurs ont la forme des pois de senteur ; elles sont parfois aromatiques et toujours spectaculaires. Les feuilles sont composées de 3 folioles. Les ramilles, qui demeurent vertes, mettent un peu de couleur dans le paysage hivernal. Il existe une espèce à port érigé qu'on appelle genêt à balais parce qu'on s'en servait effectivement autrefois pour confectionner des balais.	Arbuste recommandé pour la culture en bordure, en rocaille ou en isolé. Demande un sol d'une fertilité moyenne, mais bien drainé. Vient bien dans un sol acide, mais tolère une certaine alcalinité. Supporte le plein soleil, mais pousse aussi à la mi-ombre. Ne transplanter que les jeunes sujets ; les autres ne supportent pas le moindre dérangement de leurs racines. Rabattre sévèrement après la floraison. Peu exposé aux ravageurs ou aux maladies.	Semer les graines quand elles sont mûres ou les garder jusqu'à un an dans un endroit frais et sec. Les faire tremper dans une solution concentrée d'acide sulfurique pendant une demi-heure ; rincer et semer. Utiliser un plat en verre et éviter tout contact avec l'épiderme car l'acide est très corrosif. Prélever des boutures semi-aoûtées et feuillées au début de l'été ou des boutures fermes à la fin de l'été.
Daphné *(Daphne)* Jolis bouquets de petites fleurs, parfumées chez certaines espèces, qui ressemblent en plus menu à celles du lilas. Fruits de couleur vive, charnus ou coriaces. Feuilles, fruits et écorce sont toxiques.	Arbuste tout indiqué pour les bordures ou les jardins de rocaille. Prospère dans un endroit ensoleillé ou à demi ombragé, protégé du vent. Préfère un sol léger, riche en humus et facile à travailler, d'alcalin à neutre. Souvent délicat à transplanter ; ne tenter l'expérience que sur de jeunes sujets. En suçant la sève des tissus, les pucerons affaiblissent les extrémités des tiges. Utiliser un insecticide systémique. Des viroses peuvent aussi inhiber la croissance de cette plante. Rien ne pouvant arrêter le cours de ces maladies, arracher et détruire les sujets atteints.	Par marcottage au sol ou bouturage de racines. Aussi par boutures semi-aoûtées et feuillées prélevées en été, ou aoûtées et sans feuilles prélevées en automne. Stratifier les graines pendant trois mois à 4°C avant de les semer.

Cytisus praecox

Daphne burkwoodii 'Somerset'

Espèces et variétés	Rusticité *(carte, pp. 8-9)*	Caractéristiques ornementales et remarques	Hauteur et étalement à maturité
A feuillage caduc			
Cytisus battandieri (du Maroc)	Zone 7	Feuilles à folioles soyeuses et couvertes de poils blanchâtres, pouvant dépasser 7,5 cm de longueur. Grappes coniques de fleurs jaunes, au parfum d'ananas, naissant à l'extrémité des jeunes pousses, au début de l'été.	H 4,50 m ; E 2,45 m
C. beanii (de Bean)	Zone 5	Bouquets de 1 à 5 fleurs d'un jaune vif s'ouvrant à la fin du printemps ; souvent, elles recouvrent complètement le feuillage. Très belle espèce semi-prostrée.	H 0,60 m ; E 0,90 m
C. leucanthus ou *C. albus* (blanc du Portugal)	Zone 7	Fleurs blanches ou blanc-jaune s'épanouissant au tout début de l'été. Feuilles composées de folioles d'environ 7,5 cm de long.	H 0,30 m ; E 0,60 m
C. praecox	Zone 6	Espèce renommée pour ses fleurs printanières jaune clair ou blanc-jaune. Ramilles tout particulièrement décoratives en hiver. Tailler modérément.	H 1,80 m ; E 1,50 m
C. purpureus (pourpré)	Zone 5	Port prostré et rampant ; fleurs d'un pourpre pâle produites en grande quantité à la fin du printemps. Espèce recherchée pour ses qualités ornementales.	H 0,60 m ; E 0,90 m
C. scoparius (Genêt à balais)	Zone 7	Fleurs d'un jaune intense à la fin du printemps. Ramilles très décoratives en hiver. Nombreuses variétés, dont une à fleurs rouges et une autre à fleurs doubles.	H 2,45 m ; E 2,45 m
A feuillage caduc			
Daphne burkwoodii 'Somerset'	Zone 5	Feuillage vert foncé semblable à celui du buis et semi-persistant dans les régions à climat doux. Fleurs roses, étoilées et très parfumées, qui s'ouvrent à la fin du printemps ou au début de l'été. Prospère à la mi-ombre.	H 1,50 m ; E 1,20 m
D. giraldii	Zone 2	Fleurs jaunes légèrement aromatiques s'ouvrant tôt en été, suivies de baies écarlates.	H 0,60 m ; E 0,30–0,60 m
D. mezereum (Mézéréon ou bois gentil)	Zone 3	Bouquets de fleurs rose-pourpre très parfumées s'ouvrant au début du printemps, avant la feuillaison. Feuilles alternes. En été, fruits écarlates qui attirent les oiseaux. Port érigé. Préfère la mi-ombre.	H 0,90 m ; E 0,60 m
D. m. alba	Zone 3	Très jolie variété à fleurs blanches et fruits jaunes. Convient aux petits jardins.	H 0,90 m ; E 0,60 m
A feuillage persistant			
D. cneorum (odorant)	Zone 2	Feuilles oblongues de 2,5 cm de long. Fleurs roses agréablement parfumées s'ouvrant au printemps. Fruits brun-jaune. Pailler en été et protéger contre le gel.	H 0,15–0,30 m ; E 0,60 m
D. collina	Zone 7	Grappes terminales de 10 à 15 fleurs rose-pourpre suavement parfumées, tard au printemps.	H 0,90 m ; E 0,90 m
D. laureola (lauréolé)	Zone 8	Feuilles de 5 à 7,5 cm de long. Fleurs vert-jaune habituellement sans odeur et réunies en racèmes à courts pédoncules, s'ouvrant tôt au printemps. Fruits d'un noir bleuté. Préfère la mi-ombre et un sol légèrement acide.	H 0,60 m ; E 0,45–0,60 m
D. odora	Zone 8	Abondante floraison de fleurs rose-pourpre, très parfumées, réunies en bouquets terminaux serrés. S'épanouissent au printemps. Fertiliser et tailler modérément.	H 1,50 m ; E 0,60–0,90 m
D. o. marginata	Zone 8	Semblable à *D. odora*, sauf que les feuilles sont marginées de jaune.	H 1,20–1,80 m ; E 0,90–1,20 m
D. retusa	Zone 8	Bouquets terminaux de fleurs d'un blanc pourpré et parfumées s'épanouissant en fin de printemps. Fruits rouges. Espèce compacte à silhouette nette.	H 0,90 m ; E 0,60–0,90 m

	Nom vulgaire et nom botanique, description générale	Utilisation et culture	Multiplication *(voir aussi p. 79)*
Deutzia scabra candidissima	**Deutzia ou deutzie** *(Deutzia)* Arbuste de croissance rapide, fleurissant à un âge précoce. Fleurs généralement blanches, produites en abondance sur des tiges de l'année précédente. Feuilles dentées. L'écorce de la plupart des espèces se soulève par plaques en hiver.	Se cultive en plein soleil ou dans un endroit à demi ombragé, dans une bonne terre. Pailler au printemps. La floraison peut être partiellement inhibée par un éclairement médiocre, un sol pauvre en éléments nutritifs et un manque d'eau. Ajouter alors un engrais complet et arroser davantage en période de sécheresse. Emonder juste après la floraison. Arbuste exempt de ravageurs et de maladies en règle générale. Tolère la pollution atmosphérique.	Semer les graines quand elles sont mûres ou les garder jusqu'à un an dans un endroit sec et frais. Diviser les racines au printemps. Prélever des boutures semi-aoûtées en été ou des boutures aoûtées dépourvues de feuilles en automne.
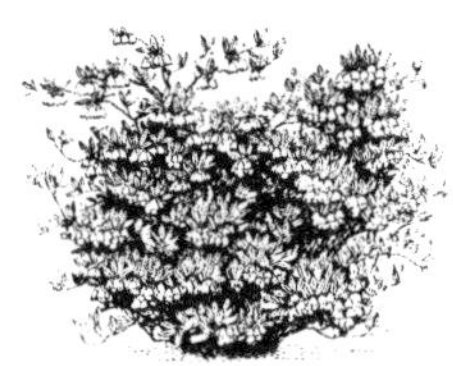 *Enkianthus perulatus*	**Enkianthus** *(Enkianthus)* Feuilles réunies en bouquets aux extrémités des ramilles. Belles teintes automnales. Fleurs semblables à celles de la bruyère, s'épanouissant à la fin du printemps en grappes terminales.	Se prête à la culture en bordure et s'associe avec bonheur aux azalées et aux rhododendrons. Prospère dans un endroit à demi ombragé et protégé du vent, dans un sol bien drainé et modérément acide. Résiste aux ravageurs et aux maladies.	Semer les graines quand elles sont mûres. Se multiplie bien par marcottage au sol. En été, prélever des boutures de tiges semi-aoûtées.
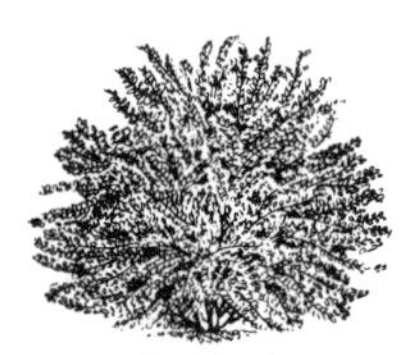 *Berberis thunbergii*	**Epine-vinette ou berbéris** *(Berberis)* Les épines-vinettes se caractérisent en règle générale par leurs fleurs jaunes écloses au printemps et par leurs branches épineuses. Quelques espèces à feuilles caduques prennent de belles couleurs éclatantes à l'automne. D'autres se couvrent en outre de grappes de baies vivement colorées. La grande diversité de taille des épines-vinettes en fait des sujets utiles à de multiples fins au jardin.	Les nombreuses espèces très épineuses constituent des haies infranchissables à planter en plein soleil ou à la mi-ombre. Les sujets de plus petite taille conviennent aux rocailles, tandis que ceux à baies colorées se cultivent bien en bac et décorent le jardin en automne et au début de l'hiver. Les épines-vinettes poussent bien dans n'importe quelle bonne terre. Celles à feuillage caduc tolèrent un sol pauvre et sec. Cette plante est peu sujette aux attaques des ravageurs. Mais comme plusieurs espèces à feuillage caduc peuvent servir d'hôtes au champignon de la rouille du blé, le gouvernement du Canada en a interdit la culture et la vente en 1970. La culture et la multiplication non commerciales de l'épine-vinette du Japon est néanmoins permise et la plupart des espèces à feuillage persistant ne sont pas frappées par cette interdiction.	Semer les graines quand elles sont mûres ou les garder un an au plus dans un endroit frais. On peut aussi les stratifier pendant deux mois à 4°C. La multiplication se fait également par division des racines ou par boutures semi-aoûtées et feuillées prélevées en été ou par boutures aoûtées prises en automne.

Espèces et variétés	Rusticité *(carte, pp. 8-9)*	Caractéristiques ornementales et remarques	Hauteur et étalement à maturité
A feuillage caduc *Deutzia gracilis*	Zone 6	Gracieuses branches arquées. Feuilles oblongues dépassant souvent 5 cm de longueur. Fleurs blanches groupées en panicules ou épis dressés de 10 cm de haut à la fin du printemps. Ecorce gris-jaune pelant légèrement.	H 1,50 m ; E 0,90-1,20 m
D. lemoinei	Zone 5	Feuilles atteignant souvent 10 cm de longueur. Fleurs réunies et dressées en panicules tronquées ou pyramidales mesurant jusqu'à 10 cm, à la fin du printemps. Plante hybride rustique.	H 2 m ; E 1,50-2 m
D. rosea eximia	Zone 6	Fleurs rose pâle groupées en panicules de 5 cm de diamètre, dans toute leur splendeur à la fin du printemps ou au début de l'été.	H 1,80 m ; E 1,20-1,80 m
D. scabra candidissima	Zone 6	Variété remarquable par ses fleurs doubles d'un blanc pur.	H 2,45 m ; E 1,50-2,45 m
D. s. 'Pride of Rochester'	Zone 6	Fleurs doubles, rose très pâle à l'extérieur et blanc pur à l'intérieur, d'environ 2,5 cm de diamètre, en grandes panicules. Floraison au début de l'été.	H 2,45 m ; E 1,50-2,45 m
A feuillage caduc *Enkianthus campanulatus*	Zone 5	Feuilles à marge dentée de 2,5 à 7,5 cm de long, virant à l'écarlate vif à l'automne. Fleurs jaune bronze inclinées, veinées de rouge. A l'automne apparaissent de petites gousses vertes qui, à maturité, deviennent fauves.	H 7,50 m ; E 1,20-3,65 m
E. cernuus rubens	Zone 9	Feuilles de moins de 2,5 cm de long devenant écarlates en automne. Bouquets de nombreuses fleurs campanulées d'un rouge profond.	H 4,50 m ; E 1,20-3 m
E. perulatus	Zone 7	Feuilles oblongues ou elliptiques dépassant souvent 5 cm de longueur, prenant des teintes somptueuses d'écarlate et de jaune à l'automne. Fleurs blanches.	H 1,50 m ; E 1,20 m
A feuillage caduc *Berberis thunbergii* (du Japon)	Zone 5	Arbuste touffu, épineux et très florifère. Fruits rouges qui persistent souvent durant l'hiver. Pousse bien dans un sol pauvre. Tolère l'ombre.	H 1,80 m ; E 1,80 m
B. t. atropurpurea	Zone 5	Feuilles pourpres du printemps jusqu'à l'hiver. Constitue une haie dense qui pousse plus haut que *B. t. erecta.*	H 1,50 m ; E 1,20 m
B. t. erecta	Zone 5	Arbuste érigé et compact. Donne une belle haie de peu d'entretien.	H 1,50 m ; E 0,90 m
B. t. variegata	Zone 5	Feuilles décoratives, maculées de gris pâle, de jaune et de blanc. Se prête moins à la culture en haie que les autres formes parce qu'il réclame plus de lumière.	H 1,50 m ; E 1,20 m
A feuillage persistant *B. buxifolia nana*	Zone 6	Feuillage ornemental. Feuilles d'environ 2,5 cm de long. Jolie haie basse.	H 0,45 m ; E 0,45 m
B. candidula	Zone 6	Feuilles vert foncé sur le dessus, blanches au revers. Fruits gris pâle. Arbuste touffu, intéressant dans une rocaille.	H 0,90 m ; E 0,90 m
B. darwinii	Zone 7	Feuilles oblongues à 3 pointes d'un vert brillant. Nombreuses fleurs jaune orangé et fruits pourpres. L'une des plus belles épines-vinettes.	H 2,45 m ; E 2,75 m
B. julianae	Zone 6	Feuilles étroites et dentées, vert foncé sur le dessus, vert clair en dessous. Baies d'un noir bleuté. Arbuste vigoureux. L'une des épines-vinettes à feuilles persistantes les plus rustiques.	H 1,80 m ; E 1,20 m

	Nom vulgaire et nom botanique, description générale	Utilisation et culture	Multiplication *(voir aussi p. 79)*
	Epine-vinette ou berbéris *(Berberis)* — suite		
 *Escallonia exoniensis*	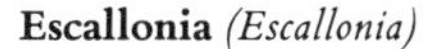 **Escallonia** *(Escallonia)* Branches gracieusement arquées portant des bouquets de fleurs en position terminale, et parfois aussi à l'aisselle des feuilles. Floraison estivale se prolongeant de façon intermittente jusqu'à l'automne. Fleurit presque toute l'année dans les régions à climat doux.	Arbuste recommandé au voisinage de la mer pour former des haies qui protègent des embruns les plantes plus fragiles. Prospère en plein soleil et en sol fertile et bien drainé. Eviter les sols très alcalins. Fertiliser au début du printemps.	Par boutures de tiges fermes à la fin de l'été.
 *Exochorda macrantha* 'The Bride'	**Exochorda** *(Exochorda)* Feuilles de forme presque ovale ayant 2,5 à 7,5 cm de long, à marge lisse. Fleurs blanches très voyantes de 5 cm de large, très abondantes et groupées en racèmes.	Prospère en plein soleil dans n'importe quelle bonne terre de jardin. Lorsque les fleurs sont fanées, enlever tout le vieux bois et les tiges malingres pour éclaircir la ramure et garder à l'arbuste toute sa vigueur.	Semer les graines dès qu'elles sont mûres ou les garder jusqu'à un an dans un endroit sec et frais. Prélever des boutures herbacées et feuillées au printemps. La division des racines réussit bien. On peut aussi marcotter au sol les branches du bas.
	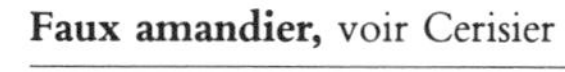 **Faux amandier,** voir Cerisier		
 *Amorpha canescens*	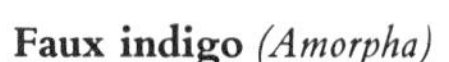 **Faux indigo** *(Amorpha)* Plante facile à cultiver, mais parfois envahissante. Feuilles composées. Petites fleurs en forme de pois, réunies en bouquets terminaux souvent ramifiés. Aux fleurs succèdent des gousses légèrement visqueuses.	Planter en isolé ou en bordure, là où le sol est pauvre et sec. Prospère en plein soleil. S'étale outre mesure si on ne le taille pas.	Semer les graines dès qu'elles sont mûres. Prélever des boutures semi-aoûtées et feuillées en été ou des boutures aoûtées et sans feuilles en automne. Se multiplie aussi par marcottage au sol et au moyen de rejets.
 *Forsythia* 'Beatrix Farrand'	**Forsythie** *(Forsythia)* Inflorescences réunissant chacune jusqu'à 6 fleurs jaunes et transformant l'arbuste en bouquet du début au milieu du printemps, à une époque où peu de plantes sont en fleurs. Branches arquées ou retombantes, parfois même jusqu'au sol où elles prennent racine chez certaines espèces.	Arbuste vigoureux et de croissance rapide, remarquable dans les plantations de groupe devant des conifères. Cultivé en haie, il peut être taillé ou laissé à lui-même. Supporte la pollution atmosphérique ; convient bien au milieu urbain. Prospère en plein soleil ou à la mi-ombre, dans une bonne terre de jardin. Entourer d'un paillis et arroser généreusement en période de chaleur et de sécheresse. Rabattre sévèrement les vieilles branches après la floraison pour favoriser la croissance de nouvelles pousses vigoureuses.	Stratifier les graines pendant deux mois à 4°C. Diviser les vieux plants en touffes pourvues de racines. Certaines variétés se multiplient bien par marcottage au sol. Prélever des boutures semi-aoûtées en été ou des boutures aoûtées et dépourvues de feuilles en automne.

Espèces et variétés	Rusticité *(carte, pp. 8-9)*	Caractéristiques ornementales et remarques	Hauteur et étalement à maturité
Berberis sargentiana	Zone 7	Feuilles elliptiques et dentées de 5 à 10 cm de long, d'un vert intense. Epines souvent de 2,5 cm de long. Petits fruits noir bleuté.	H 1,50 m ; E 1,50 m
B. stenophylla	Zone 6	Hybride à feuilles lancéolées vert foncé dont la longueur dépasse souvent 2,5 cm, blanches au revers. Fruits noirs. Compose une élégante haie taillée.	H 2,45 m ; E 3,65 m
B. verruculosa	Zone 6	Feuilles ovales et coriaces, vert brillant sur le dessus, blanchâtres en dessous, virant au bronze à l'automne. Très grandes fleurs. Fruits d'un noir pourpré.	H 1,20 m ; E 1,20 m
A feuillage persistant *Escallonia exoniensis*	Zone 8	Feuilles de 1 à 4 cm de long, d'un vert lustré sur le dessus, plus clair au revers. Fleurs terminales blanches ou rosées de 1 cm de long. Arbuste hybride.	H 3 m ; E 1,80-2,45 m
E. rubra	Zone 8	Branches à écorce brun rougeâtre. Feuilles lancéolées ne dépassant pas 5 cm de longueur ; limbe visqueux. Fleurs rouges.	H 3,65 m ; E 1,50-2,10 m
A feuillage caduc *Exochorda macrantha* 'The Bride'	Zone 5	A la mi-printemps, de minuscules boutons nacrés se transforment en fleurs ravissantes qui persistent jusqu'à la fin du printemps. Arbuste buissonnant et compact. Variété remarquable recommandée pour les petits jardins.	H 1,20 m ; E 1,20 m
E. racemosa	Zone 5	Espèce qui fleurit moins abondamment que la variété *E. macrantha* 'The Bride', mais ses fleurs, plus grandes, atteignent presque 5 cm de diamètre. Elles s'ouvrent du milieu à la fin du printemps.	H 3-3,65 m ; E 1,80-3 m
A feuillage caduc *Amorpha canescens*	Zone 2	Feuilles grises très duveteuses, composées de 15 à 40 folioles de 2 cm de long qui gardent leur beauté durant toute la période végétative. A la mi-été apparaissent des épis floraux bleus de 10 à 15 cm.	H 1,20 m ; E 0,90-1,20 m
A feuillage caduc *Forsythia* 'Beatrix Farrand'	Zone 6	Superbes fleurs jaune vif de plus de 5 cm de large. Arbuste érigé, bien que les branches extérieures puissent parfois retomber gracieusement.	H 2,75 m ; E 2,45 m
F. intermedia 'Spring Glory'	Zone 6	Fleurs de 5 cm, d'un jaune plus clair que celles de *F.* 'Beatrix Farrand'.	H 2,75 m ; E 2,45 m
F. i. 'Lynwood' (ou 'Lynwood Gold')	Zone 6	Fleurs s'épanouissant le long des tiges plutôt que groupées en bouquets.	H 2,75 m ; E 2,45 m
F. ovata 'Ottawa'	Zone 4	Création de la Ferme expérimentale centrale d'Ottawa. Arbuste à boutons floraux rustiques qui fleurit à partir du niveau atteint par la neige jusqu'aux extrémités des branches.	H 1,80 m ; E 1,20-1,80 m
F. suspensa fortunei	Zone 6	Fleurs d'un jaune éclatant dépassant 2,5 cm de largeur, qui s'épanouissent sur des branches dressées, gracieusement arquées aux extrémités.	H 3,65 m ; E 2,75 m
F. viridissima bronxensis	Zone 6	Bien que peu développée en hauteur, cette variété produit une énorme quantité de fleurs jaune clair à la mi-printemps, même sur de jeunes sujets.	H 0,60 m ; E 0,60 m

	Nom vulgaire et nom botanique, description générale	Utilisation et culture	Multiplication *(voir aussi p. 79)*
Fothergilla major	**Fothergilla** *(Fothergilla)* Arbuste à silhouette bien dessinée, apprécié pour ses fleurs blanches en forme d'écouvillon, s'épanouissant du milieu à la fin du printemps, souvent même avant la feuillaison. Feuilles alternes, rudes et dentées, prenant diverses teintes en automne. Les fruits sont des capsules sèches.	Préfère un endroit partiellement ombragé et frais, un sol légèrement acide, tourbeux et humide.	Stratifier les graines cinq mois à la température ambiante, puis trois mois à 4°C avant de les semer. Prélever des boutures semi-aoûtées en été ou transplanter les rejets. Se prête bien au marcottage au sol.
 *Fuchsia magellanica*	**Fuchsia** *(Fuchsia)* Fleurs superbes s'épanouissant du début à la fin de l'été dans une gamme de coloris où se retrouvent, seuls ou combinés, le pourpre, le rouge, le blanc et le bleu. Parfois retombantes, les fleurs poussent seules ou en petits bouquets à l'aisselle des feuilles.	Plante remarquable aussi bien isolée qu'en massif ou taillée en petit arbre ; également belle en jardinière ou en corbeille suspendue. Facile à cultiver dans n'importe quel bon sol bien drainé. Préfère la mi-ombre. Dans les régions à climat froid, ne pas émonder avant le printemps.	Semer les graines dès qu'elles sont mûres ou les garder jusqu'à un an dans un endroit frais et sec. Prélever des boutures herbacées au printemps ou des boutures semi-aoûtées en été. Diviser les racines au printemps ou en automne.
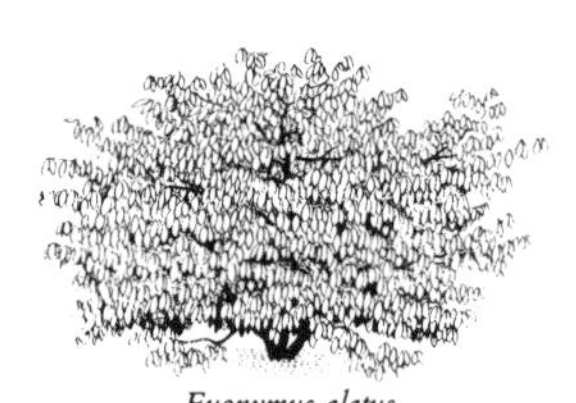 *Euonymus alatus*	**Fusain** *(Euonymus)* Petites fleurs dépourvues d'intérêt naissant à la fin du printemps ou au début de l'été. Arbuste réputé pour ses fruits et pour ses teintes somptueuses en automne. Les fruits viennent au milieu de l'été et durent jusqu'aux froids dans les régions à climat rigoureux.	Arbuste utile à plusieurs fins au jardin à cause de la grande diversité des espèces et variétés que regroupe ce genre. Prospère en plein soleil ou à la mi-ombre dans une bonne terre. Arroser généreusement les plants nouvellement transplantés durant les périodes de sécheresse. Les jeunes tiges de presque toutes les espèces sont exposées aux attaques de la cochenille et du puceron. Utiliser un insecticide agissant par contact. Lorsque le mildiou (blanc) laisse des taches blanchâtres sur les feuilles, faire des vaporisations de dinocap ou des applications de poudre ou d'un produit à base de soufre.	Soumettre les graines à la stratification pendant quatre mois à 4°C avant les semis. La germination est souvent difficile. Multiplier les espèces à feuillage persistant par boutures semi-aoûtées en été ou par boutures aoûtées en automne, les espèces à feuillage caduc par boutures herbacées au printemps.
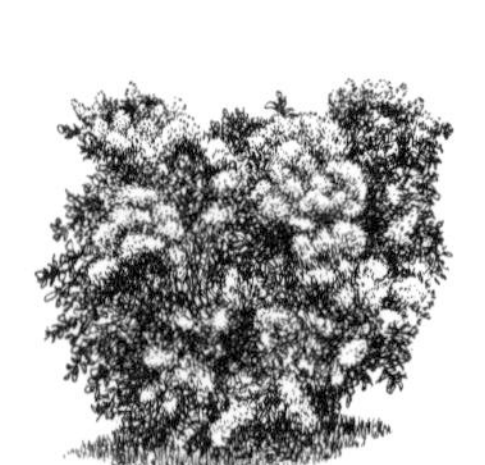 *Cotinus coggygria*	**Fustet** *(Cotinus)* Grand arbuste parfois cultivé comme un petit arbre et renommé pour ses grandes grappes de fruits minuscules aux pédoncules soyeux qui prennent un aspect vaporeux.	Prospère en plein soleil, dans la plupart des sols. L'espèce prend de belles teintes allant du jaune à l'orange vif en automne.	Semer les graines à l'extérieur en automne ou marcotter les branches en septembre.

Espèces et variétés	Rusticité (carte, pp. 8-9)	Caractéristiques ornementales et remarques	Hauteur et étalement à maturité
A feuillage caduc *Fothergilla gardenii*	Zone 6	Feuilles cunéiformes atteignant 5 cm de longueur, d'un blanc bleuté et couvertes de poils au revers. A l'extrémité des branches apparaissent de petites fleurs blanches groupées en épis de 2,5 cm de longueur.	H 0,90 m ; E 0,75 m
F. major	Zone 6	Feuilles ovales ou arrondies de 5 à 13 cm de long, légèrement pubescentes au revers. Fleurs parfumées. Port érigé.	H 2,75 m ; E 1,80 m
F. monticola	Zone 6	Feuilles ovales atteignant 10 cm de longueur. Fleurs parfumées réunies en épis de près de 8 cm de long. Plus étalé que *F. major.* Arbuste de belle qualité que l'on peut assortir à des conifères dans un grand parc.	H 1,80 m ; E 1,80 m
A feuillage persistant *Fuchsia magellanica*	Zone 8	Feuilles lancéolées, vert clair et dentées atteignant 5 cm de longueur. Fleurs rouges panachées de bleu ou de pourpre. Peut atteindre jusqu'à 6 m lorsque palissée contre un mur ou un treillage. Feuillage parfois caduc.	H 0,90 m ; E 0,90 m
F. m. riccartonii	Zone 8	Abondante production d'inflorescences cramoisies. Même si les organes aériens meurent en hiver, la croissance reprend au printemps.	H 3 m ; E 1,20 m
A feuillage caduc *Euonymus alatus* (ailé)	Zone 3	Jeunes branches à curieuses petites excroissances liégeuses. Les feuilles mesurent jusqu'à 7,5 cm de long et deviennent en automne d'un rouge vibrant qui embellit tout le jardin. Ecorce attrayante en hiver.	H 2,45 m ; E 1,80-2,45 m
E. a. 'Compacta' (ailé nain)	Zone 3	Intéressante variété naine. Particulièrement recommandée pour la culture en haie.	H 1,20 m ; E 0,90-1,50 m
E. nanus (nain)	Zone 2	Renommé pour ses somptueux coloris d'automne, mais ses feuilles vert foncé sont aussi très belles en été.	H 0,90 m ; E 0,90 m
A feuillage persistant *E. fortunei* (à feuilles persistantes)	Zone 5	Remarquable, à l'âge adulte, par ses feuilles vernissées prenant diverses formes. Fruits rose pâle. Buisson étalé et sarmenteux constituant une excellente plante de rocaille. S'accroche et grimpe aux murs à surface rugueuse.	H 0,15-0,30 m; E 0,60-1,80 m
E. f. coloratus (à feuilles pourpres)	Zone 6	Feuilles de 2,5 cm nuancées de pourpre à l'automne et durant tout l'hiver.	H 0,15-0,30 m; E 0,90-1,80 m
E. f. radicans	Zone 6	Même port que *E. fortunei ;* les feuilles sont cependant plus petites et un peu moins brillantes.	H 0,15-0,30 m; E 0,60-1,80 m
E. f. 'Sarcoxie'	Zone 5	Feuilles vernissées et semi-persistantes de 2,5 cm de long. Port érigé.	H 1,20 m ; E 0,60-0,90 m
E. f. vegetus (à grandes feuilles)	Zone 5	Semblable à *E. fortunei ;* port moins rampant.	H 0,60-1,20 m; E 0,90-1,50 m
A feuillage caduc *Cotinus coggygria*	Zone 5	Renommé pour les poils roses qui garnissent les pédoncules des fruits.	H 3,65 m ; E 4,50-6 m
C. c. 'Royal Purple'	Zone 5	Variété moins développée à feuillage pourpre qui garde ses coloris tard dans la saison.	H 2,45 m ; E 2,45-3 m

	Nom vulgaire et nom botanique, description générale	Utilisation et culture	Multiplication *(voir aussi p. 79)*
	Gadelier, voir Groseillier		
Garrya elliptica	**Garrya** *(Garrya)* Cultivé principalement pour ses chatons gris argent qui se forment à la mi-hiver sur les sujets mâles, ceux des sujets femelles étant moins ornementaux.	Cultiver cet arbuste en plein soleil ou à la mi-ombre. Préfère une terre grasse mais tolère des sols sablonneux ou rocailleux. Vient beaucoup mieux lorsqu'il est planté contre un mur sur lequel on peut le palisser. Si ce mur est orienté au sud ou à l'ouest, l'arbuste, ainsi protégé en hiver, peut excéder les limites de sa zone de rusticité. Planter côte à côte des sujets mâles et femelles pour obtenir des fruits soyeux, vert-pourpre. Mais cultivés isolément, sujets mâles et femelles donnent de jolies fleurs.	Prélever des boutures semi-aoûtées en été. Marcotter au sol les branches inférieures.
Vitex agnus-castus	**Gattilier** *(Vitex)* Feuilles opposées à long pétiole, composées de 3 à 7 folioles pubescentes au revers. Minuscules fleurs parfumées réunies en épis terminaux et suivies de très petits fruits.	Cultiver cet arbuste en plein soleil, dans un sol bien drainé.	Stratifier les graines pendant trois mois à 4°C avant de les semer. Marcotter les branches au sol. Prélever des boutures semi-aoûtées en été ou des boutures aoûtées et sans feuilles en automne.
Gaultheria shallon	**Gaulthérie** *(Gaultheria)* Arbuste prostré, à feuilles dentées et à fruits en forme de baies. Fleurs campanulées blanches. Les rameaux sont utilisés par les fleuristes dans la composition de leurs bouquets.	Les deux espèces décrites ici conviennent aussi bien aux jardins de rocaille qu'aux terrains boisés. Cet arbuste est difficile à transplanter. Pousse en plein soleil ou à la mi-ombre. Demande un sol acide. Cultivé dans un sol pauvre, l'arbuste ne dépasse pas 0,45 m, mais il peut atteindre 1,50 m et même davantage dans une terre fertile et un endroit ombragé.	Semer les graines mûres dans un mélange de tourbe et de sable. Prélever des boutures semi-aoûtées en été. Se prête au marcottage au sol et à la division des racines.
Genista pilosa	**Genêt** *(Genista)* Feuilles minuscules et peu abondantes. Chez cette plante, la photosynthèse s'effectue au moyen de la chlorophylle que renferment les tiges. Fleurs en forme de pois, généralement jaunes, mais parfois blanches, réunies en grappes. Après la floraison apparaissent des gousses plates.	Vient bien dans un sol pauvre et sablonneux. Préfère un endroit chaud, sec et ensoleillé. Difficile à transplanter quand il est gros. Mélanger beaucoup de tourbe au sol. Lorsque les fleurs sont fanées, rabattre les branches florifères pour empêcher la production de graines.	Semer les graines dès qu'elles sont mûres après les avoir fait tremper dans de l'eau chaude pendant 12 heures, ou les conserver jusqu'à un an dans un endroit sec et frais. Prélever des boutures semi-aoûtées et feuillées en été ou des boutures aoûtées et sans feuilles en automne. Se prête aussi au marcottage au sol.
	Genêt à balais, voir Cytise		

Espèces et variétés	Rusticité *(carte, pp. 8-9)*	Caractéristiques ornementales et remarques	Hauteur et étalement à maturité
A feuillage persistant *Garrya elliptica*	Zone 8	Joli arbuste à feuilles coriaces, oblongues ou elliptiques, duveteuses au revers. Il produit des chatons très décoratifs. Les chatons mâles atteignent 25 cm de longueur, et les chatons femelles 10 cm. Ils apparaissent du début à la fin de l'hiver. L'arbuste atteint parfois les dimensions d'un petit arbre. Rustique seulement dans les régions les plus chaudes de la Colombie-Britannique.	H 2,45-6 m ; E 1,80 m
G. fremontii	Zone 8	Feuilles luisantes et vert foncé atteignant 7,5 cm de longueur. Les chatons apparaissent à la mi-printemps ; les mâles mesurent 20 cm, les femelles 5 cm.	H 1,80-4,50 m ; E 1,80-2,10 m
A feuillage caduc *Vitex agnus-castus* (Arbre-au-poivre)	Zone 8	Arbuste très attrayant. Feuilles vertes et lancéolées, grisâtres au revers, dégageant une odeur agréable quand on les froisse. Petites fleurs parfumées allant du pourpre au bleu, réunies en épis de 18 cm et s'épanouissant de la mi-été au début de l'automne. Ne peut être cultivé avec succès qu'en Colombie-Britannique.	H 3 m ; E 1,80-2,45 m
V. negundo (en arbre)	Zone 5	Folioles habituellement dentées. Fleurs bleu lavande foncé qui attirent les abeilles.	H 4,50 m ; E 2,45-3,65 m
A feuillage persistant *Gaultheria procumbens* (couchée ou thé des bois)	Zone 4	Arbuste indigène utilisé comme plante tapissante dans les endroits ombragés. Donne le thé des bois.	H 0,30-0,60 m ; E 0,90-1,50 m
G. shallon	Zone 7	Feuilles coriaces, ovales ou arrondies, atteignant 13 cm de longueur. Petites fleurs cireuses à corolles blanches ou roses, groupées en grappes terminales de 7,5 à 13 cm, au début de l'été. Fruits noir-pourpre, comestibles.	H 0,45-1,50 m ; E 0,60-0,90 m
A feuillage caduc *Genista germanica* (d'Allemagne)	Zone 6	Arbuste attrayant. Feuilles oblongues ou elliptiques ; ramilles couvertes de poils. Petites fleurs jaunes ressemblant à celles du pois et apparaissant en abondance à la mi-été. Gousses courtes à poils soyeux.	H 0,45-0,60 m ; E 0,30-0,60 m
G. hispanica (d'Espagne)	Zone 7	Cette espèce se couvre de fleurs jaune d'or, de la fin du printemps au début de l'été. Gousses pubescentes. En hiver, la plante ressemble à un conifère avec ses grandes épines vertes et ses ramilles de même teinte.	H 0,30-0,60 m ; E 1,80 m
G. pilosa (velu)	Zone 5	A la fin du printemps, des myriades de fleurs jaune vif naissent à l'aisselle des feuilles. Gousses de plus de 2,5 cm de long. Port prostré. Idéal comme arbuste bas pour recouvrir les sols maigres et secs.	H 0,30 m ; E 2,10 m
G. tinctoria (des teinturiers)	Zone 3	Prospère en milieu ensoleillé et sablonneux ainsi que dans les rocailles. Fleurs d'un jaune éclatant apparaissant au début de juin sur des branches retombantes. C'est le plus rustique de tous les genêts.	H 0,90-1,20 m ; E 1,20-1,50 m

Nom vulgaire et nom botanique, description générale	Utilisation et culture	Multiplication *(voir aussi p. 79)*
Genêt d'Espagne *(Spartium)* Arbuste robuste mais peu dense, se couvrant de belles fleurs jaune d'or du début à la fin de l'été. Tiges vertes presque dépourvues de feuilles.	Prospère en terrain sec, dans un sol sablonneux ou argileux. Recommandé au voisinage de la mer. Préfère le plein soleil. Ne demande pas d'autres soins qu'un paillage au début du printemps. Une légère taille favorise une ramure plus dense. Difficile à transplanter : l'acheter en pot plutôt qu'à racines nues.	Semer les graines dès qu'elles sont mûres.
Genévrier *(Juniperus)* Feuillage ornemental dont la forme varie avec l'âge : en aiguillons sur les jeunes branches vigoureuses, en écailles sur les sujets adultes. Les sujets femelles portent des fruits bleus en forme de baie qui demandent jusqu'à trois ans pour mûrir. Groupe de plantes fort estimées comportant des sujets de port et de taille très variés.	Plante très utile aux abords d'une maison. Se taille sans problème et forme de belles haies à la française. Prospère en plein soleil, dans un endroit chaud et sec. Préfère un sol enrichi de compost ou d'humus. Supporte un terrain légèrement acide ou légèrement alcalin et résiste à la pollution atmosphérique des villes.	Stratifier les graines mûres pendant trois à cinq mois à la température ambiante, puis trois autres mois à 4°C avant de les semer. Marcotter au sol ou prélever des boutures fermes à la fin de l'été.
Groseillier ou gadelier *(Ribes)* Autrefois recherché pour ses baies comestibles, cet arbuste est maintenant cultivé à des fins ornementales. Ses fleurs jaunes ou jaune-vert, parfois rouges chez certaines variétés, s'ouvrent tôt au printemps et sont suivies de baies à la mi-été.	Arbuste recommandé près de la mer. Peut être taillé pour former des haies. Prospère en plein soleil ou à la mi-ombre dans un sol ordinaire ou alcalin. Arroser en période de sécheresse. Si la croissance est lente, fertiliser au printemps et en été. Héberge le champignon de la rouille vésiculeuse du pin blanc : ne pas planter ces végétaux à moins de 300 m l'un de l'autre. Contre les pucerons	Par semis, marcottage au sol ou boutures aoûtées sans feuilles prélevées en automne.

Spartium junceum

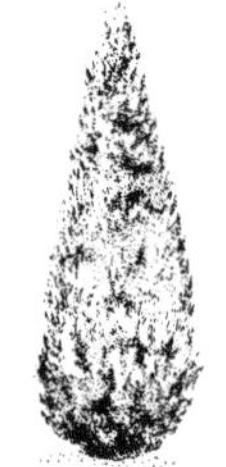
Juniperus chinensis columnaris

Espèces et variétés	Rusticité *(carte, pp. 8-9)*	Caractéristiques ornementales et remarques	Hauteur et étalement à maturité
A feuillage caduc *Spartium junceum*	Zone 8	Branches vertes et élancées ; feuilles petites et étroites, vert bleuté, peu nombreuses et parfois même totalement absentes. Fleurs parfumées en forme de pois ; elles sont réunies en grappes, souvent de plus de 30 cm de long, à l'extrémité des rameaux.	H 2,45 m ; E 2 m
A feuillage persistant *Juniperus chinensis* 'Ames' (de Chine)	Zone 5	Feuillage bleu acier. Port pyramidal. De croissance lente.	H 2,10 m ; E 0,90 m
J. c. blaauwii	Zone 5	Feuillage bleu très léger. Ramure irrégulière et touffue ; silhouette évasée.	H 1,20 m ; E 0,90 m
J. c. columnaris	Zone 5	Port étroit et colonnaire ; feuillage touffu vert-gris.	H 3,65-4,50 m ; E 0,60 m
J. c. pfitzeriana (Pfitzer)	Zone 5	Feuillage vert-gris sur des ramilles inclinées. Port étalé.	H 1,50 m ; E 3 m
J. c. 'Pfitzeriana Aurea' (Pfitzer doré)	Zone 2	L'un des genévriers à feuillage panaché les plus recherchés. Jeunes feuilles d'un jaune brillant, devenant plus foncées en vieillissant.	H 1,20 m ; E 3 m
J. horizontalis (horizontal ou savinier)	Zone 2	Feuillage bleu-gris ou vert-bleu sur des branches étalées. Fruits bleus. Certaines variétés se colorent de pourpre à l'automne. Grande variété de formes et de tailles. Quelques très belles plantes tapissantes.	H 0,30-0,60 m ; E 1,20-3 m
J. h. 'Douglasii' (de Waukegan)	Zone 2	Plante tapissante à feuilles bleutées virant au pourpre en hiver.	H 0,60 m ; E 1,50 m
J. h. 'Glauca' (glauque)	Zone 2	Feuillage vert bleuté. S'étale bien.	H 0,60-0,90 m ; E 1,50-1,80 m
J. h. 'Plumosa'	Zone 2	Genévrier à cime plate, garni d'aiguillons grisâtres qui deviennent bleu prune en hiver.	H 0,60 m ; E 1,50-1,80 m
J. sabina (Sabine)	Zone 2	Feuillage vert foncé sur des branches étalées ou dressées. Chez les variétés à port prostré, les aiguilles vont du vert clair au vert-gris. Fruits bruns recouverts d'une fragile pruine bleue.	H 2,45 m ; E 0,90-1,20 m
J. squamata 'Meyeri'	Zone 5	Branches étalées se relevant gracieusement aux extrémités. Aiguilles vert-bleu prenant des reflets blancs sur le dessus. Fruits ovales noir-pourpre. Comporte une variété à aiguillons bleus qui sied très bien dans une rocaille.	H 0,90 m ; E 0,60-0,90 m
J. virginiana 'Skyrocket' (de Virginie ou cèdre rouge)	Zone 3	Plante très décorative. Port étroit d'une grande élégance.	H 4,50 m ; E 1,20 m
A feuillage caduc *Ribes alpinum* (alpin)	Zone 2	A cultiver en haie ou en isolé dans un endroit ombragé. Multiplier par bouturage les sujets mâles seulement, les sujets femelles étant exposés à la rouille vésiculeuse du pin blanc.	H 1,20-2 m ; E 0,90-1,50 m
R. aureum (doré)	Zone 2	Fleurs jaunes en bouquets étalés ou retombants. Fruits allant du pourpre au noir.	H 2,45 m ; E 1,20-1,80 m
R. odoratum	Zone 2	Feuilles lobées et dentées devenant écarlates en automne. Fleurs jaunes aromatiques réunies en bouquets retombants. Fruits noirs. Exposé à la rouille de la tige du blé.	H 1,80 m ; E 0,90-1,50 m

	Nom vulgaire et nom botanique, description générale	Utilisation et culture	Multiplication *(voir aussi p. 79)*
 *Ribes sanguineum*	**Groseillier ou gadelier** *(Ribes)* — suite	qui affaiblissent et déforment les pousses, utiliser un insecticide systémique. Traiter le feuillage attaqué par le champignon de la tache foliaire avec des applications de captane, de manèbe ou de zinèbe dès les premiers symptômes.	
	Guimauve en arbre, voir Ketmie		
 *Hamamelis mollis*	**Hamamelis** *(Hamamelis)* Feuilles alternes à court pétiole, virant au jaune et parfois au rouge en automne. Fleurs à longs pétales évoquant des araignées, jaunes ou rouge cuivré, mais parfois jaunes à cœur rougeâtre. La plupart fleurissent de la fin de l'hiver au début du printemps. Fruits en capsules qui explosent quand ils sont mûrs, projetant 2 graines noires et luisantes.	Les sujets à fleurs rouges sont plus frappants que ceux à fleurs jaunes et se font voir de plus loin. Ils se placent bien dans de grands jardins. Arbuste qui prospère en plein soleil ou à la mi-ombre dans n'importe quelle terre. Demande de l'humidité. Tolère la pollution atmosphérique.	Stratifier les graines pendant cinq mois à la température de la pièce et pendant trois autres mois à 4°C avant de les semer. La germination peut demander deux ans. Se multiplie par marcottage au sol ou par boutures semi-aoûtées en été.
	Hart rouge, voir Cornouiller		
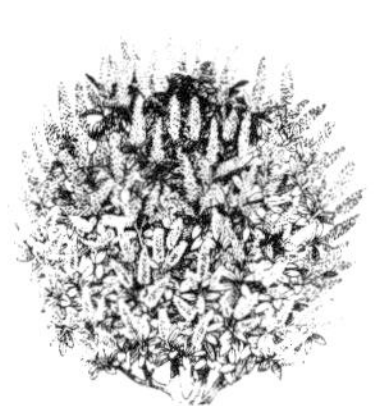 *Hebe traversii*	**Hebe** *(Hebe* ou *Veronica)* Feuilles opposées et coriaces. Fleurs blanches ou rosées, réunies en bouquets terminaux ou parfois à l'aisselle des feuilles.	Certaines variétés peuvent être taillées pour former une haie non formelle. Arbuste à cultiver en plein soleil ou à la mi-ombre dans un sol sablonneux et bien drainé.	Semer les graines quand elles sont mûres. Prélever des boutures fermes à la fin de l'été.
	Hibiscus, voir Ketmie		
 *Holodiscus discolor*	**Holodiscus** *(Holodiscus)* Feuilles alternes, profondément dentées, de 5 à 10 cm de long, vert-gris. Petites fleurs cupuliformes à étamines saillantes, réunies en grandes panicules.	Forme un bel écran de verdure derrière des plates-bandes d'annuelles. Prospère dans un sol riche et à la mi-ombre, mais croît aussi en plein soleil et dans un sol sec.	Par semis ou par marcottage au sol.
	Hortensia de Virginie, voir Hydrangée		
	Houx *(Ilex)* Bel arbuste à planter dans les jardins où la terre est fertile et bien drainée. Feuilles alternes souvent décoratives. Fleurs verdâtres ou blanches poussant à l'aisselle des feuilles et ne présentant, en règle générale, aucune valeur ornementale. Fruits en forme de baie souvent spectaculaires, mais ne poussant que sur des sujets femelles ; il faut donc planter des sujets des deux sexes à proximité l'un de l'autre.	Le houx n'est malheureusement pas rustique dans la plupart des régions du Canada. Certaines espèces peuvent croître en Colombie-Britannique et au sud de l'Ontario. Arbuste tout indiqué pour former des haies. A cultiver au soleil ou à la mi-ombre. Mettre beaucoup de tourbe ou de compost dans le trou de plantation et rabattre sévèrement après la transplantation pour en atténuer le choc. Plante qui croît lentement et s'établit difficilement. Bien arroser la première	Avant les semis, stratifier les graines à la température ambiante de trois à cinq mois, puis trois autres mois à 4°C. La germination demande parfois deux à cinq ans. Prélever des boutures semi-aoûtées en été ou pratiquer le marcottage au sol.

Espèces et variétés	Rusticité (carte, pp. 8-9)	Caractéristiques ornementales et remarques	Hauteur et étalement à maturité
Ribes sanguineum (à fleurs rouges)	Zone 7	Feuilles lobées et irrégulièrement dentées. Fleurs roses ou rouges réunies en bouquets retombants. Fruits noir-bleu. Accompagne bien le forsythie.	H 3 m ; E 2 m
A feuillage caduc			
Hamamelis intermedia	Zone 6	Fleurs d'une belle teinte cuivrée. Plusieurs variétés à fleurs remarquables descendent de cet hybride.	H 9 m ; E 4,50-5,50 m
H. mollis (de Chine)	Zone 6	Feuilles légèrement dentées de 8 à 18 cm de long, couvertes de poils grisâtres au revers. Fleurs aromatiques jaune d'or à cœur rouge, dépassant 2,5 cm de diamètre.	H 7,50 m ; E 4,50-5,50 m
H. virginiana (de Virginie ou café du diable)	Zone 4	Gros arbuste à feuilles très dentées de 10 à 15 cm de long. Fleurs d'un jaune brillant apparaissant très tard à la fin de l'automne, après la chute des feuilles. Les sujets adultes ont une belle silhouette.	H 4,50 m ; E 2,45-3 m
A feuillage persistant			
Hebe buxifolia	Zone 8	Feuilles brillantes et vert foncé de moins de 2,5 cm de long qui se chevauchent et forment un feuillage touffu. Epis floraux blancs de 2,5 cm à la mi-été.	H 1,50 m ; E 0,60-1,20 m
H. cupressoides	Zone 8	Feuilles en écailles et petites fleurs bleu clair ou pourpres au début de l'été.	H 1,80 m ; E 1,20 m
H. traversii	Zone 8	Ramure très fournie. Feuilles de 2,5 cm de long. Fleurs blanches à la mi-été.	H 1,80 m ; E 0,90-1,50 m
A feuillage caduc			
Holodiscus discolor	Zone 5	Branches gracieusement arquées ou même retombantes. Feuilles ovales, duveteuses et blanchâtres au revers. Fleurs blanches ou crème s'ouvrant à la mi-été en bouquets de 25 cm. En se fanant, elles prennent une teinte fauve qu'elles gardent plusieurs semaines. Pour favoriser la floraison de l'année suivante, cependant, tailler les arbustes dès que les fleurs se fanent.	H 3-5,50 m; E 2,45-3,65 m
A feuillage persistant			
Ilex cornuta (de Chine)	Zone 7	Feuilles oblongues et vernissées garnies de 3 dents au sommet et souvent de 2 autres sur les côtés. Plante bisexuée donnant des grappes de fruits rouges sans qu'on ait besoin de cultiver côte à côte des sujets mâles et des sujets femelles.	H 2,75 m ; E 1,50-2,45 m
I. c. burfordii	Zone 7	Feuilles cunéiformes d'un vert brillant n'ayant qu'une dent au sommet. Donne des fruits en abondance.	H 2,75 m ; E 1,50-2,45 m
I. c. 'Dazzler'	Zone 7	Grosses grappes de fruits rouge vif faisant contraste avec le feuillage très brillant.	H 2,75 m ; E 1,50-2,45 m
I. c. rotunda (nain)	Zone 7	Variété naine capable de supporter la sécheresse et une très grande chaleur.	H 0,60-0,90 m; E 0,60-0,90 m

	Nom vulgaire et nom botanique, description générale	Utilisation et culture	Multiplication (voir aussi p. 79)
Ilex crenata	**Houx** *(Ilex)* — suite	année. En hiver, prélever des rameaux avec discernement sur les sujets de bonne taille pour décorer la maison. Les branches inférieures des vieux arbustes ont tendance à pendre jusqu'au sol et à s'y enraciner. Pour éviter ce phénomène qui nuit à la beauté de l'arbuste, couper les branches les plus basses.	
Hydrangea arborescens grandiflora	**Hydrangée** *(Hydrangea)* Grandes feuilles généralement dentées et opposées. Fleurs petites ou moyennes, à 5 pétales, groupées en corymbes ou en panicules de grande taille, arrondis ou oblongs. Fleurs stériles et fertiles s'épanouissant souvent ensemble : les premières sont dépourvues d'étamines ou de pistil mais sont très voyantes et les secondes sont beaucoup moins frappantes.	A cultiver dans un sol normal ou riche, en plein soleil si c'est au voisinage de la mer, à la mi-ombre ailleurs. Protéger des vents violents. Attention au blanc sur le feuillage de *H. macrophylla ;* recourir au traitement recommandé à la p. 451. Les variétés à fleurs bleues de *H. macrophylla* peuvent virer au rose en sol alcalin. On corrige la situation en faisant des arrosages au sulfate d'aluminium à raison de 20 g par litre d'eau pour rendre le sol plus acide.	Semer les graines quand elles sont mûres ou les garder jusqu'à un an dans un endroit frais et sec. Prélever des boutures fermes à la fin de l'été ou des boutures aoûtées et non feuillées en automne.
Taxus media hicksii	**If** *(Taxus)* Jolies feuilles vert foncé ayant environ 2,5 cm de long et en forme d'aiguille mais souples, portant au revers 2 lignes parallèles vert-gris ou jaune pâle. Baies rouges ou brunâtres, charnues et s'ouvrant à une extrémité. Graines et feuilles sont toxiques.	Plusieurs formes se prêtent à la culture en haie ou à l'art topiaire parce qu'elles supportent la taille. Cultiver l'if en plein soleil ou à la mi-ombre dans n'importe quelle bonne terre de jardin. Il faut grouper des sujets mâles et femelles si l'on veut que ces derniers produisent des baies en automne.	Stratifier immédiatement les graines mûres ou les garder jusqu'à un an dans un endroit sec et frais avant de procéder à la stratification. Cette opération s'effectue pendant cinq mois à 20°C et pendant trois autres mois à 4°C avant les semis. Prélever des boutures semi-aoûtées en été ou des boutures fermes à la fin de l'été.
Indigofera gerardiana	**Indigotier** *(Indigofera)* Feuilles alternes et composées. Fleurs en forme de pois naissant en grappes à l'aisselle des feuilles. Minuscules gousses sèches en automne.	Prospère dans n'importe quel sol bien drainé, mais demande à être exposé en plein soleil.	Immerger les graines mûres dans de l'eau très chaude et les laisser tremper pendant huit heures avant de les semer. Diviser les racines au début du printemps. Prélever des boutures semi-aoûtées en été ou des boutures de racines à la fin de l'hiver ou au début du printemps.

Espèces et variétés	Rusticité *(carte, pp. 8-9)*	Caractéristiques ornementales et remarques	Hauteur et étalement à maturité
Ilex crenata (du Japon)	Zone 6	Espèce très répandue caractérisée par des feuilles oblongues et vert foncé de 2,5 à 5 cm, semblables à celles du buis. Fruits noirs sans grand intérêt. Présente une ramure touffue qui supporte bien la taille.	H 4,50 m ; E 1,20-2,45 m
I. c. convexa	Zone 6	Feuilles convexes sur le dessus, concaves en dessous. Arbuste remarquable lorsqu'il est taillé. Port étalé.	H 1,50 m ; E 3 m
I. c. 'Green Island'	Zone 6	Ramure plus étalée que celle de plusieurs variétés de *I. crenata.*	H 1,20 m ; E 1,80 m
I. c. helleri	Zone 6	Belles feuilles vert foncé d'environ 1,5 cm de long. Croissance lente. Compact.	H 1,20 m ; E 1,50 m
A feuillage caduc			
Hydrangea arborescens 'Annabella' (Hortensia de Virginie)	Zone 3	Arbuste plus compact et à silhouette plus nette que *H. a. grandiflora.*	H 0,90 m ; E 0,90-1,20 m
H. a. grandiflora	Zone 3	Fleurs blanches s'épanouissant au début de l'été en corymbes aplatis. Arbuste peu ramifié à ramure arrondie. Se multiplie facilement par division des racines.	H 1,20 m ; E 1,20 m
H. macrophylla (Hortensia)	Zone 6	Fleurs bleues, pourpres, roses ou blanches réunies en corymbes arrondis atteignant parfois 25 cm de largeur. La floraison commence à la mi-été. Nombreuses variétés offrant les mêmes coloris. Tolère la mi-ombre et le voisinage de la mer.	H 3,65 m ; E 1,80-3 m
H. paniculata grandiflora (paniculé à grandes fleurs)	Zone 3	Grandes panicules de fleurs blanches à la fin de l'été ; persistantes, elles virent peu à peu au rose et au pourpre. Variété vigoureuse et rustique.	H 7,50 m ; E 1,80-3 m
H. quercifolia (à feuilles de chêne)	Zone 6	Ramilles rougeâtres. Feuilles rouges en automne. En été, fleurs blanches réunies en panicules dressées, virant au pourpre en se fanant. Tolère un sol sec. Pousse bien au soleil ou à l'ombre.	H 1,80 m ; E 1,20-1,80 m
A feuillage persistant			
Taxus canadensis (du Canada)	Zone 3	Le feuillage peut brunir en hiver s'il est exposé au plein soleil. Baies écarlates. Cet if tolère l'ombre, mais doit être protégé des grands vents. Port semi-prostré faisant de cette espèce un bon couvre-sol à planter au pied de hauts conifères.	H 0,90 m ; E 0,90-1,80 m
T. cuspidata (du Japon)	Zone 4	Baies écarlates. Arbuste court particulièrement apprécié pour la composition de haies basses.	H 0,90-1,20 m ; E 4,50-6 m
T. media	Zone 5	Branches devenant d'un vert rougeâtre à maturité. Hybride à silhouette pyramidale.	H 1,50-4,50 m ; E 4,50-6 m
T. m. hatfieldii	Zone 5	Profil conique, feuillage dense. Ne produit pas de baies.	H 6 m ; E 1,80-3 m
T. m. hicksii	Zone 5	Arbuste à port colonnaire produisant beaucoup de baies.	H 3,65 m ; E 3 m
A feuillage caduc			
Indigofera gerardiana	Zone 5	Arbuste très ramifié. Feuilles composées de nombreuses folioles (parfois jusqu'à 21) d'environ 1,5 cm de long. Fleurs pourpres ou rougeâtres produites en abondance à la mi-été et réunies en grappes d'au plus 15 cm de diamètre.	H 1,20 m ; E 0,90-1,20 m
I. kirilowii	Zone 5	Folioles pouvant mesurer 4 cm de long. Fleurs rose tendre en épis de 13 cm s'épanouissant au début de l'été. Plante tapissante produisant rapidement des rejets.	H 0,90 m ; E 0,60-0,90 m
I. potaninii	Zone 5	Fleurs rose-lilas au début de l'été, très persistantes.	H 1,20 m ; E 0,60-1,20 m

	Nom vulgaire et nom botanique, description générale	Utilisation et culture	Multiplication *(voir aussi p. 79)*
 *Jasminum nudiflorum*	**Jasmin** *(Jasminum)* Arbuste sarmenteux garni de feuilles opposées, composées de 3 folioles de 2,5 à 7,5 cm de long. Fleurs jaunes, simples et solitaires ; certaines variétés ont des fleurs doubles.	Plante utile pour masquer un mur ou une souche disgracieuse. Se cultive en serre dans les régions froides. Prospère en plein soleil dans une terre amendée par des apports importants d'humus ou de tourbe.	Semer les graines dès qu'elles sont mûres ou les garder jusqu'à un an dans un endroit sec et frais. Marcotter au sol. Prélever des boutures semi-aoûtées en été ou des boutures fermes à la fin de l'été.
 *Kalmia latifolia*	**Kalmia** *(Kalmia)* Très belle plante, surtout au moment de la floraison qui se produit au début de l'été. Fleurs plates ou en coupe, formant des bouquets latéraux ou terminaux. Feuilles toxiques pour les animaux.	S'associe bien aux conifères et aux grands chênes. Préfère une situation partiellement ombragée et un sol acide, enrichi de tourbe, qui garde l'humidité mais s'égoutte bien.	Semer les graines mûres ou les garder jusqu'à un an dans un endroit sec et frais. La germination donne de meilleurs résultats lorsqu'on soumet les graines à la stratification — dans du sable humide si possible — à 4°C pendant trois mois avant les semis. Le marcottage au sol donne de très bons résultats. En revanche, les boutures ont du mal à s'enraciner.
 *Kerria japonica*	**Kerria** *(Kerria)* Fleurs jaunes, simples ou doubles, particulièrement attrayantes à la fin du printemps. Branches semi-retombantes d'un beau vert qui agrémentent le jardin en hiver. Feuilles d'un vert brillant, fortement veinées, qui virent au jaune à l'automne. Une forme présente des feuilles à marge blanche. Ce genre ne comporte qu'une seule espèce.	Plante qui se cultive bien en espalier contre un mur, une clôture ou une tonnelle. Utile également en massif ou en bordure. Prospère aussi bien à l'ombre qu'au soleil et tolère un sol pauvre. Protéger les racines à l'aide d'un paillis au printemps et arroser généreusement en période de sécheresse. Rabattre de temps à autre les vieilles branches pour garder à la plante toute sa vigueur. Dans les régions où le climat est froid, les organes aériens peuvent mourir jusqu'au sol en hiver, mais la croissance reprend généralement le printemps suivant.	Diviser les touffes de racines au printemps, avant le début de la période végétative. Prélever des boutures herbacées au printemps ou des boutures aoûtées et sans feuilles en automne.
 *Hibiscus syriacus* 'Admiral Dewey'	**Ketmie ou hibiscus** *(Hibiscus)* Fleurs remarquables, de plusieurs centimètres de diamètre, simples ou doubles, à pétales froncés ou laciniés, dans une vaste gamme de coloris et souvent de teintes contrastantes à la gorge. Plante qui fleurit à une époque où les arbustes sont en règle générale dépourvus de fleurs, soit de la mi-été au début de l'automne.	A cultiver en plein soleil dans un sol bien drainé. Dans les régions très froides, les jeunes plants doivent être protégés durant leurs premiers hivers. Emonder les sujets bien établis au tout début du printemps en rabattant le tiers du vieux bois.	Semer immédiatement les graines mûres ou les garder jusqu'à un an dans un endroit sec et frais. Marcotter au sol les branches inférieures. Prélever des boutures herbacées au printemps ou des boutures aoûtées à la fin de l'été. Les boutures aoûtées sans feuilles prélevées à l'automne donnent de bons résultats.

Espèces et variétés	Rusticité *(carte, pp. 8-9)*	Caractéristiques ornementales et remarques	Hauteur et étalement à maturité
A feuillage caduc *Jasminum nudiflorum* (d'hiver)	Zone 6	Feuilles vert foncé composées de 3 folioles ovales. Fleurs d'un jaune vif s'épanouissant au milieu du printemps et pouvant atteindre 2,5 cm de diamètre. Port érigé à branches retombantes. Tolère un peu d'ombre et un sol argileux lourd. Dans les régions septentrionales, protéger les arbustes en hiver. Eclaircir les branches de temps à autre pour garder à la plante sa véritable silhouette.	H 3 m ; E 3 m
A feuillage persistant *Kalmia latifolia* (Laurier de montagne)	Zone 5	Feuilles ovales assez brillantes, ne dépassant pas 10 cm de longueur. Fleurs spectaculaires, dont les coloris vont du blanc au rose. On peut obtenir des sujets à boutons rouge foncé.	H 4,50 m ; E 2,45 m
K. polifolia (à feuilles d'Andromède)	Zone 1	Arbuste de petite taille au branchage épars. Pousse à l'état sauvage dans les marais du nord du Canada. Feuilles opposées ou par groupes de 3, de 4 cm de long, vert brillant sur le dessus, blanc poudreux en dessous. Fleurs rose-pourpre à la fin du printemps et au début de l'été. A cultiver dans les terrains marécageux seulement.	H 0,20-0,60 m; E 0,30-0,45 m
A feuillage caduc *Kerria japonica* (du Japon, corête ou corchorus du Japon)	Zone 5	Feuilles alternes atteignant 10 cm de longueur, ovales et dentées. Fleurs jaune d'or et simples, de plus de 2,5 cm de diamètre, s'épanouissant au printemps à l'extrémité des branches. Broutilles vert vif en hiver.	H 1,80 m ; E 1,80 m
K. j. pleniflora	Zone 5	Fleurs doubles et sphériques, persistantes et d'un jaune vif. Fleurs abondantes faisant gracieusement plier les branches sous leur poids. Variété remarquable d'une plante naturellement très décorative. Vient bien à l'ombre, tout comme *K. japonica ;* leur écorce d'un vert brillant prend tout son relief en hiver.	H 2,45 m ; E 1,80 m
A feuillage caduc *Hibiscus syriacus* (de Syrie ou guimauve en arbre)	Zone 6	Fleurs simples ou doubles allant du rose ou du pourpre au blanc. Donner la préférence aux variétés hybrides.	H 3,65 m ; E 1,80-2,45 m
H. s. 'Admiral Dewey'	Zone 6	Fleurs doubles d'un blanc pur, de plus de 5 cm de diamètre.	H 3,65 m ; E 1,80-2,45 m
H. s. 'Bluebird'	Zone 6	Floraison tardive ; fleurs simples d'un nouveau et joli ton de bleu qui atteignent presque 10 cm de diamètre.	H 3,65 m ; E 1,80-2,45 m
H. s. 'Boule de Feu'	Zone 6	Fleurs doubles pourpres, dépassant 5 cm de diamètre.	H 3,65 m ; E 1,80-2,45 m
H. s. coelestis	Zone 6	Fleurs violettes rayées de rouge de la base au milieu du pétale ; elles ont 7,5 cm de diamètre.	H 3,65 m ; E 1,80-2,45 m
H. s. 'Hamabo'	Zone 6	Fleurs simples, rose clair ; pétales rayés de rouge jusqu'à mi-hauteur.	H 3,65 m ; E 1,80-2,45 m
H. s. 'Lady Stanley'	Zone 6	Fleurs doubles de 7,5 cm de large à pétales blancs joliment veinés de rouge sur la moitié de leur longueur.	H 3,65 m ; E 1,80-2,45 m
H. s. totusalbus	Zone 6	Inflorescences simples d'un blanc éblouissant et de presque 10 cm de large.	H 3,65 m ; E 1,80-2,45 m

	Nom vulgaire et nom botanique, description générale	Utilisation et culture	Multiplication *(voir aussi p. 79)*
 *Kolkwitzia amabilis*	**Kolkwitzie** *(Kolkwitzia)* Arbuste décoratif qui donne une belle floraison au début de l'été. Feuilles ovales ne dépassant pas 7,5 cm de long, qui rougissent à l'automne. Fruits bruns et pubescents qui persistent durant une partie de l'hiver.	Préfère un sol sec et sablonneux, mais vient bien dans la plupart des terrains.	Par semis de graines mûres ; mais si l'on veut obtenir une belle nuance de rose, multiplier de préférence la plante par boutures semi-aoûtées et feuillées en été.
	Laurier-amande, voir Cerisier **Laurier-cerise,** voir Cerisier **Laurier de montagne,** voir Kalmia		
 *Leucothoe fontanesiana*	**Leucothoe** *(Leucothoe)* Jolies feuilles alternes et petites fleurs blanches en forme d'urne. Tiges gracieusement arquées. A la fin de l'automne, le feuillage devient rouge ou bronze.	S'associe agréablement à plusieurs plantes à feuillage persistant. Prospère dans une situation partiellement ombragée, comme dans un bois peu dense. Demande un sol acide, riche en matières organiques et constamment humide. Couper de temps à autre le vieux bois au ras du sol pour conserver à l'arbuste sa vigueur et sa silhouette élégante.	Semer les graines dès qu'elles sont mûres ou les conserver jusqu'à un an dans un endroit sec et frais. Prélever des boutures semi-aoûtées en été ou des boutures fermes à la fin de l'été. Se multiplie facilement aussi par division des racines au tout début du printemps.
 *Syringa vulgaris*	**Lilas** *(Syringa)* Petites fleurs tubuleuses souvent très parfumées, groupées en jolies panicules. Les coloris varient selon les espèces et incluent le violet clair, le bleu-violet, le pourpre et le violet rosé. On trouve également des fleurs crème et blanc-jaune. La période de floraison du lilas peut se prolonger six semaines ou même davantage dans les zones où on peut cultiver différentes espèces et variétés. Feuilles opposées, de taille et de forme différentes, mais rarement lobées.	Beau sujet à isoler ou à grouper en haie naturelle, non taillée. Résiste à la pollution atmosphérique des villes. A cultiver en plein soleil ou à la mi-ombre dans une terre alcaline, bien drainée. Pailler le sol autour du plant à la mi-printemps. Arroser en période de sécheresse. Couper, la première année, toutes les fleurs des sujets récemment transplantés pour faciliter la reprise de la plante. Pour favoriser la floraison, fertiliser avec du fumier de bovins bien décomposé tous les deux printemps. Supprimer les fleurs fanées afin de freiner la formation des graines. Rabattre au premier nœud les branches où apparaissent de nouveaux boutons ; rabattues plus loin, elles ne fleuriront pas l'année d'après. Tous les deux ou trois ans, arracher la plupart des gourmands situés près de la base du tronc.	Les graines mûres seront stratifiées pendant deux mois à 4°C avant d'être plantées. Prélever des boutures semi-aoûtées en été. Utiliser les drageons des plantes non greffées, c'est-à-dire qui poussent à partir de leur propre système radiculaire.

Espèces et variétés	Rusticité *(carte, pp. 8-9)*	Caractéristiques ornementales et remarques	Hauteur et étalement à maturité
A feuillage caduc *Kolkwitzia amabilis*	Zone 5	Fleurs campanulées allant du rose pâle au rose lavande, à gorge jaune, réunies en bouquets sur des branches dressées, gracieusement arquées aux extrémités. Comme les coloris varient en intensité, acheter l'arbuste quand il est en fleur.	H 2,45 m ; E 2,45 m
A feuillage persistant *Leucothoe axillaris*	Zone 9	Feuilles coriaces et délicatement lancéolées de 5 à 10 cm de long. Fleurs réunies en bouquets de 7,5 cm de long à l'aisselle des feuilles ; elles s'épanouissent du milieu à la fin du printemps.	H 1,80 m ; E 0,90-1,50 m
L. fontanesiana ou *L. catesbaei*	Zone 6	Feuilles vert foncé et brillantes se nuançant finement de bronze durant tout l'hiver. Fleurs cireuses réunies en bouquets s'épanouissant au début de l'été. La variété 'Rainbow' présente des feuilles panachées de blanc et de rose.	H 1,80 m ; E 0,90-1,50 m
A feuillage caduc *Syringa amurensis japonica* (du Japon)	Zone 2	Feuilles duveteuses de 15 cm de long. Fleurs d'un blanc jaunâtre s'ouvrant à la fin de juin, lorsque les autres lilas ont fini de fleurir. Port arborescent qui fait de cette variété un arbuste très attrayant.	H 9 m ; E 2,45-3 m
S. chinensis (varin)	Zone 2	Hybride à feuilles ovales et lisses de 5 cm de long. Fleurs mauves.	H 3 m ; E 1,80-2,45 m
S. hyacinthiflora	Zone 2	Floraison plus hâtive que celle des hybrides français et grappes de fleurs moins denses. La variété 'Gertrude Leslie', à fleurs blanches, fleurit longtemps ; 'Ester Staley' présente des boutons rouges et des fleurs roses.	H 2,45-4,50 m ; E 2,45-3 m
S. josikaea (de Josika ou de Hongrie)	Zone 2	Fleurs violettes à la fin du printemps ou au début de l'été.	H 3,65 m ; E 3,65 m
S. microphylla (à petites feuilles)	Zone 6	Feuilles ovales ne dépassant pas 5 cm de longueur et souvent de moins de 1,5 cm ; revers pubescents. Petites grappes de fleurs aromatiques, de teinte rose pâle, tard au printemps ou tôt en été. Arbuste à port étalé.	H 1,50-2,10 m ; E 3-3,65 m
S. persica (de Perse)	Zone 4	Feuilles de moins de 7,5 cm de long lancéolées et souvent lobées. Silhouette nette et abondante floraison de fleurs violet pâle et parfumées à la fin du printemps.	H 1,80 m ; E 1,20-1,50 m
S. prestoniae (de Preston)	Zone 2	Groupe de variétés horticoles à floraison tardive développées à Ottawa. Les plus renommées sont : 'Coral', à fleurs roses ; 'Donald Wyman', roses ; 'Hiawatha', rose clair ; 'Royalty', rouges.	H 2,45 m ; E 1,80-2,45 m
S. villosa	Zone 2	Corymbes touffus de fleurs d'un mauve rosé qui apparaissent plus tardivement que celles d'autres espèces de lilas.	H 4,50 m ; E 3 m
S. vulgaris (commun ou des jardins)	Zone 2	Espèce vigoureuse, parfois même arborescente, à feuilles ovales ou cordiformes atteignant 15 cm de longueur. Fleurs de teinte lilas s'épanouissant à la fin du printemps, fortement parfumées. Les plus cultivées sont les variétés souvent appelées lilas français qui produisent des fleurs simples ou doubles.	H 6 m ; E 3,65 m

Nom vulgaire et nom botanique, description générale	Utilisation et culture	Multiplication (*voir aussi p. 79*)
Magnolia *(Magnolia)* Arbuste à fleurs élégantes, fort renommé dans les régions où sa culture est possible. Grandes inflorescences présentant 6 à 15 pétales et s'épanouissant avant la feuillaison ou en même temps. Feuilles alternes à marge lisse. A la fin de l'été ou au début de l'automne, les fruits en forme de cône s'ouvrent pour laisser apparaître des graines d'un rouge vif.	Se cultive en plein soleil ou à la mi-ombre, dans un sol non calcaire et bien drainé renfermant une grande quantité de tourbe ou d'autres matières organiques. Dans les régions septentrionales, il vaut mieux effectuer la transplantation au printemps, les racines charnues de l'arbuste rendant celle-ci difficile. N'acheter que des sujets à racines emmottées ou enveloppées de jute. Pailler le sol à la mi-printemps pour protéger les racines, et arroser généreusement en période de sécheresse. Appliquer un engrais complet autour des racines tous les deux ou trois ans si le sol est peu fertile.	Stratifier les graines mûres pendant quatre mois à 4°C avant de les semer. Prélever des boutures herbacées ou marcotter des branches au sol au printemps.
Mahonie ou mahonia *(Mahonia)* Feuilles alternes et composées, vertes ou vert-bleu, gardant leur valeur ornementale toute l'année. A l'automne, les folioles de certaines espèces et variétés deviennent pourpres ou bronze. Il existe une certaine ressemblance entre les feuilles dentées du *Mahonia aquifolium* et celles du houx.	Compose des massifs ou des bordures remarquables. Prospère à la mi-ombre dans un sol fertile. Demande à être protégé du soleil et du vent en hiver. Bien arroser en période de sécheresse.	Stratifier les graines mûres pendant trois mois à 4°C. Prélever des boutures semi-aoûtées au début de l'été ou des boutures fermes à la fin de l'été. Repiquer les rejets.
Marronnier *(Aesculus)* Feuilles composées de 5 à 7 folioles elliptiques. Des épis floraux de 30 cm de long apparaissent à la mi-été. Dans les régions où la belle saison est courte, les fruits peuvent ne pas avoir le temps de mûrir.	Bel arbuste à planter en isolé sur une pelouse, là où il y a beaucoup d'espace. S'étale au moyen de drageons, de sorte que la plante est beaucoup plus large que haute. En règle générale, ne demande pas de taille.	Par semis ou par boutures de racines. Tôt au printemps, rabattre les tiges au sol et les recouvrir de terre. Transplanter les pousses enracinées au printemps suivant.
Mézéréon, voir Daphné		
Millepertuis *(Hypericum)* Fleurs persistantes en forme de coupe, s'épanouissant dans différents tons de jaunes, de jaune clair à jaune vif. Feuilles généralement ni dentées ni lobées.	Bel arbuste à cultiver dans une bordure ou une rocaille. Prospère au soleil ou à l'ombre et tolère un sol sec et sablonneux.	Semer immédiatement les graines mûres ou les garder jusqu'à un an dans un endroit frais et sec. Prélever des boutures semi-aoûtées en été ou des boutures fermes à la fin de l'été. Se multiplie aussi par division des racines.
Myrique *(Myrica)* Feuilles alternes et aromatiques. Petites fleurs vertes dépourvues d'intérêt. Fruits cireux sur les sujets femelles.	Arbuste ornemental, fort utile au voisinage de la mer. Pousse bien dans les sols secs et sablonneux, peu fertiles. Le prélever avec une grosse motte de terre pour atténuer le choc de la transplantation. Plante dioïque. Se taille bien.	Faire tremper les graines dans l'eau chaude pour enlever la cire. Les stratifier trois mois à 4°C avant de les semer.

Magnolia stellata

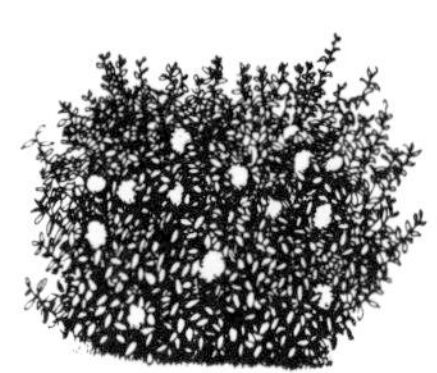

Mahonia aquifolium

Aesculus parviflora

Hypericum patulum 'Sungold'

Myrica pensylvanica

Espèces et variétés	Rusticité *(carte, pp. 8-9)*	Caractéristiques ornementales et remarques	Hauteur et étalement à maturité
A feuillage caduc *Magnolia kobus*	Zone 5	Devient volumineux, mais sa croissance ralentit avec l'âge.	H 3,65-5,50 m; E 3-3,65 m
M. liliflora (à fleurs pourpres)	Zone 6	Grandes feuilles atteignant 18 cm de longueur. Fleurs à 6 pétales, blanches à l'intérieur, pourpres à l'extérieur, s'épanouissant avant la feuillaison.	H 3,65 m ; E 1,80-2,45 m
M. soulangiana (de Soulange)	Zone 5	A planter dans un endroit protégé car les boutons floraux peuvent être endommagés par le gel. Prévoir beaucoup d'espace.	H 4,50-7,50 m; E 4,50-6 m
M. s. 'Lennei'	Zone 6	Fleurs blanches à l'intérieur, pourpres à l'extérieur.	H 3-6 m ; E 4,50-6 m
M. stellata (étoilé)	Zone 5	Fleurs doubles, étoilées, blanches et aromatiques, d'environ 8 cm de diamètre, apparaissant à la mi-printemps, avant la feuillaison. Sensible au froid et à la chaleur intenses. Beau sujet pour la pelouse.	H 5,50 m ; E 3,65 m
M. s. 'Waterlily'	Zone 5	Boutons roses donnant des fleurs blanches superbes. Port plus buissonnant et plus érigé que celui de *M. stellata.*	H 5,50 m ; E 4,50 m
A feuillage persistant *Mahonia aquifolium* (à feuilles de houx)	Zone 5	Folioles coriaces, souvent vernissées, oblongues ou ovales. Fleurs réunies en grappes dressées d'environ 8 cm, à la fin du printemps. Fruits comestibles. Ne pas laisser dépasser 0,90 m de haut.	H 0,90-1,20 m; E 0,90-1,20 m
M. a. compacta	Zone 5	Variété à feuilles plus lustrées. Supérieure à *M. aquifolium.*	H 0,60-0,90 m; E 0,60-0,90 m
M. a. 'Golden Abundance'	Zone 5	Arbuste vigoureux garni de feuilles vert brillant et, au printemps, de superbes grappes de fleurs jaunes. Fruits bleu pourpré en automne. Excellent en haie ou écran.	H 0,90-1,50 m; E 0,90-1,50 m
A feuillage caduc *Aesculus parviflora*	Zone 4	Arbuste remarquable par ses fleurs blanches dont les étamines roses et saillantes sont très ornementales à l'époque de la floraison.	H 4 m ; E 11 m
A feuillage persistant *Hypericum calycinum* (à grandes fleurs)	Zone 7	Feuillage virant au pourpre en automne. Fleurs peu abondantes mais pouvant atteindre 5 cm de diamètre, s'épanouissant de la mi-été au début de l'automne. Espèce fort utile et plante tapissante très décorative.	H 0,30 m ; E 0,30-0,60 m
H. patulum 'Sungold'	Zone 7	Feuilles semi-persistantes de plus de 5 cm de long. Inflorescences jaune d'or apparaissant au début de l'automne. Le feuillage peut mourir en hiver dans les régions situées très au nord. Prospère en plein soleil. Tolère un sol argileux.	H 1,50 m ; E 1,80 m
A feuillage caduc *Myrica pensylvanica* (de Pennsylvanie)	Zone 2	Feuilles oblongues de 7,5 à 10 cm qui demeurent sur les branches durant une partie de l'hiver. Abondantes petites baies cireuses, gris clair, qu'on utilise pour la fabrication de bougies. Dégagent un arôme agréable lorsqu'on les écrase.	H 2,75 m ; E 2,45 m

	Nom vulgaire et nom botanique, description générale	Utilisation et culture	Multiplication *(voir aussi p. 79)*
 *Nandina domestica*	**Nandina** *(Nandina)* Port semblable à celui du bambou, mais arbuste apparenté à l'épine-vinette. Feuilles à folioles minces de 2,5 à 5 cm de longueur. Fleurs petites en panicules terminales.	Prospère en plein soleil et dans n'importe quelle terre à la condition qu'il ne manque pas d'humidité.	Garder les graines dans un milieu humide avant de les semer. Elles mettent plusieurs mois à germer.
 *Corylus avellana contorta*	**Noisetier** *(Corylus)* Feuilles alternes, généralement pubescentes, à bords doublement dentés. De minuscules fleurs apparaissent avant la feuillaison ; les fleurs mâles s'épanouissent en chatons, les fleurs femelles en bouquets, toutes deux sur le même plant. Les noix ovoïdes sont encloses dans une coque lisse et dure recouverte d'une cupule foliaire. Elles sont comestibles.	Prospère dans un endroit partiellement ombragé et dans un sol bien drainé. Pousse aussi cependant dans un sol argileux, lourd et détrempé. Cultiver plusieurs sujets en même temps pour favoriser la pollinisation croisée et obtenir une meilleure récolte de noix.	Par rejets enracinés. Soumettre les graines à la stratification durant trois mois à 4°C. Marcotter les branches au sol. Prélever des boutures semi-aoûtées au début de l'été.
	Olivier de Bohême, voir Chalef		
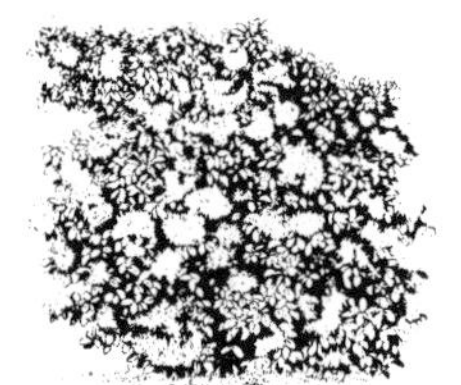 *Choisya ternata*	**Oranger du Mexique** *(Choisya)* Feuilles composées et opposées. Fleurs réunies en bouquets.	Bel arbuste de bordure. A cultiver en plein soleil ou à la mi-ombre, dans un sol sablonneux qui s'égoutte bien. Arroser généreusement durant les périodes de sécheresse. Le tailler de temps à autre pour lui conserver une belle silhouette.	Prélever des boutures semi-aoûtées en été.
	Osier pourpre, voir Saule		
 *Osmanthus delavayi*	**Osmanthus** *(Osmanthus)* Feuilles opposées aux contours parfois finement dentés, parfois lisses, pouvant ressembler à celles du houx. Petites fleurs fortement parfumées, naissant à l'aisselle des feuilles ou en bouquets terminaux. Fruits ovoïdes et charnus.	Planter cet arbuste près d'une fenêtre pour que son parfum pénètre dans la maison. Le cultiver en plein soleil ou à la mi-ombre dans n'importe quelle bonne terre de jardin.	Semer les graines quand elles sont mûres ; la germination peut prendre jusqu'à deux ans. Prélever des boutures fermes à la fin de l'été.
 *Physocarpus opulifolius*	**Physocarpe** *(Physocarpus* ou *Spiraea)* Semblable à la spirée. Feuilles souvent trilobées. Petites fleurs produites en abondance en bouquets terminaux. Petits fruits se présentant comme des gousses gonflées. L'écorce lève par plaques ou pèle.	Plante d'arrière-plan dans les bordures d'arbustes. A cultiver aussi là où l'on a besoin d'un sujet à croissance rapide pour remplir un vide. Pousse en plein soleil ou à la mi-ombre dans n'importe quelle bonne terre de jardin. Demande peu de soins.	Semer les graines quand elles sont mûres ou les garder jusqu'à un an dans un endroit sec et frais. Prélever des boutures semi-aoûtées en été ou des boutures aoûtées et sans feuilles en automne. La multiplication par division des racines se fait facilement tôt au printemps.

Espèces et variétés	Rusticité *(carte, pp. 8-9)*	Caractéristiques ornementales et remarques	Hauteur et étalement à maturité
A feuillage persistant *Nandina domestica*	Zone 8	Les jeunes folioles, de couleur bronze au printemps, rougissent à l'automne. Panicules de fleurs blanches atteignant 30 cm à la mi-été. Jolis fruits rouges au début de l'hiver, qui demeurent longtemps sur l'arbre.	H 2,45 m ; E 1,20-1,80 m
N. d. alba	Zone 8	Ressemble beaucoup à *N. domestica,* mais à fruits blancs.	H 2,45 m ; E 1,20-1,80 m
A feuillage caduc *Corylus americana* (d'Amérique)	Zone 2	Feuilles alternes de 5 à 13 cm de long, pubescentes au revers. Noix rondes d'environ 1 cm de diamètre, groupées en grappes de 2 à 6. Arbuste ayant peu de valeur comme plante ornementale.	H 3 m ; E 1,80-3 m
C. avellana aurea (Avelinier doré)	Zone 5	Feuilles jaunâtres d'environ 8 à 10 cm de long, cordiformes à la base. Les noix font parfois saillie à travers le brou.	H 4,50 m ; E 4,50 m
C. a. contorta	Zone 5	Variété à branches curieusement tordues. La nudité de ses rameaux est appréciée des fleuristes qui utilisent ceux-ci dans la composition de leurs bouquets.	H 4,50 m ; E 4,50 m
A feuillage persistant *Choisya ternata*	Zone 8	Folioles aromatiques de 7,5 cm de long à marge lisse. Fleurs blanches de 2,5 cm de diamètre dont le parfum rappelle celui de la fleur d'oranger.	H 2,45 m ; E 1,80 m
A feuillage persistant *Osmanthus delavayi* ou *Siphonosmanthus delavayi*	Zone 8	Fleurs blanches et étoilées s'épanouissant du début au milieu du printemps. Fruits noir-bleu à la fin de l'été. Tolère un sol lourd et argileux amendé par des apports d'humus, de tourbe ou de sable grossier.	H 2,45 m ; E 2,45 m
O. heterophyllus ou *O. aquifolium* ou *O. ilicifolius*	Zone 7	Feuilles brillantes, ovales ou oblongues, dépassant 5 cm de longueur. Fleurs d'un blanc verdâtre apparaissant au début ou au milieu de l'été, suivies au début de l'automne par des fruits noir-bleu. Se taille sans problème pour former une haie.	H 5,50 m ; E 1,80-3 m
O. h. variegatus	Zone 7	Semblable à *O. heterophyllus ;* feuilles bordées de crème.	H 5,50 m ; E 1,80-3 m
A feuillage caduc *Physocarpus opulifolius* (à feuilles d'obier ou bois à sept écorces)	Zone 2	Feuilles arrondies ou ovales dépassant 7,5 cm de longueur. Au début de l'été apparaissent de jolies petites fleurs blanches ou rosées n'excédant pas 0,5 cm de diamètre. En automne, les grappes de capsules séchées passent du rouge au brun et restent tout l'hiver sur la plante. Arbuste à port érigé, mais, chez certains sujets, la ramure peut être légèrement retombante.	H 2,45-3 m ; E 1,80-2,45 m
P. o. 'Luteus' (à feuilles jaunes)	Zone 2	Les nouvelles feuilles sont jaune d'or ; elles deviennent vertes durant l'été.	H 1,80-2,45 m ; E 1,50-1,80 m
P. o. nanus (nain)	Zone 2	Variété naine à feuilles plus petites et moins lobées que celles de *P. opulifolius.* Se cultive bien en haie à cause de sa ramure très touffue.	H 0,60 m ; E 0,30-0,60 m

Nom vulgaire et nom botanique, description générale	Utilisation et culture	Multiplication *(voir aussi p. 79)*
Pieris *(Pieris* ou *Andromeda)* Feuilles alternes et dentées. Boutons floraux décoratifs tout l'hiver. Fleurs blanches du milieu à la fin du printemps, semblables au muguet et d'une très grande beauté, réunies en panicules terminales. Croissance lente.	Pousse mieux à la mi-ombre et demande un sol sablonneux et légèrement acide obtenu par un apport de tourbe ou d'humus. Pour protéger les racines des plants, les entourer d'un paillis de feuilles de chêne décomposées ou d'aiguilles de pin.	Semer les graines dès qu'elles sont mûres ou les garder jusqu'à un an dans un endroit sec et frais. Marcotter au sol les branches du bas. Prélever des boutures semi-aoûtées au début de l'été ou des boutures fermes à la fin de l'été.
Pimbina, voir Viorne		
Potentille *(Potentilla)* Tiges à rameaux dressés, garnis de feuilles composées d'au moins 3 et parfois 5 folioles légèrement duveteuses. De petites fleurs en forme de rose, réunies en nombreux bouquets, s'épanouissent du début de l'été à la mi-automne.	Arbuste recommandé dans les régions maritimes. Compose de belles haies. Prospère en plein soleil mais tolère l'ombre. Se cultive dans n'importe quel sol, même en terre lourde et argileuse. Demande peu de soins lorsqu'il est établi. Arroser durant les périodes de sécheresse.	Semer les graines quand elles sont mûres. Diviser les racines du début au milieu du printemps ou au début de l'automne. Prélever des boutures semi-aoûtées au début de l'été ou des boutures fermes à la fin de l'été. Ces dernières prennent très facilement racine.
Pyracanthe *(Pyracantha)* Arbuste intéressant à plusieurs points de vue : par son feuillage décoratif, ses bouquets de petites fleurs blanches et parfumées et ses fruits rouges, orange ou jaunes qui apparaissent à l'automne et demeurent sur l'arbre tard en hiver, parfois même jusqu'au printemps.	Plante formant une haie redoutable à cause de ses épines. Supporte la taille au besoin et se prête à la culture en espalier. Prospère en plein soleil ou à la mi-ombre, dans une vaste gamme de sols. Disposer un paillis autour du plant au printemps et arroser généreusement en période de sécheresse.	Les graines peuvent être stratifiées dès qu'elles sont mûres, mais on peut aussi les garder jusqu'à un an dans un endroit sec et frais avant de leur faire subir ce traitement. Prélever des boutures semi-aoûtées en été ou des boutures fermes à la fin de l'été.

Pieris floribunda

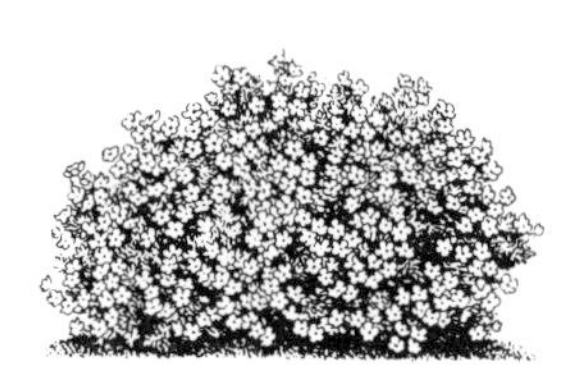
Potentilla fruticosa 'Katherine Dykes'

Pyracantha coccinea

Espèces et variétés	Rusticité *(carte, pp. 8-9)*	Caractéristiques ornementales et remarques	Hauteur et étalement à maturité
A feuillage persistant			
Pieris floribunda	Zone 5	Feuilles ovales ou elliptiques, légèrement dentées, de 2,5 à 7,5 cm de long. Abondance de fleurs semi-pendantes groupées en panicules dressées de 5 à 10 cm. Haie remarquable.	H 1,80 m ; E 1,80 m
P. japonica	Zone 5	Jeunes feuilles à beaux reflets cuivrés au début du printemps. Feuilles adultes vert foncé et brillantes, excédant 7,5 cm de longueur. Panicules florales retombantes de 13 cm. Arbuste à ramure touffue d'une grande beauté.	H 2,45 m ; E 2,45 m
A feuillage caduc			
Potentilla davurica 'Snowflake'	Zone 2	Arbuste de haute taille, à fleurs semi-doubles blanches.	H 1,20-1,80 m ; E 0,90-1,20 m
P. fruticosa 'Coronation Triumph'	Zone 2	Variété créée dans les Prairies, à fleurs jaune d'or.	H 0,60 m ; E 0,60-0,90 m
P. f. 'Gold Drop'	Zone 2	Feuillage penné et fleurs d'un jaune primevère brillant. Floraison remarquable. Magnifique arbuste à l'arrière-plan d'une bordure.	H 0,75 m ; E 0,75 m
P. f. 'Jackman'	Zone 2	L'une des variétés les plus répandues. Port érigé. Excellente plante à cultiver en haie.	H 0,90 m ; E 0,90 m
P. f. 'Katherine Dykes'	Zone 2	Feuilles vert argenté sur des branches arquées, faisant un bel effet avec ses fleurs d'un jaune clair. A cultiver en isolé, là où l'espace est restreint.	H 0,75 m ; E 0,90 m
P. f. 'Klondike'	Zone 3	Semblable à *P. f.* 'Gold Drop', mais à fleurs plus grandes.	H 0,75 m ; E 0,75 m
P. f. 'Moonlight'	Zone 2	Fleurs jaune pâle. Arbuste peu développé. Vient de Suède où on l'appelle *P. f.* 'Maanelys'.	H 0,75 m ; E 0,75 m
P. f. 'Tangerine'	Zone 2	Les sujets cultivés au soleil ont des fleurs jaunes ; à l'ombre, elles sont orange.	H 0,75 m ; E 0,75 m
P. parvifolia 'Goldfinger'	Zone 2	Plante à floraison répétée. Fleurs jaune d'or s'épanouissant durant tout l'été.	H 0,90 m ; E 0,90 m
A feuillage persistant			
Pyracantha angustifolia	Zone 7	Espèce à branches parfois prostrées qui fleurit à la fin du printemps. Fruits orange vif ou rouge brique. Il n'est pas rare de les voir persister sur les branches jusqu'au début du printemps.	H 3,65 m ; E 2,45 m
P. coccinea (Buisson ardent)	Zone 6	Feuilles ovales et dentées, de près de 5 cm de long. Inflorescences pubescentes. Importante récolte de fruits rouge éclatant.	H 4,50 m ; E 4,50 m
P. c. 'Kasan'	Zone 6	Baies rouge orangé. Plus rustique que *P. coccinea.*	H 4,50 m ; E 4,50 m
P. c. lalandii	Zone 6	Fruits orange. Excellente variété pour la culture en espalier.	H 4,50 m ; E 4,50 m
P. c. 'Lowboy'	Zone 6	Feuilles vertes et luxuriantes, poussant sur des branches basses et très étalées. Fruits d'un bel orange brillant.	H 0,60-1,20 m ; E 0,60-1,50 m
P. crenulata rogersiana	Zone 8	Ramilles couvertes de poils fauves. Feuilles vernissées n'atteignant pas 5 cm de longueur. Variété très prolifique ; donne de beaux fruits rouge orangé.	H 3 m ; E 3 m

Raphiolepis indica

Robinia hispida

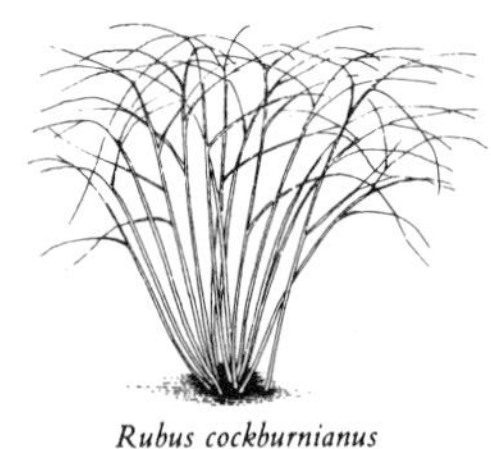

Rubus cockburnianus

Nom vulgaire et nom botanique, description générale	Utilisation et culture	Multiplication *(voir aussi p. 79)*
Raisin d'ours, voir Arctostaphyle		
Raphiolepis *(Raphiolepis)* Feuilles épaisses et charnues. Fleurs roses ou blanches, groupées en bouquets terminaux. Fruits d'un noir bleuâtre ou pourpré.	Cultiver cet arbuste en plein soleil ou à la mi-ombre, dans n'importe quelle bonne terre de jardin amendée par des apports de tourbe ou d'humus.	Semer les graines mûres. Prélever des boutures fermes à la fin de l'été.
Rhododendron, voir p. 192		
Robinier *(Robinia)* Fleurs en forme de pois réunies en grappes pendantes qui s'épanouissent à la fin du printemps ou au début de l'été. Feuilles alternes composées de 12 ou 13 folioles arrondies très décoratives.	Prospère dans des sols pauvres et rocailleux que peu d'autres plantes tolèrent. Utile pour éviter l'érosion et fixer les talus. Se cultive comme arbuste de plein vent (à tige unique). Se multiplie rapidement par rejets et demande beaucoup d'espace. Peut même, dans certains emplacements, devenir très encombrant. Vulnérable aux attaques des insectes perceurs de tiges. Surveiller les déchets laissés par les insectes sur le sol au pied des arbustes. Lorsque les plantes sont gravement infestées, recourir à des injections d'insecticide.	Semer les graines lorsqu'elles sont mûres ou les conserver jusqu'à un an dans un endroit sec et frais. Les faire tremper 12 heures dans de l'eau à 32°C avant de les semer. Utiliser des boutures de racine ou prélever et planter les rejets.
Ronce *(Rubus)* Tiges droites et épineuses ; feuilles alternes, composées de nombreuses folioles à marges lisses. Chez certaines variétés, les fleurs sont suivies par des baies rouges parfois qualifiées de framboises ornementales. Ce genre comprend également les plantes qui donnent des mûres.	Les sujets d'ornement sont appréciés, selon le cas, pour leur feuillage, leurs fleurs, leurs tiges colorées, ou pour leurs fruits. La ronce peut aussi former une haie difficile à franchir. Prospère en plein soleil ou à la mi-ombre dans n'importe quel sol bien drainé.	Stratifier les graines à 21°C pendant trois mois, puis à 4°C pendant trois autres mois avant de les semer. Diviser les racines ou en prélever des boutures tôt au printemps. Utiliser des boutures semi-aoûtées en été ou des boutures aoûtées et sans feuilles en automne. Se marcotte souvent au sol naturellement.
Rosier, voir p. 174		

Espèces et variétés	Rusticité (carte, pp. 8-9)	Caractéristiques ornementales et remarques	Hauteur et étalement à maturité
A feuillage persistant			
Raphiolepis delacouri	Zone 8	Hybride à ramure dense, à feuilles dentées et à fleurs roses, de grande valeur ornementale. Jolie plante pour décorer une terrasse.	H 1,80 m ; E 0,90-1,20 m
R. indica	Zone 8	Feuilles dentées, coriaces et vernissées, atteignant 7,5 cm de longueur. Fleurs rosées ou blanches d'environ 1 cm de diamètre.	H 1,50 m ; E 1,20-1,50 m
R. i. 'Apple Blossom'	Zone 8	Fleurs rose et blanc.	H 1,50 m ; E 1,20-1,50 m
R. i. 'Enchantress'	Zone 8	Variété naine à feuilles vertes et brillantes et à grandes fleurs roses réunies en bouquets denses. Elles s'épanouissent de la fin de l'hiver au début de l'été.	H 0,90 m ; E 1,20 m
R. i. 'Fascination'	Zone 8	Fleurs rose intense à cœur blanc, très voyantes à la fin du printemps.	H 1,50 m ; E 1,20-1,50 m
R. i. 'Jack Evans'	Zone 8	Feuilles vert foncé, parfois teintées de pourpre, et à reflets argentés. Innombrables fleurs d'un rose brillant. Port prostré, ramure dense.	H 1,20 m ; E 1,50 m
R. umbellata	Zone 8	Feuilles délicatement dentées, épaisses et coriaces, n'excédant pas 7,5 cm de longueur. Fleurs blanches et aromatiques à la fin du printemps.	H 3 m ; E 1,20-2,45 m
A feuillage caduc			
Robinia boyntonii	Zone 4	Panicules retombantes de fleurs allant du rose au pourpre, carénées de blanc. Feuilles lisses ; gousses de semences garnies de poils.	H 1,50 m ; E 1,20 m
R. hispida	Zone 5	Inflorescences roses ou pourpres ayant la beauté des glycines. Cette espèce est souvent palissée pour mettre ses inflorescences en valeur. Fruits et ramilles fragiles couverts de poils rouge vif. Les gousses de semences peuvent atteindre 7,5 cm de longueur.	H 1,20 m ; E 0,90-1,80 m
A feuillage caduc			
Rubus cockburnianus	Zone 8	Arbuste très apprécié en hiver pour ses tiges qui sont revêtues d'une intéressante pruine blanche et cireuse. Feuilles pruinées elles aussi, composées de 7 à 9 folioles d'oblongues à lancéolées. Petites fleurs purpurines réunies en minces panicules terminales de 10 à 15 cm. Fruits non comestibles.	H 1,50-2,10 m; E 1,20-1,80 m
R. odoratus (odorante ou calottes)	Zone 3	Tiges presque entièrement dépourvues d'épines, et pubescentes lorsqu'elles sont jeunes. Feuilles finement dentées, composées de 3 à 5 lobes, de 10 à 30 cm de large, à marge finement dentée, pubescentes au revers. Fleurs odorantes, de blanches à rose-pourpre et mesurant 4 à 5 cm de diamètre, se succédant pendant plusieurs semaines en juillet ; elles sont réunies en groupes lâches. Fruits rouges et plats, non comestibles. Ecorce qui pèle. Arbuste à port érigé et à branches arquées.	H 1,50-2,75 m; E 1,20-1,80 m

	Nom vulgaire et nom botanique, description générale	Utilisation et culture	Multiplication *(voir aussi p. 79)*
Salix humilis	**Saule** *(Salix)* Arbuste de croissance rapide dont les branches sont fragiles. Feuilles alternes, généralement étroites et lancéolées. Chatons dressés, de grande valeur ornementale chez certaines espèces, apparaissant au moment de la feuillaison ou juste avant.	Cultiver le saule en plein soleil ou à la mi-ombre dans n'importe quelle bonne terre de jardin. Un certain nombre d'espèces et de variétés préfèrent un sol humide. D'autres, mais elles sont peu nombreuses, viennent mieux dans un sol sec et pauvre.	Semer les graines dès qu'elles sont mûres : elles ont la vie brève. Prélever des boutures semi-aoûtées en été ou des boutures aoûtées et sans feuilles en automne.
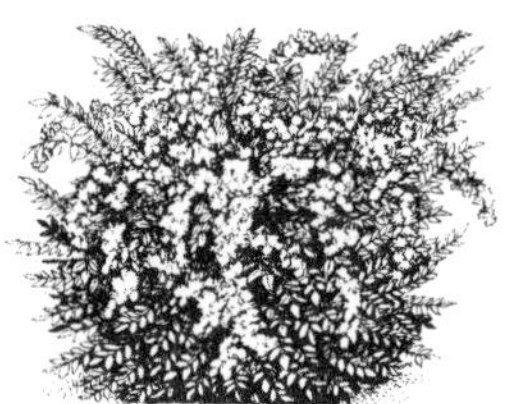 Philadelphus lemoinei 'Avalanche'	**Seringa** *(Philadelphus)* Port dressé en règle générale. Branches recourbées ou retombantes. Feuilles opposées et parfois dentées. Fleurs ravissantes, simples ou doubles, souvent parfumées, s'épanouissant à la fin du printemps et au début de l'été.	Belle plante de bordure. A cultiver en plein soleil ou à la mi-ombre dans n'importe quelle terre de jardin bien drainée. Rabattre aussitôt que possible après la floraison, les fleurs se développant sur les pousses de l'année précédente.	Semer sans tarder les graines mûres ou les garder jusqu'à un an dans un endroit sec et frais. Diviser les racines très tôt au printemps. Marcotter au sol les branches inférieures. Prélever des boutures semi-aoûtées en été ou des boutures aoûtées et sans feuilles en automne.
 Shepherdia argentea	**Shepherdie** *(Shepherdia)* Arbuste très rustique à feuillage argenté et à baies de couleurs vives.	Résiste à la sécheresse et au vent. Plante dioïque ; il faut planter des sujets des deux sexes pour obtenir des fruits.	Par semis en pleine terre à l'automne ; à l'intérieur, au printemps.
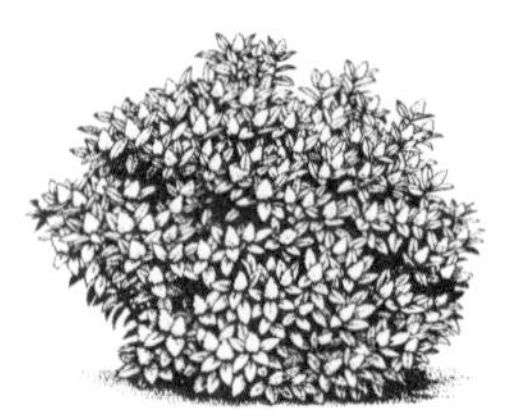 Skimmia japonica	**Skimmia** *(Skimmia)* Feuilles à court pétiole, qui dégagent une agréable odeur lorsqu'on les froisse. Petits bouquets de fleurs blanc crème. Dans certains cas, les fleurs mâles et femelles sont portées par des plantes différentes ; les premières sont parfumées. Fruits rouges semblables à ceux du houx.	Préfère la mi-ombre. Dans un milieu chaud et sec, les feuilles peuvent se décolorer. Pour obtenir beaucoup de fruits, planter 3 ou 4 sujets femelles à proximité d'un sujet mâle.	Semer les graines quand elles sont mûres. Prélever des boutures semi-aoûtées en été.

Espèces et variétés	Rusticité *(carte, pp. 8-9)*	Caractéristiques ornementales et remarques	Hauteur et étalement à maturité
A feuillage caduc			
Salix gracilistyla	Zone 5	Feuilles vert-bleu, de 5 à 10 cm de long, pubescentes au revers, sur des ramilles grises et duveteuses. Un des saules qui fleurit le plus tôt. Remarquables chatons rouges du début au milieu du printemps.	H 1,80 m ; E 1,80 m
S. humilis (nain)	Zone 2	Tiges en forme de baguettes garnies de chatons au début du printemps. Port étalé.	H 0,90 m ; E 0,90-1,80 m
S. purpurea (Osier pourpre)	Zone 2	Jeunes ramilles pourprées, devenant grises avec l'âge. Feuilles de 5 à 10 cm de long, plus foncées sur le dessus qu'au revers. Demande un sol humide. Utilisé pour les haies de dimension moyenne.	H 2,45 m ; E 1,20-1,50 m
S. p. nana (de l'Arctique)	Zone 2	Feuilles variant du vert-bleu au gris. Supporte la taille et tolère un sol lourd et humide. Remarquable en haie grâce à son feuillage plumeux.	H 1,20 m ; E 1,20 m
S. sachalinense sekka	Zone 4	Jeunes branches aplaties et tordues qui donnent à cet arbuste une silhouette originale, surtout en hiver. Chatons argentés atteignant 5 cm de longueur.	H 9 m ; E 3-3,65 m
A feuillage caduc			
Philadelphus coronarius (des jardins)	Zone 3	Plante large à ramure éparse qu'il est préférable de planter derrière une rangée d'arbustes où l'on appréciera son parfum sans trop remarquer sa silhouette. Fleurs simples, blanches et très odorantes.	H 1,80-2,45 m; E 1,50-1,80 m
P. c. 'Aureus' (à feuilles dorées)	Zone 3	Feuillage brillant et doré qui dure tout l'été. Fleurs exquisément parfumées mais peu apparentes. Planter en exposition ensoleillée.	H 2,45 m ; E 1,50 m
P. lemoinei 'Avalanche'	Zone 4	Variété remarquable à branches gracieusement arquées. Fleurs simples et très parfumées atteignant 2,5 cm de largeur.	H 1,20 m ; E 0,90-1,20 m
P. l. 'Belle Etoile'	Zone 4	Branches arquées. Fleurs simples et aromatiques dépassant 5 cm de largeur.	H 1,20 m ; E 0,90-1,20 m
P. lewisii 'Waterton'	Zone 2	Sélection de Waterton Lakes, en Alberta. Arbuste rustique à silhouette nette.	H 1,20-1,80 m ; E 1,20 m
P. virginalis 'Minnesota Snowflake'	Zone 5	Branches tout à fait retombantes. Fleurs doubles et parfumées réunies en bouquets de 3 à 7 et dépassant chacune 2,5 cm de largeur. Arbuste très rustique qui convient tout particulièrement aux jardins des régions septentrionales.	H 1,80 m ; E 1,20-1,50 m
P. v. 'Virginal'	Zone 3	Fleurs doubles de 5 cm au parfum intense.	H 1,20-1,50 m ; E 1,50 m
A feuillage caduc			
Shepherdia argentea (argenté)	Zone 1	Petites fleurs jaunes suivies de baies comestibles, d'écarlate à orange. Se prête bien à la culture en haie.	H 3-4,50 m ; E 1,80-3 m
A feuillage persistant			
Skimmia foremanii	Zone 7	Hybride bisexué produisant fleurs et fruits en abondance.	H 1,20 m ; E 1,20 m
S. japonica (du Japon)	Zone 7	Arbuste à branches nombreuses. Feuilles vert-jaune, oblongues ou elliptiques, n'excédant pas 13 cm, groupées à l'extrémité des ramilles. Fleurs mâles et femelles apparaissent sur des sujets différents.	H 1,20 m ; E 1,20 m
S. reevesiana	Zone 8	Feuilles plus petites et d'un vert plus terne que celles de *S. japonica*. Les fleurs comportent étamines et pistil. Chaque sujet produit des fruits, d'un rouge terne, et peut donc être cultivé isolément.	H 1,80 m ; E 1,20-1,50 m

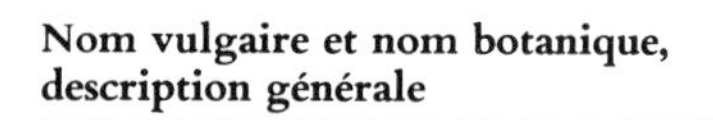
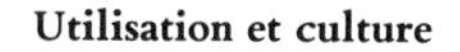

Nom vulgaire et nom botanique, description générale	Utilisation et culture	Multiplication *(voir aussi p. 79)*
Sorbaria *(Sorbaria)* Arbuste élégant à feuilles disposées comme les barbes d'une plume et semblables par leur forme à celles du frêne. Elles sont composées de folioles lancéolées et dentées. Fleurs d'un blanc crème réunies en panicules plumeuses pouvant atteindre 30 cm de longueur.	Se place bien à l'arrière d'une bordure. Prospère aussi bien en plein soleil qu'à l'ombre totale ou partielle. Préfère un sol additionné de tourbe ou d'une autre matière humifère. Des apports d'engrais au printemps et en été accélèrent la croissance qui est déjà rapide. Bien arroser en période de sécheresse. Tailler à la fin de l'hiver pour favoriser la croissance de nouvelles pousses vigoureuses.	Semer les graines quand elles sont mûres ou les garder jusqu'à un an dans un endroit sec et frais. Diviser les racines tôt au printemps. Prélever des boutures semi-aoûtées et feuillées en été ou des boutures aoûtées en automne.
Spirée *(Spiraea)* Feuilles dentées ou lobées. Fleurs blanches, rose-pourpre ou rouges, groupées en bouquets aplatis ou en panicules plumeuses. Les fruits sont des capsules sèches.	Plante excellente pour la composition de haies non taillées. Tolère le voisinage de la mer. Facile à transplanter et demande peu de soins. Prospère en plein soleil, dans un milieu normalement humide, mais s'adapte à presque tous les sols.	Semer les graines quand elles sont mûres. Prélever des boutures semi-aoûtées en été ou des boutures fermes à la fin de l'été. La division des racines ne présente aucun problème.
Stephanandra *(Stephanandra)* Arbuste à feuilles assez semblables aux frondes de fougères, légèrement dentées ou lobées, qui virent au jaune, à l'orange ou au pourpre en automne. Bouquets de petites fleurs blanchâtres ressemblant à celles de la spirée mais beaucoup moins décoratives. En hiver, l'écorce est d'un joli brun clair.	Cultiver cet arbuste en plein soleil ou à la mi-ombre. Le stephanandra vient bien dans n'importe quelle terre. Une fois établi, il produit des rejets en abondance à la souche.	Semer les graines quand elles sont mûres ou diviser les racines. Prélever des boutures semi-aoûtées en été. Les branches arquées s'enracinent parfois naturellement aux endroits où elles sont en contact avec le sol.

Sorbaria aitchisonii

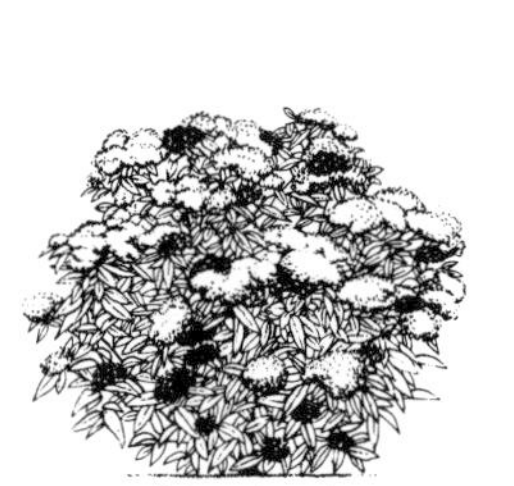
Spiraea japonica

Stephanandra incisa

Espèces et variétés	Rusticité *(carte, pp. 8-9)*	Caractéristiques ornementales et remarques	Hauteur et étalement à maturité
A feuillage caduc *Sorbaria aitchisonii*	Zone 4	Jeunes branches rouge vif. Feuilles d'un vert brillant composées d'au plus 21 folioles. Fleurs réunies en panicules dressées de 25 cm, naissant au milieu ou à la fin de l'été.	H 3 m ; E 2,75 m
S. sorbifolia (à feuilles de sorbier)	Zone 2	Branches gracieusement arquées. Feuilles pennées, composées de 13 à 23 folioles de texture grossière ; les premières à apparaître au printemps, mais sans coloris particuliers à l'automne. Arbuste très voyant à la mi-été à cause de ses minuscules fleurs blanches réunies en panicules pyramidales atteignant 25 cm de longueur.	H 1,80 m ; E 1,50-2,10 m
A feuillage caduc *Spiraea arguta*	Zone 3	Cet hybride fleurit plus abondamment que toute autre variété à fleurs blanches. Assez beau pour être mis en vedette.	H 1,80 m ; E 1,80 m
S. bumalda	Zone 2	Feuilles lancéolées ou ovales. Fleurs blanches ou rose foncé apparaissant à la mi-été. Hybride tout indiqué pour les petits jardins.	H 0,90 m ; E 1,20 m
S. b. 'Anthony Waterer'	Zone 2	Feuilles à reflets rosés lorsqu'elles sont jeunes, mais devenant vertes ensuite. Fleurs rouge rosé en bouquets pouvant avoir 15 cm de diamètre. Cette variété fleurit en été.	H 0,90 m ; E 0,90 m
S. b. 'Froebelii'	Zone 2	Semblable à *S. b.* 'Anthony Waterer', quoique plus vigoureuse. Excellente pour constituer une haie non taillée.	H 1,20 m ; E 1,20 m
S. b. 'Goldflame'	Zone 2	Sélection plus récente à feuillage rouge devenant jaune et enfin vert.	H 0,90-1,20 m ; E 0,90-1,20 m
S. japonica (du Japon)	Zone 5	Feuilles oblongues ou ovales, cunéiformes à la base, avec des revers pâles et des nervures duveteuses. Fleurs roses en bouquets peu denses et aplatis en été. Port érigé.	H 1,50 m ; E 1,80 m
S. 'Snow-white'	Zone 2	Semblable à *S. vanhouttei,* mais beaucoup plus rustique.	H 1,20 m ; E 1,50 m
S. thunbergii (de Thunberg)	Zone 5	Espèce superbe. Feuilles lancéolées et d'un vert brillant, devenant rouge orangé en automne. Fleurs blanches produites en abondance au milieu ou à la fin du printemps. Dans le nord de sa zone de rusticité, les gels tardifs d'hiver risquent parfois d'endommager les boutons floraux. Planter ce magnifique arbuste dans un endroit protégé.	H 1,50 m ; E 1,20-1,50 m
S. trichocarpa	Zone 3	Apprécié pour sa floraison tardive.	H 1,50 m ; E 1,50 m
S. trilobata (à trois lobes)	Zone 2	Plante rustique, très ornementale. L'une des espèces dont est issue la spirée de Vanhoutte.	H 1,20 m ; E 0,90 m
S. vanhouttei (de Vanhoutte)	Zone 4	Hybride à feuilles ovales et fleurs d'un blanc pur s'épanouissant à la fin du printemps ou au début de l'été sur des branches gracieusement retombantes. Compose une belle haie taillée ou non. Arbuste recommandé en ville car il supporte la pollution de l'air.	H 1,80 m ; E 1,20-1,50 m
A feuillage caduc *Stephanandra incisa*	Zone 5	Feuilles devenant pourpres à l'automne. Petites fleurs blanc-vert s'épanouissant au début de l'été sur des branches arquées. A planter comme fond de bordure.	H 2,10 m ; E 1,80 m
S. i. crispa	Zone 5	Fleurs d'un blanc-vert, à peine visibles. Ramure très dense destinant cet arbuste à la culture en haie sans qu'il soit besoin de le tailler. Egalement cultivé comme plante tapissante. Prospère en plein soleil, mais son feuillage vert clair est plus joli dans un endroit légèrement ombragé. S'étale rapidement si ses branches sont fixées au sol.	H 0,90 m ; E 0,90 m

	Nom vulgaire et nom botanique, description générale	Utilisation et culture	Multiplication *(voir aussi p. 79)*
Rhus typhina laciniata	**Sumac** *(Rhus)* Renommé pour ses feuilles qui, à l'automne, deviennent d'un rouge ardent parfois nuancé d'orange. Fleurs jaune-vert. Arbuste également cultivé pour ses fruits rouge vif duveteux, réunis en grappes verticales. Plante à fleurs mâles ou femelles, bien qu'il existe des sujets hermaphrodites. Les sujets femelles doivent être cultivés près de sujets mâles pour produire des fruits.	Arbuste de croissance vigoureuse qui s'étend par racines drageonnantes : le planter là où ses racines auront beaucoup d'espace. Prospère dans n'importe quel sol. Les coloris d'automne sont plus marqués chez les sujets cultivés en plein soleil dans une terre franche mais légère et sablonneuse.	Dès qu'elles sont mûres, stratifier les graines pendant cinq mois à la température de la pièce, puis pendant trois mois à 4°C avant de les semer. Prélever des boutures de racines tôt au printemps. Transplanter les drageons enracinés au printemps ou en automne.
Sambucus racemosa 'Plumosa Aurea'	**Sureau** *(Sambucus)* Grand arbuste à feuillage coloré. Fleurs et fruits assez remarquables.	Planter en plein soleil les variétés cultivées pour les coloris de leur feuillage. Les autres viennent bien à l'ombre. La plupart des sols leur conviennent.	Par boutures herbacées en juillet ou boutures aoûtées à talon en automne. Certaines espèces se multiplient par semis.
Symphoricarpos albus laevigatus	**Symphorine** *(Symphoricarpos)* Arbuste vigoureux et très branchu, cultivé principalement pour ses grappes spectaculaires de fruits charnus en automne.	Bon arbuste à planter en ville parce qu'il supporte bien la pollution atmosphérique. Prospère en plein soleil ou à la mi-ombre dans n'importe quelle bonne terre de jardin. Tolère un sol alcalin.	Prélever des boutures semi-aoûtées en été ou des boutures aoûtées en automne. Se prête également au bouturage des racines, à la division des racines, au marcottage au sol et à la multiplication par rejets pourvus de racines. Difficile à obtenir à partir de semis.
Tamarix pentandra	**Tamaris** *(Tamarix)* Branches souples et élancées, dont les ramilles portent de minuscules feuilles semblables à des écailles. En automne, le feuillage et les ramilles tombent. Petites fleurs roses réunies en panicules ou en grappes de plumets légers.	Arbuste à utiliser en haie ou en écran, surtout au voisinage de la mer où ses branches souples ne sont pas endommagées par le vent. Tolère l'embrun. Prospère dans un sol sablonneux, dépourvu de calcaire.	Semer les graines mûres ou les garder jusqu'à un an dans un endroit sec et frais. Prélever des boutures semi-aoûtées en été ou des boutures aoûtées et sans feuilles en automne. Elles prennent facilement racine.

Thé des bois, voir Gaulthérie

Espèces et variétés	Rusticité *(carte, pp. 8-9)*	Caractéristiques ornementales et remarques	Hauteur et étalement à maturité
A feuillage caduc *Rhus aromatica* (aromatique)	Zone 3	Feuilles composées et grossièrement dentées, ayant une odeur agréable. Fleurs jaunâtres du début au milieu du printemps, avant que les folioles ne s'ouvrent. Multiplier cette espèce par boutures semi-aoûtées en été.	H 0,90-2,10 m; E 0,60-1,50 m
R. copallina (copal)	Zone 5	Folioles oblongues pouvant atteindre 10 cm de longueur, à limbe d'un beau vert brillant. Marge lisse. Fleurs verdâtres s'ouvrant du milieu à la fin de l'été. Fruits écarlates. Arbuste d'une beauté exceptionnelle en automne.	H 3-5,50 m ; E 1,80-3 m
R. glabra laciniata (glabre)	Zone 2	Variété extrêmement rustique. Feuilles profondément dentées et fruits d'un rouge vif, très décoratifs. Fleurs vertes en panicules serrées.	H 3-6 m ; E 1,80-3 m
R. typhina laciniata (Vinaigrier)	Zone 3	Feuilles délicatement segmentées prenant des couleurs magnifiques en automne. Fleurs verdâtres groupées en bouquets et apparaissant au début ou au milieu de l'été. Fruits rouge foncé en grappes spiralées, très attrayants.	H 3-9 m ; E 2,45-3,65 m
A feuillage caduc *Sambucus canadensis* 'Aurea' (doré du Canada)	Zone 3	Variété très ornementale à feuillage vivement coloré. Fruits noirs.	H 3,65 m ; E 2,45-3 m
S. racemosa (à grappes)	Zone 3	Grandes inflorescences blanches, suivies de fruits rouges en grappes.	H 3-4,25 m ; E 3-3,65 m
S. r. 'Plumosa Aurea' (à feuillage doré)	Zone 3	Feuillage doré, finement penné, absolument remarquable. Fruits rouges.	H 3 m ; E 2,45-3 m
A feuillage caduc *Symphoricarpos albus laevigatus* (à fruits blancs)	Zone 2	Feuilles oblongues ou ovales. Fleurs minuscules au début de l'été, peu visibles. Abondante production de baies blanches au début de l'automne, ployant les branches jusqu'au sol. Une maladie cryptogamique peut faire brunir les baies. Voir « anthracnose », p. 447.	H 0,90-1,20 m ; E 1,80 m
S. chenaultii	Zone 5	Feuilles pubescentes au revers. Baies roses du côté exposé au soleil, blanches du côté opposé. Se prête à l'établissement de haies basses. Plante hybride.	H 0,90 m ; E 2,45 m
S. 'Hancock'	Zone 5	Sélection canadienne à port prostré. Utile comme couvre-sol.	H 0,60-0,90 m ; E 1,80 m
S. orbiculatus (Arbousier d'Amérique)	Zone 2	Feuilles devenant d'un riche cramoisi en automne. Petites fleurs blanches ou blanc-jaune, très peu visibles, suivies d'abondantes baies pourpres qui persistent une partie de l'hiver et se détachent bien sur la neige. C'est une caractéristique ornementale dont sont dépourvues les variétés à fruits blancs. Arbuste drageonnant, utile pour contenir les talus.	H 1,80 m ; E 1,20-1,50 m
A feuillage caduc *Tamarix hispida*	Zone 9	Ramilles pubescentes. Inflorescences plumeuses s'ouvrant à la fin de l'été ou au début de l'automne. Tailler tôt au printemps.	H 1,20 m ; E 0,90-1,20 m
T. parviflora	Zone 4	Floraison printanière. Ecorce variant du brun sombre au pourpre. Tailler immédiatement après que les fleurs se sont fanées. Souvent vendu sous le nom de *T. tetrandra.*	H 4,50 m ; E 4,50 m
T. pentandra	Zone 3	Semblable à *T. hispida.* Feuilles de teinte pourpre. La floraison se produit à la fin de l'été. Tailler au début du printemps. Espèce particulièrement rustique.	H 4,50 m ; E 4,50 m

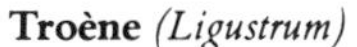

Nom vulgaire et nom botanique, description générale	Utilisation et culture	Multiplication *(voir aussi p. 79)*
Troène *(Ligustrum)* Les troènes ont en général des feuilles ovales et des fleurs blanches considérées par certaines personnes comme malodorantes. Fruits bleus ou noirs, en forme de baies, qui passent souvent inaperçus.	Tolère le sable et le voisinage de la mer. Supporte aussi la poussière, la pollution atmosphérique, les grands vents et les tailles fréquentes. Les espèces à feuillage caduc sont parmi les plantes de haie les moins chères. Cultiver le troène en plein soleil ou à la mi-ombre, dans n'importe quelle bonne terre de jardin.	Stratifier les graines quand elles sont mûres ou les garder jusqu'à un an dans un endroit sec et frais avant de les stratifier à 4°C pendant trois mois. Prélever des boutures herbacées au printemps ou des boutures fermes à la fin de l'été.
Vigne d'Ida, voir Airelle **Vinaigrier,** voir Sumac		
Viorne *(Viburnum)* Feuilles opposées, prenant souvent de belles teintes en automne. Petites fleurs généralement blanches, réunies en bouquets terminaux aplatis ou sphériques. Fruits colorés. Chez certaines espèces, ils restent sur l'arbuste une partie de l'hiver. D'autres variétés perdent vite leurs fruits qui sont dévorés par les oiseaux. Sous le genre *Viburnum*, on trouve un très grand nombre d'arbustes très appréciés pour la décoration des jardins.	Cultiver cet arbuste en plein soleil ou à la mi-ombre, dans un sol acide ou alcalin, modérément humide. Dans les régions chaudes, donner un peu d'ombre aux espèces à feuillage persistant. Les espèces à feuillage caduc ont une croissance rapide ; rabattre une partie des vieilles branches au ras du sol tous les deux ou trois ans. Tailler moins fréquemment les espèces à feuillage persistant ; enlever les tiges malingres et les branches trop longues. S'il s'agit d'une haie, la tailler à la hauteur désirée en lui donnant la forme voulue. Les espèces à fruits décoratifs fructifient mieux si l'on plante à proximité les uns des autres des sujets issus de deux ou plusieurs clones (c'est-à-dire venant de semences différentes ou multipliés par sauvageons distincts). Il vaut mieux les acheter dans différentes pépinières. Lorsqu'on se sert de sujets fructifères pour attirer les oiseaux, tailler les arbustes le moins possible. Pratiquer de préférence cette opération, lorsqu'elle est	Garder les graines mûres jusqu'à un an dans un endroit sec et frais avant de les stratifier pendant cinq mois à la température de la pièce et pendant trois autres mois à 4°C. Les semer après cette opération. On peut aussi pratiquer la division des racines et le marcottage au sol. Prélever des boutures semi-aoûtées à la fin de l'été. Pour les espèces à feuillage caduc, utiliser des boutures aoûtées et sans feuilles en automne.

Ligustrum ovalifolium

Viburnum opulus roseum

Espèces et variétés	Rusticité *(carte, pp. 8-9)*	Caractéristiques ornementales et remarques	Hauteur et étalement à maturité
A feuillage caduc			
Ligustrum amurense (de l'Amour)	Zone 5	En fleur du début au milieu de l'été. Bon choix pourvu que l'on respecte sa zone de rusticité. Son feuillage devient semi-persistant dans les régions tempérées.	H 4,50 m ; E 2,45-3 m
L. obtusifolium regelianum (de Regel)	Zone 5	Branches horizontales, gracieusement garnies de feuilles oblongues ou elliptiques excédant 5 cm de longueur. Epis de fleurs s'ouvrant à la mi-été.	H 1,50 m ; E 0,90-1,20 m
L. ovalifolium ou *L. californicum* (de Californie)	Zone 7	Feuillage semi-persistant à feuilles vernissées. Fleurs malodorantes s'ouvrant à la mi-été. Le troène le plus utilisé pour former des haies.	H 4,50 m ; E 4,50 m
L. o. aureum	Zone 7	Semblable à *L. ovalifolium*, si ce n'est que ses feuilles sont jaunes avec une tache centrale verte.	H 4,50 m ; E 4,50 m
L. sinense (de Chine)	Zone 8	Fleurs superbes à la mi-été. Silhouette extrêmement gracieuse.	H 3,65 m ; E 2,75 m
L. vicaryi	Zone 6	Feuilles extérieures jaunes. Elles sont d'un vert-jaune chez les sujets cultivés à l'ombre.	H 3,65 m ; E 2,75 m
L. vulgare lodense	Zone 5	Ramure compacte ; grandes grappes de fruits noirs et luisants.	H 1,20 m ; E 1,80 m
A feuillage persistant			
L. japonicum (du Japon)	Zone 9	Feuilles coriaces, vert foncé et vernissées. Panicules florales de 15 cm de long.	H 3,65 m ; E 1,80-3 m
L. j. rotundifolium	Zone 9	Feuilles vert foncé et brillantes, plus abondantes que chez *L. japonicum*. Compose une haie remarquable.	H 1,80 m ; E 0,90-1,50 m
L. 'Suwannee River'	Zone 9	Hybride rustique et de belle qualité, recommandé pour les haies basses.	H 0,90-1,20 m ; E 0,90 m

Espèces et variétés	Rusticité	Caractéristiques ornementales et remarques	Hauteur et étalement à maturité
A feuillage caduc			
Viburnum bodnantense 'Dawn'	Zone 7	Cet hybride se caractérise par un feuillage d'automne rouge et par des fleurs odorantes roses lavées de blanc. Tolère un sol argileux.	H 3 m ; E 3 m
V. burkwoodii (de Burkwood)	Zone 6	Arbuste hybride à feuillage brillant, semi-persistant dans les régions froides et persistant dans les régions sans gel. Fleurs aromatiques blanches.	H 1,80 m ; E 1,20-1,50 m
V. carlcephalum	Zone 6	Forme hybride à feuilles vernissées se couvrant de bouquets arrondis de fleurs aromatiques du milieu à la fin du printemps. Fruits bleu foncé.	H 2,10 m ; E 2,10 m
V. carlesii	Zone 5	Boutons roses très parfumés s'épanouissant en fleurs blanches. A donné des hybrides améliorés.	H 1,20-1,50 m ; E 1,50 m
V. lantana (commune ou mancienne)	Zone 2	Arbuste vigoureux attirant les oiseaux.	H 2,45-4,50 m ; E 1,80-2,45 m
V. lentago (Alisier ou Bourdaine)	Zone 2	Arbuste développé caractérisé par de beaux coloris en automne et des fruits noir-bleu.	H 3,65 m ; E 2,45 m
V. opulus roseum ou *V. o. sterile* (Boule-de-neige)	Zone 2	Feuilles ayant une forme semblable à celles de l'érable et rougissant à l'automne. Fleurs en bouquets s'ouvrant à la fin du printemps et au début de l'été. Arbuste stérile ne donnant pas de fruits. Peut être infesté de pucerons.	H 3,65 m ; E 3,65 m

Nom vulgaire et nom botanique, description générale	Utilisation et culture	Multiplication *(voir aussi p. 79)*
Viorne *(Viburnum)* — suite	nécessaire, au tout début du printemps, plutôt que tout de suite après la floraison. Certaines années, les espèces à floraison hâtive peuvent ne pas donner de fruits si, au moment de la floraison, le temps est froid et pluvieux ou s'il ne vente pas du tout. Il faut parfois combattre certains ravageurs — pucerons, thrips, tétranyques à deux points et cochenilles — et, dans certaines régions, le blanc attaque les feuilles à la fin de l'été.	
Weigela *(Weigela)* Feuilles opposées. Fleurs en forme d'entonnoir, de plus de 2,5 cm de long, réunies en groupes de 3 au plus. La floraison se produit à la fin du printemps et au début de l'été.	Cultiver cet arbuste en plein soleil ou à la mi-ombre dans n'importe quelle bonne terre de jardin qui s'égoutte bien. Lorsque c'est nécessaire, le tailler aussitôt que les fleurs se sont fanées, car elles naissent sur de courtes pousses de l'année précédente.	Semer les graines quand elles sont mûres. Prélever des boutures herbacées au printemps ou des boutures aoûtées et sans feuilles en automne.
Yucca *(Yucca)* Plante appréciée pour ses remarquables épis floraux. Fleurs en forme de coupe, de teinte généralement blanche ou jaunâtre.	Arbuste qui se cultive bien en bac. A installer en plein soleil, dans un sol sablonneux, à grosses particules. A rarement besoin d'être arrosé.	Semer les graines quand elles sont mûres. Prélever des boutures de racines ou repiquer les rejets pourvus de racines qui se forment à la souche.

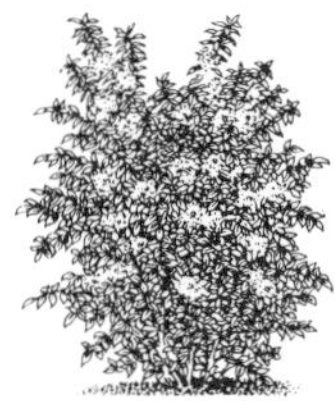
Weigela florida

Yucca filamentosa

Espèces et variétés	Rusticité *(carte, pp. 8-9)*	Caractéristiques ornementales et remarques	Hauteur et étalement à maturité
Viburnum plicatum tomentosum	Zone 6	Ramure caractérisée par des branches horizontales. Dans chaque bouquet, les fleurs externes sont stériles. Les fleurs fertiles, situées au centre, donnent des fruits rouges devenant noir-bleu. Floraison de la fin du printemps au début de l'été.	H 3 m ; E 2,45 m
V. sieboldii (de Siebold)	Zone 4	Feuilles ridées, vernissées et ovales atteignant 15 cm de longueur. Fleurs malodorantes à la fin du printemps ou au début de l'été. Fruits rose foncé ou rouges devenant noir-bleu. Arbuste très décoratif. Excellent comme sujet isolé ou pour composer une haie plutôt robuste.	H 9 m ; E 3-4,50 m
V. tomentosum sterile ou *V. plicatum*	Zone 6	Bouquets ronds de 8 cm composés de fleurs s'ouvrant à la fin du printemps. Arbuste stérile qui ne donne pas de fruits.	H 2,75 m ; E 1,80-2,75 m
V. trilobum (trilobée ou Pimbina)	Zone 2	Fruits rouge vif persistant une partie de l'hiver. Comestibles mais peu savoureux.	H 3,65 m ; E 3 m
A feuillage persistant			
V. davidii	Zone 7	Feuilles coriaces et brillantes de 5 à 15 cm de long. Fleurs blanches au début de l'été suivies de fruits bleu clair du début au milieu de l'automne.	H 0,90 m ; E 1,50 m
V. dilatatum	Zone 5	Fleurs réunies en bouquets de 13 cm de diamètre à la fin du printemps et au début de l'été. Feuilles brun havane et fruits écarlates en automne.	H 2,75 m ; E 1,80-2,75 m
V. rhytidophyllum	Zone 6	Feuilles gaufrées d'au plus 18 cm de long, semi-persistantes dans les régions froides. Fleurs blanc crème au début de l'été. Fruits rouges devenant noirs.	H 3 m ; E 3-4,50 m
A feuillage caduc			
Weigela 'Bristol Ruby'	Zone 5	Innombrables fleurs rouge rubis quand elles s'ouvrent, devenant cramoisies avec des reflets jaunes quand elles sont adultes. Cet hybride fleurit à la fin du printemps, puis, de nouveau et abondamment, en été.	H 2,10 m ; E 1,20-1,50 m
W. candida	Zone 5	Contrairement aux weigelas à fleurs blanches, les fleurs de cette espèce ne deviennent pas roses.	H 1,50-2,75 m ; E 0,90-1,50 m
W. florida ou *W. rosea*	Zone 4	Feuilles elliptiques de 7,5 à 10 cm de long, à nervures velues au revers. Fleurs roses sur des branches étalées. Tolère un sol alcalin.	H 3 m ; E 2,45 m
W. f. foliis purpuriis	Zone 4	Variété à belles fleurs roses.	H 1,50 m ; E 1,20 m
W. f. variegata	Zone 4	Arbuste remarquable par ses coloris, joignant des fleurs roses et des feuilles bordées de jaune pâle.	H 1,50 m ; E 1,20 m
W. vanicekii ou *W.* 'Newport Red'	Zone 5	Arbuste à fleurs rouges qui résiste bien aux rigueurs de l'hiver.	H 1,50-1,80 m ; E 0,90-1,20 m
A feuillage persistant			
Yucca filamentosa (filamenteux ou de Virginie)	Zone 4	Feuilles se terminant en pointe acérée et dépassant 60 cm de longueur. Fleurs blanches, souvent de 10 cm de diamètre, apparaissant à la fin de l'été ; elles sont réunies en épis de 60 cm.	H 2,45-3 m ; E 1,20-1,80 m
Y. glauca	Zone 3	Feuilles pointues vert-gris, à marge en dents de scie, excédant 60 cm de longueur. Fleurs de 10 cm de diamètre, souvent blanc-vert, parfois crème, groupées en épis et s'épanouissant au mois de juillet.	H 0,60-1,20 m ; E 1,20-1,80 m

Petit guide des plantes grimpantes

Les plantes grimpantes présentent deux avantages. Leurs tiges volubiles peuvent être palissées de manière à mettre en évidence leur feuillage, leurs fleurs ou leurs fruits. En outre, elles occupent peu de place au sol.

Certaines plantes grimpantes se fixent d'elles-mêmes à leur support au moyen de racines aériennes, de vrilles ou de ventouses. D'autres ne grimpent que si elles sont attachées. Ces caractéristiques sont précisées dans la première colonne des tableaux qui suivent.

Les plantes grimpantes sont classées ci-dessous d'après leur nom vulgaire le plus connu. Elles ont en outre été regroupées selon la nature de leur feuillage : caduc ou persistant, dans deux tableaux distincts.

Pour savoir si une essence est en mesure de résister aux froids qui sévissent en hiver, on prendra note de sa zone de rusticité et on se reportera à la carte des pages 8 et 9.

Afin de garder aux plantes grimpantes des proportions raisonnables, il faut de temps à autre recourir à la taille. On trouvera des renseignements à ce sujet à la page 92.

La multiplication des plantes grimpantes par marcottage en serpenteau ou « chinois » est expliquée en détail et illustrée à la page 85. On trouvera enfin à la page 74 des renseignements sur la façon de les planter.

À FEUILLAGE CADUC

Arbre à pipes
(Aristolochia durior)

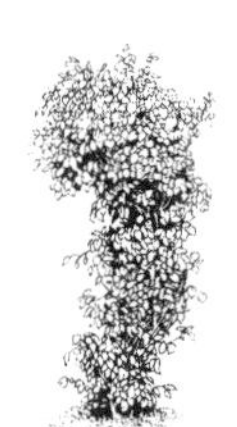

Célastre oriental
(Celastrus orbiculatus)

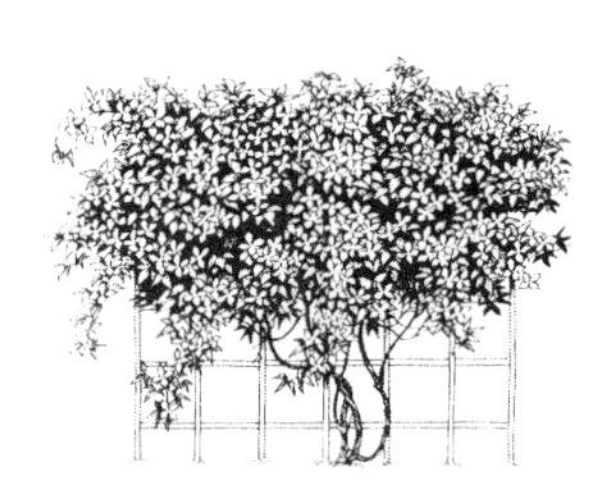

Clématite
(Clematis montana)

Nom vulgaire et nom botanique, description générale	Espèces et variétés	Rusticité *(Carte, pp. 8-9)*	Caractéristiques ornementales, soins particuliers, remarques
Arbre à pipes, voir Aristoloche			
Aristoloche *(Aristolochia)* Tiges volubiles. Grandes et belles feuilles. Peut constituer un écran efficace.	*A. durior* (Arbre à pipes)	Zone 5	Fleurs d'un brun jaunâtre et nauséabondes, ressemblant à de petites pipes. Feuilles arrondies pouvant atteindre 30 cm de longueur.
Bourreau des arbres, voir Célastre			
Célastre *(Celastrus)* Tiges volubiles, feuilles pétiolées et alternes, habituellement caduques. Petites inflorescences verdâtres. Fruits colorés s'ouvrant à maturité pour révéler des graines à téguments rouge orangé.	*C. orbiculatus* (oriental)	Zone 5	Feuilles arrondies de 7,5 à 13 cm de long. Fruits orange apparaissant à l'aisselle des feuilles.
	C. scandens (grimpant ou bourreau des arbres)	Zone 3	Feuilles oblongues atteignant 13 cm de longueur. Fruits jaunes et toxiques. Plante tapissante ayant tendance à s'étaler et demandant donc beaucoup d'espace. Utile pour couvrir la crête d'un muret.
Clématite *(Clematis)* Feuilles opposées et composées. Pédicelles volubiles qui s'accrochent au support. Une ombre partielle, un sol alcalin et un paillis peu dense garderont les racines dans un milieu frais et humide.	*C.* 'Gipsy Queen'	Zone 5	Fleurs pourpres.
	C. jackmanii (de Jackman)	Zone 4	Fleurs pourpres pouvant atteindre un diamètre de 15 cm, de la mi-été à la mi-automne. Hybride remarquable par ses nombreuses grandes fleurs.
	C. 'Madame Edouard André'	Zone 5	Spectaculaires fleurs rouges.
	C. montana	Zone 6	Feuilles très dentées. Fleurs blanches de 2,5 à 7,5 cm s'ouvrant à la fin du printemps.
	C. m. rubens	Zone 6	Jeunes feuilles bronze-pourpre. Fleurs rose foncé.
	C. texensis	Zone 5	Feuilles ovales, vert-bleu. Fleurs écarlates en forme d'urne, de la mi-été au début de l'automne.
	C. 'The President'	Zone 5	Fleurs d'un brun rougeâtre.

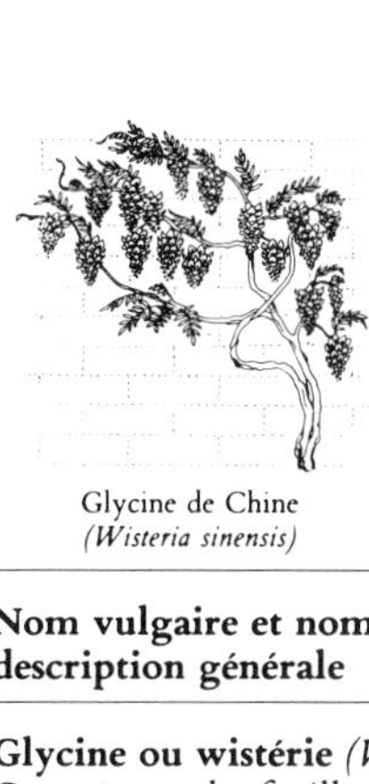

Glycine de Chine
(Wisteria sinensis)

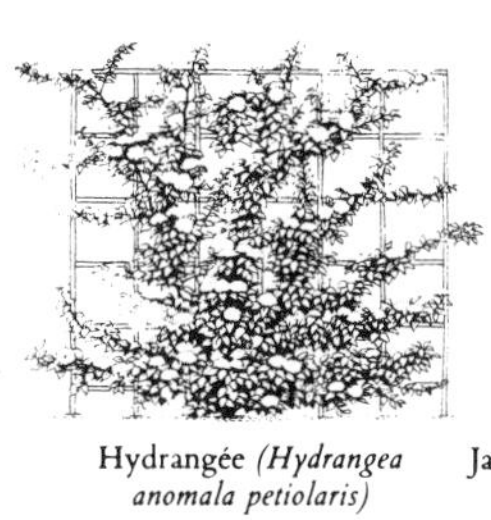

Hydrangée *(Hydrangea anomala petiolaris)*

Jasmin trompette de Virginie
(Campsis radicans)

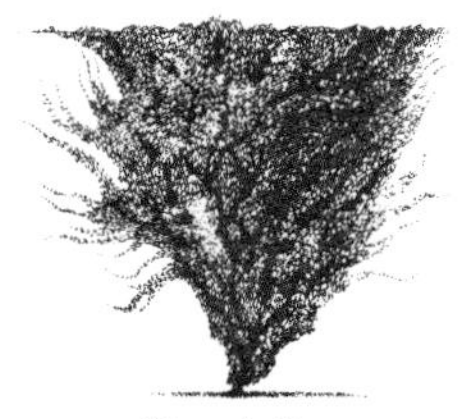

Lierre de Boston
(Parthenocissus tricuspidata)

Renouée
(Polygonum aubertii)

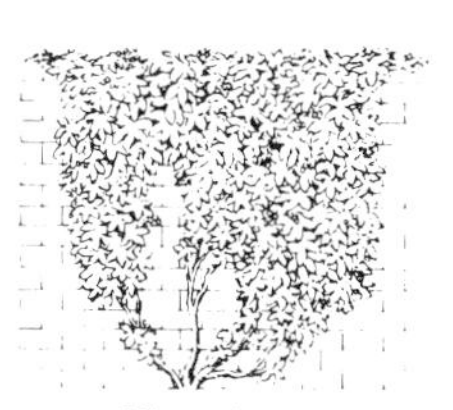

Vigne vierge
(Parthenocissus quinquefolia)

Nom vulgaire et nom botanique, description générale	**Espèces et variétés**	**Rusticité** *(Carte, pp. 8-9)*	**Caractéristiques ornementales, soins particuliers, remarques**
Glycine ou wistérie *(Wisteria)* Genre à grandes feuilles composées et à fleurs en forme de pois réunies en beaux bouquets pendants. Longues gousses veloutées en automne. Plante à tiges volubiles qui pénètrent dans les interstices des murs et peuvent causer des dommages ; demande un support robuste. Deux groupes de plantes : les unes, originaires de Chine, s'enroulent de gauche à droite ; les autres, du Japon, de droite à gauche.	*W. floribunda* (du Japon)	Zone 6	Fleurs bleu foncé ou violettes, réunies en bouquets atteignant 45 cm de longueur. Dans certains cas, les fleurs sont parfumées. Floraison à la fin du printemps.
	W. f. longissima	Zone 6	Fleurs dont les coloris vont du violet au pourpre.
	W. f. l. alba	Zone 6	Fleurs blanches exquisément parfumées.
	W. sinensis (de Chine)	Zone 6	Fleurs parfumées, bleu-violet, s'ouvrant à la fin du printemps et réunies en bouquets.
	W. s. alba	Zone 6	Fleurs d'un blanc pur. Plante remarquable, surtout quand elle côtoie des glycines à fleurs colorées.
Hydrangée *(Hydrangea)* Fleurs blanches. Feuilles opposées et dentées. Racines aériennes s'accrochant à un support.	*H. anomala petiolaris*	Zone 5	Les branches secondaires peuvent s'étendre à 2,45 m de la tige principale et former un écran dense, utile pour dissimuler aux regards des objets peu esthétiques.
Jasmin trompette *(Campsis* ou *Bignonia)* Plante de croissance rapide, à feuilles composées, dont les fleurs de couleur vive, en forme de trompette, attirent les oiseaux-mouches. Longues gousses. Doit être attachée en dépit de ses petites racines aériennes. Demande beaucoup d'espace.	*C. grandiflora* (à grandes fleurs)	Zone 8	Feuilles ayant jusqu'à 9 folioles. Fleurs rouge vif à la fin de l'été, de 7,5 cm de diamètre.
	C. radicans (de Virginie)	Zone 6	Fleurs variant de l'orange au rouge, de 5 cm de diamètre, s'ouvrant à la mi-été.
	C. tagliabuana 'Madame Galen'	Zone 6	A peu près identique à *C. radicans,* mais avec des fleurs un peu plus grandes.
Lierre de Boston *(Parthenocissus* ou *Ampelopsis)* Feuilles composées de 3 folioles, virant au rouge vif en automne. Petites fleurs peu visibles suivies de baies bleu foncé ou noires. Vrilles s'accrochant aux surfaces rugueuses.	*P. tricuspidata*	Zone 5	Feuilles vertes et vernissées, atteignant 20 cm de large. Semi-persistantes dans les régions à climat doux.
	P. t. lowii	Zone 5	Feuilles de 4 cm de large, souvent pourprées quand elles sont jeunes.
	P. t. veitchii	Zone 5	Jeunes feuilles pourprées, de 1,5 à 2 cm de large.
Renouée *(Polygonum)* Petites fleurs groupées en grappes ou en bouquets terminaux qui attirent les abeilles. Tiges volubiles.	*P. aubertii*	Zone 6	Feuilles lancéolées n'excédant pas 6,5 cm de long. Fleurs aromatiques, blanc-vert, s'épanouissant à la fin de l'été. Ne demande qu'une légère taille après la floraison.
Vigne vierge *(Parthenocissus* ou *Ampelopsis)* Feuilles à 5 folioles atteignant 15 cm de longueur et s'irradiant comme les rayons d'une roue. Plante grimpante qui peut atteindre une grande taille. Tiges volubiles munies de ventouses.	*P. quinquefolia*	Zone 2	Grandes feuilles devenant d'un rouge ardent en automne. Baies bleu foncé ou noires recherchées par les oiseaux. Ne pas lui permettre de grimper aux arbres.
	P. q. engelmannii (d'Engelmann)	Zone 2	Semblable à *P. quinquefolia,* mais s'en distingue par ses feuilles à folioles plus petites.
Wistérie, voir Glycine			

À FEUILLAGE PERSISTANT

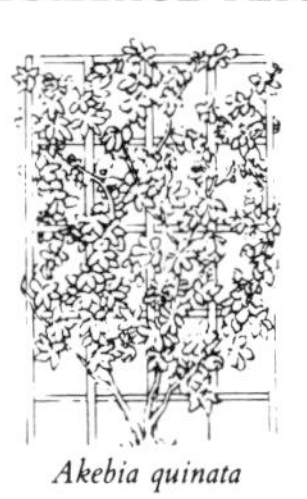

Akebia quinata

Chèvrefeuille *(Lonicera 'Dropmore Scarlet')*

Fatshedera lizei

Jasmin *(Jasminum mesnyi)*

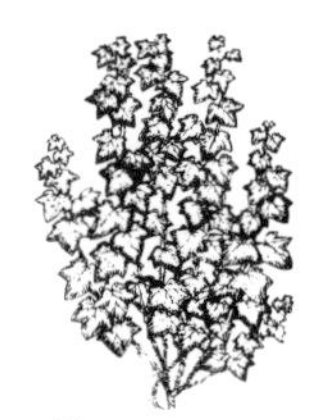

Lierre commun *(Hedera helix)*

Nom vulgaire et nom botanique, description générale	Espèces et variétés	Rusticité *(Carte, pp. 8-9)*	Caractéristiques ornementales, soins particuliers, remarques
Akebia *(Akebia)* Tiges volubiles à feuilles composées, caduques au Canada mais persistantes dans le sud des Etats-Unis. Fleurs mâles d'un brun pourpre ; fleurs femelles havane. Vient mieux à l'ombre. Certaines formes sont envahissantes.	*A. quinata*	Zone 6	Feuilles à 5 folioles. Petites fleurs aromatiques, mais à peine visibles, s'ouvrant le soir à la fin du printemps. Gousses pourpres, comestibles, de 7,5 cm.
	A. trifoliata	Zone 7	Feuilles à 3 folioles de 5 à 7,5 cm de long. Pointes dentelées et marges ondulées. Arbuste de croissance rapide fleurissant du milieu à la fin du printemps.
Chèvrefeuille *(Lonicera)* Tiges volubiles qui se fixent au support au moyen de petites ventouses. Fleurs tubuleuses réunies à l'extrémité des pousses secondaires ou groupées par deux à l'aisselle des feuilles, suivies de baies colorées dont les oiseaux raffolent. Préfère un sol humide, bien drainé et légèrement alcalin.	*L.* 'Dropmore Scarlet'	Zone 2	Plante très rustique.
	L. heckrottii	Zone 4	Au début de l'été, fleurs rose pourpré à organes intérieurs jaunes et tubuleux, qui durent tout l'été. Feuillage semi-persistant, ou caduc dans les régions froides de sa zone de rusticité.
	L. henryi	Zone 6	Feuilles atteignant 10 cm de longueur. Fleurs axillaires, pourpres, de 2 cm de long au début de l'été. Fruits noirs. Feuillage semi-persistant dans les régions froides de sa zone de rusticité.
	L. sempervirens (de Virginie)	Zone 2	Feuilles ovales à revers vert-bleu.
Fatshedera *(Fatshedera)* Feuilles semblables à celles du lierre commun, quoique plus grandes. Demande à être attaché.	*F. lizei*	Zone 8	Feuilles vernissées pouvant atteindre 18 cm de longueur sur 25 de largeur. Bouquets de 25 cm réunissant de petites fleurs vert clair du début au milieu de l'automne.
Jasmin *(Jasminum)* Plante facile à cultiver, caractérisée par des grappes de fleurs blanches, jaunes ou roses, parfumées. Feuilles composées, alternes ou opposées. Tiges peu volubiles demandant à être attachées à leur support. La plupart des sujets sont à feuillage persistant, ou de semi-persistant à caduc. Se cultive en règle générale dans une serre plutôt fraîche.	*J. floridum*	Zone 8	Feuilles semi-persistantes ; fleurs jaunes à la mi-été.
	J. humile (d'Italie)	Zone 8	Feuilles parfois semi-persistantes. Inflorescences jaune d'or et parfumées.
	J. mesnyi ou *J. primulinum*	Zone 8	Feuilles vernissées atteignant 5 cm de longueur, semi-persistantes. Fleurs jaunes à la mi-printemps.
	J. multiflorum	Zone 8	Feuilles atteignant 5 cm environ. Fleurs blanches.
	J. officinale grandiflorum (blanc)	Zone 8	Feuilles vernissées, semi-persistantes ou caduques. Fleurs blanches de 5 cm s'ouvrant à la mi-été.
Lierre *(Hedera)* Feuilles alternes, pétiolées et dentées ou lobées. Plante renommée pour son feuillage décoratif et qui produit de minuscules fleurs verdâtres ainsi que des fruits noirs. Tiges à petites racines aériennes s'accrochant aux surfaces rugueuses.	*H. canariensis* (des Canaries)	Zone 8	Feuilles de 15 cm de long. Ramilles et pétioles rouge foncé.
	H. c. variegata (panaché)	Zone 8	Feuilles bordées de crème.
	H. colchica	Zone 8	Feuilles rugueuses et vert foncé, parfois lobées, dont la largeur va de 10 à 25 cm.
	H. helix (commun)	Zone 6	Feuilles de 5 à 13 cm de long, divisées en 3 à 5 lobes, vert foncé à revers jaunâtre.
	H. h. baltica (anglais)	Zone 6	Variété à petites feuilles, très rustique.

Haies

Taillées ou laissées à elles-mêmes, les haies sont à la fois des éléments de décoration irremplaçables et des plantations très utiles.

Une haie peut avoir plusieurs utilités. Elle peut servir à enclore une propriété, à isoler certaines parties d'un jardin, à former des écrans derrière des plates-bandes ou des massifs et est en soi un véritable brise-vent.

Les arbustes à feuillage persistant sont les plus aptes à composer des haies puisqu'ils restent verts et denses en toute saison. Les plus intéressants dans cette catégorie sont sans doute l'if et le buis qui ont des ramures très touffues et n'ont besoin d'être taillés qu'une fois par an. Dans les régions où le climat le permet, le troène à feuilles persistantes constitue un bon choix parce qu'il pousse rapidement. Mais pour garder un aspect buissonnant et une allure soignée, il doit être taillé deux ou trois fois par an.

Les haies de conifères ont en général un aspect sombre et sévère, mais certaines variétés présentent un feuillage plus clair ; c'est le cas du cyprès doré à feuilles filiformes qui compose une haie dense et compacte. La pruche est une essence renommée depuis longtemps à cette fin puisqu'on peut la tailler sans crainte de voir mourir les pousses. Pour obtenir un écran végétal épais, planter des jeunes conifères tous les 60 cm environ.

Quand une haie ne sert pas à délimiter une propriété, on peut la laisser fleurir et fructifier à sa guise. Le forsythie 'Lynwood', le lilas, la potentille frutescente (*Potentilla fruticosa*), l'argousier et l'aubépine sont beaucoup plus spectaculaires quand ils sont laissés à l'état naturel.

Plusieurs espèces et variétés de spirées n'ont pas besoin d'être taillées. Certaines d'entre elles sont rustiques partout, sauf dans les zones 1 et 2. D'autres ne survivent pas dans les zones inférieures à 5.

On aligne parfois certains arbres pour créer des brise-vent de haute taille. Ils sont plus efficaces qu'une clôture ou un mur, parce que ceux-ci, en arrêtant brusquement le vent, provoquent une forte turbulence. Les arbres, au contraire, laissent passer l'air en le freinant progressivement. Au bord de la mer, les pins noirs d'Autriche espacés de quelques mètres forment un écran qui résiste aux effets desséchants des vents salins. Le tilleul est utile comme brise-vent à l'intérieur des terres.

On trouvera dans les pages qui suivent une liste des plantes à feuillage caduc ou persistant les plus fréquemment utilisées en haie. La hauteur, l'exposition et la zone de rusticité de chacune est indiquée. La hauteur donnée est celle à laquelle on taille habituellement une haie. Non taillées, les plantes grandiront plus.

Pour savoir si une essence peut survivre aux froids les plus intenses qui sévissent dans une région en hiver, noter sa zone de rusticité et se reporter à la carte des pages 8 et 9.

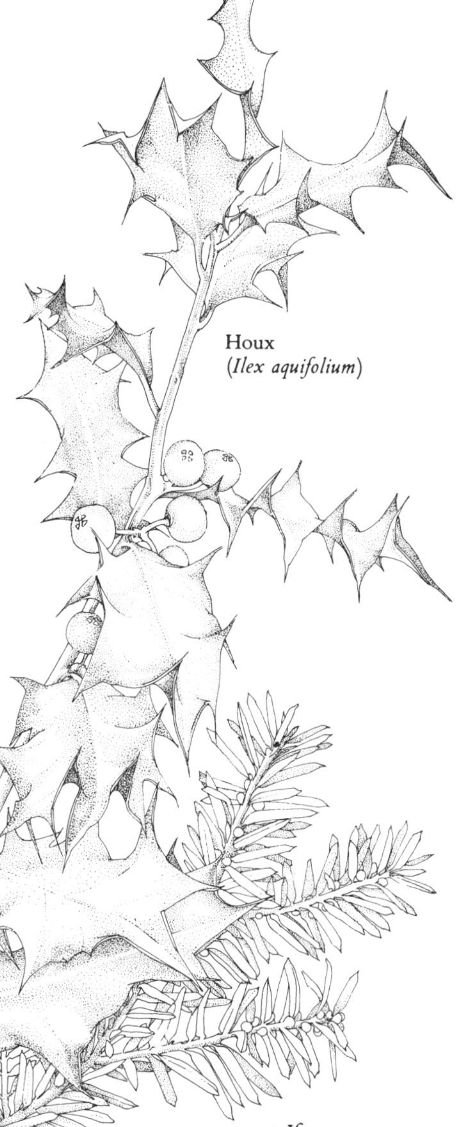

Houx
(*Ilex aquifolium*)

Forsythie
(*Forsythia intermedia*
'Lynwood')

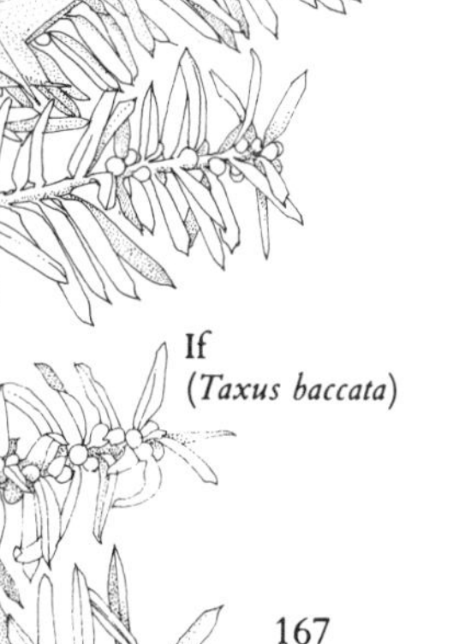

If
(*Taxus baccata*)

Haies à feuillage caduc

Argousier

L'argousier, *Hippophae rhamnoides,* porte des feuilles étroites vert-gris sur le dessus et vert argenté au revers. Cette espèce donne des baies orange en automne lorsque des sujets mâles et femelles sont cultivés ensemble. L'argousier peut être planté au bord de la mer, où il forme de belles haies.
Hauteur : 0,90–4,50 m.
Exposition : au soleil ou à la mi-ombre.
Rusticité : zone 2.

Aubépine

Avec ses épines et ses branches touffues, l'aubépine, *Crataegus chrysocarpa,* constitue une haie redoutable et une barrière presque infranchissable. L'arbuste se pare de fleurs blanches, suivies de baies rouges. Le feuillage persiste jusque tard en automne.
Hauteur : 0,90–1,50 m.
Exposition : au soleil ou à la mi-ombre.
Rusticité : zone 2.

Caragan arborescent ou de Sibérie

Le caragan, *Caragana arborescens,* se couvre de fleurs jaunes en forme de pois à la fin du printemps. Cet arbuste vigoureux dont les feuilles peuvent atteindre 7,5 cm de longueur constitue en groupe un brise-vent efficace qui demande peu de soins. En automne apparaissent des gousses de 5 cm de long.
Hauteur : 1,20–4,50 m.
Exposition : au soleil.
Rusticité : zone 2.

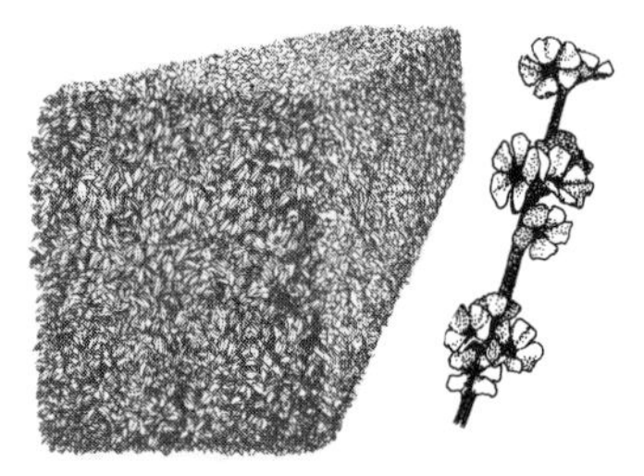

Cerisier tomenteux

Peu après la fonte des neiges, les branches de *Prunus tomentosa* se couvrent de bouquets de fleurs rose pâle, suivies de cerises rouge vif et délicieuses qui mûrissent en juillet. Si la haie est taillée ras, le feuillage masque presque complètement les fruits.
Hauteur : 0,90–4,50 m.
Exposition : au soleil ou à la mi-ombre.
Rusticité : zone 2.

Chalef

L'olivier de Bohême, *Elaeagnus angustifolia,* présente des feuilles rubanées atteignant 13 cm de longueur, argentées au revers. Au début de l'été, il donne de petites fleurs au parfum de gardénia. Elles sont suivies de fruits jaunes et argentés dont les oiseaux raffolent. Il supporte un climat sec, un sol sablonneux et l'air salin.
Hauteur : 0,90–4,50 m.
Exposition : au soleil ou à la mi-ombre.
Rusticité : zone 2.

Charme

Le charme de Caroline, *Carpinus caroliniana,* est un petit arbre vigoureux dont les feuilles peuvent atteindre 13 cm de longueur. Lorsque la haie n'est pas taillée, des chatons apparaissent vers le milieu et la fin du printemps et sont suivis de bouquets pendants de petits fruits ailés.
Hauteur : 0,90–1,50 m ou davantage.
Exposition : au soleil ou à la mi-ombre.
Rusticité : zone 3.

Cognassier

Le cognassier, *Chaenomeles japonica* ou *Cydonia japonica,* est un admirable arbuste nain à fleurs rouges qui s'épanouissent à la fin du printemps, avant la feuillaison. *C. speciosa,* ou *C. lagenaria,* présente des inflorescences rouge vif au début ou au milieu du printemps, mais on trouve aussi des variétés à fleurs blanches ou roses.
Hauteur : *C. japonica,* 0,90 m ; *C. lagenaria,* 1,80 m.
Exposition : au soleil ou à l'ombre.
Rusticité : zone 5.

Forsythie

Forsythia intermedia est l'espèce qui présente les plus grandes fleurs. Au début ou au milieu du printemps, l'arbuste se couvre d'inflorescences jaunes. Comme presque tous les forsythies, il forme une haie dense. Variétés recommandées : 'Lynwood', 'Spring Glory' et 'Karl Sax'.
Hauteur : 0,90-2,45 m.
Exposition : au soleil ou à l'ombre.
Rusticité : zones 5 ou 6.

Fuchsia

On peut cultiver *F. magellanica riccartonii* dans les régions où les hivers sont doux. Ses fleurs rouge vif sont admirables en été. *F. magellanica* pousse très bien près de la mer ; ses fleurs solitaires, pourpres et rouges, s'ouvrent au début de l'été.
Hauteur : 0,60-1,80 m.
Exposition : au soleil ou à la mi-ombre.
Rusticité : zone 8.

Hêtre

Le hêtre européen, *Fagus sylvatica,* et ses variétés à feuillage cuivre et pourpre sont utiles comme brise-vent. L'arbuste garde son feuillage brique durant tout l'hiver et une partie du printemps. Le hêtre pousse bien presque partout, sauf en terrain humide et lourd. Les branches sont d'une belle couleur grise.
Hauteur : 1,80-4,50 m ou davantage.
Exposition : au soleil ou à la mi-ombre.
Rusticité : zone 6.

Potentille frutescente

Potentilla fruticosa 'Farreri' compose une belle haie naturelle, comme la plupart des potentilles. Des fleurs jaunes s'épanouissent avec profusion en juin et la floraison se prolonge de façon irrégulière jusqu'aux gels. Aucune taille n'est requise ; il suffit de supprimer les longues tiges.
Hauteur : 0,90 m.
Exposition : au soleil.
Rusticité : zone 2.

Prunier myrobolan

Prunus cerasifera, à feuillage vert sombre, compose une haie colorée lorsqu'il alterne avec *P. c. atropurpurea* à feuilles pourpres. Tous deux présentent des bouquets de petites fleurs blanches au début du printemps, parfois suivies de remarquables petits fruits rouges ou jaunes.
Hauteur : 1,80-4,50 m.
Exposition : au soleil.
Rusticité : zone 5.

Rosier

Tous les rosiers arbustifs (*Rosa*) peuvent constituer des haies. Parmi les espèces particulièrement renommées se trouvent *R. hugonis* à fleurs jaune vif et *R. multiflora* à multiples fleurs blanches au début de l'été, suivies de fruits rouge vif en automne. *R. rugosa* supporte le voisinage de la mer. Enfin, les rosiers floribunda font aussi de belles haies.
Hauteur : 0,90-1,80 m.
Exposition : au soleil.
Rusticité : zones 3 à 5.

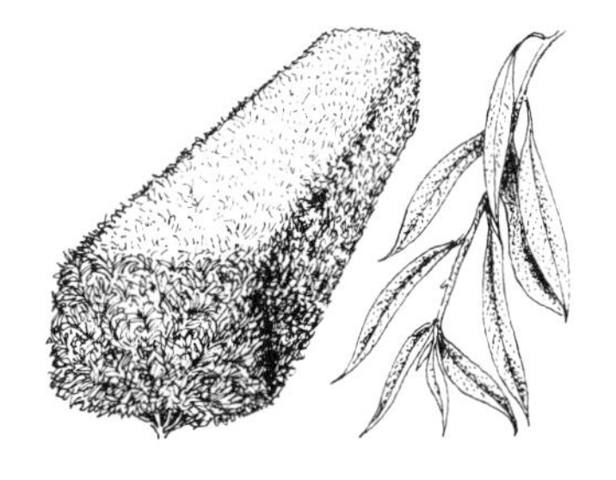

Saule

Salix purpurea nana présente de belles feuilles lisses allant du gris au vert-bleu sur des branches élancées. Le saule ne constitue pas un écran très efficace, mais il supporte bien les sols humides et lourds.
Hauteur : 0,60-0,90 m.
Exposition : au soleil.
Rusticité : zone 2.

Seringa

Plusieurs espèces et variétés de *Philadelphus* se prêtent à la culture en haie. Toutes présentent des fleurs blanches et parfumées vers le milieu de l'été. *P. coronarius* se distingue par des inflorescences de 4 cm de diamètre, tandis que *P. lemoinei* est un hybride à port dressé.
Hauteur : *P. coronarius,* 1,80-2,45 m ; *P. lemoinei,* 1,20-1,80 m.
Exposition : au soleil.
Rusticité : zones 3 ou 4.

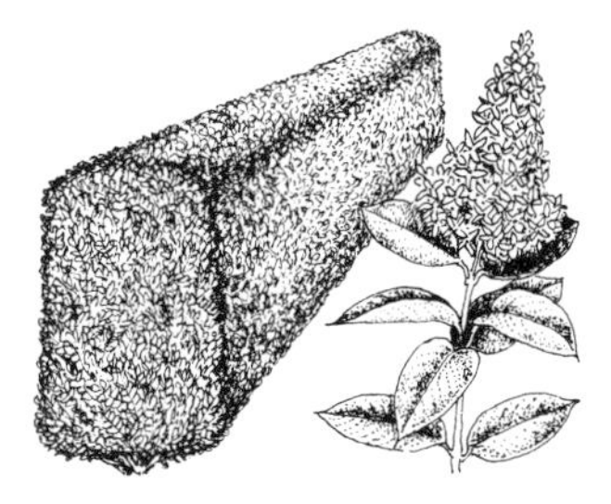

Troène

Plusieurs espèces de *Ligustrum* constituent d'excellentes haies. Ce sont des arbustes de croissance rapide à feuilles vernissées. *L. amurense* résiste aux grands froids. *L. obtusifolium* porte des baies noires en automne, tandis que *L. ovalifolium,* ou *L. californicum,* présente un feuillage semi-persistant. *L. vulgare* pousse dans presque tous les sols et donne des fruits noirs.
Hauteur : 0,60-3,65 m.
Exposition : au soleil.
Rusticité : zones 5 à 7.

Haies à feuillage persistant

Buis

La plupart des buis peuvent être utilisés pour former des haies. *Buxus sempervirens* présente des feuilles vert sombre atteignant 3 cm de longueur. Il prend le port d'un arbre s'il n'est pas taillé. C'est un arbuste qui donne une haie très serrée.
Hauteur : 0,30–0,60 m ou davantage.
Exposition : au soleil ou à la mi-ombre.
Rusticité : selon l'espèce.

Buisson ardent

Les nombreuses espèces de *Pyracantha* portent toutes des épines et sont renommées pour leurs petites fleurs blanches et leurs grappes de fruits colorés en automne. *P. coccinea lalandii* se distingue par des feuilles ovales de 4 cm de long environ. Les feuilles de *P. crenulata* mesurent souvent jusqu'à 8 cm. Ces deux espèces ont des baies rouge orangé.
Hauteur : 0,90–3,65 m.
Exposition : au soleil.
Rusticité : selon les espèces.

Camélia

La plupart des espèces de camélia se prêtent à la culture en haie. Il existe plusieurs variétés de *Camellia japonica* à grandes fleurs spectaculaires blanches, roses, rouges ou panachées, s'épanouissant de la mi-automne à la mi-printemps. Leurs feuilles rubanées et d'un vert sombre atteignent 10 cm de longueur.
Hauteur : 0,90–3,65 m ou davantage.
Exposition : à la mi-ombre.
Rusticité : zone 8.

Chèvrefeuille

Le chèvrefeuille arbustif, *Lonicera nitida,* est cultivé principalement pour ses petites feuilles qui donnent une haie très dense. L'arbuste présente des fleurs parfumées vert-jaune ou vert-blanc au milieu ou à la fin du printemps, mais elles sont peu nombreuses et presque invisibles. Cette espèce résiste aux embruns.
Hauteur : 0,60–1,20 m.
Exposition : au soleil ou à la mi-ombre.
Rusticité : zone 8.

Cotonéaster

Cotoneaster lactea est un arbuste à branches gracieusement arquées, dont les ramilles portent des poils blanchâtres. On s'en sert pour composer une haie majestueuse. Son feuillage est vert sombre. Des fleurs blanches apparaissent à la fin du printemps, suivies en automne par des baies rouges qui durent une partie de l'hiver.
Hauteur : 1,80–3,65 m.
Exposition : au soleil ou à la mi-ombre.
Rusticité : zone 7.

Cyprès de Leyland

Le cyprès de Leyland, *Cupressocyparis leylandii,* est un conifère d'une très grande vigueur utilisé pour constituer une haie haute. Cet hybride de croissance rapide présente un port colonnaire distinctif et des petites feuilles en forme d'écailles. C'est un sujet à choisir lorsqu'on veut obtenir une haie rapidement.
Hauteur : 0,90–4,50 m ou davantage.
Exposition : au soleil ou à la mi-ombre.
Rusticité : zone 7.

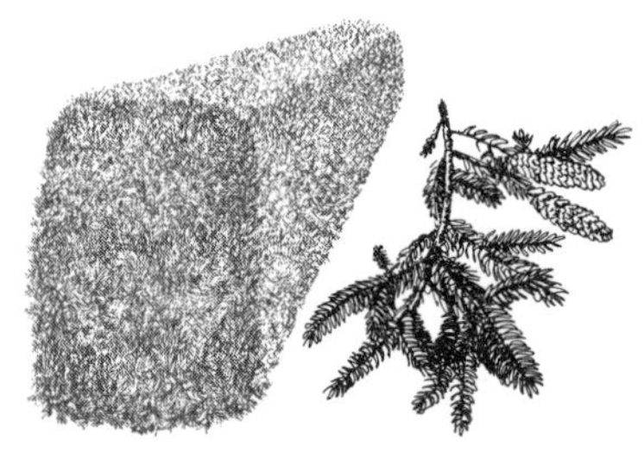

Epinette

L'épinette de Norvège (*Picea abies*) et l'épinette blanche (*P. glauca*) font d'excellentes haies de grande taille. Périodiquement taillés, ces arbustes peuvent résister pendant un demi-siècle au moins. Il ne faut pas les laisser trop grandir, cependant, pour leur éviter un rabattage sévère qui rend la reprise difficile.
Hauteur : 1,50–2,10 m.
Exposition : au soleil.
Rusticité : zone 2, *P. abies* et zone 1, *P. glauca.*

Epine-vinette

L'épine-vinette, *Berberis stenophylla,* se caractérise par des branches arquées garnies de feuilles d'environ 2,5 cm de long et, au printemps, par des fleurs jaune d'or en bouquets, suivies de baies pourpres en automne. Cet arbuste supporte la taille. Une espèce très rustique, *B. julianae,* présente des feuilles dentées de 7,5 cm.
Hauteur : 0,90–1,80 m.
Exposition : au soleil ou à la mi-ombre.
Rusticité : zone 6.

Escallonia

E. rubra se distingue par des ramilles rougeâtres pouvant atteindre 5 cm de longueur. Ses feuilles lancéolées sont un peu collantes. A la mi-été apparaissent de petites fleurs rouges groupées en bouquets pendants et souples. Plusieurs de ses variétés se prêtent également à la culture en haie.
Hauteur : 0,90-3,65 m.
Exposition : au soleil.
Rusticité : zone 8.

Faux cyprès

Tous les arbustes dressés de ce genre peuvent se cultiver en haie. *Chamaecyparis lawsoniana* présente une ramure touffue garnie de feuilles souples. Cette espèce demande beaucoup d'humidité. *C. thyoides* se distingue par de petites feuilles vert clair en forme d'écailles et une écorce d'un brun rougeâtre. Cet arbuste vient bien en sol humide.
Hauteur : 1,20-4,50 m ou davantage.
Exposition : au soleil.
Rusticité : selon les espèces.

Fusain

Euonymus japonicus est un arbuste à feuilles vernissées vertes, admirablement panachées chez plusieurs variétés, et qui porte de petites fleurs jaunes à peine visibles au printemps, ainsi que des baies roses en automne. Le fusain croît dans n'importe quel sol pourvu qu'il soit bien drainé. Il se taille sans problème.
Hauteur : 0,60-3,65 m.
Exposition : au soleil ou à la mi-ombre.
Rusticité : zone 8.

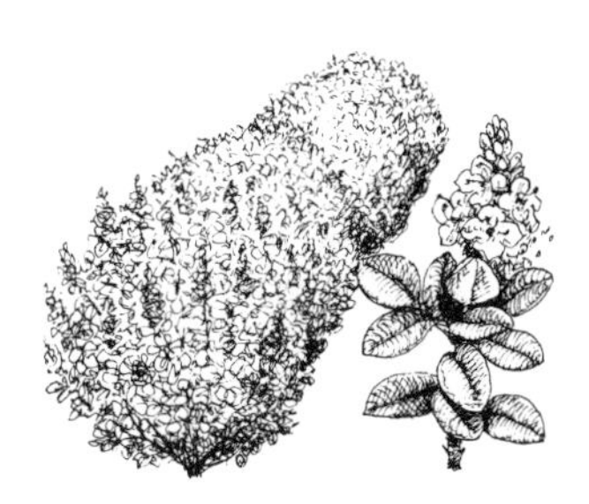

Hebe

Les feuilles partiellement superposées et de 2,5 cm de *H. buxifolia,* ou *Veronica buxifolia,* composent une verdure intéressante. A la mi-été, des fleurs blanches s'épanouissent en épis de 2,5 cm. Cet arbuste est très répandu sur la côte Ouest. Il tolère les sols sablonneux et demande peu d'arrosage et peu de fertilisation.
Hauteur : 0,60-1,20 m.
Exposition : au soleil.
Rusticité : zone 8.

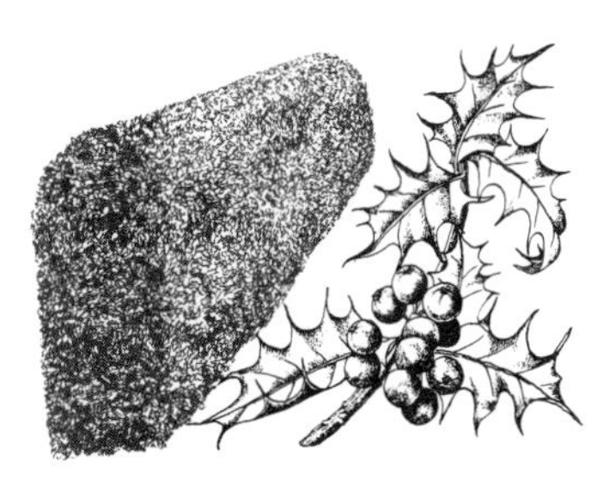

Houx

Le feuillage de *Ilex aquifolium,* ou houx d'Europe, sert de décoration à Noël. Des feuilles luisantes et vert sombre ainsi qu'une ramure touffue destinent cet arbuste à la culture en haie. Ses fruits rouge vif durent une partie de l'hiver. *I. opaca* présente des feuilles ternes sur le dessus et vert-jaune en dessous et des fruits rouges.
Hauteur : 1,20-4,50 m ou davantage.
Exposition : au soleil ou à la mi-ombre.
Rusticité : zone 7.

If

Tous les ifs de haute taille peuvent constituer une haie. L'if du Japon, *Taxus baccata,* est un conifère trapu et de croissance lente à feuillage vert sombre et à fruits vert-brun. Les baies rouges de *T. cuspidata* font un beau contraste avec son feuillage sombre, tandis que l'hybride *T. media* est un sujet très rustique et de très belle apparence.
Hauteur : 0,60-4,50 m.
Exposition : au soleil ou à l'ombre.
Rusticité : selon les espèces.

Mahonia à feuilles de houx

Mahonia aquifolium est un arbuste à feuilles de houx d'un vert brillant. Il est renommé pour ses bouquets dressés de fleurs d'un jaune appuyé qui s'ouvrent à la fin de l'hiver ou au début du printemps. Elles sont suivies de fruits noir-bleu comestibles. Aux limites de sa zone de rusticité, ce mahonia perd ses feuilles en hiver.
Hauteur : 0,60-0,90 m.
Exposition : à la mi-ombre.
Rusticité : zone 5.

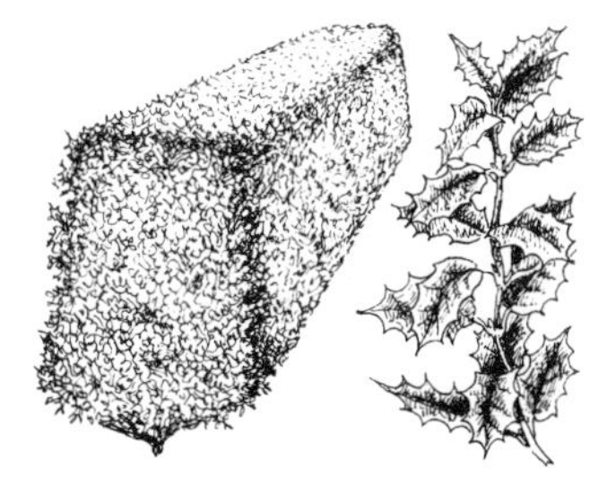

Osmanthus

La plupart des espèces d'osmanthus se prêtent à la culture en haie. *O. heterophyllus* présente des feuilles vernissées de forme ovale ou oblongue, pouvant excéder 5 cm de longueur. Ses fleurs aromatiques, d'un blanc verdâtre, se succèdent tout l'été et sont suivies en automne par des baies noir-bleu. L'arbuste supporte la taille.
Hauteur : 0,90-4,50 m.
Exposition : au soleil ou à la mi-ombre.
Rusticité : selon les espèces.

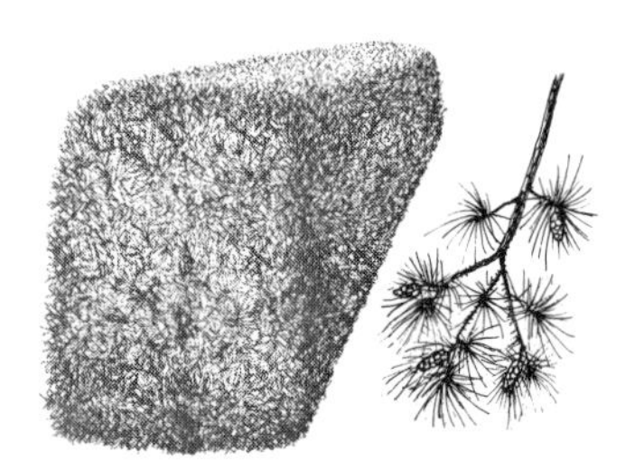

Pin blanc

Bien des espèces de pins forment de bonnes haies brise-vent, mais peu donnent d'aussi bons résultats que *Pinus strobus.* Sa ramure demeure souple malgré des tailles répétées. *P. cembra* est un peu plus rustique et se cultive bien en haie lui aussi.
Hauteur : 1,50-2,10 m.
Exposition : au soleil ou à la mi-ombre.
Rusticité : zone 2.

Pittosporum

P. tobira présente des feuilles remarquables, vert foncé, qui peuvent atteindre 10 cm de longueur. Des bouquets de fleurs blanc crème s'ouvrent à la fin du printemps. Bien que peu apparentes, les fleurs sont fortement parfumées. Cet arbuste se cultive bien en haie près de la mer, mais seulement sur la côte Ouest.
Hauteur : 0,90-3,65 m.
Exposition : au soleil ou à la mi-ombre.
Rusticité : zone 9.

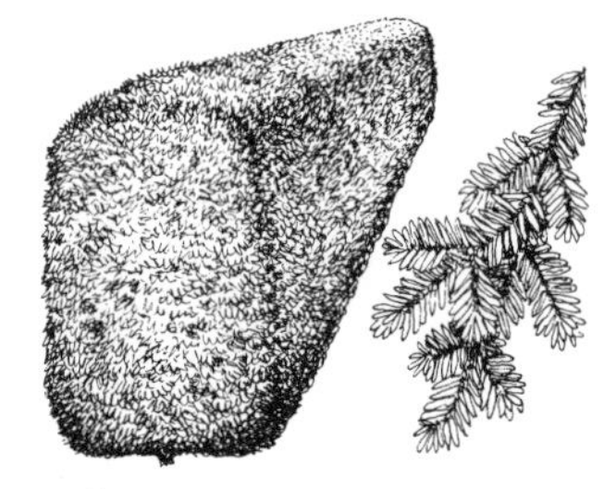

Pruche

Les aiguilles de *Tsuga canadensis* sont vertes sur le dessus et gris clair au revers. Ce conifère à port érigé demande une humidité modérée, doit être protégé des vents violents et ne supporte ni la chaleur ni la pollution atmosphérique. D'autres pruches font aussi de belles haies.
Hauteur : 1,80-4,50 m ou davantage.
Exposition : au soleil ou à la mi-ombre.
Rusticité : zone 4.

Prunus

Le laurier du Portugal (*P. lusitanica*) et le laurier-cerise (*P. laurocerasus*) sont des arbustes qui peuvent atteindre le port d'un arbre petit ou moyen s'ils ne sont pas taillés. Luisantes et dentées, leurs feuilles ont environ 10 cm de long, et leurs fleurs blanches et parfumées sont suivies de fruits pourprés.
Hauteur : 1,20-4,50 m.
Exposition : au soleil.
Rusticité : zone 7.

Santoline

Le petit cyprès (*Santolina chamaecyparissus*) est un joli arbuste nain à feuilles argentées et très découpées, en forme de frondes. A la mi-été, des fleurs arrondies, jaune citron, ajoutent à la beauté de la haie. Cette plante n'a pas besoin d'être taillée. Aux limites septentrionales de sa zone de rusticité, il faut la protéger avec d'épais paillis en hiver.
Hauteur : 0,30-0,60 m.
Exposition : au soleil.
Rusticité : zone 9.

Thuya géant ou cèdre de l'Ouest

Thuja plicata, ou *T. lobbii,* est un arbre de croissance rapide portant un beau feuillage vert foncé. Aux limites de sa zone de rusticité, ses feuilles virent au bronze en automne et gardent ce coloris en hiver. Il prospère dans un terrain et dans une atmosphère très humides.
Hauteur : 1,80-4,50 m ou davantage.
Exposition : au soleil.
Rusticité : zone 6.

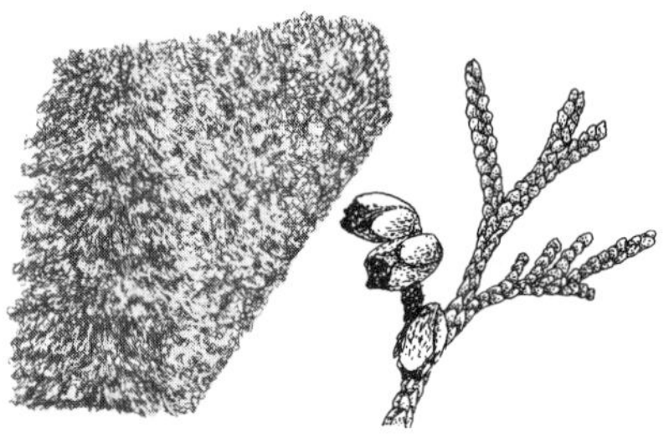

Thuya occidental ou cèdre blanc

Thuja occidentalis est probablement l'un des conifères les plus employés au Canada pour former des haies. La plupart des thuyas viennent de la forêt et demandent plusieurs années avant d'avoir un feuillage dense. Les sujets cultivés en pépinière deviennent touffus plus rapidement.
Hauteur : 1,20 m ou davantage.
Exposition : au soleil ou à la mi-ombre.
Rusticité : zone 3.

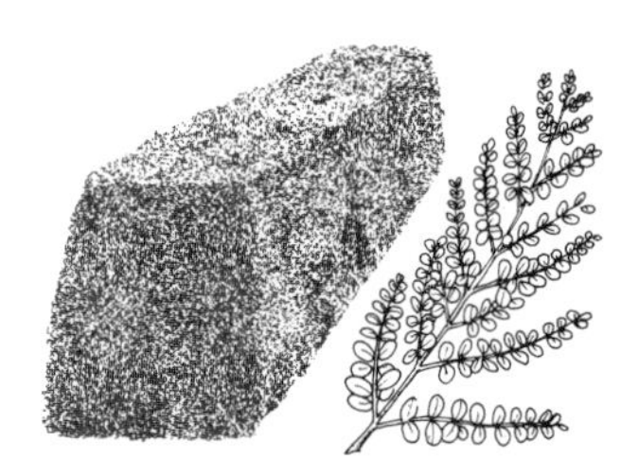

Troène

Ligustrum japonicum a des feuilles luisantes et vert foncé de 10 cm de long environ. Des bouquets de fleurs de 10 à 15 cm de long se forment sur les sujets non taillés, de la mi-été jusqu'au début de l'automne. *L. lucidum* porte des feuilles plus grandes que celles de *L. japonicum* et ses bouquets floraux peuvent atteindre près de 25 cm.
Hauteur : 0,90-4,50 m.
Exposition : au soleil ou à la mi-ombre.
Rusticité : zone 9.

Pour obtenir une belle haie

On peut planter des arbustes soit sur une seule rangée, soit en quinconce. La disposition en quinconce donne une haie plus fournie.

Les arbustes à feuillage caduc peuvent être plantés en automne, à la fin de l'hiver ou au printemps, lorsque le sol n'est pas gelé. Dans les régions où le climat est doux, la plantation peut aussi se faire durant l'hiver. On plante les arbustes à feuilles persistantes de préférence au début de l'automne ou au printemps.

Si les plants arrivent avant qu'on soit prêt à les planter et que leurs racines sont à découvert, les mettre dans une tranchée peu profonde où leurs racines seront couvertes de terre.

Avant la plantation, creuser une tranchée de 60 cm de large, de 30 cm de profondeur et de la longueur de la haie projetée. La largeur de la tranchée peut dépasser 60 cm si la motte de racines le requiert.

Retourner le fond en incorporant au sol de la tourbe ou du compost à raison d'une demi-brouettée par mètre. Mélanger au sol de surface assez de compost, de tourbe ou d'autre matière organique pour l'alléger. Ajouter également un peu de superphosphate. Remplir la tranchée de cette terre amendée. Tracer au cordeau la ligne de plantation.

Si l'on choisit la méthode de plantation en quinconce, espacer les rangs de 45 cm.

Creuser des trous assez grands pour contenir la motte de racines ou pour que les racines des plants à nu puissent s'étaler librement. Au besoin, effectuer un double creusage. Enfoncer chaque arbuste jusqu'à la trace laissée sur la tige par le sol où se trouvaient les arbustes. Verser de la terre entre les racines des sujets non emmottés. Agiter doucement les arbustes de haut en bas afin d'éliminer les poches d'air. Finir de remplir les trous.

Ensuite, fouler la terre du pied et bien arroser pour qu'il ne reste aucun interstice entre les racines.

Pour empêcher le vent d'ébranler les arbustes fraîchement plantés, enfoncer solidement des piquets à chaque extrémité de la haie et tendre un fil métallique entre eux. Attacher chaque arbuste au fil. On peut tout aussi bien tuteurer chaque sujet, mais il faudra dans ce cas enfoncer les tuteurs dans le sol avant la plantation pour ne pas risquer d'endommager les racines.

Il faut compter quelques semaines pour que les arbustes se remettent du choc de la transplantation. Lorsque la haie se trouve dans un endroit exposé au vent, il faut craindre le flétrissement des arbustes, surtout s'il s'agit d'espèces à feuillage persistant. Pour éviter ce danger, protéger les plantes au moyen d'un écran de jute ou de branchages.

Pour réduire l'évaporation par les feuilles, chez les arbustes à feuillage persistant, les vaporiser avec un produit antidessicatif.

Si une sécheresse persiste durant les mois qui suivent la plantation, arroser généreusement les nouvelles haies au moins une fois par semaine.

Taille d'une jeune haie Dans le cas d'une haie libre, il suffit généralement de rabattre les plants d'un tiers après la plantation.

Les haies classiques, cependant, doivent être larges et épaisses à la base. Pour obtenir des arbustes uniformes, rabattre les plants d'un tiers ou de la moitié après la plantation. Faire exception pour la plupart des conifères.

Rabattre de nouveau les arbustes d'un tiers ou de la moitié jusqu'à ce qu'ils aient la hauteur voulue. Les garder ensuite à cette hauteur en les taillant chaque année.

Pour établir la hauteur de coupe, tendre une ficelle entre deux piquets et rabattre jusqu'à ce niveau. Rétrécir la haie vers le haut de façon à lui donner une base bien garnie.

Les haies classiques seront taillées deux ou trois fois par an, au printemps et en été. Les arbustes en haie libre dont les fleurs naissent sur du bois de l'année précédente seront taillés après la floraison. Ceux dont les fleurs naissent sur les nouvelles pousses seront taillés au printemps.

On taillera avec des cisailles les arbustes à petites feuilles, comme le troène ou le buis. On rabattra ceux à grandes feuilles avec un sécateur.

Les cisailles électriques coupent bien les jeunes pousses herbacées, mais elles n'ont souvent pas la puissance voulue pour rabattre les branches ligneuses sans les déchiqueter.

La fertilisation de routine se fait au printemps à l'aide d'un engrais complet. Faire un deuxième épandage au début de l'été en arrosant si le sol est sec. Afin de conserver au sol son humidité en période de sécheresse, pailler les arbustes.

PLANTATION ET TAILLE D'UNE HAIE

1. *Creuser une tranchée de 60 cm de large ; y déposer de la tourbe et remplir.*

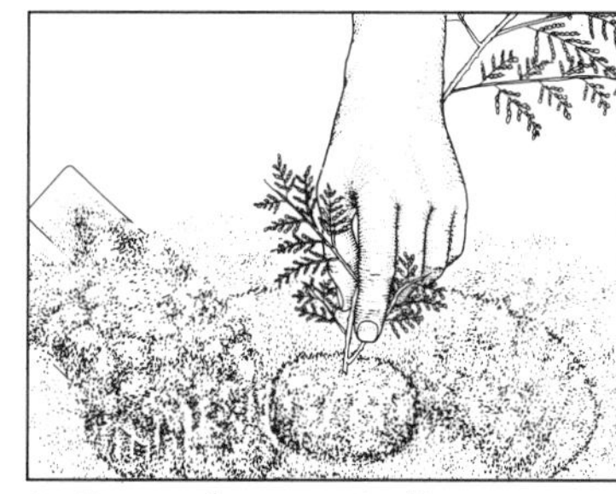

2. *Creuser des trous régulièrement espacés et y installer les plants.*

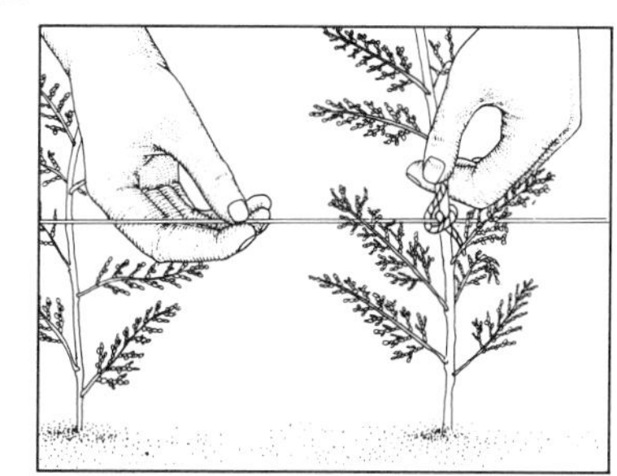

3. *Solidifier les plants en les attachant à un fil métallique à l'horizontale.*

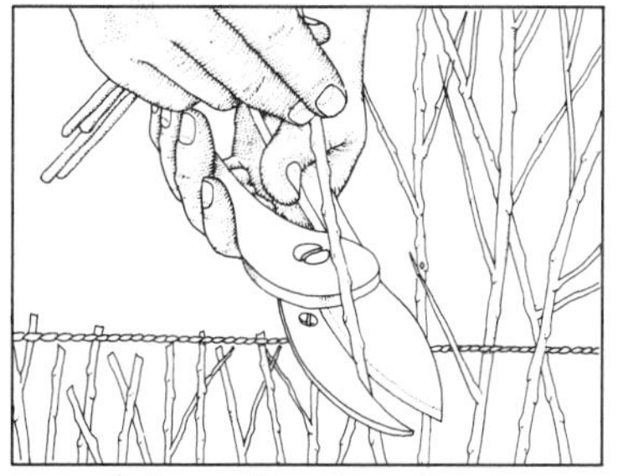

4. *Dans le cas d'une haie classique, rabattre les plants de moitié.*

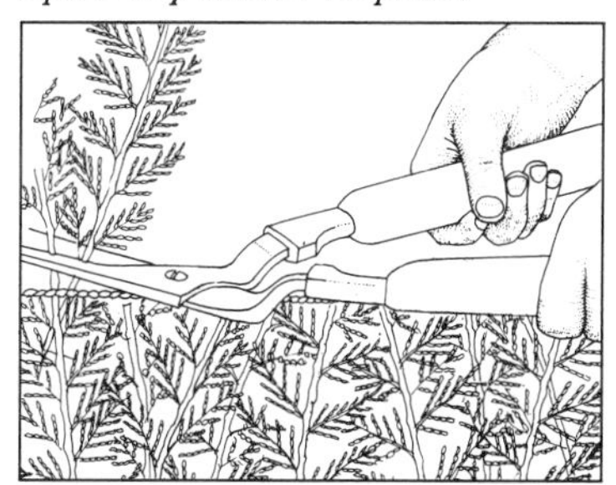

5. *Chaque année, couper la moitié de la croissance annuelle.*

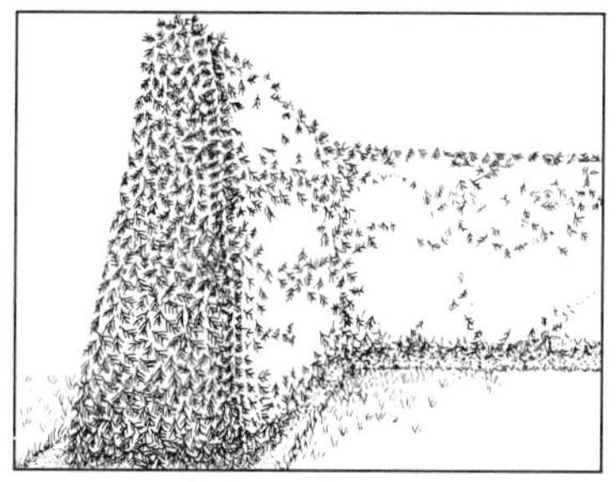

6. *Rétrécir la haie adulte du haut pour que sa base soit bien dense.*

Rosiers

L'apparition sur la Terre du rosier remonte à la nuit des temps. Il en existe aujourd'hui des centaines de variétés et l'on continue toujours d'en créer de nouvelles.

Des églantiers fossiles découverts en Amérique et en Europe prouvent que la rose a existé longtemps avant l'apparition de l'homme. Espèces et hybrides naturels croissaient alors à l'état sauvage dans la plupart des régions à climat tempéré de l'hémisphère Nord.

Petit à petit, le rosier a évolué : ce qui n'était qu'un petit buisson s'est transformé en un solide arbuste grimpant qui s'élevait du sol en quête de lumière.

Les rosiers sauvages sont à l'origine des quelque 150 espèces connues. La plus grande partie nous est venue d'Asie. Ils présentaient presque tous des fleurs simples formées de cinq pétales.

A travers les siècles, les horticulteurs n'ont cessé de développer les rosiers, obtenant des roses doubles puis des hybrides modernes qui n'ont presque plus rien de commun avec les rosiers sauvages dont ils sont issus.

Parmi les espèces les plus anciennes se trouve la rose de France ou rose des Mages (*Rosa gallica*) dont sont descendues, croit-on, toutes les roses de jardin actuellement cultivées. A un certain moment, un croisement effectué entre *R. gallica* et une espèce sauvage produisit *R. damascena* ou rose de Damas qui fut probablement apportée de Damas, en Syrie, par les premiers Croisés et qui fit ainsi son apparition en Europe occidentale.

A cette époque, aucune des variétés n'avait été créée artificiellement. Elles tiraient leur origine de rejets anormaux appelés « sports » qui différaient de la plante mère. Ainsi,

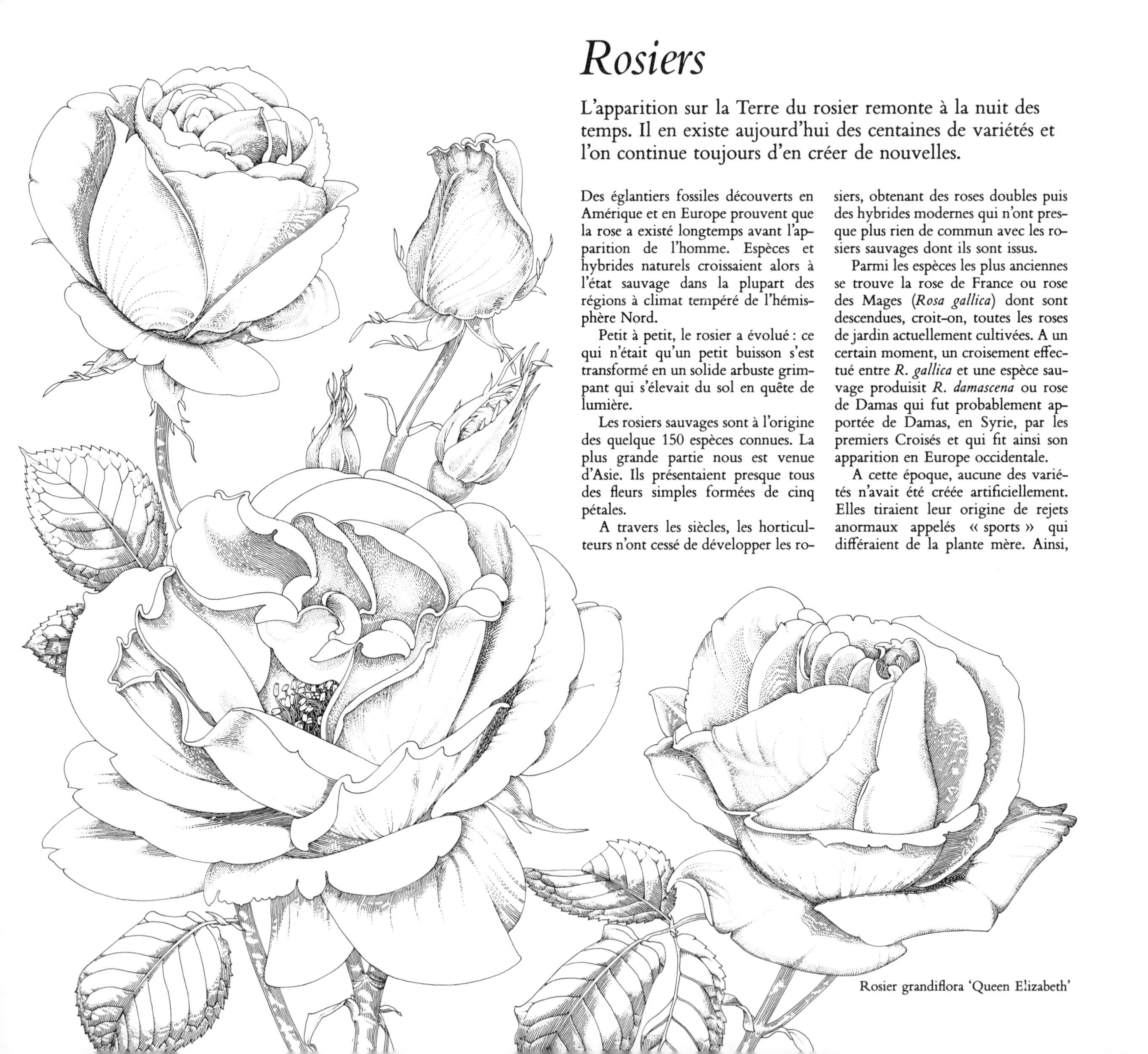

Rosier grandiflora 'Queen Elizabeth'

une fleur rose pouvait apparaître sur un rosier à fleurs blanches. Ces mutations étaient conservées et propagées par greffage, écussonnage ou bouturage — opérations connues depuis fort longtemps — et constituaient de nouvelles variétés.

L'introduction en Europe de la rose de Chine ou rose du Bengale (*R. chinensis*), vers la fin du XVIIIe siècle, changea le cours de l'histoire de la rose. Les horticulteurs avaient acquis de l'expérience. Par croisements entre les rosiers anciens et nouveaux, ils finirent par obtenir les roses thé et les hybrides remontants. Ces rosiers ont été les plus fréquemment cultivés jusqu'à la fin du XIXe siècle.

La plus grande partie des premiers hybrides vit le jour en France. L'impératrice Joséphine les mit à la mode en créant une roseraie où étaient réunies toutes les espèces et les variétés cultivées à l'époque.

Les rosiers hybrides de thé ont été obtenus en France vers la fin du XIXe siècle par le croisement de roses thé et d'hybrides remontants.

Un peu plus tard apparurent les rosiers polyantha qui se caractérisent par des bouquets de petites fleurs. Ils sont nés du croisement entre le rosier multiflore, *R. multiflora*, et *R. chinensis.* Des croisements subséquents réalisés au Danemark et aux Etats-Unis firent apparaître les fameux rosiers floribunda. Croisés avec des hybrides de thé, ceux-ci donnèrent les rosiers grandiflora.

Au XIXe siècle, il était d'usage de cultiver les rosiers à part dans des plates-bandes de formes géométriques où ils étaient groupés par variétés. Cette tradition se maintient encore dans certains parcs officiels ou jardins d'exposition.

Aujourd'hui, on dispose les rosiers de façon moins rigide et on n'hésite pas à les associer à d'autres plantes. Il y a deux raisons à cela. Premièrement, les plates-bandes réservées exclusivement aux rosiers perdent tout intérêt durant les nombreux mois où ceux-ci ne sont pas en fleur. En outre, l'exiguïté des jardins incite maintenant à varier le décor floral à défaut de pouvoir le spécialiser.

Culture mélangée de rosiers et d'autres plantes Les rosiers peuvent être cultivés en association avec d'autres arbustes ou des plantes herbacées vivaces. On peut tout aussi bien les isoler près d'une entrée ou contre un mur. C'est ainsi que de grands rosiers arbustifs modernes, comme les variétés 'Nevada' ou 'Frühlingsgold' et le rosier botanique *R. moyesii*, se détachent avec un rare bonheur derrière une bordure de plantes basses à feuillage persistant, à l'arrière-plan d'une rangée d'arbustes de taille moyenne ou encore derrière certains rosiers hybrides de thé ou floribunda.

Il est important de tenir compte des époques de floraison et des dimensions de chacun des sujets qu'on associe. On laissera au moins 60 cm entre les plants pour que l'air puisse circuler. S'il s'agit d'hybrides de thé ou de floribunda, on s'assurera que les variétés de petite taille ne seront pas cachées par de plus grandes, comme 'Queen Elizabeth', 'Mount Shasta', 'Camelot' ou 'Arizona'. Les catalogues des pépiniéristes donnent généralement la hauteur maximale que peut atteindre chaque variété.

Les floribunda sont peut-être ceux qui s'associent le mieux à d'autres plantes. Généralement, ils sont plus rustiques et moins développés que les hybrides de thé et se placent bien devant un massif d'arbustes variés. Ils accompagnent moins bien cependant les plantes annuelles, à moins qu'on les dispose à une extrémité de la bordure.

Certains rosiéristes sont offusqués de voir des hybrides de thé associés à d'autres plantes. Pourtant, le jardin a bien plus belle allure lorsqu'on dissimule les pieds inélégants des hybrides de thé derrière des plantes basses et variées.

Bordures de plates-bandes de roses Les rosiers miniatures peuvent composer de jolis lisérés le long des plates-bandes de roses. On peut aussi faire des bordures d'annuelles basses : ageratums, bégonias des plates-bandes ou alysses odorants, qui fleurissent longtemps. Des vivaces comme les thlaspis et les santolines conviennent aussi.

Rosiers de haie Plusieurs types de rosiers peuvent être utilisés pour former des haies. A l'exception des floribunda, ils offrent l'avantage de se développer en largeur. On peut donc en planter moins. Il suffit de les planter un peu plus serré et de les tailler légèrement.

Ce sont les hybrides rugueux qui composent les meilleures haies : leur feuillage est dense et ils fleurissent longtemps. Citons : 'Roseraie de l'Hay', pourpre, 'Blanc double de Coubert' et 'Delicata' à fleurs doubles lavande. Ces arbustes deviennent assez grands. L'hybride blanc 'Snow Dwarf' peut donner une haie de 1,20 m.

Pour former des haies moins élevées dont la période de floraison est plus courte, on choisira plutôt les très vieilles roses galliques dont 'Rosa Mundi' (*R. gallica* 'Versicolor') à fleurs écarlates striées de blanc.

L'épineux rosier d'Ecosse, *R. spinosissima,* constitue une barrière efficace contre les animaux et vient bien

Au pied des rosiers, on peut planter des annuelles basses : ageratums, alysses odorants ou bégonias des plates-bandes, espèces très florifères.

en sol pauvre. La variété 'Stanwell Perpetual' se couvre durant une longue période d'une profusion de fleurs rose pâle, doubles et parfumées.

'Karl Forster' est aussi une variété vigoureuse à grandes fleurs doubles et blanches, légèrement parfumées. Son feuillage vert est de belle qualité et sa floraison se prolonge de façon intermittente durant tout l'été.

Parmi les rosiers grimpants, la variété 'New Dawn' compose une haie ou un écran très denses. Taillés régulièrement, les sujets de cette espèce se développent comme des arbustes. Ce sont des rosiers ramifiés et vigoureux, presque constamment couverts de fleurs rose vif exquisément parfumées.

La variété grimpante 'Blaze' à fleurs rouges ne peut former une haie de plein vent, mais peut être palissée contre une clôture.

Dans les régions à climat plus tempéré, on peut choisir le floribunda blanc et odorant 'Iceberg' qui donne une jolie haie de 1,50 m environ, ou la variété 'Betty Prior' qui produit durant toute la saison des fleurs roses et simples. 'Frensham' à fleurs semi-doubles rouges est une variété de plus petite taille.

'Queen Elizabeth' est un arbuste vigoureux et épineux à grandes fleurs roses. Il forme de bonnes haies pouvant atteindre 1,80 m de hauteur pourvu qu'on plante les sujets à 60 cm d'intervalle et qu'on les taille en hiver ou au début du printemps. Si l'on veut une haie plus basse et plus épaisse, il faudra rabattre les plants sévèrement au début du printemps.

Rosiers couvre-sol Il existe quelques rosiers rampants formant un tapis court et dense qui recouvre bien le sol et s'oppose efficacement, lorsque les plants sont bien établis, à la prolifération des mauvaises herbes. Ces rosiers sont aussi utiles pour fixer les talus.

Parmi les meilleures variétés de rosiers rampants, il faut mentionner 'Max Graf', hybride de rosiers rugueux dont les fleurs simples, roses et parfumées ont des pétales gaufrés. Cette variété fleurit à la mi-été et s'étale rapidement. *R. wichuraiana* atteint entre 30 et 45 cm de hauteur et donne un couvre-sol solide pour les talus. Ses petites fleurs parfumées, d'un blanc crème, s'épanouissent vers la fin de l'été et les plants viennent bien, même en sol pauvre.

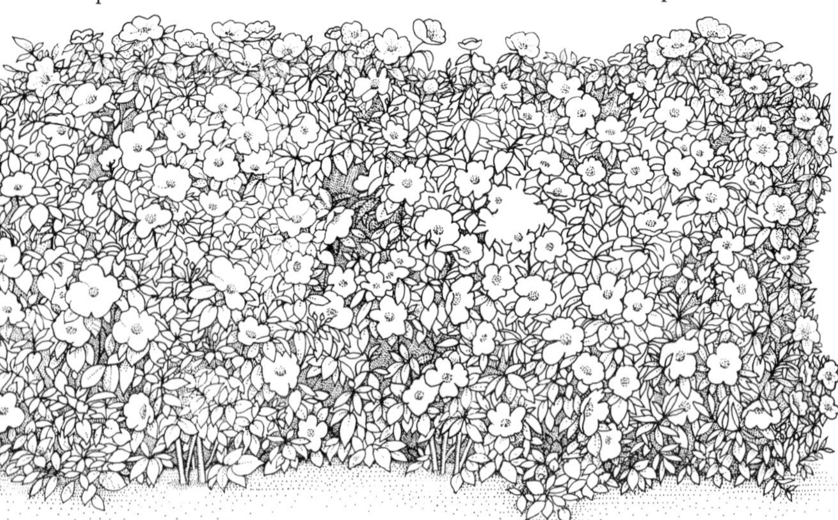

Le rosier rugueux blanc 'Snow Dwarf' donne une belle haie de 1,20 m.

Culture des rosiers en bac Les rosiers cultivés dans des bacs, des pots ou des jardinières sont très décoratifs. Le contenant aura de préférence 50 cm de côté. Pour les rosiers miniatures, un contenant de 30 cm de côté suffit.

Pour la culture des rosiers en bac, il faut choisir une terre qui se draine bien tout en conservant l'humidité. Mélanger à parts égales de la terre de jardin, de la tourbe et du sable grossier ou de la perlite.

Ne jamais laisser le mélange terreux se dessécher. Lutter contre les ravageurs et les maladies cryptogamiques à l'aide de pulvérisations périodiques, et fertiliser une fois par mois avec un engrais liquide. Dans les régions où le climat est rigoureux, rentrer les contenants l'hiver.

Rosiers All-America Il n'est pas rare de voir dans les pépinières ou dans les catalogues des rosiers identifiés par les initiales AARS, abréviation de All-America Rose Selections.

L'origine du All-America Rose Selections ne manque pas d'intérêt. Il y a bien des années, avant même que soit promulguée aux Etats-Unis la loi régissant les brevets sur les plantes et appelée Plant Patent Act, des marchands sans scrupule n'hésitaient pas à baptiser et à rebaptiser les rosiers à leur guise, si bien que la même variété pouvait être vendue sous une demi-douzaine de noms différents.

On pensait que le problème serait réglé avec l'entrée en vigueur de la loi. Celle-ci avait en effet pour but de protéger les créateurs de nouvelles variétés de rosiers et de les dédommager en partie de leurs efforts. Mais comme il suffisait, pour que la loi soit respectée, que la plante brevetée soit simplement quelque peu différente des autres, le marché fut rapidement envahi par des variétés brevetées souvent d'une qualité inférieure aux variétés déjà reconnues.

Cet imbroglio amena quelques grands rosiéristes à créer en 1938 le All-America Rose Selections, organisme à but non lucratif ayant pour fonction d'étudier les nouvelles variétés de roses.

'King's Ransom' est un hybride de thé à fleurs jaunes cultivé comme un arbre.

Les roses soumises à ce contrôle sont cultivées en pleine terre pendant deux ans dans 26 stations expérimentales situées un peu partout en Amérique du Nord.

Durant cette période, les rosiers reçoivent les soins habituels. Les résultats sont évalués par un jury officiel selon un système de notation précis. Les critères de qualité sont les suivants : vigueur, rusticité, résistance aux maladies, beauté du feuillage, abondance de la floraison, forme, couleur et parfum des fleurs et nouveauté de la variété.

Seuls les sujets qui accumulent le plus grand nombre de points dans chaque catégorie méritent la désignation AARS.

Huit catégories de rosiers

Rosiers hybrides de thé Ce sont les rosiers les plus cultivés. La plupart ont des tiges uniflores et des fleurs doubles précédées de longs boutons pointus. Ces plantes sont remontantes, c'est-à-dire qu'elles fleurissent à plusieurs reprises durant l'été. Leur gamme de coloris est plus étendue que celle des roses thé anciennes.

Voici quelques variétés: 'Chrysler Imperial' (rouge), 'Tropicana' (rouge orangé), 'Tiffany' (rose), 'King's Ransom' (jaune), 'John F. Kennedy' (blanc), 'Gypsy' (vermillon) et 'Hawaii' (corail).

Rosiers à fleurs groupées ou floribunda Ces rosiers produisent plusieurs fleurs réunies en bouquet; la floraison est continue et abondante. Au moment de leur introduction, au début du XXe siècle, les floribunda produisaient de gros bouquets de fleurs simples ou semi-doubles. Plusieurs variétés récentes présentent des fleurs qui ressemblent beaucoup à celles des hybrides de thé, mais en plus petit. Elles peuvent être simples, semi-doubles ou doubles.

Voici quelques variétés: 'Sarabande' (rouge), 'Rosenelfe' (rose), 'Iceberg' (blanc), 'Red Gold' (bicolore), 'Circus' (mélange de jaune, de rouge et de rose) et 'Fashion' (corail).

Rosiers à grandes fleurs ou grandiflora Ce sont de grands buissons majestueux, très vigoureux, qui se situent entre l'hybride de thé et le floribunda. Les fleurs ressemblent à celles des hybrides de thé, sauf qu'elles sont groupées en bouquet comme chez les rosiers floribunda.

Parmi les variétés renommées, on remarque: 'Queen Elizabeth' (rose), 'Camelot' (saumon), 'Arizona' (cuivre), 'Carousel' (rouge) et 'John Armstrong' (rouge foncé).

Rosiers polyantha On trouve encore dans les catalogues quelques représentants de cette catégorie autrefois très répandue. Ce sont des plantes courtes qui donnent, de façon intermittente tout l'été, de petites fleurs réunies en bouquet.

On rencontre encore fréquemment les variétés suivantes: 'The Fairy' (fleurs roses semi-doubles), 'Cecile Brunner' (fleurs rose clair semblables à celles des hybrides de thé) et 'Margo Koster' (fleurs cupuliformes d'un corail orangé).

Rosiers miniatures Ces rosiers, qui ne dépassent pas 25 à 35 cm de hauteur, produisent des fleurs semi-doubles ou doubles dont certaines sont d'une forme presque identique à celle des fleurs d'hybrides de thé. Les rosiers miniatures se cultivent bien dans des contenants. Parmi les variétés les plus appréciées, on remarque: 'Red Imp' (cramoisi), 'Pixie Rose' (rose vif), 'Baby Gold Star' (jaune), 'Shooting Star' (rouge) et 'Cinderella' (blanc).

Rosiers-tiges et rosiers pleureurs Les premiers, arbustes élégants, sont obtenus par greffage (écussonnage) de certaines variétés — en règle générale hybrides de thé ou floribunda — sur des tiges nues, fines et dressées.

Les rosiers-tiges ont habituellement 1 m de haut, mais il existe des sujets ne dépassant pas 60 cm et d'autres, nains, d'environ 45 cm.

Les rosiers pleureurs ou parasols peuvent atteindre 1,50 à 1,80 m de hauteur. Leur frondaison est celle d'un rosier sarmenteux à branches souples retombant gracieusement jusqu'au sol.

Rosiers grimpants Les rosiers grimpants remontants à grandes fleurs ont presque totalement supplanté les anciennes variétés non remontantes. La plupart présentent des fleurs semblables à celles des hybrides de thé, tandis que d'autres produisent des fleurs réunies en bouquet qui s'apparentent davantage aux roses floribunda.

Parmi les variétés les plus populaires, notons 'Coral Dawn' (rose corail), 'High Noon' (jaune), 'Blaze' (écarlate), 'New Dawn' (rose) et 'White Dawn' (blanc).

Rosiers arbustes Cette catégorie groupe des plantes qui peuvent servir à former une haie ou un petit massif. Ils comprennent des espèces botaniques et des hybrides. Ce sont des plantes arbustives dont plusieurs peuvent atteindre 1,20 à 1,50 m de hauteur et d'étalement. Très rustiques, ces rosiers conviennent aux régions dont le climat est froid.

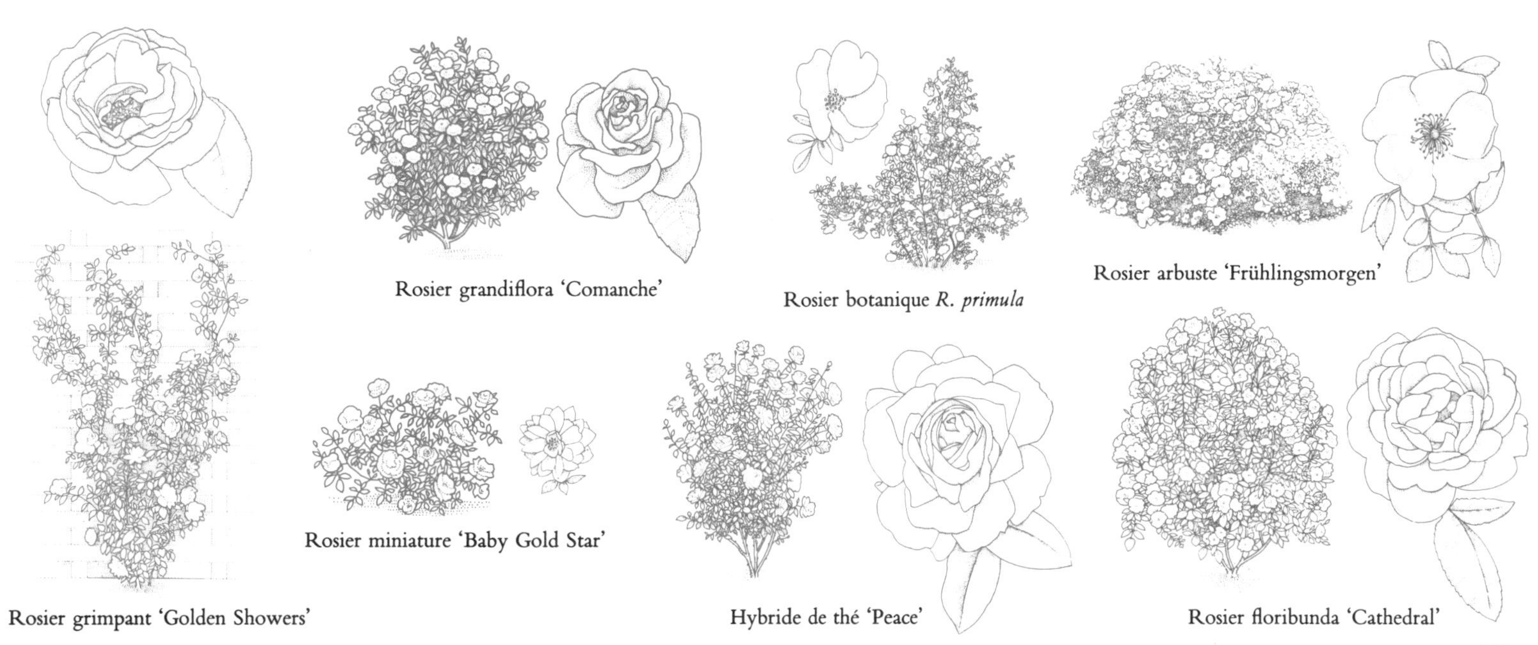

Rosier grandiflora 'Comanche'

Rosier botanique *R. primula*

Rosier arbuste 'Frühlingsmorgen'

Rosier miniature 'Baby Gold Star'

Rosier grimpant 'Golden Showers'

Hybride de thé 'Peace'

Rosier floribunda 'Cathedral'

Plantation d'un rosier

Préparation du sol et choix d'un emplacement

Même s'ils s'adaptent à divers sols et emplacements, les rosiers préfèrent un sol plutôt riche et légèrement acide, en situation ensoleillée et aérée. Une terre argileuse peut leur convenir à la condition qu'on lui ajoute de l'humus. Un bon drainage est essentiel, même si les rosiers exigent de généreux arrosages en période de sécheresse. Une fois bien établis, ils peuvent rester en place de nombreuses années du moment qu'on leur fournit régulièrement paillis et engrais.

Les rosiers ont absolument besoin d'un sol qui garde son humidité. Un mois avant la plantation, ameublir le sol à la profondeur d'un fer de bêche et y incorporer un tiers environ de matières organiques : compost, tourbe, terreau de feuilles ou fumier bien décomposé. N'ajouter aucun fertilisant de commerce. Eviter de fouler le sol de surface pour permettre à l'air de circuler. Egaliser au besoin avec un râteau.

Si le sol est très argileux ou au contraire sablonneux, il faudra lui ajouter jusqu'à 50 pour cent de matières organiques. Outre les engrais naturels déjà mentionnés, les débris de gazon constituent un excellent amendement.

Les rosiers cultivés dans un sol argileux ou sablonneux bénéficieront grandement d'épandages en couverture de fumier bien décomposé ou de compost chaque année.

Si le sol est alcalin, épandre deux seaux de tourbe et deux poignées d'un engrais acide à dissolution lente, comme ceux qu'on recommande pour la culture des azalées. Faire pénétrer ces ingrédients à une profondeur de 15 à 25 cm. On peut aussi utiliser du soufre en poudre à raison de 50 g par mètre carré. Par contre, si le sol est trop acide et que son pH est inférieur à 5,5, y incorporer du calcaire broyé à raison de 170 g par mètre carré.

Lorsque le sol est mal drainé, il est préférable d'installer les rosiers dans des plates-bandes surélevées.

Epoque de plantation Dans les régions froides, la meilleure saison pour la plantation des rosiers dont les racines sont à nu est le début du printemps. Les racines ont alors tout le temps de s'établir avant que la croissance des organes aériens reprenne. Si la plantation est effectuée en automne, il faudra bien protéger les plants durant l'hiver. Par contre, dans les régions où le sol ne gèle pas en profondeur, le meilleur moment est la fin de l'automne ou la fin de l'hiver.

S'il fait très froid quand on reçoit les rosiers commandés par la poste, les mettre en attente dans un garage ou un hangar. Entrouvrir le sac de plastique qui recouvre la motte de racines afin que celles-ci, qui sont généralement dans de la sphaigne humide, ne pourrissent pas. Garder la mousse humide sans la détremper et, de temps à autre, arroser aussi les tiges. Si les racines sont à nu, les envelopper de jute, de papier journal ou de tourbe pour qu'elles ne se dessèchent pas.

Bien que les rosiers puissent supporter une brève attente, il vaut mieux les planter dès leur réception. Si l'attente devait se prolonger, enfouir les racines dans une tranchée peu profonde et oblique, à l'abri du soleil, et les arroser abondamment.

Les sujets en contenant peuvent être installés au jardin dès l'achat. Cependant, dans la plupart des pépinières canadiennes, on empote les sujets à racines nues au tout début du printemps ; il vaut donc mieux les acheter au printemps ou au début de l'été avant que les racines à l'étroit ne forment une motte compacte.

Dans les pépinières, on soumet souvent les rosiers au forçage pour leur assurer une croissance et une floraison plus précoces. Il faut éviter de transplanter ces sujets fragiles au jardin tant que subsiste le moindre risque de gel.

Distance de plantation Ne pas planter les rosiers à moins de 40 cm d'une allée ou d'une pelouse. Voici les distances de plantation recommandées.

Rosiers miniatures : 30 cm. Rosiers-tiges : 90 cm au moins. Hybrides de thé, floribunda, hybrides remontants, polyantha, rosiers buissonnants à croissance modérée : 45 cm au moins ; rosiers buissonnants à croissance vigoureuse : 60 cm ou davantage. Grandiflora : de 0,60 à 1,20 m au moins. Rosiers arbustes : 1,50 m. Sarmenteux et grimpants : 2,10 m au moins.

Préparation des rosiers avant la plantation

Il vaut mieux choisir, pour planter ses rosiers, une journée sans vent où le ciel est couvert. S'ils doivent attendre, les mettre à l'ombre en gardant les racines humides. N'en apporter que quelques-uns à la fois au jardin.

Lorsque les plants à racines nues présentent des tiges sèches et ridées, les plonger complètement dans l'eau pendant quelques heures. Si leur état ne s'améliore pas, les retourner à la pépinière et en demander d'autres.

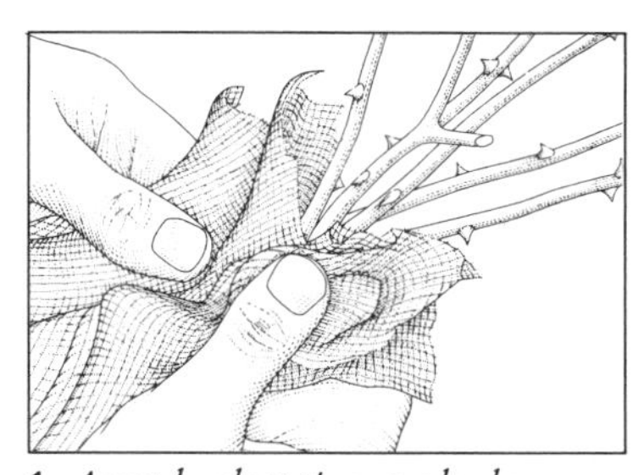

1. *Avant la plantation, garder les racines à couvert ou dans l'eau.*

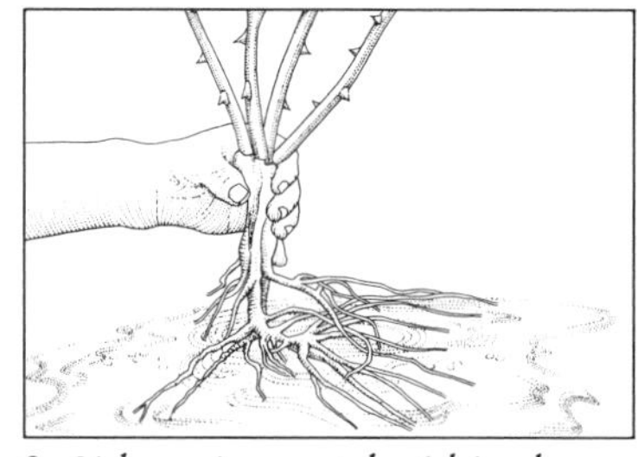

2. *Si les racines sont desséchées, les tremper dans de la boue.*

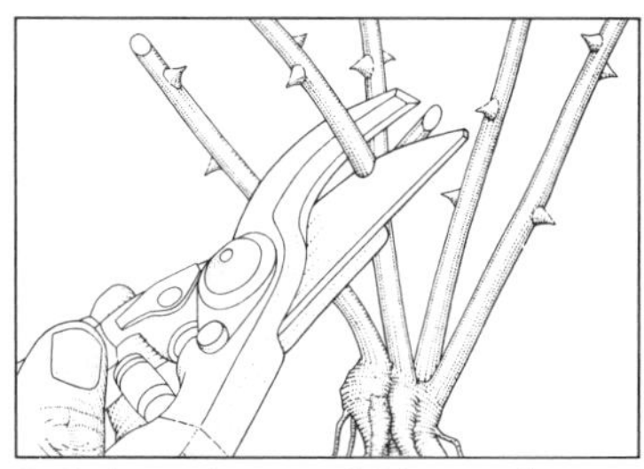

3. *Rabattre les tiges faibles ou abîmées à du bois ferme et sain.*

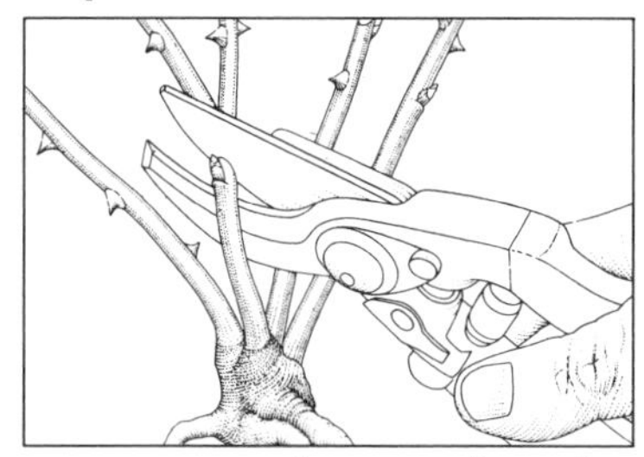

4. *Les couper en biseau, au-dessus d'un œil tourné vers l'extérieur.*

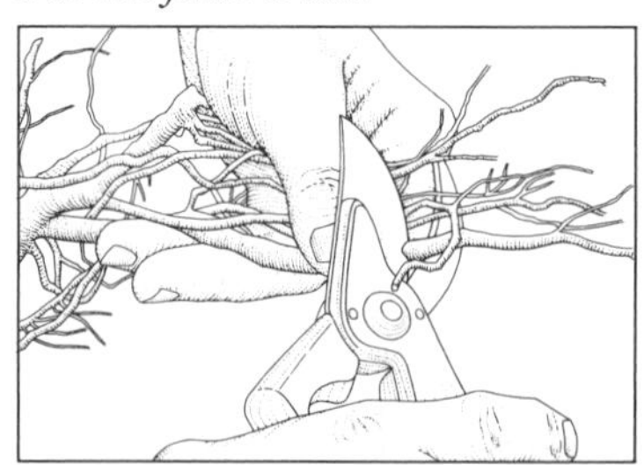

5. *Raccourcir les racines abîmées et celles qui sont trop longues.*

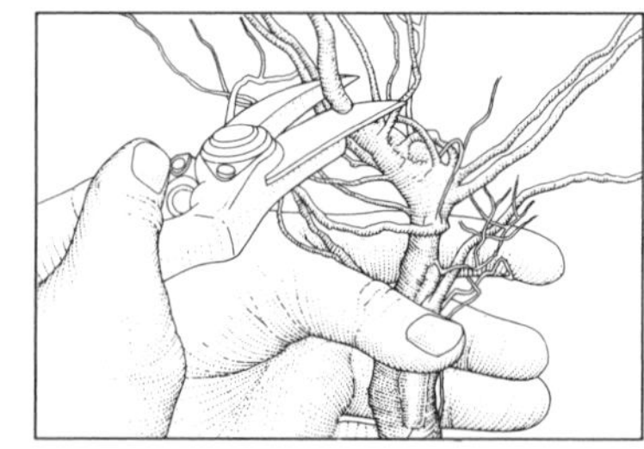

6. *Oter toute grosse racine pouvant être une vieille racine principale.*

Creusage d'un trou selon le volume des racines

Creuser un trou assez large et assez profond pour que les racines disposées dans la direction où elles poussaient s'étalent aisément et complètement. On remarquera que dans certains cas elles se dirigent toutes dans le même sens.

On recommande souvent de ménager un petit monticule de terre, au centre du trou, et d'étaler les racines du rosier tout autour. Cette façon de faire fausse souvent la profondeur de plantation.

Déployer les racines délicatement avec les doigts pour qu'elles ne se superposent pas. Il faut éviter de les plaquer contre la circonférence du trou.

Déposer un bâton en travers du trou, qui servira de repère pour marquer le niveau du sol dans le lit de plantation.

CREUSAGE DU TROU SELON LA FORME DES RACINES

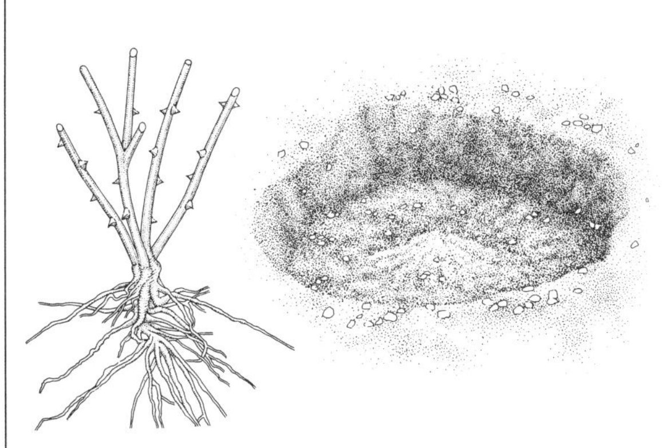

Trou circulaire *Si les racines se dirigent dans toutes les directions, creuser un trou d'environ 60 cm de diamètre et d'au moins 30 cm de profondeur. Garnir le fond d'une couche de 2,5 cm d'épaisseur de mélange pour plantation. Bien étaler les racines sur la couche de fond.*

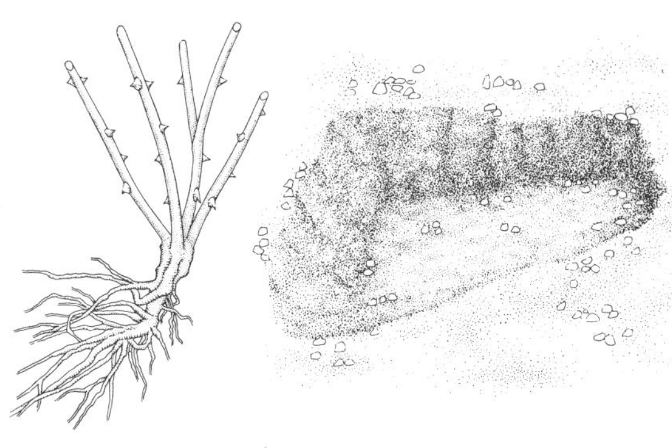

Trou en éventail *Si les racines se dirigent toutes dans une même direction, donner au trou de plantation la forme d'un éventail. Le creuser plus profondément du côté où se dirigent les racines pour que le point de greffe demeure à la hauteur recommandée suivant le climat.*

Plantation des rosiers buissons

Avant de déterminer la profondeur de plantation de ces rosiers hybrides, il faut décider de l'emplacement du point de greffe, c'est-à-dire du petit bourrelet qui marque l'endroit où le rosier a été greffé sur un système radiculaire étranger. La santé du plant en dépend, surtout en climat froid.

Point de greffe

Lorsque le point de greffe se situe au-dessus du sol, la plante produit plus de tiges à la souche. Aussi le place-t-on à 3 cm environ au-dessus du sol dans les régions à climat tempéré. Lorsque la température se maintient en dessous de 7°C durant la plus grande partie de l'hiver, on recommande de placer le point de greffe à une profondeur de 3 à 5 cm dans le sol pour le protéger du froid. Cependant, certains rosiéristes ont constaté qu'il était néanmoins préférable de placer le point de greffe au-dessus du niveau du sol et de le protéger en hiver au moyen d'un épais paillis.

Tous les rosiers ont besoin d'être plantés solidement. Quand le trou est aux deux tiers rempli, fouler la terre avec le pied. Remplir ensuite le trou d'eau et laisser celle-ci pénétrer complètement avant d'ajouter de la terre. Cette méthode élimine les poches d'air. Terminer le remplissage du trou en creusant une petite rigole tout autour pour garder l'eau dans la région des racines. Arroser de nouveau, puis butter le plant pendant quelques semaines pour protéger les tiges du dessèchement. Enlever cette terre au printemps avant que les bourgeons commencent à gonfler.

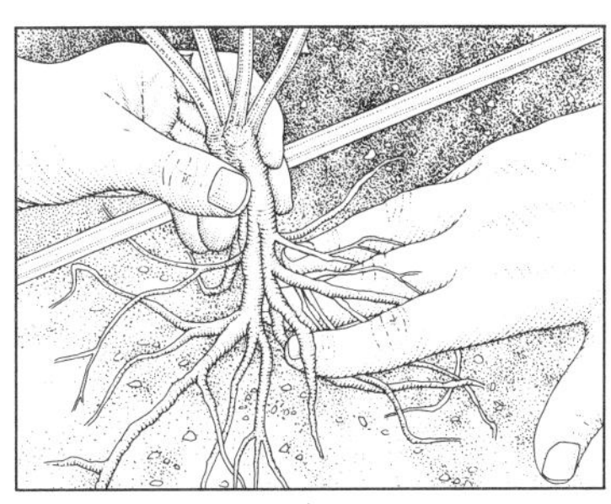

1. *Avec un bâton placé en travers, vérifier le niveau du point de greffe.*

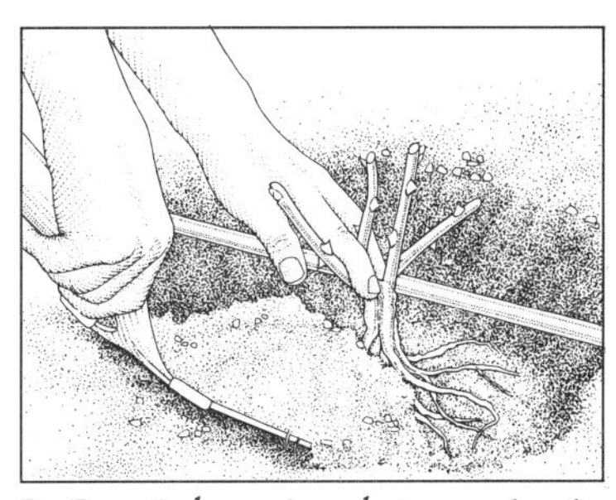

2. *Couvrir les racines de terre préparée. Remplir le trou aux deux tiers.*

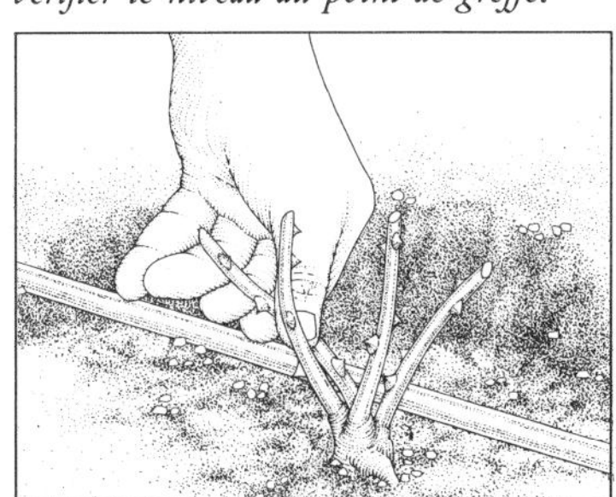

3. *Agiter le plant de haut en bas pour éliminer les poches d'air.*

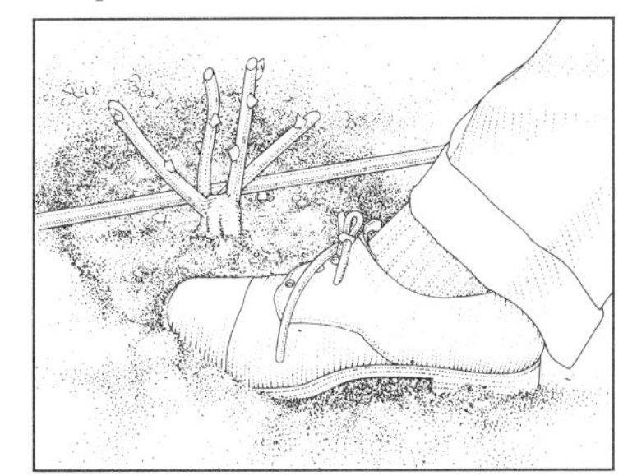

4. *Fouler du pied, puis arroser. Finir de remplir, fouler et arroser.*

Plantation et tuteurage d'un rosier-tige

A cause de la haute tige unique qui les supporte, ces rosiers ont besoin d'être solidement tuteurés. Le tuteurage s'effectue au moment de la plantation avec un tuteur de 2,5 cm de côté : forte tige métallique ou bout de tuyau. Pour calculer sa longueur, prévoir qu'il doit pénétrer à 60 cm dans le sol et dépasser la base de la tête du rosier de plusieurs centimètres. Dans le cas d'un tuteur en bois, imprégner de pentachlorophénol la partie qui sera enterrée et en tailler l'extrémité en pointe. Ne pas employer de créosote, produit toxique.

Installer le tuteur au centre du trou. Comme le tronc d'un rosier-tige peut souffrir d'insolation en climat très chaud, placer le tuteur au sud de la plante pour le protéger. (On peut aussi envelopper le tronc avec de la toile de jute.)

Maintenir le rosier-tige contre le tuteur et le planter le plus droit possible. Garder la même profondeur de plantation, quel que soit le climat. Le point de greffe doit se trouver au niveau du sol. Eviter de planter plus profondément. (Si on a l'intention d'enterrer toute la plante en hiver dans les régions froides, il est inutile de placer le point de greffe sous le niveau du sol au moment de la plantation.)

Maintenir fermement le rosier-tige contre le tuteur pendant qu'on remplit le trou. L'agiter délicatement de bas en haut pour faire glisser la terre dans toutes les cavités. Fouler la terre du pied quand le trou est à moitié plein et remplir celui-ci d'eau. Quand cette eau a été absorbée, terminer le remplissage, fouler de nouveau la terre du pied et arroser. Ménager une petite rigole autour de la plante.

Fixer le rosier-tige au tuteur au moyen de deux attaches au moins. En placer une juste sous la tête du rosier et une autre à mi-hauteur. Les attaches de plastique sont pratiques, mais on peut aussi employer de la ficelle à plantes, surtout si le tronc du rosier-tige est entouré de jute.

Dans les régions à climat froid, dégager la plante à la fin de l'automne, la coucher sur le sol et la recouvrir de terre. La replanter au début du printemps.

1. *Creuser un trou de 30 à 40 cm. Enfoncer le tuteur. Ajouter de la terre.*

2. *Tenir la plante droite, étaler ses racines et les couvrir de terre.*

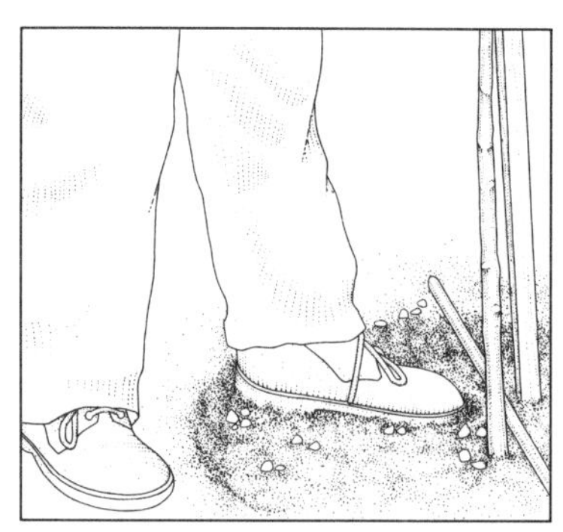

3. *Remplir le trou à moitié. Fouler la terre et arroser. Finir le remplissage.*

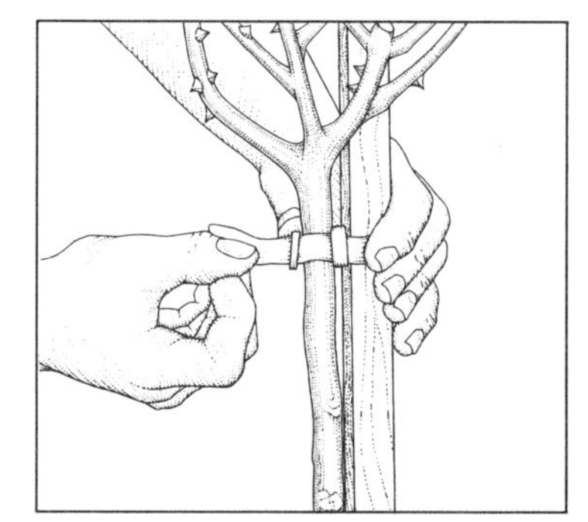

4. *Fixer la plante au tuteur avec plusieurs attaches.*

Mise en place d'un rosier grimpant contre un mur

A l'aide de deux œilletons, fixer contre le mur et horizontalement des fils métalliques plastifiés tendus par un tendeur de fil de fer. Laisser un espace de 10 à 15 cm entre les fils et le mur pour que l'air circule derrière les plantes.

Au moment du palissage des rosiers, attacher horizontalement les branches principales au fil métallique. Cette méthode favorise la floraison des sujets à grandes fleurs.

Les jeunes rosiers grimpants présentent généralement plus de bois mort que les autres rosiers. Eliminer ce bois en taillant juste au-dessus d'un œil sain.

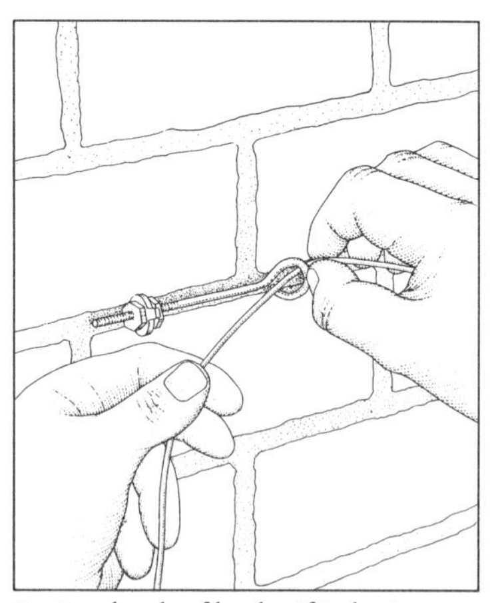

1. *Attacher les fils plastifiés horizontalement à intervalles de 40 cm.*

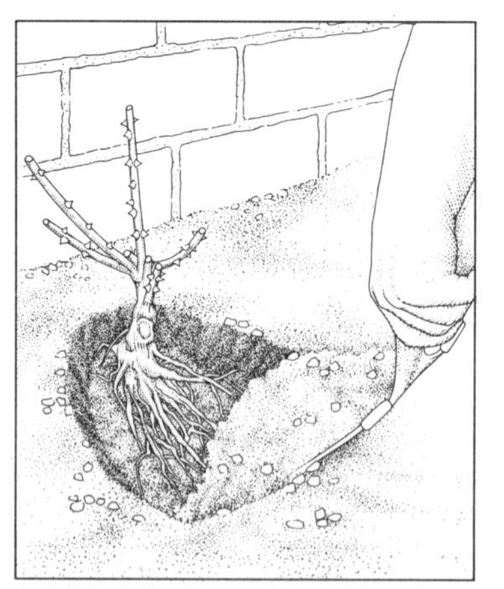

2. *Planter le rosier à 30 cm du mur, les racines dirigées vers l'extérieur.*

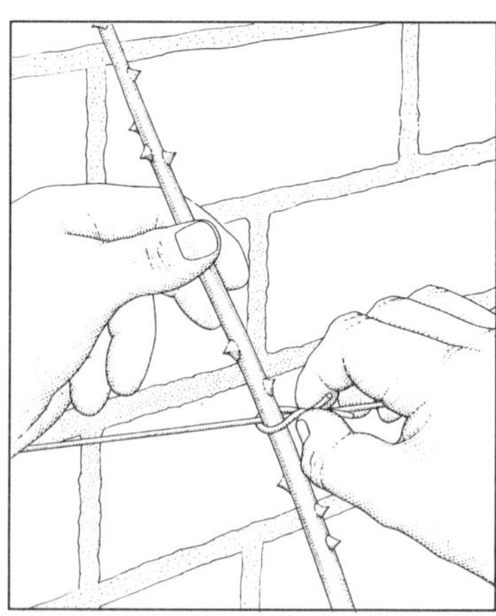

3. *Disposer les pousses en éventail en les attachant aux supports.*

Culture des rosiers durant l'année

Identification et élimination des rejets

Les rejets qui prennent naissance sous le niveau du sol, à la souche des rosiers, ou sur les troncs des rosiers-tiges peuvent être gênants. Ils proviennent des porte-greffes et se reconnaissent généralement à leurs feuilles et à leurs épines qui diffèrent de celles des rosiers cultivés. Leurs folioles sont étroites et leurs épines ressemblent à des aiguilles. On croit communément que les rejets ont 7 folioles par feuille tandis que le rosier proprement dit n'en aurait que 5, mais tel n'est pas toujours le cas.

Le moyen le plus sûr d'identifier ce type de rejet est de suivre la pousse suspecte jusqu'à son point de départ qui se situera sous le point de greffe, c'est-à-dire en dessous du bourrelet où s'effectue la jonction des branches et du système radiculaire. Arracher alors le rejet à sa base. Ne pas le couper surtout : cette opération s'assimilerait à la taille et favoriserait la multiplication des rejets.

Suppression des fleurs fanées

Dès que les fleurs d'hybrides de thé se fanent, les supprimer à l'aide d'un sécateur juste au-dessus d'une pousse vigoureuse ou d'un œil externe. Cette opération favorise l'apparition de nouvelles fleurs.

Si l'on rabat la tige à la première feuille ayant 5 folioles, on prive la plante de plusieurs tiges florifères.

Vers la fin de la saison, se contenter de couper au premier œil en dessous de la fleur afin de ne pas provoquer l'apparition de jeunes tiges qui n'auraient pas le temps de se lignifier avant la venue de l'hiver.

Dans les régions où le climat est froid, couper les fleurs avec une partie du pédoncule à l'automne.

Chez les rosiers floribunda, il faut éliminer tout le bouquet terminal en rabattant la tige au premier œil sous le bouquet. Ne pas laisser les fleurs monter en graines, à moins qu'on ne veuille conserver celles-ci à des fins décoratives ou pour des semis.

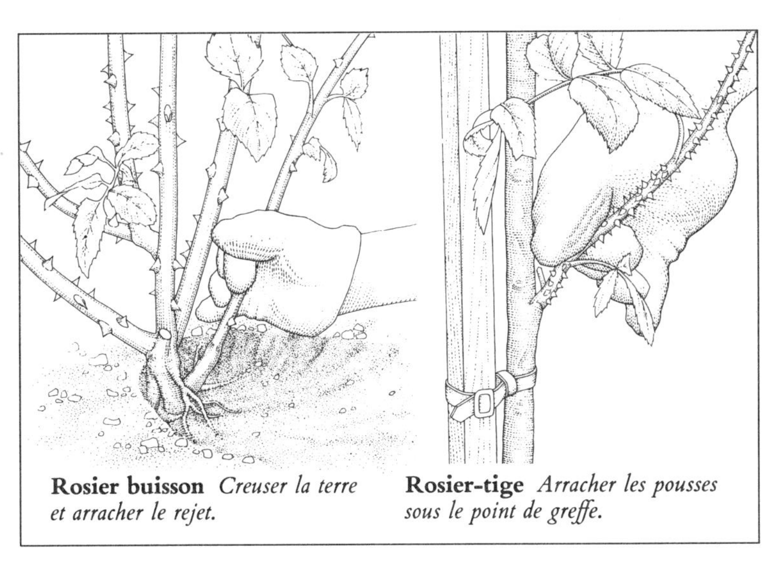

Rosier buisson *Creuser la terre et arracher le rejet.*

Rosier-tige *Arracher les pousses sous le point de greffe.*

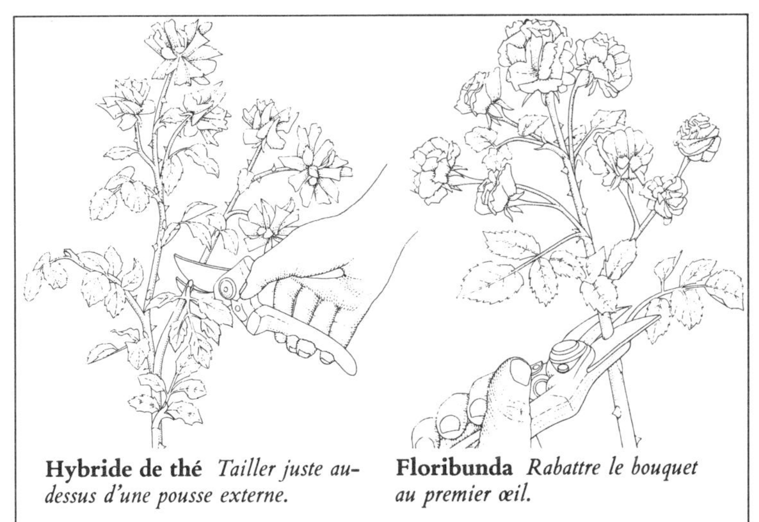

Hybride de thé *Tailler juste au-dessus d'une pousse externe.*

Floribunda *Rabattre le bouquet au premier œil.*

Comment obtenir des fleurs plus grandes

On peut éliminer quelques boutons d'hybrides de thé pour permettre aux fleurs de mieux se développer.

Lorsque de nouvelles tiges poussent sur ces rosiers, un ou plusieurs boutons latéraux apparaissent juste en dessous du bouton apical. Les éliminer en les détachant avec les doigts à 15 cm au-dessous du bouton terminal.

Chez les floribunda, on peut éliminer, dans chaque bouquet, les gros boutons du centre et les plus petits.

Pour avoir de grosses fleurs, ne garder que les boutons principaux.

Quand arroser et traiter les rosiers

La fréquence des arrosages dépend de la nature du sol et du temps qu'il fait. En terre sablonneuse, ils seront abondants. Ailleurs, la plupart des rosiers bien établis pourront tolérer deux ou trois semaines de sécheresse.

Pendant la floraison, afin de protéger les fleurs, arroser avec un arrosoir ou un irrigateur qui permet de donner de l'eau seulement aux racines. En dehors de cette période, utiliser un arroseur à jet fin.

Pour prévenir l'apparition du mildiou, arroser le matin de sorte que les plants aient le temps de sécher avant le crépuscule. Eviter les jets puissants qui pourraient éclabousser les feuilles de boue, car souvent le sol contient des germes qui communiquent des maladies aux plantes. Arroser délicatement, mais de manière à humidifier le sol en profondeur.

Traiter régulièrement les rosiers avec un insecticide-fongicide spécifique. Utiliser de préférence un pulvérisateur à pression pour effectuer ce traitement.

L'importance des engrais et des paillis

Les rosiers ne doivent pas recevoir d'engrais durant l'année qui suit la plantation. Par la suite, la fertilisation peut commencer dès le dégel. On engraissera de nouveau la terre après chaque période de floraison. Dans les zones froides, interrompre la fertilisation au mois d'août. Autour des plants, incorporer au sol par grattage du superphosphate additionné de poudre d'os ou de sang séché ou un engrais chimique pour rosiers.

Dès que le sol s'est réchauffé, au printemps, le recouvrir (après l'avoir arrosé s'il est très sec) d'un paillis de 5 à 10 cm d'épaisseur pour garder l'humidité, enrichir le sol et prévenir la croissance des mauvaises herbes.

Compost, épis de maïs broyés, feuilles déchiquetées, sciure de bois, foin de prés salés, paille, écorce déchiquetée, écailles de sarrasin et fibre de noix de coco font d'excellents paillis. Le fumier de bovins ou de cheval bien décomposé convient aussi, mais il renferme souvent des graines de mauvaises herbes.

Les engrais liquides sont versés à travers les paillis ; les autres sont appliqués dessous. Renouveler les paillis tous les ans.

Protection des rosiers en hiver

Les rosiers convenablement protégés résistent bien aux froids de l'hiver. On prendra soin d'isoler le collet de la plante pour préserver les bourgeons de croissance.

On obtient ce résultat en buttant les plants sur une hauteur de 25 à 30 cm. Le buttage s'effectue le plus souvent avec de la terre de jardin. Il vaut mieux cependant la prélever ailleurs que dans la plate-bande des rosiers pour ne pas risquer d'endommager les racines superficielles. On peut aussi utiliser des manchons de feuilles ou de paille maintenus avec du fil métallique. Y incorporer cependant du poison contre les rongeurs.

En zone 6 et dans les régions encore plus froides, il est préférable de détacher les rosiers grimpants de leur support, d'étaler leurs branches sur le sol et de les protéger avec de la terre, de la paille ou des panneaux de bois.

La neige constitue aussi un excellent isolant. On aura donc intérêt à en favoriser l'accumulation sur les plates-bandes.

Ravageurs et maladies

Si un rosier présente des symptômes non décrits dans le tableau ci-dessous, se reporter aux illustrations du chapitre « Ravageurs et maladies », qui commence à la page 444. On trouvera aux pages 480 à 482 les appellations commerciales des produits chimiques recommandés.

Symptômes	Cause	Traitement
Pousses et boutons couverts d'insectes verts. Dans les cas graves, tiges, feuilles et boutons sont déformés.	Pucerons	Vaporisation de diazinon, de diméthoate, d'endosulfan ou de malathion.
Feuilles dévorées, parfois même enroulées.	Chenilles, larves de tenthrèdes	Vaporisation de carbaryl, de méthoxychlore, de roténone ou de trichlorphon.
Feuilles tachetées. Peuvent jaunir et tomber prématurément. Petits insectes sauteurs ou volants apparents.	Cicadelles	Vaporisation de carbaryl, de malathion ou de nicotine.
Feuilles et boutons floraux très déformés. Feuilles déchiquetées ou marquées.	Punaises	Vaporisation de diazinon, de malathion, de méthoxychlore ou de nicotine.
Fleurs mal formées ou boutons qui ne s'ouvrent pas. Insectes entre les pétales.	Thrips	Vaporisation de diméthoate, de formothion, de malathion ou de roténone.
Feuilles d'une fausse couleur, parfois bronze, tachetées d'argent. Feuilles parfois reliées par des toiles.	Tétranyques à deux points (araignées rouges)	Une fois par semaine, vaporisation de l'avers et du revers des feuilles avec du chlorobenzilate, du dicofol, du malathion ou du tétradifon. Ou insecticide systémique.
Kystes noduleux sur les racines. Plante chétive, d'une mauvaise couleur.	Nématodes des racines	Ajouter du métam-sodium au sol avant la plantation.
Feuilles portant des marques noires et rondes et pouvant tomber prématurément.	Tache noire (champignon)	Vaporisation de captane, de dodine, de manèbe ou de zinèbe.
Tiges et collets atteints et nécrosés ; chancres noirs ou bruns.	Chancre (champignon)	Couper les tiges affectées à 2,5 cm sous la région décolorée, après la reprise au printemps. Stériliser couteaux et sécateurs avec un javellisant dilué de moitié. Vaporisation de dinosèbe ou de soufre.
Plantes atteintes au ras du sol, portant de grosses excroissances noduleuses.	Tumeur du collet (bactérie)	Arracher et détruire les sujets très atteints. Traiter les tumeurs à la bacticine.
Feuilles et jeunes pousses revêtues d'une pruine blanchâtre. Parfois déformées.	Blanc (champignon)	Vaporisation de bénomyl, de cycloheximide ou de dinocap.
Pousses tordues ou mal formées, couvertes d'une poudre orange. Points jaunes sous les feuilles ; chute prématurée de celles-ci.	Rouille (surtout sur la côte Ouest)	Difficile à maîtriser. Vaporisation de manèbe ou de zinèbe dès les premiers symptômes. Couper et détruire les pousses affectées.
Extrémités des tiges noircies ou pourprées. Taches décolorées sur les jeunes feuilles.	Gel ou vent froid	Si le cas se produit souvent, remettre la taille finale au printemps.
Jaunissement et chute prématurée des feuilles. Fleurs peu nombreuses et peu durables. Croissance générale faible.	Manque d'engrais, sécheresse ou les deux	Se produit lorsque les rosiers sont cultivés dans une terre pauvre et rocailleuse ou près d'un mur qui arrête la pluie. Ne pas laisser le sol se dessécher. Pailler tous les ans.

De beaux rosiers grâce à une taille judicieuse

Quand et comment effectuer la taille

De façon générale, le meilleur moment pour effectuer la taille des rosiers se situe à la fin de la période de dormance, au moment où les bourgeons commencent à gonfler. Dans les régions à climat tempéré, la taille peut se faire en décembre et en janvier. Dans les régions plus froides, elle s'effectuera en mai. De toute manière, il faut attendre que tout danger de gel soit définitivement écarté.

Ce principe, cependant, ne s'applique ni aux rosiers sarmenteux et grimpants ni aux rosiers pleureurs. Tailler légèrement les grimpants après la floraison, puis de nouveau au printemps. Tailler les sarmenteux après la floraison, tout comme les rosiers pleureurs (qui ne sont rien d'autre que des rosiers sarmenteux greffés sur de longues tiges).

Vocabulaire Une tige ou une branche de l'année est appelée bois nouveau. Les fleurs des hybrides de thé, des floribunda et de la plupart des rosiers modernes apparaissent sur ce bois neuf.

On appelle vieux bois une tige des années précédentes. La plupart des rosiers grimpants et tous les sarmenteux (sauf les sports grimpants) fleurissent sur du vieux bois.

Un œil est un bourgeon jeune ou naissant, placé à l'aisselle d'une feuille. En hiver, il n'est pas plus gros qu'une tête d'épingle, mais au printemps il donnera naissance à une pousse.

On distingue deux sortes de bourgeons : le bourgeon de croissance, aussi appelé œil, qui donnera naissance à une pousse, et le bourgeon floral qu'on appelle aussi bouton.

Les pousses qui donnent les tiges principales s'appellent branches charpentières ; les pousses qui partent de celles-ci sont dites branches latérales.

Comment tailler Pour faire une coupe franche et nette, utiliser un sécateur solide et bien aiguisé. La coupe doit être faite à 0,5 cm au plus au-dessus d'un œil ou bourgeon de croissance. Couper en biseau en s'écartant du bourgeon.

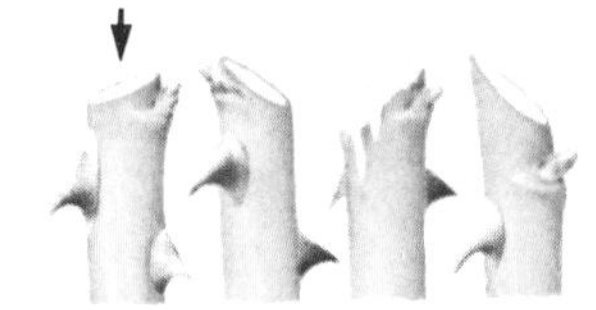

Seule la taille de gauche est correcte.

L'œil doit être tourné vers l'extérieur de la plante afin que les pousses se développent dans cette direction et n'encombrent pas le centre. Cette règle ne s'applique cependant ni aux espèces grimpantes dont les pousses doivent être dirigées vers leurs supports ni aux espèces rampantes.

Ne pas couper trop près d'un œil pour ne pas l'abîmer, ni trop loin pour ne pas provoquer le dessèchement de l'extrémité de la tige.

Si après la taille deux pousses se développent au même endroit, éliminer délicatement la plus faible.

Pour ôter une tige complète, couper au sécateur le plus près possible de la branche mère ; couper ensuite le chicot au ras de la branche.

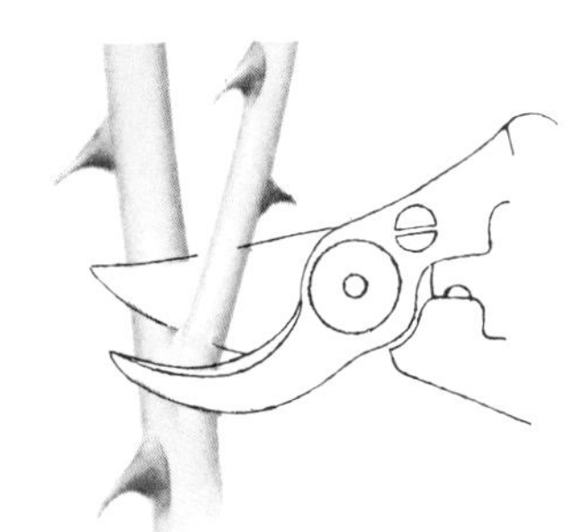

Couper la tige au ras de la branche.

Ne pas essayer de couper de grosses branches avec un sécateur ordinaire. Employer plutôt un sécateur-ébrancheur à long manche. Pour les bois durs, utiliser une scie d'élagage à lame étroite.

Taille des rosiers nouvellement plantés

S'il est nécessaire de tailler les rosiers buissons ou les rosiers-tiges plantés au printemps, il faut le faire immédiatement après la plantation. S'ils ont été plantés en automne, la taille se fera au printemps.

Traiter chaque rosier selon la catégorie à laquelle il appartient et le tailler comme il est recommandé.

Les hybrides de thé et les grandiflora nouvellement plantés seront sévèrement rabattus à 10 cm du sol.

Procéder ainsi pour les floribunda en rabattant à environ 15 cm du sol. Rabattre un peu plus bas les variétés plus petites, comme 'All Gold'.

Tailler modérément les rosiers botaniques nouvellement plantés. Comme ils fleurissent sur du bois produit l'année précédente, il vaut mieux garder le plus de tiges possible afin d'obtenir une belle floraison.

Les rosiers grimpants et sarmenteux demandent une taille modérée pour compenser la perte inévitable de racines qui survient lors de la transplantation. Tailler de même les rosiers arbustes anciens ou modernes.

Rabattre les polyantha du tiers et couper les rosiers miniatures à environ 5 cm du sol.

HYBRIDE DE THÉ NOUVELLEMENT PLANTÉ

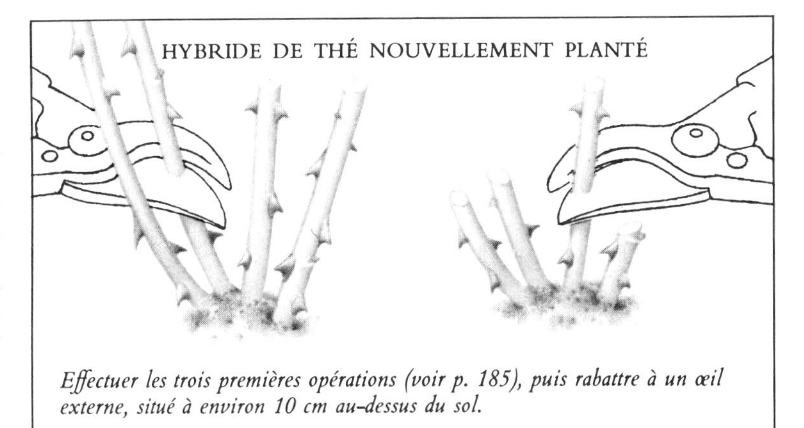

Effectuer les trois premières opérations (voir p. 185), puis rabattre à un œil externe, situé à environ 10 cm au-dessus du sol.

FLORIBUNDA NOUVELLEMENT PLANTÉ

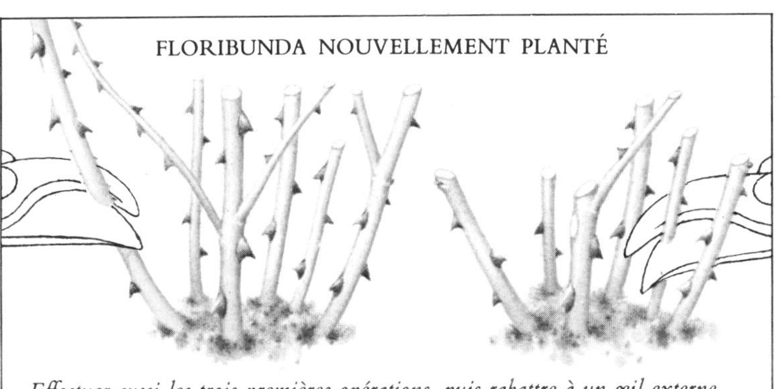

Effectuer aussi les trois premières opérations, puis rabattre à un œil externe, situé à environ 15 cm au-dessus du sol.

Taille des rosiers buissons et des rosiers-tiges

La taille doit donner aux rosiers une structure évasée et ouverte et une floraison plus abondante. La suppression des pousses qui prennent naissance sous le point de greffe fait aussi partie de l'entretien normal.

Il faut toujours couper juste audessus d'un bourgeon ou œil dirigé vers l'extérieur pour qu'en poussant les nouvelles tiges n'encombrent pas le centre de la plante. Effectuer les trois premières opérations décrites à la page suivante, puis tailler chaque rosier selon son type.

Rabattre chaque année du tiers les branches des hybrides de thé, des floribunda et des grandiflora. Cette taille se pratique au printemps lorsque les bourgeons se remettent à croître et que tout danger de gel est écarté. Si l'on préfère obtenir des fleurs plus grosses, on rabattra les tiges à trois yeux de leur base.

Les grandiflora et les floribunda, dont la croissance est plus marquée que celle des hybrides de thé, n'ont besoin que d'une taille légère.

Les hybrides remontants fleurissent mieux sur du bois de l'année précédente. Chaque printemps, enlever un peu du bois vieux de trois ou quatre ans en le rabattant au niveau du sol ; tailler les nouvelles pousses à environ 1 m. On effectue une taille légère lorsqu'on coupe des fleurs pour en faire des bouquets ou qu'on enlève les fleurs fanées.

Rabattre au printemps l'extrémité des tiges des rosiers miniatures et polyantha et couper les pousses faibles. Il arrive que les rosiers miniatures produisent en été des branches beaucoup plus longues que les autres ; il faut alors les rabattre pour conserver à la plante une silhouette harmonieuse.

Les rosiers-tiges, qu'ils soient composés d'hybrides de thé ou de floribunda, doivent être taillés de la même façon que les rosiers buissons, mais plus sévèrement. La taille doit viser à leur donner une belle cime ronde.

Avant la taille, soit au début du printemps, le rosier buisson présente une quantité de vieux bois, de tiges improductives ou malades. On y trouve aussi des tiges qui s'enchevêtrent et des pousses fines et faibles.

LES TROIS PRINCIPES DE BASE DE LA TAILLE

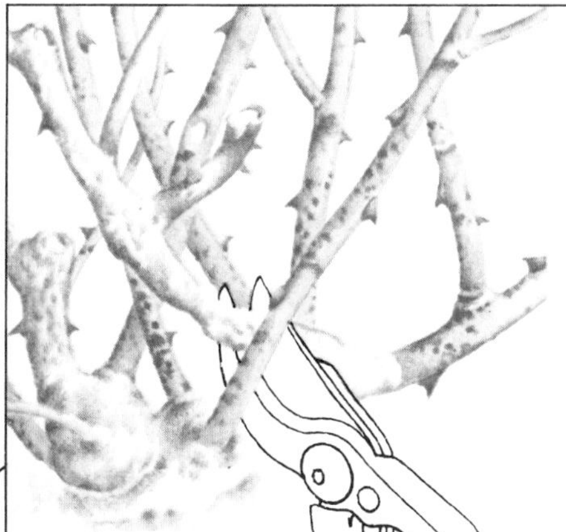

1. Couper les branches mortes *Rabattre les branches mortes à leur point de jonction avec une branche saine et, au besoin, jusqu'au bourrelet d'écusson. Rabattre les branches malades jusqu'au premier œil tourné vers l'extérieur et situé sur du bois sain.*

2. Eliminer les tiges faibles ou trop fines *Afin de permettre à la sève d'atteindre plus facilement les branches vigoureuses, éliminer radicalement les tiges frêles. Les rabattre à leur point de jonction avec une branche vigoureuse ou jusqu'au point de greffe. Le bois faible prive la plante d'une partie de son énergie et ne produit généralement pas de fleurs.*

3. Eliminer les branches qui s'entrecroisent ou qui s'abîment *Rabattre la plus faible à un œil au-dessous du point de frottement. On évite ainsi l'enchevêtrement des nouvelles pousses et on permet à l'air et à la lumière de pénétrer. Cela ne s'applique pas aux rosiers grimpants et sarmenteux qu'il suffit d'attacher.*

SUR QUELLE LONGUEUR RABATTRE ?

La taille des variétés peu vigoureuses et des tiges faibles doit être très sévère. Celle des rosiers-tiges et des grandiflora doit être plus importante que celle des hybrides de thé et des floribunda.

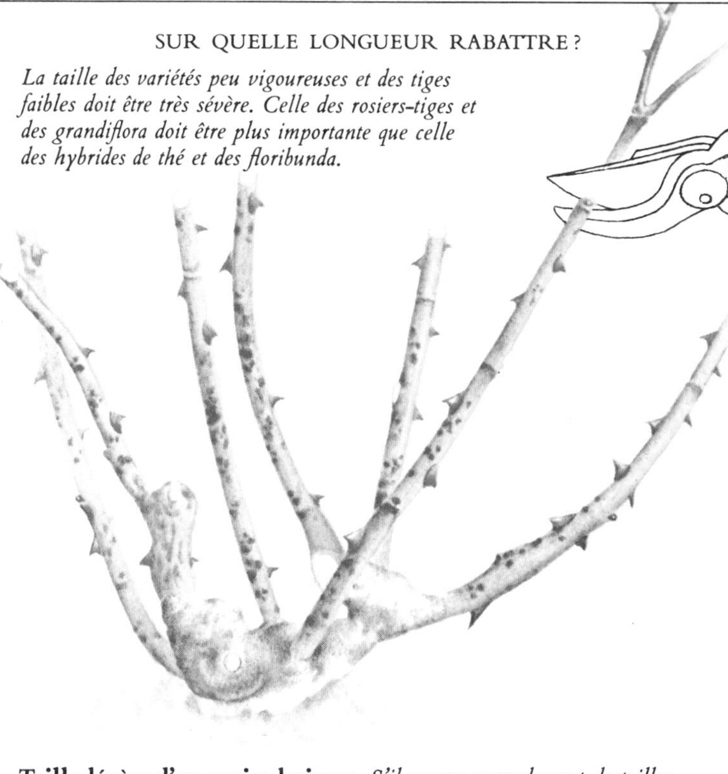

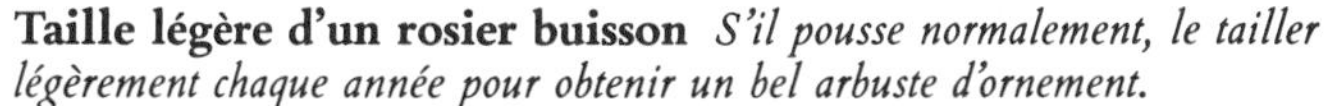

Taille légère d'un rosier buisson *S'il pousse normalement, le tailler légèrement chaque année pour obtenir un bel arbuste d'ornement.*

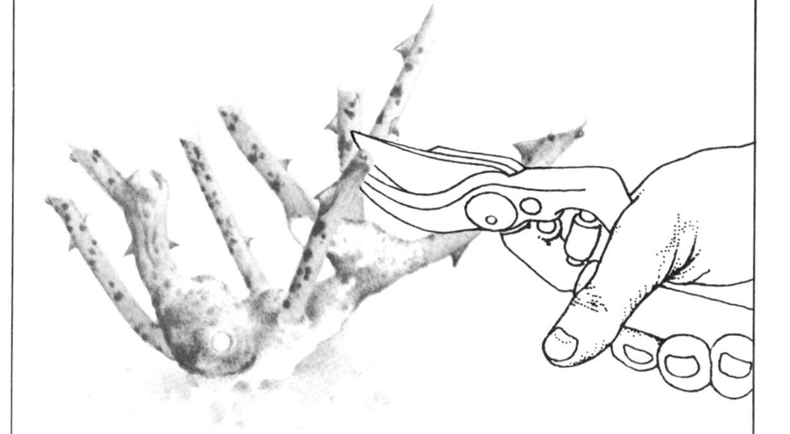

Taille sévère d'un rosier buisson *Si l'on veut obtenir de belles roses, bien formées mais moins nombreuses, tailler sévèrement chaque année.*

Taille des rosiers grimpants

La taille des rosiers grimpants ne souffre aucun retard. Un entretien ponctuel chaque année donne des rosiers qui ont meilleure apparence, qui fleurissent davantage et dont la taille est plus facile.

C'est au printemps qu'il faut enlever le bois mort ou faible. En été, sitôt que les fleurs se sont fanées, couper les branches latérales sur lesquelles elles poussaient à deux ou trois yeux des branches charpentières. S'il s'agit d'une variété non remontante, comme 'Dr. Van Fleet', rabattre jusqu'à la souche chaque printemps quelques-unes des plus vieilles branches. Chez tous les autres rosiers grimpants, cependant, n'enlever le vieux bois que pour éclaircir la plante ou en améliorer la forme.

Les nouvelles branches charpentières apparaissent souvent au sommet des vieilles branches. Dans ce cas, rabattre celles-ci juste au-dessus de la nouvelle pousse.

Tailler en tout temps les extrémités des branches latérales qui sont trop longues.

Dès qu'apparaissent de nouvelles branches charpentières, les attacher aux supports. Avec le temps, elles deviennent moins souples.

TAILLE D'ÉTÉ

Après la floraison du rosier grimpant, couper le bouquet floral à un œil bien constitué. Ne pas laisser les roses monter en graine afin de ne pas priver la plante d'une énergie mieux employée à produire de nouvelles pousses. Ne pas jeter les rameaux enlevés dans le tas de compost, car leurs épines sont dangereuses.

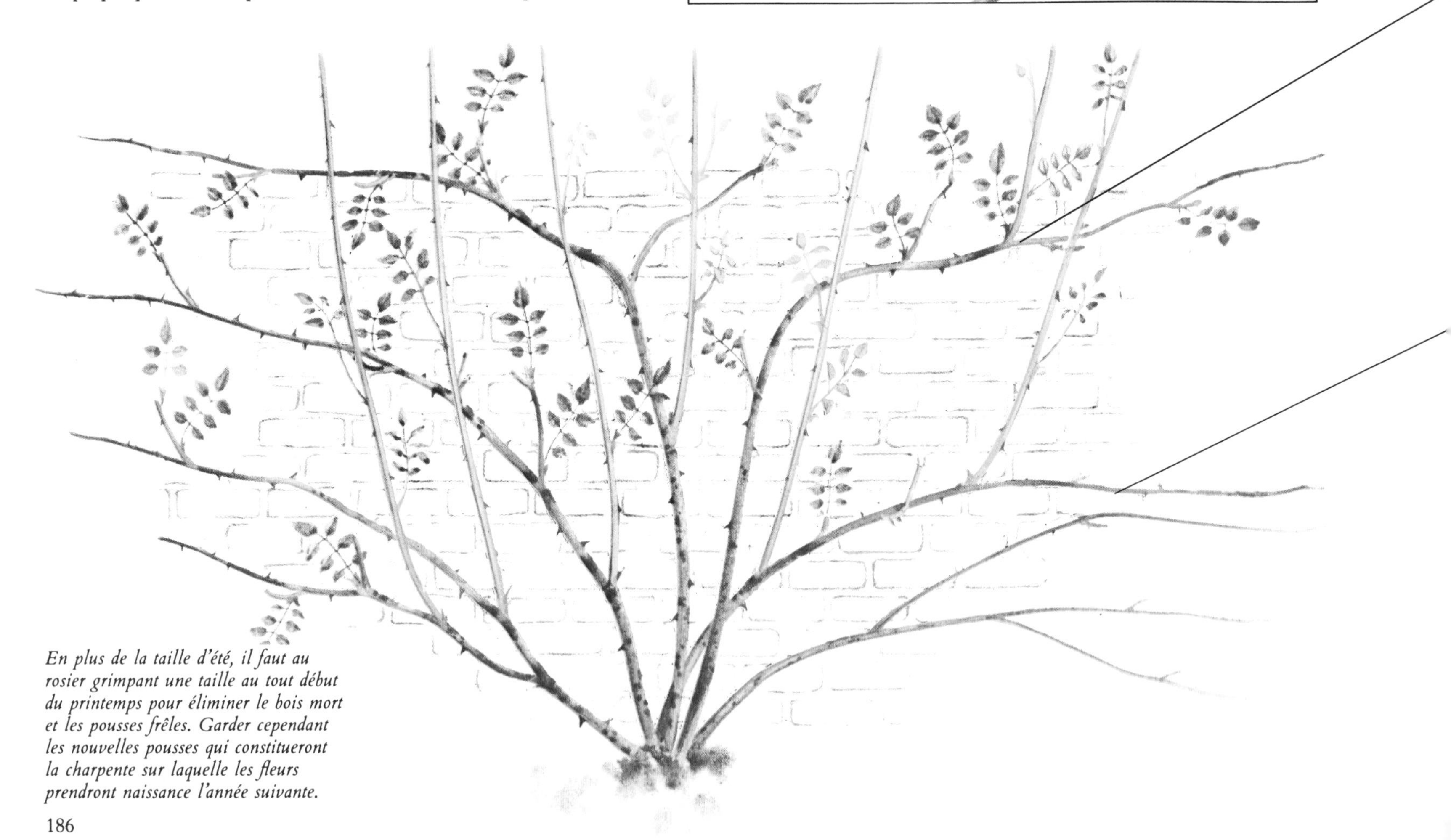

En plus de la taille d'été, il faut au rosier grimpant une taille au tout début du printemps pour éliminer le bois mort et les pousses frêles. Garder cependant les nouvelles pousses qui constitueront la charpente sur laquelle les fleurs prendront naissance l'année suivante.

Rosiers sarmenteux

Les rosiers sarmenteux véritables donnent de longues tiges flexibles qui partent de la base. Elles ne fleurissent que la deuxième année. On recommande de tailler ces rosiers tout de suite après la floraison en ne supprimant que les tiges ayant fleuri.

La plupart des variétés sarmenteuses donnent beaucoup de nouvelles branches. Pour chacune de ces nouvelles branches, en couper une ancienne au ras du sol. Si trop de nouvelles branches naissent à la fois, supprimer les plus faibles.

Dans le cas des variétés qui produisent leurs nouvelles branches au-dessus de la souche, ne pas rabattre les anciennes plus bas que ce point de croissance. Lorsque la plante donne peu de nouvelles pousses basales, conserver les plus vigoureuses des vieilles branches et rabattre les pousses latérales à deux ou trois yeux de la base tôt au printemps.

Pour palisser les rosiers sarmenteux, choisir des supports ajourés. Les rosiers pleureurs doivent être taillés comme les rosiers sarmenteux.

TAILLE DE PRINTEMPS

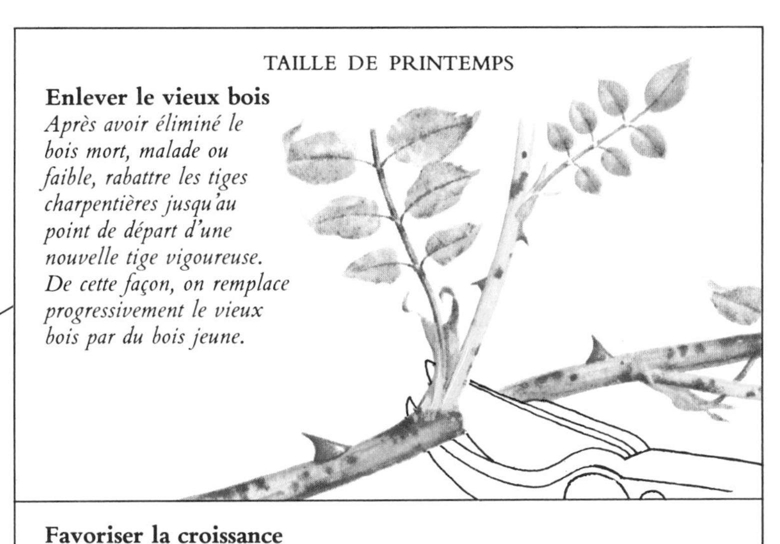

Enlever le vieux bois
Après avoir éliminé le bois mort, malade ou faible, rabattre les tiges charpentières jusqu'au point de départ d'une nouvelle tige vigoureuse. De cette façon, on remplace progressivement le vieux bois par du bois jeune.

Favoriser la croissance de nouvelles pousses
Si une tige charpentière n'a pas donné de nouvelles pousses, la rabattre, ainsi que ses branches latérales, de moitié. Supprimer le vieux bois qui est devenu improductif.

PALISSAGE D'UN ROSIER GRIMPANT

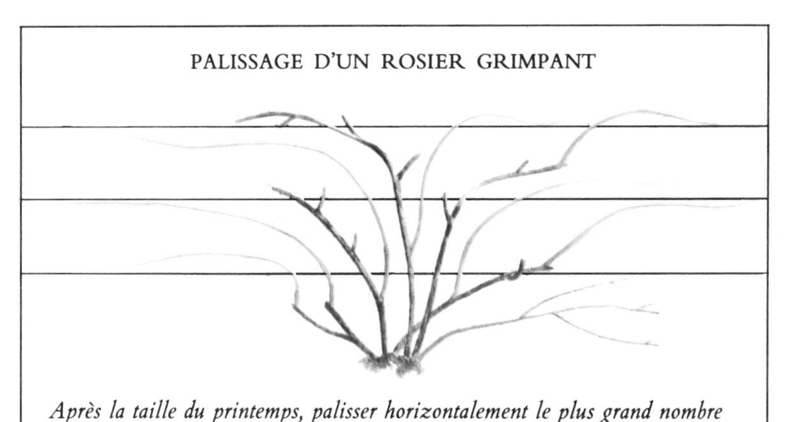

Après la taille du printemps, palisser horizontalement le plus grand nombre possible de tiges pour favoriser l'apparition des pousses florifères.

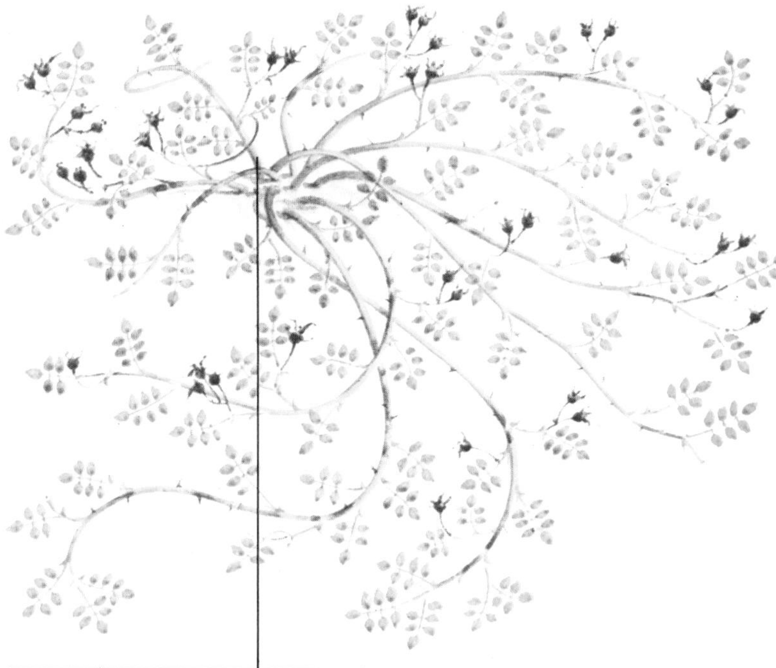

Lorsque de nouvelles pousses se multiplient à la base du rosier sarmenteux, rabattre au sol les vieilles tiges florifères. Parer les coupures au couteau.

Taille des rosiers arbustes : botaniques et hybrides

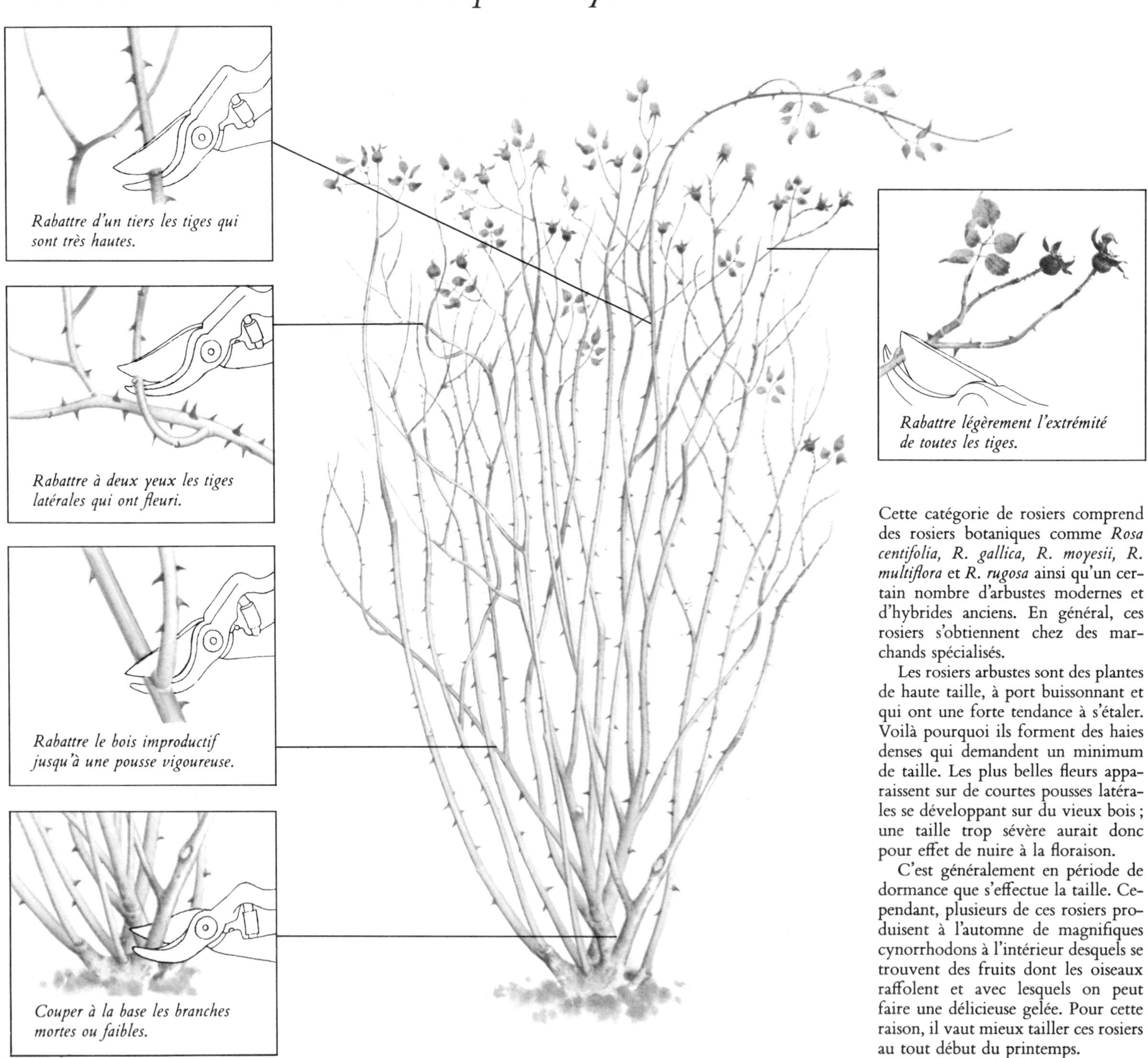

Rabattre d'un tiers les tiges qui sont très hautes.

Rabattre à deux yeux les tiges latérales qui ont fleuri.

Rabattre le bois improductif jusqu'à une pousse vigoureuse.

Couper à la base les branches mortes ou faibles.

Rabattre légèrement l'extrémité de toutes les tiges.

Cette catégorie de rosiers comprend des rosiers botaniques comme *Rosa centifolia, R. gallica, R. moyesii, R. multiflora* et *R. rugosa* ainsi qu'un certain nombre d'arbustes modernes et d'hybrides anciens. En général, ces rosiers s'obtiennent chez des marchands spécialisés.

Les rosiers arbustes sont des plantes de haute taille, à port buissonnant et qui ont une forte tendance à s'étaler. Voilà pourquoi ils forment des haies denses qui demandent un minimum de taille. Les plus belles fleurs apparaissent sur de courtes pousses latérales se développant sur du vieux bois ; une taille trop sévère aurait donc pour effet de nuire à la floraison.

C'est généralement en période de dormance que s'effectue la taille. Cependant, plusieurs de ces rosiers produisent à l'automne de magnifiques cynorrhodons à l'intérieur desquels se trouvent des fruits dont les oiseaux raffolent et avec lesquels on peut faire une délicieuse gelée. Pour cette raison, il vaut mieux tailler ces rosiers au tout début du printemps.

Multiplication des rosiers par bouturage

Le bouturage des rosiers ne donne pas toujours les résultats attendus. Prélever la bouture sur une tige florifère garnie de boutons qui éclosent. Cette bouture doit avoir 15 cm de long et porter 3 à 5 feuilles. La sectionner juste sous un nœud et enlever la feuille du bas. Plonger cette extrémité dans une poudre d'hormones et planter la bouture à 2,5 cm de profondeur dans un endroit ombragé.

Couvrir la bouture d'un grand bocal de verre ou d'un plat de plastique. Maintenir le sol humide. Après six semaines environ, vérifier l'état de la bouture. Si des signes de croissance se manifestent, enlever la cloche.

Attendre le printemps suivant pour la transplantation. Dans les régions où le climat est froid, recouvrir complètement la bouture d'un monticule de terre à la fin de l'automne et ne pas la découvrir avant le printemps. La dégager alors progressivement. On peut aussi placer les boutures sous châssis froid.

La multiplication peut aussi s'effectuer par bouturage de tiges ligneuses en automne. Choisir des pousses latérales vigoureuses, de la taille d'un crayon ; elles doivent être de l'année. On peut recourir à deux types de boutures : la bouture classique prélevée à l'aide d'un couteau bien tranchant sur une pousse latérale, au ras d'une branche principale, ou la bouture à talon prélevée là où la pousse latérale se rattache à la branche principale.

On peut aussi sectionner une longue tige près de sa base juste au-dessus d'un œil, puis la couper nettement juste sous un œil.

Toutes ces boutures aoûtées requièrent le même traitement. Si elles ont plus de 30 cm, les raccourcir du haut en coupant au-dessus d'un œil.

Dans les régions à climat doux, enlever toutes les feuilles, sauf la paire supérieure. A l'aide d'un couteau tranchant, étêter tous les yeux axillaires, sauf ceux à l'aisselle des feuilles supérieures qui ont été conservées.

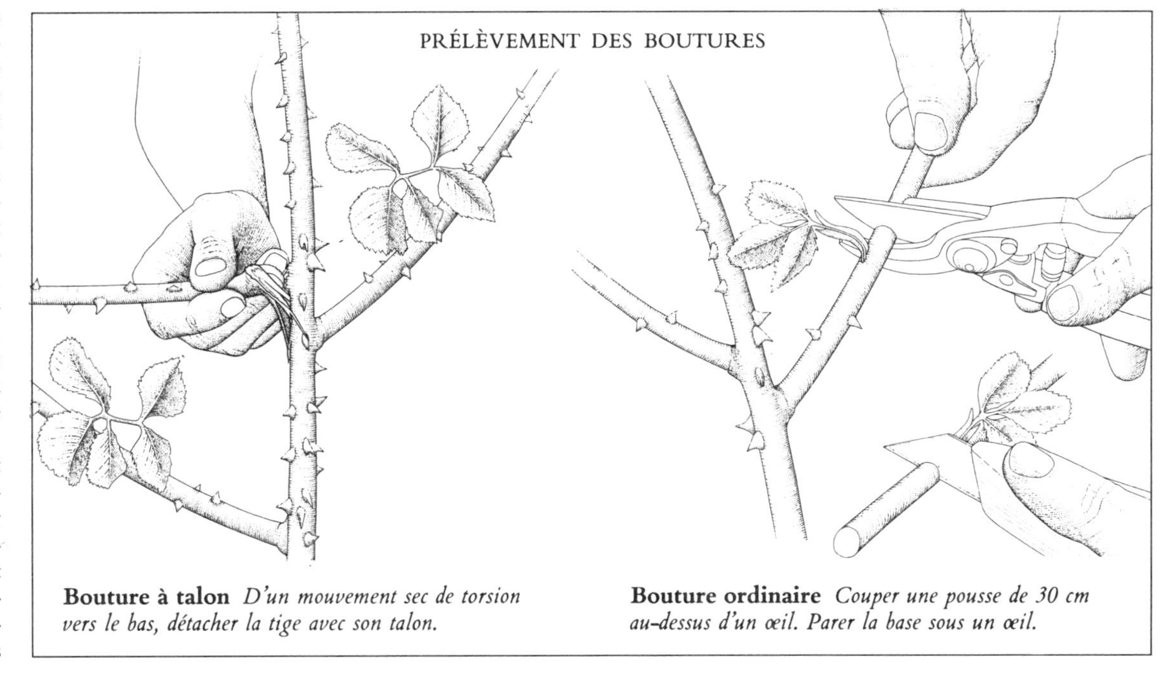

Bouture à talon *D'un mouvement sec de torsion vers le bas, détacher la tige avec son talon.*

Bouture ordinaire *Couper une pousse de 30 cm au-dessus d'un œil. Parer la base sous un œil.*

Dans un endroit ombragé du jardin, creuser une tranchée étroite, en forme de V, de 25 cm de profondeur et épandre au fond 2,5 cm de sable grossier ou de perlite. Plonger la partie inférieure de la bouture dans de la poudre d'hormones à enracinement.

Déposer les boutures presque à la verticale en les appuyant sur un des côtés de la tranchée. Les espacer de 15 cm. Le pied de la bouture doit se trouver dans la couche de sable. Remplir ; fouler le sol autour des boutures et arroser généreusement. Ne pas les transplanter avant l'automne de l'année suivante.

Dans les régions froides, prélever des boutures aoûtées et sans feuilles juste avant les grands froids. Les coucher au fond d'une tranchée de 20 cm et les recouvrir de terre. Lorsque le sol est gelé, recouvrir la tranchée d'un épais paillis. Au printemps, installer les boutures dans une tranchée. A l'automne, les transplanter et les abriter sous un monticule de terre pour l'hiver.

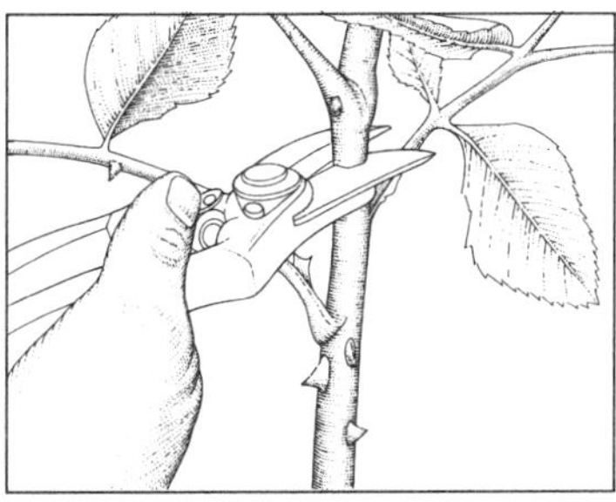

1. *Raccourcir la bouture du haut si elle a plus de 30 cm de long.*

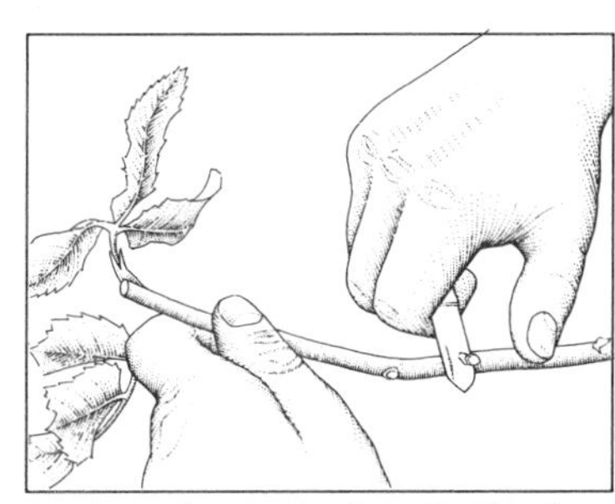

2. *Ne garder que les deux feuilles du haut ; étêter les autres yeux axillaires.*

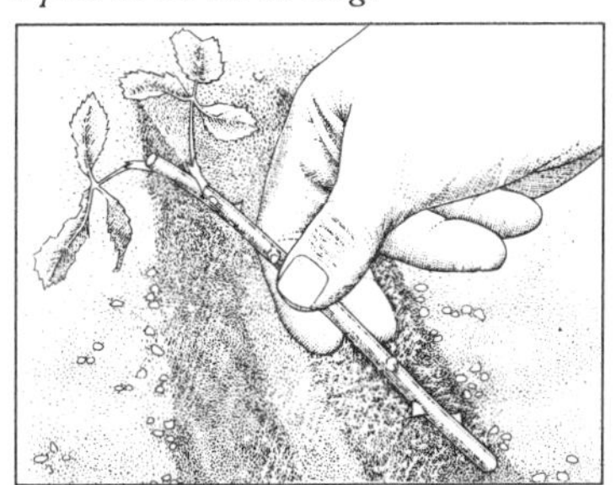

3. *Espacer les boutures de 15 cm dans une tranchée de 25 cm de profondeur.*

4. *Remplir de terre, fouler du pied et arroser généreusement.*

Multiplication d'un hybride de thé par écussonnage

Préparation du porte-greffe et du greffon

La meilleure méthode pour multiplier les rosiers hybrides de thé est le greffage par écussonnage. Un bourgeon ou œil dormant de la variété désirée (le greffon) est greffé sur une souche vigoureuse (le porte-greffe).

On peut obtenir le porte-greffe par semis ou par bouturage, ou encore l'acheter chez un rosiériste. Plusieurs rosiers sont utilisés comme porte-greffes, notamment *Rosa multiflora*, *R. canina* et 'Dorothy Perkins'.

La greffe ne doit être pratiquée que sur un porte-greffe bien établi. A la fin de l'automne ou au début du printemps, planter le nombre voulu de porte-greffes en les espaçant de 30 cm. Recouvrir de terre les racines et 2 ou 3 cm de tige ; bien arroser.

L'été suivant, choisir le greffon sur la variété de rosier désirée. Prendre une tige vigoureuse et saine de 30 cm de long dont les fleurs viennent de se faner. Les bourgeons dormants se trouvent à l'aisselle des feuilles.

Oter les épines. Enlever ensuite les feuilles en gardant 1,5 cm de pétiole. Supprimer les fleurs fanées en coupant la tige juste au-dessus d'un œil ou d'une aisselle de feuille. Plonger le greffon dans l'eau.

Avec le pied, maintenir couchée la tige du porte-greffe. Dégager délicatement les racines du côté opposé ; la partie supérieure des racines doit être accessible. Bien nettoyer la tige.

A l'aide d'un greffoir bien aiguisé, faire une entaille en T dans l'écorce du collet, près des racines. Pratiquer d'abord une entaille horizontale de 1,5 cm de long. Ne pas inciser le bois sous l'écorce.

D'un mouvement ascendant, pratiquer la fente verticale qui sera un peu plus longue que l'entaille horizontale. Avec la spatule du greffoir, dégager délicatement l'écorce et la soulever des deux côtés. Le porte-greffe est prêt à recevoir le greffon.

PLANTATION DU PORTE-GREFFE

1. *Tracer une ligne ; coucher les porte-greffes tous les 30 cm.*

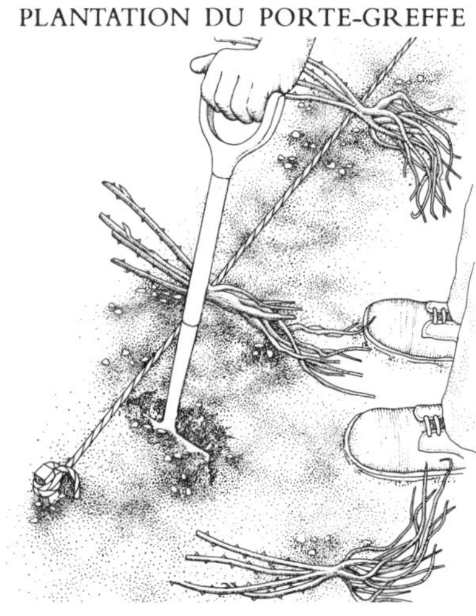

2. *Pratiquer à la bêche, en la penchant, une série de trous en V.*

3. *Glisser les racines du porte-greffe dans le trou et les recouvrir.*

PRÉPARATION DU PORTE-GREFFE ET DU GREFFON

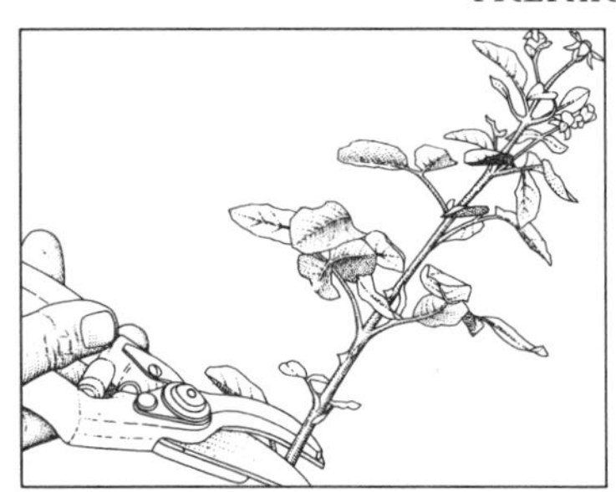

1. *A la mi-été, choisir une tige vigoureuse de 30 cm.*

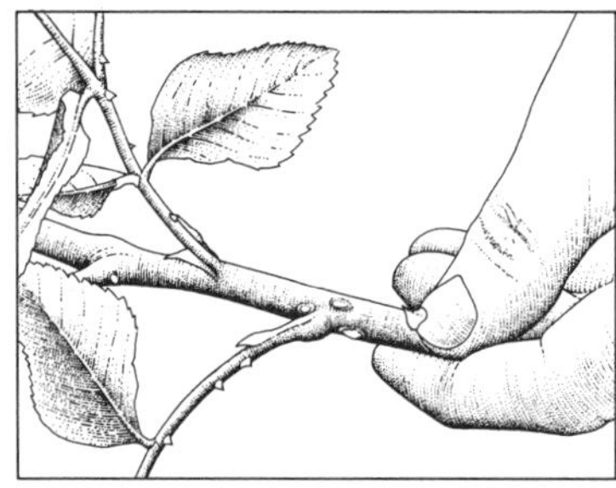

2. *Enlever les épines en pressant de côté avec l'ongle du pouce.*

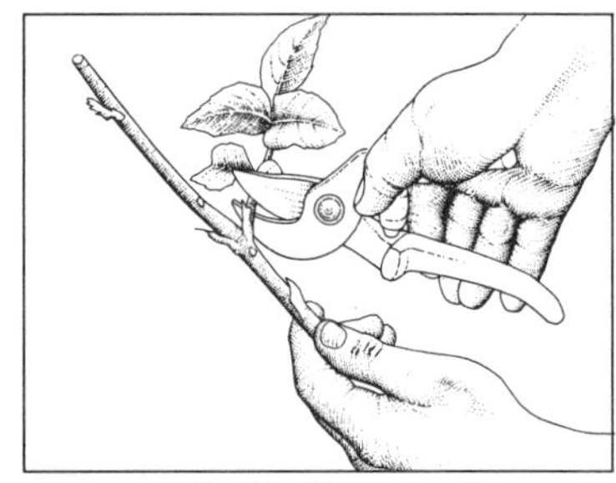

3. *Couper les feuilles en gardant 1,5 cm de pétiole.*

4. *Maintenir du pied le porte-greffe couché. Dégager les racines.*

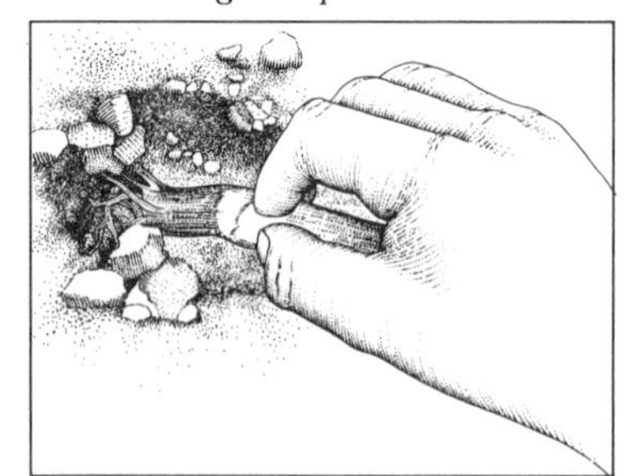

5. *Avec les doigts ou un chiffon, nettoyer le collet.*

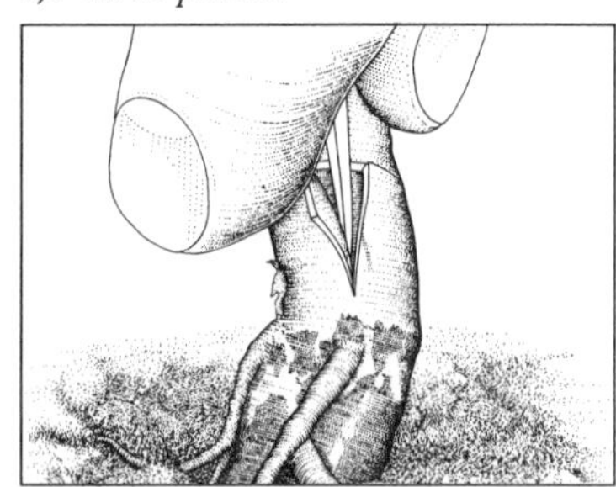

6. *Faire une incision en T dans l'écorce. Ecarter les bords.*

Union du porte-greffe et de l'écusson

Après avoir préparé le porte-greffe, sortir le greffon de l'eau. Prélever l'un des bourgeons dormants en faisant pénétrer la lame du greffoir à 1,5 cm au-dessus du bourgeon et en la faisant ressortir à 1,5 cm au-dessous en passant derrière le bourgeon. Arrondir légèrement le coup de couteau de façon à prélever une languette de bois sous l'écorce (l'écusson).

Tenir l'écusson d'une main et, de l'autre, peler délicatement l'écorce qui recouvre le bois de façon à exposer celui-ci. Tenir la languette entre le pouce et l'index, la dégager avec soin de l'écorce et la jeter.

Si cette opération a été bien exécutée, l'embryon de l'œil dormant apparaîtra sous la forme d'un petit bouton à l'intérieur de l'écusson.

Tenir l'écusson par le chicot du pétiole et le glisser dans la fente du porte-greffe. Couper la partie supérieure de l'écusson qui dépasse de la fente et refermer les bords de l'incision pour qu'ils adhèrent bien à l'écusson.

Ligaturer l'ensemble avec du raphia humide, de la ficelle lisse ou des liens de caoutchouc spéciaux en faisant deux tours au-dessous du chicot du pétiole et trois tours au-dessus. Ne pas couvrir le bourgeon. Replacer soigneusement la terre autour du porte-greffe jusqu'à ce qu'elle soit de niveau avec la base de l'écusson.

Plusieurs semaines après l'écussonnage, vérifier l'état du bourgeon. S'il est dodu et vert, l'opération a réussi et on peut enlever les ligatures. (Il n'est pas nécessaire de retirer les liens.) Si le bourgeon s'est flétri, pratiquer une nouvelle incision en T dans le même porte-greffe, insérer un nouvel écusson et ligaturer.

Les plantes écussonnées requièrent les mêmes soins, en hiver, que les autres rosiers. Une exception cependant : à la toute fin de la saison, supprimer tous les organes du porte-greffe situés au-dessus de l'écusson.

Le bourgeon ne se développe qu'au printemps suivant le greffage. Lorsque la nouvelle pousse a quelques centimètres, la pincer à deux yeux au-dessus de l'écusson. En automne, transplanter le sujet.

On peut aussi greffer des bourgeons sur les tiges principales de rosiers établis. Pour pratiquer une greffe sur une plante cultivée en haie, insérer les bourgeons sur la partie supérieure des jeunes pousses latérales, le plus près possible de la branche principale. Effectuer deux ou trois greffes sur chaque sujet.

ROSIER-TIGE

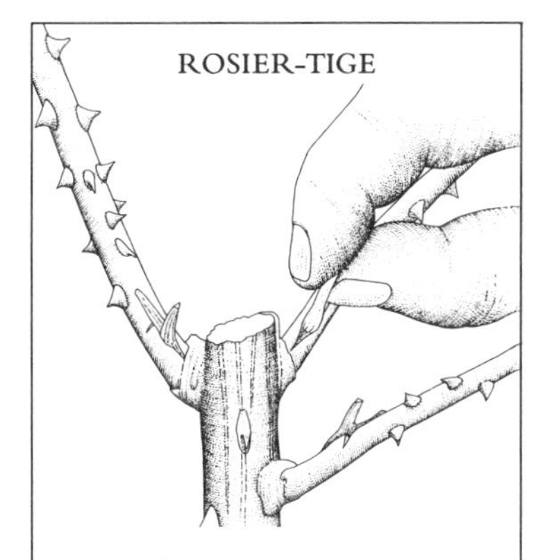

Pour obtenir un rosier-tige, cultiver un porte-greffe à la hauteur voulue. L'été suivant, pratiquer la greffe sur la branche principale ou, mieux, sur la partie supérieure des trois pousses du sommet.

GREFFE DE L'ÉCUSSON SUR LE PORTE-GREFFE

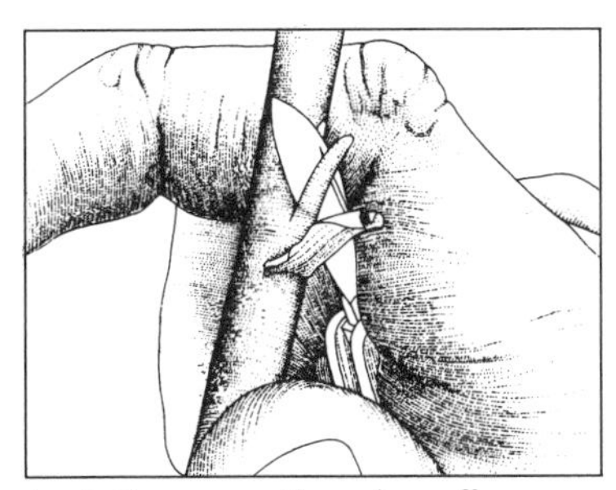

1. *Prélever un œil sur le greffon en coupant à 1,5 cm en haut et en bas.*

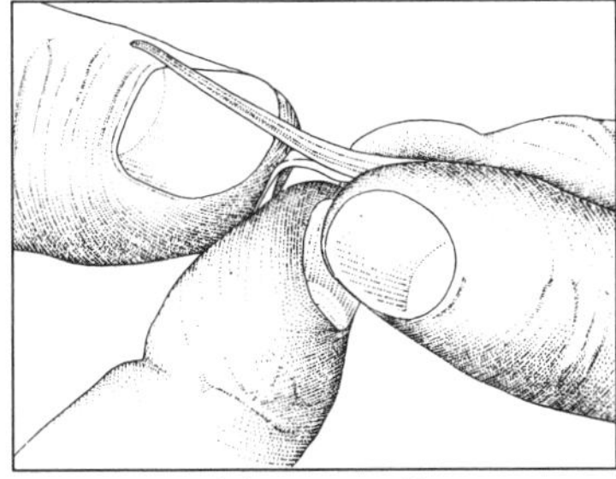

2. *Dégager délicatement l'écorce et éliminer le bois.*

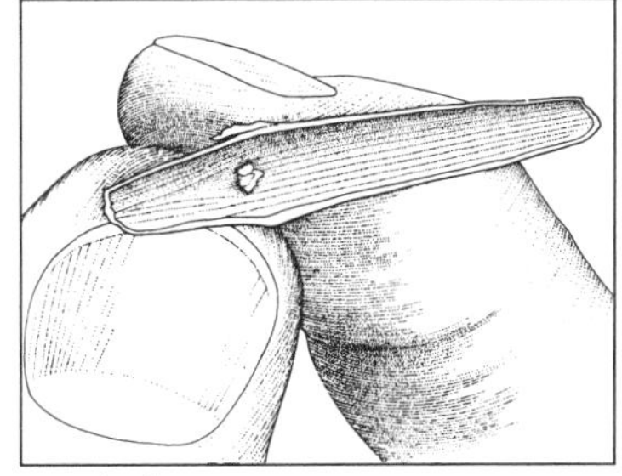

3. *L'œil se présente comme un petit bouton à l'intérieur de l'écusson.*

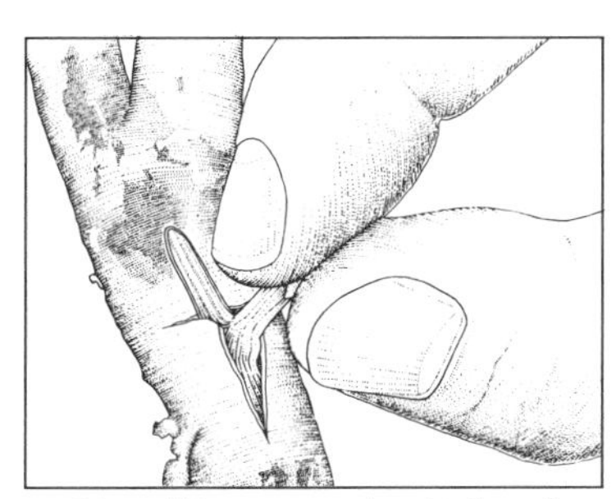

4. *Tenir l'écusson par le pétiole et le glisser dans la fente en T.*

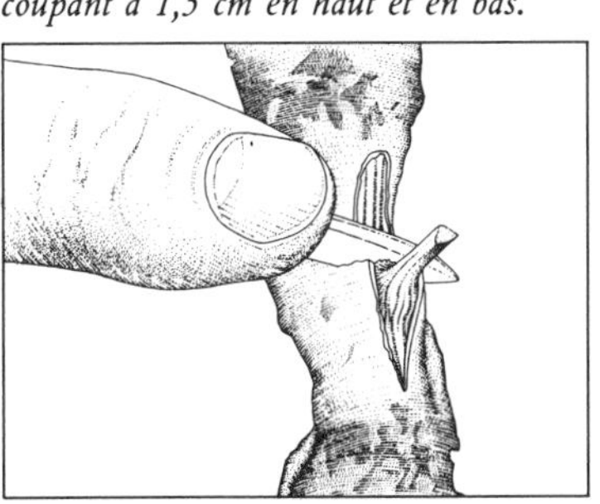

5. *Couper la partie supérieure de l'écusson. Refermer les bords.*

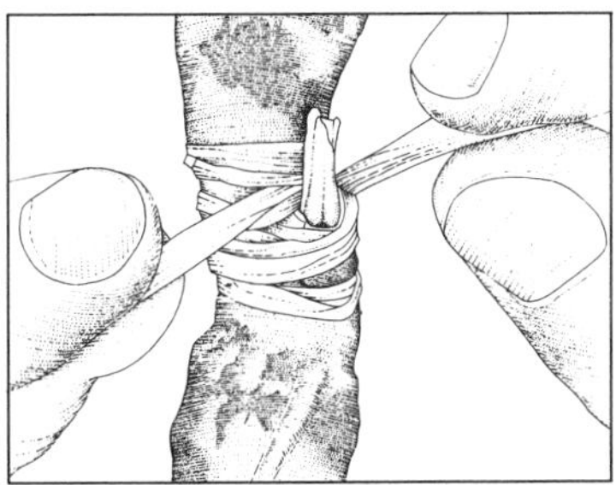

6. *Ligaturer avec du raphia. Enlever le lien après plusieurs semaines.*

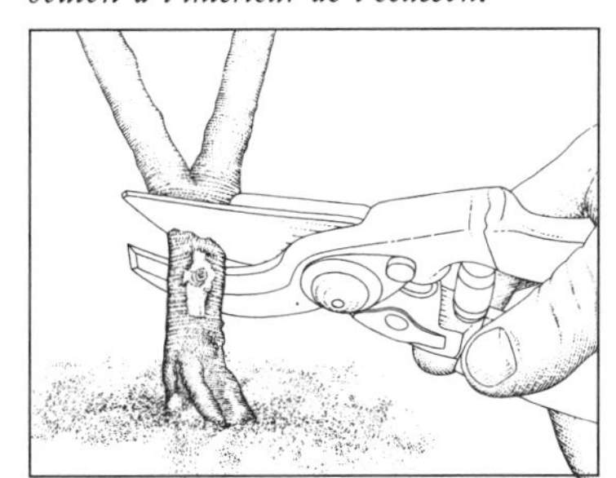

7. *A la fin de l'hiver, couper le haut du porte-greffe au-dessus de l'écusson.*

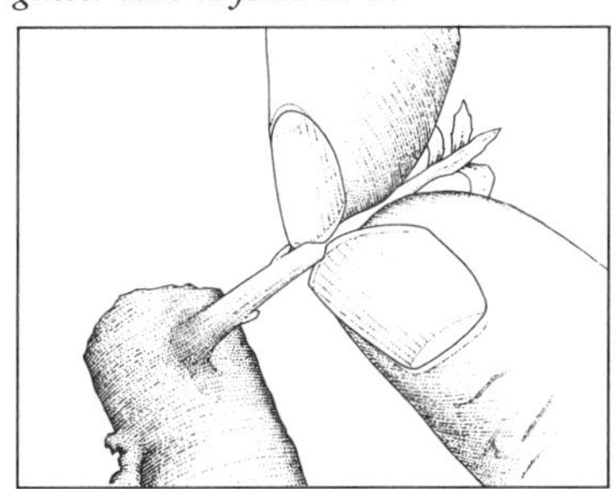

8. *Pincer au-dessus du deuxième œil la pousse qui a quelques centimètres.*

Rhododendrons et azalées

Les rhododendrons et les azalées sont en fleurs du printemps jusqu'en été. Ils sont faciles à cultiver quand ils sont dans un sol qui leur convient.

On trouve des espèces de toutes les tailles, depuis l'arbuste nain jusqu'au grand arbuste de plus de 10 m.

Le nom de « rhododendron » dérive de deux mots grecs : *rhodon* qui veut dire rose, et *dendron* qui signifie arbre.

La première espèce introduite en culture, au milieu des années 1600, fut la rose alpine, *Rhododendron hirsutum*, originaire des régions montagneuses d'Europe. En 1753, le botaniste suédois Linné établissait officiellement les caractéristiques du genre et lui donnait le nom de *Rhododendron.* A la même époque, il créait un autre genre, distinct du premier, et l'appelait *Azalea*. Puis, au XIXe siècle, un autre botaniste, George Don, comprit qu'il n'y avait pas de différence botanique entre les rhododendrons et les azalées, et les deux furent classés dans le genre *Rhododendron.*

Les jardiniers, cependant, continuent à parler des rhododendrons et des azalées comme de deux types distincts. Dans les tableaux qui commencent à la page 195, rhododendrons et azalées sont étudiés séparément, mais les renseignements donnés ici s'appliquent aux deux.

Les rhododendrons poussent à l'état sauvage dans tous les pays. La plupart des hybrides dérivent cependant d'espèces originaires de Birmanie, de Chine et du nord de l'Inde. Plusieurs d'entre elles ont été croisées avec des espèces originaires d'Amérique du Nord, avec *R. catawbiense* en particulier, qui poussent à l'état sauvage dans les régions montagneuses du sud des Etats-Unis. Les variétés obtenues par ces croisements sont remarquablement rustiques. La plupart des hybrides de *R. catawbiense* survivent à des froids aussi rigoureux que −32°C. Les boutons floraux, cependant, peuvent mourir à −25°C.

Rhododendrons et azalées comprennent tous deux des espèces à feuillage caduc et d'autres à feuillage persistant. Ces dernières sont les plus populaires, mais on semble s'intéresser de plus en plus aux azalées à feuilles caduques. Les rhododendrons à feuilles caduques sont peu souvent cultivés.

La plupart des rhododendrons présentent un feuillage admirable, et les fleurs de plusieurs variétés sont parmi les plus belles. Elles offrent une vaste palette de couleurs. Les formes aussi sont fort différentes d'une variété à l'autre. Les fleurs viennent habituellement en bouquets pouvant comporter jusqu'à 15 fleurs.

Les rhododendrons et les azalées prospèrent à la mi-ombre ou sous un soleil tamisé et dans un sol humide et acide. Ils poussent aussi en plein soleil, mais leurs fleurs durent alors un peu moins longtemps. Ces plantes ne tolèrent ni un sol alcalin ni un climat chaud et sec. Elles s'acclimatent à peu près partout, sauf dans les régions extrêmement froides.

Comme les fleurs sont la plus belle parure des rhododendrons, le degré de rusticité des boutons floraux doit être respecté scrupuleusement. Leurs zones de rusticité sont indiquées aux pages 195 et 196. Les plantes ellesmêmes peuvent tolérer des températures un peu plus basses. Cet écart entre la rusticité des boutons et celle de la plante constitue une marge de sécurité en cas d'hivers plus rigoureux comme il s'en produit tous les dix ans environ.

Plus un rhododendron résiste au froid, plus il est en mesure de résister également à la chaleur. Si l'on doit cultiver des rhododendrons dans des régions où le climat est plus chaud que celui recommandé, on choisira des variétés très rustiques.

Le rhododendron 'Scarlet King' à feuillage persistant atteint 1,20 à 2,45 m de hauteur. Ses superbes bouquets de fleurs écarlates viennent au printemps.

Culture des rhododendrons et des azalées

Trois conditions sont essentielles pour réussir la culture des rhododendrons et des azalées : un sol bien drainé, riche en humus et acide. Le pH idéal se situe entre 4,5 et 5,5.

Les azalées sont plus tolérantes que les rhododendrons. Les variétés à feuillage caduc viennent bien dans des sols dont le pH se situe entre 4 et 6, tandis que le pH le plus indiqué pour les azalées à feuillage persistant est d'environ 5.

Le sol doit renfermer assez d'humus pour pouvoir retenir l'humidité le temps qu'il faut aux racines pour l'absorber. S'il est détrempé, cependant, les racines mourront. Pour vérifier l'égouttement du sol, creuser un trou d'environ 45 cm de profondeur et le remplir d'eau. Si l'eau met plus de 10 à 15 minutes à pénétrer dans le sol, cela veut dire que le drainage est insuffisant.

Pour y remédier, il suffit parfois d'ameublir le sol plus profondément. Si les résultats ne sont pas satisfaisants, dégager un lit de plantation de la taille de la motte de racines et y installer la plante en surface. Puis dresser autour des racines un monticule de terre riche en humus et de l'acidité requise. Il faudra bien recouvrir les racines et donner au monticule une légère inclinaison pour que les pluies ne l'érodent pas.

Rhododendrons et azalées se cultivent aussi en plates-bandes surélevées ou en bacs. Cette méthode permet d'établir avec précision la composition du sol et son degré d'acidité.

Tout de suite après la plantation, installer autour des plants un épais paillis d'une matière organique assez lourde pour demeurer en place et assez poreuse pour laisser passer l'air et l'eau. Les copeaux de bois, l'écorce déchiquetée, les aiguilles de pin, le foin de prés salés ou les feuilles de chêne font d'excellents paillis. La tourbe ne convient pas : une fois sèche, elle est presque imperméable et le vent la disperse facilement.

Lorsque le plant est solidement installé dans son trou, remplir celui-ci de terre à jardin du pH approprié et enrichie d'environ 10 pour cent d'humus. Comme humus, on peut utiliser de la tourbe, du compost ou de la sciure de bois décomposée. Le plant ne doit pas être enfoncé plus profondément dans le sol qu'il ne l'était à la pépinière (une marque sur le tronc indique le niveau de plantation). Couvrir le dessus de la motte de racines de 2,5 cm de terre.

Si le plant était cultivé dans un contenant à la pépinière, il est essentiel d'ameublir délicatement la motte de racines avant de la mettre en terre. Les racines périphériques grâce auxquelles la plante se nourrit doivent être bien dégagées.

Ne jamais déposer d'engrais au fond du trou de plantation. Les rhododendrons et les azalées ont d'ailleurs modérément besoin d'engrais, d'eau, de lumière et de taille.

Au moment de la plantation, ajouter une poignée de poudre d'os au sol pour chaque plant, pas davantage. Mélanger cette poudre aux 25 à 30 cm de terre de surface ; c'est là que la plus grande partie des racines s'installeront.

Lorsque la plante est bien enracinée, il n'y a aucun risque à lui donner de l'engrais au début du printemps et de nouveau à la mi-automne. Epandre une poignée seulement d'engrais granulaire 10-10-10 autour de chaque plant et arroser pour le faire pénétrer dans le sol. En règle générale, donner aux rhododendrons et aux azalées le quart ou la moitié de la quantité d'engrais recommandée pour les arbustes.

Lorsqu'on préfère utiliser un engrais soluble comme le 20-20-20, en faire dissoudre une cuillerée à thé dans 5 l d'eau et en arroser le sol autour de chaque plant. Cette fertilisation peut être répétée toutes les deux ou trois semaines durant la période active.

Culture des rhododendrons en sol alcalin

Si l'on veut cultiver les rhododendrons dans une région où l'eau et le sol sont alcalins, il faut prendre quelques précautions. Les plants devront être installés dans une plate-bande surélevée d'au moins 45 cm de haut, composée du mélange approprié.

La plate-bande sera ceinturée d'un muret de brique ou de bois (séquoia, cèdre ou cyprès). Si l'on utilise un bois putrescible, on devra l'enduire de naphténate de cuivre.

Le substrat de culture peut être composé de tourbe, de terreau de feuilles, de compost à base de feuilles de chêne ou de copeaux de bois bien décomposés, et additionnés d'environ 10 pour cent de bonne terre végétale. Bien effectuer le mélange. En vérifier le pH qui doit être de 5. En aucun cas ne doit-il dépasser 5,5. S'il est trop élevé, augmenter l'acidité du sol en y ajoutant de la fleur de soufre ou soufre sublimé. En épandre environ une demi-tasse autour de la plante. Faire de nouvelles applications au besoin six mois plus tard.

Comment et quand tailler les rhododendrons

Il est rarement nécessaire de tailler un rhododendron, si ce n'est pour contrôler sa croissance et régulariser sa structure. Lorsqu'elle s'impose, la taille se pratique tout de suite après la floraison, période où la croissance est la plus marquée.

Rabattre simplement les branches à la longueur désirée. Utiliser des outils bien aiguisés pour que les coupes soient nettes. Voir ci-dessous la taille d'un jeune plant et celle d'un sujet plus âgé.

Ses racines fibreuses et relativement superficielles font du rhododendron une plante facile à transplanter, même à l'âge adulte.

TAILLE D'UN JEUNE PLANT

Pour étoffer un jeune plant, rabattre les tiges au printemps, au-dessus d'un bourgeon vert.

TAILLE D'UN VIEUX PLANT

Tôt au printemps, rabattre les branches à la scie jusqu'à environ 90 cm du sol.

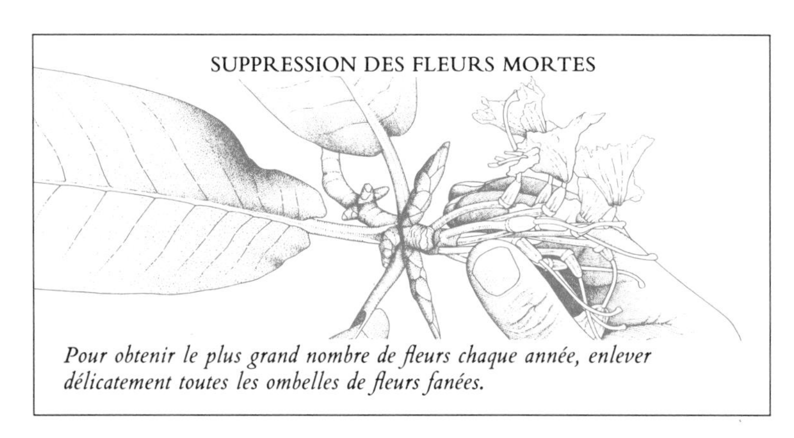

Pour obtenir le plus grand nombre de fleurs chaque année, enlever délicatement toutes les ombelles de fleurs fanées.

Culture des azalées de serre

Les azalées cultivées en serre, que les fleuristes vendent en pleine floraison à Pâques, peuvent être plantées dans le jardin après la floraison, quand tout danger de gel a disparu. Elles fleuriront de nouveau chaque année. Les soins à leur donner sont les mêmes que ceux qui s'appliquent aux rhododendrons.

Il est très important de défaire la motte qui entoure les racines pour que celles-ci puissent pénétrer dans le sol. Autrement, la plante dépérira après un ou deux ans.

Dans les régions où il ne gèle pas, la plupart des azalées peuvent rester à l'extérieur toute l'année. Là où les hivers sont froids, il faut déterrer les plantes à l'automne et les empoter. Garder les plants dans un endroit éclairé et frais, à l'abri du gel. N'arroser que pour empêcher le sol de se dessécher. Au printemps, dès qu'il n'y a plus aucun risque de gel, replacer les azalées au jardin.

Pour stimuler la floraison des rhododendrons

Il n'est pas rare de voir un rhododendron acheté tôt au printemps donner la première année une remarquable floraison et fleurir à peine l'année suivante.

Dans la plupart des cas, ce phénomène est dû à un manque de lumière. Les rhododendrons demandent une lumière modérée et peuvent même survivre à l'ombre, mais, pour fleurir abondamment, ils doivent recevoir au moins trois ou quatre heures de lumière intense chaque jour.

La floraison dépend aussi dans une certaine mesure de la fertilisation. Un apport de phosphate, en particulier, est indispensable. Lorsque les plants mesurent entre 0,90 et 1,50 m de diamètre, épandre deux ou trois bonnes poignées de superphosphate ou une quantité double de poudre d'os autour de chacun d'eux et faire pénétrer l'engrais par grattage. Ce traitement ne donnera des effets qu'un ou deux ans plus tard. Effectuer ce surfaçage deux ou trois années de suite. Ainsi dosé, le phosphate ne présente aucun danger. La même quantité d'un engrais complet de type 10-10-10 serait mortelle.

Certains plants ne fleurissent abondamment que tous les deux ans. On peut modifier ce rythme en supprimant un certain nombre de boutons lorsqu'ils sont bien formés, en automne, si l'on juge que leur nombre est trop grand.

Ravageurs et maladies

On trouvera dans le tableau ci-dessous quelques-uns des problèmes qui affectent les rhododendrons et les azalées.

Si une plante présente d'autres symptômes, se reporter au chapitre « Ravageurs et maladies », page 444, où des planches en couleurs illustrent différents symptômes classés selon l'organe atteint : feuilles, fleurs ou racines.

On trouvera aux pages 480 à 482 les appellations commerciales des produits recommandés.

Symptômes	Cause	Traitement
Feuilles tachetées de brun roux ; chute occasionnelle.	Punaises réticulées	Pulvérisation de malathion dès le premier signe.
Feuilles devenues ternes, d'un vert-gris. Les araignées rouges s'attaquent surtout aux azalées à feuillage persistant durant un été chaud ; les punaises réticulées prolifèrent du début au milieu de l'été.	Punaises réticulées Araignées rouges	Pulvérisation de malathion dès le premier signe. Ne pas oublier le revers des feuilles. Répéter trois fois à 10 jours d'intervalle. Pulvérisation de dicofol. Bassiner les feuilles régulièrement avec de l'eau.
Les branches plus vieilles au centre du buisson peuvent porter des trous. Certaines meurent.	Perceurs du rhododendron	Double pulvérisation de lindane ou de malathion à la fin du printemps à deux semaines d'intervalle. L'époque des traitements doit être vérifiée.
Feuilles dévorées en croissant et d'une teinte douteuse, indice que des larves de charançon attaquent racines ou tiges principales.	Charançons de la vigne	A la fin du printemps ou au début de l'automne, pulvérisation de chlordane ou de méthoxychlore à 10 jours d'intervalle ou application de granules de diazinon à 14 pour cent.
Taches rondes, rouge sombre ou brunes sur les feuilles à la fin de l'été.	Tache foliaire (champignon)	Pulvérisation de zinèbe ou d'un autre fongicide à la fin du printemps.
Petites taches sous les pétales qui s'agrandissent et se décolorent.	Brûlure des pétales (champignon)	Pulvérisation de bénomyl tous les cinq jours durant la floraison.
Flétrissure des jeunes pousses ou de l'arbuste entier à la mi-été. Présence de taches brunes sous l'écorce, juste sous le niveau du sol, sur les branches atteintes.	Flétrissure (champignon)	Enlever et détruire les branches malades ou l'arbuste au complet dans les cas graves. Pour prévenir la maladie, désinfecter le sol au terrazole. Eviter de contaminer les plantes avec des spores en les éclaboussant de terre.
Taches jaunes entre les nervures des feuilles ou envahissant tout le limbe. Les feuilles se fanent.	Chlorose	Arrosage avec des produits à base de chélates de fer. Pailler avec de la tourbe.

Variétés de rhododendrons et d'azalées

Il existe un très grand nombre de rhododendrons et d'azalées hybrides, et, parmi ces plantes, il s'en trouve qui poussent bien dans une vaste gamme de climats. Le degré de rusticité donné dans les tableaux qui suivent est celui du bouton floral et non de la plante.

L'expérience a démontré, cependant, que plusieurs rhododendrons sont plus rustiques qu'on ne le croyait. Dans les régions où la couverture neigeuse est épaisse et persistante, les plants bien protégés contre les vents peuvent survivre à des températures étonnamment basses. La zone de rusticité donnée ici est officiellement reconnue et est adoptée dans les pépinières. On peut obtenir des renseignements plus précis en s'adressant à la Rhododendron Society of Canada (4271 Lakeshore Road, Burlington, Ont., L7L 1A7).

La colonne intitulée « Classement » donne deux chiffres déterminés par l'American Rhododendron Society en fonction de la qualité générale de la plante. Le premier chiffre se rapporte aux fleurs et aux bouquets, le second à la plante elle-même. Le meilleur classement est 5/5. Un classement de 2/5 indique que les fleurs sont de piètre qualité mais que le sujet est vigoureux ; un classement de 5/2 indique au contraire que les fleurs sont exceptionnelles mais que le plant est peu touffu et peu vigoureux. Dans les quelques cas où l'on ne disposait pas de classement émis par l'A.R.S., un groupe de spécialistes ont eux-mêmes fait les évaluations nécessaires.

Bien que les azalées fassent partie du genre *Rhododendron,* elles diffèrent par leur apparence et par leur emploi des plantes communément appelées rhododendrons. Elles sont donc traitées séparément dans les tableaux qui suivent.

Nom	Couleur	Rusticité *(carte, pp. 8-9)*	Classement	Hauteur *(en mètres)*
Très rustiques				
'Album Elegans'	De lilas pâle à blanc	Zone 5	2/2	1,80-2,45
'America'	Rouge foncé	Zone 5	2/2	1,20-1,50
'Boule de Neige'	Blanc pur	Zone 5	3/4	1,50-1,80
'Catalode' ou 'County of York'	Blanc crème	Zone 7	3/3 (parfumé)	1,50-1,80
'Catawbiense Album' (*R. catawbiense album*)	Blanc tacheté de jaune	Zone 5	3/3	2,45-2,75
'Catawbiense Boursault'	Mauve ou lilas rosé	Zone 5	2/3	1,20-1,50
'Chionoides'	Blanc pur	Zone 6	2/4	0,90-1,20
'English Roseum'	Rose	Zone 5	2/3	1,50-1,80
'E. S. Rand'	Rouge	Zone 6	2/2	1,20-1,50
'Katherine Dalton'	Rose pâle	Zone 5	3/3 (parfumé)	1,20-1,50
'Maximum Roseum'	Rose clair	Zone 5	2/2	1,80-2,45
'Nova Zembla'	Rouge foncé	Zone 5	3/3	1,20-1,65
'Parsons Grandiflorum'	Lilas pâle	Zone 5	1/3	1,80-2,10
'Purpureum Elegans'	Bleu-pourpre	Zone 5	2/3	1,50-1,80
'Roseum Elegans'	Mauve	Zone 5	2/4	1,50-2
'Roseum Pink'	Rose clair	Zone 6	2/3	1,50-2,10
Rustiques				
'A. Bedford'	Bleu lavande maculé de bleu foncé	Zone 6	4/3	1,50-2
'Blue Peter'	Bleu clair maculé de pourpre	Zone 5	4/3	1,50-1,80
'Dr. V. H. Rutgers'	Rouge frangé	Zone 5	2/3	1,20-1,50
'Fatuosum Florepleno'	Bleu lavande	Zone 6	3/3	1,50-1,80
'Goldworth Yellow'	Abricot à jaune	Zone 6	1/2	0,90-1,20
'Gomer Waterer'	Blanc rosé ou bleuté	Zone 6	3/4	1,50-1,80
'John Walter'	Rouge cramoisi	Zone 6	2/3	0,90-1,20
'John Wister' ou 'Janet Blair'	Rose pâle et bronze	Zone 5	4/3	1,20-1,50
'Mars'	Rouge foncé	Zone 5	4/3	1,20-1,35
'Professor F. Bettex'	Rouge brillant	Zone 6	3/2	1,50-1,65
'Purple Splendor'	Pourpre, froncé	Zone 5	4/3	1,20-1,65
'Scintillation'	Rose clair, gorge bronze	Zone 5	4/4	1,80-2,45
'Trilby'	Cramoisi riche	Zone 6	2/2	0,90-1,20
'Vivacious'	Rouge clair et vif	Zone 6	4/4	0,90-1,35

Nom	Couleur	Rusticité *(carte, pp. 8-9)*	Classement	Hauteur *(en mètres)*
Rhododendrons semi-nains et nains				
'Anna Baldsiefen'	Rose vif	Zone 5	2/3	0,60-0,75
'Dora Amateis'	Vert tacheté de blanc	Zone 5	4/4	0,90-1,20
'Mary Fleming'	Rose pêche à jaune	Zone 6	3/2	0,45-0,60
'P. J. Mezitt'	Pourpre-lavande	Zone 4	3/4	0,90-1,20
'Purple Gem'	Pourpre atténué	Zone 6	3/4	0,45-0,60
'Purple Imp'	Bleu pâle	Zone 6	2/4	0,30-0,45
'Racemosum' (*R. racemosum*)	Rose	Zone 5	2/3	0,60-0,75
'Ramapo'	Violet vif teinté de rose	Zone 5	3/4	0,45-0,60
'Windbeam'	Rose pâle	Zone 6	4/3	0,90-1,20
Azalées à feuillage persistant (Kurume)				
'Addy Wery'	Rouge très foncé	Zone 7	4/3	0,60-0,90
'Coral Bells'	Rose	Zone 7	3/2	0,45-0,60
'Hino-Crimson'	Rouge cramoisi vif	Zone 6	4/4	0,45-0,60
'Red Progress'	Rouge vif	Zone 7	5/4	0,75-0,90
'Salmon Beauty'	Rose saumon	Zone 7	3/3	0,60-0,75
'Sherwood Orchid'	Pourpre orchidée	Zone 7	3/3	0,75-0,90
'Sherwood Red'	Rouge vif	Zone 7	4/3	0,75-0,90
'Snow'	Blanc	Zone 7	3/3	0,75-0,90
Azalées à feuillage persistant (Gable)				
'Herbert'	Pourpre	Zone 6	3/3	0,75-0,90
'Lorna'	Rose sombre, fleurs doubles	Zone 7	3/3	0,45-0,60
'Louise Gable'	Saumon, fleurs doubles	Zone 6	5/4	0,60-0,75
'Polaris'	Blanc, fleurs semi-doubles	Zone 7	4/3	0,60-0,75

Nom	Couleur	Rusticité *(carte, pp. 8-9)*	Classement	Hauteur *(en mètres)*
'Rosebud'	Rose	Zone 7	5/3	0,45-0,60
'Rose Greely'	Blanc	Zone 6	4/3	0,60-0,75
'Stewartstonian'	Rouge vif	Zone 6	4/4	0,75-0,90
Azalées à feuillage persistant (Glen Dale)				
'Buccaneer'	Rouge	Zone 7	3/3	0,90-1
'Gaiety'	Rose vif	Zone 7	4/4	0,90-1
'Geisha'	Rayé	Zone 7	5/4	0,75-0,90
'Suwanee'	Lavande	Zone 7	3/3	0,90-1
'Treasure'	Blanc	Zone 7	4/3	1-1,20
Azalées à feuillage persistant (Kaempferi)				
'Atalanta'	Pourpre-lavande	Zone 7	3/3	1-1,20
'Fedora'	Rose	Zone 7	3/3	1,20-1,35
'Mikado'	Cramoisi	Zone 7	3/3	0,90-1
'Othello'	Rouge brique	Zone 7	3/4	1-1,20
'Wilhelmina Vuyk' ou 'Palestrina'	Blanc	Zone 6	3/3	1-1,20
Azalées à feuillage caduc				
'Gibraltar'	Orange vif, festonné	Zone 6	4/3	1,35-1,50
'Homebush'	Rose vif, fleurs doubles	Zone 6	3/2	1,50-1,65
'Klondyke'	Jaune profond	Zone 5	3/3	1,20-1,35
'Peachy Keen'	Rose pâle, reflets rouges	Zone 6	4/3	0,75-0,90 (semi-nain)
'Pink William'	Rose argenté	Zone 6	4/3 (parfumé)	1-1,20
'Primrose'	Jaune pâle	Zone 6	4/2	1,35-1,50
'Red Letter'	Rouge vif	Zone 6	4/3	1,35-1,50
'Rufus'	Rouge foncé	Zone 6	4/2	1-1,20
'Tintoretto'	Orange et rose, festonné	Zone 6	3/2	1,35-1,50
'White Swan'	Blanc	Zone 5	2/2	1,35-1,50

Plantes vivaces

Un grand nombre de fleurs superbes se retrouvent dans la catégorie des plantes herbacées vivaces. Elles renaissent chaque année et décorent merveilleusement le jardin.

Les expressions « plante vivace » et « herbacée vivace » sont souvent employées sans distinction pour désigner une plante qui revient d'elle-même à la vie d'année en année. Chez ces espèces, en général, seules les racines entrent en état de dormance au début de l'hiver, alors que les parties aériennes meurent. Le lupin, le pied-d'alouette, le phlox et la monarde sont des plantes vivaces bien connues. Certaines espèces, par exemple l'œillet, sont aussi classées dans la catégorie des herbacées et sont traitées comme telles, alors que leur feuillage persiste en hiver. En fait, la tolérance au froid varie selon les espèces.

Certaines vivaces, dont la rose trémière, la valériane, le pied-d'alouette et le lin, ne vivent que quatre ou cinq étés. D'autres espèces vivaces, par exemple l'aster, le coréopsis et l'anthémis, vivent plus longtemps, mais pour stimuler leur floraison, il faut diviser les plants périodiquement. Un petit groupe enfin, comme les pivoines et le pigamon, peut survivre pendant un quart de siècle ou plus sans réclamer de soins.

A l'époque des jardins domaniaux, les bordures de vivaces étaient en grande vogue. C'étaient habituellement des plates-bandes d'environ 3 m de large et d'au moins 9 m de long, adossées à un écran de conifères. Le tableau était superbe durant de nombreux mois, mais exigeait de l'espace et une main-d'œuvre expérimentée. De nos jours, seuls les jardins publics, les jardins botaniques et quelques grandes propriétés continuent la tradition.

Composer une nature vivante en utilisant les couleurs, les formes et les textures est l'un des plaisirs que réserve la plate-bande de vivaces. Ici, de gauche à droite, lupins, achillées et hémérocalles du Japon composent un ensemble d'une grande harmonie.

Aujourd'hui, malgré l'exiguïté des jardins, les plantes vivaces font leur réapparition. Ce nouvel intérêt qu'elles suscitent tient surtout à ce que l'on a maintenant pris l'habitude de les associer à d'autres types de plantes — annuelles, bisannuelles, rosiers, plantes à bulbes et arbustes — de façon à prolonger le plus possible la période totale de floraison.

L'îlot fleuri remplace de plus en plus la plate-bande classique dont les dimensions ne conviennent guère au plan d'aménagement des jardins modernes. Accessible de tous côtés, cet îlot est beaucoup plus facile à aménager et à entretenir que la bordure large à laquelle on n'a accès que d'un seul côté. Les plantes les plus hautes sont placées au centre, les plus courtes sur le pourtour. On donne généralement à ces îlots des formes libres plutôt que des formes géométriques. Les massifs en étoile ou en losange sont à éviter à cause des angles aigus qu'ils présentent et qui rendent la taille et les soins difficiles.

Une autre méthode de plantation consiste à grouper dans la même plate-bande trois à cinq espèces différentes dont les coloris s'harmonisent et dont les périodes de floraison sont complémentaires. Par exemple, en associant des variétés à floraison hâtive, normale ou tardive d'iris, d'hémérocalles, de pivoines et de chrysanthèmes, on obtient une plate-bande qui demeure en fleurs durant de nombreux mois.

Les vivaces forment aussi d'intéressants couvre-sols. En choisissant des espèces vigoureuses, rampantes et courtes que l'on met en terre sans trop les espacer, on obtient bientôt un tapis végétal dense et uniforme qui masque les endroits où le sol est à nu. De telles plantations sont utiles pour consolider les talus, ou pour tapisser le sol entre les arbustes si ce sont des espèces qui poussent à l'ombre. On pourra alors les associer à des plantes bulbeuses acclimatées, disposées librement. En principe, les plantes tapissantes freinent la croissance des mauvaises herbes, mais, avant qu'elles soient bien établies, il faut désherber avec soin. Voir page 41 une liste de plantes tapissantes.

Pour varier le décor du jardin, on créera un vaste damier où alterneront des dalles et des carrés de plantes vivaces, bergenias ou hémérocalles. Cette disposition en damier peut même convenir à une terrasse où on limiterait le nombre des carrés de fleurs à un ou deux.

Les plantes vivaces ont leur place presque partout au jardin. Près d'un plan d'eau, elles s'harmonisent aux plantes aquatiques. Près d'un escalier, le long d'une allée, certaines vivaces plumeuses ou étalées, comme la gypsophile ou l'œillet, rompent la rigueur des lignes géométriques. Autour d'un lampadaire, contre une clôture, un massif d'hémérocalles, de pivoines ou d'achillées, devient un point d'intérêt.

Certaines plantes vivaces peuvent même être cultivées dans des bacs et décorer balcons et terrasses.

Depuis quelque temps, les espèces à feuillage décoratif connaissent un regain de faveur. Parmi ces plantes vertes, il faut noter certaines graminées ornementales : l'armoise, l'hémérocalle du Japon, la pulmonaire et l'orpin. Les sujets à feuilles argentées, dorées ou pourpres présentent un intérêt spécial, non seulement aux yeux des jardiniers, mais aussi à ceux des fleuristes. Les fruits du pavot, les fleurs de l'achillée, de l'échinope et du limonium servent à composer des bouquets séchés fort décoratifs.

La beauté des massifs de vivaces dépend beaucoup de l'arrangement des espèces. Les plantes à floraison tardive ou à feuillage décoratif serviront à combler les vides laissés par les espèces à floraison hâtive. On ne trouvera dans aucun livre ni aucun catalogue les dates exactes de floraison des espèces suivant les régions. On aura donc intérêt à prendre note soi-même de ces dates et à modifier en conséquence l'aménagement des plates-bandes.

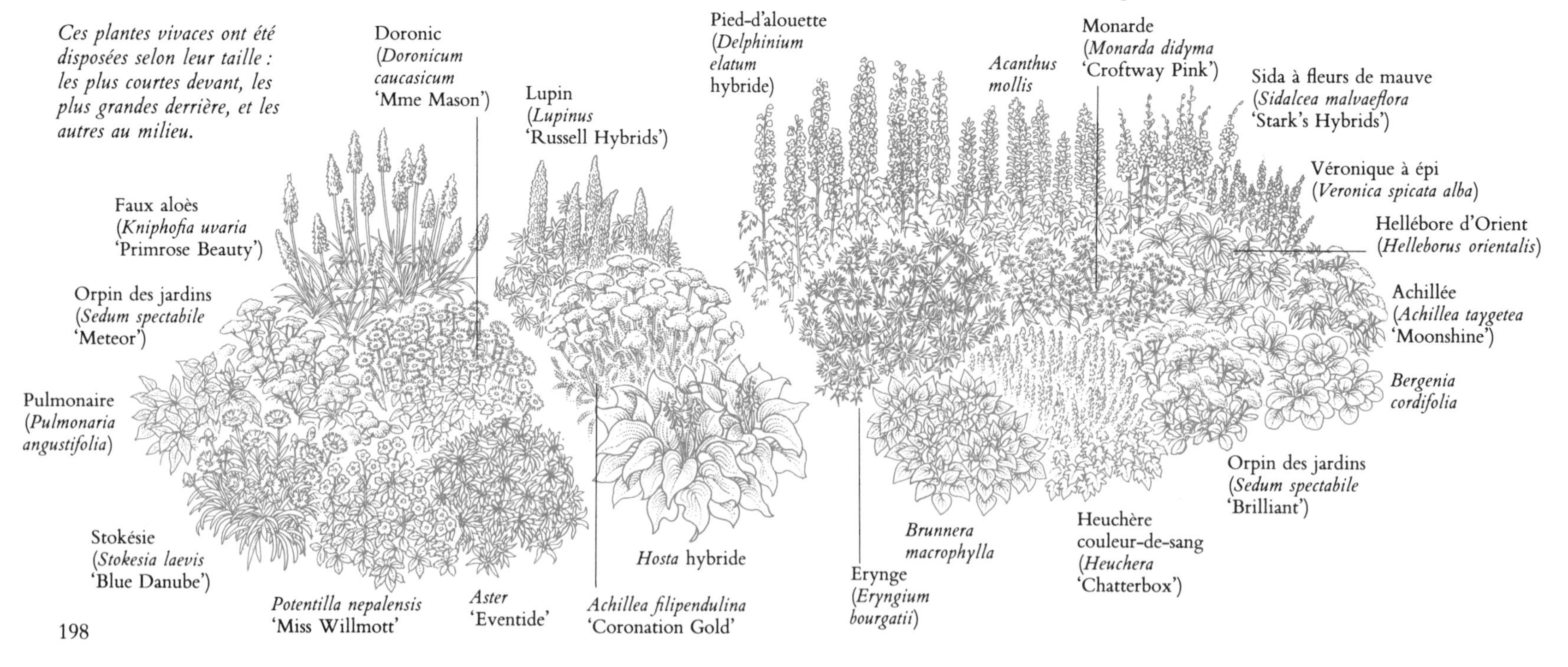

Ces plantes vivaces ont été disposées selon leur taille : les plus courtes devant, les plus grandes derrière, et les autres au milieu.

Plantation des plantes vivaces

Préparation de la plate-bande

Avec une bêche ou une motobêche, travailler le sol de la plate-bande deux ou trois semaines avant les plantations pour qu'il ait le temps de se tasser. En profiter pour y incorporer un seau de tourbe ou de compost par mètre carré. On peut aussi procéder selon la méthode suivante. Etendre une couche de 3 à 8 cm de tourbe ou de compost sur toute la plate-bande avant de bêcher. Dans l'un ou l'autre cas, ajouter un engrais à jardin complet et polyvalent (comme du 5-10-5), selon les quantités indiquées sur l'emballage.

Juste avant la plantation, travailler la surface de la plate-bande au râteau pour briser les grosses mottes de terre et niveler le sol.

1. *Ajouter tourbe et engrais au sol quelques semaines avant la plantation.*

2. *Avant de planter, égaliser la surface du sol avec un râteau.*

Plantation de nouvelles plantes vivaces

La plantation des vivaces s'effectue durant les saisons où il est possible de travailler la terre, printemps ou automne. Dans les régions à climat froid, le printemps est préférable. Si l'on effectue la plantation à l'automne, la faire assez tôt pour que les plants s'établissent avant l'hiver. Dès que le sol est gelé, entourer les plantes d'un paillis ; les alternances de gel et de dégel les déchaussent et exposent leurs racines à l'air et à la sécheresse.

Pourvu qu'on les arrose bien, les sujets cultivés en pot se transplantent facilement, même en pleine floraison.

Les vivaces sont généralement mises sur le marché alors qu'elles sont en état de dormance. Elles arrivent parfois avant qu'on soit prêt à les mettre en terre. Dans ce cas, ouvrir le colis, arroser les plantes au besoin et les garder dans un endroit frais de la maison ou dans un coin ombragé et abrité du jardin. Plus elles seront plantées rapidement, plus leurs chances de survie seront grandes. Toujours bien arroser après la plantation.

La profondeur de plantation est très importante. Dans la plupart des cas, le point de jonction des racines et des tiges doit se trouver au niveau de la surface du sol. Les racines ne doivent jamais être à découvert. En revanche, le collet, s'il est trop enfoncé dans le sol, pourrira très facilement.

Avec la lame de la houe, reproduire le tracé du plan de la plate-bande (qui avait été fait au préalable sur du papier quadrillé) sur le sol. Si la plate-bande est très grande, tracer les lignes avec du sable. Elles ne s'effaceront pas, même si la pluie devait retarder les travaux. Faire les plantations section par section ou commencer par l'arrière en progressant vers l'avant. Espacer les plants en prévision de l'étalement du feuillage. Planter par touffes de trois.

Creuser les trous avec un transplantoir lorsque les plants ont peu de racines, et à la bêche lorsqu'ils en ont un grand nombre. Les trous devront être assez grands pour que les racines s'y étalent complètement. Installer la plante debout, au centre du trou. Remplir le trou, fouler la terre autour du plant et arroser.

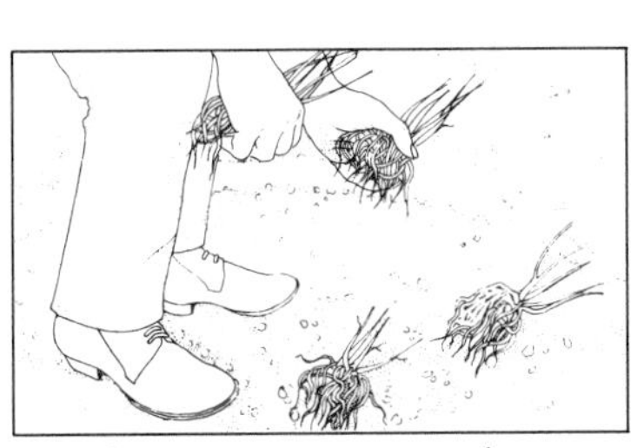

1. *Délimiter une section et y disposer quelques plants à la fois.*

2. *Avec un transplantoir, creuser des trous suffisants pour les racines.*

3. *Installer le plant au centre, étaler les racines et remplir le trou.*

4. *Avec les doigts et le dos du transplantoir, tasser la terre autour du plant.*

MOTTE DE RACINES

Creuser à la bêche un trou assez profond et assez large pour contenir toute la motte. Placer celle-ci au centre et remplir le trou. Fouler la terre autour.

DIVISION DES TOUFFES

Pour diviser les grosses touffes, les séparer en conservant à chaque fragment une partie de collet et quelques racines. Planter immédiatement.

Travaux de printemps

Sarclage ou suppression des mauvaises herbes

L'arrachage des mauvaises herbes commence dès que les plantes se remettent à croître. Le moindre retard rend la tâche plus ardue et les plantes vivaces sont d'autant plus privées de la nourriture et de l'humidité dont elles ont besoin. Garder un panier à portée de la main et y jeter les mauvaises herbes à mesure qu'on les arrache. Laissées sur le sol, elles y prendront racine à nouveau. Une fois que le sol est désherbé, pailler les plants pour freiner la reprise de ces herbes. Les paillis ont aussi l'avantage de garder au sol son humidité durant les périodes de sécheresse.

Dans les petites plates-bandes, le désherbage se fait à l'aide d'une griffe sarcleuse. Si la surface à nettoyer est plus grande, il est préférable d'utiliser un outil à long manche.

Pour extirper les mauvaises herbes à la binette, les couper d'un coup sec en ramenant l'outil vers soi. On peut aussi utiliser le dos d'une serfouette, dont les dents serviront à arracher les herbes plus grosses.

Pour couper les mauvaises herbes juste sous la surface du sol, utiliser une ratissoire en esquissant un mouvement de va-et-vient.

Le cultivateur décroûte le sol et déracine du même coup les mauvaises herbes. Lorsque de mauvaises herbes à longues racines tenaces, comme le chiendent ou l'agropyron rampant, s'établissent autour d'une plante, il faut déterrer celle-ci, dégager ses racines de celles de la mauvaise herbe et la replanter. Cette méthode préserve les racines de la bonne plante.

SUPPRESSION DES MAUVAISES HERBES

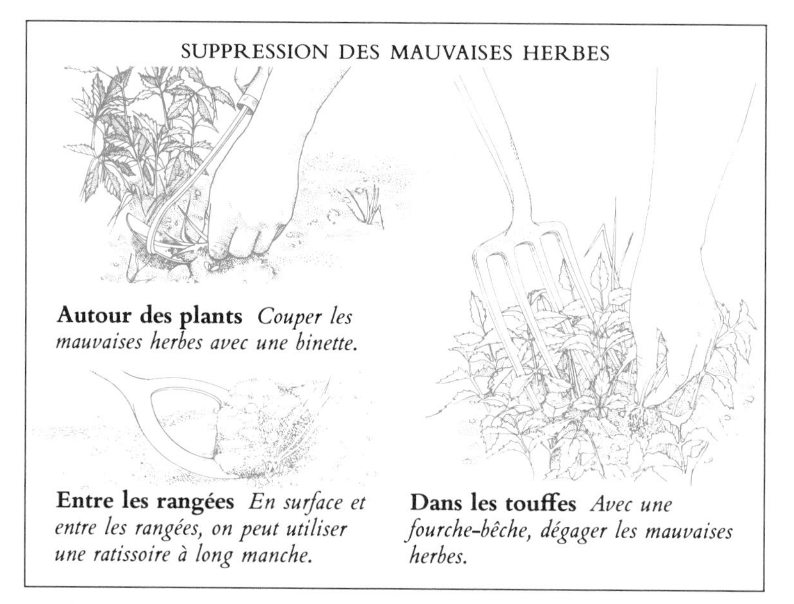

Autour des plants *Couper les mauvaises herbes avec une binette.*

Entre les rangées *En surface et entre les rangées, on peut utiliser une ratissoire à long manche.*

Dans les touffes *Avec une fourche-bêche, dégager les mauvaises herbes.*

Ameublissement périodique de la terre

Au début de la période de croissance et de nouveau à la fin de l'automne, il est nécessaire d'ameublir le sol des massifs établis. Cette opération s'impose surtout dans une plate-bande de terre lourde que l'absence de paillis a rendue compacte. L'ameublissement permet à l'air et à l'humidité de rejoindre les racines des plants tout en déracinant les mauvaises herbes.

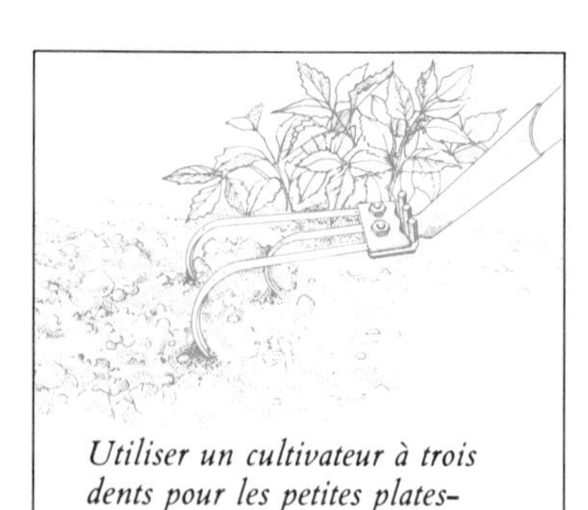

Utiliser un cultivateur à trois dents pour les petites plates-bandes.

Fertilisation et arrosage

Pour favoriser la croissance des plantes, il faut leur fournir sous forme d'engrais et en quantité suffisante les trois éléments indispensables à leur équilibre physiologique : azote, phosphore et potassium.

Les engrais organiques à dissolution progressive sont spécialement recommandés pour les vivaces car ils libèrent peu à peu les éléments fertilisants et leur effet se prolonge durant toute la période de croissance. Au début du printemps, lorsque la croissance reprend, mais avant d'étendre des paillis, épandre l'engrais à la main en évitant d'en verser sur le feuillage. On peut aussi utiliser un engrais minéral de formule 4-12-4.

Au début de l'été, on peut vaporiser les plantes toutes les trois ou quatre semaines avec un engrais foliaire à effet rapide.

Il n'est pas nécessaire d'arroser les plates-bandes paillées, sauf en période prolongée de sécheresse. Le paillis conserve au sol son humidité. S'il est nécessaire d'arroser, utiliser un asperseur à jet constant et uniforme qui permet à l'eau de pénétrer profondément dans le sol.

Les sols argileux ont tendance à se durcir sous l'action des fortes pluies. Avant d'arroser, de fertiliser ou d'étendre un paillis, biner ou décroûter le sol en surface. Les paillis empêchent le compactage du sol sous la pluie, améliorent la composition des sols argileux ou sablonneux et évitent les éclaboussures de terre sur le dessous des feuilles, facteurs de contamination des plantes. Les paillis freinent en outre la prolifération des mauvaises herbes et en se décomposant apportent au sol des éléments nutritifs.

Pailler le sol à la fin du printemps, après le sarclage, mais au début de la croissance des plantes. Dans les régions où le climat est sec, détremper le sol avant d'étendre les paillis.

Il est préférable de pailler entièrement la plate-bande. Si cela n'est pas possible, entourer chaque plant d'un paillis épais.

PAILLAGE

Etendre un paillis de 5 à 8 cm d'épaisseur autour des pieds. Compost, fumier de jardin, terreau de feuilles ou fibre de noix de coco conviennent. Niveler avec le dos d'un râteau. Dans les régions à climat sec, arroser le sol avant de pailler.

Tuteurage des plantes vivaces à fleurs lourdes

Certaines plantes vivaces à tiges flexibles et à fleurs très lourdes ont besoin d'être soutenues, surtout au moment de la floraison. En guise de tuteurs, utiliser des tiges de bambou, des cerceaux ou des filets de fil de fer galvanisé ou des rames. Celles-ci suffisent à supporter les plants ou les touffes moins lourds. Pour maintenir en place les plants plus lourds, il vaut mieux employer du filet métallique ou des tiges de bambou. Mettre les tuteurs en place avant que la croissance des plantes ne soit trop avancée.

Comme le tuteur doit atteindre la base des inflorescences, il faut connaître au préalable la hauteur définitive de la plante.

Les plantes tuteurées avec des rames, des cerceaux ou du filet métallique n'ont pas besoin d'être attachées. Les hautes tiges seront fixées à leur support avec du raphia, de la ficelle ou des attaches métalliques enrobées de plastique.

Supports en filet métallique pour plantes de haute taille

Les plantes qui poussent très haut ont besoin d'un support plus résistant qui se présente sous la forme d'un cylindre en filet métallique.

Une fois en place, ce support n'exige pas l'emploi d'attaches. Utiliser du filet métallique dont les mailles ont environ 10 cm de côté. Avec ce filet (vert de préférence), fabriquer un cylindre assez grand pour encercler tout le plant. L'armature ne se verra plus lorsque la plante se sera développée.

Enfoncer trois grands tuteurs de bambou dans le sol, à l'intérieur du cylindre. Les attacher au filet métallique, d'abord au niveau du sol, puis à mi-hauteur, puis au sommet.

Si la plante est très haute, on installera un second cylindre au-dessus du premier. Les attacher l'un à l'autre avec de la ficelle.

1. *Placer les tuteurs à l'intérieur du cylindre ; les fixer avec de la ficelle.*

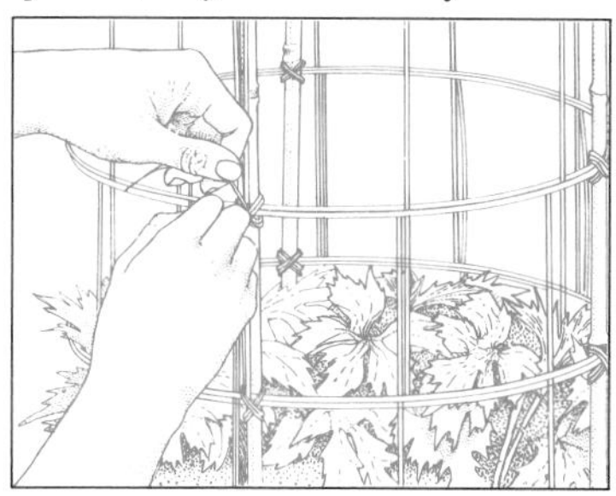

2. *Au besoin, installer un second cylindre au-dessus du premier.*

3. *Cette armature supporte parfaitement les longues tiges flexibles.*

Mise en place des tuteurs pour plants moyens

Les tiges de bambou ou de bois tendre et les tuteurs métalliques suffisent à supporter les plantes peu lourdes qui n'ont qu'une tige ou qui poussent en touffes. Encore faut-il que ces plantes aient plus de 60 cm de haut mais ne dépassent pas 1,20 à 1,50 m.

S'il s'agit d'une plante à tige unique, enfoncer le bambou dans le sol près de la plante et fixer la tige au tuteur avec de la ficelle ou du fil métallique plastifié. Au besoin, ajouter des liens à intervalles de 30 cm.

Pour supporter un groupe de plants ou une grosse touffe, enfoncer près de la plante trois tuteurs, à égale distance les uns des autres. Attacher la ficelle à l'un des tuteurs et l'enrouler autour des deux autres tuteurs. Ajouter d'autres liens au fur et à mesure que la plante grandit.

1. *Tuteurer un plant de pieds-d'alouette avec du bambou et de la ficelle.*

2. *Plus tard, donner un autre tour de ficelle à 25 cm au-dessus du premier.*

3. *Les tiges du plant adulte seront retenues par plusieurs tours de ficelle.*

SUPPORT EN ANNEAU

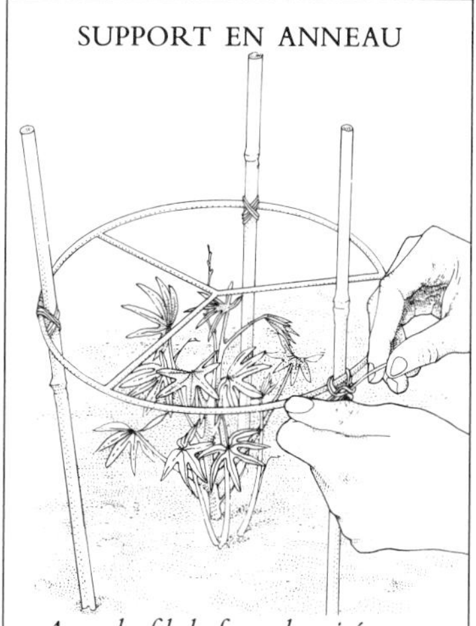

Avec du fil de fer galvanisé, fabriquer un anneau. L'attacher à trois tuteurs de bambou placés autour de la plante. A mesure que celle-ci grandit, relever le support.

Tuteurage des tiges flexibles avec des rames

Les plantes qui atteignent 60 cm de hauteur et dont les tiges sont souples risquent de s'affaisser si on ne les supporte pas à l'aide de rames semblables à celles qu'on utilise pour la culture des pois.

Ces rames proviennent de l'élagage des arbustes ou des haies. Presque toutes les espèces d'arbres et d'arbustes peuvent fournir des rames, mais plus particulièrement la spirée, le gattilier, le bouleau et le chêne.

Avant d'enfoncer une rame dans le sol, tailler son extrémité inférieure en biseau et travailler la terre pour qu'elle soit meuble et perméable. Ce menu bois est en effet fragile : on ne peut l'enfoncer à grands coups sans le casser. Si le sol est compact, commencer par creuser un trou avec une tige de métal.

Enfoncer les rames assez profondément dans le sol pour qu'elles soient en mesure de supporter la plante. Deux ou trois rames suffisent généralement pour un groupe de plantes. Cependant, s'il s'agit d'espèces fragiles qui s'affaissent après des pluies violentes et des orages ou de plantes qui poussent en touffes très étalées, on en mettra plus.

1. *Enfoncer une rame au centre d'un groupe de plantes.*

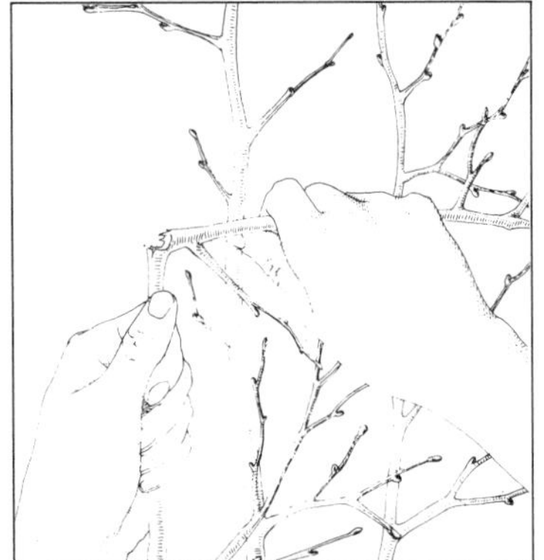

2. *Casser le bout des ramilles en les ramenant vers le centre du massif.*

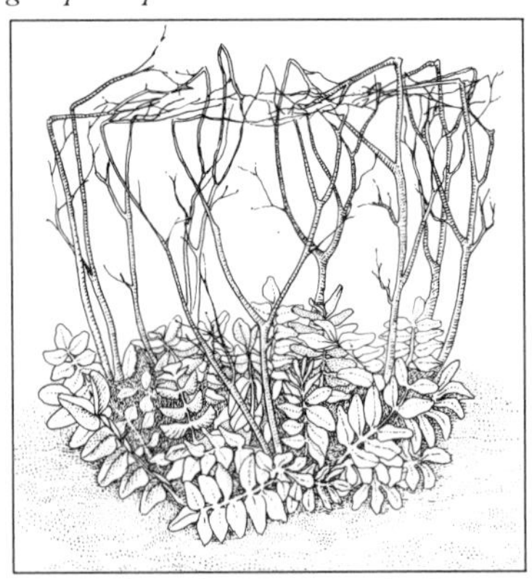

3. *Entrelacer les extrémités des branchages au-dessus des plantes.*

4. *Lorsque la plante grandit, elle dissimule ce support.*

Suppression des fleurs et des tiges flétries

Dès que les premières fleurs du printemps ou de l'été se sont fanées, il faut les enlever. Chez certains sujets, comme les delphiniums, les phlox et les achillées à port rampant, on peut ainsi espérer obtenir une seconde floraison. On doit continuer à supprimer les fleurs fanées jusqu'à la fin de la floraison, en automne. On prévient de cette manière l'apparition de sujets indésirables par germination spontanée des graines.

Rabattre presque au ras du sol, près de la souche, les plantes qui ont des tiges florales uniques et nues.

Lorsque la hampe florale est garnie de feuilles à la base, la couper juste au-dessous des feuilles les plus hautes.

Les têtes florales de certaines plantes, comme celles de l'achillée, se dessèchent souvent sur pied mais gardent une valeur ornementale durant tout l'automne.

Couper au ras du sol les hampes florales nues (à gauche). Rabattre les autres au-dessous des feuilles supérieures (à droite).

Nettoyage des plantes touffues après la floraison

Certaines plantes utilisées pour former des tapis floraux dans les rocailles ou des bordures dans les plates-bandes de vivaces deviennent trop touffues après la floraison. L'aubriétie et l'ibéride, ou thlaspie, sont dans ce cas. Les rabattre de moitié ou des deux tiers. Cette taille favorise la repousse et souvent une seconde floraison. Abandonnées à elles-mêmes, les plantes tapissantes deviennent ligneuses, hirsutes et fleurissent moins.

D'autres plantes, comme la camomille et le pyrèthre, qui ont une seule floraison, produisent peu de pousses nouvelles. Les rabattre du tiers environ après la floraison.

PLANTES TAPISSANTES

Rabattre sévèrement les plantes de rocaille formant tapis.

Extraction des bulbes gélifs ; plantation des bulbes rustiques

On plante souvent au printemps des bulbes et des tubercules gélifs (tigridias ou dahlias, par exemple) entre les plantes vivaces, pour colorer les plates-bandes. Dans les régions froides, il faut les déterrer à la fin de l'automne et les ranger dans un endroit sec et frais pour l'hiver.

C'est aussi le moment de mettre en terre les bulbes de plantes à floraison printanière comme les jonquilles et les tulipes. Les jonquilles fleurissent printemps après printemps sans demander de soins, mais il vaut mieux remplacer les bulbes de tulipes tous les ans ou au moins tous les deux ou trois ans. Ne pas oublier de laisser mûrir le feuillage des plantes bulbeuses après la floraison. Toutefois, on peut toujours les dissimuler derrière de hautes plantes vivaces.

BULBES ET VIVACES

En automne, planter les bulbes à floraison printanière entre des vivaces ; celles-ci cacheront les feuilles jaunies des plantes bulbeuses après leur floraison.

Préparation des plantes vivaces pour l'hiver

Lorsque la croissance s'arrête en automne vient le moment de nettoyer les plates-bandes de plantes vivaces. Continuer de supprimer au besoin les fleurs fanées, et, dans les régions froides, rabattre jusqu'au sol le feuillage des sujets qui meurent.

C'est aussi le moment de diviser et de repiquer les plants devenus trop volumineux. Avant le repiquage, ameublir le sol à la bêche et y incorporer au râteau de la poudre d'os ou du superphosphate.

Dans les régions très froides, pailler le sol avec des branches de pin, des feuilles de chêne, du foin de prés salés. Enlever le paillis au printemps.

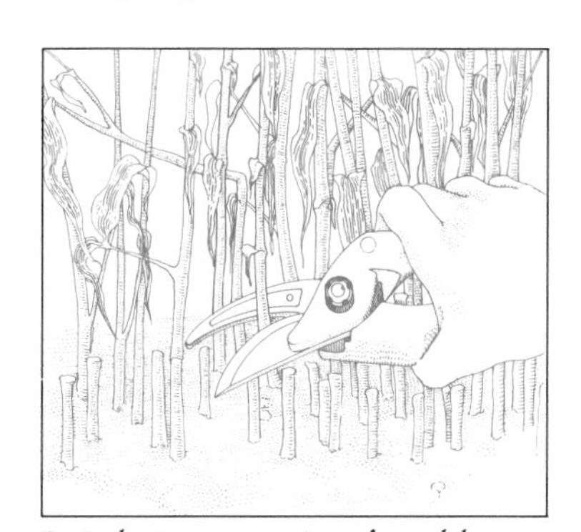

1. *Rabattre presque jusqu'au sol les tiges mortes des vivaces.*

2. *Pailler avec du foin de prés salés ou des rameaux de conifères.*

Ravageurs et maladies

En présence d'un symptôme non décrit ci-dessous, se reporter au chapitre « Ravageurs et maladies », à la page 444. On y trouvera la description et l'illustration d'autres symptômes.

On trouvera aux pages 480 à 482 les appellations commerciales des produits recommandés.

Symptômes	Cause	Traitement
Sommets des tiges et épis floraux couverts d'insectes gluants. Dans les cas graves, organes déformés, fleurs ne s'ouvrant pas.	Pucerons	Pulvérisation de carbaryl, de diazinon, d'endosulfan ou de malathion.
Feuilles rongées.	Chenilles	Pulvérisation de carbaryl, de méthoxychlore ou de roténone.
Jeunes tiges dévorées jusque sous le sol et flétries.	Vers gris	Baigner de malathion les collets des plantes atteintes.
Feuilles à taches argent. Feuilles, boutons et fleurs reliés par des toiles ou gravement déformés.	Tarsonèmes du cyclamen, tétranyques à deux points	Pulvérisation ou poudrage de dicofol, d'endosulfan ou de tétradifon ; vaporisation foliaire ou arrosage du sol au diméthoate ou à l'oxydéméton-méthyle.
Jeunes feuilles, boutons floraux ou extrémités des tiges déformés. Feuilles trouées.	Diverses espèces de punaises	Pulvérisation de diazinon ou de méthoxychlore.
Jeunes pousses rongées ; traces de bave.	Limaces ou escargots	Appâts granulés à base de métaldéhyde, de méthiocarbe ou de mexacarbate.
Feuilles, jeunes pousses et même fleurs couvertes d'une poudre blanche et cireuse.	Blanc (champignon)	Pulvérisation de bénomyl, de dinocap ou de soufre.
Feuilles couvertes de pustules rouges ou brunes qui éclatent et laissent voir des spores poudreuses.	Rouille (champignon)	Pulvérisation avec un produit à base de carbamate (ferbam, manèbe, thirame ou zinèbe). Difficile à combattre.
Feuilles et tiges herbacées se fanent ; la plante entière peut être atteinte (surtout les asters).	Flétrissure verticillienne (champignon)	Suppression des pousses malades. Pulvérisation de bénomyl ou de thirame.
Boutons floraux qui se flétrissent et tombent avant d'ouvrir.	Manque d'eau	Arrosage à raison de 5 l d'eau par mètre carré ; répéter chaque semaine durant la sécheresse. Paillis de tourbe, compost ou copeaux.
Tiges maigres et en surnombre ; fleurs petites. Feuilles flétries, surtout par temps chaud. Celles du bas jaunissent et meurent.	Manque d'eau ou d'engrais	Vaporisation d'engrais foliaire. Arrosage généreux d'eau. Fumier décomposé ou compost en paillis. Diviser les touffes au besoin.

Multiplication des plantes vivaces par division des touffes

Arrachage des touffes trop denses

Un sujet trop dense produit de moins en moins de fleurs. Il devient alors nécessaire de le diviser. Certaines espèces, comme le phlox et l'iris, atteignent ce stade assez rapidement, tandis que pour d'autres, comme les hélénies ou les hémérocalles, il faut compter cinq ans ou davantage. En revanche, quelques espèces, dont les fraxinelles font partie, n'ont jamais besoin d'être divisées.

Avant de diviser les plants, il faut les déterrer. Cette opération s'effectue de préférence avant que la croissance reprenne au printemps ou lorsqu'elle s'est ralentie après la floraison. Il vaut mieux diviser en automne les espèces qui fleurissent très tôt et au printemps celles qui, au contraire, fleurissent tardivement. Pour les autres, la division peut se pratiquer indifféremment en automne ou au printemps. Cependant, moyennant certains soins particuliers, on peut diviser les plantes vivaces en toute saison. Néanmoins, dans les régions très froides, on préfère pratiquer la division au début de l'automne pour que les plantes aient le temps de bien s'établir avant que le sol gèle.

Arracher les plantes lorsque le sol n'est ni gelé ni détrempé. Si la division est effectuée en automne, commencer par couper les feuilles. Comme les vivaces sont généralement installées à demeure, profiter de l'occasion pour amender le sol en lui ajoutant de la tourbe ou du compost ainsi que de la poudre d'os ou du superphosphate.

Moins on met de temps à extraire, diviser et replanter la plante, meilleures sont ses chances de reprise. En cas de délai, l'arroser. La protéger du soleil et du vent pendant le travail.

Division des plantes rhizomateuses

Les plantes rhizomateuses s'extraient généralement sans problème, car leur système radiculaire (en fait, une tige souterraine et charnue) est superficiel. Le bergenia, l'iris avec barbe et le sceau-de-Salomon, notamment, sont des espèces rhizomateuses qui se divisent aisément.

La division se pratique de préférence au tout début du printemps, dès l'apparition des nouveaux bourgeons.

Après avoir extrait le plant, dégager le rhizome principal. On apercevra alors les petits rhizomes auxquels il a donné naissance. Pour faciliter les manipulations, on peut laver les rhizomes à l'eau courante.

Utiliser un couteau aiguisé pour séparer les petits rhizomes du gros ; la coupure doit être nette afin de ne pas endommager les tissus. Les mettre immédiatement en terre pour éviter les risques de dessèchement.

Au moment de la plantation, s'assurer que les rhizomes sont complètement recouverts de terre, qu'ils sont bien ancrés dans le sol et enfoncés à la même profondeur que l'était la plante mère. Les iris avec barbe font exception à cette règle : leurs rhizomes doivent être couchés sur le sol et enfoncés des deux tiers seulement (voir p. 311). Enfouis plus profondément, les rhizomes pourriront.

S'il n'est pas possible de mettre les petits rhizomes en terre immédiatement après la division, il faut les placer dans une boîte et les recouvrir de sable ou de tourbe humides. Ne pas les laisser en attente plus d'une journée ou deux.

1. *Le bergenia doit être divisé tous les trois ans environ, de préférence au moment de la reprise au printemps. Prélever des rhizomes jeunes et sains de 5 à 8 cm de long et portant au moins deux bourgeons ou jeunes pousses. Leurs fines racines fibreuses ne doivent pas être endommagées. Les sectionner avec soin.*

2. *Couper les jeunes rhizomes au ras du vieux rhizome et jeter celui-ci.*

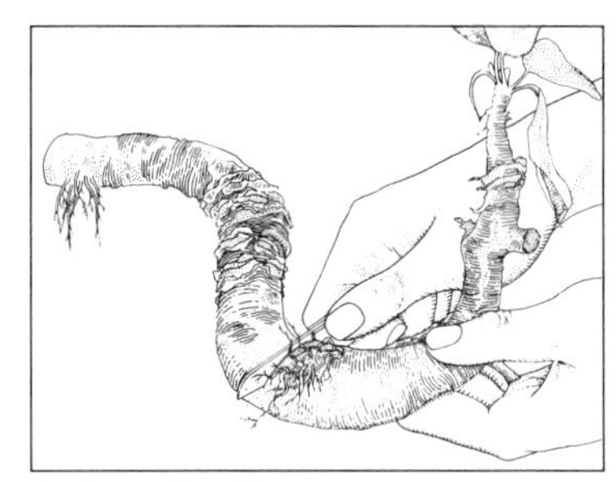

3. *Parer les rhizomes en coupant sous un groupe de racines fines et saines.*

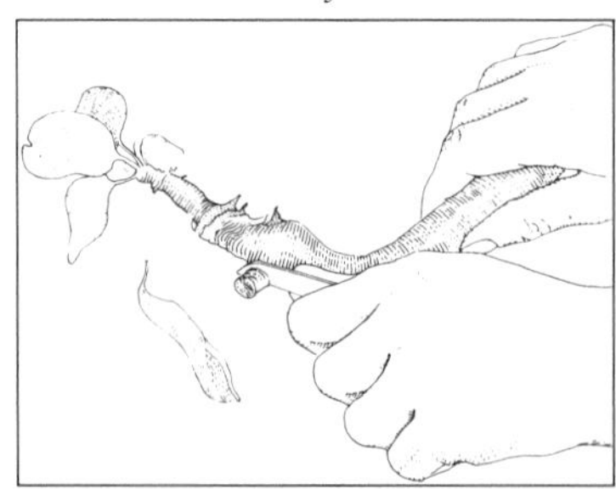

4. *Enlever les chicots, les bouts de tige pourris et les feuilles mortes.*

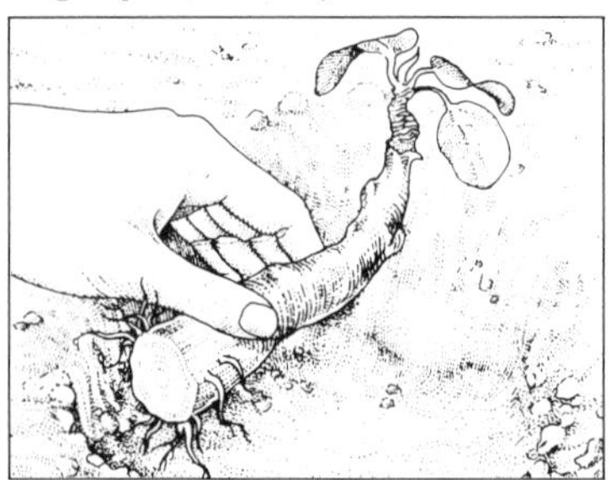

5. *Les jeunes rhizomes sont maintenant prêts à être plantés.*

Division des jeunes plantes vivaces

Certaines plantes vivaces à racines fibreuses, par exemple l'hélénie, la rudbeckie et l'aster vivace, se divisent facilement au printemps dès qu'elles ont deux ou trois ans. Cette méthode permet d'obtenir des plants de façon rapide.

Replanter directement en place les gros éclats, qui fleurissent souvent la même année. Repiquer les petits éclats dans une plate-bande placée hors de la vue, et attendre l'automne et même le printemps suivant avant de les transplanter.

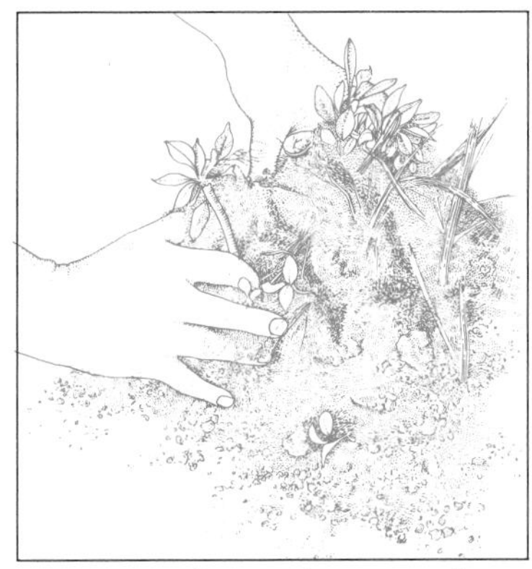

1. *Diviser à la main les jeunes plantes vivaces qui ont peu de racines.*

2. *Couper avec un couteau les racines pourries, mortes ou abîmées.*

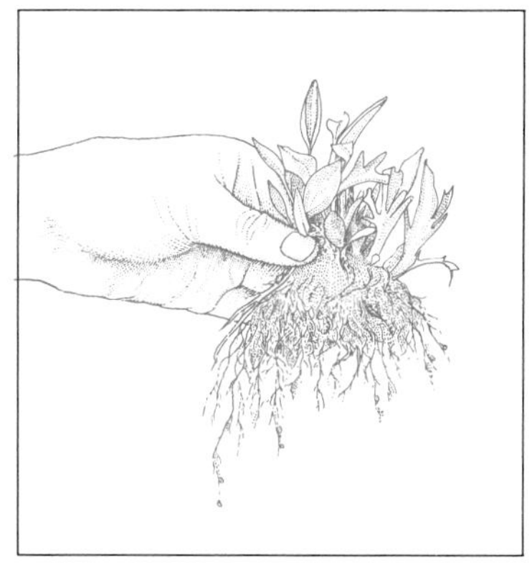

3. *Mettre en place les gros éclats ; planter les petits à l'écart.*

Division des plantes vivaces à racines fibreuses

Chez les vieilles plantes à racines fibreuses, les jeunes pousses sont enchevêtrées dans les racines. Il faut, pour les diviser, enfoncer au centre de la souche deux fourches-bêches placées dos à dos. Les faire jouer comme un levier pour diviser la souche. Partager celle-ci en quatre éclats.

Cette division faite, couper avec un couteau tranchant les parties vieilles et ligneuses. Sectionner ensuite en éclats plus petits comportant chacun au moins six yeux ou pousses. Au moment de la plantation, bien fouler la terre autour des racines et arroser abondamment pour tasser la terre et éliminer les poches d'air.

Il est impossible de diviser avec des fourches les plantes à gros collet ligneux et dur. Sectionner plutôt ces collets avec un couteau très solide et bien aiguisé de façon que chaque éclat comporte quelques racines et quelques yeux. Planter les éclats immédiatement et bien arroser.

Les plantes à racines charnues, telles que l'hémérocalle du Japon, se divisent bien elles aussi avec deux petites fourches. Prendre garde d'abîmer les racines.

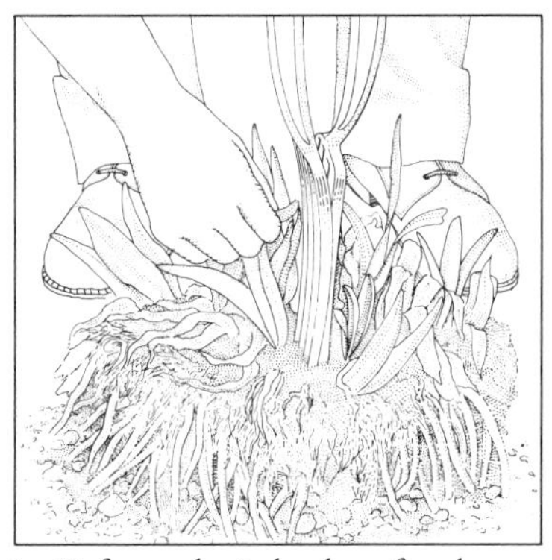

1. *Enfoncer dos à dos deux fourches au cœur des mottes très denses.*

2. *Ecarter les fourches l'une de l'autre en les actionnant comme un levier pour diviser la motte en deux, puis en quatre.*

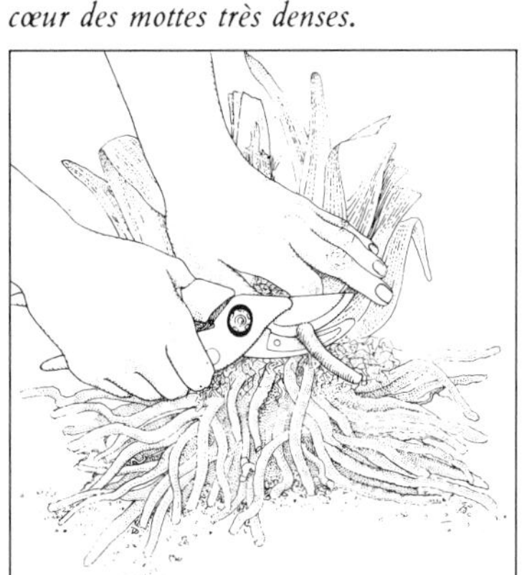

3. *Enlever les pousses ligneuses et les racines mortes sur chaque fragment.*

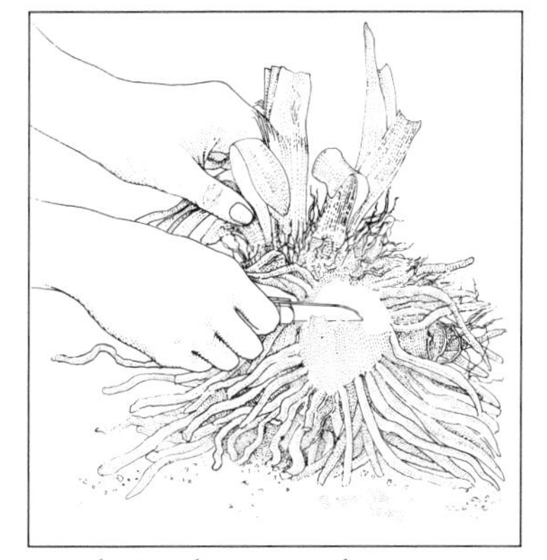

4. *Eliminer les racines charnues qui sont pourries ou abîmées.*

5. *Planter immédiatement les gros éclats à leur place définitive.*

Bouturage des plantes vivaces

Division des plantes à racines tubéreuses

Arracher le plant et débarrasser les tubercules de la terre qui y adhère en prenant soin de ne pas les abîmer. Au besoin, laver les tubercules pour faire clairement apparaître les yeux.

Dans le cas de certaines racines tubéreuses, comme celles de la pivoine commune ou de Chine, les yeux sont situés au point de jonction des tubercules. Couper à travers la souche, du collet vers les racines, pour diviser la plante en plusieurs segments, tous munis de tubercules et de plusieurs yeux.

Mettre immédiatement ces segments en terre. Les segments à un tubercule et un œil prennent du temps à s'établir. Dans les régions froides, pailler les nouveaux plants dès que le sol est gelé.

Les pivoines supportent mal d'être déplacées et ont rarement besoin d'être divisées. N'effectuer la division que si elle s'impose et ne la faire qu'au début de l'automne.

Les hémérocalles présentent des tubercules minces et des souches denses qu'il vaut mieux diviser à l'aide de deux petites fourches de jardinage. Des segments très feuillus donneront un meilleur effet, mais une tige feuillue par plant suffit.

DIVISION D'UNE PIVOINE

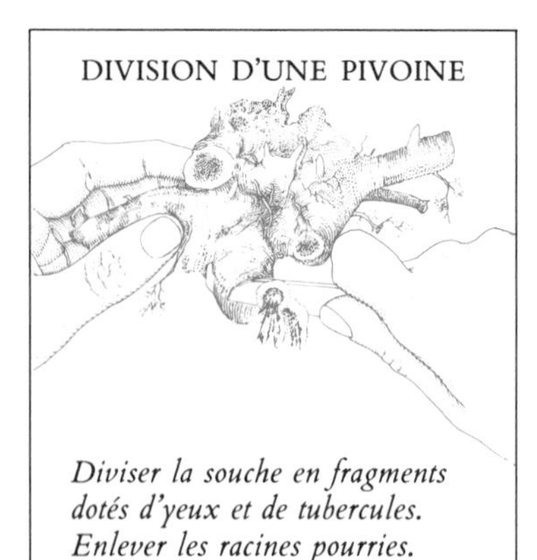

Diviser la souche en fragments dotés d'yeux et de tubercules. Enlever les racines pourries.

Bouturage des extrémités de rameaux

Plusieurs plantes vivaces arbustives, en particulier le phlox et l'orpin, se multiplient mieux par boutures apicales. Il en est de même pour les plantes à feuillage décoratif telles que l'anthémis et le galega.

Prélever des boutures aux extrémités des pousses latérales non fleuries, sitôt que les tiges sont semi-fermes.

Prélever des boutures de 8 à 10 cm de long aux extrémités de pousses saines et garnies de feuilles. Chaque bouture doit avoir au moins trois nœuds.

Remplir un pot de mélange composé, à volume égal, de tourbe et de sable grossier ou de perlite. On peut également utiliser un mélange à semis vendu dans le commerce. Un pot de 10 cm de diamètre peut recevoir environ six boutures.

Sectionner chaque bouture juste au-dessous du nœud le plus bas. Arracher ou couper la paire de feuilles de la base.

A l'aide d'un crayon, creuser des trous peu profonds dans le mélange terreux. Insérer la bouture de façon que la base de la tige touche le fond du trou sans qu'aucune feuille ne soit enterrée. Fouler le mélange avec les doigts.

Arroser généreusement la plante. Mettre le pot dans un sachet de plastique, en faisant reposer celui-ci sur une armature de fil de fer. Percer le sachet de quelques petits trous et l'attacher avec une bande élastique. Placer la bouture dans un endroit ombragé ou sous châssis froid.

Les boutures prélevées par temps froid s'enracineront plus rapidement dans une caissette de multiplication chauffante, à environ 16°C.

Pour vérifier le degré d'enracinement, tirer très légèrement sur les boutures. Si elles semblent solides, les sortir du sac ou de la caissette et les laisser dans leur pot pendant quatre ou cinq jours. Tourner ensuite le pot à l'envers et extraire les boutures d'un seul coup sans rompre la motte.

Séparer les boutures avec le plus grand soin et les rempoter (voir ci-dessous). Fouler la terre, arroser généreusement et laisser les pots s'égoutter.

Dans les régions à climat doux, placer les jeunes plants dans un endroit ombragé ou sous châssis froid durant une semaine environ, avant de les repiquer au jardin. Pincer l'extrémité des tiges pour favoriser la croissance des racines et retarder celle des organes aériens.

Dans les régions froides, garder les boutures sous châssis froid fermé durant leur premier hiver, en enfouissant les pots dans du sable ou de la tourbe. Planter de façon définitive au jardin lorsque tout danger de gel est écarté au printemps.

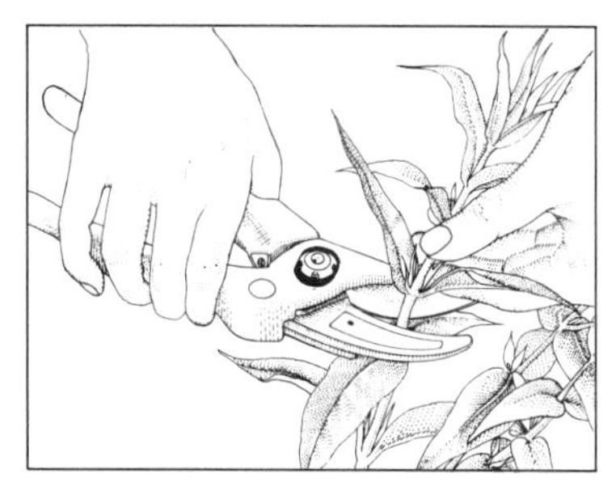

1. *Prélever des pousses latérales non fleuries et semi-fermes d'environ 10 cm.*

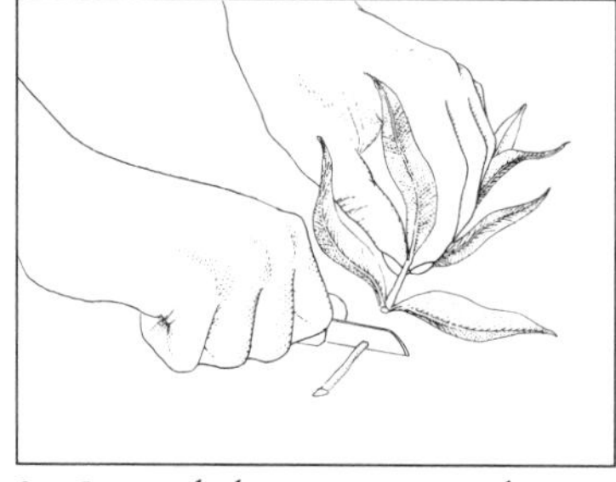

2. *Couper la bouture transversalement, juste sous un nœud.*

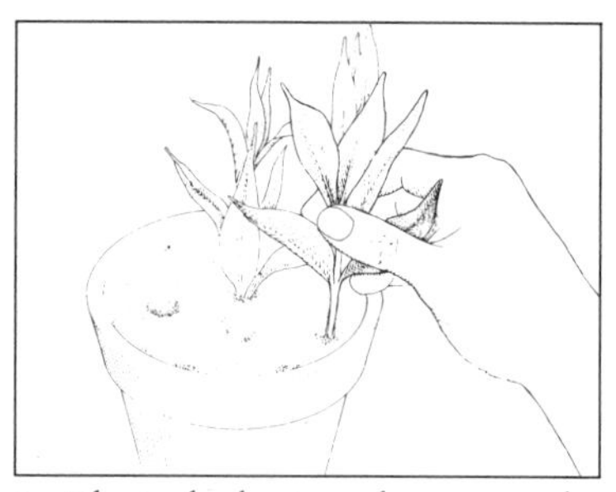

3. *Planter les boutures dans un pot de 10 cm rempli du mélange approprié.*

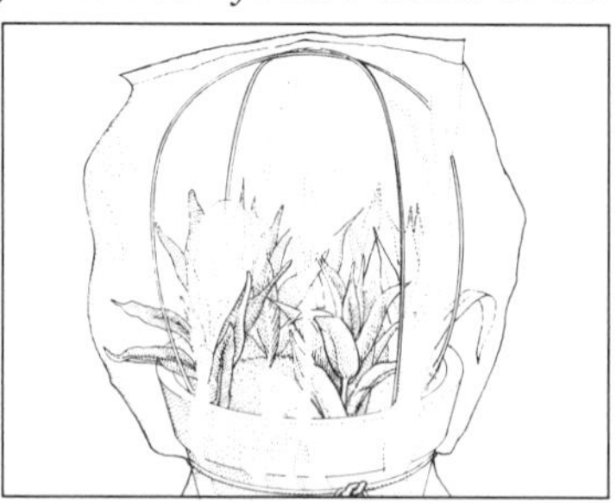

4. *Enfermer le pot dans un sac de plastique supporté par une armature.*

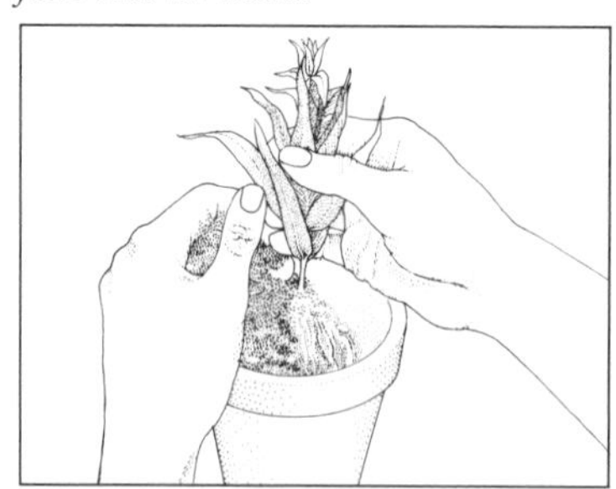

5. *Après cinq ou six semaines, repiquer dans des pots de 7,5 cm.*

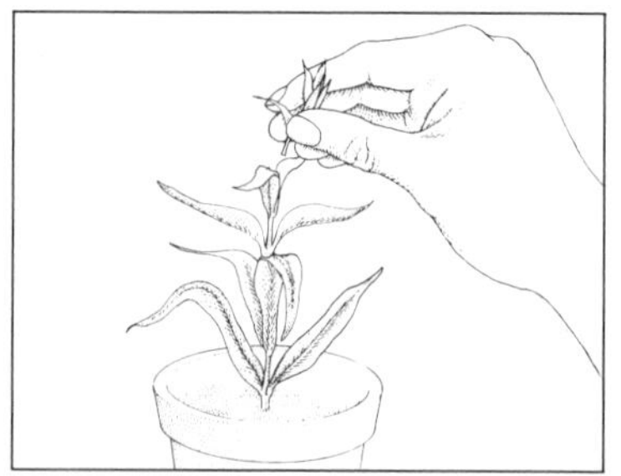

6. *Pincer l'extrémité des boutures. Placer sous châssis froid pour l'hiver.*

Bouturage des tiges de base

La plupart des plantes vivaces qui poussent en touffes — la buglosse, le pied-d'alouette, la scabieuse, et bien d'autres encore — peuvent être multipliées par bouturage des pousses basales naissant au printemps.

Prélever quelques-unes des pousses de base lorsqu'elles ont entre 8 et 10 cm de long, en les sectionnant au niveau du collet ou juste en dessous.

Planter les boutures dans un sol poreux sous châssis froid ou dans des pots de 10 à 13 cm de diamètre remplis d'un mélange composé à volume égal de tourbe et de sable ou de perlite. Placer les pots sous châssis froid. Le système des pots permet de déplacer les boutures après l'enracinement sans qu'il soit nécessaire de les transplanter. Vaporiser les boutures pour que l'humidité soit constante et tenir le châssis fermé. Lorsque la croissance a repris, intensifier l'aération en ouvrant graduellement le châssis durant les heures chaudes de la journée.

Six semaines plus tard, rempoter les boutures dans des pots individuels. Les transplanter au jardin dès qu'elles se sont enracinées si c'est l'été ; les laisser sous châssis froid si c'est l'hiver.

1. *Gratter la terre autour des souches pour les dégager ; prélever les rejets.*

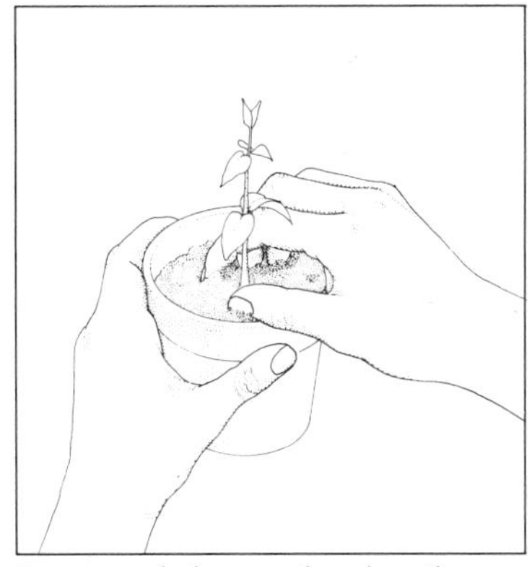

2. *Piquer la bouture dans le mélange ; la placer sous châssis froid.*

Bouturage au moyen de racines charnues

Un grand nombre de plantes vivaces ont des racines charnues qui se prêtent au bouturage. Ce mode de multiplication s'impose lorsqu'une plante ne présente pas de pousses végétatives bien définies.

Le prélèvement des segments de racines s'effectue sur des plantes adultes au moment où la croissance est au ralenti.

Sectionner les racines charnues en tronçons de 5 à 8 cm ; couper les racines fines en fragments de 5 cm.

Remplir de grands pots ou des caissettes d'un mélange composé à volume égal de tourbe et de sable ou de perlite. Ménager des trous de 5 à 8 cm de profondeur, espacés de 5 cm. Piquer verticalement les tronçons de grosses racines et les recouvrir d'une fine couche de mélange. Coucher les fragments de racines fines à la surface du compost et les recouvrir. Garder le mélange humide.

Lorsque les boutures présentent deux ou trois paires de feuilles, les repiquer chacune dans un pot, puis les planter au jardin un peu plus tard. Dans les régions froides, les placer sous châssis froid pendant l'hiver.

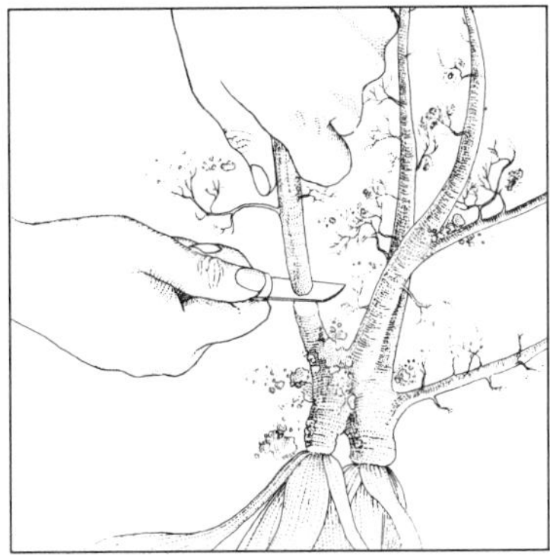

1. *En début ou en fin de saison, prélever des tronçons de grosses racines.*

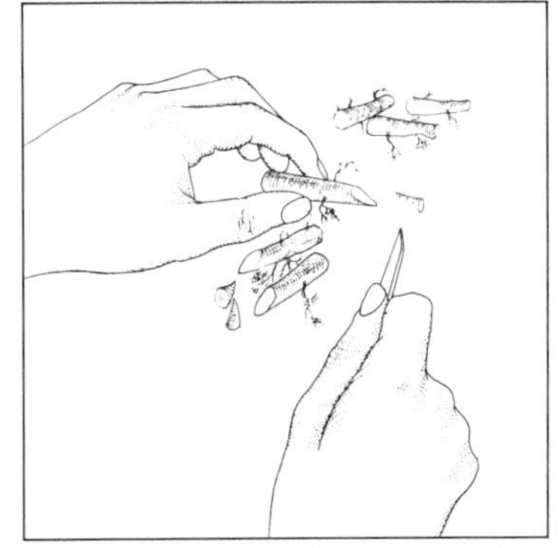

2. *Couper en biseau l'extrémité inférieure de boutures de 5 à 8 cm.*

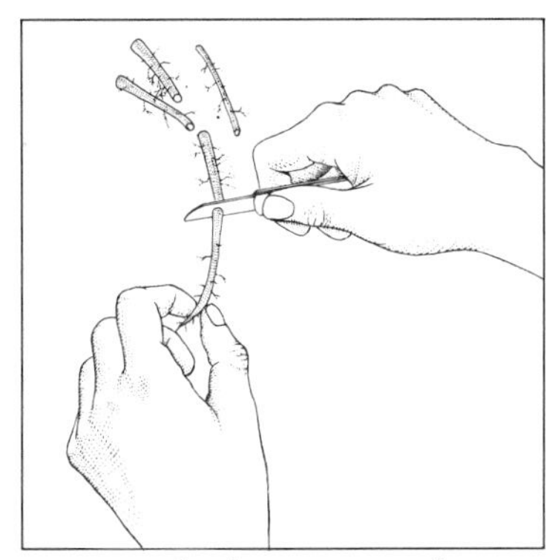

3. *Diviser les fines racines en fragments de 5 cm coupés droit.*

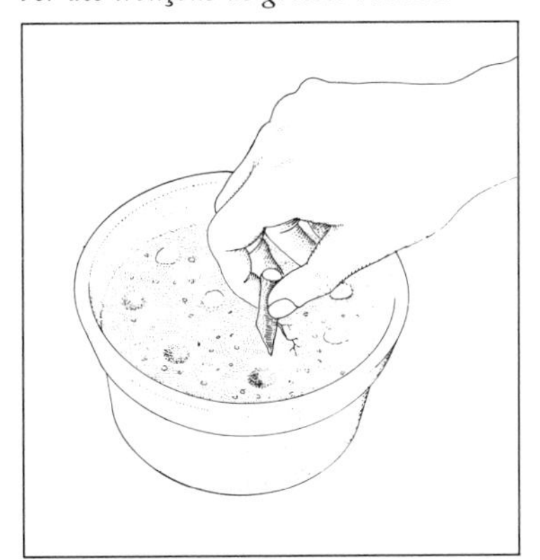

4. *Enfoncer les grosses racines dans le mélange, la partie biseautée vers le bas.*

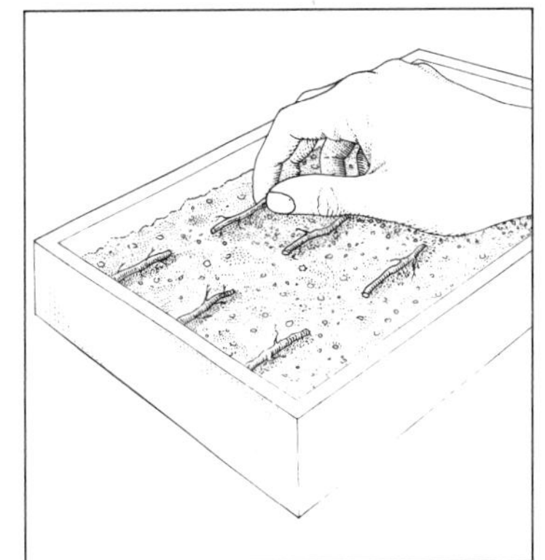

5. *Coucher les fines racines sur le mélange, puis les recouvrir.*

6. *Lorsqu'elles ont des feuilles, empoter individuellement les boutures.*

Multiplication des plantes vivaces par semis

Achat ou cueillette des semences

Le semis est le mode de reproduction naturel des plantes à fleurs. Les plantes cultivées peuvent aussi se reproduire par semis, sans toutefois que les résultats soient assurés. Bien que la plupart des plantes de jardin tirent leur origine d'espèces sauvages, elles ont été dans bien des cas soumises à l'hybridation, de façon à produire des formes nouvelles et améliorées. Lorsque ces hybrides sont multipliés à partir de graines récoltées au jardin, les sujets obtenus diffèrent de la plante mère et lui sont habituellement inférieurs en qualité.

Les graines recueillies doivent être conservées dans un contenant fermé et gardées au frais jusqu'au moment des semis. Semer ces graines dans un coin inutilisé du jardin. Ne conserver que les plus beaux sujets qu'elles donneront : ils pourront être à leur tour multipliés par bouturage ou par division si on veut leur conserver leurs caractéristiques.

Les graines du commerce donnent généralement des sujets identiques à l'espèce ou à tout le moins des rejetons de bonne qualité.

Pour récolter les semences en capsules, qui explosent à maturité, enfermer l'épi floral dans un sac.

Pour recueillir les semences en gousses, secouer la gousse quand elle s'est ouverte au sommet.

Semis et repiquage des plantules

Du milieu à la fin de l'hiver, semer dans une serre ou sous éclairage artificiel. La lumière venant d'une fenêtre est rarement suffisante. Lorsque la température est plus chaude, semer sous châssis froid ou dans une platebande protégée.

Pour des semis à l'intérieur, on utilisera un pot par espèce. Remplir le pot d'un substrat stérilisé composé en parties égales de terre, de tourbe et de perlite. Niveler, tasser légèrement, arroser par vaporisation et laisser égoutter.

Semer clair et en surface ; couvrir les graines d'une couche de 0,5 cm de mélange. Laisser à découvert les graines très fines.

Couvrir le pot d'une feuille de verre ou l'enfermer dans un sac de plastique pour ne pas laisser s'échapper la chaleur et l'humidité nécessaires à la germination. Ne pas exposer le pot au soleil. La plupart des semences germent à une température de 18 à 21°C. Selon les espèces, les plantules sortent de terre après une à trois semaines. Lorsqu'elles sont sorties, retirer la vitre ou le sac de plastique.

Quand les plantules sont de taille à être manipulées, les repiquer dans une caissette ou un pot remplis de terre stérilisée en les espaçant de 2,5 à 5 cm. Leur donner le plus de lumière et de soleil possible. Lorsque les plantules manquent d'espace, les rempoter individuellement.

Avant de les mettre en place au jardin, il faut les acclimater au grand air. A cette fin, les placer sous châssis froid ou dans un coin abrité du jardin. Déposer pots ou caissettes sur le sol, dans un endroit à demi ombragé. Les y laisser pendant quelques jours, puis les exposer graduellement au soleil et au vent. Les repiquer ensuite dans une plate-bande à l'écart pour qu'elles continuent de se développer. Les transplanter définitivement à la fin de l'été ou au printemps suivant.

Pour démarrer hâtivement des semis en région froide, utiliser un châssis chauffant réglé à 18°C. Sous châssis non chauffé, semer six semaines environ avant les dernières gelées. Amender le sol du châssis avec de la tourbe ou de la perlite et semer en surface. On peut aussi semer les graines dans des pots. Couvrir le châssis de jute durant la germination. Quand les plantules commencent à sortir, aérer et donner plus d'air et d'humidité. Il faudra ensuite repiquer les plantules sous châssis froid avant de les planter définitivement dans le jardin.

1. *A la fin de l'hiver, semer clair sur le mélange humide et recouvrir.*

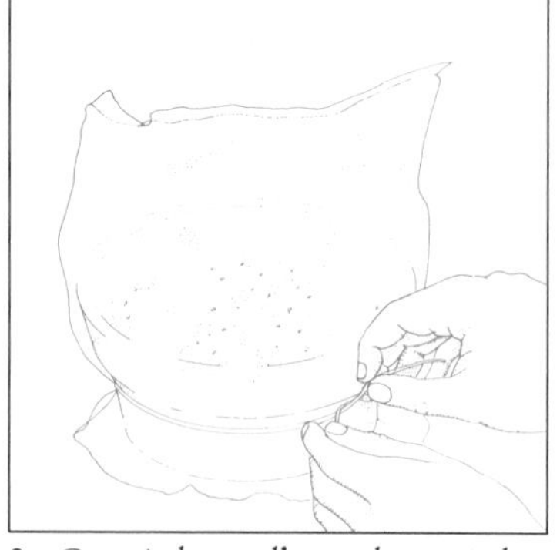

2. *Couvrir le pot d'un sachet, puis le découvrir quand les plantules lèvent.*

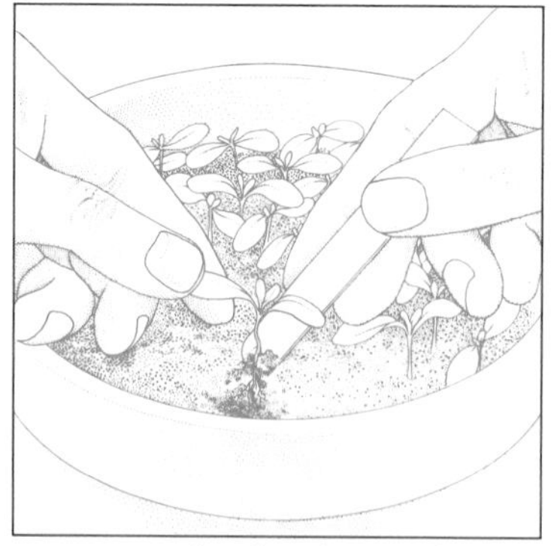

3. *Repiquer les plantules quand elles ont deux paires de feuilles.*

4. *Un ou deux mois plus tard, empoter les plus vigoureuses.*

Petit guide des plantes vivaces

La plupart des plantes décrites ci-dessous sont de longue durée ; elles peuvent être cultivées dans des bordures ou être associées à d'autres espèces dans des plates-bandes. On les a classées d'après leur nom vulgaire le plus connu en précisant les espèces et les variétés recommandées.

De nouvelles variétés naissent constamment tandis que de plus anciennes sont abandonnées, mais les caractéristiques génériques demeurent à peu près les mêmes. Celles-ci sont mentionnées en première colonne.

La hauteur (H) de la plante se calcule en mesurant la tige florale de la base jusqu'à la pointe ; l'étalement (E) correspond au diamètre du feuillage de la plante adulte. La hauteur et l'étalement du genre sont indiqués dans la première colonne du tableau, et la hauteur des espèces est précisée dans la seconde. Ces mesures varient selon la nature du sol et le climat.

Presque toutes les plantes ci-dessous s'acclimatent facilement. Par ailleurs, tant de facteurs climatiques, culturaux et morphologiques viennent modifier leur degré de rusticité qu'il a paru peu indiqué de le préciser chaque fois. La zone de rusticité devra donc parfois être vérifiée sur place.

Acanthe
(Acanthus mollis)

Achillée
(Achillea filipendulina 'Gold Plate')

Aconit
(Aconitum napellus)

Nom vulgaire et nom botanique, description générale	Espèces et variétés	Soins particuliers, remarques	Multiplication *(voir p. 204)*
Acanthe *(Acanthus)* Plante à feuilles brillantes et profondément lobées (motif corinthien) poussant en touffes serrées. Les feuilles atteignent souvent 60 cm de longueur et 30 de largeur. Epis de fleurs tubuleuses au début de l'été. Ne pousse que dans les climats doux. H 60-90 cm ; E 75 cm ou plus.	*A. mollis,* blanc, lilas, rose, 60-90 cm. *A. m. latifolius,* comme ci-dessus, feuilles plus grandes, 60-90 cm.	Se cultive à l'ombre, sauf dans les régions littorales où l'acanthe supporte le soleil. Rabattre au sol après la floraison pour renouveler complètement les organes aériens. En été, garder les feuilles propres en les lavant au tuyau d'arrosage. Racines envahissantes ; plante difficile à déraciner.	Par division, bouturage de racines ou semis, au printemps.
Achillée *(Achillea)* Plante remarquable, parfois dotée de jolies feuilles piquantes ressemblant à des frondes de fougère. Fleurs gracieusement groupées en corymbes lâches ou aplatis qu'on peut faire sécher pour les bouquets d'hiver. H 45-90 cm ; E 30-90 cm.	*A. filipendulina* 'Gold Plate', jaune moutarde, 0,90-1,20 m. *A. f.* 'Coronation Gold', jaune vif, 1,20 m. *A. millefolium* 'Fire King', rose vif, 30-45 cm. *A. ptarmica* 'Perry's Giant White', fleurs doubles, blanches, 45 cm. *A. taygetea* 'Moonshine', fleurs jaunes, 45 cm.	Prospère en plein soleil et dans une terre ordinaire ou pauvre. Plante très rustique, résistant à la sécheresse. *A. ptarmica* est une espèce envahissante mais facile à déraciner. *A. filipendulina* peut porter à maturité une centaine d'inflorescences qui persistent plusieurs semaines par temps sec. Toutes se cultivent à peu près sans problème.	Diviser les plants au début de l'automne. Semer les graines de *A. millefolium* et de *A. ptarmica* au printemps.
Aconit *(Aconitum)* Longs épis de grandes fleurs d'une forme particulière naissant à la fin de l'été et dominant un feuillage profondément découpé. Plante vénéneuse. H 0,75-2,45 m ; E 0,30-0,60 m.	*A. fischeri* ou *A. carmichaelii,* bleu pâle, 0,75-1 m. *A. f. wilsonii,* bleu-violet, 1,80-2,45 m. *A. f. w.* 'Barker's Variety', bleu violacé, 1,20-1,50 m. *A. napellus,* de bleu à violet, floraison précoce, 1-1,20 m. *A. n. sparksii,* bleu violacé sombre, 0,90-1,20 m.	Prospère à la mi-ombre dans un sol enrichi de compost. Les variétés de haute taille peuvent avoir besoin de tuteurs. Plante non envahissante, parfaite pour la fleur coupée, remplaçant bien le pied-d'alouette. Fleurit en fin de saison, au moment où le jardin se dégarnit. Racines tubéreuses.	Par division au début du printemps ou par semis au printemps. Ne pas déranger la plante à moins que la multiplication des tubercules n'entrave la floraison.

Ancolie
(Aquilegia 'Spring Song'*)*

Anemone hybride

Camomille des teinturiers
(Anthemis tinctoria 'Moonlight'*)*

Armoise blanche
(Artemisia lactiflora)

Nom vulgaire et nom botanique, description générale	Espèces et variétés	Soins particuliers, remarques	Multiplication *(voir p. 204)*
Ancolie *(Aquilegia)* Plante gracieuse donnant à la fin du printemps des fleurs en forme d'entonnoir garnies de longs éperons, au-dessus d'une touffe basale de feuilles segmentées. Il en existe plusieurs variétés. H 40-90 cm ; E 15-30 cm.	*A. caerulea* (ancolie bleue), fleurs bleu et blanc, 75 cm. *A. chrysantha* 'Silver Queen', fleurs blanches, persistantes, 60-75 cm. *A.* 'Dragonfly Hybrids', lavande, rouges, jaunes, blanches, 45 cm. *A.* 'McKanna's Giant Hybrids', mélange de coloris, longs éperons, 90 cm. *A.* 'Spring Song', mélange de coloris, nombreux pétales, précoce, 75 cm.	Se cultive au soleil ou à la mi-ombre, dans un sol humide mais bien drainé. Couper les fleurs fanées pour empêcher la multiplication spontanée qui pourrait donner des fleurs de qualité et de coloris inférieurs. Attention à la mineuse des feuilles qui marque le feuillage de raies blanches ; vaporiser du diazinon ou du malathion à la fin du printemps. Les plantes s'anémient avec le temps.	Semer au début du printemps ; au besoin, diviser les plants au tout début du printemps.
Anémone *(Anemone)* Floraison automnale, sauf pour *A. pulsatilla* qui fleurit au printemps. Fleurs simples ou doubles de 7,5 cm de diamètre au-dessus d'un feuillage semblable à celui de la vigne (ou d'une fougère chez *A. pulsatilla*). H 20-90 cm ; E 30-60 cm.	Les anémones hybrides sont surtout des sélections de *A. hupehensis japonica* (anémone du Japon) et comprennent des formes à fleurs simples blanches ou roses et 'Queen Charlotte' à fleurs semi-doubles roses, 75-90 cm. *A. pulsatilla* ou *Pulsatilla vulgaris* (pulsatille), diverses teintes de bleu lavande allant au rouge et blanc, 20 cm. *A. vitifolia robustissima,* fleurs simples, rose argenté, 75 cm.	Requiert un sol riche et bien égoutté. Rustique uniquement là où il y a une bonne couverture de neige. Préfère la mi-ombre. Prend plusieurs années avant de s'établir et se multiplie lentement. *A. vitifolia robustissima* est plus rustique que les formes hybrides d'anémones.	Par division ou par semis, au printemps. Les plants ont rarement besoin d'être divisés.
Anthémis ou camomille *(Anthemis)* Feuilles très découpées. Fleurs jaunes de 6,5 cm semblables à la marguerite et s'épanouissant de la mi-été jusqu'au début de l'automne. Les feuilles sont odorantes. Les fleurs coupées durent longtemps. H 30-90 cm ; E 30 cm.	*A. biebersteiniana,* jaune vif, 30 cm. *A. nobilis* ou *Chamaemelum nobile* (camomille romaine), blanc et jaune, 30 cm, cultivée comme plante tapissante ou graminée. *A. tinctoria* (camomille des teinturiers), fleurs jaune d'or, 60-90 cm. *A. t.* 'Beauty of Grallagh', jaune intense. *A. t.* 'E. C. Buxton', jaune citron. *A. t. kelwayi,* jaune foncé. *A. t.* 'Moonlight', jaune clair.	Excellent choix pour les régions chaudes et sèches à sol sablonneux. Plante à tiges faibles pouvant exiger des tuteurs. Diviser fréquemment les souches pour qu'elles ne se dégarnissent pas au centre. Enlever les fleurs fanées pour prolonger la floraison et éviter l'ensemencement spontané.	Par division au début du printemps ou en automne ; par bouturage de pousses basales au même moment. On peut se procurer des graines de *A. t. kelwayi.*
Armoise *(Artemisia)* Plante appréciée pour son feuillage ornemental, gris argenté ou vert-gris et parfumé. Petites fleurs sans éclat. H 0,15-1,50 m ; E 30-45 cm.	*A. abrotanum* (aurone, citronnelle), tiges ligneuses, 0,90-1,50 m. *A. albula* 'Silver King', feuillage argenté, 60-90 cm. *A. a.* 'Silver Queen', feuillage argenté et chatoyant, 60-90 cm. *A. lactiflora* (armoise blanche), fleurs blanches en automne, 1,20 m. *A. schmidtiana* 'Silver Mound', plante caractérisée par un monticule de feuilles argentées, 30 cm. *A. stelleriana,* originaire de la côte Est, 90 cm.	Préfère une exposition au soleil et une terre légère, bien égouttée et peu substantielle. On peut rabattre, s'ils s'étalent trop, les sujets à port prostré, mais cela se produit rarement en plein soleil. L'armoise se cultive généralement sans problème si on lui donne les soins requis.	Diviser au printemps ou à la fin de l'été ; bouturer ou marcotter à la fin de l'été.

Asclépiade tubéreuse
(Asclepias tuberosa)

Aster 'Eventide'

Astilbe arendsii 'Europa'

Barbe-de-bouc
(Aruncus sylvester)

Nom vulgaire et nom botanique, description générale	Espèces et variétés	Soins particuliers, remarques	Multiplication *(voir p. 204)*
Asclépiade tubéreuse ou herbe des papillons *(Asclepias)* Fleur sauvage très répandue que ses inflorescences orange à la mi-été rendent intéressante au jardin, dans une plate-bande de vivaces. Feuilles et gousses ornementales. H 60 cm ; E 30 cm.	*A. tuberosa,* orange vif, 60 cm.	Cette plante vivace ne présente aucun problème de culture et peut occuper le même emplacement pendant de nombreuses années sans se répandre. Pousses lentes à apparaître au printemps : il vaut mieux indiquer l'endroit où se trouve la plante. Sujet très décoratif avant, pendant et après la floraison.	Par semis au printemps. Il n'est pas recommandé de diviser la plante, car elle est dotée d'une racine pivotante fragile.
Aster *(Aster)* Les hybrides ont mieux fait connaître cette jolie plante sauvage qui se couvre à l'automne d'une profusion de fleurs semblables aux marguerites. L'aster accompagne bien les chrysanthèmes. H 0,25-1,20 m ; E 30-90 cm.	*A. novae-angliae, A. novi-belgii, A. ericoides ;* de ces espèces sont issus la plupart des hybrides à fleurs simples, parfois doubles. *A.* 'Eventide', bleu violacé, 1 m. *A.* 'Harrington's Pink', roses, 1,20 m. *A.* 'Little Blue Boy', bleu clair, 25 cm. *A.* 'Winston Churchill', rouge vif, 60 cm.	Prospère en plein soleil, dans un sol normalement fertile et bien égoutté. Pincer pour favoriser la ramification ; arroser souvent ; tuteurer les sujets de haute taille. Dans les régions humides, attention au mildiou et à la rouille ; utiliser des fongicides appropriés. Les lapins ont une prédilection pour cette plante.	Diviser tôt au printemps en ne gardant que la partie extérieure de la touffe. Jeter la partie centrale, plus vieille.
Astilbe *(Astilbe)* Plante gracieuse à feuillage profondément découpé, vert foncé ou à teintes cuivrées. Au début de l'été, panicules pyramidales de petites fleurs en plumets dont on peut faire des bouquets frais ou séchés. H 0,40-1 m ; E 40 cm.	*A. arendsii* 'Deutschland', blanc pur, 60 cm. *A. a.* 'Europa', rose tendre, 45-60 cm. *A. a.* 'Ostrich Plume', rose saumoné, 60-75 cm. *A. a.* 'Rheinland', rose carmin, 60-75 cm. *A. chinensis* 'Finale', plumets roses et arqués, tardifs, 40 cm.	Se cultive à la mi-ombre, ou en plein soleil si on lui donne suffisamment d'humidité. Diviser tous les trois ans pour favoriser la floraison. Exige une bonne fertilisation tous les printemps. Arroser généreusement en période de sécheresse. Pincer les fleurs fanées. Le feuillage garde sa beauté tout l'été si la plante est suffisamment arrosée.	Diviser la souche au début du printemps ou de l'automne. Ajouter au sol du compost ou de la tourbe en abondance.
Barbe-de-bouc *(Aruncus)* Plante qui attire l'attention par ses belles feuilles composées et ses plumeaux effilés couverts au début de l'été de fleurs blanches qui ressemblent à celles de l'astilbe. H 1,20-1,50 m ; E 90 cm.	*A. sylvester,* fleurs blanches, 0,90-1,50 m. *A. s. kneiffii,* semblable à *A. sylvester,* mais à feuilles découpées plus profondément. Plante rare. 1,20-1,50 m.	Tolère la plupart des sols, mais, pour atteindre son plein développement, préfère un terrain humide en plein soleil ou légèrement ombragé. Plante vivace de haute taille, elle a rarement besoin d'être tuteurée. Elle est particulièrement mise en valeur près d'une pièce d'eau.	Par division au printemps ou au début de l'automne.

Benoîte
(Geum hybride)

Bergenia crassifolia orbicularis

Boltonie
(Boltonia latisquama)

Brunnera macrophylla

Nom vulgaire et nom botanique, description générale	Espèces et variétés	Soins particuliers, remarques	Multiplication *(voir p. 204)*
Barbe-de-Jupiter, voir Valériane *(Centranthus)*			
Benoîte *(Geum)* Jolie plante qui a généralement une vie courte. Beau feuillage qui persiste en régions chaudes. Fleurit de la fin du printemps à la mi-été. Fleurs doubles pouvant avoir 7,5 cm de diamètre ; font d'attrayants bouquets. H 30-60 cm ; E 30-45 cm.	Hybrides issus pour la plupart de *G. chiloense.* *G. heldreichii,* fleurs doubles, orange, 45 cm. *G.* 'Lady Stratheden', fleurs semi-doubles, jaunes, 60 cm. *G.* 'Mrs. Bradshaw', fleurs semi-doubles, écarlates, 60 cm. *G.* 'Princess Juliana', fleurs semi-doubles, orange cuivré, 60 cm. *G.* 'Starker's Magnificent', fleurs doubles, abricot, 30 cm.	Choisir un endroit ensoleillé ou à demi ombragé, un sol bien drainé mais humifère. Tuteurs parfois nécessaires. Supprimer les tiges fleuries après la floraison. Rusticité non assurée en zone 3.	Diviser les plants au printemps ; semer également au printemps. Les graines fraîches germent mieux.
Bergenia *(Bergenia* ou *Megasea)* Remarquable par ses feuilles arrondies, de 20 à 25 cm, vert brillant, qui sont persistantes et prennent une teinte de rouge en hiver. Fleurs apparaissant à la mi-printemps sur de courtes tiges. H 25-45 cm ; E 45 cm.	*B. cordifolia,* rose-rouge, facile à trouver, 30 cm. *B. c. alba,* variété à fleurs blanches, 25 cm. *B. crassifolia orbicularis,* grandes fleurs roses, 45 cm. Des hybrides ont fait récemment leur apparition, mais ils ne sont pas encore très répandus.	Plante facile à cultiver au soleil ou à l'ombre, dans un sol sec ou humide. Les engrais foliaires lui donnent plus de vigueur. Dans les régions froides, elle peut ne pas fleurir. Produit un meilleur effet lorsqu'elle est plantée en massif. S'étale sans devenir envahissante.	Diviser les rhizomes traçants après la floraison ou au début de l'automne. Diviser fréquemment les touffes.
Boltonie *(Boltonia)* Plante généralement de haute taille se couvrant, du milieu à la fin de l'été, de petites fleurs étoilées, semblables à l'aster sauvage. Pousse à l'état sauvage dans plusieurs régions. H 0,60-1,80 m ; E 60-90 cm.	*B. asteroides,* fleurs blanches teintées de pourpre, 1,20-1,80 m. *B. latisquama,* fleurs allant du rose au pourpre, 1,20-1,80 m. *B. l. nana,* fleurs roses, 60 cm.	Se cultive en plein soleil, dans une terre de jardin normale. Convient bien à un jardin de fleurs sauvages ou à l'arrière-plan d'une bordure de vivaces. Figure rarement dans les catalogues des pépiniéristes, mais on la trouve chez les horticulteurs spécialisés en fleurs sauvages.	Par division des plants au printemps ; ou encore par semis, au printemps.
Bouton-d'argent, voir Renoncule **Bouton-d'or,** voir Renoncule			
Brunnera *(Brunnera* ou *Anchusa)* Touffes de grandes feuilles cordiformes vert foncé desquelles jaillissent des panicules lâches de fleurs bleues étoilées. H 30-45 cm ; E 45 cm.	*B. macrophylla* (souvent inscrite sous le nom d'*Anchusa myosotidiflora*), de 30 à 45 cm de haut. Fleurs bleues de 0,5 cm de diamètre.	Préfère une exposition à demi ombragée et un sol humide. Se multiplie lentement et ne doit être divisée que lorsque le centre du massif se dégarnit. Se marie bien aux plantes bulbeuses à floraison printanière dans une plantation multiple.	Diviser au début du printemps ou prélever des boutures de racines à la fin de l'été.

Buglosse
(Anchusa azurea 'Dropmore')

Campanule à feuilles de pêcher
(Campanula persicifolia)

Catananche caerulea

Centaurée de montagne
(Centaurea montana)

Nom vulgaire et nom botanique, description générale	Espèces et variétés	Soins particuliers, remarques	Multiplication *(voir p. 204)*
Buglosse ou langue-de-bœuf *(Anchusa)* Bouquets de petites fleurs bleues, semblables à celles du myosotis, au début ou au milieu de l'été. Pour *A. myosotidiflora,* voir Brunnera. H 0,30-1,50 m ; E 30-45 cm.	*A. azurea* 'Dropmore', fleurs bleues, 1,20-1,50 m. *A. a.* 'Little John', bleu éclatant, 30 cm. *A. a.* 'Pride of Dover', bleu azur foncé, 1,20 m. *A. a.* 'Royal Blue', bleu de roi, bouquets pyramidaux, 0,90 m. (Semblable à 'Loddon Royalist' et souvent inscrite sous ce nom.)	Demande beaucoup de soleil et d'eau. Peut refleurir si les tiges fleuries sont rabattues après la première floraison. Les variétés de haute taille ont parfois besoin de tuteurs. Multiplication spontanée qui peut causer des ennuis dans les petits jardins.	Par division des souches ou par semis, au printemps. Se multiplie souvent spontanément. On peut aussi bouturer les racines.
Camomille, voir Anthémis			
Campanule *(Campanula)* Groupe de plantes très diversifiées, à petites feuilles et fleurs généralement cupuliformes. Seules les variétés de haute taille sont inscrites ici. On trouvera les formes moins hautes à la p. 324. H 60-90 cm ; E 30-60 cm.	*C. glomerata* (campanule à bouquet), fleurs bleues ou blanches, 60 cm. *C. lactiflora* 'Pritchard's Variety', fleurs bleues, 90 cm. *C. latifolia* (campanule à larges feuilles), fleurs violettes, 90 cm. *C. l.* 'Brantwood', fleurs violet foncé, 90 cm. *C. persicifolia* et hybrides (campanule à feuilles de pêcher), fleurs blanches ou de diverses teintes de bleu, 60-75 cm.	La campanule se cultive en plein soleil ou à la mi-ombre dans une terre moyennement fertile. Les variétés de haute taille ont rarement besoin de tuteurs. On prolonge la floraison en coupant les épis fanés. Belle plante de bordure, donnant de bonnes fleurs à couper.	Diviser la souche ou prélever des boutures basales au printemps ; ou, encore, semer au printemps.
Catananche ou cupidone bleue *(Catananche)* Fleurs bleues ou blanches semblables à celles de la chicorée sauvage et s'épanouissant vers la mi-été sur des tiges grêles à feuilles étroites et argentées. Les fleurs donnent de beaux bouquets. H 60 cm ; E 30 cm.	*C. caerulea,* fleurs bleues à cœur bleu foncé, 60 cm. *C. c. alba,* fleurs blanches, 60 cm.	Cultiver cette plante dans un sol bien drainé et en plein soleil. Diviser fréquemment la souche pour augmenter la longévité de la plante. Produit un meilleur effet si elle est cultivée en groupe. Les fleurs séchées font de jolis bouquets d'hiver. Pas toujours rustique en zone 3.	Semer au printemps ou diviser les souches ; prélever des boutures de racines au début de l'été.
Centaurée *(Centaurea)* Fleurs à aigrettes s'épanouissant sur de longues tiges du milieu à la fin de l'été. Certains sujets ont des feuilles rugueuses. La centaurée bleue, *C. montana*, est la plus renommée. H 0,60-1,20 m ; E 30-60 cm.	*C. dealbata,* fleurs de lilas à pourpre, 60 cm. *C. d.* 'John Coutts', rose vif, 60 cm. *C. d. steenbergii,* pourpre vif, 60 cm. *C. macrocephala* (centaurée à grosses fleurs), jaunes, en forme de chardon, 1,20 m. *C. montana* (centaurée de montagne, bleuet vivace), fleurs bleues ; l'une des meilleures espèces, 60 cm. *C. ruthenica,* semblable à *C. macrocephala,* moins rugueuse, 90 cm.	Facile à cultiver. Exige un sol bien drainé et un emplacement ensoleillé. Résiste à la sécheresse. *C. montana* est l'espèce la plus répandue. Elle s'étale rapidement et se multiplie spontanément, ce qui peut causer des ennuis dans les petits jardins. Toutes rustiques dans un sol bien drainé.	Diviser les plants au tout début du printemps. Semer au printemps, mais les graines sont rares.
Chardon bleu des Alpes, voir Erynge			

Cimicaire
(Cimicifuga simplex)

Clématite
(Clematis heracleaefolia davidiana)

Coreopsis lanceolata 'Sunburst'

Nom vulgaire et nom botanique, description générale	Espèces et variétés	Soins particuliers, remarques	Multiplication *(voir p. 204)*
Chataire, voir Nepeta			
Cimicaire *(Cimicifuga)* Longues inflorescences en plumet s'élevant au-dessus d'une touffe de feuilles ressemblant légèrement à celles des fougères. Floraison du début à la mi-automne. A planter derrière une plate-bande ou dans un jardin de fleurs sauvages. H 0,90-1,50 m ; E 45-60 cm.	*C. dahurica* (cimicaire de Dahurie), fleurs blanches, fin été, 1,50 m. *C. racemosa* (actée à grappes), fleurs blanches, mi-été, 1,50-2,45 m. *C. simplex,* du début à la mi-automne, 1,20-1,35 m. *C. s.* 'White Pearl', fleurs blanches, du début à la mi-automne, 0,90-1,20 m.	Prospère à la mi-ombre, mais tolère le plein soleil aussi bien que l'ombre épaisse. Si la plante est cultivée au soleil, incorporer au sol beaucoup de compost ou de tourbe pour qu'il retienne mieux l'humidité. Tuteurer dans les endroits mal abrités. Les épis floraux font de beaux bouquets, mais il se peut que l'on trouve leur odeur déplaisante.	Diviser tôt au printemps. Plante peu envahissante en règle générale.
Clématite *(Clematis)* Moins connues que la clématite grimpante, ces formes herbacées font d'intéressantes plantes pour les bordures. Longue floraison. Fleurs parfois parfumées. H 0,60-1,20 m ; E 60-90 cm.	*C. heracleaefolia davidiana,* fleurs bleu foncé, fin été, 90 cm. *C. integrifolia caerulea,* fleurs bleues, début à fin été, 60 cm. *C. recta,* fleurs blanches, début à mi-été, 0,90-1,20 m. *C. r. grandiflora,* fleurs blanches, début à mi-été, 90 cm. *C. r. mandshurica,* fleurs blanches, début à mi-été, 0,90-1,20 m.	Demande un sol bien drainé, riche en humus et plutôt alcalin, une exposition au soleil ou à la mi-ombre. Pailler pour garder le sol frais. Ne pas biner autour des plants, les racines étant superficielles. Supporter les plants avec des cylindres en filet métallique ou des rames au printemps. La plante produit de jolies gousses qui restent en place assez longtemps.	Prélever des boutures de tiges à la mi-été ; elles fleuriront l'année suivante. Couvrir les plants durant leur premier hiver.
Colombine plumacée, voir Pigamon **Coquelourde des jardins,** voir Lychnide			
Coréopsis ou coréopside *(Coreopsis)* Floraison abondante de fleurs semblables à des marguerites qui s'épanouissent en été et sont très persistantes. Feuilles bien dessinées et disciplinées, plus larges chez certaines variétés que chez d'autres. Convient bien pour des bouquets. H 30-90 cm ; E 30-60 cm.	*C. auriculata nana,* jaune-orange, 15 cm. *C.* 'Baby Sun', hybride généralement cultivé à partir de semis, fleurs jaunes, 50 cm. *C. lanceolata,* fleurs jaunes, 60 cm. *C. l.* 'Sunburst', fleurs semi-doubles, jaune vif, 60 cm. *C.* 'Mayfield Giant', fleurs jaunes, 90 cm. *C.* 'New Gold', fleurs doubles jaunes, 75 cm. *C. verticillata* 'Golden Shower', fleurs jaunes, 60 cm.	Cultiver cette plante en plein soleil, dans un sol sablonneux et bien drainé. Supprimer les hampes florales pour prolonger la floraison. *C. verticillata* supporte tout particulièrement la sécheresse et présente de toutes petites feuilles, presque en forme d'aiguilles. Diviser les plants périodiquement, ils s'en porteront mieux. Cela ne vaut pas toutefois pour *C. lanceolata,* la forme la plus répandue, qui a rarement besoin d'être divisée.	Diviser les souches au printemps. On trouve des graines de certaines variétés qu'on sème au printemps.

Cynoglosse
(Cynoglossum nervosum)

Cœur-de-Marie
(Dicentra spectabilis)

Doronic
(Doronicum caucasicum magnificum)

Nom vulgaire et nom botanique, description générale	Espèces et variétés	Soins particuliers, remarques	Multiplication *(voir p. 204)*
Coucou bleu, voir Pulmonaire **Croix-de-Malte,** voir Lychnide **Cupidone bleue,** voir Catananche			
Cynoglosse *(Cynoglossum)* Petites fleurs semblables à celles du myosotis et portées par des tiges ramifiées, s'élevant au-dessus d'une rosette de feuilles rugueuses et pubescentes. Floraison du milieu à la fin de l'été et persistant plusieurs semaines. H 60-90 cm ; E 30-45 cm.	*C. grande,* fleurs bleues ou pourpres, 60-90 cm. *C. nervosum,* bleu intense, 75 cm. Ne pas confondre cette plante avec la cynoglosse annuelle, p. 266.	Plante très rustique qui se cultive bien dans un sol sec, au soleil ou à la mi-ombre. A parfois besoin de tuteurs. La diviser tous les deux ou trois ans parce qu'elle se propage rapidement. La cynoglosse se ramifie bien et se couvre de petites fleurs bleues.	Par division au tout début du printemps ou de l'automne ; ou par semis au début du printemps. Cette plante se reproduit également de façon naturelle.
Dicentra ou cœur-saignant *(Dicentra)* Plante gracieuse dont les fleurs en forme de cœur pendent à l'extrémité de tiges arquées. Elles s'épanouissent à la fin du printemps. Certaines formes fleurissent par intermittence tout l'été. Feuillage vert glauque, similaire aux frondes d'une fougère et qui dure tout l'été ou une partie seulement. *D. formosa* est une espèce très florifère. H 30-75 cm ; E 30-60 cm.	*D. eximia* (cœur-saignant), fleurs roses, 30 cm. (Plusieurs hybrides ayant comme parents *D. eximia* et *D. formosa* ou *D. oregana* vont du rose au rouge et fleurissent de façon intermittente tout l'été.) *D. formosa* (cœur-saignant), rose-lavande, 40 cm. *D. f.* 'Sweetheart', fleurs blanches, 40 cm. *D. spectabilis* (cœur-de-Jeannette, cœur-de-Marie), grosses fleurs roses, 75 cm.	Tous les cœurs-saignants préfèrent un sol riche en humus et tolèrent une exposition au soleil ou à l'ombre. *D. formosa* et *D. eximia* se multiplient spontanément. Placer *D. spectabilis* de façon qu'elle soit cachée par d'autres plantes lorsqu'elle perd son feuillage à la fin de l'été. Repérer l'endroit pour ne pas le bouleverser lors des travaux de printemps ou d'automne.	Diviser les racines charnues et cassantes au tout début du printemps ou prélever des boutures de racines de *D. spectabilis* au printemps. *D. eximia* se multiplie spontanément.
Dictamne, voir Fraxinelle			
Doronic *(Doronicum)* Plante à grosses fleurs simples d'un jaune éclatant et semblables à des marguerites. Elles s'épanouissent du milieu à la fin du printemps au-dessus d'une masse de feuilles cordiformes d'un beau vert. Du plus bel effet dans les bouquets. H 45-60 cm ; E 30-45 cm.	*D. caucasicum magnificum,* fleurs jaunes, 60 cm. *D. c.* 'Finesse', à fleurs de cactus jaunes, 45 cm. *D. c.* 'Mme Mason', fleurs jaunes, 60 cm. *D. plantagineum* (doronic plantain), très grosses fleurs jaunes, 75 cm ; espèce peu répandue.	Prospère à la mi-ombre ou en plein soleil. Peut exiger des tuteurs. La plante entre en dormance durant l'été (sauf 'Mme Mason') et perd son feuillage ; elle doit donc être cachée par d'autres espèces.	Semer au printemps ou diviser les souches à la fin de l'été. La germination est imprévisible.
Echelle de Jacob, voir Polémoine bleue			

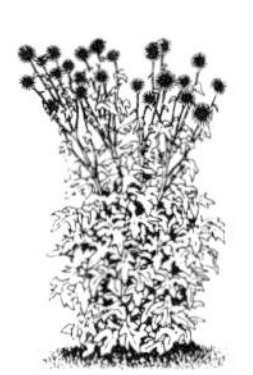

Boulette azurée
(Echinops ritro)

Erigéron de Californie
(Erigeron speciosus)

Erynge
(Eryngium bourgatii)

Euphorbe
(Euphorbia epithymoides)

Nom vulgaire et nom botanique, description générale	Espèces et variétés	Soins particuliers, remarques	Multiplication *(voir p. 204)*
Echinope *(Echinops)* A la fin de l'été, inflorescences de forme globuleuse dominant un feuillage vert sombre semblable à celui du chardon, blanchâtre au revers. Les fleurs font de beaux bouquets secs. H 0,90-1,50 m ; E 45-60 cm.	*E. ritro* (boulette azurée), diverses nuances de bleu, 0,90-1,50 m. *E. sphaerocephalus* (échinope commune), gris argent, 1,50 m. *E.* 'Taplow Blue', fleurs d'un bleu intense, 1,20 m.	Plante durable et facile à cultiver, pouvant résister à une forte sécheresse. Prospère en plein soleil. Tolère mal les sols humides ou détrempés. Plante difficile à diviser, les racines s'enfonçant jusqu'à 30 cm de profondeur. Les débris de racines laissés dans le sol lors du bêchage vont généralement donner un nouveau pied. Attention aux feuilles épineuses : porter des gants pour cueillir les fleurs.	Diviser les souches ou prélever des boutures de racines au printemps. Semer au printemps.
Ephémérine, voir Tradescantia			
Erigéron *(Erigeron)* Fleurs à pétales étroits dont les capitules sont semblables à des marguerites, s'épanouissant du début à la fin de l'été. H 25-60 cm ; E 30-45 cm.	*E. aurantiacus,* fleurs semi-doubles, orange, 25 cm. *E. speciosus* (érigéron de Californie), fleurs simples, bleues, 45-60 cm. *E. s.* 'Azure Fairy', fleurs semi-doubles, lavande, 75 cm. *E. s.* 'Foerster's Darling', fleurs semi-doubles, roses, 45-60 cm. *E. s.* 'Pink Jewel', fleurs simples, rose tendre, 60 cm. *E. s.* 'Red Beauty', fleurs simples, rose vif, 45 cm.	Cultiver cette plante en plein soleil, dans une terre bien drainée et de fertilité normale ; elle tolère un sol sec. Supprimer les fleurs fanées pour stimuler la floraison. L'érigéron s'étend peu ; il est généralement rustique dans la région des Prairies.	Diviser les pieds au printemps ; semer au printemps.
Erynge ou panicaut *(Eryngium)* Plante de belle venue, à fleurs allant du gris acier au bleu, semblables aux chardons et s'épanouissant du milieu à la fin de l'été. Le feuillage est épineux comme celui du chardon. H 45-90 cm ; E 30-60 cm.	*E. alpinum* (chardon bleu des Alpes), fleurs bleu argent, 45 cm. *E. amethystinum* (panicaut améthyste), bleu-gris, 60 cm. *E. bourgatii,* fleurs bleu acier, 45 cm. *E. planum,* fleurs bleues ; à cultiver dans un jardin de fleurs sauvages, 90 cm. *E.* 'Violetta', fleurs bleu violacé, 60 cm.	Plante très vivace qui n'aime pas qu'on la dérange. La placer en plein soleil, dans un sol bien drainé qui ne se détrempe pas en hiver. Se cultive généralement sans problème. Les fleurs sèchent en gardant leur couleur si elles sont cueillies en plein épanouissement.	Par division des racines charnues ou par boutures de racines au printemps ; semer au printemps.
Euphorbe *(Euphorbia)* Fleurs à peu près dépourvues d'intérêt, entourées de spectaculaires bractées blanches ou jaunes ressemblant à des pétales ; floraison à la fin du printemps ou à la mi-été. H 45-60 cm ; E 45-60 cm.	*E. corollata,* fleurs blanches à la mi-été, 60 cm. *E. epithymoides* ou *E. polychroma,* jaune chartreuse, 45 cm.	Plante très vivace qu'on doit déranger le moins possible. La cultiver en plein soleil, dans un sol bien drainé et peu riche. Les euphorbes renferment un latex qui irrite la peau. Si l'on coupe les fleurs, passer le bas des tiges sur une flamme.	Diviser les plants ou prélever des boutures basales au printemps.

Filipendule
(Filipendula hexapetala)

Fraxinelle
(Dictamnus albus)

Gaillarde vivace
(Gaillardia aristata)

Galane
(Chelone obliqua)

Nom vulgaire et nom botanique, description générale	Espèces et variétés	Soins particuliers, remarques	Multiplication *(voir p. 204)*
Filipendule *(Filipendula)* Panicules duveteuses de petites fleurs s'épanouissant au début ou au milieu de l'été. Feuillage parfois profondément découpé, faisant penser à celui des fougères, parfois plus épais. *F. hexapetala* présente des racines tubéreuses. H 0,45-1,20 m ; E 30-45 cm.	*F. hexapetala,* fleurs simples, blanches, au début de l'été, 45 cm. *F. h. flore pleno,* fleurs doubles, blanches, au début de l'été, 45 cm. *F. purpurea elegans* ou *F. palmata elegans,* fleurs doubles, blanches, à étamines rouges, au début de l'été, 40 cm. *F. rubra,* fleurs roses, du début au milieu de l'été, 1,20-1,80 m. *F. ulmaria plena,* fleurs doubles, blanches, à la mi-été, 1,20 m.	Les sujets de haute taille se placent avec avantage derrière des bordures, près d'un cours d'eau ou dans un sous-bois. *F. hexapetala* et sa forme à fleurs doubles préfèrent un sol humide ; les autres tolèrent un sol sec. Ce sont des plantes de longue durée ayant peu souvent besoin d'être divisées.	Diviser les souches au printemps ; semer au printemps.
Fougère, voir p. 336			
Fraxinelle ou dictamne *(Dictamnus)* Jolie plante de bonne longévité se couvrant d'épis floraux roses ou blancs du début à la mi-été. Feuilles coriaces et aromatiques d'un beau vert, et gousses persistantes qu'on peut faire sécher. H 60-90 cm ; E 60-75 cm.	*D. albus* (souvent appelé *D. fraxinella*), fleurs blanches, 60-90 cm. *D. a. purpureus,* fleurs roses veinées de rose plus sombre, 60-90 cm.	Se cultive au soleil ou à la mi-ombre dans une terre modérément riche. Les feuilles et l'extrémité des tiges de la fraxinelle sont couvertes d'une sorte de résine qui est censée s'enflammer si on y met le feu à la fin d'une journée chaude et sans vent. Feuilles et gousses vénéneuses, pouvant causer des dermatites.	Il vaut mieux ne pas déranger cette plante. Semer en position définitive, la transplantation étant hasardeuse.
Gaillarde vivace *(Gaillardia)* Grandes fleurs simples ressemblant à des marguerites, ornées de panachures de teintes contrastantes aux extrémités des pétales ou près du cœur. Floraison de la mi-été au début de l'automne, ou jusqu'aux froids. Voir p. 267 les gaillardes annuelles. H 15-90 cm ; E 15-45 cm.	*G. aristata,* fleurs jaunes, souvent avec rouge ou pourpre, 60 cm. *G.* 'Baby Cole', fleurs rouges bordées de jaune, 15 cm. *G.* 'Burgundy', fleurs lie-de-vin, 75 cm. *G.* 'Dazzler', fleurs jaunes à cœur marron, 60-90 cm. *G.* 'Goblin', fleurs rouges bordées de jaune, 30 cm. *G.* 'Portola', fleurs rouges panachées de jaune, 75 cm.	La gaillarde se cultive en plein soleil et exige une terre très bien drainée dans les régions froides. A souvent besoin de tuteurs pour rester dressée. Enlever les fleurs fanées pour prolonger la floraison. Excellente plante pour composer des bouquets.	Par division des plants ou par semis au printemps ; par bouturage de racines en été.
Galane *(Chelone)* Courts épis de fleurs apparaissant à la fin de l'été sur de longues tiges non ramifiées. Feuilles alternes vert foncé, larges et fortement nervurées. H 0,60-1,20 m ; E 0,60-1,20 m.	*C. glabra,* fleurs blanches ou nuancées de rose, 60 cm. *C. lyonii,* fleurs allant du rose pâle au rose pourpré, 0,90-1,20 m. *C. obliqua,* rose vif, 60 cm.	Se cultive à la mi-ombre dans un sol riche qui retient bien l'humidité. Les plants doivent être divisés périodiquement. En principe, aucun ravageur. On trouve plus souvent cette plante dans les catalogues de plantes sauvages.	Diviser les plants au début du printemps. La plante s'étale par stolons souterrains.

Galega officinalis

Geranium grandiflorum

Herbe des pampas
(Cortaderia selloana)

Gypsophile
(Gypsophila)

Nom vulgaire et nom botanique, description générale	**Espèces et variétés**	**Soins particuliers, remarques**	**Multiplication** *(voir p. 204)*
Galega ou rue de chèvre *(Galega)* Courts épis de fleurs similaires à celles des pois, s'épanouissant du début de l'été à l'automne au-dessus du feuillage. Plante vigoureuse et buissonnante à gracieuses feuilles vert bleuté composées d'une multitude de folioles aiguës. H 90 cm ; E 45-60 cm.	*G. officinalis,* fleurs d'un bleu pourpré, 90 cm. *G. o. alba,* fleurs blanches, 90 cm. *G. o. carnea,* fleurs roses, 90 cm.	Plante vigoureuse qui se cultive en plein soleil et dans presque tous les sols, mais qui donne mieux dans une terre plutôt humide et assez riche. A rarement besoin de supports. La division des plants ne s'impose qu'après de nombreuses années.	Par division au printemps, ou par semis au printemps aussi, quand on peut se procurer des graines.
Géranium *(Geranium)* Cette plante à fleurs généralement simples, d'une grande délicatesse, fleurit du début à la fin de l'été. Il ne faut pas la confondre avec le géranium des fleuristes *(Pelargonium),* p. 267. H 30-90 cm ; E 30-60 cm.	On ne mentionne ici que les variétés de haute taille. Les variétés à port prostré se trouvent à la page 328. *G. endressii,* fleurs rose pâle à veines sombres, 45 cm. *G. e.* 'Johnson's Blue', fleurs bleu clair, 45 cm. *G. e.* 'Wargrave Pink', fleurs rose clair, 45 cm. *G. grandiflorum,* rose magenta à veines rouges, 30-45 cm. *G. pratense,* fleurs bleues à veines rouges, 90 cm.	Le géranium se cultive en plein soleil ou à la mi-ombre dans une terre normalement fertile. Un sol trop riche donne des plants à pousses rampantes. Ne diviser les souches que si la floraison devient moins abondante. Les fleurs ne se prêtent pas à la confection de bouquets.	Par division au printemps ou par semis.
Graminées ornementales (appartenant à différents genres) Plantes à feuillage persistant ou caduc, cultivées pour leurs feuilles ornementales ou pour leurs gracieuses fleurs en épis ou en panicules s'épanouissant en été. Eviter de choisir des sujets envahissants. H 0,15-2,75 m ; E 0,30-1,20 m.	*Avena sempervirens,* gris-bleu, persistant, 90 cm. *Cortaderia selloana* (herbe des pampas), plante légère, 1,80-2,75 m. *Festuca ovina glauca,* feuillage persistant vert-bleu, 25 cm. *Miscanthus sinensis gracillimus,* vert-gris, 1,20-1,50 m. *Pennisetum alopecuroides,* épis de fleurs pourpres, 1,20 m. *Uniola latifolia,* panicules florales arquées, 60-75 cm.	La plupart de ces plantes se cultivent au soleil, dans un sol ordinaire. Plusieurs d'entre elles sont vigoureuses et exigent de fréquentes divisions. Donnent un bel effet en massifs ou comme arrière-plan lorsqu'on les utilise avec goût et discrétion. Certaines peuvent servir à composer de gracieux bouquets, frais ou séchés.	Diviser les plants au printemps, ou semer à la même saison.
Gypsophile *(Gypsophila)* Plante d'une grande légèreté, se couvrant à la mi-été de panicules de petites fleurs vaporeuses qui font de beaux bouquets, frais ou séchés. H 0,30-1,20 m ; E 60-90 cm.	*G. paniculata,* fleurs simples, blanches, 0,90-1 m. *G. p.* 'Bristol Fairy', fleurs doubles, blanches, 1,20 m. *G. p.* 'Perfecta', grandes fleurs blanches, doubles, 0,90-1,20 m. *G. p.* 'Pink Star', fleurs doubles, roses, 45 cm. *G. repens bodgeri,* fleurs semi-doubles, rose clair, 30 cm. *G. r.* 'Rosy Veil', fleurs doubles, rose tendre à blanc, 45 cm.	Demande un sol neutre ou alcalin (pH de 7-7,5), bien drainé ; ajouter au besoin du calcaire broyé. Se cultive au soleil. Pailler dans les régions froides. Tuteurer les sujets de haute taille à l'aide de fines rames. Certaines variétés de *G. paniculata* sont greffées ; enfouir le point de greffe à 2,5 cm.	Semer les graines quand on peut s'en procurer ou prélever des boutures basales, au printemps.

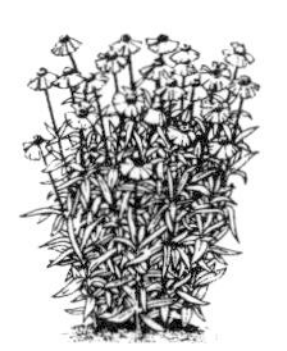

Hélénie
(Helenium 'Brilliant')

Hélianthe
(Helianthus decapetalus multiflorus)

Héliopside
(Heliopsis 'Golden Plume')

Hémérocalle
(Hemerocallis hybride)

Nom vulgaire et nom botanique, description générale	**Espèces et variétés**	**Soins particuliers, remarques**	**Multiplication** *(voir p. 204)*
Hélénie *(Helenium)* Plante cultivée pour son abondante production, de la fin de l'été à l'automne, de fleurs simples semblables aux marguerites, et pour son feuillage élégant. Belles fleurs pour bouquets. H 0,45-1,20 m ; E 30-60 cm.	La plupart des variétés sont des hybrides issus de *H. autumnale* et de *H. bigelovii.* *H. a. pumilum magnificum,* fleurs jaune foncé, 30-45 cm. *H.* 'Brilliant', tons d'orange cuivré, de rouge et de jaune, 90 cm. *H.* 'Butterpat', fleurs jaunes, 0,90-1,20 m. *H. hoopesii,* fleurs orange, plus précoces que les autres, 60 cm. *H.* 'Moerheim Beauty', teinte de rouge cuivré sombre, 75 cm.	Incorporer de la tourbe ou du compost au sol avant de planter et choisir un emplacement très ensoleillé ; la terre n'a pas besoin d'être riche. L'hélénie prospère en sol humide et n'a généralement pas besoin de supports. Elle n'est pas broutée par les lapins.	Diviser les plants au printemps. Semer au printemps.
Hélianthe ou tournesol *(Helianthus)* Plante peu délicate, mais qui attire l'attention par ses nombreuses fleurs simples ou doubles semblables aux dahlias. Fleurit à la fin de l'été et au début de l'automne. H 1,20 m ; E 60-90 cm.	Hybrides issus pour la plupart de *H. decapetalus multiflorus.* Leur origine est rarement précisée. *H. d. m. florepleno,* grandes fleurs doubles jaunes, 1,20 m. *H. d. m. f.* 'Loddon Gold', fleurs doubles jaunes, 1,20 m. *H.* 'Golden Pyramid', fleurs simples jaunes, feuilles très fines, 1,20 m.	Demande une exposition en plein soleil et une terre normale. Les plants se multiplient rapidement et doivent être fréquemment divisés. Si elles ne sont pas divisées, certaines variétés à fleurs doubles donnent des fleurs simples.	Diviser les pieds au printemps. Graines, rares dans le commerce, à semer au printemps.
Héliopside ou tournesol orange *(Heliopsis)* Plante appréciée pour sa floraison en fin d'été. Fleurs doubles ou semi-doubles, de 8 à 10 cm, portées sur de longues tiges. Font de beaux bouquets. H 0,60-1,50 m ; E 45-60 cm.	*H. helianthoides pitcheriana,* doubles et jaune foncé, 1,50 m. *H. scabra incomparabilis,* semi-doubles et jaunes, 90 cm. Les hybrides qui suivent sont issus de *H. scabra.* *H.* 'Golden Plume', doubles et jaunes à cœur verdâtre, 0,90-1 m. *H.* 'Gold Greenheart', doubles et jaunes à cœur vert, 90 cm. *H.* 'Hohlspiegel', semi-doubles, jaunes et dentelées, 90 cm. *H.* 'Summer Sun', doubles et jaune vif, 90 cm.	L'héliopside se cultive dans une terre ordinaire, en plein soleil. Demande des apports d'humidité en période de sécheresse, mais les pluies prolongées endommagent fleurs et tiges. N'a généralement pas besoin de tuteurs ; se cultive somme toute sans problème.	Diviser les souches au printemps ; semer au printemps (on ne trouve pas des graines de toutes les variétés).
Hémérocalle *(Hemerocallis)* Grandes fleurs généralement simples, en forme de trompette, à pétales et sépales de grande taille ; parfois parfumées. Fleurit de la mi-printemps à l'automne, selon les variétés. Feuilles persistantes ou caduques, étroites et ensiformes, gracieusement arquées. H 0,40-1,20 m ; E 0,60-1,20 m.	Il existe des centaines d'hybrides d'origine mixte, offrant toutes les couleurs, sauf le bleu et le blanc pur, et affectant diverses formes. On les choisit selon leur floraison : hâtive, normale ou tardive, et en fonction de leur hauteur. Les sujets à floraison nocturne s'épanouissent en soirée et les fleurs persistent un jour ou deux. Les formes triploïdes ont des pétales épais et résistent bien aux intempéries. L'hémérocalle jaune *(H. flava)* et l'hémérocalle fauve *(H. fulva)* sont les hybrides les plus répandus.	Se cultive en plein soleil ou à la mi-ombre. Elle donnera des fleurs plus belles et plus nombreuses si elle est plantée dans un sol riche en humus, et si elle est fertilisée au printemps et arrosée au printemps et en été. Pailler le sol en été pour garder l'humidité. Eviter les binages profonds : les racines charnues sont superficielles. Enlever les feuilles mortes au printemps. Diviser les plants tous les quatre ou cinq ans. Planter au printemps, en été ou au début de l'automne.	Diviser à la mi-printemps ou à la fin de l'été. Semer au printemps ou à la fin de l'été. Bouturer les pousses qui se forment souvent sur les tiges à la fin de l'été.

Heuchère couleur de sang
(Heuchera hybride*)*

Heucherella tiarelloides

Hibiscus hybride

Nom vulgaire et nom botanique, description générale	Espèces et variétés	Soins particuliers, remarques	Multiplication *(voir p. 204)*
Hémérocalle du Japon, voir Hosta **Herbe-aux-chats,** voir Nepeta **Herbe des papillons,** voir Asclépiade			
Heuchère couleur de sang *(Heuchera)* Petites fleurs gracieuses, en forme de clochette et portées par des tiges grêles, s'épanouissant au début de l'été et parfois de nouveau, un peu plus tard. Jolies en bouquets. Feuilles de longue durée, très décoratives. H 30-60 cm ; E 30-45 cm.	Hybrides de *H. sanguinea.* *H.* 'Bressingham Hybrids', coloris mélangés dans les tons de blanc, rose et rouge, 60 cm. *H.* 'Chatterbox', rose intense, 45 cm. *H.* 'Pluie de Feu', rouge cerise, 45 cm. *H.* 'Rosamundi', rose corail, 45 cm. *H.* 'White Cloud', de blanc à crème, 45 cm.	Planter au printemps, en plein soleil ou à la mi-ombre, dans un sol bien drainé, additionné d'une grande quantité d'humus. Enfouir le collet à 2,5 cm de profondeur. Au printemps, enlever les feuilles endommagées. Couper les tiges dont les fleurs se sont fanées pour favoriser une seconde floraison. En région froide, disposer un léger paillis pour empêcher les plants de se déchausser au tout début du printemps.	Diviser au printemps ; bouturer des feuilles garnies d'un bout de pétiole en été ; ou, encore, semer au printemps.
Heucherella *(Heucherella)* En été, fleurettes en forme de clochette groupées en étroites panicules. Les feuilles forment une touffe à ras de sol. Plante peu répandue. H 30-45 cm ; E 23-30 cm.	*H. tiarelloides,* hybride issu de *Heuchera brizoides* et de *Tiarella cordifolia,* fleurs carmin, 30-45 cm. *H. t. alba,* fleurs blanches, 45-50 cm.	Cultiver dans un endroit ensoleillé ou légèrement ombragé et dans un sol bien drainé auquel on incorporera une grande quantité de tourbe ou de compost. Rabattre les tiges florales au niveau du sol après la floraison. Jeunes feuilles souvent marquées de taches brunes, ce qui est un phénomène normal. La plante ne produit pas de graines.	Diviser les plants au printemps.
Hibiscus ou ketmie des marais *(Hibiscus)* Très belle plante de haute taille, portant d'énormes fleurs pouvant atteindre 25 cm de diamètre, à 5 pétales ou plus. La floraison se produit du milieu à la fin de l'été. H 1,20-1,80 m ; E 0,60-1,20 m.	Hybrides issus pour la plupart de *H. moscheutos.* *H.* 'Cotton Candy', fleurs rose tendre, 1 m. *H.* 'Crimson Wonder', fleurs rouges, 1,80 m. *H.* 'Mallow Marvels', coloris mélangés, culture par semis, 90 cm. *H.* 'Ruby Dot', fleurs blanches à gorge rouge, 1 m. *H.* 'Southern Belle', coloris mélangés, culture par semis, 1,20-1,50 m.	Prospère en plein soleil, dans une terre amendée par des apports de tourbe ou de compost : l'hibiscus exige beaucoup d'humidité. Les plantes obtenues à partir de semis faits tôt au printemps dans la maison fleurissent la même année. Plante facile à cultiver, mais supportant mal la transplantation. Dans les régions froides, garnir d'un paillis en automne afin de protéger les racines.	Diviser les pieds au printemps ; semer au printemps.

Hosta hybride

Incarvillée
(Incarvillea delavayi)

Lamier maculé
(Lamium maculatum)

Nom vulgaire et nom botanique, description générale	**Espèces et variétés**	**Soins particuliers, remarques**	**Multiplication** *(voir p. 204)*
Hosta ou hémérocalle du Japon *(Hosta)* Plante cultivée principalement pour son feuillage élégant et varié, bien que certaines formes produisent de jolies fleurs en forme d'entonnoir sur de longues tiges, du milieu à la fin de l'été. H 20-45 cm ; E 30-90 cm.	Il existe des espèces et des hybrides nombreux de hosta, mais une certaine confusion règne dans les noms qu'on leur attribue. Les feuilles peuvent être lisses ou profondément nervurées, petites ou grandes, vertes ou vert bleuté, d'une seule teinte ou marginées de blanc ou de jaune crème, à marge lisse ou ondulée. Les fleurs sont blanches ou lilas, souvent parfumées. Les catalogues spécialisés présentent un bel assortiment de hosta, mais certaines espèces ne sont pas vraiment rustiques dans les zones inférieures à la zone 4.	Se cultive à l'ombre ou à la mi-ombre, dans un sol généreusement additionné de compost ou de tourbe et modérément riche. Supprimer les hampes florales fanées. La multiplication spontanée donne des sujets de qualité inférieure. Attention aux limaces qui font des trous dans les feuilles et altèrent complètement l'apparence de la plante. Epandre des granulés contre ces insectes.	Diviser les plants au printemps ou au début de l'automne. La multiplication se fait rarement par semis, plusieurs formes ne produisant pas de graines.
Incarvillée *(Incarvillea)* Fleurs tubuleuses à deux lèvres s'épanouissant à la fin du printemps ou au début de l'été en bouquets qui s'élèvent bien au-dessus du feuillage. Feuilles très découpées. H 45-60 cm ; E 30 cm.	*I. delavayi,* fleurs rouge rosé à gorge jaune, 45-60 cm. *I. grandiflora* 'Brevipes', fleurs écarlates, 45 cm.	Se cultive dans un sol bien drainé. Les sols qui gardent l'eau en hiver peuvent être fatals à cette plante. Dans les régions à climat froid, pailler à l'automne ou déterrer les plants et les garder au frais en couvrant bien les racines de terre ; ne pas laisser sécher les plantes au point où les racines deviendraient rabougries.	Par division au printemps (les racines étant charnues, l'opération est difficile à réussir). Semer au printemps ; les plants ne fleurissant pas avant deux ou trois ans, attendre ce moment pour les mettre en place définitivement.
Iris, voir p. 307 **Ketmie des marais,** voir Hibiscus			
Lamier *(Lamium)* Epis de petites fleurs à capuchon qui éclosent au printemps et persistent plusieurs semaines. Feuilles souvent panachées. Convient à un jardin de fleurs sauvages ou comme plante tapissante. H 25-60 cm ; E 90 cm et plus.	*L. galeobdolon variegatum* (ortie jaune), fleurs jaunes, 30-45 cm. *L. garganicum,* fleurs rouges, 30 cm. *L. maculatum* (lamier maculé), fleurs pourpres, 25-30 cm. *L. m. album,* fleurs blanches, 30 cm. *L. m.* 'Chequers', fleurs bleu améthyste, 15-20 cm.	Se cultive à l'ombre ou à la mi-ombre, dans un sol humide, sauf *L. garganicum* qui tolère un sol sec. *L. galeobdolon variegatum* préfère un sol alcalin ou légèrement acide. On évitera de placer ces plantes dans des plates-bandes, car elles émettent des stolons et deviennent rapidement envahissantes.	Diviser les plants au printemps ou prélever des boutures en été.
Langue-de-bœuf, voir Buglosse			

Lavande vraie
(Lavandula officinalis)

Liatris en épi
(Liatris spicata)

Limonium latifolium

Lin vivace
(Linum perenne)

Nom vulgaire et nom botanique, description générale	**Espèces et variétés**	**Soins particuliers, remarques**	**Multiplication** *(voir p. 204)*
Lavande *(Lavandula)* Compose de charmantes bordures avec son feuillage vert-gris et ses épis de petites fleurs lavande qui s'ouvrent au début du printemps. On peut faire sécher les fleurs et les utiliser en sachets pour parfumer les armoires. H 0,30-1,20 m ; E 30-45 cm.	*L. dentata,* fleurs pourprées, 90 cm. *L. officinalis* ou *L. spica* (lavande vraie), bleu-gris, 0,90-1,20 m. *L. o.* 'Hidcote', bleu violet foncé, 45 cm. *L. o.* 'Munstead Dwarf', bleu lavande intense, 30 cm. *L. stoechas* (lavande pourpre), 45-90 cm.	La lavande se cultive au soleil, dans une terre bien drainée et de préférence alcaline. Plante sous-arbustive dont les formes naines sont cultivées en plates-bandes. Dans les régions à climat doux, les formes de haute taille sont cultivées et taillées pour former une haie basse. Faire sécher les fleurs au soleil ou dans un endroit sec et bien aéré après les avoir cueillies en plein épanouissement.	Prélever des boutures semi-aoûtées à talon (comportant un petit morceau de la tige principale) en été. Ou multiplier par semis.
Liatris ou liatride *(Liatris)* Hauts épis de fleurs en plumets qui s'épanouissent au-dessus d'un feuillage linéaire à la fin de l'été. Dans la plupart des cas, la floraison commence au sommet de l'épi et se poursuit en descendant. H 0,60-1,50 m ; E 45 cm.	*L. pycnostachya* (liatris du Kansas), rose lavande, 1,50 m. *L. scariosa,* fleurs pourpres, 60-90 cm. *L. s.* 'September Glory', fleurs pourpres s'épanouissant toutes en même temps, 1,50 m. *L. s.* 'White Spire', fleurs blanches s'épanouissant toutes à la fois, 1,50 m. *L. spicata* (liatris en épi), fleurs pourpres, 90 cm. *L. s. montana* 'Kobold', épis denses, pourpre intense, 45-60 cm.	Prospère au soleil ou à l'ombre légère dans une terre bien drainée, modérément fertile. Ne tolère pas un sol détrempé en hiver. Les espèces de haute taille ont besoin de tuteurs. Diviser tous les quatre ou cinq ans. Plante de culture facile donnant de belles fleurs coupées qui sèchent bien. Elle attire les abeilles.	Diviser les tubercules au printemps ; semer au printemps.
Limonium *(Limonium)* Jolies panicules de petites fleurs, vers le milieu ou la fin de l'été. Feuilles coriaces, semi-persistantes. H 45-60 cm ; E 60-90 cm.	*L. latifolium,* lavande, 45-60 cm. *L. l.* 'Collier's Pink', fleurs roses, 45 cm. *L. l.* 'Violetta', bleu violacé intense, 45 cm.	On obtient les meilleurs résultats en cultivant le limonium en plein soleil, dans un sol sablonneux. Il supporte bien le voisinage de la mer. Ne pas le déplacer. Cette plante a de très longues racines ; creuser des trous profonds au moment de la plantation.	Semer au printemps. Racines ligneuses ; les diviser au printemps.
Lin *(Linum)* Tiges grêles portant d'innombrables fleurs délicates à 5 pétales qui s'épanouissent de façon intermittente en été. Feuilles vert-bleu en forme d'aiguilles, sauf chez *L. flavum* dont les feuilles sont larges. H 30-60 cm ; E 30-60 cm.	*L. flavum,* fleurs jaunes, 45 cm. *L. narbonnense* (lin de Narbonne), bleu azur à cœurs blancs, 45-60 cm. *L. n.* 'Heavenly Blue', bleu intense, 30-45 cm. *L. perenne* (lin vivace), bleu clair, 60 cm. *L. p. album,* fleurs blanches, 60 cm. *L. p.* 'Tetra Red', fleurs rouges, 45 cm.	Prospère au soleil dans un sol bien drainé ; ne tolère pas un sol détrempé en hiver. Enlever les fleurs mortes pour prolonger la floraison et non parce que les gousses de semences pourraient causer des problèmes. Placer ces plantes délicates à l'avant des bordures.	Semer au printemps. Prélever des boutures basales au printemps et des boutures de tiges non fleuries en été. Plante difficile à diviser.

Liriope muscari

Lobélie cardinale
(Lobelia cardinalis)

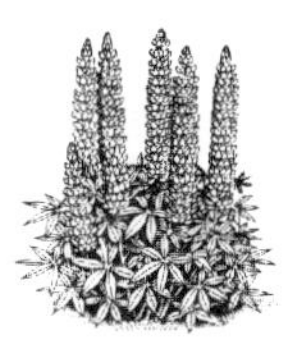

Lupin
(Lupinus hybride*)*

Lychnide coronaire
(Lychnis coronaria)

Nom vulgaire et nom botanique, description générale	Espèces et variétés	Soins particuliers, remarques	Multiplication *(voir p. 204)*
Liriope *(Liriope)* Plante gracieuse à feuilles linéaires arquées, de texture coriace. De la mi-été à l'automne, épis floraux qui se mettent bien en bouquet. H 30-45 cm ; E 30-60 cm.	*L. muscari,* fleurs d'un violet intense, 45 cm. *L. m. exiliflora,* fleurs violet clair, hâtives, 30 cm. *L. m.* 'Majestic', violet foncé, en forme de crête de coq, 50 cm. *L. m. variegata,* lilas, feuilles ourlées de jaune, 30 cm. *L. spicata,* de violet clair à blanc, 23 cm.	Prospère en plein soleil au voisinage de la mer, en position à demi ombragée ailleurs. *L. spicata* se cultive en zone 5, les autres en zone 6. Exige beaucoup d'humidité, mais tolère de courtes périodes de sécheresse. En région froide, les feuilles risquent de brunir à la fin de l'hiver et seront supprimées au printemps.	Diviser les touffes ou les rhizomes au début du printemps. La multiplication spontanée donne des sujets de qualité inférieure. *L. spicata* s'étale par racines tubérisées.
Lobélie *(Lobelia)* Petites fleurs tubuleuses à deux lèvres, groupées en épis et fleurissant de la mi-été au début de l'automne. Excellent sujet à cultiver dans les sous-bois ou près d'un cours d'eau. H 0,60-1,20 m ; E 30-45 cm.	*L. cardinalis* (lobélie cardinale), rouge écarlate, 0,90-1,20 m. *L. c. alba,* fleurs blanches, variété rare, à multiplier par boutures, 0,90-1,20 m. *L. siphilitica* (cardinale bleue), fleurs bleu profond, 60-90 cm.	Se cultive dans un endroit légèrement ou moyennement ombragé, dans un sol bien drainé, humifère. Pailler en été pour conserver l'humidité. Lorsque la couverture neigeuse ne dure pas tout l'hiver, pailler une fois que le sol est gelé. Courte vie mais multiplication spontanée. Donne des fleurs coupées qui durent longtemps. Zone 5.	Diviser les plants tout de suite après la floraison ou tôt au printemps ; semer au printemps.
Lupin *(Lupinus)* Plante couronnée d'épis dont les fleurs, semblables à celles des pois, s'épanouissent du milieu à la fin du printemps au-dessus d'un feuillage très divisé. Des formes naines ont fait récemment leur apparition. H 45-90 cm ; E 15-45 cm.	La grande majorité des lupins cultivés au jardin sont issus de croisements entre *L. polyphyllus* et *L. arboreus* et de recroisements entre hybrides. Connues sous le nom de 'Russell Hybrids', ces plantes atteignent 90 cm et leur palette groupe le rouge, le rose, le bleu, le jaune, le saumon et le pourpre ; certaines fleurs sont bicolores. Parmi les formes naines de 45 cm de haut se trouvent 'Little Lulu' et 'Minarette'.	Le lupin préfère un sol bien drainé et amendé par des apports importants de compost ou de tourbe, une exposition en plein soleil. Prospère dans les régions à climat frais. Enlever les hampes de fleurs fanées à moins de vouloir favoriser la multiplication spontanée. Faire tremper les graines 12 heures dans l'eau.	Semer au printemps ; traiter les graines à la poudre de nitrate, comme celles des pois. Prélever des boutures basales au printemps.
Lychnide *(Lychnis)* Les lychnides présentent des fleurs très différentes d'une espèce à l'autre, depuis des épis dressés jusqu'à des inflorescences arrondies et lâches. La floraison se produit du milieu à la fin de l'été selon les espèces. H 45-90 cm ; E 15-30 cm.	*L. chalcedonica* (croix-de-Malte), rouge franc, 75-90 cm. *L. c. alba,* fleurs blanches, moins frappantes que celles ci-dessus, 75-90 cm. *L. coronaria* (lychnide coronaire, coquelourde des jardins), fleurs pourpres, 60 cm. *L. haageana* (hybride de *L. fulgens* et *L. coronata sieboldii*), fleurs rouge orangé, 30 cm. *L. viscaria* (lychnide visqueuse), fleurs pourpres, 30-45 cm. *L. v. splendens flore pleno,* fleurs doubles roses, 30-45 cm.	Cultiver cette plante en plein soleil, dans une terre très bien drainée. Certaines variétés durent peu longtemps, mais elles se renouvellent facilement par semis.	Semer au printemps. Diviser les pieds au printemps.

Lysimaque de Chine
(Lysimachia clethroides)

Lythrum 'Morden's Pink'

Monarde pourpre
(Monarda didyma 'Adam')

Muguet
(Convallaria majalis)

Nom vulgaire et nom botanique, description générale	**Espèces et variétés**	**Soins particuliers, remarques**	**Multiplication** *(voir p. 204)*
Lysimaque *(Lysimachia)* Plantes très spectaculaires. Les deux espèces décrites ci-contre diffèrent par la forme de leurs fleurs et leur période de floraison. Donnent une bonne fleur coupée. H 75-90 cm ; E 30 cm.	*L. clethroides* (lysimaque de Chine), épis de fleurs blanches, arqués comme le cou d'une oie, à la fin de l'été, 90 cm. *L. punctata* (lysimaque ponctuée), petites fleurs jaunes groupées en verticilles, au début de l'été, 75-90 cm.	Les lysimaques préfèrent un endroit ensoleillé ou à demi ombragé, un sol humide, moyennement riche et retenant bien l'humidité. Ajouter au besoin du compost ou de la tourbe et arroser en période de sécheresse. Peut avoir besoin de tuteurs. Cette plante se multiplie rapidement et peut devenir envahissante, mais elle s'arrache facilement.	Diviser les plants au printemps. Plante rhizomateuse.
Lythrum ou salicaire *(Lythrum)* Grands épis spiralés de petites fleurs rapprochées. Longue période de floraison allant de la mi-été au début de l'automne. Demande très peu de soins. H 0,40-1,80 m ; E 30-60 cm.	Variétés de *Lythrum* descendant probablement de *L. salicaria* ou de *L. virgatum.* *L.* 'Dropmore Purple', fleurs pourpres, 0,90-1,20 m. *L.* 'Happy', rose foncé, 40-45 cm. *L.* 'Morden's Gleam', carmin vif, 0,90-1,20 m. *L.* 'Morden's Pink', rose clair, 0,90-1,20 m. *L.* 'Robert', rose-rouge vif, 60 cm.	Prospère au soleil ou à la mi-ombre dans une terre normale. Tolère les terrains humides et se place bien dans un environnement sauvage. Les hybrides sont moins envahissants que les espèces. Plantes d'une grande longévité et dont la culture est généralement aisée. Une croissance sans vigueur indique que la plante manque d'eau.	Diviser les plants au printemps.
Monarde *(Monarda)* Fleurs tubuleuses réunies en bouquets très denses et s'épanouissant du milieu à la fin de l'été. Tiges quadrangulaires ; feuillage à odeur de menthe. Bonne plante pour la fleur coupée. H 60-90 cm ; E 60 cm.	*M. didyma* 'Adam' (monarde pourpre), rouge rubis, 60-90 cm. *M. d.* 'Croftway Pink', fleurs rose foncé, 60-90 cm. *M. d.* 'Mahogany', rouge vin, 60-90 cm. *M. d.* 'Melissa', rose tendre, 60-90 cm. *M. d.* 'Snow Queen', fleurs blanches, 60-90 cm. *M. fistulosa* (monarde fistuleuse), lavande, blanches, 90 cm ; l'espèce la plus rustique.	Pour obtenir les meilleurs résultats, cultiver la monarde en plein soleil, même si elle supporte la mi-ombre. L'espèce tolère un sol plus sec que les hybrides, mais toutes les monardes demandent beaucoup d'humidité en été. Diviser les plants tous les trois ans pour stimuler la floraison.	Semer au printemps. Diviser les plants au printemps.
Muguet *(Convallaria)* Plante bien connue pour ses fleurs parfumées et cireuses, en forme de clochette, blanches ou rosées, qui s'épanouissent au printemps. Constitue une belle plante tapissante pour les emplacements ombragés. Fruits vénéneux. H 15-20 cm ; E 60 cm et plus.	*C. majalis,* fleurs blanches, 15-20 cm. Les formes suivantes sont très rares : *C. m. florepleno,* fleurs doubles, blanches, 15-20 cm. *C. m. fortunei,* fleurs blanches, 30 cm. *C. m. rosea,* fleurs roses, 15-20 cm. *C. m. striata,* fleurs blanches, feuilles panachées, 15-20 cm.	Planter les griffes (rhizomes) dans une terre enrichie d'humus, en position ombragée. Une bonne fertilisation donne des fleurs plus grosses et plus nombreuses ; fertiliser lorsque les organes aériens sont morts, à raison de trois poignées d'engrais organique par mètre carré.	Diviser en segments individuels au début de l'automne. La division ne s'impose que lorsque la floraison ralentit.

Nepeta faassenii

Œillet mignardise
(Dianthus plumarius hybride)

Onagre pérennante
(Oenothera fruticosa youngii)

Orpin des jardins
(Sedum spectabile)

Nom vulgaire et nom botanique, description générale	**Espèces et variétés**	**Soins particuliers, remarques**	**Multiplication** *(voir p. 204)*
Nepeta ou chataire *(Nepeta)* Plante quelque peu rampante à petites feuilles vert-gris ; épis de 13 cm groupant de petites fleurs lavande qui s'épanouissent à partir du début de l'été et souvent jusqu'à l'automne. H 23-30 cm ; E 45 cm.	*N. cataria* (herbe-aux-chats ou chataire commune) est une espèce peu ornementale dont les chats cependant raffolent. Il vaut mieux la cultiver à l'écart. *N. faassenii,* hybride, fleurs lavande pâle, 45 cm.	Se cultive en plein soleil dans un sol sablonneux et bien drainé. Excellente plante pour le voisinage de la mer. La tailler après la première floraison pour en favoriser une seconde. N'a pas besoin de tuteurs lorsqu'elle pousse en plein soleil dans une terre peu riche.	Diviser les plants au printemps. Prélever des boutures de tiges en été. Semer des graines de *N. cataria* ; *N. faassenii* ne produit pas de semences.
Œillet *(Dianthus)* Fleurs simples ou doubles, très persistantes, certaines frangées, la plupart parfumées. Feuilles étroites. Coloris : rose, rouge, saumon, jaune ou blanc, souvent avec une bordure de teinte contrastante autour de l'œil central. H 30-60 cm ; E 30 cm.	Hybrides de *D. allwoodii,* fleurs doubles ou simples, 30-45 cm. Hybrides de *D. caryophyllus* (œillet des fleuristes), 45-60 cm. (A ce groupe appartiennent l'œillet grenadin et les divers œillets à grandes fleurs des fleuristes, inscrits dans les catalogues.) Hybrides de *D. plumarius* (œillet mignardise), fleurs simples ou doubles, 30-45 cm.	Les œillets poussent mieux en climat frais et doivent être cultivés en plein soleil. Ils préfèrent un sol légèrement alcalin mais très bien drainé. Les hybrides de *D. caryophyllus* demandent une terre plus riche que les autres. Supprimer les fleurs fanées pour prolonger la floraison. Pincer les boutons latéraux de *D. caryophyllus* pour obtenir des fleurs plus grosses.	Semer au printemps ; à la mi-été, prélever des boutures de tiges latérales vigoureuses et non fleuries.
Onagre *(Oenothera)* Grandes fleurs de 4 cm de diamètre ou davantage apparaissant du début à la mi-été et persistant durant de nombreuses semaines. Feuillage de peu d'intérêt. H 20-60 cm ; E 30-45 cm.	*O. fruticosa youngii* ou *O. tetragona* (onagre pérennante), fleurs jaunes, 60 cm. *O. f. y.* 'Fireworks', fleurs jaunes à boutons rouges, 45 cm. *O. f. y.* 'Highlight', fleurs jaune d'or, 45 cm. *O. f. y.* 'Yellow River', jaune serin, 30-45 cm. *O. missourensis* (onagre du Missouri), fleurs jaunes, 20-30 cm.	Installer les plants dans un endroit ensoleillé et une terre légère, bien drainée. *O. missourensis* met du temps à sortir de terre au printemps ; repérer son emplacement pour ne pas déranger la plante. Toutes les onagres s'étalent généreusement ; *O. missourensis* est même envahissante. Arroser abondamment en période de sécheresse.	Diviser les plants tôt au printemps.
Orpin *(Sedum)* Plantes à feuilles succulentes, garnies de grandes panicules composées d'une multitude de petites fleurs naissant à la fin de l'été ou au début de l'automne. L'orpin est ornemental même lorsqu'il n'est pas en fleur. H 38 cm ; E 30-38 cm.	*S. spectabile* (orpin des jardins), fleurs roses, 38 cm. *S. s.* 'Brilliant', rouge carmin, 38 cm. *S. s.* 'Meteor', rouge vin, 38 cm. *S. s.* 'Star Dust', fleurs blanc ivoire, feuilles vert-bleu, 38 cm. *S. telephium* 'Autumn Joy' (grassette), brun-roux, 38 cm. *S. t.* 'Indian Chief', rouge cuivre, 38 cm.	Plante de culture facile. Placer en plein soleil et dans une bonne terre bien drainée. Les sols humides, surtout en hiver, entraînent la pourriture du collet. L'orpin supporte la sécheresse et est généralement exempt de ravageurs. Diviser pour maintenir une bonne floraison.	Diviser au printemps. Même les petits fragments sans racines s'établissent facilement.

Pavot d'Orient
(Papaver orientale hybride*)*

Phlox paniculata hybride

Physostégie de Virginie
(Physostegia virginiana)

Nom vulgaire et nom botanique, description générale	Espèces et variétés	Soins particuliers, remarques	Multiplication *(voir p. 204)*
Ortie jaune, voir Lamier **Panicaut,** voir Erynge **Passerose,** voir Rose trémière			
Pavot *(Papaver)* Belles fleurs, simples pour la plupart, présentant souvent un cœur noir. Courte floraison au début de l'été. Feuillage basal, racines charnues. H 75-90 cm ; E 45-60 cm.	Hybrides de *P. orientale* (pavot d'Orient). Il en existe des douzaines ; en voici quelques-uns. *P. o.* 'Barr's White', fleurs blanches panachées de pourpre. *P. o.* 'Carmine', rouge cardinal, panachures noires. *P. o.* 'Crimson Pompom', fleurs doubles, rouges. *P. o.* 'Pandora', rose saumon, panachures rouges. *P. o.* 'Show Girl', fleurs blanc et rose à pétales froncés.	Demande un sol bien drainé et un endroit ensoleillé. Certains sujets ont besoin de tuteurs : utiliser des cannes ou de fortes rames. Pour garder les fleurs en bouquets, brûler le bout des tiges et mettre les fleurs immédiatement dans l'eau. Le feuillage meurt peu après la floraison et repousse plus tard. De nouvelles plantes germent à la fin de l'été sous forme de racines sans feuilles.	Diviser au début du printemps. Semer au printemps. Prélever des boutures de racines en été.
Petit cyprès, voir Santoline			
Phlox *(Phlox)* Groupe intéressant de plantes à floraison printanière ou estivale. *P. paniculata* est l'espèce la plus frappante avec ses grandes inflorescences qui fleurissent une première fois à la mi-été, puis de façon intermittente jusqu'aux gels. H 0,13-1 m ; E 30-60 cm.	*P. carolina* 'Miss Lingard', ou *P. suffruticosa* 'Miss Lingard', fleurs blanches, début de l'été, 75 cm. *P. divaricata,* fleurs bleues, du milieu à la fin de l'été, 40 cm. Hybrides de *P. paniculata ;* tous les coloris sauf le jaune et l'orange, de la mi-été au début de l'automne, 0,60-1 m. *P. stolonifera* 'Blue Ridge', bleu clair, fin du printemps, 15 cm.	Emplacement ensoleillé sauf pour *P. divaricata* et *P. stolonifera* qui préfèrent l'ombre. *P. paniculata* demande un sol substantiel, beaucoup d'eau en été, des divisions fréquentes, des arrosages contre le tétranyque à deux points et le mildiou. Enlever les fleurs fanées pour empêcher la multiplication spontanée. Les plantes âgées émettent de nombreux rejets : couper les moins vigoureux.	Diviser les plants au printemps. Prélever des boutures terminales en été, et, pour *P. paniculata,* des boutures de racines.
Physostégie *(Physostegia)* De la mi-été au début de l'automne apparaissent des épis nombreux de petites fleurs tubuleuses. Feuilles petites, bien découpées. Donne de belles fleurs coupées. H 60-90 cm ; E 45-60 cm.	*P. virginiana* (physostégie de Virginie), pourpre, 90 cm. *P. v. alba,* fleurs blanches, 45-60 cm. *P. v.* 'Bouquet Rose', 75-90 cm. *P. v. variegata,* fleurs roses, feuilles vert et blanc, 75 cm. *P. v.* 'Vivid', rose intense, 60 cm.	Se cultive au soleil ou à la mi-ombre dans une terre bien drainée mais gardant l'humidité. Diviser tous les deux ou trois ans en éliminant le centre de la souche. Arroser durant les périodes de sécheresse. Plante dite « obéissante » : si l'on déplace les fleurs sur la tige, elles restent ainsi.	Semer au printemps. Diviser les plants au printemps, en éliminant le centre de la souche.

Pied-d'alouette
(Delphinium elatum hybride*)*

Pigamon (colombine plumacée)
(Thalictrum aquilegifolium)

Pivoine de Chine
(Paeonia lactiflora hybride*)*

Nom vulgaire et nom botanique, description générale	**Espèces et variétés**	**Soins particuliers, remarques**	**Multiplication** *(voir p. 204)*
Pied-d'alouette *(Delphinium)* Genre très apprécié de plantes décoratives aux feuilles très découpées. Grands épis chargés de fleurs (formes de *D. elatum*) ou épis plus courts et moins chargés de fleurs (formes de *D. belladonna*) s'épanouissant du début à la fin de l'été. Chaque fleur se compose de 5 sépales de couleur vive, dont un garni d'un éperon. Les pétales, plus petits et souvent serrés, portent le nom d'« œil ». Les inflorescences bicolores sont les plus remarquables. H 0,75-1,80 m ; E 30-90 cm.	Hybrides de *D. belladonna,* fleurs blanches, nuances de bleu, 0,90-1,50 m. *D.* 'Connecticut Yankee', fleurs bleues, pourpres, lavande ou blanches, 75 cm. Hybrides de *D. elatum* (y compris les hybrides 'Pacific' et 'Blackmore and Langdon'), tons de bleu, pourpre, rose et blanc, souvent avec un « œil » de teinte contrastante.	Le pied-d'alouette se cultive en plein soleil, dans une terre amendée d'humus et légèrement alcaline. Fertiliser généreusement, arroser abondamment et tuteurer les variétés de haute taille très tôt, avant qu'elles ne plient. Utiliser des fongicides contre le mildiou et la tache noire et un insecticide contre les mites du cyclamen. Pailler en hiver dans les régions froides ou rentrer les plants sous châssis froid.	Diviser les plants tôt au printemps ou prélever des boutures basales ; semer tôt dans la maison : les plants fleuriront à l'été.
Pigamon *(Thalictrum)* Feuillage vert-gris ou vert-bleu de belle qualité, semblable à celui de la capillaire. Panicules lâches de fleurs minuscules à la fin du printemps ou en été. H 0,60-1,20 m ; E 45-60 cm.	*T. aquilegifolium* (colombine plumacée), crème, début d'été, 60-90 cm. *T. a. roseum,* fleurs roses, début d'été, 60-90 cm. *T. dipterocarpum,* rose-pourpre, fin d'été, 0,90-1,20 m, zone 5. *T. rochebrunianum,* pourpre clair, mi-été, 0,90-1,20 m. *T. speciosissimum* ou *T. glaucum* (pigamon glauque), fleurs jaunes, mi-été, 0,90-1,20 m.	Se cultive au soleil ou à la mi-ombre dans un sol bien drainé quoique humifère. Quelque peu difficile à transplanter. S'étale progressivement avec le temps, mais ne devient jamais envahissant. Non brouté par les lapins. Facile à cultiver ; produit un très joli effet à cause de son feuillage d'une grande légèreté qu'offrent peu d'autres plantes.	Semer les graines dès qu'elles sont mûres au printemps. Diviser les plants au printemps.
Pivoine *(Paeonia)* Plante durable à grosses fleurs simples, semi-doubles ou doubles, souvent parfumées, s'épanouissant à la fin du printemps. Beau feuillage en toutes saisons. Les fleurs se conservent bien en bouquets. H 0,60-1,20 m ; E 0,60-1,20 m.	Hybrides de *P. lactiflora* (pivoine commune ou de Chine). Ce sont les pivoines les plus répandues, à fleurs simples, semi-doubles ou doubles, blanches, crème presque jaune, roses, rose saumoné et rouges. *P. suffruticosa* (pivoine en arbre), plante arbustive comportant plusieurs formes et les mêmes coloris que ci-dessus augmentés du jaune. La plante ne meurt pas en hiver ; seules ses feuilles tombent. Placer dans un endroit abrité. Les variétés n'ont pas toutes la même rusticité ; vérifier sur place.	Les pivoines se cultivent en plein soleil, dans une terre bien drainée. Les pivoines en arbre préfèrent un sol un peu alcalin, les autres un sol légèrement acide. Enfouir les yeux des plantes herbacées à 4 cm dans le sol, ceux des plantes arbustives à 15 cm. Pailler le premier hiver. Couper les fleurs dès qu'elles sont fanées. Rabattre les tiges des formes herbacées au ras du sol en automne. Au printemps, vaporiser contre le botrytis.	A la fin de l'été, diviser en segments comportant de 3 à 5 yeux. Les espèces en arbre sont souvent greffées ; on ne les divise pas.

Pois vivace
(Lathyrus latifolius albus)

Polémoine bleue
(Polemonium caeruleum)

Pomme de mai
(Podophyllum peltatum)

Potentille du Népal
(Potentilla nepalensis hybride*)*

Nom vulgaire et nom botanique, description générale	**Espèces et variétés**	**Soins particuliers, remarques**	**Multiplication** *(voir p. 204)*
Pois vivace *(Lathyrus)* Plante grimpante ou rampante à bouquets de fleurs durables, s'épanouissant de la mi-été au début de l'automne. Utile pour habiller les clôtures ou pour couvrir le sol. Bonnes fleurs coupées. Voir p. 273 le pois de senteur annuel. H 1,80-2,75 m ; E 60 cm.	*L. latifolius albus,* fleurs blanches, 1,80-2,75 m. *L. l. roseus,* fleurs roses, 1,80-2,75 m. On trouve le pois de senteur en coloris mélangés, sous forme de plants ou de graines.	Cette plante se cultive en plein soleil, dans une terre bien drainée. Elle doit être tuteurée à moins de pousser sur un talus ou sur des rochers. Supprimer les fleurs fanées pour favoriser la floraison. Dégager les tiges sarmenteuses de leur support lorsque le gel les a tuées et les jeter. Plante facile à cultiver.	Semer au printemps après avoir fait tremper les graines pendant une douzaine d'heures afin d'accélérer la germination.
Polémoine bleue ou échelle de Jacob *(Polemonium)* Cette plante se caractérise surtout par un feuillage finement découpé et par de petites fleurs bleu clair, en forme d'entonnoir, groupées en grappes lâches et s'épanouissant au printemps ou au début de l'été. H 20-90 cm ; E 30-60 cm.	*P. caeruleum,* fleurs bleues, 30-90 cm. *P. c. album,* fleurs blanches, 35 cm. *P. c.* 'Blue Pearl', bleu clair à cœur jaune, 20-25 cm. *P. reptans,* fleurs bleues, plante tapissante, 20 cm.	Les polémoines préfèrent la mi-ombre et un sol de fertilité moyenne. En plein soleil, leurs feuilles risquent de jaunir à la mi-été, surtout en période de sécheresse. Les formes prostrées sont ravissantes dans les rocailles.	Semer au printemps. Diviser les plants au printemps, sauf *P. caeruleum* et ses hybrides qui seront divisés à l'automne.
Pomme de mai *(Podophyllum)* Larges feuilles dentées. Grandes fleurs en coupelle, inclinées, s'ouvrant à la fin du printemps et suivies de fruits en forme de citron, comestibles lorsqu'ils sont mûrs. Feuilles et racines vénéneuses. H 45 cm ; E 30 cm.	*P. peltatum,* fleurs blanches, 45 cm.	La pomme de mai se cultive dans un sol de préférence humide, mais c'est une plante tolérante. Prospère à l'ombre. Convient à un jardin de fleurs sauvages ou lorsqu'on recherche une plante tapissante à feuillage caduc. Les sujets s'étalent rapidement et présentent un système radiculaire épais et fibreux. Zone 6.	Diviser les plants au début de l'automne. Semer en automne.
Potentille *(Potentilla)* Plante renommée pour ses fleurs simples qui se succèdent durant tout l'été. Feuilles comportant 3 à 5 folioles. Voir p. 333 les formes à port prostré. On connaît surtout la potentille arbustive (p. 150) à fleurs semblables à celles-ci. H 15-30 cm ; E 30-60 cm.	Hybrides de *P. nepalensis* (potentille du Népal). *P. n.* 'Miss Willmott', d'un écarlate rosé vif, 30 cm. *P. recta warrenii* (potentille droite), fleurs jaunes, 30 cm. *P. tonguei,* fleurs jaunes, 30 cm.	Se cultive au soleil ou dans un endroit ombragé et dans une terre normalement fertile. Arroser durant les périodes de grande sécheresse. Les plants ont tendance à ramper et doivent être soutenus par des tuteurs. Les diviser tous les trois ou quatre ans pour avoir de meilleurs résultats. Rusticité non assurée dans la région des Prairies.	Semer au printemps. Diviser les plants au printemps. Prélever des boutures en été.

Primevère
(Primula polyanthus hybride)

Pulmonaire tachetée
(Pulmonaria saccharata)

Pyrèthre
(Pyrethrum roseum hybride)

Renoncule
(Ranunculus acris florepleno)

Nom vulgaire et nom botanique, description générale	Espèces et variétés	Soins particuliers, remarques	Multiplication *(voir p. 204)*
Primevère *(Primula)* Plantes ravissantes, renommées pour leur floraison printanière et offrant un vaste assortiment de coloris, de formes et de variétés. Les fleurs coupées se conservent longtemps. H 20-30 cm ; E 30 cm.	Plantes présentant des caractéristiques très variées. On connaît surtout l'hybride *P. polyanthus* et d'autres hybrides de *P. vulgaris.* Les hybrides de *P. auricula, P. beesiana, P. bulleyana, P. cortusoides, P. denticulata, P. japonica, P. sieboldii* et *P. veris* ou *P. officinalis* sont aussi renommés.	Cultiver les primevères à la mi-ombre, dans un sol acide amendé par de généreux apports de compost ou de tourbe pour qu'il conserve mieux l'humidité. Diviser les plants trop volumineux, en règle générale tous les deux ou trois ans. Les primevères prospèrent surtout dans les régions où les températures printanières sont fraîches.	Diviser les plants immédiatement après la floraison à la fin du printemps ou en été. Semer au printemps ou en automne.
Pulmonaire *(Pulmonaria)* Délicats bouquets de fleurs retombantes et minuscules s'épanouissant du milieu à la fin du printemps. Cette plante est souvent plus appréciée pour son feuillage large et rugueux qui demeure ravissant tout l'été. H 20-25 cm ; E 30-60 cm.	*P. angustifolia* (coucou bleu, petite pulmonaire), bleu vif, 20-25 cm. *P. saccharata* (pulmonaire tachetée), fleurs roses virant au bleu, feuilles tachetées de blanc, 30 cm. *P. s.* 'Mrs. Moon', bleu intense, 23 cm. *P. s.* 'Pink Dawn', fleurs roses, 23 cm.	Pousse à l'ombre, là où le sol demeure humide et frais. Les plants s'étalent assez rapidement ; les diviser quand ils perdent de leur vigueur. Bien arroser après la division. Excellente plante tapissante ou de bordure.	Diviser les plants à la fin de l'été.
Pyrèthre *(Pyrethrum)* Plante formant d'amples touffes. Grandes fleurs simples ou doubles sur de longues tiges, dominant des feuilles finement divisées et s'épanouissant durant de nombreuses semaines à la fin du printemps ou au début de l'été. Les fleurs coupées se conservent longtemps. H 0,60-1 m ; E 45 cm.	*P. roseum* ou *Chrysanthemum coccineum,* hybrides. *P. r.* 'Buckeye', fleurs semi-doubles, rose-rouge tachetées de blanc, 60 cm. *P. r.* 'Crimson Giant', fleurs simples, rouges, 1 m. *P. r.* 'Helen', fleurs doubles, rose clair, 75 cm. *P. r.* 'Snowball', fleurs doubles, blanches, 75 cm.	Cette plante prospère en plein soleil, dans un sol humide et assez riche. Rusticité non assurée là où le sol s'égoutte mal. Ne s'épanouit pleinement que par temps chaud. Rabattre après la floraison pour que celle-ci se reproduise. Non rustique dans la région des Prairies.	Semer au printemps. Diviser au printemps.
Renoncule ou bouton-d'or *(Ranunculus)* Fleurs doubles, satinées et cireuses, remarquables, apparaissant sur des tiges élancées, à la fin du printemps ou au début de l'été. H 45-60 cm ; E 45 cm.	*R. aconitifolius florepleno* (bouton-d'argent), fleurs doubles, blanches, 45 cm. *R. acris florepleno,* fleurs doubles, jaunes, 45-60 cm. *R. repens pleniflorus* (renoncule rampante), fleurs doubles, jaunes, 30-45 cm.	La renoncule se cultive au soleil ou à la mi-ombre, dans un sol qui doit être très humide. Avant la plantation, incorporer à la terre du compost ou de la tourbe et pailler au printemps. Elle peut avoir besoin de tuteurs dans les endroits mal protégés. Supprimer les fleurs fanées pour prolonger la floraison.	Diviser les plants au printemps.

Rose trémière
(Althaea rosea)

Rudbeckie
(Rudbeckia fulgida sullivantii 'Goldsturm'*)*

Rudbeckie pourpre
(Echinacea purpurea hybride*)*

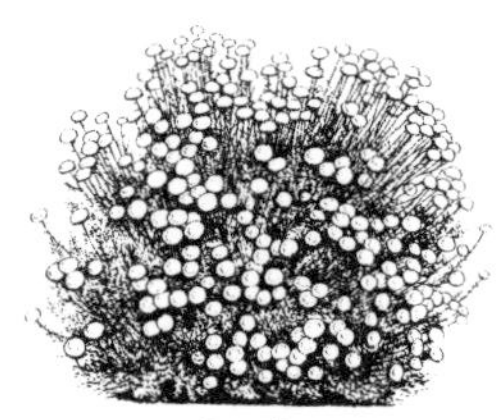

Santoline
(Santolina virens)

Nom vulgaire et nom botanique, description générale	Espèces et variétés	Soins particuliers, remarques	Multiplication *(voir p. 204)*
Rose trémière ou passerose *(Althaea)* Grandes hampes florales portant des fleurs simples ou doubles, parfois chiffonnées, de 10 à 15 cm de diamètre, s'épanouissant à la mi-été. Plante peu durable qu'on cultive souvent comme bisannuelle. H 0,90-2,50 m ; E 45 cm.	*A. rosea,* fleurs simples, nombreux coloris dont le rose, le rouge, l'abricot, le cuivre, le jaune et le blanc, 1,80-2,50 m. *A. r.* 'Chater's Double', fleurs rouges, roses, jaunes, blanches, pourpres ou panachées, 1,80 m. *A. r.* 'Majorette', fleurs doubles, coloris mélangés, 60 cm. *A. r.* 'Powderpuff', fleurs doubles, coloris mélangés, 1,20-1,50 m.	Se cultive en plein soleil, à l'arrière d'une bordure ou près d'une clôture ou d'un mur. Le feuillage est souvent marqué par la rouille. Les variétés de haute taille ont parfois besoin de tuteurs ; la variété 'Majorette', qui ne dépasse pas 60 cm, en a rarement besoin, sauf si elle est exposée au vent.	Semer au printemps ou au début de l'été. Certaines variétés fleurissent l'année même des semis faits au jardin, au printemps.
Rudbeckie *(Rudbeckia)* Fleurs simples ou doubles, très gracieuses, ressemblant aux marguerites. La floraison, qui se produit vers le milieu ou la fin de l'été, dure longtemps. Les fleurs de 'Goldsturm' sont remarquablement peu sensibles aux intempéries. Belles fleurs coupées. Voir p. 275 la rudbeckie annuelle. H 0,75-2,10 m ; E 0,60-1,20 m.	*R. fulgida sullivantii* 'Goldsturm', fleurs d'un jaune intense, cœur noir en forme de cône, 75 cm. *R. laciniata hortensia* (rudbeckie laciniée), doubles, jaunes, 2,10 m. *R. l.* 'Golde Quelle', doubles, jaunes, 75 cm.	La rudbeckie se cultive au soleil ou à la mi-ombre dans un sol bien drainé et amendé par d'importants apports de compost ou de tourbe pour augmenter sa capacité de conserver l'humidité. La division des plants s'impose tous les quatre ou cinq ans environ. Supprimer les fleurs mortes de la variété 'Goldsturm' si l'on veut éviter l'ensemencement spontané.	Semer au printemps. Diviser au printemps.
Rudbeckie pourpre *(Echinacea)* Grandes fleurs persistantes à cœur conique, semblables à des marguerites. Elles poussent sur de longues tiges raides garnies de feuilles dentées. Floraison du milieu à la fin de l'été. Font de jolis bouquets. H 75-90 cm ; E 30-45 cm.	*E. purpurea* est l'une des plantes dont sont issus les hybrides suivants, l'autre n'est pas connue de façon certaine. *E.* 'Bright Star', rose-rouge, cœur marron, 75-90 cm. *E.* 'Robert Bloom', carmin-pourpre, cœur orange, 75-90 cm. *E.* 'The King', corail cramoisi, cœur marron, 90 cm. *E.* 'White Lustre', fleurs blanches, pétales retombants, 90 cm.	Plante facile à cultiver et dont les tiges raides n'ont pas besoin de support. Préfère un sol sablonneux et bien drainé. Fleurit mieux en plein soleil. Rusticité non assurée dans la région des Prairies. Les fleurs font de beaux bouquets séchés. Les cœurs desséchés servent à faire des fleurs artificielles.	Diviser les souches au début du printemps. On peut se procurer des graines de 'Bright Star' ; les semer au printemps.
Rue de chèvre, voir Galega **Salicaire,** voir Lythrum			
Santoline *(Santolina)* Bien qu'étant en réalité un arbrisseau, la santoline est souvent cultivée en bordure. Petites fleurs et feuillage aromatique, gris ou vert. H 15-60 cm ; E 45-90 cm.	*S. chamaecyparissus* ou *S. incana* (petit cyprès, santoline blanche), feuillage gris argenté. On peut rabattre les plants à 15 cm. Atteint 75 cm. *S. c. nana,* feuillage gris argent, 20-25 cm. *S. virens* ou *S. viridis,* feuillage vert émeraude, 45 cm.	Se cultive au soleil et dans un sol qui s'assèche facilement. Supporte la taille. Garder les santolines en serre en hiver dans la zone 7 et les zones inférieures.	Prélever des boutures en été.

Sauge
(Salvia haematodes)

Scabieuse du Caucase
(Scabiosa caucasica)

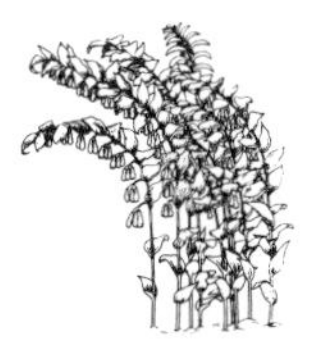

Sceau-de-Salomon
(Polygonatum commutatum)

Sida à fleurs de mauve
(Sidalcea malvaeflora)

Nom vulgaire et nom botanique, description générale	Espèces et variétés	Soins particuliers, remarques	Multiplication *(voir p. 204)*
Sauge *(Salvia)* Gracieux épis de petites fleurs très persistantes. L'époque de la floraison varie selon les variétés. Très bonnes fleurs coupées, fraîches ou séchées. H 0,45-1,20 m ; E 45-60 cm.	*S. azurea grandiflora* ou *S. pitcheri,* bleu azur, 0,90-1,20 m. *S. haematodes,* bleu lavande, 90 cm. *S. sclarea* 'May Night' (sauge sclarée, toute-bonne), bleu-violet, 45-60 cm. *S. superba* 'East Friesland' ou 'Ostfriesland', bleu intense, 0,90-1 m (parfois appelée à tort *S. nemorosa*).	Se cultive en plein soleil, dans un sol normal, mais donne de meilleurs résultats dans un sol riche en humus. Peut avoir besoin de tuteurs dans les endroits exposés. Couper les épis fanés pour prolonger la floraison. Rabattre au ras du sol à l'automne. Non rustique en zone 4.	Semer au printemps. Diviser au printemps.
Scabieuse *(Scabiosa)* Plante caractérisée par des inflorescences globuleuses à étamines saillantes. La floraison s'étale du début de l'été à l'automne. H 75 cm ; E 30 cm.	*S. caucasica* (scabieuse du Caucase), fleurs bleues, 75 cm. *S. c. alba,* fleurs blanches, 75 cm. *S. c.* 'Blue Snowflake', bleu améthyste, 75 cm. *S. c.* 'Isaac House Hybrids', tons de bleu lavande, 75 cm. *S. c.* 'Miss Willmott', fleurs blanches, 75 cm. *S. columbaria* (scabieuse colombaire), variétés à fleurs bleues, roses et blanches, 75 cm.	Installer les plants dans un endroit ensoleillé, dans une terre plutôt alcaline, humide en été mais très bien drainée en hiver. Couper régulièrement les fleurs fanées pour assurer une floraison durable. Couper les tiges fanées à l'automne. Diviser les plants aussi souvent qu'il le faut pour leur garder leur vigueur. A parfois besoin de tuteurs.	Diviser les plants au printemps. Semer en été.
Sceau-de-Salomon *(Polygonatum)* Beau feuillage vert bleuté sur des tiges retombantes ; petites fleurs naissant à la fin du printemps. Cette plante est surtout renommée pour ses feuilles. H 0,45-1,20 m ; E 60-90 cm.	*P. biflorum* (petit sceau-de-Salomon), fleurs blanches, 45-90 cm. *P. commutatum,* fleurs blanches, 1-1,20 m.	Préfère un endroit à demi ombragé, un sol fertile, gardant bien l'humidité. Les plants se multiplient par rhizomes traçants, mais ne deviennent envahissants qu'après plusieurs années. Les fleurs tombent d'elles-mêmes quand elles sont fanées. Très beau sujet pour jardin de sous-bois.	Diviser les plants très tôt au printemps ou à la fin de l'été.
Sida *(Sidalcea)* Gracieux épis de fleurs à 5 pétales, semblables aux roses trémières, apparaissant du milieu à la fin de l'été. Les feuilles inférieures n'ont pas la même apparence que les feuilles supérieures. H 45-90 cm ; E 45 cm.	*S. malvaeflora* (sida à fleurs de mauve) a été croisée avec d'autres espèces pour former des hybrides communément appelés roses trémières miniatures. Les variétés du type 'Stark's Hybrids' sont souvent vendues en sachets de graines de coloris variés, dont le blanc, le lavande ou le rose.	Se cultive au soleil, dans un sol bien drainé quoique humifère. Après la première floraison, couper les tiges des fleurs fanées à 30 cm du sol pour obtenir une deuxième floraison. Plante moins frappante que la rose trémière, mais rarement sujette à la rouille, contrairement à cette dernière. Rustique dans le sud de la zone 4.	Diviser au printemps. On trouve parfois des graines dans le commerce ; les semer au printemps.

Stokésie
(Stokesia laevis)

Tiarelle
(Tiarella cordifolia)

Tradescantia virginiana
'Snowcap'

Trille à grandes fleurs
(Trillium grandiflorum)

Nom vulgaire et nom botanique, description générale	**Espèces et variétés**	**Soins particuliers, remarques**	**Multiplication** *(voir p. 204)*
Stokésie *(Stokesia)* Fleurs qui évoquent le bleuet et s'épanouissent du milieu à la fin de l'été sur des tiges graciles. Dans les régions où le climat est doux, le feuillage est persistant. Les fleurs se conservent bien en bouquet. Le genre ne comprend qu'une espèce. H 30-45 cm ; E 30 cm.	*S. laevis* ou *S. cyanea* : hybrides très répandus. *S. l.* 'Blue Danube', fleurs bleu intense, 30-45 cm. *S. l.* 'Blue Moon', de bleu argent à lilas, 30-45 cm. *S. l.* 'Blue Star', bleu clair, 30-45 cm. *S. l.* 'Silver Moon', fleurs blanches, 30-45 cm.	Cette plante exige pour survivre un sol bien drainé en hiver. La cultiver en plein soleil et diviser les plants dès qu'ils paraissent touffus ; rarement avant trois ou quatre ans. Zone 5.	Semer au printemps. Diviser au printemps. Prélever des boutures de racines en été.
Tiarelle *(Tiarella)* Feuilles cordiformes à ras de sol, desquelles s'élancent de longs épis de petites fleurs blanches et légères s'épanouissant à la fin du printemps. H 20-30 cm ; E 30 cm.	*T. cordifolia,* fleurs blanches, 30 cm. *T. wherryi,* fleurs blanches ; plante plus dense que la précédente, 30 cm.	Se cultive dans un sol légèrement acide, humifère mais bien drainé, et à la mi-ombre. Plante tapissante particulièrement appréciée dans un jardin de fleurs sauvages ou dans une rocaille. Non rustique dans les zones inférieures à la zone 4.	Par division des plants au printemps ou au début de l'automne.
Tournesol, voir Hélianthe **Tournesol orange,** voir Héliopside **Toute-bonne,** voir Sauge			
Tradescantia ou éphémérine *(Tradescantia)* Groupes de fleurs à 3 pétales s'élevant au-dessus de feuilles longues et étroites, de la mi-été au début de l'automne. Les fleurs se ferment durant les après-midi ensoleillés. H 45-75 cm ; E 60-90 cm.	*T. virginiana* 'Iris Prichard', fleurs blanches lavées de violet, 60-75 cm. *T. v.* 'J. C. Weguelin', bleu porcelaine, 60-75 cm. *T. v.* 'Pauline', mauve rosé, 60-75 cm. *T. v.* 'Purple Dome', pourpre rosé, 60-75 cm. *T. v.* 'Red Cloud', rouge rosé, 45 cm. *T. v.* 'Snowcap', blanc pur, 60-75 cm.	Se cultive à la mi-ombre ou au soleil, dans un sol qui garde bien l'humidité. Plante envahissante, difficile à extirper ; la cultiver dans un endroit isolé. Ne présente aucun problème, mais sa rusticité n'est pas assurée dans la région des Prairies.	Diviser les plants au printemps. Se multiplie parfois par semis ou par boutures.
Trille *(Trillium)* Ravissante fleur sauvage à floraison printanière. Pétales et sépales très voyants, généralement blancs ou dans des tons de rose ou de rouge, au-dessus d'une spirale de 3 feuilles. H 15-45 cm ; E 30 cm.	Espèces nombreuses, offertes par les horticulteurs spécialisés dans les plantes sauvages. *T. grandiflorum* (trille à grandes fleurs), fleurs blanches, l'une des espèces les plus remarquables, 30 cm. On trouve également *T. chloropetalum, T. erectum, T. nivale, T. ovatum, T. recurvatum, T. sessile* et *T. undulatum.*	Cultiver le trille à la mi-ombre dans un sol additionné de compost ou de tourbe pour lui permettre de mieux conserver son humidité. Le trille préfère une terre acide, mais le degré d'acidité varie selon les espèces. Les plants entrent en dormance durant l'été et les feuilles disparaissent.	Semer les graines quand elles sont mûres au printemps. Racines épaisses : diviser les plants au début de l'automne, mais seulement pour augmenter leur nombre.

Valériane rouge
(Centranthus ruber)

Valériane officinale
(Valeriana officinalis)

Verge d'or
(Solidago hybride*)*

Véronique à épi
(Veronica spicata alba)

Violette cornue
(Viola cornuta hybride*)*

Nom vulgaire et nom botanique, description générale	Espèces et variétés	Soins particuliers, remarques	Multiplication *(voir p. 204)*
Valériane *(Centranthus)* Plantes buissonnantes à feuilles vert-gris de 7 à 10 cm et à fleurs parfumées, cramoisies ou blanches, réunies en panicules serrées le long des tiges. Floraison du début au milieu de l'été. H 60-90 cm ; E 30-60 cm.	*C. ruber* (valériane rouge, barbe-de-Jupiter), rouge cramoisi, 60-90 cm. A ne pas confondre avec *Valeriana officinalis,* ci-dessous. *C. r. albus,* fleurs blanches, 60-90 cm.	Pousse en plein soleil dans une terre de jardin normale. Les plants se multiplient rapidement si la terre est bonne, et gardent leur beauté durant une longue période.	Semer au printemps ; diviser les souches au printemps.
Valériane *(Valeriana)* Grandes tiges dressées portant des bouquets lâches de fleurs parfumées du milieu à la fin de l'été, au-dessus d'un feuillage finement ciselé. Les fleurs coupées se conservent bien. H 1,20 m ; E 60 cm.	*V. officinalis* (valériane officinale), fleurs blanches, lavande ou roses, 1,20 m, souvent vendu chez les horticulteurs spécialisés en plantes officinales. Voir aussi p. 268 l'héliotrope annuelle. Une autre plante vivace, le *Centranthus* (voir ci-dessus), est aussi vulgairement appelée valériane.	Se cultive au soleil ou à la mi-ombre, dans une terre ordinaire. Tolère une assez grande humidité du sol. S'étale par stolons souterrains et peut devenir envahissante, à la façon des mauvaises herbes. Non rustique en zone 3.	Semer au printemps. Diviser au printemps.
Verge d'or *(Solidago)* Donne de la couleur au jardin à l'automne. Les hybrides de la verge d'or commune sont moins étalés. Le pollen de cette plante ne donne pas le rhume des foins. H 75-90 cm ; E 30-60 cm.	Les variétés cultivées en jardin sont en règle générale des hybrides issus de *S. canadensis* et de *S. virgaurea.* *S.* 'Cloth of Gold', fleurs d'un doux jaune primevère, 45 cm. *S.* 'Golden Mosa', fleurs jaune foncé, 90 cm. *S.* 'Leraft', fleurs jaune d'or, 90 cm. *S.* 'Peter Pan', fleurs jaune serin, 75 cm.	Comme les espèces sauvages, les hybrides exigent un emplacement ensoleillé et une bonne terre assez bien drainée. Diviser tous les trois ou quatre ans. Enlever les fleurs fanées pour éviter la multiplication spontanée.	Diviser les plants au printemps.
Véronique *(Veronica)* Plante renommée pour ses épis denses de petites fleurs s'épanouissant du milieu à la fin de l'été. Feuillage ornemental, bien découpé. La fleur se met bien en bouquet. H 38-60 cm ; E 30-45 cm.	*V. incana* (véronique argentée), bleu lilas, feuillage gris argent, 30-45 cm. *V. latifolia* 'Crater Lake Blue', bleu gentiane, 45 cm. *V. longifolia subsessilis,* bleu de roi, 60 cm. *V.* 'Minuet', fleurs roses, 30 cm. *V. spicata alba* (véronique à épi), fleurs blanches, 38 cm.	Se cultive en plein soleil ou à la mi-ombre, dans un sol bien drainé. Arroser en période de sécheresse. Tuteurer au besoin. Diviser lorsque la floraison ralentit. Plante facile à cultiver, qui fleurit longtemps si l'on supprime les épis fanés.	Diviser les plants ou prélever les boutures au printemps. Semer les graines au printemps ou au début de l'été.
Violette *(Viola)* Fleurs parfumées et très abondantes. Coloris généralement francs. Feuilles ovales ou cordiformes d'un vert très riche. Fait un bel effet dans les plates-bandes, les bordures, les rocailles ; bonne plante tapissante. H 15-20 cm ; E 25-30 cm.	Hybrides de *V. cornuta* (violette cornue), souvent cultivés comme annuelles, 15-20 cm : 'Avalanche', fleurs blanches ; 'Jersey Gem', pourpres ; 'Yellow Perfection', jaunes ; 'Chantryland', abricot ; 'Arkwright Ruby', cramoisies. Hybrides de *V. odorata* (violette odorante), 15 cm : 'White Czar', fleurs blanches ; 'The Czar', bleues ; 'Royal Robe', pourpre intense. Voir p. 272 les pensées annuelles.	La violette croît en plein soleil ou à la mi-ombre, dans une terre bien amendée avec du compost ou de la tourbe. Arroser en période de sécheresse. Prolonger la floraison en cueillant les fleurs ; plus abondante au printemps, elle dure de façon intermittente jusqu'à l'automne.	Semer au printemps ou à la fin de l'été. Diviser les plants ou prélever des boutures basales au printemps.

Chrysanthèmes

Originaire de Chine et objet d'un culte au Japon, le chrysanthème figure parmi les fleurs que l'on cultive le plus fréquemment dans les zones tempérées du globe.

C'est au moment où les jours raccourcissent, à la fin de l'été, que les chrysanthèmes consacrent leur énergie à produire des fleurs, leur poussée végétative étant alors terminée. Les fleurs s'épanouissent environ six semaines après l'apparition des boutons. Certaines variétés exigent jusqu'à 12 semaines de jours moyennement courts pour fleurir. Les délais de floraison sont d'ailleurs habituellement indiqués dans les catalogues.

L'amateur qui veut modifier à sa guise le processus d'épanouissement des chrysanthèmes peut avoir recours à un certain nombre de techniques. Il est possible par exemple d'avancer ou de retarder la floraison en faisant varier les périodes d'éclairement et d'obscurité. Mais avant de se livrer à cette expérience, il serait indiqué de se renseigner sur le délai de floraison (c'est-à-dire le temps qui s'écoule entre l'apparition du bouton et l'épanouissement de la fleur) propre à chaque variété.

Les chrysanthèmes buissonnants à port prostré accomplissent généralement leur cycle de floraison au cours d'une période de six ou sept semaines. Ils apparaissent dans les catégories 1 à 5 illustrées ci-dessous. Les catégories 12 et 13 en renferment également quelques-uns.

Toutes les formes d'inflorescences sont représentées dans les groupes dont les délais de floraison sont de 8, 9 ou 10 semaines. Les variétés cultivées dans des serres (ou dans certaines régions plus clémentes) fleurissent en 11 ou 12 semaines. Au-dessous du point de congélation, boutons et fleurs seront endommagés si on ne prend pas des mesures spéciales. Une cloche de plastique placée sur le plant suffit d'ordinaire à le protéger, tandis qu'un abri, même ouvert, élève la température de deux à quatre degrés.

On qualifie souvent de chrysanthèmes rustiques certains sujets buissonnants de courte taille. Ceci est une source de confusion. Tous les chrysanthèmes vivaces ont des racines capables de supporter des températures légèrement inférieures au point de congélation. Mais l'alternance des gels et des dégels provoque souvent le déchaussement de ces plants à racines peu profondes. C'est là la principale cause de leur dépérissement.

Pour parer à ce danger, on conseille de déterrer les plants après la floraison et de les garder sous châssis froid pendant l'hiver, ou de les coucher sur le sol du côté nord de la maison et de les recouvrir de paille. Si le sol est très bien drainé, il suffira de protéger les pieds avec un paillis léger de 5 à 10 cm d'épaisseur que l'on disposera une fois que le sol sera gelé.

Les chrysanthèmes exigent tous les mêmes soins. Cependant, on préférera souvent modifier le cycle naturel de croissance des espèces d'exposition pour obtenir des fleurs moins abondantes mais plus spectaculaires. On trouvera plus loin la description des techniques recommandées.

Catégorie 1 Simple — *Catégorie 2 Semi-double* — *Catégorie 3 Anémone* — *Catégorie 4 Pompon* — *Catégorie 5 Incurvé* — *Catégorie 6 Incurvé-récurvé* — *Catégorie 7 Décoratif* — *Catégorie 8 Récurvé*

Influence de la latitude et du climat

La durée de l'éclairement est un des facteurs essentiels de la floraison des chrysanthèmes. Selon qu'on se déplace vers le nord ou vers le sud, la floraison est plus ou moins hâtive.

L'environnement est également si déterminant que les chrysanthèmes, de quelque variété que ce soit, peuvent fleurir dans la région de Vancouver 10 jours plus tôt que dans la région de Montréal. De même, en raison des écarts de température, les chrysanthèmes cultivés à haute altitude ou à l'intérieur du continent fleurissent plus tard que ceux qui sont cultivés dans les régions côtières.

Les dates de floraison indiquées dans les tableaux qui suivent ont été fixées en fonction de la zone 6 (voir carte, pp. 8-9). Pour les autres régions, consulter un pépiniériste.

Multiplication des jeunes plants

Il est possible de multiplier par bouturage à la hollandaise des plants qui ont survécu un hiver. Ce bouturage consiste à diviser le pied en fragments composés chacun d'une tige nouvelle et feuillée rattachée à un stolon charnu (tige rampante). Toutefois, l'opération est délicate et risque de soulever bon nombre de problèmes.

Chez les chrysanthèmes, en effet, les nouveaux organes aériens apparaissent normalement en mars ou en avril ; en mai, ils ont déjà 20 à 25 cm de long et sont difficiles à repiquer. De plus, si le stolon est planté plus profondément qu'il ne l'était avant qu'on le divise, il risque de pourrir avant d'avoir produit de nouvelles racines. La multiplication par boutures herbacées (voir page suivante) donne de meilleurs résultats.

Achat de chrysanthèmes par la poste

Les illustrations des catalogues sont si alléchantes qu'on est tenté de commander plusieurs variétés de chrysanthèmes sans savoir si elles se marieront bien ou si elles conviendront.

Mieux vaut ne pas se laisser emporter par l'enthousiasme. A multiplier les variétés, on risque souvent d'avoir une plate-bande disparate. En outre, il est généralement plus économique de commander trois plants d'une même variété qu'un seul de trois variétés différentes.

Le rendement des variétés varie selon les régions. Par exemple, les variétés de Grande-Bretagne viennent bien sur la côte du Pacifique, mais y donnent moins de fleurs qu'ailleurs. Mais partout au Canada, il n'y a que les petits chrysanthèmes buissonnants qui puissent être cultivés au jardin.

On passera commande le plus tôt possible afin d'avoir le temps de prélever des boutures. Si les plants semblent avoir séché, il suffira de les faire tremper une nuit dans l'eau. On les plantera ensuite dans un contenant, ou directement au jardin, bien entendu, si la température le permet.

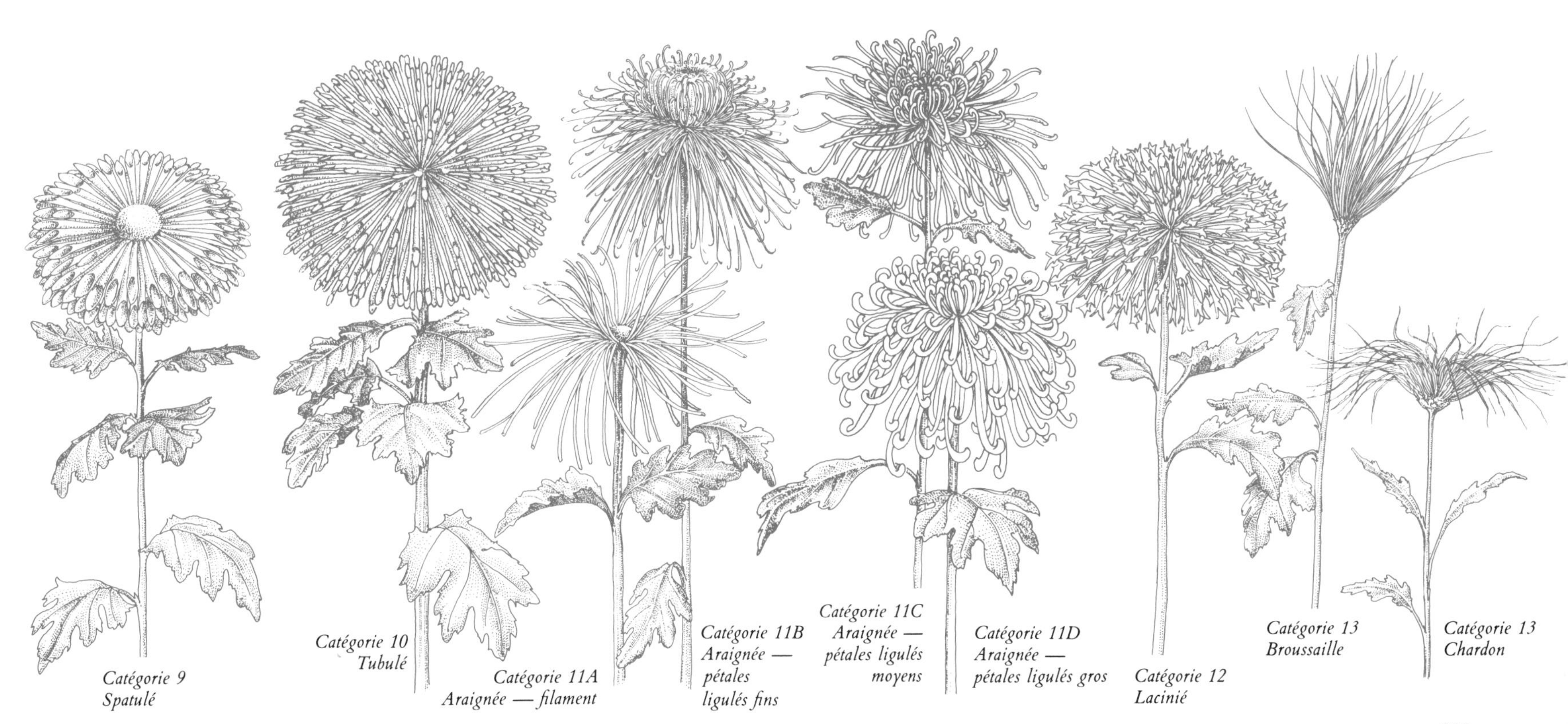

Catégorie 9 Spatulé

Catégorie 10 Tubulé

Catégorie 11A Araignée — filament

Catégorie 11B Araignée — pétales ligulés fins

Catégorie 11C Araignée — pétales ligulés moyens

Catégorie 11D Araignée — pétales ligulés gros

Catégorie 12 Lacinié

Catégorie 13 Broussaille

Catégorie 13 Chardon

Prélèvement de boutures herbacées

On dit généralement des nouvelles pousses qui apparaissent à la souche des vieux pieds de chrysanthèmes qu'elles sont « herbacées » parce qu'elles sont souples. On peut les prélever et en tirer des boutures, comme le montrent les illustrations ci-dessous. Le prélèvement des boutures herbacées se fait durant les mois de mai et de juin.

Les chrysanthèmes sont des plantes à stolons rampant sous la surface du sol. Avant de sectionner une pousse, suivre du doigt le stolon qui la rattache à la plante mère pour éviter de couper par mégarde une autre plante. Ne bouturer qu'une seule variété à la fois pour ne pas mélanger les sujets.

Plantée en caissette à la fin du printemps, dans un mélange convenable, la bouture herbacée met 10 à 15 jours à s'enraciner. Comme substrat d'enracinement, on recommande du sable grossier ou un mélange à base de tourbe, de perlite ou de vermiculite ; les proportions ont peu d'importance dans la mesure où le mélange demeure humide mais non gorgé d'eau. Etaler une couche de 8 cm de ce mélange au fond d'une petite caissette.

Protéger les boutures de toute contamination en les plongeant dans un insecticide combiné à un fongicide avant de les mettre en terre. Pour favoriser l'enracinement, appliquer de la poudre d'hormones sur le pied des boutures. Etiqueter les boutures.

L'enracinement se fait plus rapidement lorsqu'on peut procurer à la caissette une douce chaleur de fond. Garder la caissette dans un endroit partiellement ombragé. Maintenir le mélange humide.

Il n'y a pas à s'inquiéter si les boutures semblent se flétrir dans la chaleur de l'après-midi. Le lendemain matin, elles auront probablement retrouvé toute leur vigueur. D'ailleurs, ce flétrissement diminue à mesure que l'enracinement progresse.

Une semaine après le bouturage, dégager une bouture et examiner ses racines. Dès que celles-ci ont 1,5 cm de long, repiquer les jeunes plants.

Arrivés à ce stade, les plants sont dans le même état que les boutures pourvues de racines qu'on achète à la pépinière. Il faut alors les traiter comme on le décrit ci-dessous.

1. *Couper à la base des vieux pieds une pousse de 6,5 à 7,5 cm.*

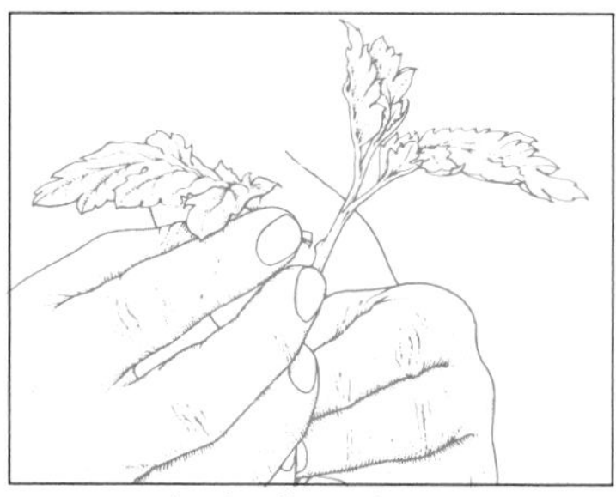

2. *Pincer les feuilles inférieures sans abîmer l'épiderme de la tige.*

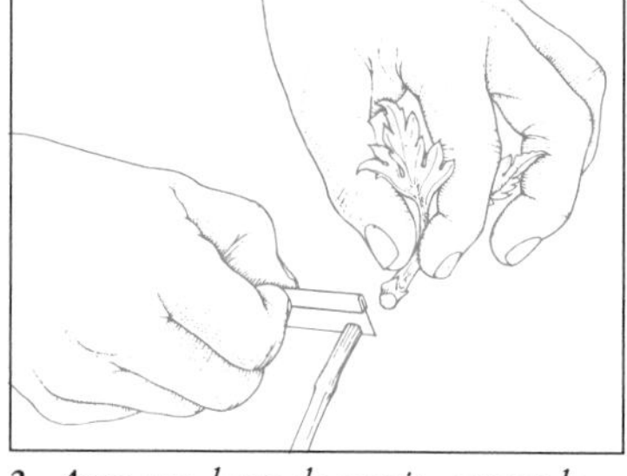

3. *Avec une lame de rasoir, couper la tige juste sous un nœud.*

4. *Faire des trous de 2,5 cm, espacés de 5 cm. Planter les boutures.*

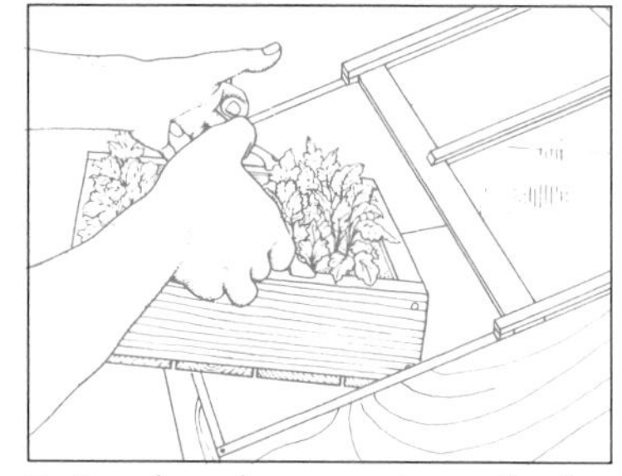

5. *Les placer dans une caissette chauffante ou sous châssis froid.*

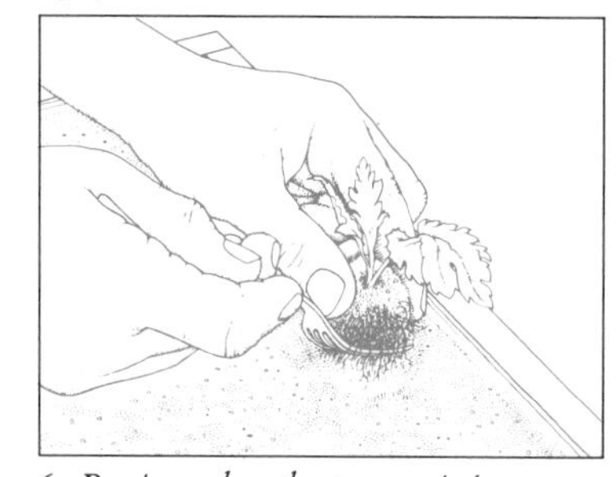

6. *Repiquer les plants enracinés en pots, en caissettes ou en pleine terre.*

Culture des chrysanthèmes en caissette

Du repiquage à la mise en place définitive au jardin, on peut laisser les chrysanthèmes dans des caissettes semblables à celles qui ont servi au bouturage. De cette façon, les jeunes plants pourront développer leur système radiculaire dans la terre, sans courir les risques de sécheresse ou, au contraire, d'humidité excessive que présentent souvent les sols de jardin au printemps.

Pour le repiquage en caissette, donner la préférence à un substrat de culture léger et nutritif, soit un mélange du commerce, soit un autre composé en parties égales de terre riche ou de compost, de tourbe et de sable grossier ou de perlite.

Empoter les boutures de chrysanthèmes dans des pots de 7,5 cm de profondeur, en grès, en plastique ou en tourbe comprimée. Les deux premiers types de contenants peuvent servir à nouveau, tandis que le pot de tourbe se met en terre avec le plant. Lorsque le sol est humide, les racines ont tôt fait de transpercer la tourbe et celle-ci se désagrège peu à peu.

Il est préférable de garder les chrysanthèmes dans des pots pendant deux ou trois semaines avant leur mise en place définitive au jardin. Cette méthode nécessite évidemment plus d'efforts que ne le demanderait le repiquage immédiat en pleine terre. Elle permet cependant d'obtenir des plants plus vigoureux que ceux qui sont hâtivement soumis aux rigueurs et aux variations du climat.

Plantation au jardin

Les boutures peuvent être repiquées au jardin sitôt qu'elles ont des racines. Il faudra cependant leur accorder beaucoup de soins : voir à ce qu'elles ne se dessèchent pas au soleil, les préserver contre les attaques des ravageurs et les protéger contre les dégâts causés par les grandes pluies et les vents violents. Il est donc préférable de leur procurer une certaine forme d'écran ou d'abri jusqu'à ce qu'elles soient parfaitement établies.

Culture des variétés à floraison hâtive

Préparation du sol des plates-bandes

Pour se développer, les chrysanthèmes établis ont besoin d'une situation ensoleillée et de beaucoup d'espace. Leur système radiculaire réclame en outre une terre légère qui s'égoutte rapidement. Enfin, des apports réguliers d'engrais sont nécessaires.

Lorsqu'on est aux prises avec un sol compact, argileux et qui s'égoutte mal, il est préférable d'installer les chrysanthèmes dans des plates-bandes surélevées. Pour construire celles-ci, utiliser un cadre de bois de 15 à 20 cm de haut ou des blocs de béton léger de 10 cm de haut.

Additionnés de tourbe et de terreau de feuilles, les sols sablonneux ou légèrement argileux fournissent aux chrysanthèmes les matières organiques et le milieu modérément acide dont ils ont besoin pour prospérer. Un pH de 6 à 7 est excellent. (Voir p. 438 ce qu'est le pH d'un sol et la façon de le vérifier.)

Bien que les chrysanthèmes puissent être mis en terre dès que tout risque de gel est écarté, tous les sujets présentant le même délai de floraison fleuriront à peu près au même moment, que la mise en terre ait eu lieu hâtivement ou tardivement. Il n'y a donc pas intérêt à installer ses plants très tôt au jardin le printemps venu. Bien au contraire, on risque, avec une plantation trop hâtive, d'obtenir des sujets plus développés qu'on ne le souhaiterait.

Plantation et espacement des plants

Abandonnés à eux-mêmes, les chrysanthèmes peuvent s'étaler sur environ 1 m de diamètre en trois ou quatre ans. En freinant sa croissance, on incite cette vigoureuse plante à convertir son énergie en fleurs sans doute moins nombreuses, mais assurément plus grosses et plus belles.

On cultive les variétés hâtives surtout pour l'effet de masse qu'elles produisent. Cependant, certaines donnent des bouquets terminaux et des fleurs assez spectaculaires pour mériter d'être présentées aux expositions. Si l'on recherche la quantité, on espacera les plants de 45 cm environ. Par contre, si l'on veut la qualité (grandes fleurs à pétales incurvés ou récurvés), on ne gardera que deux ou trois inflorescences par plant. Cultiver alors les chrysanthèmes en rangées espacées de 30 cm et laisser 20 à 25 cm entre les sujets.

Si l'on cultive les chrysanthèmes en grand nombre, faire des groupes de quatre rangs et laisser un sentier de 90 cm entre ces groupes. Ce sentier facilite l'accès aux plants.

Arroser légèrement les sujets en pots de grès ou de plastique quelques heures avant le dépotage. Renverser le pot sur la paume de la main en maintenant la tige entre deux doigts, et donner de légers coups sur le rebord (voir à droite). La motte devrait glisser hors du pot sans se briser.

Installer les plantes dans des trous de dimensions équivalentes à celles de la motte et tasser la terre.

DÉPOTAGE ET REMPOTAGE

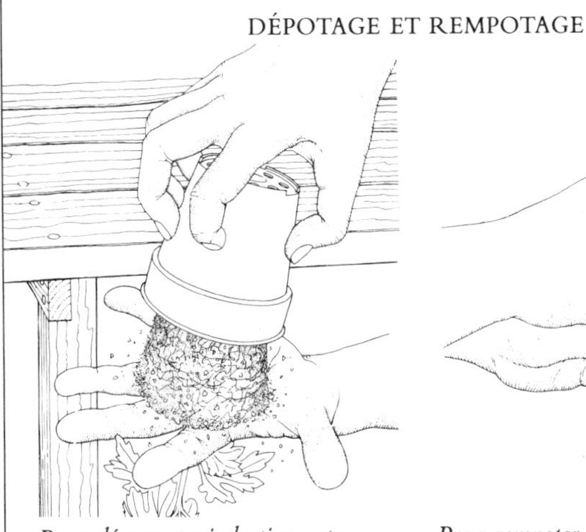

Pour dépoter, tenir la tige entre deux doigts ; tapoter le pot.

Pour rempoter, poser la plante sur un peu de terre ; remplir et tasser.

Des bordures dans le temps de le dire

Grâce à leur système radiculaire superficiel, les chrysanthèmes peuvent être déplantés facilement avec une fourche-bêche, puis transplantés (voir le dessin en bas, à droite, p. 238), sans que cela nuise à leur croissance. On les arrosera généreusement durant les quelques jours qui suivront cette opération.

Il est donc possible de cultiver des chrysanthèmes tout l'été dans un emplacement ensoleillé, puis de les déplacer ensuite dans une bordure à demi ombragée lorsque les boutons commencent à se colorer. Ils seront alors en mesure de s'épanouir à l'ombre et leurs inflorescences se faneront moins vite que si elles étaient exposées au soleil.

Avant de procéder à la transplantation, il convient de planifier soigneusement la disposition des bordures. En prévoir l'aménagement en fonction de la robustesse ou de la délicatesse des plantes qu'on veut y mettre, ainsi que de leur hauteur respective. Un plan sur papier quadrillé peut être très utile.

En automne, plusieurs centres de jardinage offrent des chrysanthèmes en plein épanouissement. Ils sont en pots ou sont simplement emmottés. Ils peuvent servir à combler les espaces vides dans les bordures.

Si ces chrysanthèmes ont été cultivés de façon naturelle, on peut leur faire passer l'hiver au jardin ou sous un châssis froid et les utiliser le printemps suivant pour la multiplication. Cependant, si leur floraison a été forcée par des alternances artificielles de lumière et d'obscurité, ils reviendront d'eux-mêmes à leur cycle normal de floraison durant la période végétative suivante. Toutes les boutures prélevées sur ces plants donneront des sujets qui fleuriront conformément à leur délai normal de floraison.

Pailler pour minimiser le désherbage

Les chrysanthèmes étant des plantes à système radiculaire superficiel, ils se portent mieux lorsqu'un paillis garde leur sol frais et freine la croissance des mauvaises herbes. La tourbe, les feuilles partiellement décomposées, les cosses de fèves de cacao ou d'autres matières organiques peuvent servir de paillis. Une couche de feuilles recouverte d'une couche de tourbe de 2,5 cm constitue aussi un paillis efficace. Ne pas oublier que la tourbe finit par se tasser et peut empêcher l'humidité de gagner les racines.

Pincement et éboutonnage

Il faut pincer les chrysanthèmes pour qu'ils se développent bien et produisent de grosses fleurs.

Dans la plupart des cas, on pince la tige principale juste au-dessus d'une paire de feuilles arrivées à leur plein développement.

On pince de cette façon tous les chrysanthèmes qui ont entre 15 et 20 cm de haut (voir l'illustration, à droite).

Des pousses latérales apparaissent ensuite. On peut pincer ces nouvelles pousses lorsqu'elles mesurent environ 15 cm et pratiquer par la suite un troisième pincement. On interrompra cependant les pincements 90 jours avant la date normale de floraison.

Certaines variétés se ramifient naturellement. On les pincera en fonction de leur développement et elles donneront une multitude de petites fleurs. Par ailleurs, les chrysanthèmes qui font partie des catégories 3, 4, 6, 7, 10, 11, 12 et 13 ne sont pas cultivés pour l'abondance de leurs fleurs mais pour la qualité de celles-ci. Chez ces plantes d'exposition, trois fleurs par pied suffisent ; aussi ne conservera-t-on que les pousses secondaires les plus vigoureuses obtenues par pincement. Voir ci-dessous les résultats qu'on peut obtenir grâce à des pincements bien calculés.

PINCEMENT

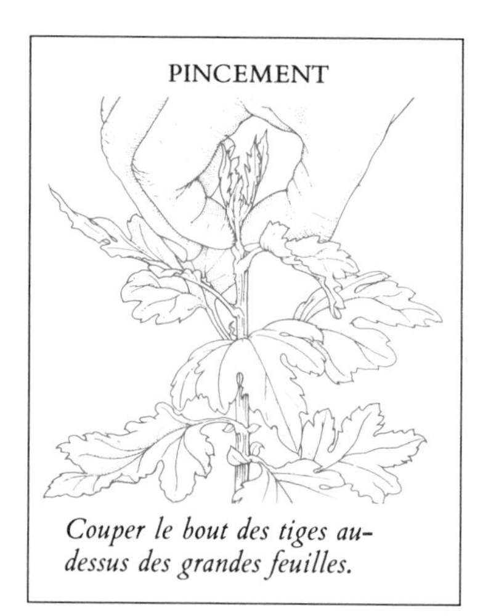

Couper le bout des tiges au-dessus des grandes feuilles.

EFFET DU PINCEMENT SUR LA FLORAISON

En pinçant *la tige principale et la plupart des tiges secondaires, on obtient de grandes fleurs hâtives.*

Sans pincement, *les plantes donnent une grande quantité de petites fleurs.*

Tuteurage des pieds de chrysanthème

Les horticulteurs ont développé plusieurs façons de tuteurer les pieds de chrysanthème. Lorsque les plants ne portent que quelques fleurs, il suffit d'attacher chaque tige à un piquet d'acier ou de bambou (voir l'illustration, à droite) avec du fil de fer recouvert de plastique ou de papier.

Le tuteurage peut également se faire à l'aide d'arceaux métalliques dotés de trois ou quatre pieds en fil de fer. Ces supports servent habituellement à soutenir les plants de pivoine. Ils sont très résistants et sont pliables. Ces arceaux donnent de bons résultats pour des plants ne dépassant pas 90 cm de haut.

Lorsqu'il s'agit de tuteurer une plate-bande entière de chrysanthèmes, la méthode du quadrillage est plus pratique. Elle consiste à relier des ficelles à des supports en fil métallique pour délimiter des carrés de 20 à 25 cm de côté contenant chacun une plante. On fixe la première ficelle lorsque les plants ont environ 30 cm de haut ; on en rajoute à mesure que les plants grandissent.

Il est nécessaire de tuteurer les pieds à grandes fleurs.

Culture durant les mois d'été

Fertilisation Plusieurs produits de fertilisation, depuis les engrais en granules de formule 5-10-5 jusqu'aux engrais solubles de formule 20-20-20, conviennent aux chrysanthèmes. Des fertilisants à dissolution progressive, incorporés au sol lors de la plantation, nourriront les plantes pendant plusieurs mois. Toutefois, il faut éviter la surfertilisation qui favorise la production de feuilles aux dépens des fleurs. Il suffit de faire un apport d'engrais dilué une fois par semaine.

Arrosage En période de sécheresse, un arrosage généreux une fois par semaine et de bons paillis pour réduire l'évaporation devraient conserver les plantes en bonne santé. En été, un arrosage complet de la plante n'est pas nuisible ; en automne, cependant, il provoque l'apparition du mildiou. Les chrysanthèmes ont d'ailleurs rarement besoin d'être arrosés après que les boutons se sont colorés.

VARIÉTÉS TARDIVES

1. *Avant le premier gel, ameublir le sol et soulever les plants avec une fourche-bêche.*

2. *Les repiquer en serre, ou dans une bordure protégée.*

Variétés à floraison tardive

Les chrysanthèmes qui appartiennent à ce groupe présentent des formes plus spectaculaires, des fleurs plus grandes et des tiges plus longues que les chrysanthèmes à floraison hâtive. Ce sont ces variétés qui sont présentées dans les expositions. Si l'on veut les cultiver au jardin, il faut les protéger du froid ou les planter dans des pots qu'on peut mettre à l'abri.

Les deux catégories les plus renommées dans les expositions sont les chrysanthèmes incurvés et les chrysanthèmes araignée. Les premiers sont illustrés à la page 234, aux catégories 5 et 6. Les chrysanthèmes araignée se trouvent à la page 235, dans la catégorie 11. Les fleurs incurvées sont parmi les plus grandes, tandis que les fleurs araignée sont parmi les plus curieuses et les plus remarquables.

Les chrysanthèmes en bonsaï s'obtiennent en taillant les tiges et en les assujettissant sur du fil métallique pour leur donner la forme d'un arbre en miniature. Au moment de la floraison, la plante a généralement 25 cm de haut et 30 de large.

Les chrysanthèmes en cascade sont palissés contre un support de fil métallique de 1,20 m de long, recourbé en fer à cheval et plié à un angle de 45 degrés. Tout au long de la croissance, pincer les pousses latérales pour favoriser le développement de la tige principale. Replier graduellement le support à l'horizontale puis à la verticale pour que les fleurs tombent en cascade.

Culture en pleine terre Les chrysanthèmes à floraison tardive ont besoin de tous les soins qu'on prodigue aux variétés qui fleurissent plus hâtivement, et de plus d'attention encore. Espacer les plants à grandes fleurs le plus possible et ne garder que deux tiges sur chacun. D'après les normes de la National Chrysanthemum Society, les variétés buissonnantes doivent être amenées à produire trois à six capitules. Certains horticulteurs entourent les pieds d'une armature à laquelle ils ajoutent une sorte d'abri qui protège les plantes du froid et leur procure de l'ombre (voir l'illustration, p. 241).

Culture en pot Certains spécialistes de la culture des variétés à floraison tardive préfèrent installer les plantes dans des pots placés sur le sol ou enfouis dans celui-ci. Lorsque les pots sont tout simplement placés sur le sol, il faut les assujettir pour que le vent ne les renverse pas. La culture en pot permet de redresser les plantes selon qu'elles s'inclinent d'un côté ou d'un autre et de les mettre à l'abri durant les gros orages. Les pots enfouis dans le sol présentent les mêmes avantages puisqu'on peut facilement les déterrer au besoin.

En règle générale, les plantes en pots doivent être rempotées deux fois. La première fois, elles passeront d'un pot de 5 cm à un pot de 10 cm, et la seconde fois iront dans un pot de 20 cm. Toutefois, les chrysanthèmes peuvent passer directement d'un pot de 5 cm à un pot de 20 cm si l'on prend certaines mesures pour que la terre ne devienne pas gorgée d'eau. Un paillis de tourbe autour des grands pots freine la croissance des mauvaises herbes et garde le sol humide. Plusieurs expositions n'acceptent que des plantes en pots et celles-ci, bien sûr, doivent alors y être cultivées depuis le début.

Culture au-dessus du sol Selon une méthode britannique, les pots de chrysanthèmes peuvent être placés en rangs sur des dalles ou des briques et les plantes assujetties à l'aide de deux fils métalliques (voir ci-dessous). Les plantes se trouvent ainsi à l'abri des ravageurs terricoles. L'arrosage, en revanche, devient plus compliqué, surtout par temps chaud et sec. Un chrysanthème de 1,20 m de haut, par exemple, doit être arrosé souvent, surtout quand il est cultivé ainsi.

Culture en fosse Variante de la méthode décrite précédemment, ce mode de culture consiste à enfouir les pots jusqu'au rebord dans du sable humide ou de la terre. L'arrosage est moins fréquent avec des pots de grès qu'avec des pots de plastique. Cependant, si des pluies très fortes détrempent le sol, les plantes pourront souffrir d'un excès d'humidité.

CULTURE EN POT SUR DES DALLES

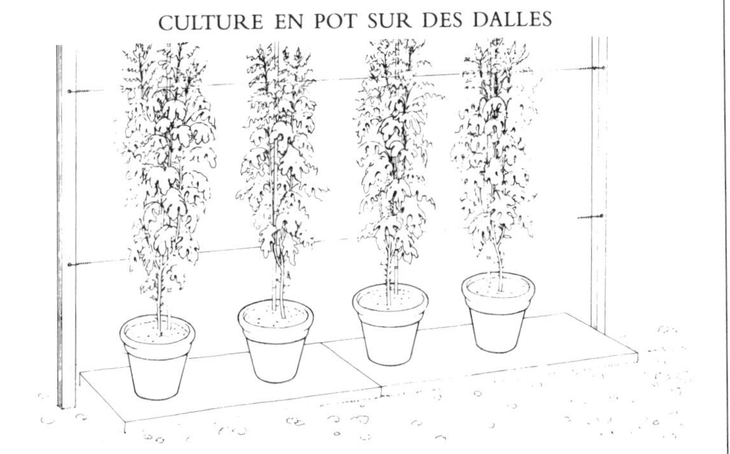

Les chrysanthèmes à floraison tardive peuvent passer l'été dans des pots placés sur des dalles ou des briques, en situation ensoleillée. Tendre entre les tuteurs des fils de fer pour que le vent ne renverse pas les pots.

Production du bouton terminal par pincement

Les variétés tardives doivent être pincées une fois de plus que les variétés hâtives, vers la fin de la période végétative. Ce pincement supplémentaire a pour but d'aider la plante à produire de plus grandes fleurs. Il sera pratiqué au cours de la période de 90 à 110 jours qui précède la date de floraison et fera apparaître un bouton terminal sur des tiges de la longueur voulue. C'est le résultat de cette opération qui qualifiera les plantes pour les concours floraux. Lorsque le dernier pincement est fait à la fin de la période de croissance, il se forme un « bouton terminal » composé uniquement d'organes floraux. (Par bouton terminal, on entend ici le dernier effort que fait la plante pour produire des fleurs.) Sans ce pincement, la plante se serait ramifiée d'elle-même pour produire de nombreuses inflorescences sur de courtes tiges.

Quand tout se passe bien, le chrysanthème produit un superbe bouquet terminal, composé d'une très grande inflorescence centrale, entourée de fleurs plus petites. Mais les règlements du concours exigent en outre que cette inflorescence terminale s'élève au-dessus d'une spirale de feuilles. Les juges britanniques attachent toute la valeur des spécimens à la qualité de leurs fleurs. Les spécialistes américains, pour leur part, enlèvent 10 points, sur un total de 100, si la fleur terminale ne s'accompagne pas d'un nombre suffisant de feuilles.

Qu'est-ce donc en définitive qui permet de produire un chrysanthème digne de triompher dans les expositions ? Une fois qu'on a pratiqué le pincement final, le succès ou l'échec dépend dans une large mesure de la qualité intrinsèque du plant et des soins que l'horticulteur a su prodiguer à celui-ci. Par exemple, les plantes destinées à produire des bouquets de fleurs seront pincées 90 jours avant la date de floraison. Celles à grandes fleurs subiront un dernier pincement 100 jours avant la date de floraison.

Le dernier pincement, comme ceux qui l'ont précédé, a pour effet de faire apparaître trois petites pousses latérales feuillées. Quand les plantes sont présentées à un concours, on ne garde que deux de ces pousses. Le plant donne alors deux grandes fleurs. Mais lorsqu'on veut inciter le plant à produire plus de fleurs, on garde les trois pousses.

Une fois les plants bien établis, des pousses apparaissent à l'aisselle de chaque feuille, sous le bouton principal, durant toute la période de croissance. Il faut supprimer délicatement ces pousses sitôt qu'elles ont atteint environ 1,5 cm de longueur. Si elles restent en place, elles accaparent la sève du plant à leur profit et en privent le bouton terminal.

Pour supprimer ces pousses, les couper avec beaucoup de soin, du bout de l'ongle. Ce nettoyage doit s'effectuer régulièrement lorsque les pousses sont jeunes, car, si on attend, elles laisseront sur la tige des cicatrices disgracieuses.

En septembre, on note qu'un changement se produit au sommet des tiges. Un bouton terminal fait son apparition, entouré de boutons latéraux. Si la plante ne doit porter qu'une seule grande fleur par tige, garder le bouton central et supprimer les autres. Cette opération doit être pratiquée le plus tôt possible, mais non, toutefois, avant que les boutons latéraux aient un pédoncule qui permet de les détacher.

Si, au contraire, on souhaite que la plante produise une grande fleur entourée de fleurs plus petites, garder tous les boutons (le gros du centre et les petits autour) et les laisser évoluer normalement.

NAISSANCE DES BOUTONS FLORAUX

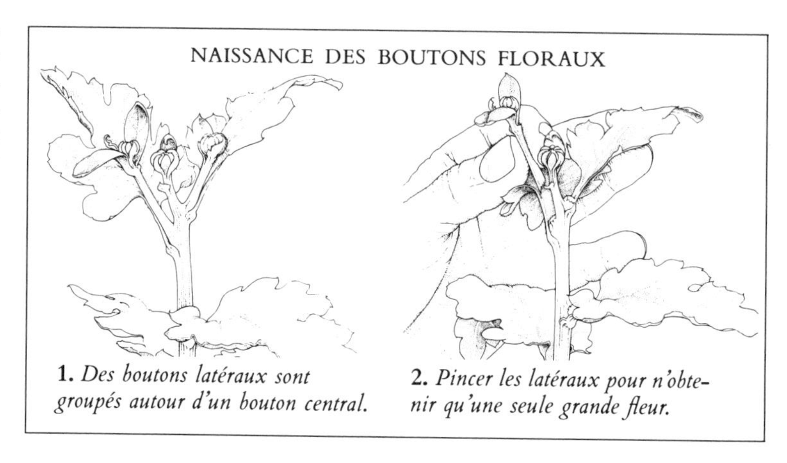

1. *Des boutons latéraux sont groupés autour d'un bouton central.*

2. *Pincer les latéraux pour n'obtenir qu'une seule grande fleur.*

PINCEMENT D'UN PIED DE CHRYSANTHÈME

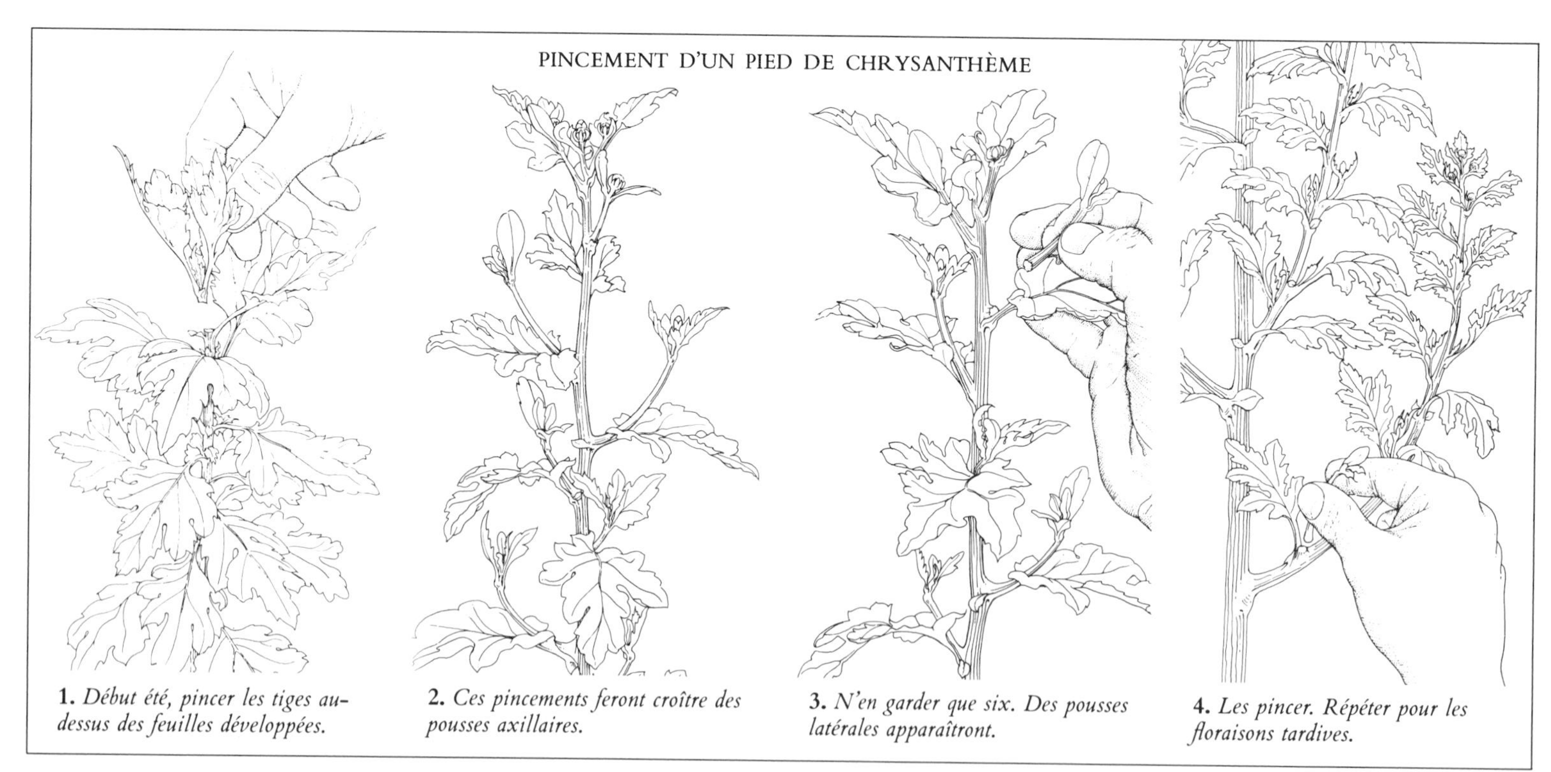

1. *Début été, pincer les tiges au-dessus des feuilles développées.*

2. *Ces pincements feront croître des pousses axillaires.*

3. *N'en garder que six. Des pousses latérales apparaîtront.*

4. *Les pincer. Répéter pour les floraisons tardives.*

Culture des plantes d'exposition

Pour être éligibles, les chrysanthèmes doivent avoir des tiges droites, un feuillage vert foncé et doivent être exempts de toute cicatrice laissée par le passage d'un ravageur. Pour que les plantes remplissent ces conditions, il faut que leur croissance soit suivie de très près.

Tout d'abord, il faut tuteurer les chrysanthèmes d'exposition quand ils sont très jeunes, alors que leurs tiges sont souples et qu'on peut les redresser. Utiliser des tuteurs d'acier ou de bambou et des liens en fil de fer recouverts de plastique ou de papier. Deux tuteurs par plant suffisent en règle générale ; il faut y attacher la plante au fur et à mesure qu'elle grandit.

Il faut également faire des apports généreux d'engrais, garantie d'un beau feuillage. Apporter des engrais chimiques, de formule 20-20-20, et des engrais organiques, comme les émulsions de poisson. Des apports hebdomadaires d'engrais dilué sont de beaucoup préférables à l'utilisation moins fréquente d'un fertilisant plus concentré. Se rappeler cependant qu'un excès d'azote peut faire du tort aux chrysanthèmes en provoquant la pousse de feuilles grossières à marge frisée.

On ajoute parfois aux autres fertilisants du chélate de fer ou des composés renfermant divers oligo-éléments. Lorsque le feuillage des chrysanthèmes est d'un vert trop clair, épandre du sulfate de magnésium au pied des plantes.

A l'égard des maladies et des ravageurs, il vaut toujours mieux prévenir que guérir. Il existe plusieurs insecticides qui mettent les ravageurs en déroute et de nombreux fongicides qui préviennent les maladies. Le malathion et le dicofol sont des composés efficaces contre la plupart des ravageurs qui menacent les chrysanthèmes. On les retrouve dans divers produits commerciaux destinés au traitement des plantes. Contre le mildiou et la tache des feuilles, utiliser du bénomyl, seul ou combiné à un insecticide. Le traitement peut se faire à l'aide d'un pulvérisateur à pompe manuelle et à réservoir. S'assurer que la lance et la buse vont permettre d'arroser complètement le dessus et le dessous de toutes les feuilles.

Les principaux ennemis des jeunes chrysanthèmes cultivés au jardin sont les limaces, les vers gris et les oiseaux. Contre les limaces, épandre des appâts granulés de métaldéhyde au pied des plants. Des collets de carton disposés autour des pieds devraient suffire à faire obstacle aux vers gris.

Pour éloigner les oiseaux qui déchiquettent à l'occasion les feuilles des chrysanthèmes, il y a la vieille solution de l'épouvantail.

Culture en serre

Comme les chrysanthèmes exigent beaucoup de soleil durant une partie de leur cycle végétatif, il est préférable de les cultiver au jardin le plus longtemps possible.

La culture en fosse décrite à la page 239 convient tout particulièrement aux variétés à floraison tardive. Comme les plantes se trouvent dans des pots, on peut les rentrer dans la serre quand le froid s'installe.

Avant de les rentrer, cependant, il faut les vaporiser généreusement d'insecticide tout usage additionné de bénomyl (ou d'un autre fongicide). Bien vaporiser le dessus et le dessous des feuilles.

La serre doit être bien aérée. Au moment de l'arrosage, verser l'eau sur le mélange terreux pour ne pas mouiller le feuillage. Dès que les boutons se colorent, interrompre les apports d'engrais.

Forçage des plantes et protection contre le gel

Un grand nombre de variétés de chrysanthèmes fleurissent après les premiers gels. Les expositions ayant lieu en automne, les horticulteurs ont recours au forçage.

Pour pratiquer le forçage, il faut une charpente en tuyaux galvanisés, ou en bois, recouverte d'une pièce de tissu de teinte sombre qui créera l'obscurité nécessaire. Cette armature doit être assez haute pour que le tissu ne touche pas aux plantes, et elle doit être en pente pour faciliter l'écoulement des eaux de pluie.

Choisir un tissu épais qui ne laisse pas filtrer la lumière. L'attacher à la charpente de façon à pouvoir le retirer ou le déplacer facilement. L'installer du côté nord de l'armature ; le tirer vers l'extrémité sud en fin d'après-midi, puis le remettre en place pour le lendemain matin.

Comme les chrysanthèmes ont une longue période de floraison, les horticulteurs disposent de deux semaines — celle qui précède le complet épanouissement de la fleur et celle qui le suit — pour participer à une exposition. Il est donc facile de calculer la date à laquelle devrait commencer le forçage. Par exemple, si une plante doit être en fleur le 15 octobre, la période d'obscurité commencera autour du 6 août. Lorsque les plantes n'ont pas toutes le même délai de floraison, on fait une moyenne. Durant cette période, on maintiendra les plantes dans l'obscurité pendant 12 heures d'affilée, à partir de l'après-midi.

Les chrysanthèmes résistent à des froids de –2°C. En dessous du point de congélation, cependant, l'humidité peut endommager les pétales. Il faut alors mettre les plantes sous abri. La charpente décrite précédemment sera dans ce cas-ci recouverte d'une épaisse pellicule de vinyle.

Ménager des ouvertures pour éviter un surcroît de chaleur et installer un ventilateur pour faire circuler l'air. Enfin, un radiateur de 500 à 1 000 watts complétera l'installation.

Une charpente comme celle-ci protège du froid et de la lumière les plants soumis au forçage.

Des fleurs hors saison

Quand on dispose d'une serre, on peut avoir des chrysanthèmes en fleur tout l'hiver. Il suffit pour cela de prélever des boutures herbacées sur les pousses latérales des plantes cultivées au jardin lorsqu'elles ont environ 10 cm de long. Leur faire prendre racine comme on le décrit à la page 236.

Vers la fin d'août, époque où la plante cesse de croître en hauteur pour consacrer son énergie à produire des fleurs, les boutures ne seront pas encore assez avancées pour fleurir. Pour empêcher la production prématurée de boutons, faire patienter les boutures en les exposant brièvement à un éclairage artificiel. La période d'éclairement devrait durer de 22 h à 2 h. Ces quelques heures supplémentaires de lumière suffiront à retarder la floraison. Une ampoule à filament incandescent de 75 watts, placée à 90 cm au-dessus, peut éclairer une jardinière ou une plate-bande de 1,20 m de long.

Dans les petites serres, il est sans doute préférable d'installer les plantes sur le sol plutôt que sur une étagère. Les sujets doivent être distancés d'au moins 15 cm. Pour le reste — fertilisation, arrosage, pincements, traitements préventifs contre les maladies et les ravageurs —, procéder comme dans la culture en pleine terre.

Dès qu'on diminue l'éclairement, la floraison s'amorce et les inflorescences apparaissent 8 à 12 semaines plus tard. Les fleurs obtenues en serre sont moins grandes et moins colorées que celles produites durant la période de floraison normale des chrysanthèmes, parce que le soleil d'hiver est moins ardent. Après avoir donné la première fleur, les pousses latérales continueront à fleurir jusqu'en mai.

HIVERNAGE DES CHRYSANTHÈMES

1. *Quelques semaines après la floraison, rabattre les tiges à 23 cm. Enfoncer une fourche-bêche sous le plant et l'arracher. Effeuiller.*

2. *Déposer les plants dans une caissette, recouvrir de compost et arroser un peu. Garder sous châssis froid jusqu'à la période active.*

Utilisation et bonne culture des chrysanthèmes

Les chrysanthèmes sont des plantes rustiques idéales pour la décoration des jardins. La facilité avec laquelle on peut les transplanter élimine les problèmes d'espacement ou de hauteur de plants que l'on rencontre quand on veut faire des plates-bandes.

Lorsqu'on présente des chrysanthèmes à un concours, il faut bien étudier le programme afin de les inscrire dans la bonne catégorie.

Les chrysanthèmes cultivés en plates-bandes sont souvent la proie des anguillules ou de la flétrissure verticillienne. Si ce problème se présente, on fera des fumigations du sol au métam-sodium.

Les sols très argileux conviennent mal à la culture des chrysanthèmes. Eviter de creuser par temps pluvieux. Mélanger à la terre du sable grossier, de la cendre ou de la perlite pour la rendre plus légère. Si le sol se fragmente facilement lorsqu'on le bêche au printemps, c'est qu'il contient peu d'argile.

Les chrysanthèmes préfèrent un sol légèrement acide, c'est-à-dire dont le pH se situe entre 6 et 7. Si le pH est de 5 à 6, on peut réduire l'acidité en incorporant à la terre du calcaire broyé. Si par contre le pH se situe entre 7 et 8, le sol est trop alcalin ; on lui ajoutera alors de la tourbe ou un produit à base de soufre. On trouvera à la page 438 d'autres renseignements concernant le pH des sols.

Ravageurs et maladies des chrysanthèmes

On trouvera dans le tableau ci-dessous quelques-uns des problèmes que l'on peut rencontrer dans la culture des chrysanthèmes. Les symptômes sont énumérés dans la première colonne, la cause et le traitement sont indiqués dans les deux autres. Si un sujet présente des symptômes non décrits ci-dessous, se reporter au chapitre « Ravageurs et maladies », à la page 444. On trouvera aux pages 480 à 482 les appellations commerciales des produits recommandés.

Symptômes	Cause	Traitement
Sillons blancs sinueux dans les feuilles.	Mineuses	Couper les feuilles minées. Vaporiser de diazinon.
Boutons et fleurs déformés. Feuilles déformées ou criblées de trous.	Punaises à quatre raies, punaises arlequines	Vaporiser de diazinon, de malathion ou de nicotine.
Feuilles tachetées de brun. Toiles au bout des nouvelles pousses.	Tétranyques à deux points (araignées rouges)	Vaporiser de dicofol, de malathion ou de tétradifon.
Jeunes pousses dévorées, surtout sur les stolons.	Limaces (présence de traînées baveuses) ou chenilles	Appâts granulés de métaldéhyde contre les limaces. Carbaryl contre les chenilles.
Taches triangulaires ou en V entre les nervures des feuilles.	Nématodes (anguillules du chrysanthème)	Brûler les feuilles atteintes. Vaporiser de diazinon ou de dichlorvos.
Plants jaunis et chétifs. Flétrissement des feuilles et des pousses, les jours chauds et ensoleillés. Tiges grêles ; feuilles petites et décolorées.	Anguillules des racines ou symphiles dans le sol	Imbiber le sol de diazinon ou de dichlorvos. Avant la plantation, traiter la terre au dazomet ou au métam-sodium.
	Manque d'eau	Arroser.
	Manque d'engrais ou chlorose	Fertiliser ; ajouter au sol plusieurs cuillerées à soupe de sulfate de magnésium.
Rayons floraux tachés de brun. Fleurs déformées.	Brûlure ascochytique des rayons (champignon)	Vaporiser de captane, de ferbam ou de manèbe.
Amas poudreux gris ou bruns sur boutons et pétales.	Botrytis ou pourriture grise (champignon)	Aérer les jours chauds. Vaporiser de chlorothalonil ou de dichloran.
Pruine blanchâtre sur les feuilles et les tiges qui peuvent être déformées.	Blanc (champignon)	Vaporiser de bénomyl, de cycloheximide ou de dinocap.
Taches brunes ou noires sur les feuilles.	Rouille ou tache septorienne (champignon)	Traiter avec du bénomyl, du ferbam, du manèbe ou du zinèbe.
Flétrissement général du plant. Les feuilles brunissent et meurent, à partir de la souche.	Flétrissure verticillienne ou maladie de Seidewitz (champignon)	Détruire les feuilles et les tiges atteintes. Traiter au bénomyl à raison de 5 g par mètre carré.

Petit guide des chrysanthèmes

Voici une liste de chrysanthèmes bien connus, groupés selon leur coloris et leur délai de floraison. Les catégories ont été déterminées par la National Chrysanthemum Society des Etats-Unis selon la forme des fleurs (voir illustrations, pp. 234 et 235). Les dates de floraison sont forcément approximatives et peuvent varier légèrement selon les climats.

Nom	Délai de floraison	Catégorie	Date de floraison	Remarques
Blanc	**6-8 sem.**			
'Autumn Bride'	6	9	15 sept.	Anémone à pétales tubulés
'Avalanche'	7	7	20 sept.	Résiste aux intempéries
'Baby Tears'	6	4	10 sept.	Coussin de petites fleurs
'Betsy Ross'	6	7	10 sept.	Fleurs crème de 10 cm
'Chapel Bells'	6	7	15 sept.	A larges pétales
'Daisy White'	6	1	15 sept.	Coussin de fleurs moyennes
'Drifted Snow'	8	7	5 oct.	Blanc neige
'Early Snow'	6	7	5 sept.	Demi-coussin
'Ermine'	7	7	1er oct.	Cœur crème
'French Vanilla'	7	7	20 sept.	Superbes capitules
'Good Humor'	6	4	15 sept.	Fleurs en forme de ballon
'Newport'	6	7	10 sept.	Coussin en monticule
'Powder River'	6	7	15 sept.	Coussin de grandes fleurs
'Raggedy Ann'	7	12	1er oct.	Fleurs semblables à l'œillet
Blanc	**9-12 sem.**			
'Bicentennial'	11	5	1er nov.	Grandes fleurs d'exposition
'Cloudbank'	10	3	25 oct.	Beaux capitules terminaux
'Donlope's White'	11	11C	5 nov.	Lauréat de concours
'John Hughes'	11	6	1er nov.	« Boule » parfaite
'Lamont'	11	9	5 nov.	Se cultive bien en pot
'Matterhorn'	12	5	10 nov.	Forme sphérique parfaite
'May Shoesmith'	12	5	12 nov.	Entièrement globuleux
'Nightingale'	11	11C	5 nov.	Incomparables ligules vertes
'Nob Hill'	11	5	1er nov.	Se cultive bien en pot
'Ping Pong'	11	4	1er nov.	Magnifiques capitules
'Thunderhead'	11	5	5 nov.	Ligules incurvées blanc pur
Lavande et pourpre	**6-8 sem.**			
'Alert Purple'	7	7	1er oct.	Pourpre argenté
'Geisha Girl'	7	11B	28 sept.	Pétales tubulés
'Grandchild'	7	4	25 sept.	Cœur rouge lavande
'Gypsy Wine'	6	4	15 sept.	Fleurs arrondies et cireuses
'Lovely Lass'	7	7	1er oct.	Tiges courtes, lavande
'Mango'	8	3	10 oct.	Variante de 'Ann Ladygo'
'Purple Waters'	7	4	22 sept.	Longues tiges
'Royal Flush'	6	7	15 sept.	Capitules cerise-prune
'Small Wonder'	7	4	25 sept.	Petits pompons
'Tinker Bell'	7	4	1er oct.	Robuste et compact
'Twinkle'	7	7	1er oct.	Pourpre cyclamen
Lavande et pourpre	**9-12 sem.**			
'Grape Festival'	11	5	5 nov.	Croissance vigoureuse
'Playmate'	11	6	1er nov.	Pourpre intense
'Potomac'	10	1	25 oct.	Le plus beau à larges ligules
'Pretty Polly'	9	7	10 oct.	Revers argenté
'Purple Glow'	11	5	5 nov.	Revers argenté
'Shin Otome'	11	3	1er nov.	Grandes fleurs en cascade
Rose	**6-8 sem.**			
'Ann Ladygo'	8	3	10 oct.	De courte taille
'Bessie Bates'	7	7	28 sept.	Tend à s'incurver
'Cameo'	6	7	15 sept.	Coussin rose foncé
'Cherish'	7	7	28 sept.	Fleurs semblables au dahlia
'Fall Charm'	6	7	15 sept.	Cœur or
'Grandchild Rose'	6	7	15 sept.	Variante de 'Grandchild'
'Lindy'	6	7	15 sept.	Légèrement tubulé
'Spinning Wheel'	7	3	15 sept.	Extrémités spatulées
'Stardom'	7	1	1er oct.	Se cultive bien en pot
'Tenderness'	7	2	1er oct.	Rose franc
'Whirlaway'	6	9	15 sept.	Coussin, pétales spatulés
'Yorktown'	6	7	10 sept.	Rose clair
Rose	**9-12 sem.**			
'Angel Face'	11	3	1er nov.	Beaux capitules
'Carillon'	11	4	4 nov.	Capitules d'exposition
'Diamond Wedding'	10	5	25 oct.	Plante en pot, méthode anglaise
'Epic'	11	3	5 nov.	Grandes anémones roses
'Escapade'	10	5	28 oct.	Fleurs d'exposition
'Fuyo'	11	3	1er nov.	Pour bonsaï ou suspension
'Georgia Hedinger'	9	11C	15 oct.	Hâtif, fiable
'Lola'	9	11C	15 oct.	Le plus beau des hâtifs
'Miss Olympia'	11	12	5 nov.	Court et vigoureux
'Novato'	11	9	5 nov.	Lauréat en 1975
'Otome Pink'	11	7	1er nov.	Classique et décoratif
'Pink Champagne'	11	11B	5 nov.	Cœur bien fourni
'Seiko Giant'	12	6	10 nov.	Importation du Japon
'Southern Queen'	11	5	5 nov.	Larges fleurons

Nom	Délai de floraison	Caté-gorie	Date de floraison	Remarques
Jaune	**6-8 sem.**			
'Bunker Hill'	6	7	10 sept.	Jaune caramel
'Daisy Yellow'	6	1	15 sept.	Cœur de teinte or
'Gold Arrow'	7	5	20 sept.	Grandes fleurs
'Golden Galleon'	7	5	28 sept.	Le meilleur de sa catégorie
'Golden Regards'	7	7	20 sept.	Variante de 'Best Regards'
'Golden Sunshine'	6	4	12 sept.	Capitule de pompons
'Jackpot'	8	5	10 oct.	Coussin jaune clair
'Lee Powell'	7	7	20 sept.	Longtemps très populaire
'Lemon Lace'	7	9	28 sept.	Anémone spatulée
'Ruby Breithaupt'	8	7	5 oct.	Jaune d'or à jaune crème
'Sea Urchin'	7	10	20 sept.	Jaune d'or à jaune crème
'Spunky'	8	4	5 oct.	Cœur orange
'Sunburst Cushion'	8	9	5 oct.	Extrémités spatulées
'Sunny Thoughts'	8	3	3 oct.	Anémone spatulée
'Yellow Starlet'	7	9	25 sept.	Variante de 'Starlet'
Jaune	**9-12 sem.**			
'A. T. Bumann'	12	11B	8 nov.	Lauréat en 1972
'Centennial Fiesta'	11	5	1er nov.	Robuste
'Connie Mayhew'	10	5	28 oct.	Incurvé, très beau
'Garden State'	11	5	5 nov.	Superbes fleurs d'exposition
'Georgia'	10	5	28 oct.	Belles fleurs d'exposition
'Miss Oakland'	11	5	1er nov.	Lauréat, catégorie géants
'Peter Rowe'	10	5	25 oct.	Jaune clair
'Primrose Supreme'	11	5	1er nov.	Grand et bien fourni
'Statesman'	10	4	28 oct.	Excellents boutons
'Yellow Knight'	11	11C	5 nov.	Toujours gagnant
'Yellow Margarita'	10	1	25 oct.	Le plus beau des simples
Orange et bronze	**6-8 sem.**			
'Apache'	8	7	5 oct.	Bronze foncé
'Best Regards'	6	7	15 sept.	Pied court, grandes fleurs
'Continental'	6	7	5 sept.	Plant trapu, pour bordures
'Daisy Bronze'	7	1	20 sept.	Plant dressé, buissonnant
'Fine Feathers'	7	9	25 sept.	Double et spatulé
'Jascinth'	6	7	15 sept.	Orange pur
'Minnautumn'	6	4	5 sept.	Rouge orangé
'Pancho'	7	4	24 sept.	Pompons en monticule
'Starlet'	7	9	25 sept.	Trapu et buissonnant
'Ticonderoga'	7	7	20 sept.	Résiste aux intempéries
'Welcome Sign'	7	9	1er oct.	Double, spatulé

Nom	Délai de floraison	Caté-gorie	Date de floraison	Remarques
Orange et bronze	**9-12 sem.**			
'Autumn King'	11	5	1er nov.	Teinte fauve
'Daybreak'	11	3	5 nov.	Le plus beau de sa catégorie
'Dignity'	11	5	3 nov.	Un géant dans sa catégorie
'Edwin Painter'	10	2	20 oct.	Eboutonnage facile
'Festival'	11	7	1er nov.	Se cultive bien en pot
'Flame Symbol'	11	8	5 nov.	Le plus beau des récurvés
'Gypsy Queen'	11	11C	1er nov.	Fleur bien pleine
'Honey'	10	10	25 oct.	Plant de petite taille
'Honey Ball'	10	5	20 oct.	En forme de boule
'Noble Knight'	11	5	1er nov.	Revers rouges
'Nova Gold'	10	5	25 oct.	Ligules très incurvées
'Walnut Queen'	12	11D	12 nov.	Très robuste
Rouge	**6-8 sem.**			
'Bandana'	7	7	20 sept.	Coussin rouge rubis
'Chippewa Red'	7	7	1er oct.	Rouge sombre, ancien
'Daisy Red'	6	1	15 sept.	Robuste
'Daredevil'	7	7	24 sept.	Rouge intense, buissonnant
'Drummer Boy'	6	7	15 sept.	Coussin rouge vif
'Fireside Cushion'	8	1	12 oct.	Supporte le froid
'Red Climax'	6	7	15 sept.	Excellent pour bouquets
'Red Headliner'	6	7	15 sept.	Rouge rubis, splendide
'Redheart'	6	7	1er sept.	Rouge, court, hâtif
'Ruby Mound'	6	7	15 sept.	Monticule trapu et dense
'Scarleteer'	8	7	5 oct.	Se cultive bien en pot
'Valley Forge'	7	7	1er oct.	De marron à cramoisi
'Volunteer'	8	8	12 oct.	Peu récurvé
Rouge	**9-12 sem.**			
'Achievement'	10	11C	26 oct.	Lauréat en 1970
'Akagane'	11	3	5 nov.	Le meilleur en bonsaï
'Ethel'	11	4	5 nov.	Petites fleurs rouge foncé
'Fireflash'	10	8	20 oct.	Grand succès en Angleterre
'John Riley'	8	8	5 oct.	Hâtif récurvé, très beau
'Liberty Bell'	11	2	1er nov.	Beaux capitules
'Matador'	11	5	1er nov.	Bronze rougeâtre
'Mimi'	11	3	1er nov.	Beaux capitules terminaux
'Oberlin'	9	10	25 oct.	Se cultive bien en pot
'Red Bonanza'	10	7	25 oct.	Bronze au revers
'Red Glory'	10	2	28 oct.	Tiges robustes
'Red Jetfire'	11	4	5 nov.	Grands capitules

Dahlias

Les fleurs du dahlia cactus peuvent avoir jusqu'à 25 cm de diamètre.

Fleurs d'automne aux couleurs lumineuses et aux formes multiples, les dahlias prolongent au jardin l'éclat de l'été. Ce sont des ornements incomparables.

Le dahlia est une plante originaire du Mexique, introduite en Europe au XVIIIe siècle. L'une des espèces dont descend le dahlia moderne, *Dahlia imperialis* (dahlia géant), présentait à l'origine des fleurs simples de teinte lilas ou rouge. La plante avait l'aspect d'un petit arbre et pouvait atteindre 2 à 5,50 m de hauteur. Il existait d'autres espèces plus petites, comme *D. coccinea* (dahlia écarlate), à fleurs simples et rouges, qui ont donné naissance aux dahlias modernes.

Le dahlia nécessite une terre riche en humus, des arrosages fréquents et des apports réguliers d'engrais. Il présente des racines tubéreuses, des tiges creuses, des feuilles vert brillant ou bronze et des fleurs dont les coloris vont du blanc au marron intense en passant par toute la gamme des jaunes. Certains sujets sont bicolores.

On divise les dahlias en deux groupes : les dahlias pour massifs, obtenus par semis chaque année mais parfois aussi par tubercules, et les dahlias d'exposition, presque toujours cultivés à partir de tubercules.

Les plus populaires pour la culture en bordures mélangées sont les premiers ; ils peuvent atteindre environ 60 cm de hauteur. Certains catalogues offrent les variétés naines 'Coltness' et 'Unwin', de 40 à 60 cm de haut et à fleurs doubles ou semi-doubles d'environ 5 cm de diamètre. On trouve aussi sur le marché des graines de dahlias de haute taille, par exemple les dahlias cactus et semi-cactus, le dahlia décoratif et le dahlia pompon. Les tubercules sont identifiés par leur nom et leur couleur. Il n'en est pas ainsi pour les graines. On ne peut donc connaître à l'avance la couleur des dahlias en semis.

On multiplie les dahlias d'exposition par bouturage des tiges ou par division des tubercules. On obtient ainsi des sujets dont les coloris sont identiques à ceux de la plante mère.

Les dahlias sont classés suivant la taille et la forme de leurs fleurs. L'American Dahlia Society, les commerçants et les horticulteurs en ont reconnu plus de 12 catégories.

Les dahlias à fleurs simples présentent un disque central ouvert entouré d'une seule rangée de pétales ou ligules. Les fleurs peuvent atteindre 10 cm de diamètre.

Les dahlias miniatures sont des plantes de moins de 45 cm de haut qui donnent des fleurs simples.

Les dahlias à fleurs doubles ressemblent aux sujets à fleurs simples, mais le disque central est entouré de deux rangées extérieures de pétales.

Les dahlias à fleurs d'orchidée n'offrent eux aussi qu'une rangée de pétales qui sont incurvés vers le disque central.

Les dahlias à fleurs d'anémone présentent une couronne de ligules aplaties entourant un disque composé de fleurons enroulés ou tubuleux.

Les dahlias à collerette ont des fleurs à cœur jaune composé d'étamines et de fleurons et entouré de pétales plats à l'extérieur. Une collerette intérieure formée de ligules plus petites entoure les étamines.

Les dahlias à fleurs de pivoine ont des fleurs pouvant atteindre 10 cm de diamètre. Chacune d'elles offre un disque central à fleurons crochus (sépales ou étamines ressemblant à des pétales) et jusqu'à quatre rangées de ligules aplaties.

Les dahlias cactus à pétales incurvés présentent des fleurs vraiment doubles à ligules étroites, enroulées, qui se recourbent vers le centre. Les fleurs peuvent avoir jusqu'à 25 cm de diamètre.

Les dahlias cactus à pétales droits ou recourbés sont semblables à ceux qu'on vient de décrire, sauf que leurs ligules sont droites ou recourbées vers l'extérieur.

Les dahlias semi-cactus ont des ligules semblables à celles du dahlia cactus, mais elles sont plus larges et tubulées.

Les dahlias décoratifs classiques ont des fleurs symétriques et parfaitement doubles, sans disque central. Les ligules sont larges, légèrement incurvées et arrondies à une extrémité. Les fleurs peuvent mesurer plus de 25 cm de diamètre.

Les dahlias décoratifs de forme libre ressemblent aux précédents, mais la disposition de leurs ligules est moins régulière.

Les dahlias boules, comme leur nom l'indique, ont des fleurs sphériques, parfois aplaties au sommet. Les ligules à pointe émoussée ou arrondie sont disposées en spirale. Les fleurs ont plus de 10 cm de diamètre.

Les dahlias miniatures sont des dahlias boules dont les fleurs ne dépassent pas 10 cm de diamètre.

Les dahlias pompons sont des dahlias boules de moins de 5 cm de diamètre.

Le feuillage des dahlias est richement coloré. Les jeunes sujets ont parfois un feuillage panaché qui s'uniformise ensuite. Les feuilles sont généralement ovales, sauf chez quelques dahlias décoratifs dont le feuillage est aussi découpé qu'une fronde de fougère.

Les dahlias d'exposition deviennent plus beaux quand ils sont cultivés en isolé et en situation ensoleillée. On peut cependant mélanger les variétés à fleurs jaunes, écarlates ou bronze avec des fleurs blanches ou de teintes froides.

Les dahlias décoratifs, cactus, semi-cactus, à collerette, boules et pompons seront plantés isolément ou par groupes de trois de la même variété.

Si l'on veut mélanger les variétés, il est préférable de disposer les sujets par groupes de trois. Pour faciliter les divers travaux d'entretien, il est indispensable que l'on ait aisément accès à chacun des plants.

A la fin de la saison, il n'est généralement pas urgent de déterrer les dahlias cultivés en massif. Ils peuvent être laissés en place jusqu'à ce que le gel fasse noircir les feuilles.

Il n'en va pas de même des dahlias d'exposition. On les déterrera une fois que les tubercules auront mûri. Une vague de froid, des pluies répétées entraîneront des maladies cryptogamiques ou bactériennes fatales.

Déterrer les tubercules dès que les feuilles jaunissent, que les fleurs sont moins colorées et que le nombre de boutons diminue.

Il est important, cependant, de ne pas déterrer les tubercules avant qu'ils soient mûrs. On doit leur laisser le temps d'absorber tous les éléments nutritifs qui leur permettront de survivre en hiver et de produire de nouvelles pousses vigoureuses le printemps suivant. Dans les régions où la belle saison est courte, il faudra peut-être les laisser dans le sol jusqu'à la première véritable gelée.

Les dahlias cultivés à partir de semis produisent eux aussi des tubercules. Mais la plupart des horticulteurs jettent ces tubercules et sèment de nouveau l'année suivante.

Simple *Une rangée de ligules (deux chez les fleurs doubles) entoure le cœur.*

Orchidée *Une rangée de ligules enroulées entoure un disque central.*

Anémone *Une rangée de ligules plates entoure un groupe compact de fleurons.*

Collerette *Une collerette de ligules est placée entre les ligules extérieures et le cœur.*

Pivoine *Deux à quatre rangées de ligules plates entourent un disque central.*

Cactus *Fleurs doubles à ligules étroites, pointues et enroulées sur plus de la moitié de leur longueur ; incurvées (à gauche) ou droites ou récurvées (à droite).*

Semi-cactus *Ligules plus larges et moins enroulées que celles du dahlia cactus.*

Décoratif *Fleurs doubles, sans disque central. Ligules larges à extrémités arrondies, disposées symétriquement (à gauche) ou de façon irrégulière (à droite).*

Où, quand et comment planter les dahlias

Les deux clés du succès : soleil et fertilisation

A part le plein soleil, il faut aux dahlias un sol poreux et riche, neutre ou légèrement acide.

Installer les dahlias dans un endroit chaud, ensoleillé et bien aéré. Un coin légèrement ombragé l'après-midi convient tout aussi bien.

En automne, incorporer au sol de généreuses quantités de fumier déshydraté ou bien décomposé, de compost ou de tout autre engrais organique. Epandre en surface 100 g de poudre d'os ou 50 g de superphosphate par mètre carré. Ne pas niveler le sol afin que sous l'action du gel et de l'air les matières ajoutées s'émiettent. Si la terre n'est pas assez riche, la fertiliser avec un engrais polyvalent (du 5-10-10) tous les mois après la reprise.

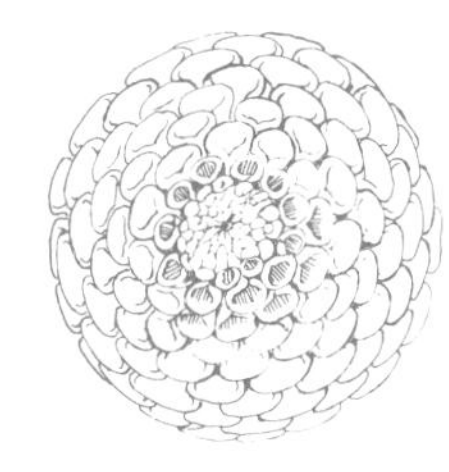

Boule *Fleur sphérique à ligules tubulées, disposées en spirale.*

Pompon *Fleur en boule de moins de 5 cm de diamètre, dite miniature quand elle est plus petite.*

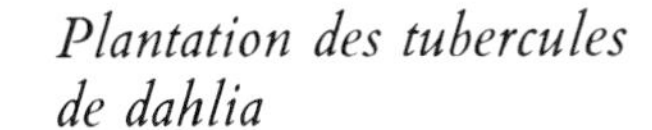

Plantation des tubercules de dahlia

La plantation des tubercules de dahlia s'effectue lorsque tout danger de gel est écarté, soit du milieu à la fin du printemps dans la plupart des régions. Espacer les sujets géants (1,20-1,50 m) de 60 à 90 cm, les sujets moyens (0,90-1,20 m) de 60 cm et les sujets courts de 40 cm.

Les nouvelles pousses sortent d'yeux situés à la base des anciennes tiges. Chaque tige présente plusieurs tubercules. Ceux-ci peuvent être plantés en touffe ou divisés (voir p. 252). Planter des tuteurs pour supporter les sujets géants. Devant le tuteur, creuser un trou de 15 cm de profondeur.

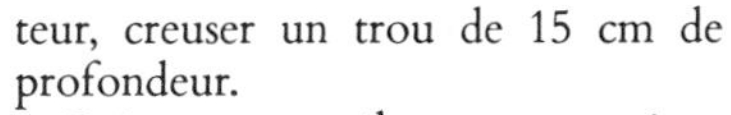

Préparer un mélange composé en parties égales de tourbe et de terre et additionné d'une bonne poignée de poudre d'os. Planter les tubercules comme illustré ci-dessous. Sauf en région très aride, ne pas arroser avant l'apparition d'organes aériens.

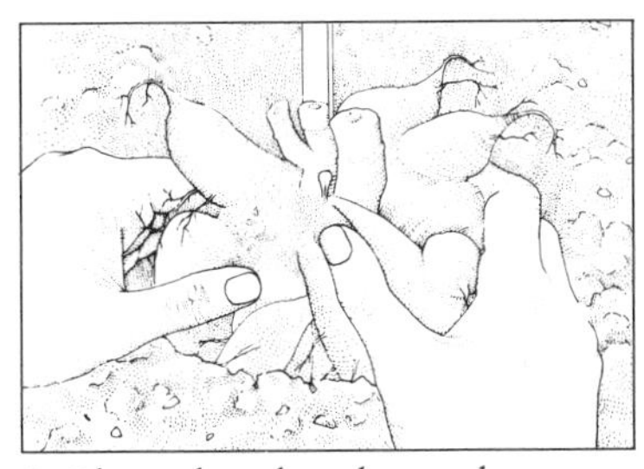

1. *Planter les tubercules en plaçant l'œil contre les tuteurs.*

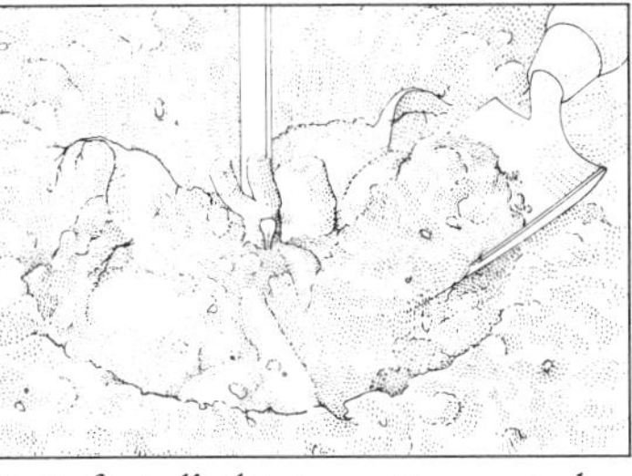

2. *Enfouir l'œil à 5 cm. Recouvrir de mélange en comblant les vides.*

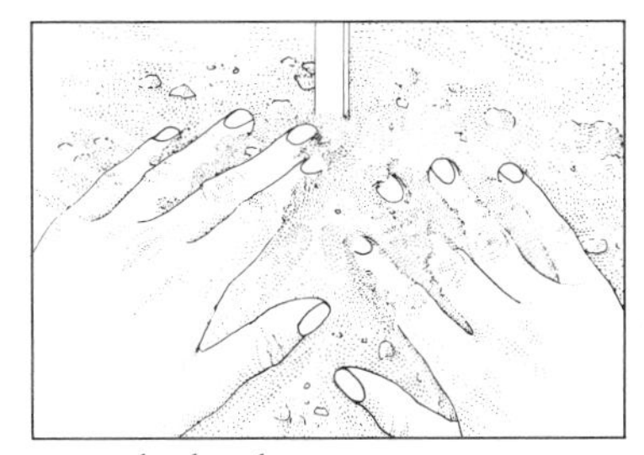

3. *Fouler le sol. Mettre une étiquette aux tuteurs pour identifier les variétés.*

Mise en terre des plants démarrés en pots

On peut commander par la poste ou acheter dans une pépinière locale ou un centre de jardinage de jeunes plants de dahlia déjà démarrés en pots. Les commandes sont généralement remplies, et les plants livrés, au moment où il est opportun de mettre ceux-ci en terre, c'est-à-dire après les derniers gels.

La mise en terre se fait à peu près comme pour les tubercules, ci-dessus. Avant de planter, insérer des tuteurs aux endroits choisis en les espaçant selon la taille qu'atteindront les plantes à l'âge adulte. Arroser modérément. Préparer un mélange à volume égal de terre et de tourbe, additionné d'une poignée de poudre d'os. Bien remuer pour répartir les éléments de façon égale.

A côté de chaque tuteur, creuser un trou de 5 à 8 cm plus profond que la motte de racines et d'une largeur appropriée. Jeter au fond quelques poignées de mélange. Dépoter la plante avec le plus grand soin afin que la motte reste entière. Si les racines entourent l'extérieur de la motte, ne pas essayer de les dégager.

Installer la motte dans le trou pour que le dessus soit à 5 cm sous le niveau du sol. La tige doit être droite et tout près du tuteur. Remplir le trou avec le mélange déjà préparé et tasser en laissant une petite cuvette autour de la tige pour conserver l'humidité et aider la plante à prendre un bon départ. Deux jours plus tard, arroser généreusement. Quand de nouvelles pousses apparaissent, combler de terre la cuvette ménagée autour du plant et niveler le sol.

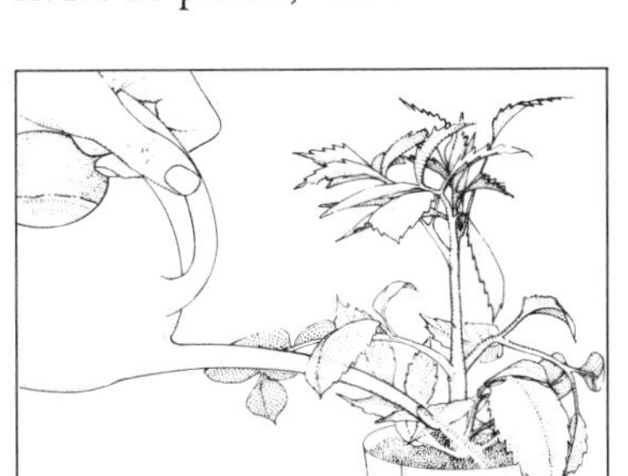

1. *Une heure avant de planter, arroser légèrement. Préparer le mélange.*

2. *Insérer le tuteur. Creuser un trou à côté de celui-ci. Dépoter la plante.*

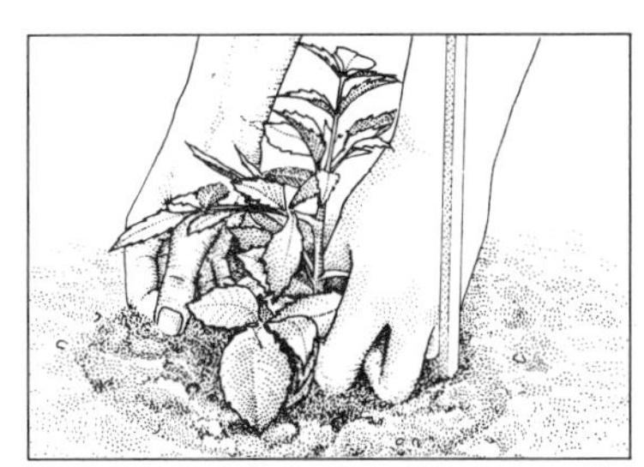

3. *Mettre la plante dans le trou et remplir en laissant une cuvette.*

Soins à apporter aux dahlias durant l'année

Arrosages abondants quand vient la floraison

Les jeunes plants ou les tubercules qui viennent d'être mis en terre ont besoin de peu d'eau. Des arrosages trop abondants risqueraient de faire pourrir les tubercules, et il n'est pas mauvais que les racines aillent chercher leur humidité en profondeur.

Au moment de la floraison, cependant, les dahlias ont besoin de beaucoup d'eau. En période de sécheresse, par contre, arroser abondamment, que les plants soient ou ne soient pas à la veille de fleurir.

En période chaude et ensoleillée, arroser tous les cinq jours environ si le sol est argileux et tous les trois jours s'il est léger.

Employer de préférence un arroseur pouvant projeter un jet fin, qui tombera verticalement sur les plantes et arrosera le sol tout autour.

Si l'on emploie un arrosoir ou un tuyau, donner une dizaine de litres par plante lorsqu'elles sont espacées de 60 à 90 cm ; arroser moins lorsqu'elles sont plus rapprochées.

ARROSAGE

Utiliser un arroseur projetant un jet fin qui retombera à la verticale sur les plantes.

Paillis contre les mauvaises herbes

Lorsque la plante a environ 30 cm de haut, étendre une couche de 2,5 cm de copeaux de bois, de tourbe, d'écorce, ou de paille propre et sèche autour de la base, mais en veillant à ce qu'elle ne touche pas les tiges. Si l'on veut utiliser de l'herbe coupée, s'assurer qu'elle n'a pas été traitée récemment avec un herbicide sélectif.

L'étendre par couches minces en laissant sécher chaque couche. Ce paillis freinera les mauvaises herbes et conservera l'humidité du sol. Pailler lorsque le sol est humide et arroser le paillis abondamment tout de suite après l'avoir installé.

Si des mauvaises herbes ont fait leur apparition avant le paillage, biner la terre, ce qui lui donnera une meilleure aération. Mais ne pas la remuer à plus de 2,5 cm de profondeur.

PAILLAGE

Humidifier le sol. Etendre un paillis de 2,5 cm et l'arroser.

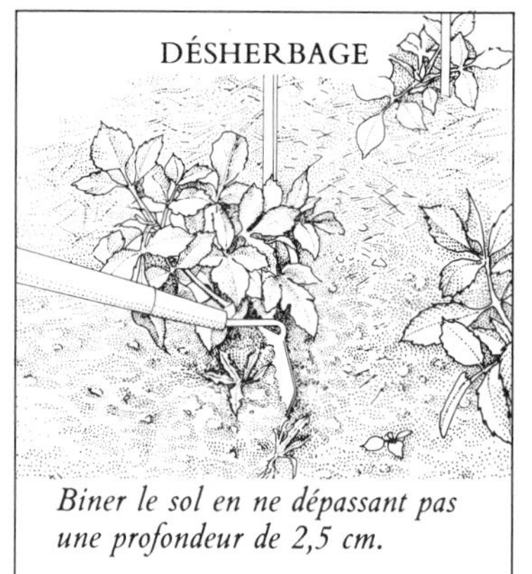
DÉSHERBAGE

Biner le sol en ne dépassant pas une profondeur de 2,5 cm.

Tuteurage des dahlias pendant la croissance

Les dahlias ont besoin d'être tuteurés pour ne pas être abîmés par le vent.

Deux ou trois semaines après la plantation, attacher les tiges à environ 10 à 20 cm au-dessus du sol. Former un huit avec le lien et placer le nœud contre le tuteur.

Au fur et à mesure que la plante grandit, fixer d'autres liens le long de la tige. S'assurer que le premier lien n'est pas devenu trop serré.

Pour protéger les tiges latérales, disposer en triangle d'autres tuteurs plus minces à environ 25 cm du tuteur principal. Planter les tuteurs un peu obliquement et attacher les pousses latérales avec des ficelles enroulées autour de ces piquets.

1. *Deux ou trois semaines après la plantation, tuteurer les plants.*

2. *Ajouter des attaches peu à peu. Desserrer celles du bas au besoin.*

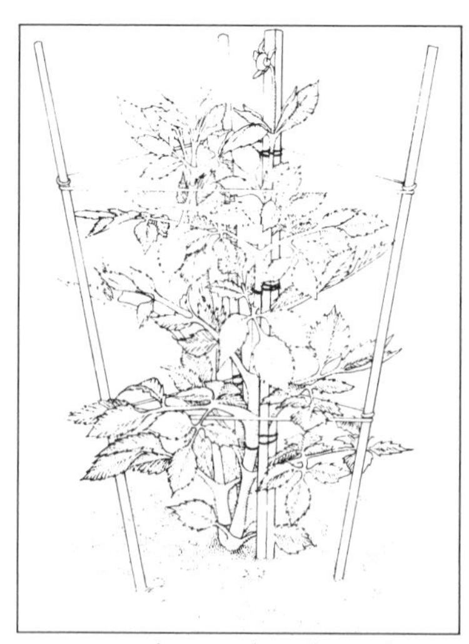

3. *Soutenir les tiges latérales en les attachant à trois tuteurs.*

Pincement et éboutonnage des dahlias à grandes fleurs

La plupart des dahlias à grandes fleurs ne produisent de pousses latérales qu'après que les pousses principales ont donné des boutons.

Pour favoriser la croissance des tiges latérales et obtenir plus de fleurs, pincer les tiges centrales, c'est-à-dire celles qui portent les bourgeons terminaux, deux ou trois semaines après la plantation. Cette opération se pratique généralement à la fin du printemps ou au début de l'été sur les sujets provenant de tubercules et un peu plus tard sur les sujets cultivés en pot.

Une quinzaine de jours plus tard apparaîtront des pousses latérales à l'aisselle des feuilles. Supprimer les deux pousses latérales supérieures pour promouvoir la croissance des pousses latérales inférieures. Elles produiront bientôt un bouton apical et quelques boutons adjacents.

Pour obtenir des fleurs à longs pédoncules, supprimer les boutons adjacents lorsqu'ils sont suffisamment développés.

Pour favoriser l'apparition de tiges latérales plus longues et la croissance de la partie supérieure du dahlia, éliminer les feuilles à la base de la tige principale, sur quelques centimètres.

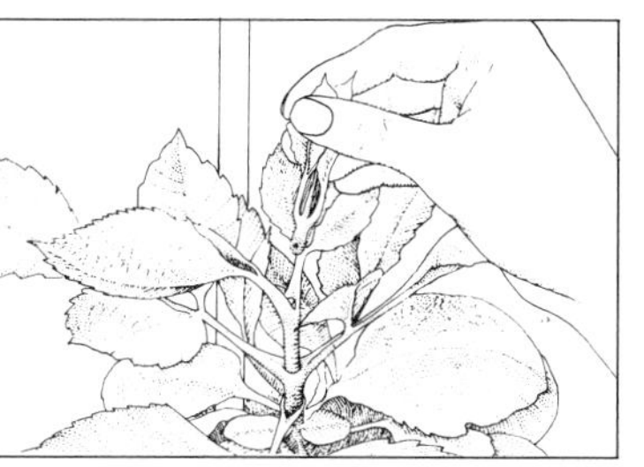

1. *Deux ou trois semaines après la plantation, pincer le bourgeon terminal.*

2. *Deux semaines plus tard, supprimer les deux pousses axillaires supérieures.*

3. *Plus tard, supprimer les bourgeons adjacents des tiges latérales.*

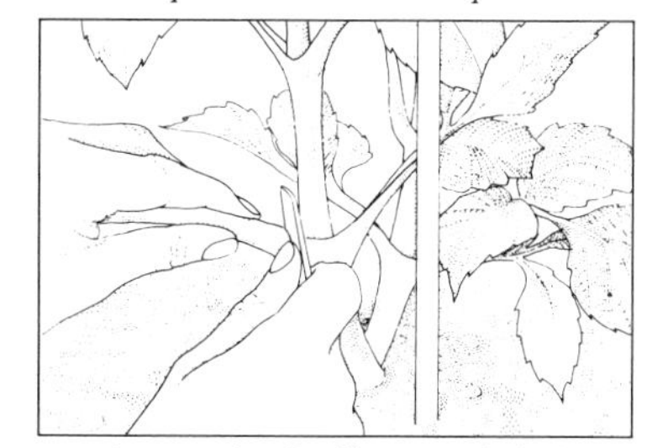

4. *Eliminer les feuilles près de la base de la tige principale.*

Ravageurs et maladies des dahlias

Si les dahlias présentent des symptômes non décrits dans le tableau ci-dessous, se reporter au chapitre intitulé « Ravageurs et maladies », page 444. On trouvera aux pages 480 à 482 les appellations commerciales des produits chimiques recommandés.

Symptômes	Cause	Traitement
Jeunes pousses (surtout celles à boutons) rabougries ou déformées ; petits insectes collants, noirs ou verts.	Pucerons	Vaporisation de carbaryl, de diazinon, de malathion, d'un insecticide systémique : diméthoate ou oxydéméton-méthyle.
Boutons, fleurs et jeunes feuilles dévorés ; nécrose des extrémités. Galeries creusées dans les tiges et les pédoncules.	Perceurs (du maïs ou des tiges)	Poudrage hebdomadaire avec un insecticide à base de carbaryl, de méthoxychlore ou de roténone.
Pétales dévorés, fleurs endommagées.	Perce-oreilles	Vaporisation de chlorpyrifos, de diazinon ou de trichlorfon. Poser à l'envers sur un bâton des pots remplis de paille ; les insectes y grimperont. Secouer les pots au-dessus de l'eau chaude.
Boutons et jeunes fleurs déformés. Feuilles trouées, tachées, déchiquetées ou déformées.	Punaises	Vaporisation de carbaryl, de diazinon ou de malathion.
Feuilles marquées de fines taches argentées.	Thrips	Insecticide à base de diazinon, de malathion ou de méthoxychlore.
Feuilles et pousses des jeunes plants dévorées. Traces de bave.	Limaces ou escargots	Epandre des appâts granulés au pied des plants.
Cernes ou taches de teinte jaune ou brune sur les feuilles. Plants rabougris.	Virose	Aucun traitement chimique. Détruire immédiatement les plants atteints. Application d'un insecticide contre les insectes vecteurs.
Plants plus petits que d'habitude ; tiges grêles et feuilles petites et jaunâtres.	Carence alimentaire	Les dahlias nécessitent un sol humide et fertile. Surfacer avec du compost ou du fumier décomposé ; ajouter de l'engrais 5-10-5.

Gage de santé : des apports d'engrais

S'il a été bien préparé au moment de la mise en place, le sol ne nécessitera pas de nouvel apport d'engrais durant la croissance des plantes. Des paillis de fumier décomposé ou de compost ne seront nécessaires que si le sol est pauvre ou si l'on veut des fleurs d'une qualité exceptionnelle.

On peut fertiliser de nouveau les dahlias pour massifs quand naissent leurs premiers boutons. On fertilisera encore les dahlias d'exposition après le deuxième pincement.

Pour obtenir des résultats rapides, utiliser un engrais soluble de formule 20-20-20. Une petite quantité d'engrais de formule 5-10-10 donnera une croissance plus lente.

Eviter les engrais trop riches en azote afin que les tubercules se constituent des réserves pour l'hiver. Après un épandage d'engrais en granulés, arroser abondamment. Il peut être utile de fertiliser les plants toutes les deux ou trois semaines jusqu'à la fin de l'été. Si on a l'intention de garder les tubercules, surfacer le sol à la fin de l'été avec un mélange de superphosphate et de sulfate de potassium.

Cueillette des fleurs pour les bouquets

Le meilleur moment de la journée pour cueillir les dahlias est dans la soirée ou tôt le matin, lorsque les tiges sont gonflées d'eau.

Couper les tiges en biseau avec un couteau bien aiguisé et non avec des ciseaux ou un sécateur. Ces outils écraseraient les tiges qui ne pourraient plus absorber d'eau.

La longueur de la tige doit être proportionnelle à la dimension de la fleur. Pour les variétés géantes, prendre des tiges de 60 cm.

Au moment de la cueillette, plonger les tiges des fleurs coupées dans l'eau tiède. Les plonger ensuite dans l'eau froide jusqu'au niveau des fleurs. En les maintenant dans l'eau, raccourcir les tiges de 2,5 cm. Garder les fleurs dans un endroit frais pendant quelques heures avant de les disposer en bouquets.

Couper les tiges avec un couteau aiguisé, pour ne pas les abîmer, et les plonger dans de l'eau tiède.

Entreposage des tubercules durant l'hiver

A la fin de la saison, les dahlias d'exposition doivent être déterrés et entreposés pour l'hiver dans un lieu à l'abri du gel. Au printemps suivant, ils peuvent être divisés et replantés en pleine terre ou utilisés pour faire des boutures de tiges.

Dès que les premiers froids d'automne ont noirci le feuillage, couper les tiges à 15 cm environ au-dessus du sol. Les racines peuvent demeurer en terre deux ou trois semaines de plus, même si les gels sont précoces. Cependant, les déterrer immédiatement s'il se produit un coup de gel grave.

A l'aide d'une fourche-bêche, ameublir délicatement la terre autour des tubercules et soulever les souches en abaissant le manche de l'outil. Avec un bâtonnet à bout arrondi, enlever la terre qui reste entre les tubercules. Prendre soin de ne pas briser les anciennes tiges. Mettre le nom de la variété sur une étiquette attachée à la souche des tiges.

Suspendre les tubercules à l'envers dans un endroit frais et sec pendant deux semaines environ pour que les tiges perdent leur humidité. Autrement, l'humidité ferait pourrir le collet ; les tubercules n'en seraient pas endommagés, mais les nouvelles pousses ne seraient pas viables. Les tubercules ne doivent être entreposés pour l'hiver que lorsqu'ils sont parfaitement secs.

Poudrer les tubercules avec de la fleur de soufre pour les protéger des maladies cryptogamiques. Les garder dans un endroit frais et sec, à l'abri du gel et des courants d'air.

Là où les températures hivernales ne descendent jamais en dessous de −9°C, on peut garder les tubercules sur une couche de 15 cm de feuilles ou de tourbe sèches, au fond d'un châssis froid de 60 cm de profondeur. Poser les tubercules sur la couche de fond, sans qu'ils se touchent et à 25 cm au moins des bords. Les recouvrir d'une couche d'au moins 30 cm de feuilles ou de tourbe sèches.

Recouvrir d'un morceau de jute ou d'une matière semblable pour absorber la condensation. Replacer ensuite le couvercle du châssis.

On peut également entreposer les tubercules dans des caissettes remplies de sable sec ou de tourbe sèche, placées sous les tablettes d'une serre froide, dans une cave non humide ou dans un placard dont la température se maintient entre 4 et 7°C.

Si les souches sont en petit nombre, on peut les conserver soit dans un petit filet de jardin, soit dans des emballages hermétiques. Dans le premier cas, envelopper d'abord les souches dans de la paille, puis dans le filet déployé comme un hamac. Les suspendre alors au plafond, dans un endroit non exposé au gel, jusqu'au printemps. Dans le second cas, placer les tubercules dans une boîte garnie de polystyrène expansé de 1,5 cm d'épaisseur.

Enfin, on peut garder les tubercules dans des sacs de plastique épais, noirs, sans autre forme de protection, et fermés hermétiquement avec un fil de fer. Cette méthode empêche les racines de se déshydrater, mais risque de les faire pourrir par transpiration. Garder les tubercules dans une remise à l'abri du gel ou sous l'escalier qui mène au sous-sol, dans la maison. Au printemps, de nouvelles pousses se seront développées sur les collets.

Il est indispensable de vérifier l'état des tubercules toutes les deux ou trois semaines afin de détecter les maladies ou le dessèchement. Les parties malades seront coupées, et les plaies saupoudrées de fleur de soufre. Faire tremper les tubercules desséchés dans un seau d'eau pendant une nuit. Les laisser sécher avant de les remettre dans leur contenant.

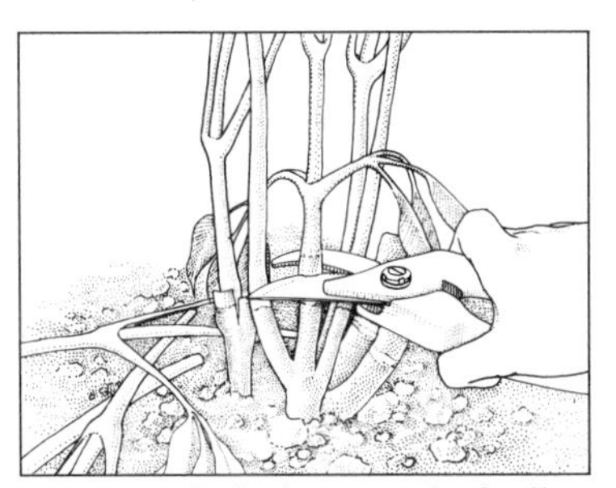

1. *Dès que le froid a noirci les feuilles, rabattre les tiges à 15 cm du sol.*

2. *Déterrer les tubercules et, avec un bâtonnet arrondi, enlever la terre.*

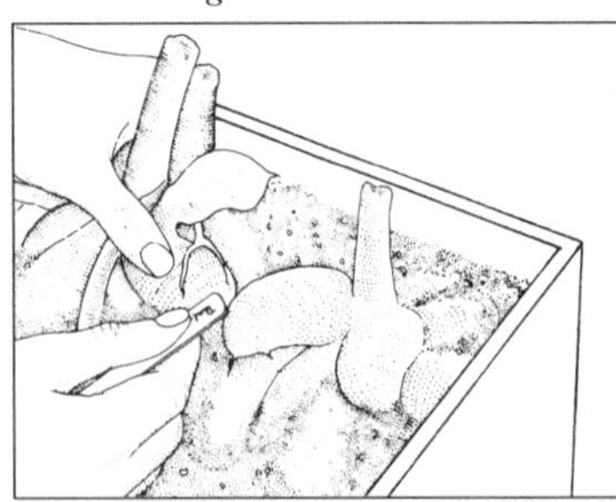

3. *Les placer en caissette, sur 15 cm de tourbe ou de feuilles sèches.*

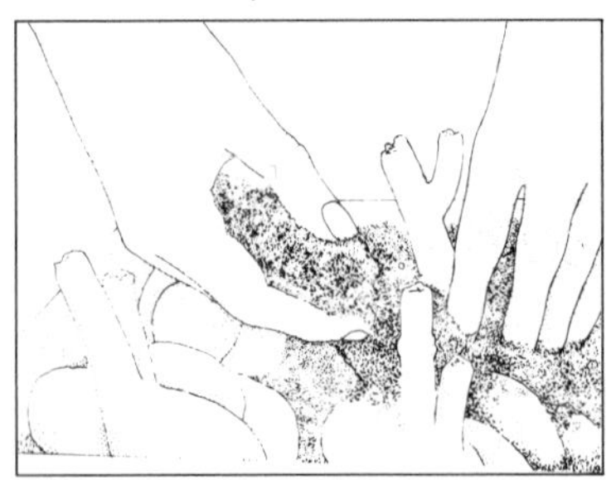

4. *Les recouvrir de 30 cm de tourbe ou de feuilles sèches.*

Multiplication des dahlias

Une méthode fructueuse : le bouturage

Les dahlias d'exposition ou à grandes fleurs se multiplient par bouturage ou par division des tubercules au printemps. D'ailleurs, les tubercules se détériorent lorsqu'on ne les divise pas périodiquement. Quant aux variétés pour massifs, elles se multiplient par semis.

La méthode des semis ne convient pas aux dahlias d'exposition : les plantes qui en sont issues diffèrent des plantes mères. En revanche, le bouturage et la division reproduisent les caractères des plantes mères.

Vers la fin de l'hiver ou au début du printemps, sortir les tubercules, éliminer toute trace de terre, supprimer les parties malades et poudrer les plaies avec de la fleur de soufre.

Placer les tubercules dans une caissette plate remplie de terre légère, de tourbe ou de compost. Les recouvrir du même substrat en laissant le collet dégagé. Arroser modérément. Placer la caissette dans la serre ou près d'une fenêtre ensoleillée, dans un endroit frais. Garder la terre humide.

Lorsque les pousses ont 8 à 10 cm, les sectionner un peu au-dessus de la souche avec un couteau aiguisé ou une lame de rasoir. Ne jamais entailler le tubercule lui-même.

Supprimer les premières pousses si elles sont creuses. De nouvelles tiges normales leur succéderont.

Parer les pousses en dessous du nœud le plus bas. Eliminer la paire inférieure de feuilles en prenant soin de ne pas abîmer les bourgeons qui se sont formés à l'aisselle des feuilles. Ne pas laisser de chicots.

Pour chaque groupe de quatre boutures, remplir un pot de 7,5 cm d'un mélange à volume égal de tourbe et de sable et creuser quatre trous de 2,5 cm de profondeur à égale distance et près du bord.

Plonger la base de chaque bouture dans l'eau, puis dans de la poudre d'hormones à enracinement. Planter les boutures dans les trous en tassant la terre tout autour. Arroser, étiqueter et dater.

Placer les pots dans une caissette de multiplication non chauffée, dans la serre, ou les couvrir d'une cloche de plastique et les disposer près d'une fenêtre ensoleillée, dans un endroit frais. Garder le mélange modérément humide. Aérer pour éviter la condensation et l'excès d'humidité, facteurs propices aux maladies cryptogamiques. Protéger les boutures du soleil.

Deux ou trois semaines plus tard, lorsque de nouvelles feuilles se sont formées, rempoter chaque sujet dans un pot de tourbe de 7,5 cm rempli de mélange terreux stérile qui s'égoutte bien et garder humide.

Après le rempotage, ombrager les boutures pendant deux jours. Les garder ensuite en serre bien ventilée ou dans un endroit aéré et ensoleillé de la maison, jusqu'à la fin du printemps. Les endurcir ensuite sous châssis froid ; à moins qu'il y ait risque de gel, le châssis peut rester ouvert.

A défaut de châssis froid, placer les jeunes plants au jardin, mais dans un coin chaud, ensoleillé et protégé du vent et les y endurcir pendant une semaine. Les mettre en place ensuite. Dans les régions à climat froid, attendre qu'il n'y ait plus risque de gel pour endurcir les plants.

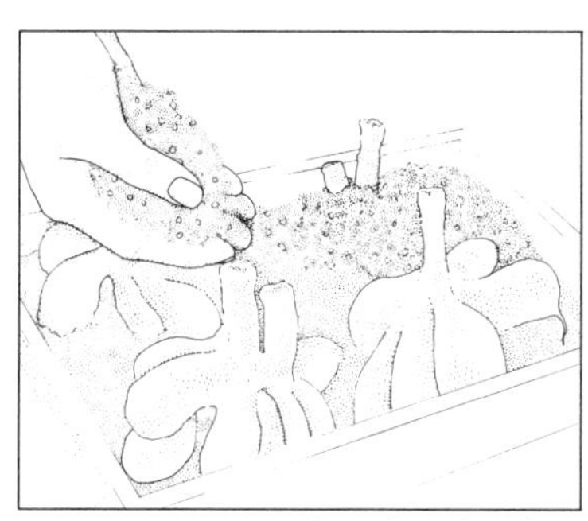

1. *Sortir et nettoyer les tubercules ; les couvrir de terre ou de tourbe humides.*

2. *Les garder à la lumière. Quand les pousses ont 8 à 10 cm, les sectionner.*

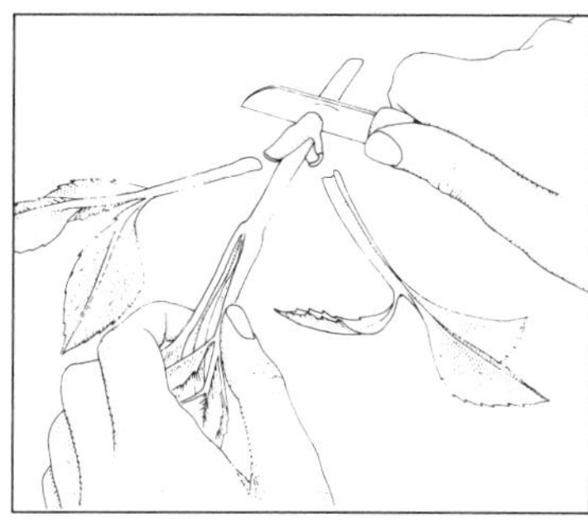

3. *Les parer avec un couteau aiguisé ; couper les feuilles du bas.*

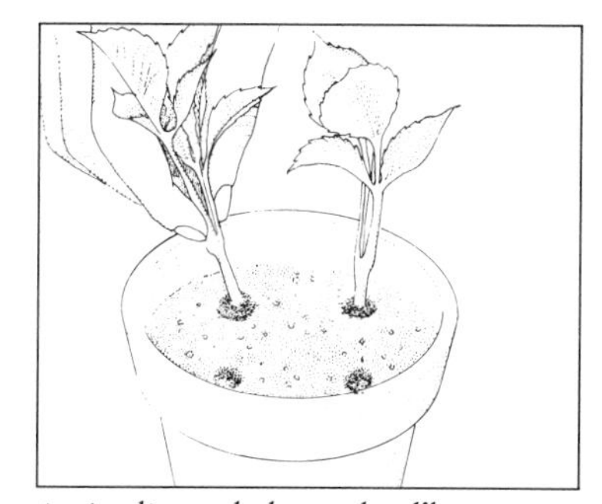

4. *Appliquer de la poudre d'hormones ; planter dans le mélange.*

5. *Arroser, étiqueter et placer les pots dans un endroit frais et bien éclairé.*

6. *Après deux ou trois semaines, les empoter dans des pots de 7,5 cm.*

7. *Les garder à l'ombre deux jours, puis dans un endroit ensoleillé et aéré.*

8. *Après les gels, les endurcir une semaine sous châssis froid. Planter.*

Une méthode facile : la division des tubercules

La division des tubercules est la méthode qu'il faut adopter lorsqu'on désire n'obtenir que quelques plants. Elle est facile à exécuter.

Elle se pratique au milieu ou à la fin du printemps. Pour chaque nouveau plant, on aura besoin d'un fragment de racine tubéreuse et d'un tronçon de tige garni d'un œil. C'est de cet œil que naîtront les nouvelles pousses.

On ne conserve qu'un fragment de tubercule garni d'un seul tronçon de tige. En effet, un nombre trop important de racines tubéreuses retarde la formation des nouvelles racines et nuit à la floraison en incitant la plante à produire plus de feuilles.

Avant de diviser les tubercules, repérer les yeux sur les tiges. S'ils sont peu visibles, placer les tubercules dans de la tourbe ou de la terre humides et les garder au chaud pendant quelques jours. Les bourgeons se développeront et se verront mieux.

Une fois que les yeux ont été situés, couper la tige avec un couteau bien aiguisé en prenant soin de ne pas les endommager. Poudrer généreusement les plaies vives avec de la fleur de soufre pour préserver le plant de la pourriture.

Planter les fragments de tubercule selon la méthode décrite à la page 247. La meilleure époque pour procéder à la plantation dans la plupart des régions est la fin du printemps ou le début de l'été, c'est-à-dire lorsque tout danger de gel est écarté.

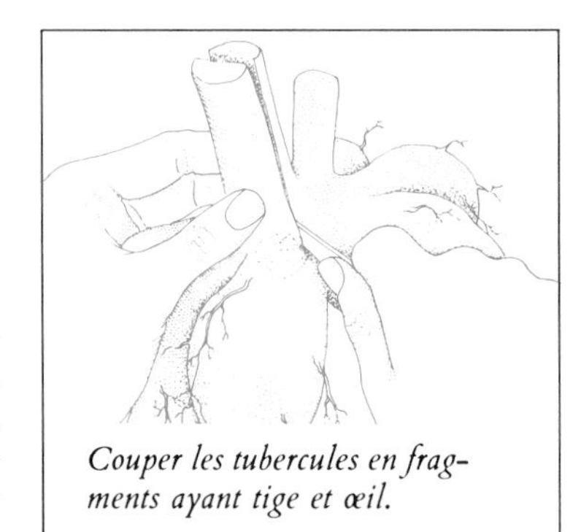

Couper les tubercules en fragments ayant tige et œil.

Multiplication des dahlias annuels par semis

Les plants obtenus par semis diffèrent souvent de la plante mère. Si l'on tient à semer quand même des dahlias d'exposition, on pourra toujours, après la première année, garder les tubercules des sujets réussis.

Semer au début du printemps à l'intérieur. Sous châssis froid, semer quatre à six semaines avant l'époque de la plantation au jardin.

Remplir des pots ou des caissettes de mélange terreux stérilisé ou de mélange spécial pour semis ; tasser un peu et niveler. Arroser généreusement. Semer clair sur le mélange et couvrir les graines d'une couche d'environ 0,5 cm de vermiculite. Couvrir pots ou caissettes d'une vitre et d'une feuille de papier fort ou d'une pellicule de matière plastique. Les placer en serre chaude ou dans une pièce chaude et peu éclairée.

Quand les plantules ont levé, ôter la vitre ou le plastique. Si elles sont dans la maison, les placer sur l'appui d'une fenêtre ensoleillée. Lorsqu'elles sont assez résistantes, les repiquer dans des pots de 7,5 cm.

Si les plantules sont sous châssis froid, les y laisser s'endurcir pendant plusieurs semaines avant la mise en terre. A défaut de châssis froid, placer les plants dans un endroit chaud et ensoleillé pendant une semaine, au jardin, avant de les planter.

Pour la plantation au jardin, voir page 247.

CUEILLETTE DES GRAINES

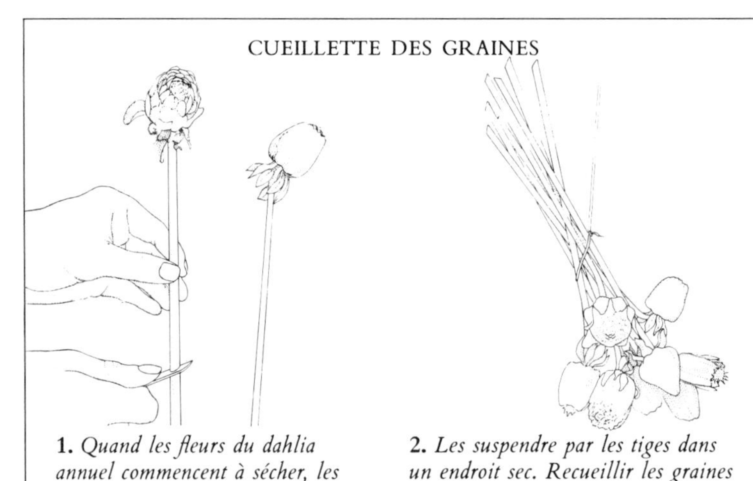

1. *Quand les fleurs du dahlia annuel commencent à sécher, les couper en gardant 25 cm de tige.*

2. *Les suspendre par les tiges dans un endroit sec. Recueillir les graines quand elles sont sèches.*

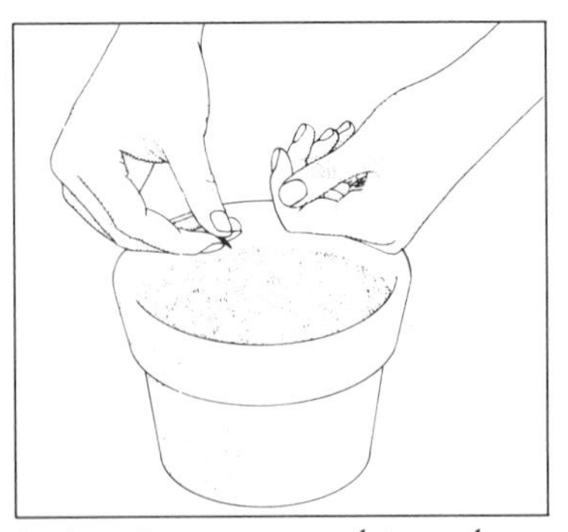

1. *Au printemps, semer clair sur du substrat. Couvrir de vermiculite.*

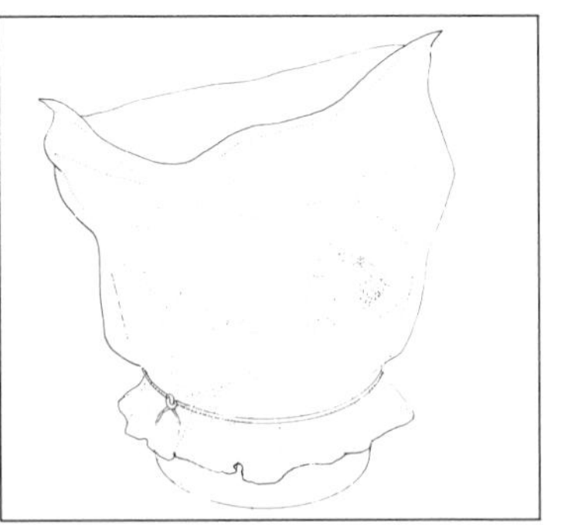

2. *Arroser. Couvrir le pot. Garder au chaud, loin du soleil.*

3. *Repiquer les plantules en pots de 7,5 cm quand elles sont robustes.*

4. *Après le dernier gel, endurcir les plantules sous châssis froid.*

Plantes annuelles et bisannuelles

On peut rapidement transformer un jardin en une féerie de couleurs grâce aux plantes annuelles et bisannuelles. Elles fleurissent longtemps et comblent bien les vides.

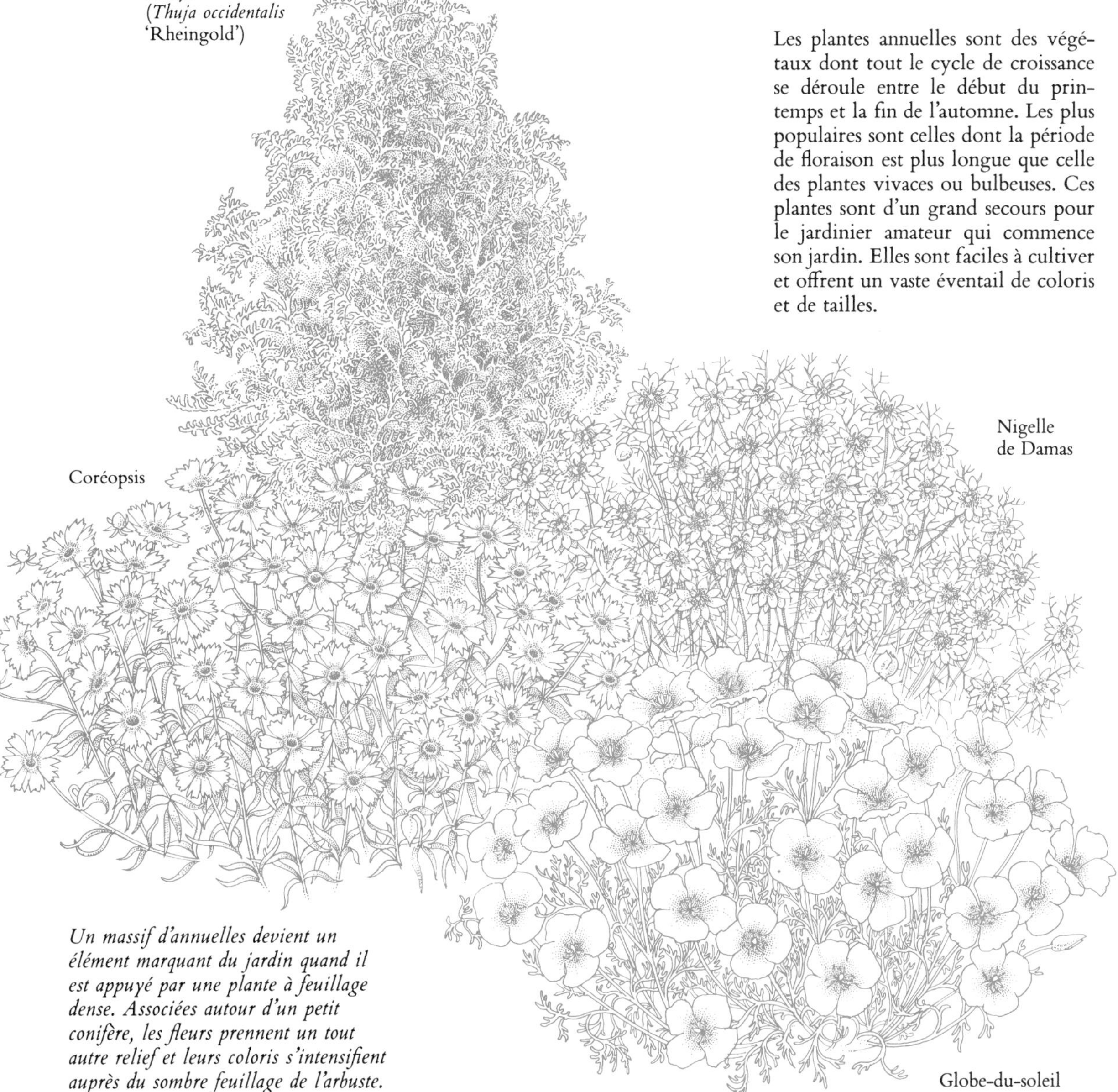

Un massif d'annuelles devient un élément marquant du jardin quand il est appuyé par une plante à feuillage dense. Associées autour d'un petit conifère, les fleurs prennent un tout autre relief et leurs coloris s'intensifient auprès du sombre feuillage de l'arbuste.

Les plantes annuelles sont des végétaux dont tout le cycle de croissance se déroule entre le début du printemps et la fin de l'automne. Les plus populaires sont celles dont la période de floraison est plus longue que celle des plantes vivaces ou bulbeuses. Ces plantes sont d'un grand secours pour le jardinier amateur qui commence son jardin. Elles sont faciles à cultiver et offrent un vaste éventail de coloris et de tailles.

Les bisannuelles sont assez voisines des annuelles : elles poussent une année, fleurissent l'année suivante et meurent. L'une des plus populaires est l'œillet de poète.

Dans les régions à climat doux, certaines annuelles peuvent survivre à l'hiver (ce sont en réalité des vivaces peu résistantes) et quelques bisannuelles deviennent des annuelles.

Dans la plupart des livres, dans beaucoup de catalogues et sur certains sachets de graines, on divise les annuelles selon la classification britannique en plantes rustiques et semi-rustiques. Cette classification prête à beaucoup de confusion, cependant, car la rusticité d'une plante peut varier d'une région à l'autre en Amérique du Nord. Elle n'a donc pas été retenue dans ce guide.

Pour décorer rapidement et hâtivement son jardin, il suffit d'acheter de jeunes plants d'espèces annuelles ou bisannuelles au printemps (certaines bisannuelles s'achètent en automne) et de les planter immédiatement dans les plates-bandes.

On peut aussi démarrer ses plants très hâtivement en semant sous abri (surtout dans les régions à climat froid). C'est ce qu'il faut absolument faire pour les bégonias des plates-bandes, dont les graines sont d'une très grande finesse ; pour les balsamines dont les graines ne germent qu'à haute température ; et pour les pervenches de Madagascar, les pétunias et les agératums qui fleurissent lentement quand ils sont obtenus par semis.

On peut semer dans la maison si les conditions de chaleur et d'éclairement nécessaires à la germination sont réunies (voir p. 257) ou au jardin, sous châssis froid ou en couche chaude, de façon que les plantules soient à l'abri des intempéries et convenablement orientées.

On peut également semer en place au jardin quand il s'agit d'espèces qui mettent peu de temps à fleurir ou dont les graines sont très grosses (voir p. 256).

Les espèces bisannuelles comptent parmi celles qui offrent les fleurs les plus spectaculaires. Citons la campanule à grandes fleurs, la digitale pourpre, l'œillet de poète, la pensée et la rose trémière. On les sème à la fin du printemps ou au début de l'été dans un coin protégé du jardin.

Lorsque les plantules sont assez développées, on peut les repiquer en rangs et les garder au même endroit jusqu'à la fin de l'été. Elles seront alors assez robustes pour être transplantées à leur place définitive ou placées sous châssis froid pour l'hiver.

De nombreuses plantes annuelles et bisannuelles se cultivent au jardin depuis des siècles. D'autres ont fait leur apparition récemment. Ainsi, l'une des plus intéressantes réalisations des dernières années est l'obtention des hybrides F1 et F2. Les F1 ont d'abord nécessité la sélection minutieuse de deux lignées de parents différents dont les caractères étaient très purs. Par pollinisation croisée contrôlée, on a ensuite obtenu des sujets d'une qualité exceptionnelle.

Ces croisements répétés sont forcément coûteux. De ce fait, le prix de ces graines est nettement plus élevé, ce qui décourage certains jardiniers, d'autant plus que les graines récoltées par la suite ne transmettent plus les mêmes caractéristiques.

Cependant, la qualité des plantes issues la première année d'un semis d'hybrides F1 est tellement supérieure à celle des sujets obtenus avec des graines ordinaires que l'essai en vaut le prix.

Les hybrides F2 résultent des efforts déployés par les horticulteurs pour obtenir des sujets améliorés, mais à un coût moindre que celui des F1, et cela grâce à l'autofécondation des F1. Dans certains cas, pour les pensées notamment, cette méthode a donné de bons résultats. Bref, les hybrides F2 sont d'une qualité supérieure aux espèces botaniques, mais les résultats obtenus sont certes moins spectaculaires que ceux auxquels on arrive avec les F1. La plupart des catalogues de graines ne spécifient pas s'il s'agit d'un F1 ou d'un F2, mais à leur prix on a vite fait de reconnaître les hybrides F1 ou les nouvelles variétés.

Il est souvent difficile de faire un choix de graines. L'amateur peut cependant se guider sur l'analyse faite par la société All-America Seed Selections. Les sujets sélectionnés portent le labelle de l'association. L'acheteur peut s'y fier entièrement. Les variétés qui ont reçu cette distinction sont de qualité supérieure. Les variations de climat et de sol ne modifient en rien leur rendement.

Parmi les récentes sélections All-America, on remarque le géranium 'Showgirl', plante compacte à floraison hâtive et à inflorescences roses ; la rose d'Inde 'Primrose Lady', à grandes fleurs jaune clair sur un plant de 75 cm de hauteur ; la rose d'Inde 'Yellow Galore', à grandes fleurs jaune beurre sur un pied de 45 cm ; et le pétunia 'Blushing Maid', dont la fleur double, d'un doux rose saumoné, présente des pétales ruchés. Les variétés sélectionnées par la société All-America sont identifiées par un astérisque dans les tableaux qui commencent à la page 261.

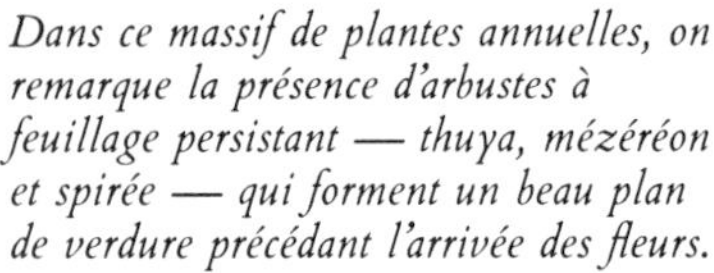

Dans ce massif de plantes annuelles, on remarque la présence d'arbustes à feuillage persistant — thuya, mézéréon et spirée — qui forment un beau plan de verdure précédant l'arrivée des fleurs.

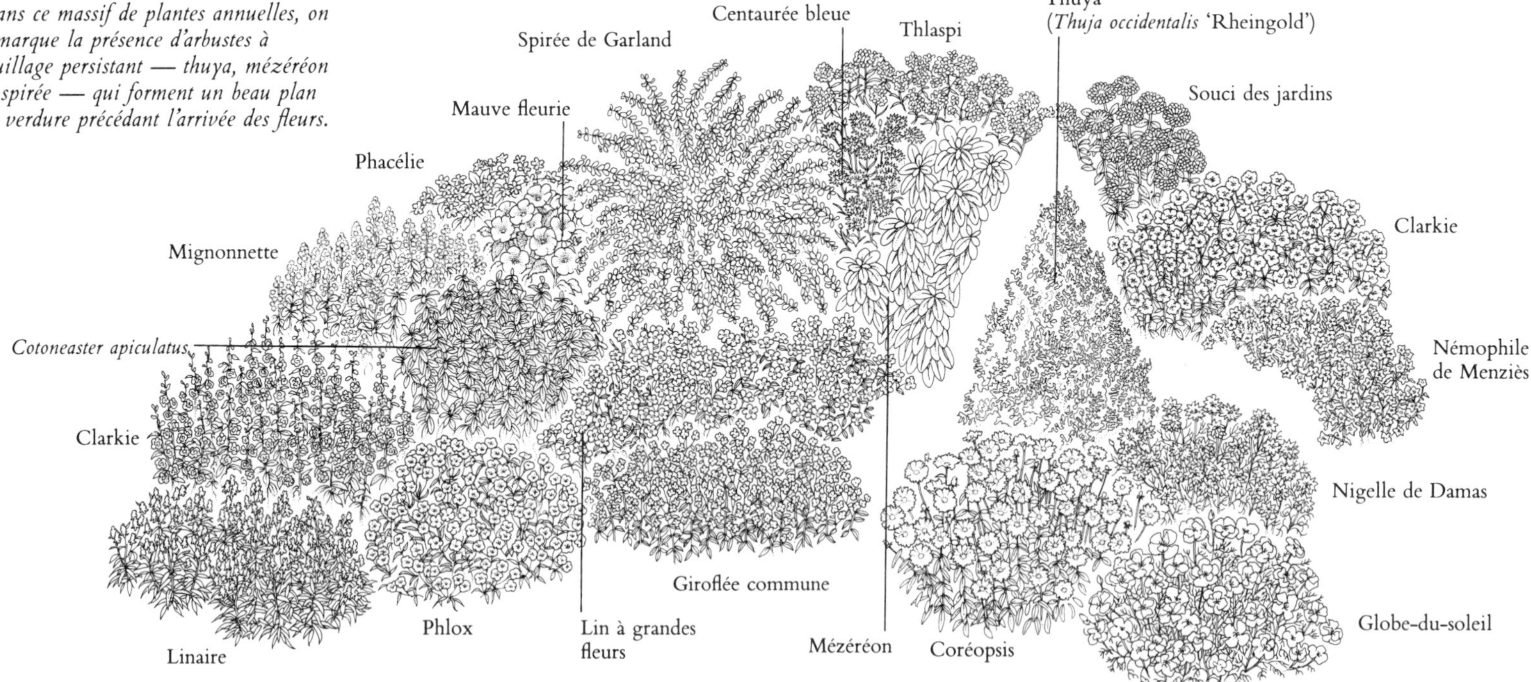

Des plates-bandes instantanées

Les centres de jardinage et les pépinières offrent chaque printemps une immense variété de plantes annuelles prêtes à mettre en place au jardin. Ces plantes proviennent de semis préparés en serre et ont entre six semaines et trois mois. Grâce à ce départ hâtif, elles fleuriront plus tôt que si elles avaient été semées en pleine terre.

Il faut éviter d'acheter des sujets déjà en fleur ; ils mettent généralement plus de temps à se remettre du choc de la transplantation en pleine terre. Donner la préférence à de jeunes plants. Examiner la couleur du feuillage : des feuilles jaunies ou décolorées dénotent une plante chétive ou mal nourrie qui reprendra plus lentement après le repiquage.

Le choix est plus facile à faire lorsqu'on a au préalable établi une liste en fonction des plates-bandes du jardin, de leur exposition et de leur dimension. Il est même recommandé de décider à l'avance des dimensions des plantes et des couleurs des fleurs que l'on va acheter. Un bon manuel de jardinage ou un catalogue peuvent guider l'amateur.

Il n'est pas toujours possible de mettre les plants en terre le jour même de l'achat ; les mettre alors en attente dans un endroit où ils recevront beaucoup de lumière et les arroser judicieusement.

Lorsqu'on doit mettre en terre un vaste assortiment de plantes annuelles, il n'est pas inutile de préciser auparavant sur papier l'emplacement respectif de chaque groupe. Commencer par les rangs du fond. Poser une planche sur le sol et s'y agenouiller pour éviter de tasser la terre.

Diviser les plants en caissette avec un couteau et les retirer délicatement de leur contenant un à un, en évitant de déshabiller les racines. Creuser des trous avec le transplantoir et installer les plants à la profondeur où ils étaient enfouis auparavant. Ne jamais laisser les plants en attente sur le sol plus de quelques secondes, car leurs racines se dessèchent rapidement. Si les plants se trouvent dans des pots de tourbe comprimée, déchirer partiellement ceux-ci avec soin avant de les mettre en terre. On permet ainsi aux racines de s'étendre tout à loisir. Toujours couvrir de terre le dessus d'un pot de tourbe pour empêcher l'eau destinée aux racines de s'évaporer.

Arroser les plants un à un après leur repiquage ou arroser généreusement toute la plate-bande une fois la transplantation terminée. Si le temps est très chaud et très ensoleillé, il ne serait pas mauvais d'ombrager un peu la plate-bande pendant un jour ou deux pour empêcher les plants de se flétrir. A cette fin, placer un pot ou un panier sur chaque plant tout en ménageant une bonne ventilation. Retirer le pot en fin d'après-midi et le remettre en place le lendemain matin, si nécessaire.

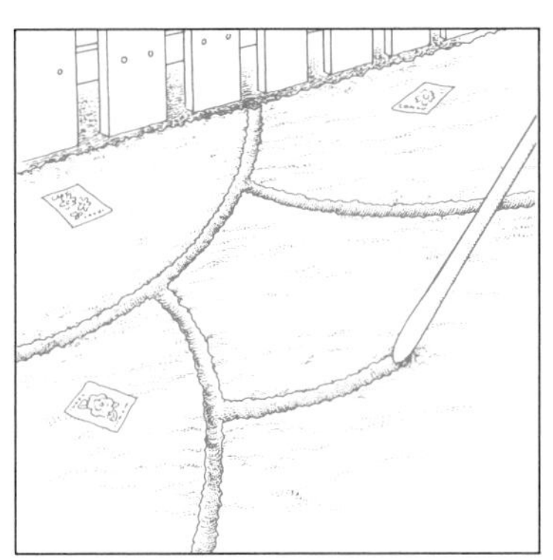

1. *Avec un manche de râteau, délimiter les sections réservées à chaque variété.*

2. *Déchirer partiellement les pots de tourbe avant de les mettre en terre.*

3. *Enfouir les plants à la profondeur appropriée ; fouler la terre.*

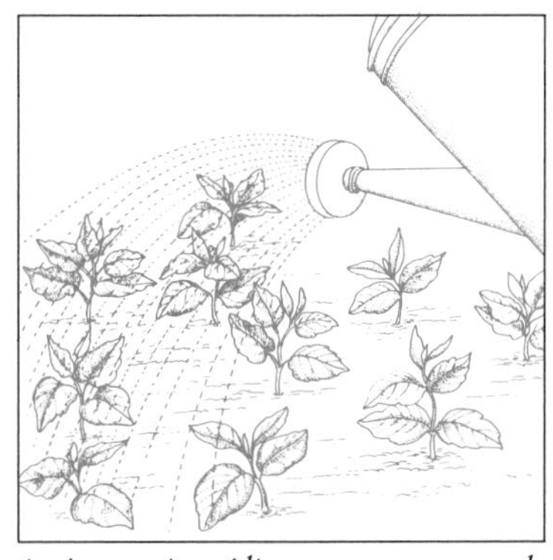

4. *Arroser immédiatement pour tasser la terre et empêcher la flétrissure.*

PLANTATION EN BAC

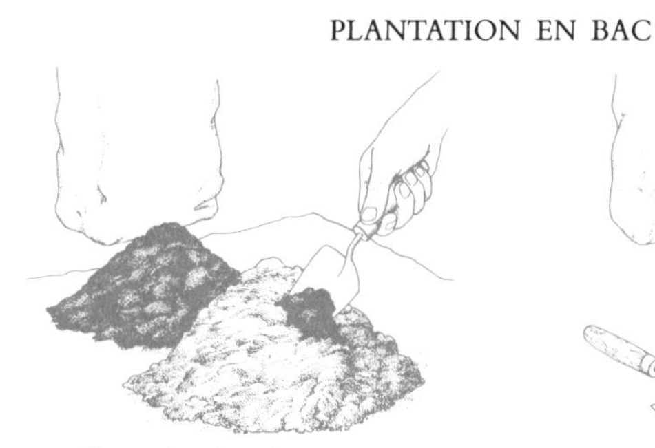

1. *Alléger le sol en lui incorporant une quantité de tourbe égale au tiers de son volume ; il ne durcira pas.*

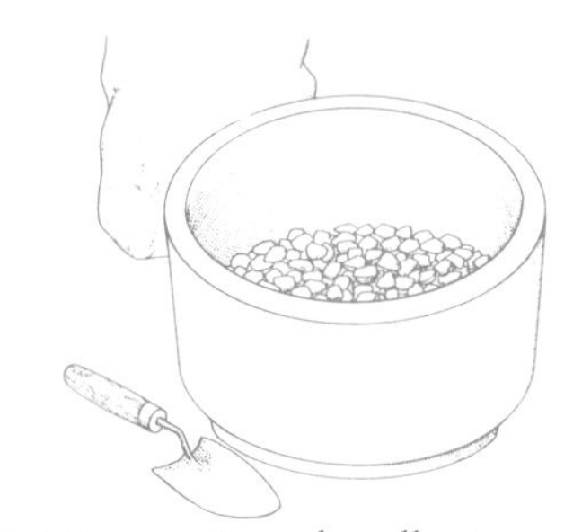

2. *Déposer 2,5 cm de cailloutis au fond du bac pour l'égouttement. Forer des trous pour le drainage.*

3. *Repiquer les plants en mettant les plus hauts au centre ou à l'arrière. Les espacer suffisamment.*

4. *Pour ne pas éclabousser fleurs et feuilles en arrosant et pour conserver l'humidité, étendre un paillis.*

Pour réussir les semis au jardin

Nettoyage et préparation du sol

Il est préférable de préparer le sol des plates-bandes en automne ou quelques mois avant les semis. Sinon, il sera nécessaire d'incorporer au sol une matière organique quelconque avant de semer. Grâce à ces préparatifs, les plantes lèveront mieux, les racines se développeront parfaitement, le sol conservera son humidité et les travaux d'entretien seront moins ardus.

Arracher toutes les mauvaises herbes et autres végétaux. Pour amender le sol, épandre une couche de 2,5 cm de tourbe, de compost ou de fumier. (Si la fumure précède immédiatement les semis, le fumier devra être bien décomposé.) Ces matières permettent aux sols légers et sablonneux de mieux garder l'humidité et allègent les sols lourds et argileux. En outre, exception faite de la tourbe, elles renferment un certain nombre d'éléments nutritifs et empêchent le sol de former une croûte. Ajouter également du calcaire au besoin.

Incorporer les matières organiques au sol à l'aide d'une fourche-bêche ou d'une motobêche. Si cette préparation s'effectue en automne, ne pas briser les mottes. Dans les régions à climat froid, exposer au gel la plus grande surface possible de terre. Le gel fait éclater les mottes et donne au sol la texture qu'il faut.

La terre se travaille mieux lorsqu'elle est légèrement humide. Si elle est très sèche, arroser un jour ou deux avant de bêcher. Si par contre la pluie l'a détrempée, la laisser s'assécher pendant quelques jours.

Dans un sol peu fertile et faible en humus, il est recommandé de semer en automne des plantes dites « engrais verts », par exemple du seigle annuel. Quand ces plantes auront environ 30 cm de hauteur, le printemps suivant, il suffira de retourner la terre pour l'amender et l'enrichir. Se renseigner sur les engrais verts qu'on peut semer dans sa région.

Au printemps (ou parfois en automne dans les régions où le climat est doux), quelques semaines avant de semer, ameublir la terre à une profondeur de 15 à 25 cm avec une fourche-bêche ou une motobêche. Le sol doit être sec. En travaillant la terre, frapper les mottes avec le dos de la fourche-bêche pour les émietter.

La préparation du sol se termine par un épandage uniforme d'engrais complet, organique ou chimique, au dosage recommandé par le fabricant. Le mélanger légèrement à la terre de surface avec un râteau.

Quand et comment faire les semis

Avant de semer, il est préférable d'établir à l'avance un plan des plates-bandes pour associer les couleurs et les tailles des fleurs.

Les semis faits sur place, au jardin, éliminent bien des problèmes. On n'a pas, notamment, à se procurer des contenants spéciaux et à transplanter les plantules à une étape où elles sont très fragiles. Par contre, une pluie violente peut laver les semis.

La plupart des graines sont vendues en sachets. Certaines cependant se présentent sous un enrobage spécial, tandis que d'autres viennent en ruban ou attachées à des bâtonnets.

Les graines enrobées dans une matière décomposable se manient plus facilement. L'enrobage renferme également des matières nutritives et des éléments phytosanitaires qui protègent les plantules.

Les graines en ruban sont espacées avec régularité et coincées entre deux épaisseurs de papier biodégradable ou de plastique. On coupe le ruban à la longueur voulue, on l'étend au fond d'un sillon et on le recouvre de terre.

Les bâtonnets sont des étiquettes en bois à la base desquelles sont attachées quelques graines. On les enfouit dans le sol de façon que les graines se trouvent à la profondeur voulue. Ils sont chers mais pratiques, car ils permettent de semer quelques graines de plusieurs variétés.

Généralement, les semis se font à l'extérieur tout de suite après les derniers gels. Dans les régions où le climat est doux, on peut semer plus tôt au printemps, à la fin de l'été ou en automne si l'on veut obtenir une floraison hivernale ou printanière.

Arroser la veille des semis à moins que le sol ne soit assez humide. Si l'on n'a pas déjà ajouté de l'humus, incorporer au sol de surface un seau de tourbe humide par mètre carré. La tourbe l'empêchera de durcir. Utiliser de la tourbe sèche si la terre est très humide.

On peut semer en lignes, en sillons parallèles ou à la volée, puis ratisser légèrement. Les semis en sillons rendent le binage des mauvaises herbes plus facile. Bien espacer les graines pour réduire l'éclaircissage.

C'est la taille des plantes arrivées à maturité qui détermine la distance qui doit être laissée entre les sillons. Cette taille est généralement indiquée sur les sachets de graines. Laisser un espace égal à la moitié de la hauteur de plantes hautes et étroites. Laisser un espace égal à la hauteur totale de plantes naines et touffues.

Arroser au jet très fin pour ne pas déplacer les graines ou tasser le sol, mais arroser copieusement pour être sûr que l'eau pénètre en profondeur. Le manque d'eau ralentit la germination et donne des plants malingres.

1. *Avant de semer, incorporer au sol de la tourbe ou du compost.*

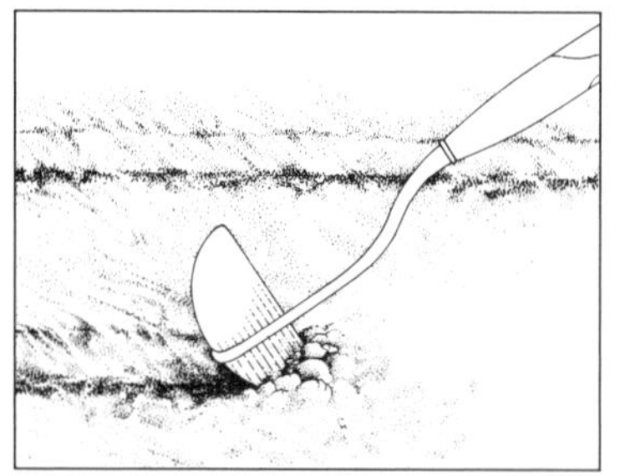

2. *Tracer à la houe un sillon de 0,5 à 1,5 cm de profondeur.*

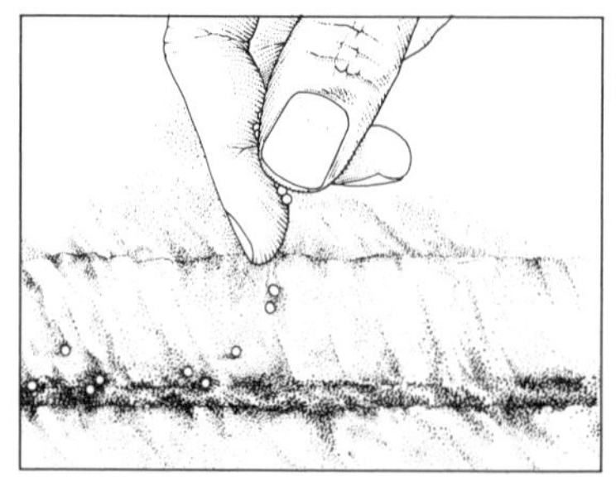

3. *Semer clair pour ne pas avoir à éclaircir plus tard.*

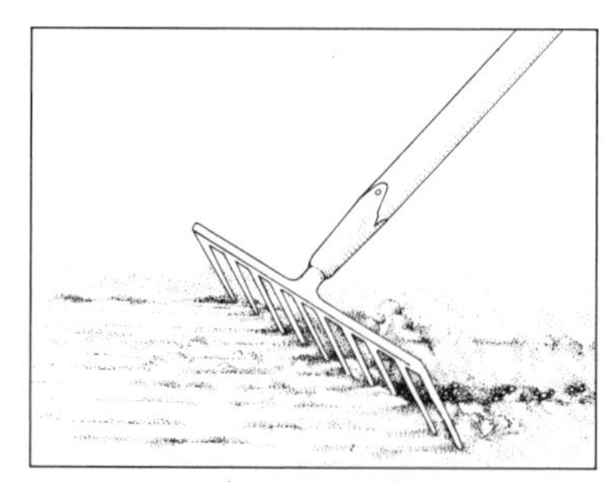

4. *Recouvrir les graines de terre en ratissant légèrement le sillon.*

Semis de plantes annuelles à l'intérieur

Comment semer les graines à l'intérieur

Les facteurs de réussite sont un éclairement suffisant, un substrat pour semis stérile et une température convenable. C'est souvent la lumière qui fait défaut dans les maisons. Mais il est possible de suppléer à cette insuffisance par un éclairage artificiel. Deux ou quatre tubes fluorescents de 40 watts, placés à 15 cm des semis, fournissent toute la lumière nécessaire. Une température de 21 à 24°C permet la germination des graines, mais les plantules poussent mieux lorsque la température se situe entre 10 et 16°C. Une trop grande chaleur et une lumière insuffisante produisent des plants rachitiques.

Semer les graines dans une caissette ou dans des pots. Il existe des contenants de graines tout préparés, fort pratiques. De préférence, on se servira d'un mélange pour semis. Si on prépare soi-même le substrat, on mélangera en parties égales de la tourbe, de la vermiculite et de la perlite. Aucune de ces matières n'a besoin d'être stérilisée. Cependant, ce mélange offre peu d'éléments nutritifs. Il faudra donc remédier à cette carence en ajoutant un engrais soluble à l'eau d'arrosage. On n'a pas besoin de fertiliser lorsqu'on utilise de la terre stérile puisque celle-ci renferme des éléments nutritifs.

A moins d'avoir beaucoup d'espace à sa disposition, il ne faut pas semer trop tôt, car un pot de semis donne plusieurs pots de plantules. Pour toutes les plantes, sauf celles dont le développement est très lent, il suffira de faire ses semis six à huit semaines avant le repiquage au jardin. Quatre semaines suffiront pour l'œillet d'Inde. Par contre, les bégonias des plates-bandes, les balsamines et les pervenches de Madagascar doivent être démarrés trois ou quatre mois avant le repiquage.

Semer en lignes, surtout si plusieurs variétés sont réunies dans la même caissette, ou à la volée, mais semer clair. Des semis trop serrés nécessitent un repiquage prématuré des plantules, alors difficiles à manipuler. Recouvrir très légèrement les graines de mélange. Cependant, les graines très fines, comme celles du bégonia des plates-bandes, peuvent demeurer à découvert.

Arroser avec un brumisateur. Couvrir le contenant d'une plaque de verre ou d'une cloche de plastique. Surveiller les progrès de la germination ; dès que les plantules ont levé, découvrir le contenant.

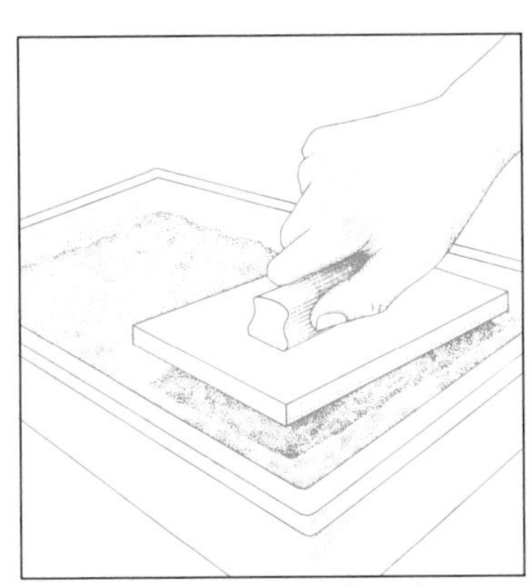

1. *Remplir une caissette de mélange pour semis humide ; niveler et tasser.*

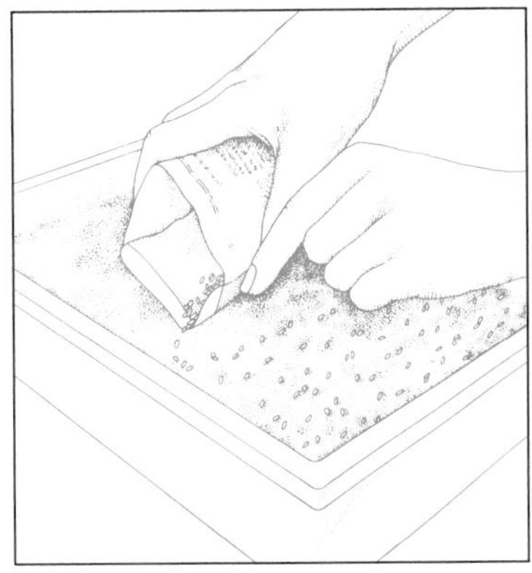

2. *Semer à la volée ou en lignes en espaçant les graines uniformément.*

3. *Recouvrir les graines, grosses ou moyennes, de 0,5 cm de mélange.*

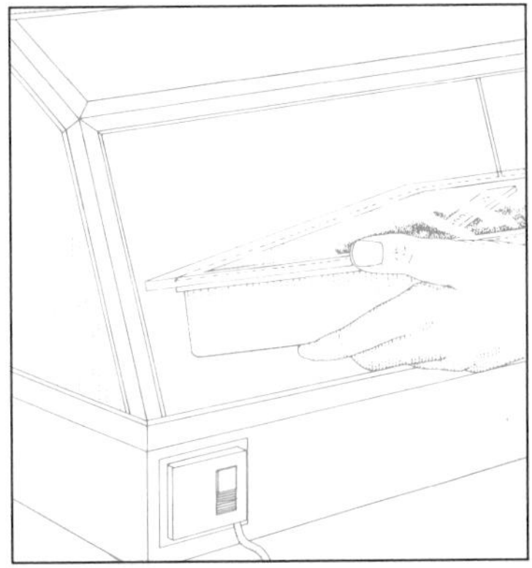

4. *Arroser. Mettre dans une mini-serre ou sous couvercle de plastique.*

SEMIS EN POT

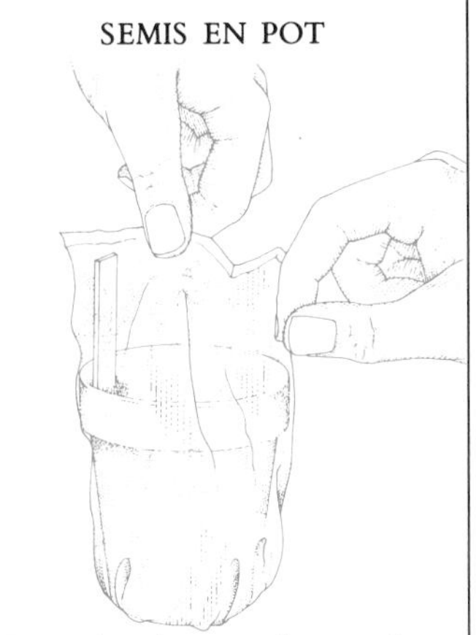

Lorsqu'on n'a que quelques graines à semer, utiliser un pot de 5 à 7,5 cm. Le remplir d'un mélange approprié jusqu'à 0,5 cm du rebord ; niveler et tasser. Semer à la volée et recouvrir les graines avec le même mélange. Arroser avec un jet très fin et laisser le pot s'égoutter avant de l'enfermer dans un sac de plastique supporté par une étiquette à plante. Si l'on utilise un pot en grès, on peut arroser en plaçant le pot dans un plat d'eau. L'y laisser jusqu'à ce que le mélange soit très humide.

SEMIS PRÉPARÉS

Pour aider la germination, percer des trous aux endroits indiqués sur le couvercle : les graines qui y sont collées se dégageront. Arroser puis placer le contenant près d'une fenêtre.

Quand les plantules sont d'une bonne taille, les repiquer.

Eclaircissage et repiquage des jeunes plants

Lorsque les jeunes plants sont trop tassés pour pouvoir se développer harmonieusement ou qu'ils ont atteint la taille voulue, il faut les transplanter. On juge qu'un plant peut supporter le repiquage lorsqu'il porte trois ou quatre feuilles. Si l'on attend davantage avant de le transplanter, il sera plus facile à manipuler, mais il subira un plus grand choc et sa croissance s'en trouvera ralentie.

Le mélange terreux doit être humide pour que les plantules puissent être retirées sans que leurs racines se dénudent. Ne pas tirer sur les plantules. Commencer par les dégager à l'aide d'une petite étiquette. Cela fait, lever d'une main les plantules qui doivent être repiquées ; de l'autre, tasser légèrement la terre autour de celles qui restent en place. Arroser immédiatement ces dernières pour fouler complètement le sol.

La distance à ménager entre les plantules repiquées dans un nouveau contenant dépend dans une certaine mesure de leur taille. Habituellement, les plants sont distancés de 2 à 5 cm au premier repiquage. S'ils redeviennent très vite à l'étroit, les repiquer une deuxième fois en laissant plus d'espace entre eux.

On est parfois dans l'impossibilité de mettre en terre immédiatement toutes les plantules qu'on a déterrées ; il faut à tout prix les empêcher alors de se dessécher. On recommande généralement de les installer toutes ensemble dans un contenant rempli de terre et de les y laisser temporairement. Même si l'attente doit se prolonger durant plusieurs jours, elles en souffriront très peu.

Au fur et à mesure que les jeunes plants se développent, voir à ce qu'il ne se produise aucun retard dans leur croissance en gardant le substrat de culture toujours humide. Enlever les mauvaises herbes dès qu'elles apparaissent. (Il n'y en aura pas beaucoup si le sol a été stérilisé.)

Avant de repiquer les jeunes plants au jardin, il faut leur faire subir une période d'acclimatation (voir ci-contre). Les plants non endurcis souffriront d'un retard de croissance qui pourrait différer d'autant la période de floraison.

Si l'on a trop de plantules, on ne gardera que les plus vigoureuses. Ne pas laisser les débris des plantules arrachées dans la caissette, car on s'exposerait à voir apparaître toutes sortes de maladies cryptogamiques ou de ravageurs. Cet inconvénient est encore plus à redouter dans les serres.

Acclimatation des jeunes plants

Le passage des plantules et même des plantes adultes de la serre ou de la maison au jardin ne peut se faire brutalement. Il faut prévoir une période d'acclimatation pendant laquelle elles seront graduellement exposées à la lumière et à la température extérieures. Sauter cette étape, c'est infliger de graves retards de croissance aux plants et repousser d'autant l'heure de la floraison.

Le châssis froid est l'endroit idéal pour endurcir des plants. On peut y placer les contenants dans lesquels se trouvent les plantules ou y mettre celles-ci en terre directement. Il faut surveiller de près l'humidité et l'aération. Fermer le châssis lorsque la nuit s'annonce fraîche et l'ouvrir le lendemain matin. Après une ou deux semaines d'acclimatation, les plants peuvent être mis en place au jardin.

Si l'on n'a pas de châssis froid à sa disposition, exposer les pots de plus en plus longtemps au soleil pendant une semaine en les rentrant le soir si la température risque de tomber en dessous de 10°C au cours de la nuit. Les repiquer ensuite au jardin.

1. *Remplir une caissette pour semis de terre humide. Tasser légèrement.*

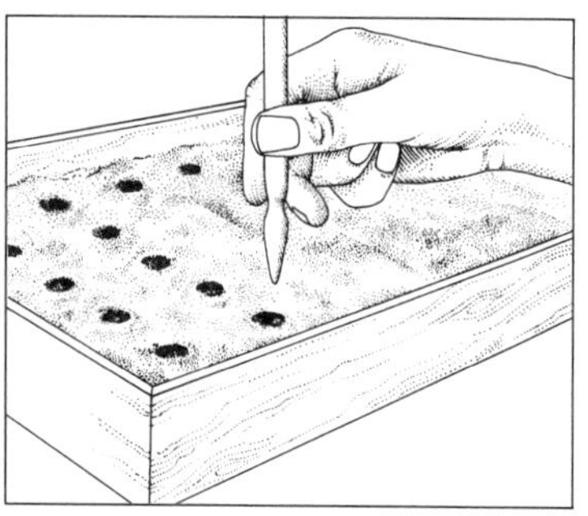

2. *Faire des trous de plantation tous les 2 à 5 cm.*

3. *Soulever délicatement une petite touffe de plantules avec une spatule.*

4. *En la tenant par une feuille, séparer chaque plantule des autres.*

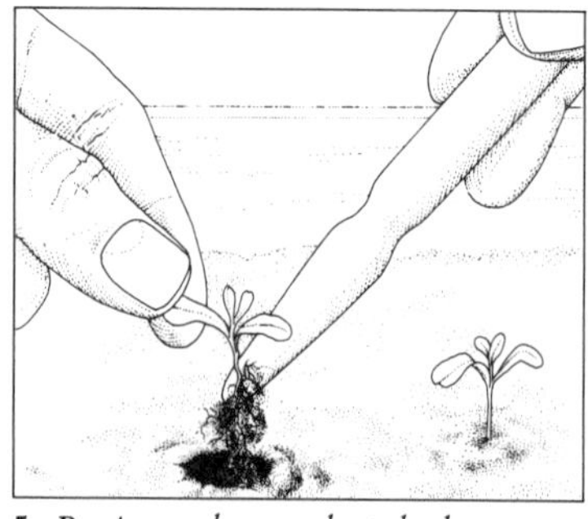

5. *Repiquer chaque plantule dans un trou. Tasser la terre tout autour.*

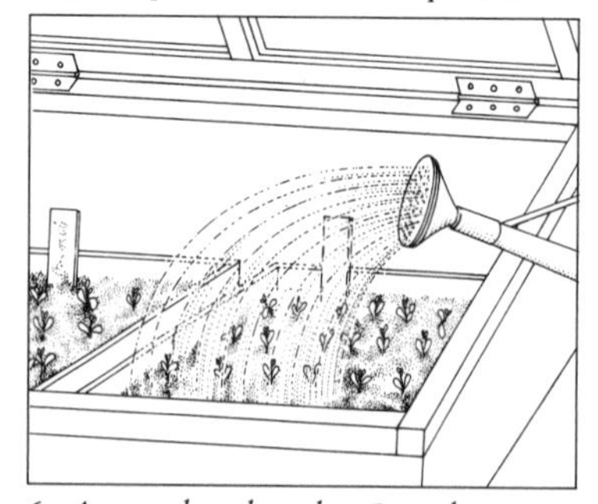

6. *Arroser les plantules. Les placer sous châssis froid ou près d'une fenêtre.*

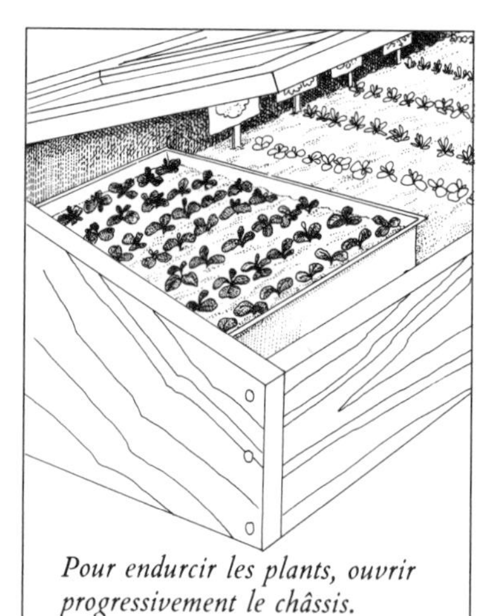

Pour endurcir les plants, ouvrir progressivement le châssis.

Culture des jeunes plants à l'extérieur

Mise en place des jeunes plants au jardin

Une fois endurcis, les jeunes plants sont prêts à être plantés. A cette fin, préparer les plates-bandes de la façon décrite à la page 256.

N'effectuer de repiquage que lorsque le sol est humide. Soulever les plants un à un ou dégager une ligne entière à la fois. Au besoin, se servir d'un couteau pour tailler les rangs. Séparer ensuite les plants en prenant soin de leur laisser toutes leurs racines. Avec le transplantoir, creuser des trous assez larges et assez profonds pour contenir tout le système radiculaire des plants.

Placer les plants de façon que la base de leur tige soit de niveau avec la surface du sol. Remplir le trou et fouler la terre avec les doigts.

Arroser pour tasser la terre autour des racines. Au besoin, abriter les plants de la lumière.

Dégager la première rangée de plantules avec un transplantoir.

Protection des plants contre chats, chiens et oiseaux

Pour écarter les chiens des plates-bandes, tendre tout autour de celles-ci une ficelle imprégnée d'un répulsif. Contre les chats, il existe divers produits répulsifs dont l'efficacité est variable. Pour éloigner les oiseaux, planter de courts piquets autour des plates-bandes et tendre en croix des fils noirs ou colorés. On peut également utiliser ces filets que l'on vend pour supporter les pois grimpants.

Tendre un filet pour éloigner les oiseaux des plantules.

Pincement des plants pour favoriser la ramification

Immédiatement ou peu de temps après le repiquage, pincer l'extrémité de la tige principale pour aider les plantes à se ramifier et à produire plus de fleurs. Pincer la tige entre le pouce et l'index, ou la couper avec des ciseaux. Effectuer le pincement juste au-dessus d'un groupe de feuilles. On peut également pincer plus tard les tiges latérales : les plantes n'en seront que plus touffues.

Favoriser la ramification des plants en pinçant les extrémités.

Tuteurage des plantes hautes

Pour tuteurer les plantes de haute taille, réserver les rames obtenues lors du rabattage des arbustes et les mettre en place dès qu'on a éclairci les plantules. Les disposer à 30 cm les unes des autres tout autour de chaque groupe de plantules et en enfoncer d'autres au centre du massif. Ces tuteurs doivent avoir une hauteur égale aux deux tiers de celle des plantes adultes ; de la sorte, on ne les verra plus lorsque les plantes auront grandi.

En guise de liens, utiliser des attaches métalliques, du ruban de plastique ou de la ficelle verte.

Tuteurer les plantes de haute taille avec des rames placées autour ou près des plantules.

Suppression des fleurs fanées pour favoriser la floraison

La suppression des fleurs fanées favorise une nouvelle floraison. De même, l'on encourage la production florale quand on cueille des fleurs pour les mettre en bouquets.

Les graines commercialisées sont généralement de meilleure qualité que celles que l'on récolte soi-même. Mais si l'on désire en avoir quand même, laisser une ou deux fleurs fanées sur chaque plante. Cueillir les graines quand elles sont mûres et les faire sécher avant de les conserver.

Détacher les fleurs fanées par un léger mouvement de torsion ou les couper avec un sécateur.

Nettoyage des plates-bandes en automne

Lorsque les plantes annuelles ont perdu leur beauté ou ne produisent plus de fleurs, il est temps de les arracher. Les plantes éliminées peuvent être jetées dans la réserve de compost. Cette opération devra s'effectuer de préférence en automne. Elle donnera un plus bel aspect au jardin qui commence à se flétrir et permettra de retravailler le sol en prévision de la nouvelle saison de plantation.

C'est en effet en automne qu'on amende le sol en y ajoutant de l'humus, sous forme de compost ou de tourbe, et du calcaire si nécessaire. On peut également semer un engrais vert, par exemple de l'ivraie annuelle (voir p. 439). Cette méthode n'est indiquée cependant que lorsque les plates-bandes sont exclusivement composées de plantes annuelles. L'automne est aussi la saison pendant laquelle on prélève des échantillons de sol pour les soumettre à des analyses chimiques.

Culture des plantes bisannuelles

Les plantes bisannuelles mettent deux ans à accomplir leur cycle végétatif complet. Elles donnent des feuilles et parfois des tiges durant le premier été, mais ne fleurissent que l'année suivante. Elles meurent ensuite.

Certaines plantes bisannuelles fleurissent l'année même des semis si ceux-ci sont très hâtifs. Mais la floraison a lieu plus tard que d'habitude, au moment des grandes chaleurs, et les fleurs sont de courte durée. Cette particularité se remarque surtout chez les pensées qui produisent des tiges plus robustes et fleurissent plus abondamment par temps frais.

Quelques plantes bisannuelles, par exemple la monnaie-du-pape, se comportent comme des plantes vivaces parce qu'elles se multiplient spontanément chaque année.

On inclut parmi les plantes bisannuelles certaines espèces vivaces mais qui sont cultivées en bisannuelles. Après avoir produit des pousses vigoureuses et d'abondantes fleurs durant leur seconde année, ces plantes s'épuisent tellement que cela ne vaut pas la peine de les conserver. L'œillet de poète, certaines variétés de myosotis et la giroflée de muraille sont de celles-là.

On sème les graines au début de l'été pour que les plants aient le temps de se développer suffisamment et soient assez robustes pour résister à nos rigoureux hivers.

Semer au jardin, dans un endroit partiellement ombragé, comme s'il s'agissait de plantes annuelles (voir p. 256). Semer en lignes ou à la volée. (On peut aussi semer en caissette ou dans un grand pot.) Arroser avec un brumisateur. Couvrir les semis d'une pièce de jute et d'une feuille de plastique. Dès que les plantules lèvent, retirer les couvertures.

Lorsque les plantules sont de bonne taille, les dégager avec le plus grand soin et les repiquer dans une plate-bande de culture, ensoleillée ou légèrement ombragée.

Si l'on juge plus pratique d'élever les plants dans une serre non chauffée ou sous châssis froid, semer au même moment qu'on le ferait au jardin et régler la température à 21°C. Donner de l'ombre si nécessaire.

Dans les régions à climat froid, il est impérieux de repiquer les plantes bisannuelles à leur emplacement définitif six à huit semaines avant les premiers grands froids pour qu'elles aient le temps de bien s'établir. Cela vaut également pour les sujets élevés en serre ou sous châssis froid.

Avant le dernier repiquage, nettoyer la plate-bande et retourner le sol en y incorporant du fumier bien décomposé ou du compost, à raison de 150 à 250 g par mètre carré, ainsi qu'un peu de poudre d'os ou de superphosphate.

Pour prélever les plantes bisannuelles de leur emplacement initial, les soulever avec un transplantoir en essayant de conserver autant de racines que possible. Si le sol est sec, commencer d'abord par l'arroser pour faciliter le dégagement des plants.

Les plants doivent ensuite être mis en place dès que possible, avant que leurs racines aient le temps de se dessécher. Bien tasser la terre autour des plants et les arroser.

Dans les régions à climat froid, les plants exposés au vent devront être recouverts de quelques rameaux de conifères une fois que la terre sera gelée. Enlever ce paillis progressivement le printemps suivant. On peut aussi entreposer les plants sous châssis froid pour l'hiver.

Les plantes bisannuelles peuvent être semées directement au jardin, puis éclaircies ensuite.

Certaines plantes dites bisannuelles, comme l'œillet de poète et la digitale pourpre, connaîtront une saison supplémentaire si on rabat les plants jusqu'à la rosette basale de feuilles, immédiatement après que la floraison a eu lieu.

Ravageurs et maladies

Les plantes annuelles et bisannuelles posent peu de problèmes. Mais si elles présentent des symptômes non décrits ci-dessous, se reporter au chapitre « Ravageurs et maladies », page 444. On trouvera aux pages 480 à 482 les appellations commerciales des produits recommandés.

Symptômes	Cause	Traitement
Les jeunes pousses sont déformées. Les fleurs se développent mal.	Pucerons	Vaporisation de diméthoate, d'endosulfan, de formothion ou de malathion.
Trous irréguliers, à bords déchiquetés, dans les feuilles et les pétales.	Perce-oreilles	Vaporisation ou poudrage de carbaryl, de chlorpyrifos, de diazinon ou de malathion. Piéger les ravageurs dans des pots remplis de paille.
Taches argentées sur les feuilles. Feuilles, boutons et fleurs tapissés de toiles d'araignée.	Tarsonèmes du cyclamen, tétranyques à deux points	Vaporisation ou poudrage de dicofol, d'endosulfan ou de tétradifon ; pulvériser les feuilles ou imbiber le sol de diméthoate ou d'oxydéméton-méthyle.
Pousses et feuilles déformées. Taches ou trous sur les feuilles. Boutons floraux déformés.	Punaises à quatre raies, arlequines ou ternes	Vaporisation de diazinon, de malathion, de méthoxychlore ou de nicotine.
Feuilles parsemées de petites taches et d'aspect argenté.	Thrips	Vaporisation ou poudrage de chlorpyrifos, de malathion, de nicotine ou de roténone.
Jeunes pousses reliées entre elles par un réseau de fils ; bourgeons apicaux dévorés.	Tordeuses	Vaporisation de carbaryl, de méthoxychlore, de roténone ou de trichlorfon ; supprimer à la main les pousses infestées.
Petites mouches blanches qui volettent quand on touche à la plante.	Mouches blanches	Vaporisation de malathion, de pyréthrine ou de resméthrine.
Les plantules (surtout en pots, en caissettes ou en boîtes sous verre) pourrissent au niveau du sol et tombent.	Fonte des semis (champignon)	Arrosage d'eau additionnée de captane, de quintozène ou de thirame. Prévenir la maladie par un substrat stérile, de bons arrosages et un traitement des semences.
Feuilles et jeunes pousses recouvertes d'une pruine grise ou blanche.	Mildiou (champignon)	Vaporisation de bénomyl, de dinocap, de soufre ou de thiophanate-méthyle.
Plants déformés. Feuilles petites et trouées. Floraison déficiente.	Virose	Détruire les plants. Arrosage d'insecticide contre les insectes vecteurs.

Petit guide des plantes annuelles et bisannuelles

On trouvera dans les tableaux qui suivent les noms des espèces et des variétés de plantes annuelles et bisannuelles les plus répandues. Elles apparaissent dans la colonne de gauche sous leur nom vulgaire usuel, c'est-à-dire qui est normalement utilisé dans les catalogues des pépiniéristes ou sur les sachets de semences. Leur nom botanique suit. Se reporter à l'index, à la fin du volume, si l'on ne trouve pas le nom d'une plante.

La hauteur (H) et l'étalement (E) des plantes ne sont donnés qu'à titre indicatif, car ils diffèrent selon les variétés. On devra donc les vérifier avant d'arrêter définitivement son choix. Par exemple, l'œillet d'Inde nain n'a que 18 cm de haut tandis que la rose d'Inde, variété de la même espèce, peut atteindre 90 cm.

Les variétés dont le nom est suivi d'un astérisque, par exemple buglosse du Cap 'Blue Bird'*, ont été sélectionnées par l'organisme All-America Seed Selections (voir p. 254) ; ce sont des plantes dont la croissance et la floraison sont jugées supérieures.

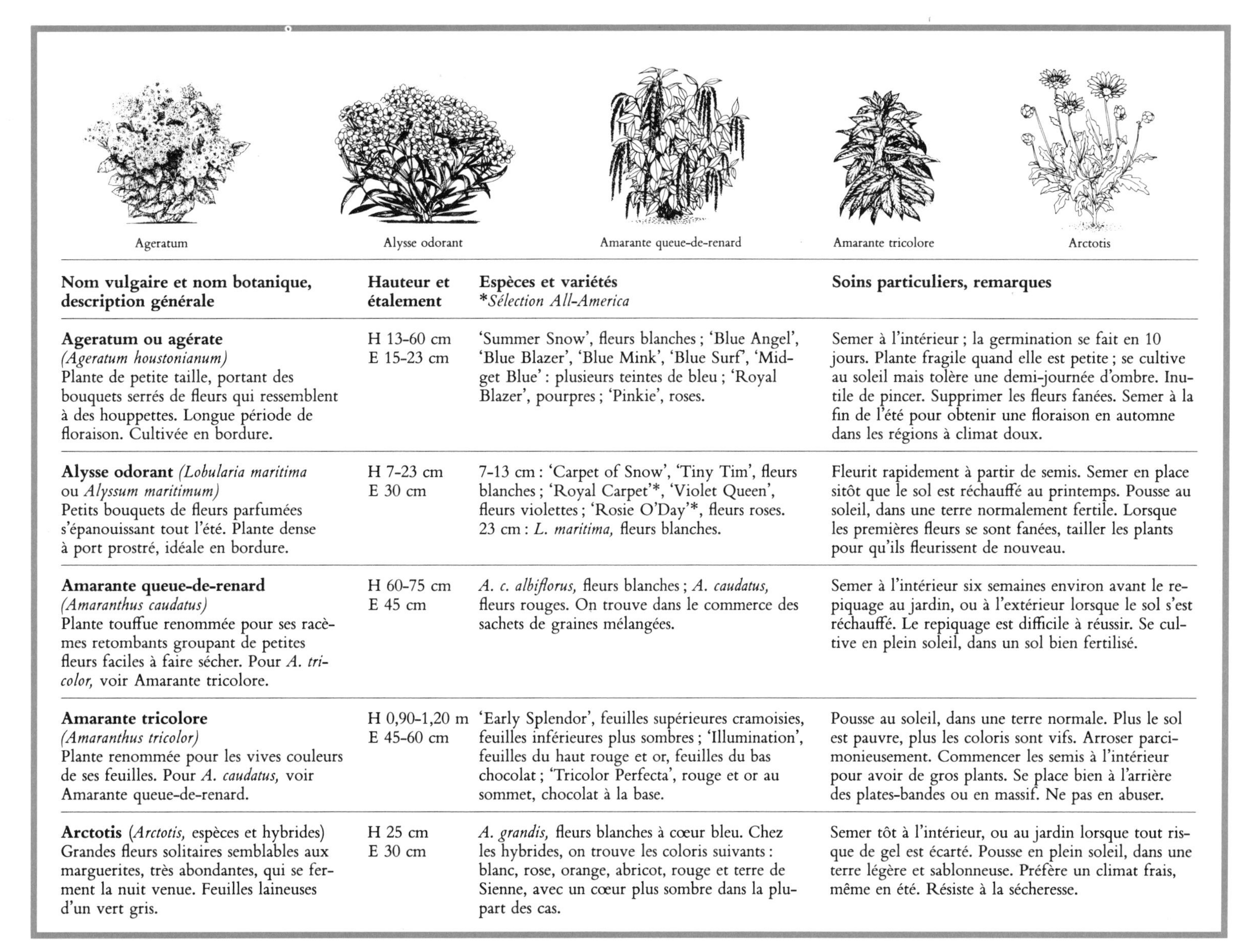

Nom vulgaire et nom botanique, description générale	Hauteur et étalement	Espèces et variétés **Sélection All-America*	Soins particuliers, remarques
Ageratum ou agérate *(Ageratum houstonianum)* Plante de petite taille, portant des bouquets serrés de fleurs qui ressemblent à des houppettes. Longue période de floraison. Cultivée en bordure.	H 13-60 cm E 15-23 cm	'Summer Snow', fleurs blanches ; 'Blue Angel', 'Blue Blazer', 'Blue Mink', 'Blue Surf', 'Midget Blue' : plusieurs teintes de bleu ; 'Royal Blazer', pourpres ; 'Pinkie', roses.	Semer à l'intérieur ; la germination se fait en 10 jours. Plante fragile quand elle est petite ; se cultive au soleil mais tolère une demi-journée d'ombre. Inutile de pincer. Supprimer les fleurs fanées. Semer à la fin de l'été pour obtenir une floraison en automne dans les régions à climat doux.
Alysse odorant *(Lobularia maritima* ou *Alyssum maritimum)* Petits bouquets de fleurs parfumées s'épanouissant tout l'été. Plante dense à port prostré, idéale en bordure.	H 7-23 cm E 30 cm	7-13 cm : 'Carpet of Snow', 'Tiny Tim', fleurs blanches ; 'Royal Carpet'*, 'Violet Queen', fleurs violettes ; 'Rosie O'Day'*, fleurs roses. 23 cm : *L. maritima,* fleurs blanches.	Fleurit rapidement à partir de semis. Semer en place sitôt que le sol est réchauffé au printemps. Pousse au soleil, dans une terre normalement fertile. Lorsque les premières fleurs se sont fanées, tailler les plants pour qu'ils fleurissent de nouveau.
Amarante queue-de-renard *(Amaranthus caudatus)* Plante touffue renommée pour ses racèmes retombants groupant de petites fleurs faciles à faire sécher. Pour *A. tricolor,* voir Amarante tricolore.	H 60-75 cm E 45 cm	*A. c. albiflorus,* fleurs blanches ; *A. caudatus,* fleurs rouges. On trouve dans le commerce des sachets de graines mélangées.	Semer à l'intérieur six semaines environ avant le repiquage au jardin, ou à l'extérieur lorsque le sol s'est réchauffé. Le repiquage est difficile à réussir. Se cultive en plein soleil, dans un sol bien fertilisé.
Amarante tricolore *(Amaranthus tricolor)* Plante renommée pour les vives couleurs de ses feuilles. Pour *A. caudatus,* voir Amarante queue-de-renard.	H 0,90-1,20 m E 45-60 cm	'Early Splendor', feuilles supérieures cramoisies, feuilles inférieures plus sombres ; 'Illumination', feuilles du haut rouge et or, feuilles du bas chocolat ; 'Tricolor Perfecta', rouge et or au sommet, chocolat à la base.	Pousse au soleil, dans une terre normale. Plus le sol est pauvre, plus les coloris sont vifs. Arroser parcimonieusement. Commencer les semis à l'intérieur pour avoir de gros plants. Se place bien à l'arrière des plates-bandes ou en massif. Ne pas en abuser.
Arctotis (*Arctotis,* espèces et hybrides) Grandes fleurs solitaires semblables aux marguerites, très abondantes, qui se ferment la nuit venue. Feuilles laineuses d'un vert gris.	H 25 cm E 30 cm	*A. grandis,* fleurs blanches à cœur bleu. Chez les hybrides, on trouve les coloris suivants : blanc, rose, orange, abricot, rouge et terre de Sienne, avec un cœur plus sombre dans la plupart des cas.	Semer tôt à l'intérieur, ou au jardin lorsque tout risque de gel est écarté. Pousse en plein soleil, dans une terre légère et sablonneuse. Préfère un climat frais, même en été. Résiste à la sécheresse.

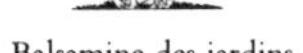

Balsamine des jardins

Balsamine de Zanzibar

Basilic ornemental

Bec-d'oiseau

Bégonia des plates-bandes

Nom vulgaire et nom botanique, description générale	**Hauteur et étalement**	**Espèces et variétés** **Sélection All-America*	**Soins particuliers, remarques**
Balsamine des jardins *(Impatiens balsamina)* Fleurs cireuses et généralement doubles ressemblant aux camélias, portées au sommet des tiges.	H 25-75 cm E 30-45 cm	Nombreux coloris : blanc, pourpre, rose, saumon, rouge, parfois avec macules blanches sur les pétales. Hauteur variable.	Semer hâtivement à l'intérieur ou au jardin lorsque tout risque de gel est écarté. Se cultive en plein soleil ou à la mi-ombre, dans un sol humide. Ne supporte pas les temps froids et humides.
Balsamine de Zanzibar ou balsamine (*Impatiens wallerana,* hybrides) Fleurs simples ou doubles, de teintes généralement franches. Feuilles cireuses, vert foncé. Fleurit tout l'été. Demande peu de soins.	H 15-60 cm E 30-60 cm	Sachets de graines mélangées ou d'une seule couleur. Coloris : blanc, pourpre, rose, orange, saumon, carmin et rouge. Certaines fleurs ont un cœur de teinte plus intense ou des pétales rayés ou maculés. 15-30 cm : 'Elfin Series'. 30-60 cm : 'Imp Series' et bien d'autres.	Acheter des plants ou semer à l'intérieur 8 à 10 semaines avant le repiquage au jardin. Se cultive à la mi-ombre dans un sol amendé par des apports de compost ou de tourbe. Arroser en période de sécheresse. Il n'est pas utile de supprimer les fleurs fanées. Plante vivace dans les régions où il ne gèle pas. Se multiplie facilement par boutures.
Basilic ornemental *(Ocimum basilicum)* Cultivé principalement pour ses feuilles ornementales et aromatiques utilisées en cuisine. Petites fleurs blanches ou pourpres, sans intérêt.	H 30-45 cm E 30 cm	*O. basilicum,* feuilles vertes ; *O. b.* 'Dark Opal'*, feuilles pourpre foncé, très souvent cultivé comme plante d'ornement.	Semer à l'intérieur six à huit semaines avant le repiquage au jardin. Se cultive en plein soleil, dans un sol léger et sablonneux. Pincer les tiges pour favoriser la ramification. Pour les faire sécher, couper les tiges en fleur et les suspendre à l'envers dans un endroit frais et sec. On peut rabattre les plants, les empoter et les rentrer dans la maison à l'automne.
Bec-d'oiseau ou pied-d'alouette des jardins (*Delphinium ajacis,* hybrides, ou *Consolida ambigua,* hybrides) Feuilles légères et très découpées, d'un vert vif. Fleurs simples ou doubles réunies en épis hauts et denses, qui s'amenuisent vers le sommet. Les inflorescences font de beaux bouquets.	H 0,35-1,20 m E 30 cm	Sachets de graines mélangées ou d'une seule teinte. Coloris : différentes nuances de blanc, bleu, lavande, rose, saumon et rouge. Deux variétés : l'une ramifiée à la base avec de longs épis latéraux, l'autre à fleurs de jacinthe réunies en épis solitaires de 35 cm. Les catalogues donnent rarement cette précision. *D. chinense* ou *D. grandiflorum,* vivaces, sont aussi cultivés comme plantes annuelles et parfois comme bisannuelles.	Semer au jardin au tout début du printemps ou en automne. Dans les régions côtières de la Colombie-Britannique, semer assez tôt pour que la levée précède les froids ; ailleurs, semer juste avant que le sol gèle pour que la germination ne se fasse que le printemps suivant. Fleurit mieux par temps frais. Se cultive en plein soleil ou à la mi-ombre, dans un sol ordinaire. Supporte mal le repiquage.
Bégonia des plates-bandes *(Begonia semperflorens)* Ravissante plante à floraison prolongée, dont les feuilles cireuses sont vertes ou rougeâtres. Les petites fleurs simples tombent d'elles-mêmes.	H 15-30 cm E 15-40 cm	On trouve de très nombreuses variétés dans le blanc, le rose teinté de blanc et différentes nuances de rose et de rouge. Feuilles vert cuivré ou à reflets pourprés. Il existe une variété appelée 'Butterfly', à grandes fleurs blanches, roses ou rouges.	Acheter des plants ou semer à l'intérieur deux mois au moins avant la date de plantation au jardin. Les graines sont microscopiques. Espèce difficile à faire lever à l'intérieur. Se cultive en plein soleil ou à la mi-ombre dans un sol additionné de tourbe ou de compost. Empoter et rentrer les plants à l'automne.

Belle-de-jour  — Brachycome  — Browallie  — Buglosse du Cap  — Campanule à grandes fleurs

Nom vulgaire et nom botanique, description générale	Hauteur et étalement	Espèces et variétés *Sélection All-America	Soins particuliers, remarques
Belle-de-jour ou liseron tricolore *(Convolvulus tricolor)* Plante buissonnante, courte et quelque peu rampante. Fleurs assez grandes, semblables à celles du volubilis. Elles restent ouvertes toute la journée, contrairement à celles des variétés plus anciennes (voir Volubilis).	H 25-45 cm E 15-25 cm	Sachets de graines mélangées, vendues seulement par quelques grainetiers. Coloris : blanc, bleu, rose et rouge. 'Royal Ensign', bleu.	Entailler ou limer le tégument des graines avant les semis pour hâter la germination. Semer en place lorsque le sol s'est réchauffé. La plante prospère au soleil et à la chaleur, dans un sol ordinaire. Se cultive en corbeilles suspendues ou comme bordure dans des bacs. Supprimer les fleurs fanées pour prolonger la floraison.
Bleuet des jardins, voir Centaurée bleue			
Brachycome *(Brachycome iberidifolia)* Fleurs simples de 2,5 à 4 cm de diamètre et à cœur jaune, sur des plants touffus. Feuilles très découpées.	H 30 cm E 15 cm	Sachets de graines mélangées. Coloris : blanc, bleu, violet foncé et rose.	Semer au jardin dès que tout danger de gel est écarté ou à l'intérieur six semaines avant le repiquage. Se cultive en plein soleil, dans un sol ordinaire. La plante a tendance à ramper : il faut parfois la tuteurer.
Browallie (*Browallia,* espèces) Fleurs en forme de trompette, de 5 cm de diamètre, sur des tiges fines et très ramifiées. Petites feuilles.	H 25-60 cm E 25 cm	*B. americana,* fleurs d'un bleu pourpre à œil jaune clair ; *B. speciosa,* fleurs pourpres ; *B. viscosa alba,* fleurs blanches.	Semer tôt à l'intérieur ou acheter des plants. Se cultive à la mi-ombre. Donner beaucoup d'eau à ces plantes. Fertiliser à plusieurs reprises durant la période végétative. Pincer les tiges quand elles ont 8 cm pour favoriser la ramification. Rabattre les plants à l'automne et les rentrer pour l'hiver.
Buglosse du Cap *(Anchusa capensis)* Petites fleurs bleues réunies en bouquets en été. Ne pas confondre cette plante avec le myosotis.	H 23-45 cm E 25 cm	23 cm : 'Blue Angel', bleu d'outremer à œil blanc. 45 cm : 'Blue Bird'*, bleu gentiane clair.	Garder les graines 72 heures au froid avant de les semer pour accélérer la germination. Semer en plein soleil ou à la mi-ombre et garder le sol très humide. Les plantations en groupes serrés sont les plus jolies. Tailler les tiges de moitié après la floraison pour obtenir de nouvelles fleurs.
Campanule à grandes fleurs *(Campanula medium)* Epis de grandes fleurs campanulées, simples ou doubles. Cultivée généralement comme plante bisannuelle.	H 60-75 cm E 25 cm	Sachets de graines mélangées : coloris de blanc, bleu, mauve, rose. Ou encore un coloris par sachet. *C. m. calycanthema* (carillon à collerette) offre deux types de fleurs : chez celles qui sont vraiment doubles, la collerette enserre étroitement le carillon ; chez les autres, celui-ci repose dessus.	Acheter les plants au printemps, ils fleuriront au début de l'été. Ou encore, semer en été pour obtenir des fleurs l'année suivante. Se cultive en plein soleil, dans un sol fertile et bien drainé. Arroser généreusement en période de sécheresse. Demande parfois des tuteurs.

Capucine

Célosie argentée

Centaurée bleue

Chou frisé ornemental

Chrysanthème annuel

Nom vulgaire et nom botanique, description générale	**Hauteur et étalement**	**Espèces et variétés** **Sélection All-America*	**Soins particuliers, remarques**
Capucine *(Tropaeolum majus)* Plante courte et compacte, grimpante ou rampante, à fleurs simples ou doubles. Les feuilles ont le goût du cresson d'eau et se mangent en salade. Belles fleurs pour bouquets.	H 20-60 cm E 15-60 cm	20 cm : sachets de graines de fleurs d'une ou de plusieurs couleurs. Rose, jaune, orange, cramoisi, acajou ; 'Cherry Rose', rose cerise, fleurs doubles ; 'Whirlybird', fleurs simples. 60 cm (grimpante ou rampante) : sachets de graines mélangées ou de fleurs d'une seule couleur, comme ci-dessus ; 'Gleam'*, fleurs doubles.	Semer en place au jardin quand le temps s'est adouci : la plante tolère mal le repiquage. Se cultive en plein soleil et dans une terre ni trop riche ni trop humide. Les formes grimpantes sont utilisées pour masquer une clôture ou se cultivent dans des corbeilles suspendues.
Célosie argentée *(Celosia argentea)* Plante remarquable présentant plusieurs formes. Fleurs très décoratives, ressemblant à une crête de coq ou à un plumet. Donne de très jolies fleurs séchées.	H 15-90 cm E 25-30 cm	*C. a. cristata* (à crête de coq) : 'Yellow Toreador', fleurs jaunes ; 'Gladiator', or ; 'Toreador'*, fleurs rouges ; 'Fireglow'*, écarlates. *C. a. plumosa* (à épi plumeux) : 'Golden Triumph'*, fleurs jaunes ; 'Red Fox'*, rouge orangé intense ; 'Forest Fire'*, fleurs rouges ; 'Jewel Box', plants nains, dans une variété de vifs coloris.	Semer au jardin lorsque la terre s'est réchauffée. Pousse en plein soleil et dans un sol fertile. Préfère les climats chauds. Tuteurer les variétés de haute taille. On peut l'acheter en plants. Pour faire sécher les fleurs, les cueillir en plein épanouissement, enlever les feuilles et suspendre les tiges la tête en bas dans un endroit ombragé et bien aéré.
Centaurée bleue ou bleuet des jardins *(Centaurea cyanus)* Plantes hautes ou naines, couvertes d'une multitude de fleurs de 5 cm de diamètre et garnies de petites feuilles gris-vert. Belles fleurs coupées.	H 30-90 cm E 30 cm	30 cm : 'Snowball'*, fleurs blanches ; 'Jubilee Gem', fleurs bleues. 40 cm : 'Polka Dot Mixed', coloris de blanc, bleu, lavande, rose et rouge. 75-90 cm : 'Snow Man', fleurs blanches ; 'Blue Boy', fleurs bleues ; 'Pinkie', rose clair ; 'Red Boy', fleurs rouges.	Semer tôt et en place, au jardin, les plants souffrant du repiquage. On peut semer à la fin de l'automne pour obtenir une floraison hâtive. Se cultive en plein soleil, dans un sol léger, de préférence neutre. Fleurit mieux dans les climats frais. Multiplication spontanée dans bien des cas.
Chou frisé ornemental *(Brassica oleracea acephala)* Plante cultivée pour ses feuilles ornementales nuancées de crème, de pourpre, de rose ou de rouge.	H 15 cm E 45 cm	Sous le nom de chou frisé ornemental, on vend deux plantes issues de la même variété qui se ressemblent beaucoup. Les sachets de graines en contiennent généralement des deux.	Faire lever à l'intérieur ou semer directement au jardin. Se cultive en plein soleil. Ce sont en réalité des plantes bisannuelles que le froid fait mourir après la première année, avant qu'elles atteignent l'âge de la floraison.
Chrysanthème annuel (*Chrysanthemum*, espèces et hybrides) Plante facile à cultiver, à fleurs généralement simples, en forme de marguerite, et à feuilles très divisées.	H 25-75 cm E 25-30 cm	'Paludosum', fleurs blanches ourlées de jaune d'or ; 'Golden Raindrops', fleurs jaunes ; 'Golden Gem', fleurs jaunes et doubles. Plusieurs plantes de type vivace fleuriront l'année des semis si ceux-ci sont faits tôt, 'Korean' notamment. Coloris : blanc, jaune et rouge.	Pousse rapidement à partir de semis faits à l'intérieur ou au jardin. Se cultive en plein soleil. Arroser par temps sec. Pincer les tiges pour favoriser la ramification. Supporte le repiquage, même lorsque la plante est en boutons ou en fleur.

Cinéraire maritime — Clarkie — Cléome rose — Coléus des maisons — Coréopsis

Nom vulgaire et nom botanique, description générale	Hauteur et étalement	Espèces et variétés *Sélection All-America*	Soins particuliers, remarques
Cinéraire maritime *(Senecio cineraria)* Plante cultivée pour ses feuilles gris argent, très découpées. Port buissonnant. Donne à l'occasion de petites fleurs jaunes. S'assortit bien à des annuelles très colorées.	H 20-75 cm E 30-90 cm	'Diamond', feuilles blanches finement découpées ; 'Silverdust', feuillage argenté et très finement découpé. D'autres plantes vendues comme des cinéraires incluent *Centaurea cineraria* et *C. gymnocarpa*. Elles se ressemblent toutes.	Dans les régions à climat froid, acheter des plants ou semer à l'intérieur deux mois avant le repiquage au jardin. Se cultive en plein soleil, dans un sol ordinaire. Résiste à la sécheresse et aux embruns.
Clarkie *(Clarkia elegans, C. pulchella* et *C. amoena)* Plante à fleurs simples ou doubles, réunies en bouquets ou en épis peu denses. Joli sujet pour les bordures.	H 30-60 cm E 15-30 cm	Sachets de graines de coloris mélangés comprenant le blanc, le lavande, le rose, le jaune crème, le saumon et le cramoisi. *C. amoena* présente un port plus buissonnant que les autres.	Préfère les climats frais. Semer tôt en place au jardin. Prospère en plein soleil, dans un sol normal ou pauvre qui peut être assez sec en été. Ne tolère pas une terre très humide. Dans les régions où il ne gèle pas, on peut semer les graines en automne. Souffre un peu du repiquage.
Cléome rose *(Cleome spinosa)* Plante d'allure très originale avec ses inflorescences légères et parfumées, composées de fleurs à longues étamines qui font penser à des araignées. Longues gousses produisant le même effet. Feuilles palmées.	H 0,90-1,20 m E 45-60 cm	'Helen Campbell', fleurs blanches ; 'Purple Queen', lilas pourpré ; 'Pink Queen', fleurs roses ; 'Cherry Queen', rose cerise ; 'Ruby Queen', rose rubis ; 'Rose Queen', rose saumoné.	Semer au jardin, de préférence en place, dès que le temps s'est réchauffé ou acheter des plants. Prospère en plein soleil ou dans une ombre très légère, dans une terre normale de jardin. Les fleurs se referment l'après-midi. Tiges à épines acérées. Germination spontanée. Plante sans problème.
Coléus des maisons *(Coleus blumei)* Feuilles abondantes, de formes et de coloris variés, parfois marginées d'une autre teinte, parfois frangées et étroites. Fleurs insignifiantes.	H 20-90 cm E 20-30 cm	'Candidum', ivoire à marge verte ; 'Chartreuse', vert-jaune ; 'Flamenco', rouge marginé de jaune ; 'Volcano', feuilles rouges ; 'Carefree', plant prostré et compact à feuilles finement divisées, graines vendues en sachets, coloris variés ou uniques.	Semer sous abri. Cultiver au jardin, à la mi-ombre pour obtenir des coloris nets. Pincer pour favoriser la ramification. Multiplication rapide par boutures apicales. Se cultive en plante d'intérieur. Traiter les plants au malathion contre les pucerons et les cochenilles farineuses.
Coquelicot, voir Pavot coquelicot			
Coréopsis *(Coreopsis tinctoria)* Multitude de fleurs rappelant celles des marguerites, portées sur des tiges filiformes et accompagnées de feuilles très découpées. Facile à cultiver. Les fleurs se mettent bien en bouquets.	H 20-90 cm E 30 cm	20 cm : 'Golden Ray', fleurs jaunes à zone centrale cramoisie ; 'Tiger Star', fleurs cramoisies, rayées et maculées de jaune ; sachets de graines mélangées pour fleurs bicolores en pourpre, jaune, rouge. 90 cm : sachets de graines mélangées pour fleurs bicolores en jaune, orange, rouge.	Semer tôt et en place. Le coréopsis pousse en plein soleil, dans une terre ordinaire. Rabattre les plants après la floraison pour faire apparaître de nouvelles fleurs. Les espèces de petite taille s'arrêtent parfois de fleurir quand il fait très chaud.

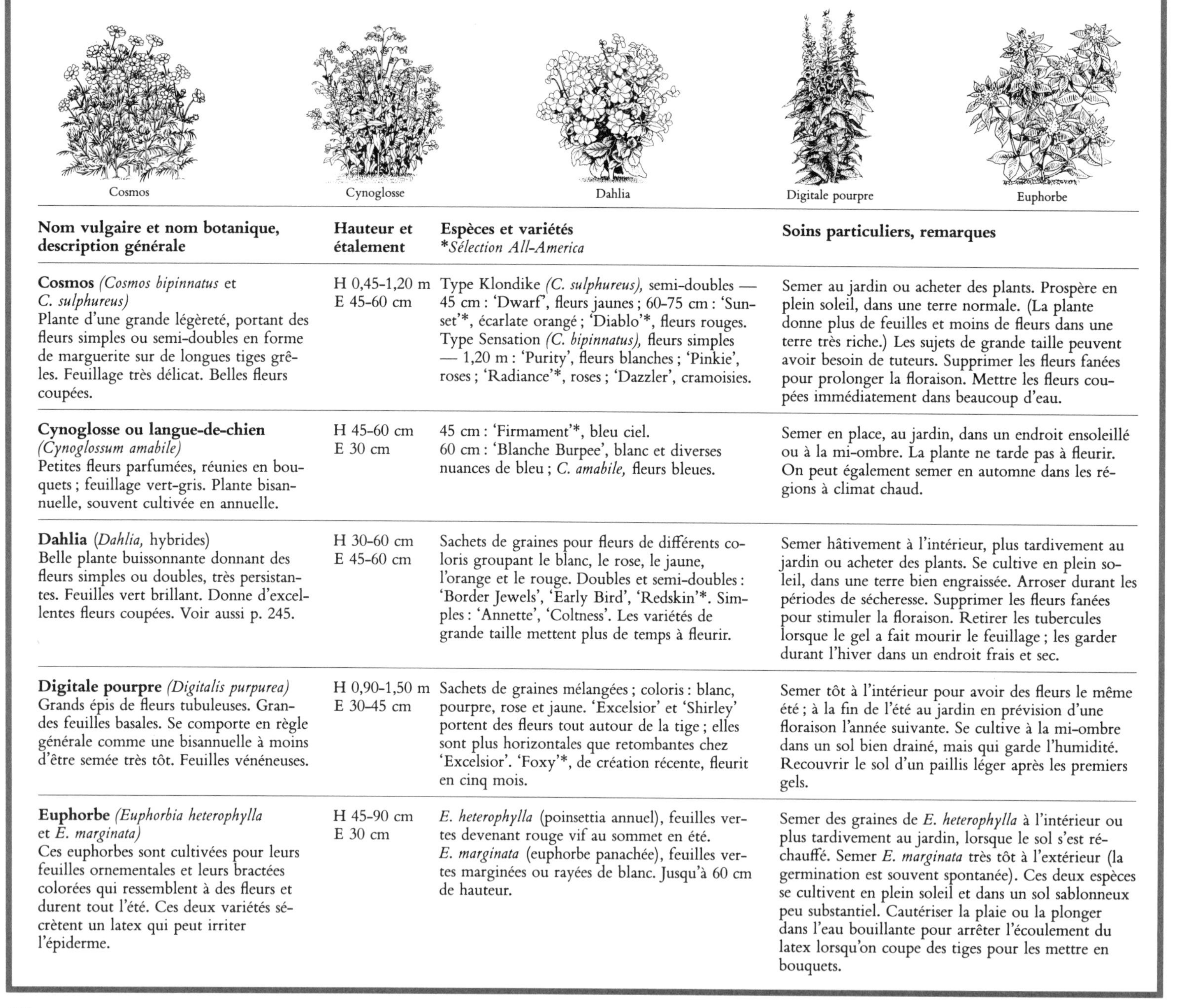

Cosmos — Cynoglosse — Dahlia — Digitale pourpre — Euphorbe

Nom vulgaire et nom botanique, description générale	Hauteur et étalement	Espèces et variétés **Sélection All-America*	Soins particuliers, remarques
Cosmos *(Cosmos bipinnatus* et *C. sulphureus)* Plante d'une grande légèreté, portant des fleurs simples ou semi-doubles en forme de marguerite sur de longues tiges grêles. Feuillage très délicat. Belles fleurs coupées.	H 0,45-1,20 m E 45-60 cm	Type Klondike *(C. sulphureus),* semi-doubles — 45 cm : 'Dwarf', fleurs jaunes ; 60-75 cm : 'Sunset'*, écarlate orangé ; 'Diablo'*, fleurs rouges. Type Sensation *(C. bipinnatus),* fleurs simples — 1,20 m : 'Purity', fleurs blanches ; 'Pinkie', roses ; 'Radiance'*, roses ; 'Dazzler', cramoisies.	Semer au jardin ou acheter des plants. Prospère en plein soleil, dans une terre normale. (La plante donne plus de feuilles et moins de fleurs dans une terre très riche.) Les sujets de grande taille peuvent avoir besoin de tuteurs. Supprimer les fleurs fanées pour prolonger la floraison. Mettre les fleurs coupées immédiatement dans beaucoup d'eau.
Cynoglosse ou langue-de-chien *(Cynoglossum amabile)* Petites fleurs parfumées, réunies en bouquets ; feuillage vert-gris. Plante bisannuelle, souvent cultivée en annuelle.	H 45-60 cm E 30 cm	45 cm : 'Firmament'*, bleu ciel. 60 cm : 'Blanche Burpee', blanc et diverses nuances de bleu ; *C. amabile,* fleurs bleues.	Semer en place, au jardin, dans un endroit ensoleillé ou à la mi-ombre. La plante ne tarde pas à fleurir. On peut également semer en automne dans les régions à climat chaud.
Dahlia (*Dahlia,* hybrides) Belle plante buissonnante donnant des fleurs simples ou doubles, très persistantes. Feuilles vert brillant. Donne d'excellentes fleurs coupées. Voir aussi p. 245.	H 30-60 cm E 45-60 cm	Sachets de graines pour fleurs de différents coloris groupant le blanc, le rose, le jaune, l'orange et le rouge. Doubles et semi-doubles : 'Border Jewels', 'Early Bird', 'Redskin'*. Simples : 'Annette', 'Coltness'. Les variétés de grande taille mettent plus de temps à fleurir.	Semer hâtivement à l'intérieur, plus tardivement au jardin ou acheter des plants. Se cultive en plein soleil, dans une terre bien engraissée. Arroser durant les périodes de sécheresse. Supprimer les fleurs fanées pour stimuler la floraison. Retirer les tubercules lorsque le gel a fait mourir le feuillage ; les garder durant l'hiver dans un endroit frais et sec.
Digitale pourpre *(Digitalis purpurea)* Grands épis de fleurs tubuleuses. Grandes feuilles basales. Se comporte en règle générale comme une bisannuelle à moins d'être semée très tôt. Feuilles vénéneuses.	H 0,90-1,50 m E 30-45 cm	Sachets de graines mélangées ; coloris : blanc, pourpre, rose et jaune. 'Excelsior' et 'Shirley' portent des fleurs tout autour de la tige ; elles sont plus horizontales que retombantes chez 'Excelsior'. 'Foxy'*, de création récente, fleurit en cinq mois.	Semer tôt à l'intérieur pour avoir des fleurs le même été ; à la fin de l'été au jardin en prévision d'une floraison l'année suivante. Se cultive à la mi-ombre dans un sol bien drainé, mais qui garde l'humidité. Recouvrir le sol d'un paillis léger après les premiers gels.
Euphorbe *(Euphorbia heterophylla* et *E. marginata)* Ces euphorbes sont cultivées pour leurs feuilles ornementales et leurs bractées colorées qui ressemblent à des fleurs et durent tout l'été. Ces deux variétés sécrètent un latex qui peut irriter l'épiderme.	H 45-90 cm E 30 cm	*E. heterophylla* (poinsettia annuel), feuilles vertes devenant rouge vif au sommet en été. *E. marginata* (euphorbe panachée), feuilles vertes marginées ou rayées de blanc. Jusqu'à 60 cm de hauteur.	Semer des graines de *E. heterophylla* à l'intérieur ou plus tardivement au jardin, lorsque le sol s'est réchauffé. Semer *E. marginata* très tôt à l'extérieur (la germination est souvent spontanée). Ces deux espèces se cultivent en plein soleil et dans un sol sablonneux peu substantiel. Cautériser la plaie ou la plonger dans l'eau bouillante pour arrêter l'écoulement du latex lorsqu'on coupe des tiges pour les mettre en bouquets.

Gaillarde  — Géranium des jardins  — Giroflée des jardins  — Giroflée de muraille  — Graminées ornementales

Nom vulgaire et nom botanique, description générale	Hauteur et étalement	Espèces et variétés *Sélection All-America*	Soins particuliers, remarques
Gaillarde *(Gaillardia amblyodon* et *G. pulchella)* Fleurs simples ou doubles ressemblant aux marguerites ; extrémité des pétales parfois ponctuée d'une teinte contrastante. Variétés de haute et de petite taille. Belles fleurs coupées.	H 30-60 cm E 30-45 cm	Sachets de graines mélangées ou de la même couleur. Coloris : rose, jaune, orange, écarlate et acajou. 'Lollipop', fleurs doubles en boule ; 'Goblin', plante vivace qui fleurit l'année des semis.	Semer tôt à l'intérieur ou plus tard au jardin. Prospère dans un emplacement chaud et ensoleillé et dans presque tous les sols. Résiste à la sécheresse. Supprimer les fleurs fanées pour prolonger la floraison. Germination spontanée.
Géranium des jardins *(Pelargonium hortorum)* Grandes ombelles de fleurs dominant un feuillage à marbrures concentriques. Pousse bien en bac. Généralement cultivé en plante annuelle, mais devient vivace si on le rentre l'hiver.	H 30-60 cm E 30 cm	Nombreuses variétés vendues en plants. Coloris : blanc, rose, saumon et rouge. Les variétés suivantes fleurissent cinq mois après les semis : 'Show Girl'*, rose vif ; 'Nittany Lion', fleurs rouges ; 'Sprinter', fleurs écarlates ; 'Carefree', sachets de graines mélangées ou d'une seule couleur.	Semer quatre mois avant le repiquage au jardin. Se cultive en plein soleil, dans un sol bien drainé moyennement fertile. Se multiplie facilement par boutures terminales en hiver, à l'intérieur, près d'une fenêtre ensoleillée.
Giroflée des jardins *(Mathiola bicornis* et *M. incana annua)* Fleurs parfumées, simples ou doubles, portées en épis sur des plantes buissonnantes. Les fleurs coupées donnent de jolis bouquets.	H 30-75 cm E 23-30 cm	*M. bicornis,* fleurs lilas, simples, en épis de 30 à 45 cm de haut ; *M. i. annua* (giroflée annuelle), sachets de graines mélangées ou de fleurs d'une seule couleur : blanc, lilas, pourpre, rose, jaune ; 'Trysomic Seven Week' et 'Dwarf Ten Week' fleurissent très vite.	Semer au jardin sitôt que le sol s'est réchauffé ou acheter des plants. A l'intérieur, les semis exigent une température constante de 10°C. Se cultive bien en pot en serre fraîche. Prospère en plein soleil, dans un sol humide et moyennement riche.
Giroflée de muraille *(Cheiranthus cheiri)* Epis composés de fleurs parfumées, à 4 pétales, densément groupées, pouvant atteindre 2,5 cm de diamètre chacune. Préfère les régions côtières à climat frais.	H 40-60 cm E 20-30 cm	Plante inscrite sous divers noms dans les catalogues. *C. cheiri* présente des fleurs pourpres, jaunes, orange et rouges. *Erysimum asperum* (parfois inscrite sous *C. allionii*), fleurs jaunes et orange.	Pour cultiver en annuelle, semer 8 à 10 semaines avant le repiquage au jardin ; pour cultiver en bisannuelle, semer au début de l'été. La giroflée de muraille prospère en plein soleil, dans un sol presque neutre. *C. cheiri* est rustique jusqu'en zone 6 seulement ; *Erysimum* jusqu'en zone 4.
Graminées ornementales (de plusieurs genres) Ces jolies plantes sont généralement cultivées pour leurs aigrettes ou épis de semences de formes et de coloris divers qu'on peut faire sécher et utiliser en bouquets d'hiver.	H 0,30-1,20 m E impossible à préciser, ces plantes étant groupées.	Sachets de graines mélangées ou d'un seul genre. Avoine animée *(Avena sterilis)* ; agrostide nébuleuse *(Agrostis nebulosa)* ; millet d'Italie *(Setaria italica)* ; queue-de-lièvre *(Lagurus ovatus)* ; larmes-de-Job *(Coix lacryma).*	Semer en place au jardin. Ces graminées se cultivent en plein soleil, dans une terre de jardin ordinaire. Cueillir les tiges avant que les semences ne soient mûres. Les garder dans un endroit sec et bien aéré.

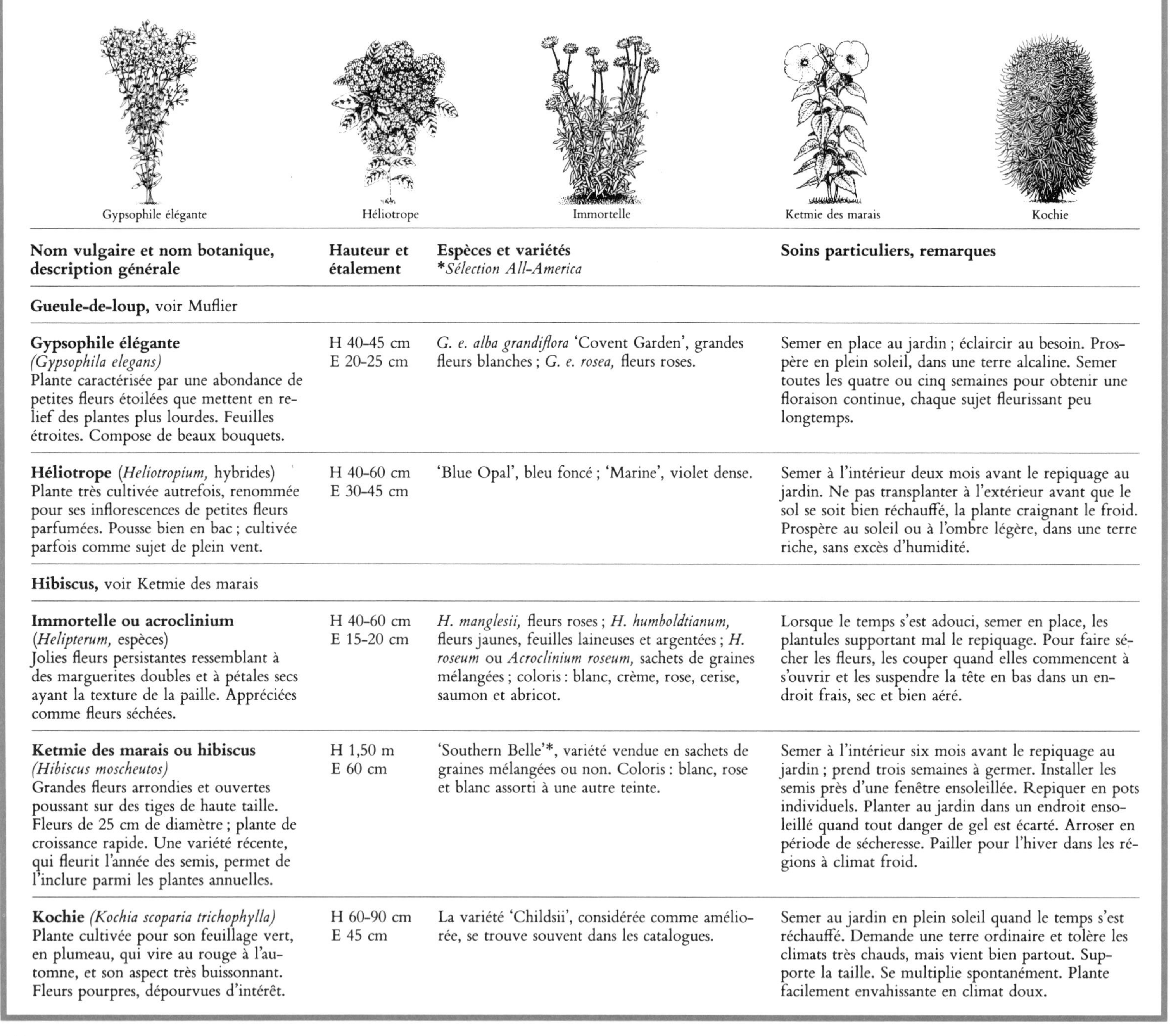

Nom vulgaire et nom botanique, description générale	Hauteur et étalement	Espèces et variétés **Sélection All-America*	Soins particuliers, remarques
Gueule-de-loup, voir Muflier			
Gypsophile élégante *(Gypsophila elegans)* Plante caractérisée par une abondance de petites fleurs étoilées que mettent en relief des plantes plus lourdes. Feuilles étroites. Compose de beaux bouquets.	H 40-45 cm E 20-25 cm	*G. e. alba grandiflora* 'Covent Garden', grandes fleurs blanches ; *G. e. rosea,* fleurs roses.	Semer en place au jardin ; éclaircir au besoin. Prospère en plein soleil, dans une terre alcaline. Semer toutes les quatre ou cinq semaines pour obtenir une floraison continue, chaque sujet fleurissant peu longtemps.
Héliotrope (*Heliotropium,* hybrides) Plante très cultivée autrefois, renommée pour ses inflorescences de petites fleurs parfumées. Pousse bien en bac ; cultivée parfois comme sujet de plein vent.	H 40-60 cm E 30-45 cm	'Blue Opal', bleu foncé ; 'Marine', violet dense.	Semer à l'intérieur deux mois avant le repiquage au jardin. Ne pas transplanter à l'extérieur avant que le sol se soit bien réchauffé, la plante craignant le froid. Prospère au soleil ou à l'ombre légère, dans une terre riche, sans excès d'humidité.
Hibiscus, voir Ketmie des marais			
Immortelle ou acroclinium (*Helipterum,* espèces) Jolies fleurs persistantes ressemblant à des marguerites doubles et à pétales secs ayant la texture de la paille. Appréciées comme fleurs séchées.	H 40-60 cm E 15-20 cm	*H. manglesii,* fleurs roses ; *H. humboldtianum,* fleurs jaunes, feuilles laineuses et argentées ; *H. roseum* ou *Acroclinium roseum,* sachets de graines mélangées ; coloris : blanc, crème, rose, cerise, saumon et abricot.	Lorsque le temps s'est adouci, semer en place, les plantules supportant mal le repiquage. Pour faire sécher les fleurs, les couper quand elles commencent à s'ouvrir et les suspendre la tête en bas dans un endroit frais, sec et bien aéré.
Ketmie des marais ou hibiscus *(Hibiscus moscheutos)* Grandes fleurs arrondies et ouvertes poussant sur des tiges de haute taille. Fleurs de 25 cm de diamètre ; plante de croissance rapide. Une variété récente, qui fleurit l'année des semis, permet de l'inclure parmi les plantes annuelles.	H 1,50 m E 60 cm	'Southern Belle'*, variété vendue en sachets de graines mélangées ou non. Coloris : blanc, rose et blanc assorti à une autre teinte.	Semer à l'intérieur six mois avant le repiquage au jardin ; prend trois semaines à germer. Installer les semis près d'une fenêtre ensoleillée. Repiquer en pots individuels. Planter au jardin dans un endroit ensoleillé quand tout danger de gel est écarté. Arroser en période de sécheresse. Pailler pour l'hiver dans les régions à climat froid.
Kochie *(Kochia scoparia trichophylla)* Plante cultivée pour son feuillage vert, en plumeau, qui vire au rouge à l'automne, et son aspect très buissonnant. Fleurs pourpres, dépourvues d'intérêt.	H 60-90 cm E 45 cm	La variété 'Childsii', considérée comme améliorée, se trouve souvent dans les catalogues.	Semer au jardin en plein soleil quand le temps s'est réchauffé. Demande une terre ordinaire et tolère les climats très chauds, mais vient bien partout. Supporte la taille. Se multiplie spontanément. Plante facilement envahissante en climat doux.

Lin à grandes fleurs

Linaire

Lobélie érine

Lupin annuel

Matricaire commune

Nom vulgaire et nom botanique, description générale	Hauteur et étalement	Espèces et variétés *Sélection All-America	Soins particuliers, remarques
Langue-de-chien, voir Cynoglosse			
Lin à grandes fleurs *(Linum grandiflorum)* Fleurs de texture délicate, à 5 pétales, ayant 5 cm de diamètre. Elles sont portées sur des tiges élancées. Feuilles étroites. Voir aussi Lin vivace.	H 40 cm E 20-25 cm	*L. g. caeruleum,* bleu-pourpre ; *L. g. rubrum,* rouge cramoisi vif. Aussi variétés à fleurs blanches et roses.	Semer au printemps sitôt qu'on peut travailler le sol ou à la fin de l'automne. Se cultive en plein soleil, dans un sol bien drainé. Répéter les semis, la floraison étant de courte durée. Préfère les étés frais.
Linaire *(Linaria maroccana)* Fleurs semblables à des mufliers miniatures et portées sur de courts épis. Compose de jolis bouquets.	H 25 cm E 15 cm	'Fairy Bouquet'*, sachets de graines mélangées comportant des variétés de teinte chamois, lavande, pourpre, rose, or ou cramoisi.	Semer tôt en place au jardin dans une terre ordinaire : la plante se repique avec difficulté. Préfère les étés frais. Fleurit rapidement. Bonne plante de bordure ; compose de beaux massifs.
Liseron, voir Volubilis **Liseron tricolore,** voir Belle-de-jour			
Lobélie érine *(Lobelia erinus)* Abondance de petites fleurs à 5 pétales, parfois à œil central blanc. Petites feuilles vertes ou vert bronze. Plante à cultiver en bordure ou en bac.	H 10-30 cm E 30 cm	10-15 cm : 'White Lady', fleurs blanches ; 'Crystal Palace', bleu intense ; 'Bright Eyes', bleu-violet à œil blanc ; 'Rosamond', rouge carmin à œil blanc. 30 cm (retombante) : 'Sapphire', bleu azur à œil blanc.	Semer à l'intérieur trois mois avant le repiquage au jardin ou acheter des plants au printemps. Préfère la mi-ombre et une terre ordinaire. Rabattre les plants de 2,5 à 5 cm après la première floraison.
Lupin annuel (*Lupinus,* espèces et hybrides) Fleurs réunies en épis, dominant un feuillage profondément divisé. Courte période de floraison en été. Voir aussi Lupin vivace.	H 30-90 cm E 30 cm	Coloris : blanc, bleu, lavande, rose et jaune. Les appellations du lupin annuel varient beaucoup d'un catalogue à l'autre. Rechercher le mot « annuel » dans la description. Se trouve parfois dans les catalogues de fleurs sauvages.	Semer au jardin dès que le sol peut être travaillé. Choisir une terre riche, non calcaire, un emplacement ensoleillé ou à demi ombragé. Préfère des printemps et des étés frais.
Matricaire commune *(Chrysanthemum parthenium* ou *Matricaria capensis)* Petites fleurs doubles et sphériques poussant en groupes sur des plants dressés ou trapus. Toutes émettent un parfum piquant. Plante vivace souvent cultivée en annuelle. Les variétés de grande taille donnent de belles fleurs coupées.	H 15-60 cm E 25 cm	15-25 cm : 'Snowball', fleurs blanches ; 'White Stars', blanches à cœur jaune ; 'Golden Ball', fleurs jaunes. 60 cm : 'Ball Double White', fleurs blanches.	Pour avoir une floraison hâtive, semer à l'intérieur six à huit semaines avant le repiquage au jardin. Ou semer en place en prévision d'une floraison tardive. Se cultive en plein soleil ou à la mi-ombre.

Mauve fleurie  — Mignonnette  — Monnaie-du-pape  — Muflier  — Myosotis

Nom vulgaire et nom botanique, description générale	Hauteur et étalement	Espèces et variétés **Sélection All-America*	Soins particuliers, remarques
Mauve fleurie *(Lavatera trimestris)* Plante buissonnante à fleurs simples, satinées, semblables à celles de la rose trémière. Floraison du milieu à la fin de l'été. Les feuilles rappellent par leur forme celles de l'érable.	H 75-90 cm E 60 cm	'Loveliness', rose intense ; 'Tanagra', fleurs roses, hybride tétraploïde (comportant quatre fois plus de chromosomes) à fleurs de 7,5 cm de diamètre. Il existe des variétés à fleurs blanches.	Semer au printemps dès qu'on peut travailler le sol et à sa place définitive, la plante supportant mal le repiquage. Prospère en plein soleil, dans une terre ordinaire. Supprimer les fleurs fanées pour prolonger la floraison. A parfois besoin de tuteurs.
Mignonnette *(Reseda odorata)* Plante cultivée principalement pour le parfum de ses fleurs vert-jaune. Feuilles épaisses ; plants ayant tendance à ramper. Belles fleurs pour bouquets.	H 30 cm E 25-30 cm	Les graines de diverses variétés se vendent en sachets ; coloris du vert jaunâtre au rouge-brun. Aussi 'Bismark', fleurs rouges ; 'Machet Giant', grandes fleurs rouge clair.	Semer en place dès que tout danger de gel est écarté : les plantules supportent mal le repiquage. Dans les régions où il ne gèle pas, on peut semer à la fin de l'automne ou au début de l'hiver. Se cultive en plein soleil ou à la mi-ombre, pour remplir des vides entre des plantes. Préfère un climat frais.
Monnaie-du-pape *(Lunaria annua)* Petites fleurs légèrement parfumées, feuilles sans finesse. Cette plante produit des fruits qui renferment des disques papyracés argentés, qui lui ont donné son nom, et sont utilisés dans les bouquets séchés.	H 60 cm E 30 cm	*L. a. alba,* fleurs blanches ; *L. annua,* pourpres. Une espèce vivace, *L. rediviva,* est difficile à trouver.	Semer au printemps les sujets cultivés en plantes annuelles ; en été, les bisannuelles. Semer en place, en plein soleil ou à la mi-ombre, dans un sol bien drainé. Cueillir les fruits dès qu'ils sont bruns ; enlever la pellicule extérieure de la gousse (silique). Se multiplie spontanément ; peut devenir envahissante.
Muflier ou gueule-de-loup *(Antirrhinum majus)* Fleurs simples réunies en épis et formées d'une corolle à lèvres supérieure et inférieure arrondies s'ouvrant sous la pression des doigts. Elles ont donné son nom à la plante. Belles fleurs pour bouquets.	H 20-90 cm E 25-45 cm	Sachets de graines mélangées ou d'une variété à couleur unique ; coloris de blanc, lavande, rose, jaune, orange et rouge. Le groupe Butterfly présente des fleurs ouvertes en forme de trompette. Vérifier la hauteur des plants, qui varie beaucoup.	Semer à l'intérieur six à huit semaines avant le repiquage ; cultiver à 10°C. Semer sous châssis froid en zone 6 et dans les zones inférieures. Ou encore acheter des plants au printemps. Se cultive en plein soleil, dans un sol fertile. Supprimer les fleurs fanées pour prolonger la floraison.
Myosotis (*Myosotis,* espèces) Petites fleurs groupées en bouquets et s'épanouissant en même temps que les tulipes ; souvent plantées dans les mêmes plates-bandes. Plante cultivée de préférence en bisannuelle, mais aussi en annuelle.	H 20-30 cm E 10-25 cm	Sachets de graines de fleurs de divers coloris : blanc, bleu et rose, ou d'une seule couleur qui est ordinairement le bleu. Certains catalogues mentionnent des variétés bisannuelles *(M. alpestris* ou *M. rupicola)* et des variétés annuelles *(M. sylvatica* ou *M. oblongata).*	Pour cultiver en bisannuelle, semer à la fin de l'été ; pour cultiver en annuelle, semer sitôt que le sol s'est réchauffé au printemps. Dans les régions à climat très froid, protéger les plants en hiver. Se cultive à la mi-ombre ou au soleil, dans une terre moyennement fertile. Multiplication spontanée ; enlever les plants lorsque les graines se sont répandues.

Némésie d'Afrique

Nierembergie

Œillet de Chine

Œillet des fleuristes

Œillet d'Inde mouchet

Nom vulgaire et nom botanique, description générale	Hauteur et étalement	Espèces et variétés *Sélection All-America*	Soins particuliers, remarques
Némésie d'Afrique *(Nemesia strumosa)* Plante buissonnante et touffue se cultivant en bordure ou en bac. Petites fleurs qui composent de jolis bouquets.	H 25-30 cm E 15 cm	Sachets de graines mélangées. Coloris : blanc, rose, jaune, orange et cramoisi.	Préfère des étés frais. Semer à l'intérieur ou sous châssis froid six à huit semaines avant les derniers gels. Dans les régions à climat doux, semer en automne ou en hiver pour obtenir une floraison hâtive au printemps. Se cultive en plein soleil, dans une terre riche et humide. Pincer les tiges.
Nierembergie (*Nierembergia*, espèces et hybrides) Fleurs à 5 pétales, en forme de coupe de 2,5 cm de diamètre, portées au sommet de tiges élancées. Petites feuilles très étroites. Longue période de floraison.	H 15-60 cm E 10-15 cm	15 cm : *N. caerulea* ou *N. hippomanica violacea*, fleurs bleu-violet ; floraison ininterrompue. 'Purple Robe' très répandue. 60 cm : *N. frutescens* ou *N. scoparia*, plante buissonnante à délicates fleurs bleu et blanc.	Semer à l'intérieur 8 à 10 semaines avant le repiquage ; transplanter les plantules quand tout risque de gel est écarté. Se cultive au soleil, dans une terre riche et humide. Tolère la mi-ombre dans les régions où la chaleur est intense. Souvent vivace en zone 8. En région froide, placer les plantes sous châssis froid en hiver.
Œillet de Chine *(Dianthus chinensis)* Fleurs simples, semi-doubles ou doubles, parfumées, portées en abondance sur des tiges raides, au-dessus d'un feuillage aux lignes nettes. Belles fleurs pour bouquets.	H 18-30 cm E 15-30 cm	18 cm : 'Baby Doll', fleurs simples et bicolores : blanc et rose ou rouge ; 'Magic Charms'*, fleurs simples, dentées, blanches, roses ou rouges. 30 cm : 'China Doll'*, fleurs semi-doubles, frangées, blanches ourlées de rose ou de rouge.	Semer à l'extérieur dès que le sol est malléable ou à l'intérieur six à huit semaines avant le repiquage. Se cultive en plein soleil, dans un sol bien drainé et plutôt alcalin. Supprimer les fleurs fanées pour prolonger la floraison.
Œillet des fleuristes *(Dianthus caryophyllus)* Les plantes cultivées au jardin portent les fleurs parfumées qu'on trouve chez les fleuristes, mais elles sont plus petites. Tiges filiformes. Bonnes fleurs coupées.	H 30-60 cm E 30 cm	Coloris : blanc et plusieurs nuances de pourpre, rose, jaune, saumon, abricot et rouge. Sachets de graines donnant des fleurs de coloris variés ou d'une seule couleur. La variété 'Juliet'* à fleurs rouges constitue une excellente plante annuelle.	Dans les régions à climat froid, semer tôt à l'intérieur. Là où le climat est plus clément, la plante se cultive en bisannuelle ou en vivace dans un sol neutre ou légèrement alcalin et bien drainé, en plein soleil. Tuteurer les variétés de haute taille.
Œillet d'Inde, voir Rose d'Inde			
Œillet d'Inde mouchet *(Tagetes tenuifolia pumila* ou *T. signata pumila)* Plantes compactes qui se couvrent d'innombrables petites fleurs simples masquant le feuillage. Longue période de floraison. Semblable à l'œillet d'Inde, mais plus rare que celui-ci.	H 20 cm E 15 cm	'Lemon Gem', fleurs jaunes ; 'Golden Gem', fleurs orange.	Semer au jardin dès que tout risque de gel est écarté ou à l'intérieur six semaines avant le repiquage. Se cultive en plein soleil, dans une terre ordinaire mais bien drainée. Cueillir les fleurs pour prolonger la floraison.

Œillet de poète

Pâquerette

Pavot coquelicot

Pensée

Pervenche de Madagascar

Nom vulgaire et nom botanique, description générale	Hauteur et étalement	Espèces et variétés **Sélection All-America*	Soins particuliers, remarques
Œillet de poète *(Dianthus barbatus)* Inflorescences denses de fleurs simples ou doubles, légèrement parfumées, dominant un feuillage court. Variétés annuelles ou bisannuelles. Souvent vivaces en zone 7 et jusqu'en zone 4 quand il y a une couverture de neige.	H 10-45 cm E 20-25 cm	Annuelles : 'Red Monarch'*, fleurs rouges ; 'Roundabout', nuances de rouge, parfois à motifs ; 'Wee Willie', nuances de rouge. Bisannuelles : sachets de graines mélangées ; coloris : blanc, rose, saumon, cramoisi, écarlate ; fleurs parfois bicolores.	Semer les variétés annuelles tôt au printemps, au jardin, dès qu'on peut travailler la terre. Semer les variétés bisannuelles au printemps ou en été. Prospère en plein soleil dans une terre riche ou moyennement riche.
Pâquerette *(Bellis perennis)* Fleurs généralement doubles, de 2,5 à 5 cm de diamètre, s'épanouissant au printemps et au début de l'été sur des plants courts et compacts. Plante vivace habituellement cultivée de la même manière qu'une bisannuelle.	H 10-15 cm E 8-15 cm	'Pink Fairy Carpet', fleurs roses ; 'Kito', rose cerise ; 'Carpet Mixture', coloris variés comportant du blanc, du rose et du rouge.	Plante vendue d'ordinaire au début du printemps, comme les pensées, mais qu'on peut obtenir par semis, la floraison se produisant l'année d'après. Se cultive en plein soleil ou à la mi-ombre, dans un sol capable de garder l'humidité. Supprimer les fleurs fanées.
Passerose, voir Rose trémière			
Pavot coquelicot ou coquelicot *(Papaver rhoeas)* Fleurs satinées, simples ou doubles, sur des tiges filiformes. Feuillage découpé. Donne de belles fleurs coupées. Voir Pavot d'Orient vivace.	H 45 cm E 30 cm	Fleurs simples ou doubles, souvent bicolores. Sachets de graines mélangées ; coloris : rose, jaune, saumon, abricot et rouge ; fleurs parfois teintées ou frangées d'une autre couleur.	Semer en place à la fin de l'automne ou au printemps, dès que le sol est malléable. Souffre du repiquage. Se cultive en plein soleil, dans une terre normale.
Pensée et viola (*Viola,* espèces et hybrides) Les pensées à grandes fleurs et les violas à petites fleurs qui leur sont apparentées portent des fleurs parfumées à 5 pétales, avec ou sans macules. Plante à cultiver en bordure ou en bac.	H 15-25 cm E 25-30 cm	Plusieurs variétés de pensées et de violas dans les coloris suivants : blanc, bleu, pourpre, jaune et rouge. Les pensées hybrides de première génération sont celles qui tolèrent le mieux la chaleur ; les pensées la tolèrent mieux que les violas.	Acheter au printemps des plants en fleur. Ou semer tôt à l'intérieur ; les plants fleuriront le même été. Se cultive comme une plante bisannuelle en semant au jardin à la mi-été. Protéger les plants en hiver à partir de la zone 5.
Pervenche de Madagascar *(Vinca rosea)* Fleurs simples à 5 pétales et pouvant atteindre 2,5 cm de diamètre. Feuilles vertes et brillantes, belles tout l'été.	H 15-25 cm E 30-60 cm	'Little Blanche', fleurs blanches ; 'Little Bright Eye', blanches à cœur rose-rouge ; 'Polka Dot'*, blanches à cœur rouge cerise ; 'Little Linda', lavande foncé ; 'Little Delicata', rose pâle à cœur rouge.	Semer à l'intérieur au moins 12 semaines avant le repiquage au jardin ou acheter des plants. Prospère en plein soleil ou à la mi-ombre, dans une terre normale. Pincer les tiges pour favoriser la ramification. Supporte l'atmosphère urbaine.

Pétunia

Phlox de Drummond

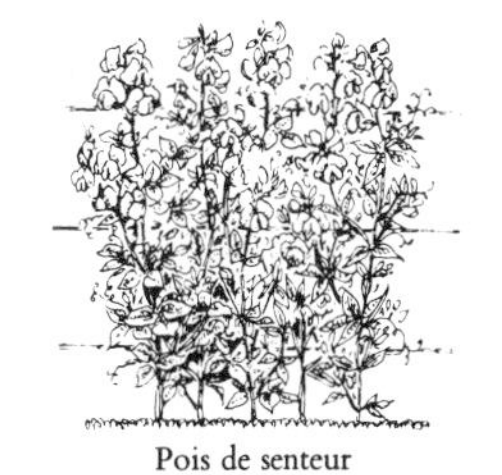
Pois de senteur

Pourpier à grandes fleurs

Nom vulgaire et nom botanique, description générale	Hauteur et étalement	Espèces et variétés *Sélection All-America	Soins particuliers, remarques
Pétunia ou saint-Joseph *(Petunia hybrida)* Grandes fleurs simples ou doubles, légèrement parfumées, pouvant atteindre 13 cm de diamètre. Les pétales sont frangés, ourlés ou portent des rayures. Plants compacts ou rampants ; longue période de floraison. Les fleurs composent de beaux bouquets.	H 25-40 cm E 30-60 cm	On connaît surtout *P. h. grandiflora* (à grandes fleurs) et *P. h. multiflora* (à fleurs multiples). Les variétés retombantes se cultivent bien en corbeilles suspendues. Coloris : blanc, bleu-violet, violet foncé, lavande, rose, jaune, cramoisi.	Acheter les pétunias en plants ; les repiquer à l'extérieur après le dernier gel. Ou semer à l'intérieur ou sous châssis chaud 8 à 10 semaines avant le repiquage. Se cultive en plein soleil, dans une terre moyennement fertile. Supprimer les fleurs fanées pour prolonger la floraison. Plante sensible à la pollution atmosphérique.
Phlox de Drummond *(Phlox drummondii)* Inflorescences chargées de petites fleurs à 5 pétales, bicolores ou frangées, dominant le feuillage. Longue période de floraison. Donne de belles fleurs pour bouquets.	H 18-38 cm E 23 cm	18 cm : 'Dwarf Beauty', sachets de graines mélangées ou de fleurs d'une seule couleur ; coloris : blanc, bleu, rose, saumon, cramoisi ; 'Twinkle'*, à pétales frangés, sachets de graines mélangées ou de fleurs d'une seule couleur. 38 cm : 'Glamour'*, saumon à œil blanc.	Semé à l'extérieur après le dernier gel, il fleurit hâtivement. A l'intérieur, doit être semé six semaines avant le repiquage. Pousse facilement en plein soleil, dans une terre moyennement fertile. Rabattre les plants après la première floraison pour en stimuler une seconde.
Pied-d'alouette des jardins, voir Bec-d'oiseau **Poinsettia annuel,** voir Euphorbe			
Pois de senteur *(Lathyrus odoratus)* Plante depuis longtemps cultivée ; variétés grimpantes et variétés non grimpantes. Quelques-unes ont des fleurs parfumées. Compose de beaux bouquets.	H 0,20-3 m E 0,90-1,80 m	Plusieurs variétés grimpantes de grande taille sont offertes en graines ; sachets de graines mélangées ou de fleurs d'une seule couleur. Coloris : blanc, bleu, lavande, rouge orangé, saumon, écarlate. Mêmes teintes dans les variétés naines : 'Bijou' et 'Little Sweetheart'. A mi-chemin entre les deux : 'Jet Set', 70 cm ; 'Knee-Hi', 75 cm.	Semer au jardin dès qu'on peut travailler le sol. Auparavant, faire tremper les graines plusieurs heures dans l'eau et les immuniser contre les bactéries (voir p. 421). Prospère en plein soleil et dans une terre riche. Préfère un climat frais, mais de nouvelles variétés résistent mieux à la chaleur. Tuteurer les variétés de grande taille.
Pourpier à grandes fleurs *(Portulaca grandiflora)* Plante semi-prostrée à feuilles étroites et succulentes. Très jolies fleurs simples, semi-doubles ou doubles de 6,5 cm de diamètre qui ne s'ouvrent que sous les rayons du soleil. La plante fleurit abondamment.	H 13-18 cm E 15-60 cm	Plusieurs variétés à fleurs doubles ou simples. Sachets de graines mélangées ou de fleurs d'une seule couleur. Coloris : blanc, lavande, rose, jaune, orange, corail et rouge.	Semer en place au jardin, sous châssis froid ou à l'intérieur six à huit semaines avant le repiquage. Les plantules se transplantent facilement. Préfère un emplacement ensoleillé et sec, un sol peu riche. Fleurit rapidement ; se multiplie par ensemencement spontané.

Primevère polyanthe

Quatre-heures

Reine-marguerite

Œillet d'Inde

Rose trémière

Nom vulgaire et nom botanique, description générale	**Hauteur et étalement**	**Espèces et variétés** ******Sélection All-America*	**Soins particuliers, remarques**
Primevère polyanthe ou primevère des jardins *(Primula polyantha)* Fleurs très nombreuses en bouquets terminaux dominant un feuillage court. *P. polyantha* vivace est souvent cultivé en plante annuelle. Voir Primevère vivace.	H 30-45 cm E 23-30 cm	*P. polyantha* dans les tons de blanc crème, jaune, orange ; certaines ont des nuances de bleu.	Acheter des plants en automne et les repiquer au jardin en prévision d'une floraison hâtive. Se cultive à la mi-ombre, dans un sol fertile et humide. Semer au début de l'été dans des caissettes placées dans un endroit ombragé ; repiquer ensuite au jardin. Rustique jusqu'en zone 5, mais tolère mal la chaleur de l'été.
Quatre-heures *(Mirabilis jalapa)* Fleurs en forme de trompette, pouvant atteindre 2,5 cm de diamètre ; elles s'ouvrent en fin d'après-midi et se referment le lendemain matin. Feuillage touffu, vert foncé. Vivace dans les régions à climat doux.	H 0,45-1,20 m E 30-60 cm	Plante généralement vendue en sachets de graines mélangées ; coloris de blanc, lavande, rose, jaune et saumon. 'Jingles', fleurs rayées ; 'Pygmy', 45 cm de hauteur ; 'Petticoat', donnant l'effet d'une fleur qui pousserait dans une autre fleur.	Semer à l'extérieur en plein soleil et dans un sol bien drainé. Pousse rapidement. Déterrer les tubercules quand la terre commence à geler. Les conserver comme ceux des dahlias, voir p. 250. Plante utile comme écran ou haie ; supporte la pollution atmosphérique.
Reine-marguerite *(Callistephus chinensis)* Ravissantes fleurs doubles, s'épanouissant à la fin de l'été et en automne. Grande gamme de tailles ; les plus hautes font de belles fleurs coupées.	H 15-75 cm E 30-45 cm	Plusieurs teintes de blanc, de bleu, de rose et d'écarlate. On trouve des variétés hâtives, normales ou tardives. Choisir les variétés en fonction de leur hauteur. Les pétales peuvent être froncés, spatulés ou tubulés.	Se cultive en plein soleil, dans un sol modérément riche. Pour éviter les maladies contractées dans le sol, ne pas cultiver la reine-marguerite deux ans de suite dans le même terrain. Eliminer les cicadelles qui répandent le virus.
Rose d'Inde *(Tagetes erecta)* et **œillet d'Inde** *(T. patula)* Plantes à fleurs simples, semi-doubles ou doubles, souvent bicolores et à floraison prolongée. Feuillage profondément découpé, exhale un parfum piquant. Bonnes fleurs coupées.	H 0,20-1,20 m E 25-45 cm	*T. erecta :* grandes fleurs doubles blanches, crème, jaunes ou orange, sur des plants de haute taille. *T. patula :* fleurs plus petites mais généralement doubles, jaunes, orange ou rouge acajou, sur des plants trapus.	Semer à l'intérieur six semaines avant le repiquage au jardin ou à l'extérieur lorsque le temps s'est adouci. Se cultive en plein soleil et dans une terre ordinaire. *T. erecta* fleurit plus hâtivement que *T. patula.* Supprimer les fleurs fanées pour prolonger la floraison.
Rose trémière ou passerose *(Althaea rosea)* Longues tiges spectaculaires garnies de fleurs simples ou doubles pouvant atteindre 10 cm de diamètre, à pétales parfois ruchés. Normalement cultivée en bisannuelle, mais de nouvelles variétés sont annuelles.	H 0,60-1,80 m E 30-45 cm	Variétés bisannuelles vendues en sachets de graines mélangées. Coloris : blanc, mauve, rose, jaune et rouge. Aussi cultivée en annuelle : 'Majorette'*, 60 cm, fleurs doubles ; 'Summer Carnival'*, 1,80 m, fleurs doubles.	Semer les variétés annuelles à l'intérieur ou plus tard au jardin quand il n'y a plus risque de gel. Semer les variétés bisannuelles en place au tout début de l'été. Se cultive en plein soleil. Les variétés annuelles peuvent survivre à l'hiver. Elles sont moins exposées au champignon de la rouille que les variétés bisannuelles. Contre cette maladie, pulvériser les plants avec du zinèbe.

Rudbeckie bicolore
Salpiglossis 
Sauge éclatante 
Scabieuse des jardins 
Schizanthe 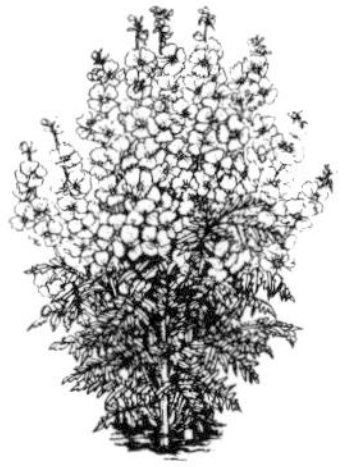

Nom vulgaire et nom botanique, description générale	Hauteur et étalement	Espèces et variétés *Sélection All-America	Soins particuliers, remarques
Rudbeckie bicolore (lignée de *Rudbeckia hirta*) Grandes fleurs simples ou doubles semblables à des marguerites, pouvant atteindre 13 cm de diamètre, à cœur vert ou brun. Plante vivace souvent cultivée en annuelle. Se met en bouquet.	H 60-90 cm E 30-60 cm	60-75 cm : 'Irish Eyes', fleurs simples, jaunes, à cœur vert ; 'Orange Bedder', fleurs simples, orange. 90 cm : 'Double Gold'*, fleurs doubles, jaunes ; 'Pinwheel', fleurs simples, bicolores : or et acajou.	Semer au jardin au début du printemps, dès que le sol est malléable, ou en automne. Se cultive en plein soleil ou à la mi-ombre dans un sol normal et bien drainé, ou même pauvre et sec. En zone 4, les sujets protégés par un paillis survivent à l'hiver. Se multiplie spontanément. Longue période de floraison, culture sans problème.
Saint-Joseph, voir Pétunia			
Salpiglossis *(Salpiglossis sinuata)* Fleurs en forme d'entonnoir pouvant atteindre 6,5 cm de diamètre ; pétales veloutés, délicatement veinés. Les fleurs coupées durent longtemps.	H 60-75 cm E 30 cm	Sachets de graines mélangées ; coloris : pourpre, rose, or et écarlate. 'Splash', hybride buissonnant de première génération ; 'Bolero', hybride buissonnant de seconde génération ; tous deux sont très résistants.	Semer à l'intérieur huit semaines avant le dernier gel du printemps ou acheter des plants au printemps. Se cultive en plein soleil, dans un sol fertile. Les plantules ont une croissance lente.
Sauge éclatante *(Salvia splendens)* Plante remarquable, buissonnante, qui fleurit longtemps. Denses épis floraux. La sauge est en fait un arbuste fragile qui se cultive facilement en annuelle.	H 20-90 cm E 30 cm	Grand nombre de variétés dans les tons de rouge, certaines qualifiées de hâtives. Vérifier la hauteur. Aussi en blanc, lavande, pourpre, rose, saumon. On peut se procurer les graines de *S. farinacea* et *S. patens* à fleurs bleues et de *S. horminum* de diverses couleurs.	Semer à l'intérieur quatre à six semaines avant le dernier gel du printemps, ou à l'extérieur quand le temps s'est adouci. Ou acheter des plants au printemps. Se cultive en plein soleil ou à la mi-ombre dans un sol fertile et bien drainé. Fertiliser légèrement avec un engrais soluble.
Scabieuse des jardins *(Scabiosa atropurpurea)* Fleurs arrondies de 7,5 cm de diamètre à étamines argentées et saillantes. Tiges et feuilles délicates. Compose de beaux bouquets parfumés et durables. Voir Scabieuse vivace.	H 45-90 cm E 23 cm	Sachets de graines mélangées ; coloris : blanc, bleu, lavande, rose, cramoisi, marron. Variétés naines ou de haute taille.	Semer à l'intérieur quatre à six semaines avant le repiquage ou à l'extérieur lorsque le temps s'est adouci. Se sème à l'automne en zone 8. Cultiver la scabieuse en plein soleil, dans un sol bien drainé. Les variétés de grande taille ont parfois besoin de tuteurs. On peut faire sécher les fleurs pour composer des bouquets d'hiver.
Schizanthe *(Schizanthus wisetonensis)* Petites fleurs peu densément groupées, dominant un feuillage profondément découpé. Les fleurs ressemblent un peu aux orchidées. Plante souvent cultivée en pot.	H 30-45 cm E 30 cm	'Angel Wings' et 'Hit Parade' sont deux variétés améliorées, à port plus compact, offertes en sachets de graines variées. Les fleurs généralement bicolores présentent des teintes de blanc, de violet, de pourpre, de rose et d'écarlate.	Semer les graines à l'intérieur six à huit semaines avant les derniers gels du printemps, ou au jardin quand le temps s'est réchauffé. Préfère un climat frais. En serre, semer en automne pour obtenir une récolte de fleurs à la fin de l'hiver. Germination lente. Se cultive en plein soleil ou à la mi-ombre, dans une terre humide.

Souci des jardins

Statice

Tabac odorant

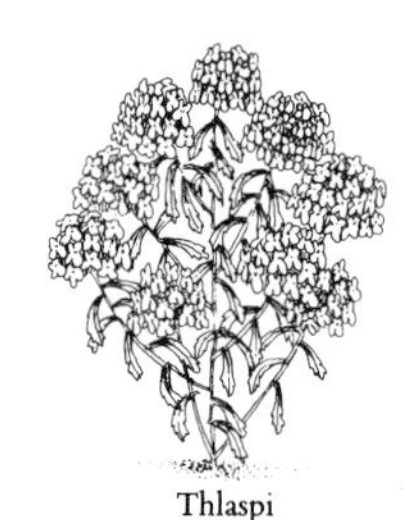
Thlaspi

Nom vulgaire et nom botanique, description générale	Hauteur et étalement	Espèces et variétés *Sélection All-America*	Soins particuliers, remarques
Soleil, voir Tournesol			
Souci des jardins *(Calendula officinalis)* Fleurs simples ou doubles, pouvant atteindre 10 cm de diamètre. Feuilles vert clair à arôme piquant. Belles fleurs pour composer des bouquets. Ne pas confondre ces plantes avec les roses d'Inde et les œillets d'Inde.	H 15-50 cm E 15-30 cm	'Golden Gem', plante naine, fleurs doubles, jaunes ; 'Pacific Beauty', fleurs doubles, jaunes, orange ou abricot ; 'Orange Gem', fleurs doubles et orange ; 'Sunny Boy', plante naine, sachets de graines de variétés de différentes couleurs.	Les graines germent rapidement au jardin ; on peut semer en automne ou en hiver dans les régions où il ne gèle pas. Tolère un sol peu fertile, une exposition au soleil ou à l'ombre partielle. Préfère un temps frais ; les fleurs doubles deviennent semi-doubles par temps très chaud. Multiplication spontanée.
Statice *(Limonium bonduelii* et *L. sinuatum)* Epis ou panicules de petites fleurs à texture de paille, portés sur des tiges raides et élancées au-dessus d'un feuillage court. Supporte le voisinage de la mer. Fleurs qui se conservent longtemps, fraîches ou séchées.	H 30-75 cm E 30 cm	*L. bonduelii,* fleurs jaunes. *L. sinuatum* 'Iceberg', fleurs blanches ; 'Heavenly Blue', bleues ; 'Midnight Blue', bleu foncé ; 'Gold Coast', jaunes ; 'American Beauty', roses ; 'Apricot Beauty', fleurs bicolores, pêche et jaune. Sachets de graines mélangées.	Semer à l'extérieur dès qu'on peut travailler la terre. Pour obtenir une floraison plus hâtive, semer à l'intérieur huit semaines avant le repiquage. Dans les sachets, on trouve souvent des inflorescences entières séchées ; dégager les graines avant de les semer. Se cultive en plein soleil, dans un sol bien drainé et relativement sec.
Tabac odorant (*Nicotiana,* espèces et hybrides) Plante très florifère. Groupes de fleurs parfumées, en forme de trompette ; grandes feuilles basales. *N. alata grandiflora* donne des fleurs très parfumées qui se referment au milieu du jour pour s'ouvrir le soir ; chez quelques variétés, elles demeurent ouvertes presque toute la journée.	H 25-75 cm E 25-60 cm	*N. alata grandiflora* ou *N. affinis,* fleurs blanches très odorantes ; 'White Bedder', blanches et parfumées ; 'Lime Green', chartreuse, parfumées ; 'Idol', variété naine, rouge intense ; 'Crimson Bedder', cramoisies ; 'Sensation', sachets de graines mélangées ; coloris : blanc, lavande, rose et rouge.	Semer à l'intérieur quatre à six semaines avant le repiquage ; la lumière favorise la germination : ne pas couvrir les semis. Les plantules lèvent en deux ou trois semaines. On peut acheter des plants au printemps. Se cultive en plein soleil ou à la mi-ombre et tolère la chaleur.
Thlaspi (*Iberis,* espèces) Nombreuses petites fleurs réunies en ombelles ou en épis semblables à ceux de la jacinthe.	H 20-45 cm E 15-30 cm	*I. amara* (à fleurs de jacinthe) : 'Empress', fleurs géantes, blanches ; 'Iceberg', grandes fleurs blanches. *I. umbellata* (à fleurs en ombelles) : 'Dwarf Fairy', coloris de blanc, lavande, pourpre, rose et rouge ; 'Red Flash', fleurs rouges à cœur jaune.	Semer en place, tôt au printemps, dans un endroit ensoleillé. Préfère un été frais. Dans les régions où il ne gèle pas, on peut semer en automne pour obtenir une floraison hivernale. Supprimer les fleurs fanées pour voir apparaître d'autres fleurs, à moins de vouloir que la plante se reproduise spontanément. Supporte la pollution de l'air.

Torénia de Fournier — Tournesol — Verveine des jardins — Volubilis — Zinnia élégant

Nom vulgaire et nom botanique, description générale	**Hauteur et étalement**	**Espèces et variétés** **Sélection All-America*	**Soins particuliers, remarques**
Torénia de Fournier *(Torenia fournieri compacta)* Fleurs tubuleuses et bicolores, maculées de jaune au centre. Plante très jolie, à cultiver à la mi-ombre.	H 20-30 cm E 15 cm	*T. f. compacta,* 2 pétales supérieurs lavande clair, pétales inférieurs (labelles) pourpres avec une tache jaune vif à la gorge. *T. f. c. alba,* fleurs blanches à gorge jaune.	Semer à l'intérieur 8 à 10 semaines avant le repiquage au jardin ; ou repiquer des plants au jardin quand la température nocturne ne descend pas en dessous de 16°C. En climat frais, cultiver en plein soleil ; sinon, à la mi-ombre.
Tournesol ou soleil (*Helianthus,* espèce) Les petites variétés conviennent à tous les jardins ; les variétés de grande taille se placent à l'arrière-plan des massifs. Voir aussi Hélianthe vivace.	H 0,45-3 m E 30-60 cm	0,45-1,20 m : 'Italian White', fleurs simples, de blanc à crème ; 'Teddy Bear', doubles, jaunes. 1,80-3 m : 'Giganteus', grandes fleurs simples et jaunes ; 'Sungold', fleurs doubles et jaunes ; 'Red', simples et rouge châtaigne.	Semer de préférence en place, la plante étant difficile à transplanter. Croît rapidement, de sorte qu'il est inutile de semer à l'intérieur. Prospère en plein soleil, dans une terre plutôt pauvre. Les oiseaux raffolent des graines.
Verveine des jardins (*Verbena,* hybrides) Petites fleurs parfumées, simples ou semi-doubles, réunies en bouquets de 8 cm. Plante courte et étalée.	H 20-25 cm E 30 cm	Sachets de graines assorties ou ne donnant qu'une seule couleur de fleurs. Coloris : blanc, bleu lavande, rose, saumon, écarlate. 'Amethyst'*, bleu lavande ; 'Blaze'*, écarlate.	Semer à l'intérieur 12 semaines avant le repiquage ou acheter des plants. Prospère en plein soleil, dans une terre normale. Supprimer les fleurs fanées pour prolonger la floraison et empêcher la plante de s'étioler.
Viola, voir Pensée			
Volubilis ou liseron *(Ipomoea purpurea* et *I. tricolor)* Plante grimpante à fleurs simples ou parfois doubles, certaines ourlées ou rayées de blanc, et pouvant atteindre 20 cm de diamètre. Les fleurs des variétés anciennes se ferment l'après-midi ; celles des nouvelles restent ouvertes presque tout le jour.	H 3 m E 30 cm	'Pearly Gates'*, fleurs blanches ; 'Flying Saucers', rayées blanc et bleu ; 'Early Call', bleues, roses ou bicolores ; 'Heavenly Blue', bleu azur ; 'Wedding Bells', rose-lavande ; 'Scarlet O'Hara'*, cramoisies ; 'Japanese Imperial', coloris mélangés, grandes fleurs ; 'Tinkerbell's Petticoat', doubles. Voir Belle-de-jour, pour les espèces naines.	Pour accélérer la germination, enfermer les graines dans une serviette de papier mouillée et les garder 48 heures à 24-27°C avant les semis ou entailler l'extrémité pointue de chaque graine. Semer tôt en pots, à l'intérieur (la plante n'aime pas être dérangée), ou en place au jardin dans un endroit ensoleillé et un sol moyennement riche. Palisser les plants.
Zinnia élégant (*Zinnia elegans,* hybrides) Fleurs simples ou doubles rappelant les marguerites, à pétales tubulés et parfois bicolores. Vaste gamme de tailles. Plante robuste, facile à cultiver et qui fleurit longtemps. Compose de jolis bouquets.	H 15-45 cm E 15-45 cm	Vaste assortiment de formes. Coloris : blanc, chartreuse, pourpre, rose, jaune, orange. Consulter les catalogues pour choisir les variétés désirées.	Semer à l'intérieur quatre à six semaines avant le repiquage au jardin ou semer en place après le dernier gel du printemps. Prospère dans un endroit chaud, exposé au plein soleil, et dans une terre bien fertilisée. Supprimer les fleurs fanées pour prolonger la floraison. Le zinnia est sujet au blanc dans les régions à climat frais et humide.

Gladiolus 'Velvet Brass'
(glaïeul à grandes fleurs)

Bulbes, cormes et tubercules

Depuis la précoce perce-neige du printemps jusqu'au tardif crocus d'automne, les plantes bulbeuses rehaussent les plates-bandes de nos jardins.

Les plantes bulbeuses fleurissent des premiers jours du printemps aux derniers jours de l'automne. Ces plantes présentent en outre le précieux avantage de s'adapter rapidement et sans problème à un nouvel environnement. La plupart d'entre elles poussent en plein soleil et dans un sol ordinaire, et quelques-unes seulement réclament un emplacement à demi ombragé. Enfin, une fois établies, plusieurs d'entre elles restent en place durant de nombreuses années sans qu'il soit nécessaire de leur donner des soins spéciaux.

Les plantes bulbeuses ont leur place même dans le plus petit des jardins. Celles à floraison printanière surtout conviennent à un grand nombre d'emplacements. Lorsque l'espace le permet, on peut les planter un peu au hasard, de façon asymétrique, pour former une sorte de tapis fleuri au milieu d'une pelouse. On peut aussi les grouper en massif pour égayer une plate-bande ou une bordure avant que les vivaces n'entrent elles-mêmes en scène. Elles fleurissent sous les arbres et près des arbustes, s'épanouissent dans les coins d'une rocaille ou entre les dalles d'une terrasse.

Un plan des massifs est à conseiller. Il permettra un achat judicieux des plantes. Les jardins publics peuvent servir de modèle. On peut tout aussi bien improviser.

Très vite, on apprendra à reconnaître les sols bénéfiques à certaines plantes, les mariages heureux, les contrastes à éviter ou à rechercher, bref, tout ce qui fait qu'un jardin est harmonieux et bien portant.

Les horticulteurs offrent d'ordinaire à l'acheteur le choix entre des espèces botaniques, des variétés horticoles et des hybrides. Les espèces botaniques sont la réplique exacte des plantes qui poussent à l'état sauvage. Les variétés horticoles et les hybrides sont obtenus soit par pollinisation croisée de deux espèces ou de deux variétés généralement du même genre, soit par reproduction de certaines mutations spontanées. La multiplication des nouvelles plantes ainsi produites se fait par des méthodes autres que les semis afin que les rejetons soient identiques aux plantes mères.

Les hybrides présentent des fleurs plus grandes et de coloris plus vifs que celles des espèces botaniques. Ils sont vendus cependant beaucoup plus cher que celles-ci, du moins durant les années qui suivent leur lancement.

Cependant, comme quelques-uns de ces hybrides se reproduisent fidèlement d'année en année sans demander de soins particuliers, leur coût s'amortit rapidement. Les autres, après division, refleurissent.

Les plantes bulbeuses sont classées en quatre catégories selon leur période de floraison : très hâtives (début du printemps), hâtives (printemps), estivales et tardives ou automnales.

Plantes bulbeuses très hâtives La jolie perce-neige (*Galanthus*) est généralement la première à apparaître chaque année. Du milieu à la fin de l'hiver, ses délicates fleurs campanulées annoncent la venue prochaine du printemps. Peu de temps après sortent du sol la gloire-de-la-neige, le crocus hâtif, le cyclamen et le scille.

Autre plante annonciatrice du printemps : la petite hellébore d'hiver (*Eranthis hyemalis*) dont les fleurs dorées pointent au-dessus des feuilles.

Ces plantes s'associent bien et se groupent en massif au pied des arbres à feuillage caduc ou dans des rocailles. Les bulbes à floraison printanière se cultivent bien aussi dans la maison après une courte période d'enracinement au froid. Après la floraison, on les repique dans des plates-bandes.

Plantes bulbeuses hâtives C'est en mars, avril et mai que la plupart des plantes bulbeuses à floraison printanière entrent en scène. D'abord apparaît le crocus du printemps ; ses pousses vertes sortent de terre, révélant bientôt des fleurs à corolles élancées dont la palette groupe le jaune, le lavande, le blanc, le mauve et le violet. Certaines sont rayées ou fortement maculées d'une teinte contrastante. En plein soleil, elles s'ouvrent largement, laissant voir leurs anthères orangées ou d'un jaune d'or sombre.

Du début au milieu du printemps s'épanouissent les nombreux narcisses, dont plusieurs sont délicieusement parfumés. On donne le nom de jonquille à certains narcisses trompette de grande taille et l'on réserve celui de narcisse aux espèces à petite coronule. En botanique, toutes ces plantes appartiennent au genre *Narcissus.* Elles poussent sans problème pendant de nombreuses années dans des plates-bandes de plantes vivaces. Certaines formes naturalisées se cultivent dans les pelouses et d'autres composent des massifs dans les rocailles.

Le début du printemps voit aussi apparaître les jacinthes et les muscaris, les tulipes hâtives et les nivéoles printanières (*Leucojum vernum*), petites plantes à fleurs arrondies et blanches, teintées de vert.

Crocus et narcisses viennent bien en massifs, au pied des arbres ou parmi des plantes vivaces. Mais certaines plantes bulbeuses à floraison printanière, par exemple les tulipes, conviennent à des jardins plus classiques et on peut leur réserver des plates-bandes entières. Dans les zones à climat doux, comme les régions côtières de la Colombie-Britannique, on cultive les muscaris et les grands crocus dans des bacs.

Les jacinthes tolèrent la culture en jardinière. Pour les plantations en plates-bandes, il est préférable de choisir des bulbes de taille moyenne (15 cm de circonférence) et de garder les gros bulbes pour la culture à l'intérieur. Les épis floraux sont alors plus petits, mais ils résistent mieux à la pluie et au vent.

Les espèces hâtives de tulipes, idéales dans des rocailles ou des plates-bandes surélevées, s'ouvrent au tout début du printemps, tandis que les hybrides à grandes fleurs fleurissent du milieu à la fin du printemps. Les Darwin et leurs hybrides sont parmi les tulipes les plus renommées avec leurs longues tiges robustes portant des fleurs en forme de coupe. Elles composent d'admirables bouquets. Les hybrides de Darwin et les Triomphe fleurissent quelques semaines avant les Darwin et les Cottage.

A la fin du printemps, on voit aussi s'épanouir quelques plantes bulbeuses moins connues mais non dépourvues d'intérêt : les fritillaires, plusieurs anémones, les scilles rustiques aux jolies teintes de bleu (*Endymion campanulata*) qui s'acclimatent bien, les nivéoles estivales (*Leucojum aestivum*), les gracieuses camassies, les renoncules et les nombreuses sortes d'oignon ornemental (*Allium*).

Plantes bulbeuses d'été L'été venu, les ixias précèdent l'éclosion des glaïeuls ; leurs délicats épis floraux ornent les plates-bandes ensoleillées.

Un peu plus tard, en plein cœur de l'été, naissent les majestueux glaïeuls hybrides et les bégonias tubéreux, amis de l'ombre, ainsi que les dahlias et les lis. On peut les cultiver isolément ou en massifs. Les bégonias tubéreux, en particulier, se cultivent aussi en pots ou en bacs. Quant aux glaïeuls, on peut les planter en lignes dans le jardin potager pour obtenir des fleurs coupées.

Plusieurs petites plantes bulbeuses viennent bien dans les rocailles : Iris reticulata, Anemone blanda, Narcissus triandrus albus, *ainsi que le muscari. On peut aussi les placer au premier rang d'une bordure.*

Toutes les couleurs de l'arc-en-ciel se retrouvent chez les glaïeuls hybrides, sauf le bleu franc. Leurs fleurs en forme de trompette, groupées le long de hampes robustes, s'ouvrent à partir de la base. On connaît les hybrides à fleurs géantes, à grandes fleurs, « papillons », nains et à fleurs de primevère. Leur floraison se prolonge jusqu'à la fin de l'automne.

Plantes bulbeuses d'automne et d'hiver Le début de l'automne voit apparaître les colchiques (*Colchicum*) et certains crocus qui prennent la relève des glaïeuls tardifs. Ces plantes se cultivent de préférence en massif, au pied des arbres à feuillage caduc ou groupées pour former des taches de couleur dans les rocailles. Les colchiques, en particulier, avec leurs superbes coloris, prennent un grand relief parmi des plantes tapissantes de courte taille et ne demandent que peu de soins pendant de nombreuses années.

Dans les régions où le climat est doux, l'automne est aussi la saison du cyclamen à fleurs cramoisies, roses ou blanches, et du narcisse tardif, plante de petite taille dont les fleurs jaune vif sont semblables à celles du crocus. Celui-ci décore le jardin pendant plusieurs semaines.

Pour ensoleiller les courtes journées d'hiver, il suffit de mettre en pot, trois mois avant la date de floraison prévue, des jacinthes, des crocus, des tulipes ou des jonquilles qui fleuriront dans la maison. Parmi les plantes d'intérieur, on trouve aussi des bulbes exotiques dont certains sont spécialement traités pour pouvoir fleurir précocement dans l'atmosphère tempérée d'une maison.

Principales plantes bulbeuses

Galanthus nivalis
(perce-neige commune)

Crocus 'Remembrance'
(crocus du printemps)

Narcissus 'Unsurpassable'
(narcisse trompette)

Perce-neige

La perce-neige est l'une des plantes bulbeuses les plus hâtives. L'hiver n'est pas terminé qu'elle pousse déjà ses petits boutons verts à travers la neige. Par temps très froid, ses boutons restent fermés, mais ils s'ouvrent dès que le soleil les réchauffe.

On confond souvent la perce-neige (*Galanthus*) avec la nivéole (*Leucojum*) dont la floraison, dans les régions froides, est plus tardive. Pourtant, la perce-neige présente des fleurs dont les trois pétales intérieurs sont plus courts que les trois pétales extérieurs, tandis que la nivéole a six pétales de même longueur et teintés de vert aux extrémités. De plus, celle-ci porte deux ou trois fleurs sur une même tige, alors que la perce-neige n'en porte qu'une seule.

C'est parmi des plantes tapissantes ou près d'arbres et d'arbustes à feuilles caduques que la perce-neige est particulièrement en beauté.

Comme les bulbes sèchent rapidement, il ne faut pas tarder à les mettre en terre lorsqu'on décide de les diviser après la floraison. Les bulbes achetés en automne seront eux aussi plantés immédiatement. Ils ne fleurissent pas abondamment la première année, mais, une fois établis, ils demandent peu de soins. Contrairement à la plupart des bulbes, ils prospèrent dans une terre lourde et humide et à la mi-ombre.

On peut cultiver la perce-neige en pot dans la maison, tout comme le crocus et la jacinthe. La placer si possible sous châssis froid jusqu'à la sortie des boutons floraux, puis la garder dans une pièce fraîche.

Crocus

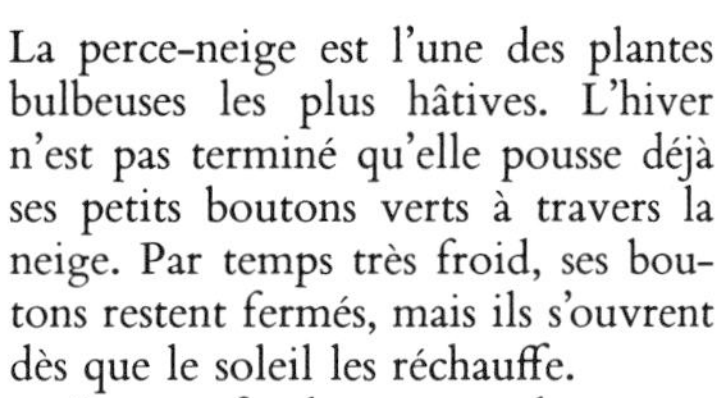

Les crocus apparaissent au début du printemps, moment où le jardin est plutôt dégarni. Ils s'épanouissent avant les jonquilles et peuvent être plantés dans les pelouses rases ou au pied des arbustes et des arbres.

Outre les crocus du printemps, il existe des variétés qui fleurissent en automne et tard en hiver. Toutes ces plantes proviennent de petits cormes aplatis. Les crocus du printemps et d'été produisent en même temps leurs feuilles et leurs fleurs. Les espèces d'automne ont leurs feuilles après les fleurs. Tous sont rustiques et se multiplient abondamment.

La fleur de crocus, qui a entre 7,5 et 13 cm de long, présente six pétales. Ils sont arrondis chez les hybrides et les variétés qui ont reçu un nom, et pointus chez les espèces botaniques. En plein soleil, la fleur s'ouvre largement, révélant de belles anthères orangées ou jaune d'or. Elle se referme le soir.

Le crocus d'hiver, qui s'épanouit au jardin à partir de la mi-hiver selon le climat, dérive de *C. chrysanthus* et d'autres espèces. Ses fleurs peuvent être jaunes, bleues ou pourpres et ont 7,5 cm de long. Plusieurs présentent des rayures de teinte contrastante ou des macules à la base. Enfin, les pétales sont parfois d'une teinte à l'intérieur et d'une autre à l'extérieur.

Les crocus à grandes fleurs qui s'épanouissent au début du printemps sont souvent des variétés de *C. vernus* développées dans les Pays-Bas. De tous les crocus, ce sont les plus imposants avec leurs fleurs qui peuvent atteindre 13 cm de longueur. Leur palette comprend le blanc, le bleu, le lilas, le rouge pourpré et le jaune d'or avec, dans certains cas, des rayures d'une teinte contrastante.

Les crocus à floraison automnale apparaissent du début à la fin de l'automne. Les fleurs ont entre 10 et 13 cm de long et leurs coloris incluent le blanc pur, le lavande et le bleu violacé.

Jonquilles et autres narcisses

De toutes les plantes bulbeuses, les narcisses sont les plus rustiques et les plus variées. Non seulement les bulbes se multiplient d'année en année, mais leur saveur amère rebute les rongeurs. En outre, les narcisses sont des plantes faciles à acclimater au jardin parce qu'ils croissent bien sous les arbres à feuillage caduc et dans les sous-bois peu denses.

La plupart des variétés horticoles de narcisses descendent du narcisse sauvage. Il en existe maintenant plus de 8 000 ; elles sont classées en différentes catégories selon la forme et la couleur de la fleur.

La fleur présente une coupe ou une trompette centrale entourée de six pétales. Chez la jonquille, cette trompette peut être aussi longue ou plus longue que les pétales qui l'entourent.

Généralement, la trompette est plissée ou évasée à son extrémité, tandis que les pétales, légèrement superposés, se terminent en pointe. Les coloris sont variés. Chez certaines variétés, trompette et pétales sont jaune clair. Chez d'autres, les pétales sont d'une nuance plus intense ou plus claire que la trompette. Les jonquilles bicolores peuvent présenter des trompettes jaunes ou orange et des pétales blancs. D'autres variétés sont entièrement blanches.

Le terme « narcisse » est communément employé pour désigner les variétés à petite couronne centrale, même si la jonquille à grande coupe ou trompette fait botaniquement partie aussi du genre *Narcissus*. Entre le narcisse à petite couronne et celui à grande coupe, il existe des variétés intermédiaires : la taille et les coloris de leur trompette varient beaucoup. Leur palette comprend le blanc, le rose, le rouge, l'orange, le crème et le jaune. Les coupes sont souvent froncées et d'une teinte contrastante.

Chez les variétés à fleurs doubles, on distingue mal la trompette des pétales qui l'entourent. La plupart sont d'une seule teinte, comme la variété 'Ingelescombe' qui est jaune, mais certaines créations récentes présentent des fleurs bicolores, telle la variété 'Texas' qui est jaune et orange.

Le narcisse triandrus et le narcisse du Portugal se signalent par des trompettes campanulées et retombantes et par des pétales repliés vers l'arrière. Les narcisses à bouquets (pour le forçage et les climats doux seulement) portent plusieurs inflorescences sur chaque tige, tandis que le narcisse des poètes se caractérise par des couronnes frangées et colorées, ainsi que par des pétales voyants qui ne se superposent pas. Plusieurs narcisses sont parfumés.

Les jonquilles (hybrides de *Narcissus jonquilla*) sont très renommées pour leur parfum. Chaque tige porte une petite touffe de fleurs à coupe centrale peu profonde, crème, jaune ou orange, entourée de pétales d'une teinte contrastante.

Jacinthes

Bien que fort répandues comme plantes d'intérieur, les jacinthes n'en sont pas moins cultivées au jardin dans les régions à climat doux.

Des bulbes traités sont vendus dans certaines pépinières. Plantés en automne, ils fleurissent à l'intérieur au début de l'hiver. On trouvera aux pages 287 et 288 la méthode à suivre pour le forçage des bulbes.

La majorité des jacinthes est issue d'une seule espèce, *Hyacinthus orientalis*, et la plupart des variétés modernes arborent le long épi floral qui caractérise cette plante. Elles portent le nom de jacinthes de Hollande.

Les gros bulbes qui donnent des épis imposants se cultivent à l'intérieur. Pour le jardin, on donne la préférence aux petits bulbes qui produisent des épis moins volumineux, mais qui résistent mieux aux fortes pluies et aux grands vents. Après plusieurs années passées au jardin, les bulbes et les épis se multiplient, mais leur taille diminue.

Les jacinthes présentent une vaste gamme de coloris: blanc, crème, jaune, saumon, rose, rouge, bleu clair, bleu intense et pourpre.

La jacinthe d'Italie (*H. orientalis albulus*) se distingue par des épis floraux moins gros que ceux des hybrides de Hollande. Toutefois, ces bulbes produisent plusieurs épis. Les fleurs sont aussi plus espacées sur les épis. Beaucoup moins rustique que celle de Hollande, la jacinthe d'Italie se cultive surtout à l'intérieur et est en fleur à Noël. Les fleurs sont blanches.

Tulipes

Il y a plus de 300 ans, les tulipes faisaient leur entrée en Europe, précisément en Hollande. Il en existe aujourd'hui plusieurs catégories.

Les tulipes naissent d'un bulbe pointu, recouvert d'un épiderme fin, qui produit une seule hampe florale dressée (ramifiée chez les tulipes à bouquets). Une ou deux feuilles lancéolées apparaissent au ras du sol, suivies de deux ou trois autres plus petites sur la tige. La fleur typique a la forme d'un gobelet et comporte six pétales. Certaines tulipes ont des pétales très pointus, d'autres des pétales doubles. Certaines produisent des pétales étalés donnant des inflorescences étoilées (*Tulipa kaufmanniana*) ; d'autres, qu'on appelle tulipes perroquet, ont des pétales frangés et tordus.

Les tulipes dites à bouquets, qui donnent cinq ou six fleurs par bulbe sur une hampe ramifiée, produisent au jardin de remarquables taches de couleur. On enfouit le bulbe à une profondeur de 15 à 20 cm.

Les tulipes offrent une gamme complète de coloris à l'exception du véritable bleu et plusieurs sont bicolores. Elles prospèrent dans les régions où les hivers sont longs et devraient être mises en terre entre le milieu et la fin de l'automne.

On peut trouver des espèces botaniques qui conviennent tout particulièrement aux rocailles. Elles ont des tiges courtes et robustes, et leurs fleurs en forme de gobelet ont des coloris d'une exceptionnelle vivacité.

Glaïeuls

Le terme « gladiolus », nom botanique des glaïeuls, dérive d'un mot latin (*gladius*) signifiant épée, qui décrit bien la forme de la feuille. Les fleurs sont d'une grande beauté.

La gamme des coloris est extrêmement vaste, plus étendue même que celle des tulipes.

Les inflorescences se caractérisent par de nombreuses fleurs le long d'une tige robuste, toutes orientées dans la même direction. L'épi floral peut atteindre 1,50 m de longueur et comporter 16 à 26 fleurs en forme de trompette composées de six pétales. Les trois pétales inférieurs sont légèrement recourbés. Parfois d'une seule couleur, les glaïeuls sont généralement bicolores et même tricolores, et leur gorge est marquée de macules.

Les glaïeuls sont des plantes issues de cormes, qu'on divise en cinq groupes selon la forme et les dimensions de leurs inflorescences.

Les hybrides à grandes fleurs, très recherchés, conviennent mieux à l'ornementation du jardin qu'à la décoration intérieure. Ils produisent des épis floraux pouvant atteindre 1,80 m de longueur, chargés de fleurs à demi superposées, de 12 à 18 cm.

Les glaïeuls à fleurs de primevère présentent des épis floraux plus élancés, de 40 cm de long environ, garnis de fleurs bien espacées, de 7 à 9 cm de diamètre et disposées en zigzag. Les pétales supérieurs se recourbent sur les anthères et les stigmates.

Les glaïeuls miniatures ont des fleurs de 6,5 cm ou moins de diamètre. Le pétale supérieur est capuchonné et les autres pétales sont froncés.

Les glaïeuls papillons s'apparentent aux variétés à grandes fleurs par la disposition de leurs fleurs et la forme de leurs pétales, mais les épis ont moins de 45 cm et les pétales sont souvent froncés ou ruchés. Les fleurs ont environ 7,5 cm de diamètre et présentent les plus belles macules.

Narcissus 'Edward Buxton' (narcisse à petite coronule)

Hyacinthus 'Delft Blue' (jacinthe de Hollande)

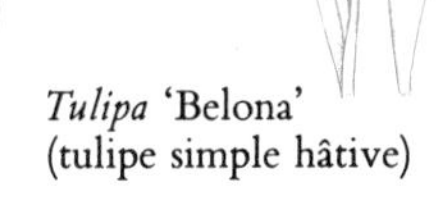

Tulipa 'Belona' (tulipe simple hâtive)

Gladiolus 'Velvet Brass' (glaïeul à grandes fleurs)

Plantation des bulbes et des cormes

Choix de l'emplacement et préparation du sol

La plupart des plantes bulbeuses poussent facilement dans un sol fertile et bien drainé, à l'abri des vents violents. Elles peuvent être cultivées en plates-bandes, en bordures et en bacs. Certaines peuvent même être plantées dans des rocailles. Les plus petites se placent bien au pied des arbustes et des arbres ou au milieu de plantes tapissantes. Tels sont les perce-neige, les hellébores d'hiver et les crocus. Enfin, les bulbes qui s'acclimatent bien dans l'herbe, comme les crocus, peuvent demeurer en place pendant de nombreuses années.

Sauf les cyclamens, les scilles, les érythrones, les perce-neige et les hellébores d'hiver, les bulbes préfèrent un emplacement ensoleillé. L'acidanthera et la nerine sont sensibles au froid ; il vaut mieux les cultiver en plein soleil et à l'abri des vents violents, au pied, par exemple, d'un mur orienté au sud.

Lorsqu'on plante des bulbes à floraison printanière dans une pelouse, se rappeler que celle-ci ne devra pas être tondue avant que le feuillage des bulbes ait atteint sa pleine maturité.

Planter les bulbes à floraison printanière du milieu à la fin de l'automne, la plupart de ceux à floraison estivale au début du printemps (du milieu à la fin du printemps s'il s'agit de bulbes peu rustiques). Planter les bulbes à floraison automnale de la fin du printemps à la fin de l'été.

Commencer par bêcher la terre sur une profondeur d'environ 25 cm.

Incorporer au sol du compost bien décomposé (plutôt que de la tourbe), à raison d'un seau par mètre carré. Attendre quelques jours avant de planter. Ajouter aussi de la poudre d'os. On peut, si on le préfère, en mettre une petite quantité au fond de chaque trou de plantation.

Plantation dans les rocailles et entre des dalles

Les bulbes de petite taille s'établissent sans difficulté dans les rocailles ou entre les dalles d'une terrasse.

Mettre la terre à nu et creuser des trous avec un transplantoir (voir la profondeur dans le tableau des pages 289 à 300). Planter les bulbes par groupes de trois ou quatre. Après la plantation, niveler le sol avec le transplantoir, remettre le paillis et étiqueter l'emplacement. Si la terre est sèche, arroser abondamment sans tarder ; arroser de nouveau un peu plus tard s'il n'a pas plu.

Parmi les bulbes qui fleurissent au tout début du printemps, il faut mentionner tout particulièrement la perce-neige (*Galanthus*), les crocus à floraison hivernale, la gloire-de-la-neige (*Chionodoxa luciliae*), l'hellébore d'hiver (*Eranthis hyemalis*), le narcisse nain et *Scilla tubergeniana*.

Ensuite, c'est au tour des oignons ornementaux nains à prendre la relève. Ils sont plus rares que d'autres bulbes, mais certains bulbiculteurs les vendent. Après eux viendront les colchiques et les crocus à floraison d'automne et d'hiver.

Les bulbes de petite taille prennent un relief particulier parmi des plantes tapissantes comme le thym rampant et les *Dianthus*. Les feuillages verts ou gris font ressortir la beauté des plantes bulbeuses en fleurs et conservent leurs caractéristiques ornementales après que les fleurs se sont fanées.

Si les plantes tapissantes sont fortement enracinées, dégager doucement le sol avec une petite fourche, puis planter les bulbes à l'aide d'un plantoir à pointe émoussée.

Lorsque la plante n'a qu'une racine pivotante, comme le *Gypsophila repens*, rouler le tapis de verdure et planter les bulbes en dessous à l'aide d'un transplantoir étroit.

Plantation en massif symétrique

Avant de planter de gros bulbes en massif, il est préférable de les disposer sur le sol en les espaçant régulièrement. Avec un transplantoir, creuser des trous à la profondeur recommandée (voir le tableau des pages 289 à 300). Lorsqu'on a beaucoup de bulbes à planter, il peut être plus rapide de creuser toute la plate-bande à la profondeur voulue. Recouvrir les bulbes de terre et arroser généreusement si celle-ci est sèche.

La plantation terminée, insérer une étiquette au centre du massif pour identifier les sujets. Ensuite, délimiter le massif pour ne pas y planter ultérieurement d'autres plantes.

Si l'on a l'intention d'ajouter de la couleur dans le jardin en faisant pousser entre les bulbes des plantes comme le myosotis, les pensées ou les primevères de jardin, laisser un plus grand espace entre les bulbes. Mettre ces plantes en place avant d'enfouir les bulbes ou dès que les pousses des bulbes sortent de terre au printemps.

1. *Etaler les bulbes sur le sol. Les espacer uniformément.*

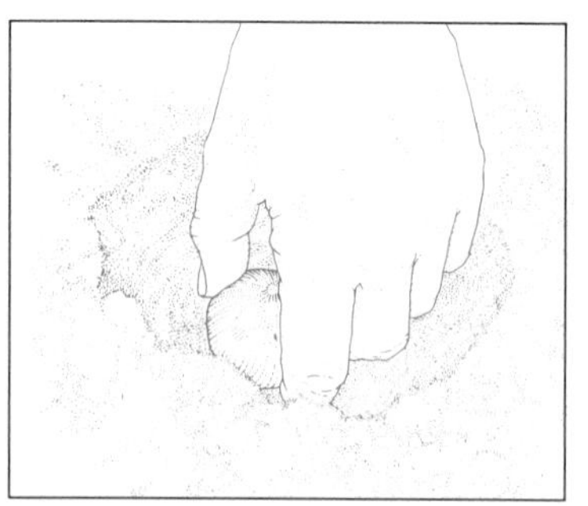

2. *Placer chaque bulbe dans un trou deux fois plus profond que haut.*

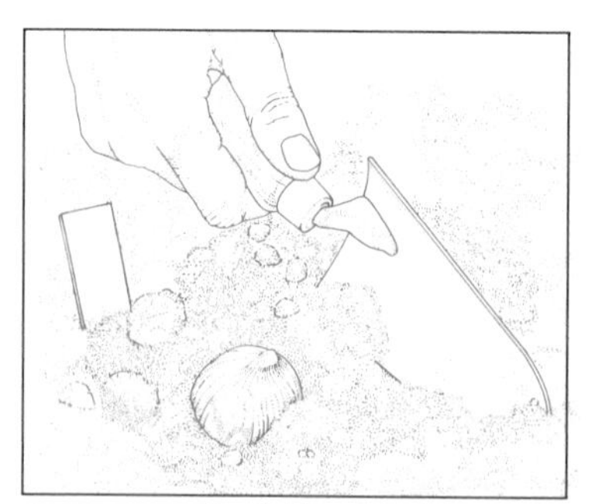

3. *Recouvrir les bulbes avec la terre qu'on a enlevée. Etiqueter l'endroit.*

Culture des bulbes pour la fleur coupée

Lorsqu'on cueille des fleurs pour les mettre en bouquet, il faut prendre le moins de feuilles possible pour ne pas épuiser les bulbes.

On réservera au besoin une partie du jardin à la culture des fleurs pour les bouquets.

Préparer le sol comme à l'accoutumée et laisser entre les bulbes un espace légèrement inférieur à l'étalement qu'aura la plante. Laisser un espace de 45 à 60 cm entre les rangs.

Il est préférable de cueillir les fleurs tôt le matin ou tard le soir en se servant de ciseaux ou d'un couteau bien aiguisés. Placer immédiatement les fleurs dans un pot profond rempli d'eau tiède et les garder dans un endroit frais et sombre pendant plusieurs heures ou une demi-journée. Gorgées d'eau, elles persisteront plus longtemps.

Culture des bulbes printaniers

Plantation dans l'herbe et sous les arbres

Les jonquilles, les narcisses, les perce-neige et les crocus produisent un meilleur coup d'œil quand ils sont disposés de façon non symétrique.

Les narcisses et les crocus s'adaptent facilement à une pelouse bien drainée. Les engrais complets recommandés pour le gazon conviennent aussi aux bulbes.

Jeter une poignée de bulbes au hasard et les planter là où ils sont tombés en creusant des trous avec un transplantoir ou avec un plantoir cylindrique qui extrait des carottes de terre. Déposer le bulbe au fond du trou et remettre la carotte de terre et de gazon par-dessus.

Pour planter un groupe de bulbes dans une pelouse, tracer d'abord une entaille en forme de H avec une bêche ou un coupe-bordure. Soulever des plaques de gazon de chaque côté de l'entaille et les rabattre en dénudant l'emplacement.

Ameublir la terre avec une fourche à bêcher et creuser des trous avec le transplantoir. Toujours placer les bulbes au hasard. Les recouvrir ensuite de terre et niveler. Remettre le gazon en place, bien tasser et arroser abondamment.

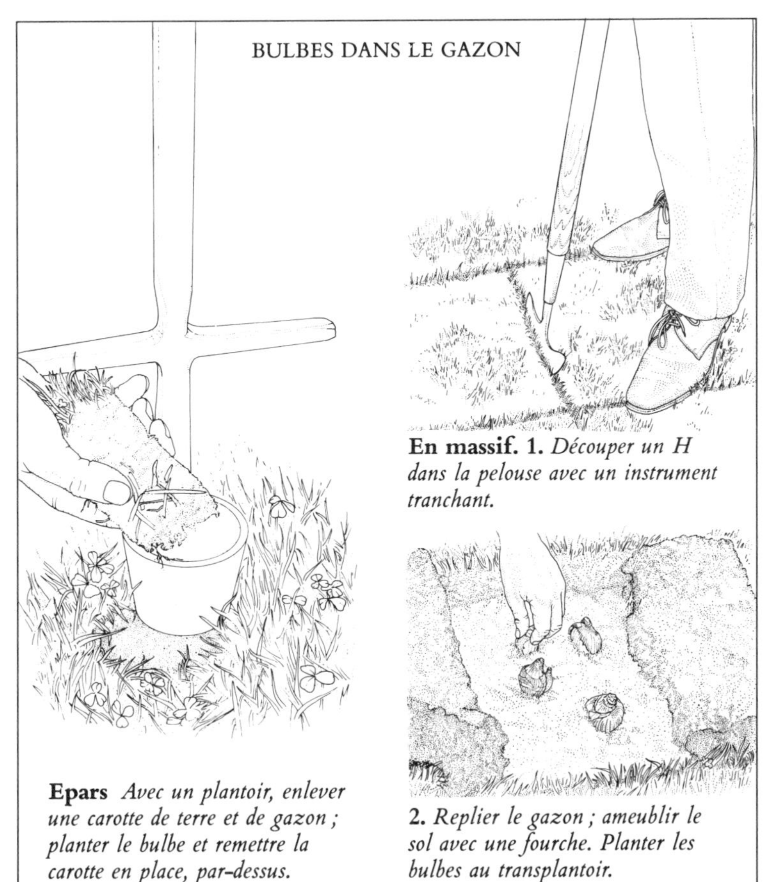

BULBES DANS LE GAZON

Epars *Avec un plantoir, enlever une carotte de terre et de gazon ; planter le bulbe et remettre la carotte en place, par-dessus.*

En massif. 1. *Découper un H dans la pelouse avec un instrument tranchant.*

2. *Replier le gazon ; ameublir le sol avec une fourche. Planter les bulbes au transplantoir.*

Pourvu qu'ils soient correctement mis en terre et cultivés, un grand nombre de bulbes et de cormes à floraison printanière poussent aussi facilement dans le nord du Canada que dans les zones tempérées. Dans les régions les plus septentrionales tout comme dans les zones montagneuses, il faut planter les bulbes rustiques à floraison printanière trois semaines au moins avant que le sol gèle pour qu'ils aient le temps de former des racines. (Ce point est tout particulièrement important pour les narcisses.) On recommande en plus dans les régions montagneuses, où les écarts de température sont souvent très marqués, de protéger les bulbes en leur donnant un emplacement ombragé et en recouvrant le sol d'un paillis pendant l'hiver.

Les profondeurs de plantation sont les mêmes en zone tempérée qu'en zone froide. Mais la floraison retarde un peu dans les régions froides.

Dans les zones les plus tempérées du Canada, mettre les bulbes en terre très tard à l'automne. Toujours bien préparer l'emplacement avant la plantation. Bêcher le sol et enlever cailloux et mauvaises herbes.

Les centres de jardinage vendent parfois les bulbes trop tôt en automne pour qu'on puisse les mettre immédiatement en terre. Dans ce cas-là, on peut les garder au réfrigérateur en attendant le moment de la plantation. Les laisser dans leur emballage et les placer dans le bac à légumes. Ne pas les congeler. La température idéale pour cette période d'attente se situe autour de 4°C. On peut les faire attendre ainsi jusqu'à huit semaines ou jusqu'à ce que le sol se soit suffisamment refroidi, c'est-à-dire jusqu'à la fin de l'automne ou jusqu'au début de l'hiver.

Dans les régions où le climat est doux, ajouter du compost, de la tourbe ou quelque autre matière organique à la terre avant la plantation pour en améliorer l'égouttement et la garder humide. Choisir un emplacement à demi ombragé plutôt qu'ensoleillé et pailler aussitôt que les pousses apparaissent.

Au nombre des bulbes à floraison printanière qui viennent bien dans les zones tempérées, mentionnons les jacinthes, plusieurs petits narcisses, ainsi que les tulipes estivales et tardives, comme les Triomphe et les Darwin.

Quelques conseils sur l'achat des bulbes et des cormes

Comment reconnaît-on la qualité d'un bulbe ou d'un corme ? A la fermeté du bulbe et à l'aspect lisse de la tunique. La plupart des bulbes à floraison printanière sont importés des Pays-Bas, où ils sont soumis à un contrôle très strict. Ils sont donc généralement en bon état à leur arrivée.

C'est au cours de la période entre leur arrivée et leur mise en vente qu'ils se détériorent souvent. Il suffit qu'ils soient gardés dans un magasin très chaud, ou qu'ils soient manipulés sans précaution par la clientèle, pour qu'ils s'altèrent rapidement. Et même lorsqu'ils sont en bon état au moment de l'achat, leur qualité diminue rapidement s'ils sont gardés dans un sac étanche ou dans un endroit chaud.

La grosseur des bulbes est aussi un point à considérer. Les plus gros coûtent plus cher mais donnent de plus grandes fleurs. Le prix des nouvelles variétés est aussi plus élevé que celui des anciennes. Cependant, de petits bulbes peuvent parfaitement convenir.

Lorsqu'on a de grandes quantités de bulbes à acheter, on a intérêt à profiter des rabais qu'offrent parfois les marchands pour les commandes postales hâtives faites en juillet ou en août. L'été est en effet le meilleur moment pour se procurer les variétés les plus populaires qui s'épuisent plus rapidement que les autres.

Culture des bulbes après la plantation

Bulbes établis dans les bordures et les pelouses

La plupart des bulbes et des cormes rustiques demandent peu de soins pendant leur période active.

Désherber, à la main ou à la binette, sitôt que les pousses pointent. Prendre garde de ne pas endommager les pousses et autant que possible ne pas utiliser d'herbicides.

Il n'est généralement pas nécessaire de faire des apports d'engrais, à moins que les bulbes ne soient laissés en terre pendant plusieurs années. Pour ceux-là, utiliser un engrais spécial pour bulbes et l'incorporer à la surface du sol au moment des travaux d'amendement du printemps.

S'il se produit de longues périodes de sécheresse au printemps ou en été, arroser abondamment. Lorsqu'elles sont en fleurs, arroser les plantes par la base en évitant d'asperger les organes aériens. Par temps sec, continuer l'arrosage après que les fleurs se sont fanées. La période active se continue en effet jusqu'à ce que les feuilles jaunissent et meurent.

A moins de vouloir faire de la place pour d'autres plantes, il est préférable de laisser les bulbes en terre pour permettre au feuillage de mûrir naturellement. Le bulbe peut alors emmagasiner les éléments nutritifs dont il aura besoin par la suite. Les perce-neige, cependant, doivent être transplantées si nécessaire pendant leur cycle de croissance. Après la floraison, les repiquer immédiatement et arroser.

Ne jamais attacher les feuilles des plantes bulbeuses, car cela diminuerait la surface foliaire exposée au soleil et freinerait l'assimilation des éléments nutritifs par les bulbes.

Faire des apports d'engrais liquide aux glaïeuls d'été toutes les trois semaines, depuis la formation des boutons jusqu'à leur plein épanouissement. Ils donneront de grandes inflorescences pour les bouquets.

Suppression des fleurs fanées Les fleurs de tulipes peuvent abriter des spores de champignons qui transmettent aux bulbes la maladie du feu si on ne les supprime pas à la chute des pétales. Couper les fleurs fanées avec 2,5 à 5 cm de tige et laisser sur le pied le reste des tiges ainsi que les feuilles pour que le bulbe continue à se nourrir.

Supprimer les fleurs des jacinthes en faisant glisser la main de bas en haut sur la hampe florale. Laisser la hampe nue en place : elle aidera le bulbe à se nourrir.

Couper les épis floraux des glaïeuls fanés, mais laisser au moins quatre paires de feuilles.

Certaines plantes à bulbes et à cormes se multiplient spontanément. Tels sont les perce-neige, les scilles, les hellébores d'hiver, les muscaris, les chionodoxes et les cyclamens. Dans le cas de ces plantes, il ne faut supprimer les fleurs fanées que si l'on en abandonne la culture.

Tuteurage des plantes hautes Rares sont les plantes bulbeuses plantées profondément qui ont besoin d'un support. Cependant, quand elles sont exposées au vent, les plus grandes variétés de jacinthes, de glaïeuls, d'acidantheras et d'oignons ornementaux peuvent exiger le soutien d'une tige de bambou.

Les glaïeuls cultivés en lignes pour la fleur coupée n'ont généralement pas besoin de supports. Si nécessaire, enfoncer un piquet aux deux extrémités du rang et tendre des ficelles solides entre les deux en les passant devant et derrière les plants.

Protection contre le froid Bien qu'il soit nécessaire de lever de terre certains bulbes et de les mettre à l'abri pour l'hiver, les glaïeuls, les ixias et les nerines peuvent rester dans le sol là où le climat est doux. Les protéger cependant avec un paillis lorsqu'il y a risque de gel. Dans les régions où il fait froid, le paillage des bulbes rustiques ne doit se faire que lorsque le sol est gelé.

Arrachage, séchage et conservation des bulbes

On déterre les bulbes quand il faut faire de la place pour d'autres plantes, quand ils ne sont pas assez rustiques pour passer l'hiver en terre, ou quand ils fleurissent moins.

Les plantes bulbeuses à floraison printanière, par exemple les jacinthes, les narcisses et les tulipes, doivent demeurer en terre jusqu'à jaunissement du feuillage. Elles se détachent alors facilement du bulbe. Ne jamais couper les feuilles avant qu'elles ne soient jaunes, même si l'apparence des plates-bandes en souffre. Le rendement des bulbes pourrait être diminué. Si l'on a vraiment besoin d'espace, on peut résoudre le problème en déterrant les bulbes et en les repiquant dans un coin moins en vue du jardin.

La meilleure manière de déterrer les bulbes consiste à enfoncer une

1. *Après la floraison, lever les bulbes avec une fourche ; dégager la terre.*

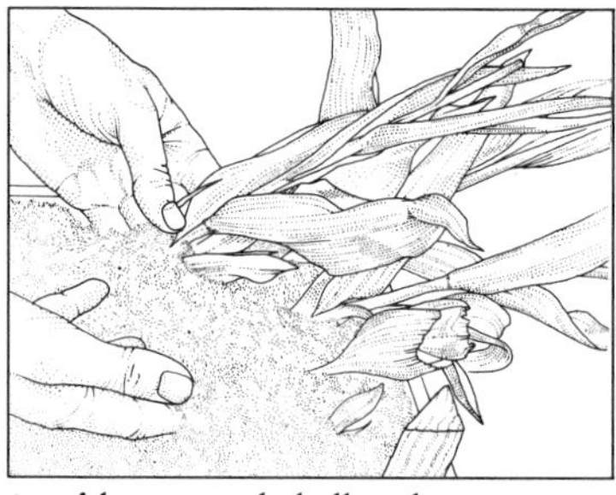

2. *S'il y a peu de bulbes, les mettre en caissette remplie de tourbe humide.*

3. *S'il y en a beaucoup, les étaler sur un filet dans une tranchée. Recouvrir.*

4. *Quand tiges et feuilles sont sèches, lever de nouveau les bulbes.*

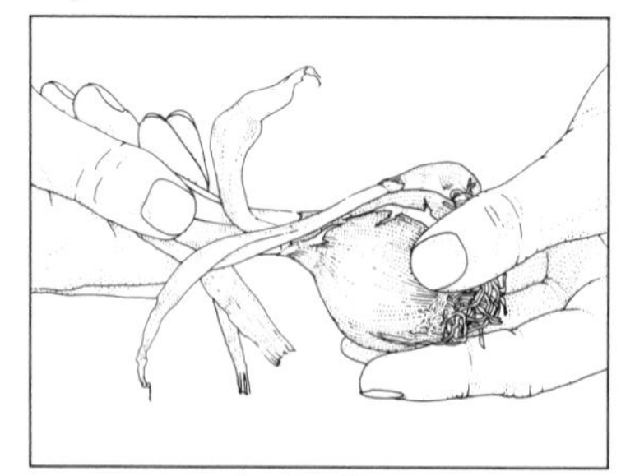

5. *Supprimer les feuilles mortes, les tuniques et les racines.*

6. *Conserver les bulbes en caissettes (étiquetées) dans un endroit frais et sec.*

fourche à bêcher dans le sol, assez loin de la plante et assez profondément pour ne pas endommager les bulbes. En manipulant la fourche comme un levier, soulever les bulbes entiers. Prendre grand soin de ne pas abîmer les feuilles. Si la terre est humide lors de l'opération, les racines sortiront en motte. Supprimer les bulbes mous ou pourris. Repiquer les autres de la façon suivante.

Creuser une tranchée de 13 à 15 cm de profondeur, de 30 cm de large et assez longue pour recevoir tous les bulbes. Coucher au fond de la tranchée un morceau de grillage ou de filet de plastique et déposer les bulbes dessus en les inclinant légèrement. Ils peuvent être placés très près les uns des autres, au point même de se toucher, mais la moitié des tiges et des feuilles doit être au-dessus du niveau du sol. Laisser dépasser une petite partie du grillage ou du filet aux deux extrémités du trou pour faciliter l'arrachage plus tard. Remplir à moitié la tranchée de terre et arroser généreusement. (Arroser de nouveau durant les périodes de sécheresse.)

Lorsque les feuilles et les tiges se sont flétries, on peut les supprimer et déterrer les bulbes. Tirer sur les deux extrémités du grillage ou du filet et soulever les bulbes.

Lorsqu'on n'a que quelques bulbes à repiquer avant leur complète maturité, il est plus simple de les placer dans des caissettes profondes remplies de tourbe humide. Bien recouvrir les bulbes avec d'autre tourbe et garder les caissettes dans un endroit à demi ombragé. La tourbe doit demeurer humide.

Quand les feuilles sont bien mûres, retirer les bulbes des caissettes ou de la tranchée. Arracher les feuilles et les racines mortes ainsi que les tuniques desséchées. Prélever les caïeux qui se sont formés sur les bulbes ; s'en servir pour obtenir d'autres plantes ou les jeter. Placer les bulbes bien nettoyés dans des plateaux non couverts, sans les superposer, et les garder dans un endroit sec et frais, à l'abri des rongeurs. Ne pas les enfermer hermétiquement, car ils pourriraient.

Lorsqu'on a suffisamment d'espace au jardin, il est préférable de laisser en terre la plupart des bulbes rustiques jusqu'au moment où le feuillage est arrivé à maturité, puis de les diviser avant de les replanter (voir p. 286).

Dans les régions où le climat est très doux, on peut laisser les bulbes de glaïeuls en terre toute l'année. Ailleurs cependant, arracher les cormes lorsque les feuilles deviennent brunes en automne. Les soulever avec une fourche à bêcher, couper les tiges et les feuilles à 2,5 cm environ du corme et placer tous les cormes dans des plateaux découverts. Les garder dans un endroit bien aéré ; ils mettront 7 à 10 jours à sécher. Prolonger cette étape s'il le faut avant de les nettoyer.

Détacher les vieux cormes ratatinés et prélever les caïeux qui entourent le nouveau corme. Jeter les caïeux ou les conserver jusqu'à la période de plantation.

Débarrasser les gros cormes de leur tunique externe, qui est très coriace, et les examiner attentivement. Détruire tous ceux qui portent des traces de lésion ou de pourriture. Poudrer ceux qui sont en bonne santé avec des produits à base de lindane contre les thrips et à base de quintozène contre la pourriture sclérotique et la gale. C'est une opération importante qu'il ne faut pas négliger si l'on veut que les plantes fleurissent bien la saison suivante. Conserver les cormes dans des caissettes ou des sacs en filet et les mettre dans un endroit frais mais à l'abri du gel jusqu'au printemps suivant. Leur ménager une bonne aération.

Dans les régions à climat froid, il est recommandé de déterrer en automne les bulbes d'acidantheras et d'autres plantes non rustiques, de les faire sécher et de les garder comme ceux des glaïeuls. Les étiqueter.

Ravageurs et maladies qui peuvent attaquer les bulbes

Si une plante bulbeuse présente des symptômes non décrits dans ce tableau, se reporter au chapitre intitulé « Ravageurs et maladies », page 444. On trouvera aux pages 480 à 482 les appellations commerciales des produits recommandés.

Symptômes	Cause	Traitement
Tiges, feuilles ou boutons floraux couverts de petits insectes verts ou noirs ; malformation des organes.	Pucerons (verts ou noirs)	Vaporisation de carbaryl, de malathion ou d'un insecticide systémique, diméthoate ou oxydéméton-méthyle.
Feuilles et fleurs rayées de roux, particulièrement celles des narcisses en pot. Etiolement des fleurs et des feuilles.	Acariens ou tarsonèmes des bulbes	Détruire les bulbes infestés. Faire geler les bulbes en période de dormance deux ou trois nuits, ou les laisser trois heures dans de l'eau chaude (45°C). Avant la plantation, les poudrer de dicofol ou d'endosulfan.
Sous une légère pression du doigt, les bulbes paraissent mous aux deux extrémités. Mis en terre, ils ne poussent pas.	Mouches des narcisses	Jeter les bulbes mous. Incorporer de la poudre de lindane au sol de surface lorsque les feuilles se flétrissent. Mettre du chlordane ou du méthoxychlore en poudre dans les trous de plantation. Répéter à la levée des pousses.
Les feuilles des jacinthes, narcisses et tulipes portent des raies pâles ; elles se déforment, s'étiolent et peuvent même mourir.	Anguillules des tiges ou des bulbes	Détruire les bulbes infestés ; repiquer ailleurs ceux qui sont sains. Des vaporisations de diazinon, de dichlorvos ou d'oxydéméton-méthyle peuvent parfois donner de bons résultats.
Taches de pourriture à la base des feuilles ; la plante s'écrase et meurt. Dépressions rondes à bords luisants sur les cormes.	Gale bactérienne	Détruire les plantes atteintes. Traiter les sujets sains avec un produit à base de quintozène, comme pour la pourriture sclérotique.
Les feuilles des anémones sont tachées de pruine blanche ; feuilles parfois tordues.	Mildiou (champignon)	Vaporisation de zinèbe.
Les feuilles des glaïeuls jaunissent et pendent, souvent avant la floraison. Taches noires ou lésions sur les cormes qui se dessèchent.	Pourriture sclérotique (champignon)	Détruire les sujets atteints ; poudrer les autres de quintozène avant l'entreposage. Repiquer dans un autre emplacement en incorporant du quintozène au sol avant la plantation.
Taches et raies imbibées d'eau sur les feuilles des tulipes qui brunissent. Pétales maculés. Pourriture brune sur les tiges qui tombent.	Feu ou botrytis (champignon)	Détruire les plantes atteintes. Poudrer les autres de quintozène après les avoir retirées du sol. Les repiquer ailleurs au jardin en incorporant du quintozène au sol. Vaporiser les feuilles de bénomyl.

Multiplication des plantes bulbeuses

Quand ils sont laissés dans le sol, la plupart des bulbes et des cormes rustiques se multiplient par les rejets qu'ils émettent. Lorsqu'une touffe devient trop dense et donne des fleurs moins nombreuses et de qualité inférieure, il devient nécessaire de la diviser. A ce stade, les rejets peuvent être prélevés et cultivés dans des plates-bandes spéciales jusqu'à ce qu'ils aient la maturité voulue pour fleurir. Dans plusieurs cas, la floraison ne se produit que sept ans plus tard. Les lis, les crocus et les glaïeuls fleurissent après deux ans. Le délai de floraison dépend aussi de la taille des rejets et des soins qu'on leur prodigue.

On peut multiplier les plantes bulbeuses par semis, mais c'est au prix d'une grande patience. En outre, les sujets hybrides — narcisses, jacinthes, glaïeuls et tulipes — donneront des rejetons inférieurs aux plantes mères ou différents d'elles, à moins que l'hybridation ne soit effectuée dans des conditions très strictes.

DIVISION DES NARCISSES

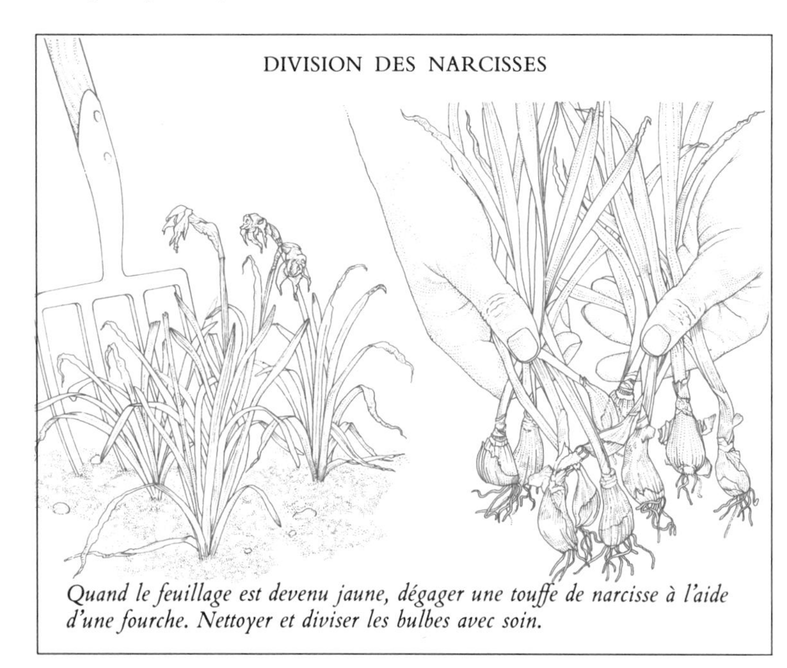

Quand le feuillage est devenu jaune, dégager une touffe de narcisse à l'aide d'une fourche. Nettoyer et diviser les bulbes avec soin.

Division et replantation des touffes trop denses

La division des bulbes et des cormes s'effectue tous les trois ou quatre ans. Les bulbes naturalisés dans les gazons peuvent toutefois rester en place plusieurs années. Lorsque les bulbes sont dans un emplacement favorable, ils se multiplient vite et forment des touffes denses, de moins en moins florifères. Il faut alors les diviser.

La levée doit être faite quand le feuillage commence à jaunir. Soulever la touffe et secouer la terre. Séparer les bulbes et les cormes ; garder les petits pour la multiplication.

Les bulbes des narcisses, des tulipes et des crocus peuvent être replantés immédiatement ou en automne. Les bulbes des perce-neige ou des hellébores doivent être divisés tout de suite après la floraison et remis en terre sans délai.

Culture de bulbes et de cormes à partir de caïeux

Les bulbes et les cormes qu'on arrache montrent souvent des caïeux. Ceux-ci peuvent être utilisés pour produire de nouvelles plantes identiques aux parents.

Les caïeux apparaissent de chaque côté des bulbes, et, sur les cormes, ils sont placés soit à la base, soit sur les côtés. Lorsque bulbes et cormes sont bien secs, détacher les caïeux avec les doigts.

Les très petits caïeux offrent peu d'intérêt : on devrait attendre de nombreuses années avant de les voir fleurir.

Planter les caïeux des bulbes et des cormes rustiques dans un coin non utilisé du jardin, durant l'été ou au début de l'automne. Dans les régions où le climat est froid, les caïeux des bulbes et des cormes de faible rusticité seront gardés à l'abri du gel durant tout l'hiver et mis en terre le printemps suivant.

Choisir un emplacement ensoleillé ou à demi ombragé et creuser une tranchée étroite dont la profondeur sera proportionnelle à la taille des caïeux. Les plus gros, c'est-à-dire ceux dont les dimensions sont égales à la moitié de celles des parents, doivent être enfouis à une profondeur qui équivaut au double ou au triple de leur hauteur ; les plus petits, à 5 cm de profondeur ; et les minuscules, à 2,5 cm de profondeur.

Si le sol ne s'égoutte pas parfaitement, déposer au fond de la tranchée une couche de 1,5 à 2,5 cm de sable avant de planter. Laisser entre les caïeux un espace égal au double de leur largeur. Les recouvrir de 2,5 cm de sable avant de remplir la tranchée de terre. Le sable améliore l'égouttement du sol.

La première année, les caïeux ne produiront que des feuilles. Les plus gros fleuriront la deuxième année, les plus petits la troisième. Quand ils ont fleuri, on peut les planter dans leur emplacement définitif.

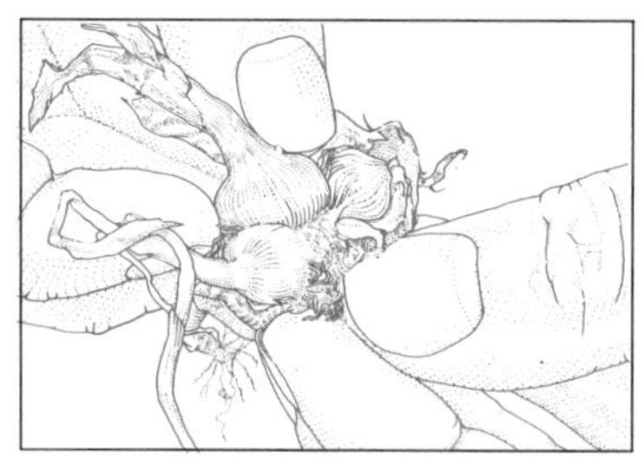

1. *Détacher délicatement les caïeux du corme ou du bulbe parent.*

2. *Creuser une tranchée étroite ; mettre au fond une couche de sable.*

3. *Laisser entre les caïeux un espace égal au double de leur largeur.*

4. *Les recouvrir de 2,5 cm de sable ; remplir la tranchée avec de la terre.*

Floraison des plantes bulbeuses à l'intérieur

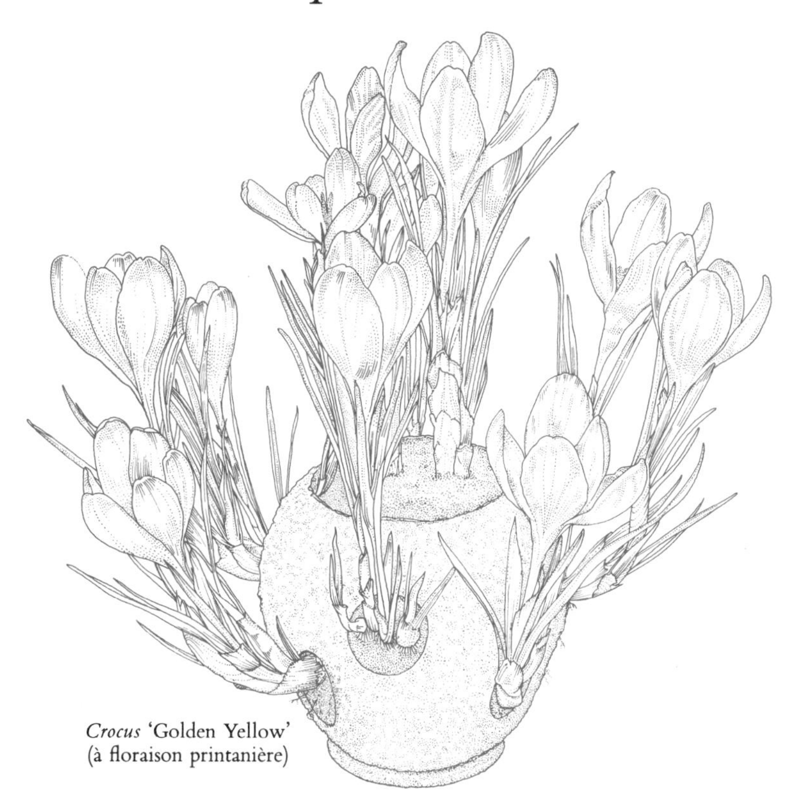

Crocus 'Golden Yellow'
(à floraison printanière)

Un grand nombre de bulbes rustiques à floraison printanière peuvent fleurir plus tôt à l'intérieur. Mis en terre au début de l'automne et gardés assez longtemps au froid, ils développeront des racines et pourront être soumis au « forçage ».

Les jacinthes, les crocus, les narcisses, les iris et les tulipes peuvent être forcés à fleurir après un repos de 10 à 13 semaines à 4°C.

Les catalogues spécifient d'ordinaire les bulbes qui se cultivent bien à l'intérieur. Les *Narcissus tazetta* 'Paperwhite' et 'Soleil d'Or', à petites fleurs parfumées, sont excellents et n'ont pas besoin de période de froid. Parmi les bonnes variétés de narcisses trompette, on remarque 'King Alfred' (fleurs jaunes), 'Mount Hood' (fleurs blanches) et 'Pink Glory' (fleurs blanches à trompette rose tendre). Chez les tulipes, ce sont les simples hâtives, les Triomphe, quelques hybrides de Darwin ainsi que certains Perroquet qui sont les plus prisés. Citons également les jacinthes de Hollande à grandes fleurs, les crocus *C. chrysanthus* 'Blue Pearl' et les variétés à grandes fleurs de *C. vernus*, dont 'Remembrance' et 'Pickwick'.

Il existe divers mélanges terreux préparés pour le forçage des bulbes. Mais on peut aussi composer le sien en mélangeant de la terre de jardin tamisée, du compost tamisé et de la tourbe pulvérisée en parties égales. (On allège les sols argileux en leur incorporant du sable et de la vermiculite.) Il n'est pas nécessaire d'ajouter de l'engrais au substrat de culture.

Planter chaque gros bulbe dans un pot de 7,5 à 10 cm ou en grouper quelques-uns dans un pot plus grand.

Mise en pot des bulbes à forcer

L'empotage des bulbes se fait de préférence dans des pots ou des contenants spéciaux munis de trous de drainage par lesquels on pourra voir si les racines se développent bien.

Les narcisses à bouquets 'Paperwhite' et 'Soleil d'Or' sont parfois cultivés dans des pots émaillés, dépourvus de trous de drainage et contenant des gravillons et de l'eau. Une couche de charbon de bois horticole, dans le fond du contenant, garde l'eau douce.

Si les pots comportent des trous, recouvrir ceux-ci de gravillons ou de tessons de grès. Couvrir d'une couche de mélange humide dont l'épaisseur sera proportionnelle aux dimensions du pot et des bulbes. Le collet des bulbes doit arriver au niveau du bord supérieur du pot ou légèrement au-dessus.

Presser légèrement sur les bulbes pour bien les asseoir sur le mélange terreux. Les petits bulbes peuvent se toucher, mais on laissera 2,5 cm entre les gros. Déposer tout autour des bulbes du mélange terreux afin que leurs racines soient bien soutenues lorsqu'elles commenceront à pousser. Recouvrir complètement de mélange les petits bulbes, mais laisser le collet des gros bulbes émerger un peu du sol. Niveler le mélange terreux à environ 1,5 cm du rebord du pot.

Enfin, étiqueter les pots et indiquer la date de plantation.

COMMENT OBTENIR UN BOUQUET DE NARCISSES

Placer trois bulbes sur une couche de 5 cm de mélange humide dans un pot de 15 cm. Les recouvrir jusqu'au collet. En planter trois autres au-dessus.

Entreposage des bulbes après la mise en pot

Les bulbes soumis au forçage ont besoin d'une période de froid et d'obscurité d'environ trois mois.

Il faut donc les placer dans un endroit frais et obscur à une température maximale de 10°C. Toutefois, les bulbes ne doivent pas geler. Un réfrigérateur d'appoint est l'endroit idéal dans les régions où le climat est doux. Garder le mélange humide.

L'entreposage à l'extérieur, dans une tranchée ou sous châssis froid, convient parfaitement pourvu que les bulbes soient protégés du gel et soient d'accès facile.

A cette fin, creuser une tranchée d'au moins 15 cm plus profonde que le plus gros des pots. Déposer ceux-ci avec leurs bulbes dans la tranchée. Pour éloigner les rongeurs, recouvrir les pots d'un grillage ou mettre sur les pots et dans la tranchée un poison recommandé contre ces ravageurs.

Recouvrir les pots d'une couche de 7,5 cm de perlite, de sable ou de polystyrène expansé (Styrofoam) déchiqueté. Déposer par-dessus une couche de 7,5 à 15 cm de feuilles sèches, de foin ou d'un paillis quelconque et la maintenir en place avec des branches de conifères. Cette couverture empêche le sol de geler en profondeur et permet de retirer les pots sans difficulté le moment venu.

On procède de la même façon lorsqu'on place les pots sous châssis froid. Mettre un couvercle sur le châssis lorsque le temps est très mauvais ou que la nuit s'annonce glaciale. Soulever ce couvercle ou le retirer quand la journée est ensoleillée.

Si possible, placer le châssis du côté nord de la maison. Ceci évitera d'avoir à soulever le couvercle.

Une autre solution consiste à ranger les pots dans un hangar ou un garage non chauffé. La température doit s'y maintenir au-dessus du point de congélation tout en étant assez basse pour que le système radiculaire des bulbes se développe de façon normale. A cet égard, un grenier, bien qu'obscur, serait trop chaud.

Par temps extrêmement froid, il est nécessaire d'apporter aux bulbes une protection supplémentaire. Déposer les pots dans une boîte, un baquet, un panier doublé d'une épaisse couche de papier journal ou un contenant isolant dont on se sert pour les pique-niques. Si le froid persiste, faire prendre un peu d'air aux bulbes au bout de quelques jours.

Entourer d'un grillage les pots entreposés à l'extérieur quand ils sont accessibles aux souris et aux écureuils. Laisser 15 cm de jeu au-dessus des bulbes pour faciliter l'aération.

Quand les pots ne sont pas enfouis dans le sol, il faut s'assurer, par des vérifications périodiques, que les bulbes ne manquent pas d'eau, surtout s'ils se trouvent dans des pots en grès. Le mélange s'assèche plus vite quand les racines sont formées. Ne pas trop arroser pour autant. Lorsqu'il fait très froid, par exemple, les bulbes demandent moins d'eau et sont en même temps plus exposés à pourrir.

Retour des bulbes à l'intérieur pour le forçage

Après 10 à 13 semaines d'enracinement au froid, le forçage des bulbes peut commencer. Retirer les pots entreposés et les installer dans une pièce bien éclairée et bien aérée à une température se maintenant entre 10 et 15°C. Bien arroser les bulbes durant cette période.

Pour étaler la floraison des bulbes, installer les pots, à raison d'un pot à la fois chaque semaine, près d'une fenêtre ensoleillée, dans une pièce où la température se maintient entre 16 et 18°C. Une chambre à coucher fraîche ou un solarium non chauffé conviendraient très bien. Garder les pots à la vue, mais les remettre au frais tous les soirs. Cette méthode permet de prolonger la floraison et d'avoir des fleurs toutes fraîches plus longtemps.

Ne jamais laisser le mélange terreux s'assécher.

Entretien subséquent des bulbes forcés

Les bulbes ne doivent être forcés qu'une fois. Cependant, s'ils reçoivent de bons soins, ils peuvent être transplantés au jardin après un forçage.

Lorsque les bulbes ont été cultivés dans un mélange terreux, supprimer les fleurs fanées et placer les pots dans une pièce fraîche et bien éclairée. Arroser et fertiliser jusqu'à ce que le feuillage jaunisse.

Laisser ensuite le mélange terreux se dessécher. Retirer les bulbes et les nettoyer. Les entreposer dans un endroit sec et frais jusqu'au moment de la transplantation, au printemps suivant. Les placer alors en lignes dans une plate-bande spéciale et les y laisser un an avant de les transplanter définitivement.

Les bulbes cultivés en pot ne fleurissent souvent à l'extérieur qu'après quelques années, car ils ont besoin de récupérer.

Culture des crocus en pots spéciaux

On trouve des pots spéciaux en céramique émaillée pour la culture des bulbes de crocus. Ces pots offrent des trous sur les côtés et il suffit d'y placer les bulbes pour que leur nez pointe à travers.

Remplir un pot de mélange terreux humide jusqu'à la première rangée de trous ; disposer les bulbes dans les trous. Ajouter du mélange et installer d'autres bulbes au-dessus. Quand le pot est plein, asseoir les bulbes de façon que leur nez pointe vers l'ouverture supérieure du pot.

Les bulbes doivent demeurer au frais et dans l'obscurité pendant 13 semaines. Les placer ensuite dans une pièce chauffée et éclairée.

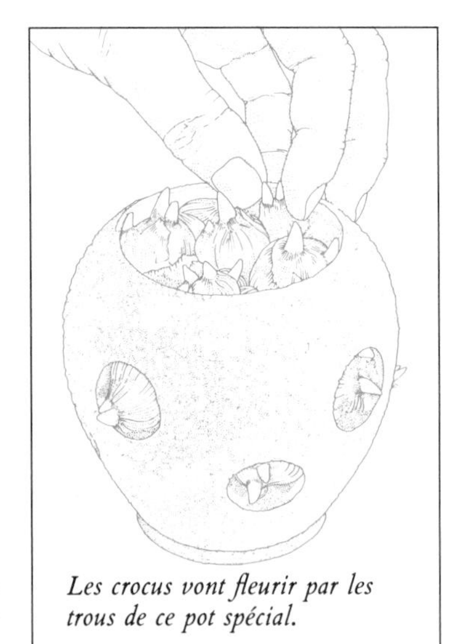

Les crocus vont fleurir par les trous de ce pot spécial.

Culture des jacinthes en carafe

Les jacinthes se cultivent bien dans l'eau. Il existe à cette fin des carafes munies d'un col rétréci qui s'évase en une coupe plate.

Remplir la carafe d'eau jusqu'au goulot rétréci et y mettre un petit morceau de charbon de bois pour garder l'eau douce. Asseoir un bulbe dans la partie supérieure de la carafe. L'eau doit affleurer le bulbe.

Garder la carafe dans un endroit frais et obscur jusqu'à ce que les racines aient environ 10 cm de long et que des pousses apparaissent. Mettre la carafe dans une pièce plus chaude et bien éclairée. Ajouter de l'eau de temps à autre. Après la floraison, jeter les bulbes.

Les bulbes de jacinthe poussent bien dans cette carafe remplie d'eau.

Petit guide des plantes bulbeuses

Toutes les plantes figurant dans le tableau qui suit peuvent être cultivées à l'extérieur. Certaines d'entre elles, cependant, ne sont pas assez rustiques pour séjourner l'hiver au jardin. L'acidanthera en est un exemple. Il faudra donc les lever après la floraison et les mettre à l'abri du gel. On trouvera des précisions à ce sujet dans la colonne intitulée « Description générale, remarques ».

Les plantes sont présentées dans le tableau sous leur nom botanique, par ordre alphabétique. Mais les noms vulgaires très répandus, comme celui de jonquille, y sont également cités, toujours dans l'ordre alphabétique, avec un renvoi au nom botanique (par ex. : **Jonquille**, voir Narcissus). Les espèces et variétés les plus connues sont toujours mentionnées.

Les dates de floraison indiquées valent pour les régions à climat doux. La floraison est plus hâtive ou plus tardive selon que le climat est plus chaud ou plus froid. On tiendra compte également des variations saisonnières et des microclimats.

Nom botanique et nom vulgaire	Hauteur et étalement	Description générale, remarques	Plantation et multiplication
Acidanthera *Acidanthera bicolor*	H 45-60 cm E 10-15 cm	Fleurs blanches à cœur pourpre, parfumées, fleurissant à la fin de l'été. Longue période de croissance ; dans les régions plus froides que la zone 7, démarrer les cormes en pots dans la maison un mois plus tôt. Repiquer par la suite au jardin. Lever les cormes et les entreposer pendant tout l'hiver.	Planter à une profondeur de 7,5 à 10 cm après le dernier gel, en plein soleil. Diviser les caïeux au moment de la plantation.
Allium ou oignon ornemental *Allium aflatunense*	H 75-90 cm E 23 cm	Fleurs rose lilas au début de l'été. Bulbes faciles à cultiver. Placer les variétés courtes dans les rocailles ; les variétés de haute taille peuvent avoir besoin de tuteurs et se placent bien en massif parmi d'autres plantes. Plusieurs peuvent être séchées pour les bouquets d'hiver. Les espèces répertoriées ici poussent bien à partir de la zone 5. *A. aflatunense* est moins rustique.	Planter les bulbes à une profondeur égale au triple de leur hauteur, du début au milieu de l'automne ou plus tôt. Choisir un endroit ensoleillé, un sol bien drainé. Diviser en automne ou au tout début du printemps tous les trois ou quatre ans, ou au besoin.
A. albopilosum	H 75-90 cm E 30 cm	Fleurs rose lilas intense de 20 à 25 cm de diamètre, au début de l'été. Très beaux bouquets séchés.	
A. giganteum	H 75-90 cm E 30 cm	Fleurs rose lilas intense de 10 à 13 cm de diamètre, du début au milieu de l'été. Belles fleurs à couper. Rustique en zone 5.	
A. moly (ail doré)	H 30-45 cm E 30 cm	Fleurs jaunes de 7,5 cm de diamètre, au début de l'été. Rustique en zone 3.	
A. oreophilum ostrowskianum	H 25-30 cm E 7,5 cm	Fleurs roses au début de l'été. Excellent choix pour les rocailles. Très rustique.	
Anemone *Anemone blanda*	H 15 cm E 10 cm	Fleurs blanches ou de diverses teintes de bleu ou rose-mauve, de la fin de l'hiver à la mi-printemps. Planter en petits groupes dans les rocailles. Rustique en zone 4. Dans les régions froides, pailler abondamment.	*A. blanda :* Planter les tubercules à 5 ou 7,5 cm de profondeur du début au milieu de l'automne, en situation ensoleillée ou mi-ombragée. Prélever des rejets ou diviser les rhizomes à la fin de l'été. Repiquer rejets et rhizomes immédiatement. *A. coronaria :* Planter les tubercules à 4 ou 5 cm de profondeur, en situation ensoleillée ou semi-ombragée, à la fin de l'automne (ou au début du printemps sur la côte Ouest.)
A. coronaria	H 15-30 cm E 10-15 cm	Fleurs blanches, lavande, mauves, roses, cramoisies et écarlates, au début du printemps ou de l'été. Excellentes fleurs coupées. Des apports d'engrais riche en azote, comme du sulfate d'ammoniaque, quand les boutons apparaissent, donnent des tiges plus longues. Prospère sur la côte du Pacifique. Racines tubéreuses non rustiques au-delà des régions méridionales de la zone 5.	

Acidanthera bicolor

Allium oreophilum ostrowskianum

Anemone coronaria

Nom botanique et nom vulgaire	Hauteur et étalement	Description générale, remarques	Plantation et multiplication
Balisier des jardins, voir Canna			
Begonia			
Begonia evansiana	H 45-60 cm E 30 cm	Fleurs blanches ou roses de la mi-été à l'automne. Bon sujet pour endroits ombragés. Le bulbe n'est pas assez rustique pour être laissé à l'extérieur, quelle que soit la zone. Garder en hiver entre 5 et 10°C.	*B. evansiana :* Planter les tubercules à 5 cm de profondeur, au printemps, en situation semi-ombragée. Prélever les bulbilles à l'aisselle des pétioles des feuilles. Les mettre en pot, à la surface du mélange terreux ; couvrir le contenant d'une plaque de verre jusqu'à apparition des pousses. Repiquer les plantules au jardin au printemps.
B. tuberhybrida (bégonia tubéreux)	H 60 cm E 30 cm	Fleurs blanches, roses, jaunes, orange et rouges, de la mi-été à l'automne. Souvent désigné selon la forme de la fleur ; par ex. : à fleurs de camélia, à fleurs d'œillet. Se cultive bien en bac. Déterrer les tubercules avant les premiers gels ou quand la floraison ralentit ; les conserver dans de la tourbe entre 5 et 10°C. Pour que la floraison soit plus hâtive, démarrer les tubercules à l'intérieur deux ou trois mois avant de les planter au jardin. Garder le mélange à peine humide près d'une fenêtre bien éclairée ou en serre jusqu'à ce que des pousses apparaissent. Plusieurs races hybrides ont des fleurs de formes différentes.	*B. tuberhybrida :* Planter les tubercules à une profondeur de 2,5 à 5 cm, au printemps, en situation semi-ombragée. Prélever des boutures de pousses émanant des tubercules au printemps. Les repiquer quand elles ont pris racine. Semer à l'intérieur au début de l'hiver ; les plants fleuriront à la fin de l'été.
Brodiaea			
Brodiaea coronaria ou *B. grandiflora*	H 45 cm E 7,5-15 cm	Fleurs étoilées, bleu-pourpre, à la fin du printemps et au début de l'été. Planter en groupes de 5 ou 6, en plein soleil. Ne pas arroser en été.	Planter en automne, à une profondeur de 7 à 10 cm. Dans les régions froides, disposer d'épais paillis sur le lit de plantation. Mais dans ces régions, il serait préférable de planter au printemps. Séparer les caïeux des cormes au début de l'automne et les planter.
B. laxa	H 60 cm E 60-90 cm	Fleurs bleu-pourpre, très rarement blanches, au début du printemps et au début de l'été. Cette espèce est la plus répandue. Voir *B. uniflora* à Ipheion.	
Caladium *Caladium bicolor*	H 30 cm E 30 cm	Plante appréciée pour ses feuilles de couleur franche ou panachées de blanc, vert, rose ou rouge, selon la variété. Ornementale de la mi-été jusqu'aux froids. Pousse au soleil ou à l'ombre. Déterrer en automne ; laisser sécher pendant une semaine. Conserver dans de la tourbe ou de la perlite sèches à une température de 13 à 16°C.	Planter au jardin, à 5 cm de profondeur, dès que la température atteint 21°C ou démarrer plus tôt en pot à l'intérieur. Au printemps, prélever des boutures de tubercules portant au moins un œil. Poudrer avec un fongicide avant la plantation.

Begonia tuberhybrida

Brodiaea coronaria

Caladium bicolor (variété)

Nom botanique et nom vulgaire	Hauteur et étalement	Description générale, remarques	Plantation et multiplication
Camassia ou camassie *Camassia cusickii*	H 75-90 cm E 45-60 cm	Fleurs bleu clair à la fin du printemps. Pousse au soleil ou à la mi-ombre. Se plante avec des fleurs sauvages ou près d'une piscine. Bulbes rustiques jusqu'au sud de la zone 5.	Planter à 15 cm de profondeur en automne dans un sol qui reste humide. Prélever les rejets en automne ; les repiquer immédiatement.
C. leichtlinii (quamash des Indiens)	H 60-90 cm E 45 cm	Fleurs de blanc à bleu intense à la fin du printemps.	
Canna ou balisier des jardins *Canna generalis*	H 0,45-1,20 m E 30-45 cm	Grandes fleurs en épis, au-dessus de grandes feuilles. Coloris : blanc et diverses nuances de rose, jaune et écarlate. Fleurit de la mi-été jusqu'aux froids. Planter dans les régions où les étés sont longs et chauds. Se cultive en plates-bandes ou en bacs. Lever les rhizomes à l'automne quand les feuilles ont noirci ; les laisser sécher quelques jours ; les garder à l'envers dans de la tourbe ou de la vermiculite sèches à une température de 10 à 16°C.	Planter les rhizomes au printemps quand la température nocturne se maintient au-dessus de 15°C et recouvrir de 8 à 10 cm de terre. Ou démarrer à l'intérieur un mois plus tôt environ. Diviser les rhizomes au printemps. 'Seven Dwarfs' se cultive à partir de semis et met six mois à fleurir.
Chionodoxa ou chionodoxe ou gloire-de-la-neige *Chionodoxa luciliae*	H 15 cm E 10 cm	Fleurs blanches, bleu clair ou roses, à la mi-printemps. Planter en massif dans les rocailles ou à l'avant des bordures. Rustique dans presque toutes les régions du Canada.	Planter à une profondeur de 5 à 7 cm au début de l'automne, dans un endroit dégagé et ensoleillé. Se multiplie spontanément. Diviser les bulbes au besoin.
Colchicum ou colchique *Colchicum autumnale* (colchique d'automne, safran bâtard)	H 15 cm E 23 cm	Fleurs blanches ou rose lilas, simples ou doubles, au début de l'automne. Elles ressemblent au crocus et précèdent les feuilles à l'automne. Celles-ci apparaissent au printemps, puis meurent. Planter en groupes sous les arbres et les arbustes. Rustique en zone 5.	Planter les cormes à une profondeur de 8 à 10 cm à la fin de l'été, en situation ensoleillée ou semi-ombragée. *C. speciosum* se plante à une profondeur de 10 à 15 cm. Prélever les caïeux à la mi-été et les repiquer immédiatement.
C. speciosum	H 15-25 cm E 23-30 cm	Fleurs blanches ou pourpres du milieu à la fin de l'automne. Plusieurs hybrides sont nés de *C. speciosum* et *C. autumnale*.	
Couronne impériale, voir Fritillaria **Crinole,** voir Crinum			
Crinum ou crinole ou lis du Bengale *Crinum longifolium*	H 90 cm E 45-60 cm	Fleurs blanches ou roses à la fin de l'été. L'espèce la plus rustique ; peut être cultivée dans les régions à climat rigoureux, à la condition d'être en situation abritée.	Planter à 15 cm de profondeur ou davantage, au printemps ou en automne dans les régions chaudes et au printemps dans les autres régions. Prélever les rejets au début du printemps et les empoter séparément. Ils fleurissent en trois ans.
C. powellii	H 45 cm E 30-45 cm	Fleurs blanches ou roses à la fin de l'été. Peut être cultivé à l'extérieur, contre un mur orienté au sud, dans les zones 7 à 9. Bien pailler en hiver ou garder les bulbes en pots à l'abri du gel.	

Camassia cusickii

Canna generalis

Chionodoxa luciliae

Colchicum autumnale

Crinum powellii

	Nom botanique et nom vulgaire	Hauteur et étalement	Description générale, remarques	Plantation et multiplication
 Crocus du printemps	**Crocus ou safran** CROCUS D'HIVER	H 7,5 cm E 7,5 cm	Fleurs blanches, bleues, mauves, jaunes ou bronze, parfois rayées d'une teinte contrastante, à la fin de l'hiver et au début du printemps. Se place dans les rocailles, sous les arbres et les arbustes, au premier plan des plates-bandes et des bordures et se naturalise dans les pelouses. On peut soumettre au forçage les variétés à grandes fleurs telles que 'E. A. Bowles'. Tous rustiques en zone 5 et souvent jusqu'en zone 3.	Planter à 8 cm de profondeur en situation ensoleillée, le plus tôt possible à l'automne. Les variétés à floraison automnale, en particulier, doivent être plantées très tôt. Lever de terre quand les feuilles brunissent. Retirer les caïeux et les repiquer immédiatement en plaçant les plus petits dans un coin isolé jusqu'à ce qu'ils soient aptes à fleurir.
	CROCUS DU PRINTEMPS	H 10-13 cm E 10 cm	Mêmes coloris que les crocus d'hiver. Floraison du début au milieu du printemps. Même utilisation que les crocus d'hiver. C'est cette catégorie qui donne les plus grandes fleurs.	
 *Cyclamen neapolitanum*	**Cyclamen** *Cyclamen coum*	H 7,5 cm E 15 cm	Fleurs allant du rose au carmin, parfois blanches, à la mi-hiver et à la mi-printemps. Se plante en petites touffes sous les arbres et les arbustes ou au pied d'un mur orienté au nord. Pailler au printemps. Rustique en zone 6.	Planter à une profondeur de 2,5 à 5 cm, du milieu à la fin de l'été, en situation semi-ombragée. Les cormes du cyclamen ne se divisent pas et ne donnent pas de rejets. Se multiplie aussi par semis, en été.
	C. europaeum	H 10 cm E 15 cm	Fleurs cramoisies et parfumées à la fin de l'été et au début de l'automne. Rustique en zone 6.	
	C. neapolitanum	H 10 cm E 15 cm	Fleurs allant du rose au blanc, à la fin de l'été.	
 *Endymion hispanicus*	**Endymion ou scille ou jacinthe des bois** *Endymion hispanicus* ou *Scilla hispanica* ou *S. campanulata* (scille espagnole, scille campanulée)	H 30 cm E 15 cm	Fleurs blanches, bleues ou roses, à la fin du printemps. A planter sous les arbres et les arbustes ou dans le sous-bois. Vient bien à l'ombre et donne de belles fleurs coupées.	Planter à 10 cm de profondeur au début de l'automne, en plein soleil ou à la mi-ombre. Se multiplie spontanément ou par division des bulbes après flétrissement des feuilles.
 *Eranthis hyemalis*	**Eranthis ou hellébore d'hiver ou éranthe d'hiver** *Eranthis hyemalis*	H 10 cm E 7,5 cm	Fleurs jaune bouton-d'or à la fin de l'hiver ou au début du printemps. A planter en groupes sous des arbres et des arbustes à feuillage caduc. Marier l'hellébore d'hiver à la perce-neige pour prolonger la période de floraison. Bien arroser au printemps. Rustique dans toutes les régions, sauf dans celles qui sont très froides.	Planter à 2,5 cm de profondeur à la fin de l'été ou au début de l'automne, en plein soleil ou à la mi-ombre. Diviser les tubercules à la fin du printemps ; les repiquer sans délai. Se multiplie spontanément, sauf *E. tubergenii*, plante stérile.
 *Erythronium* (espèces)	**Erythronium ou érythrone** *Erythronium,* espèces et variétés	H 15 cm E 10-15 cm	Fleurs blanches, pourpres, roses ou jaunes, du milieu à la fin du printemps. Planter en groupes dans les sous-bois ou en situation semi-ombragée. Ne pas déranger les plants lorsqu'ils sont établis. Au besoin, les lever et les replanter après flétrissement des feuilles. Espèces et variétés nombreuses. Rustique dans la partie méridionale de la zone 5.	Planter à une profondeur de 5 à 8 cm à la fin de l'été ou aussitôt que possible, en situation semi-ombragée. Pailler. Au besoin, prélever des rejets en été ; les repiquer immédiatement et les laisser se développer quelques années.

Fritillaria imperialis

Galanthus nivalis

Galtonia candicans

Gladiolus (à grandes fleurs)

Gladiolus (papillon)

Nom botanique et nom vulgaire	Hauteur et étalement	Description générale, remarques	Plantation et multiplication
Etoile de Bethléem, voir Ornithogalum			
Fritillaria ou fritillaire			
Fritillaria imperialis (couronne impériale)	H 60-90 cm E 25-40 cm	Fleurs jaunes, orange ou rouges, au milieu et à la fin du printemps. A planter en groupes dans les bordures. S'établit parfois difficilement, mais se multiplie rapidement lorsqu'elle est dans le site qui lui convient. Diviser au besoin. Cultiver au sud de la zone 4.	Coucher les bulbes à 20 cm de profondeur, à la mi-automne, en plein soleil ou à la mi-ombre. Planter *F. meleagris* à 10 cm de profondeur. Prélever des rejets à la fin de l'été ; cultiver sous châssis froid ou en pot. Les semis d'été mettent quatre à six ans à fleurir.
F. meleagris (fritillaire méléagre, fritillaire pintade)	H 30 cm E 15 cm	Fleurs blanc pur ou pourpre et blanc, au milieu et à la fin du printemps. Demande les mêmes soins que *F. imperialis* ; se naturalise dans les gazons ras. Rustique en zone 3.	
Galanthus ou perce-neige			
Galanthus elwesii	H 15-25 cm E 10-15 cm	Fleurs blanches à pétales internes teintés de vert, à la fin de l'hiver et au début du printemps. A planter en groupes sous les arbres ou les arbustes, parmi des plantes tapissantes ou avec d'autres plantes bulbeuses printanières : chionodoxa et éranthis. Espèce qui s'implante difficilement, mais se multiplie aisément par la suite. Rustique en zone 4.	Planter à une profondeur de 8 à 10 cm au début de l'automne ou tout de suite après la floraison, dans un endroit qui est à demi ombragé en été. Diviser après la floraison ; repiquer immédiatement.
G. nivalis (perce-neige commune)	H 10-25 cm E 10-15 cm	Fleurs semblables à celles de *G. elwesii*. Convient aux rocailles. 'S. Arnott' atteint 25 cm et présente de grandes fleurs parfumées. Il existe une variété à fleurs doubles.	
Galtonia ou jacinthe du Cap *Galtonia candicans*	H 7,5-10 cm E 23 cm	Fleurs blanches teintées de vert, s'épanouissant au milieu et à la fin de l'été. A planter en massif dans des plates-bandes de vivaces ou d'arbustes. Lever et conserver comme les glaïeuls.	Planter à une profondeur de 15 à 20 cm à la fin du printemps, sauf en climat doux où on peut planter en automne dans un endroit ensoleillé. Prélever les rejets (peu nombreux) au besoin ; les mettre en réserve pour l'hiver et les repiquer au printemps.
Gladiolus ou glaïeul			
HYBRIDES À GRANDES FLEURS	H 0,90-1,50 m E 10-15 cm	Les fleurs présentent toutes les couleurs du prisme ; certaines sont bicolores et joliment maculées. La floraison dépend du climat et de l'époque de plantation ; elle est estivale dans les régions froides et va de juillet à octobre dans les régions tempérées. A planter en massif, ou en lignes si l'on veut des fleurs coupées. Les grandes variétés ont parfois besoin de tuteurs. Déterrer les cormes et les mettre en réserve tout l'hiver.	Commencer la plantation quand tout danger de gel est écarté et l'étaler jusqu'à la mi-été afin de prolonger la floraison. Enfouir les bulbes à une profondeur de 10 à 15 cm. Ces plantes doivent être placées en situation ensoleillée. Diviser les caïeux en automne ou quand le feuillage est jaune. Les garder à l'intérieur pendant l'hiver et les repiquer
HYBRIDES PAPILLONS	H 0,60-1,20 m E 10-15 cm	Fleurs de toutes les couleurs, plus petites que celles de la catégorie précédente. A rarement besoin de tuteurs. Compose de jolis bouquets.	

	Nom botanique et nom vulgaire	Hauteur et étalement	Description générale, remarques	Plantation et multiplication
 *Gladiolus* (primulinus)	**Gladiolus ou glaïeul** — suite HYBRIDES PRIMULINUS ET MINIATURES	H 45-90 cm E 7,5-15 cm	Gamme complète de coloris. Les fleurs, en forme de primevère, ont des segments supérieurs (pétales) capuchonnés. Pas besoin de tuteurs.	au printemps. Les faire tremper dans l'eau pendant deux jours avant de les planter pour accélérer l'enracinement. Les caïeux seront de taille à fleurir après deux ou trois ans.
	Glaïeul, voir Gladiolus **Gloire-de-la-neige,** voir Chionodoxa			
 *Gloriosa rothschildiana*	**Gloriosa** *Gloriosa rothschildiana*	H 0,90-1,20 m E 30 cm	Fleurs rouges à pétales ourlés de jaune, au début de l'été ou à d'autres moments en régions tempérées. Plante grimpante qu'on peut palisser sur des treillages ou planter en pot et tuteurer. Déterrer les tubercules à l'automne ; les conserver dans de la tourbe sèche à environ 15°C.	Coucher les tubercules à 10 cm de profondeur au printemps. Choisir un endroit ensoleillé, tuteurer les plants. Diviser au printemps et repiquer immédiatement. Les plants obtenus par semis mettent deux ou trois ans à fleurir. Certaines espèces peuvent être cultivées toute l'année en serre froide.
	Hellébore d'hiver, voir Eranthis			
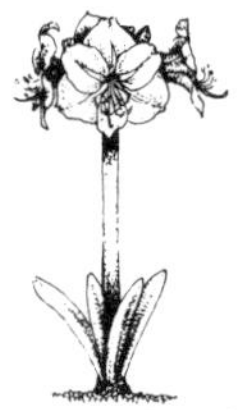 *Hippeastrum* hybride	**Hippeastrum** *Hippeastrum,* hybrides	H 60 cm E 30-45 cm	Fleurs blanches, roses, saumon ou rouges ; certaines sont rayées. Floraison au printemps à l'extérieur, en hiver ou au printemps à l'intérieur. Les fleurs précèdent habituellement les feuilles. Souvent cultivé comme plante d'intérieur ; se place au jardin dans les régions à climat doux. Parmi les hybrides les plus répandus, on remarque 'Apple Blossom' (rose tendre), 'Jeanne d'Arc' (fleurs blanches), 'Belinda' (fleurs rouges).	Planter les bulbes à la mi-automne, dans un endroit semi-ombragé, à une profondeur de 15 à 20 cm. Planter en pot de l'automne au printemps en laissant le tiers du bulbe à découvert. Prélever les caïeux qui se forment autour du bulbe en automne. Les plants semés mettent trois ou quatre ans à fleurir.
 *Hyacinthus orientalis* 'Pink Pearl'	**Hyacinthus ou jacinthe** JACINTHE COMMUNE D'ORIENT OU JACINTHE DE HOLLANDE *Hyacinthus orientalis,* hybrides	H 20-23 cm E 15-20 cm	Fleurs blanches, bleues, mauves, jaunes, roses, rouges ou orange, du début à la fin du printemps. A planter en massif aux abords de la maison, là où l'on peut apprécier son parfum. A parfois besoin de tuteurs. Rustique en zone 4. Parmi les variétés, mentionnons 'L'Innocence' (fleurs blanches), 'Delft Blue' (bleu de Delft), 'City of Haarlem' (fleurs jaunes), 'Pink Pearl' (fleurs roses) et 'Jan Bos' (fleurs cramoisies).	Planter à une profondeur de 13 à 15 cm à la mi-automne, sauf dans les régions tempérées où il est préférable de planter à la fin de l'automne ou au début de l'hiver. Choisir un emplacement ensoleillé ou à demi ombragé. Lever les bulbes quand les feuilles sont jaunes ; diviser et repiquer.
	JACINTHE D'ITALIE *H. o. albulus*	H 15 cm E 15-23 cm	Fleurs blanches, plus petites que les précédentes, très parfumées, du début à la fin du printemps. Se prête bien au forçage. Non rustique dans le nord de la zone 5.	

Nom botanique et nom vulgaire	Hauteur et étalement	Description générale, remarques	Plantation et multiplication
Ipheion *Ipheion uniflorum* ou *Brodiaea uniflora* ou *Milla uniflora* ou *Triteleia uniflora*	H 15-20 cm E 10 cm	Fleurs blanches tournées vers le haut, à pétales teintés de bleu, au début du printemps ; parfum de menthe. Le feuillage apparaît à l'automne. A planter en massif sous les arbustes ou dans les rocailles. Rustique à partir des régions méridionales de la zone 5.	Planter à 8 cm de profondeur au début de l'automne, en plein soleil ou à la mi-ombre. Prélever les caïeux quand le feuillage meurt en été ; les repiquer aussitôt.
Ixia ou ixie *Ixia maculata*	H 45 cm E 10 cm	Plante hybride à fleurs crème, roses, jaunes, orange ou rouges. Floraison à la fin du printemps et au début de l'été. Les cormes mûrissent en été dans un sol sec. A planter en massif. Se cultive aussi en pot. Rustique dans le sud de la zone 6.	Planter du début à la fin de l'automne dans le sud de la zone 6 ; planter au printemps dans le nord de cette zone. Placer en situation ensoleillée et enfouir les bulbes à une profondeur de 8 à 10 cm. Prélever les caïeux lorsque le feuillage meurt.
Jacinthe, voir Hyacinthus **Jacinthe des bois,** voir Endymion **Jacinthe du Cap,** voir Galtonia **Jacinthe commune d'Orient,** voir Hyacinthus **Jacinthe de Hollande,** voir Hyacinthus **Jacinthe d'Italie,** voir Hyacinthus **Jacinthe de mai,** voir Ornithogalum **Jonquille,** voir Narcissus			
Leucojum ou nivéole *Leucojum aestivum* (nivéole estivale)	H 30 cm E 15 cm	Fleurs blanches teintées de vert, naissant du milieu à la fin du printemps. A planter en massif dans les rocailles ou les coins ensoleillés. Rustique en zone 2.	Planter à une profondeur de 8 à 10 cm au début de l'automne, en plein soleil ou à la mi-ombre. *L. vernum* croît mieux à l'ombre. Prélever les caïeux quand les feuilles sont mortes ; les repiquer immédiatement.
L. vernum (nivéole printanière ou perce-neige)	H 15-20 cm E 10 cm	Fleurs blanches solitaires plus petites que les précédentes. Floraison du début au milieu du printemps. La nivéole printanière et la nivéole estivale poussent mieux en régions tempérées que le galanthus.	
Lis du Bengale, voir Crinum			
Lycoris ou lycoride *Lycoris radiata*	H 45 cm E 25-30 cm	Fleurs de rose intense à rouge à la fin de l'été ou au début de l'automne. Les feuilles précèdent les fleurs ; garder le sol plutôt sec jusqu'à l'apparition des fleurs. Pousse mieux lorsque les souches sont touffues. Se cultive bien en bac pour obtenir une floraison tardive. Rustique dans la moitié sud de la zone 6.	Planter au jardin à la mi-été. Enfouir les bulbes à 13 cm de profondeur ; en pot, laisser sortir la pointe des bulbes. A la limite de sa zone de rusticité, *L. squamigera* sera planté plus profondément. Se cultive à la mi-ombre. Lever les bulbes lorsque le feuillage est mort (avant la floraison) ; prélever les caïeux et repiquer.
L. squamigera (lycoride à écailles)	H 60 cm E 25-30 cm	Fleurs rose lilas et parfumées à la fin de l'été. Plus rustique que *L. radiata*. Se cultive à l'extérieur dans le sud de la zone 5.	

Ipheion uniflorum

Ixia maculata hybride

Leucojum vernum

Lycoris squamigera

Nom botanique et nom vulgaire	Hauteur et étalement	Description générale, remarques	Plantation et multiplication
Muscari			
Muscari armeniacum (muscari d'Arménie)	H 20 cm E 10 cm	Fleurs bleu foncé marginées de blanc, au milieu et à la fin du printemps. A planter en touffes à l'avant des bordures et dans les rocailles. Un des bulbes les plus rustiques ; pousse partout en zone 2.	Planter à 8 cm de profondeur, du début à la fin de l'automne, en plein soleil. Donne beaucoup de graines là où il prospère. Diviser tous les trois ans quand les feuilles sont jaunes ; repiquer les caïeux immédiatement ou les mettre en réserve jusqu'à l'automne suivant.
M. botryoides (muscari raisin)	H 18 cm E 10 cm	Fleurs bleu azur, du début au milieu du printemps. Variétés à fleurs blanches.	
M. comosum (muscari chevelu)	H 30 cm E 10-15 cm	Fleurs supérieures de bleu à mauve, stériles ; fleurs inférieures de teinte olive, fertiles. Pétales très découpés. Fleurit de la fin du printemps au début de l'été.	
Narcissus ou narcisse			
NARCISSE TROMPETTE Trompette aussi longue ou plus longue que les pétales. Une fleur par tige.	H 35-45 cm E 15-20 cm	Fleurs toutes jaunes ou toutes blanches, ou à trompette d'une couleur et pétales d'une autre couleur. Floraison du début à la fin du printemps. A planter en massif dans des plates-bandes d'arbustes ou de vivaces, ou sous les arbres. Donne de belles fleurs coupées. Quelques variétés renommées : 'Dutch Master', 'King Alfred', 'Unsurpassable' (fleurs jaunes) ; 'Beersheba', 'Mount Hood' (fleurs blanches) ; 'Spellbinder' (jaune et ivoire) ; et 'Pink Glory' (blanc et rose).	Planter à 15 cm de profondeur et laisser un espace de 15 cm entre les bulbes. La plantation se fait du milieu à la fin de l'automne, en plein soleil ou à la mi-ombre. Lever les bulbes au début de l'été, quand le feuillage est jaune ; prélever les caïeux et les repiquer immédiatement ou les mettre en réserve jusqu'au début de l'automne.
NARCISSE À GRANDE CORONULE La coupe ou coronule fait plus du tiers de la longueur des pétales et est parfois festonnée. Chaque tige porte une seule fleur.	H 35-55 cm E 15-20 cm	Trompettes et pétales sont souvent de couleur différente. Mariage de jaune, rose et blanc. Quelques bonnes variétés : 'Gigantic Star' (fleurs jaunes), 'Easter Morn' (fleurs blanches), 'Flower Record' (jaune et blanc), 'Mrs. R. O. Backhouse' (rose et blanc) et 'Duke of Windsor' (blanc et orange).	
NARCISSE À PETITE CORONULE La coronule fait au plus le tiers de la longueur des pétales. Chaque tige porte une seule fleur.	H 35-45 cm E 15 cm	Fleurs toutes blanches, jaune et blanc ou en d'autres combinaisons de coloris. Floraison du début à la fin du printemps. Quelques variétés : 'Edward Buxton' (jaune et orange), 'Verger' (blanc et rouge) et 'Chinese White' (fleurs blanches).	Voir narcisse trompette (ci-dessus).
NARCISSE TROMPETTE DOUBLE Tous les types présentent plus d'un rang de pétales. Chaque tige porte une ou plusieurs fleurs.	H 30-45 cm E 15 cm	Fleurs blanches, jaunes ou bicolores, du début à la fin du printemps. Quelques variétés : 'Inglescombe' (fleurs jaunes), 'Texas' (jaune et orange) et 'Mary Copeland' (blanc crème et rouge orangé).	Voir narcisse trompette (ci-dessus).
NARCISSUS TRIANDRUS La coronule fait environ les deux tiers de la longueur des pétales. De 1 à 6 fleurs par tige ; elles sont parfois retombantes.	H 20-40 cm E 15 cm	'Liberty Bells' (fleurs jaunes), 'Tresamble' (fleurs blanches) et 'Dawn' (blanc et jaune).	Voir narcisse trompette (ci-dessus).

Muscari botryoides

Narcissus (trompette)

Narcissus (à petite coronule)

Narcissus (trompette double)

Narcissus (du Portugal)

Narcissus jonquilla

Narcissus poeticus

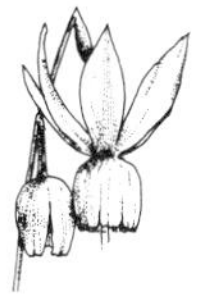

Narcissus nanus

Nerine bowdenii

Nom botanique et nom vulgaire	Hauteur et étalement	Description générale, remarques	Plantation et multiplication
Narcissus ou narcisse — suite			
NARCISSE DU PORTUGAL Longue coronule pendante à pétales recourbés vers l'extérieur. Une fleur par tige.	H 20-38 cm E 7,5-15 cm	Fleurs blanches, jaunes ou bicolores. Parmi les variétés, mentionnons 'February Gold' (fleurs jaunes), 'Jack Snipe' (blanc et jaune) et 'February Silver' (fleurs blanches).	Voir narcisse trompette, p. 296.
JONQUILLE Coronule plus longue ou plus courte que les pétales. De 2 à 6 fleurs parfumées par tige. Feuilles tubuleuses.	H 18-35 cm E 10-15 cm	Fleurs jaunes ou bicolores, souvent avec une coronule rouge, rose ou orange. Fleurit à la fin du printemps. 'Trevithian' (jaune clair), 'Suzy' (jaune et rouge orangé) et 'Lintie' (blanc et rose clair).	Voir narcisse trompette, p. 296.
NARCISSE À BOUQUETS (incluant *N. poetaz*). De 4 à 8 fleurs parfumées et à courte coronule par tige.	H 35 cm E 15-20 cm	Fleurs blanches ou jaunes, à coronule d'une teinte généralement différente, simples ou doubles. Au jardin, fleurit du début à la fin du printemps ; les bulbes forcés peuvent fleurir du début de l'hiver jusqu'au printemps. Se cultivent en pot (p. 287), sauf dans les régions les plus tempérées. *N. poetaz* réclame les mêmes soins que les narcisses trompettes. Parmi les variétés, nommons 'Paperwhite' (fleurs blanches) et 'Soleil d'Or' (fleurs jaunes). *N. poetaz* comprend les variétés 'Geranium' (blanc et rouge orangé) et 'Cheerfulness' (fleurs jaunes doubles).	Se cultive uniquement en pot, sauf dans la partie méridionale de la zone 7 et plus au sud. Cultiver *N. poetaz* comme le narcisse trompette. Jeter les bulbes cultivés dans des gravillons et de l'eau après la floraison.
NARCISSUS POETICUS (narcisse des poètes) Pétales blancs, coronule courte d'une teinte contrastante ; fleurs parfumées. Une fleur par tige.	H 43-50 cm E 15 cm	Fleurs blanches à coronule jaune ourlée de rouge, très parfumées. Floraison du milieu à la fin du printemps. Excellentes fleurs à couper. Prospère dans les climats froids. La variété la plus répandue est 'Actaea' (fleurs blanches à coronule jaune bordée de rouge).	Voir narcisse trompette, p. 296.
NARCISSUS NANUS (narcisse nain) Espèce botanique, ou sauvage, de narcisse. Plante trapue à petites fleurs dans la plupart des cas ; une ou plusieurs fleurs par tige.	H 7,5-15 cm E 5-7,5 cm	Fleurs blanches ou jaunes de la fin de l'hiver à la mi-printemps. A planter en touffes dans les rocailles, bien en vue. Certains de ces narcisses ne sont rustiques qu'à partir du sud de la zone 7. Les plus répandus sont *Narcissus bulbocodium* (fleurs jaunes) et *N. triandrus albus* (fleurs blanc crème).	Planter à une profondeur d'au moins trois fois la hauteur du bulbe, du début au milieu de l'automne, en plein soleil ou à la mi-ombre. Se multiplie comme le narcisse trompette, mais aussi par semis au début de l'été. Ne fleurit que lorsqu'il a trois à sept ans.
Nerine *Nerine bowdenii*	H 60 cm E 15 cm	Fleurs roses à la fin de l'automne. Empoter et garder à l'intérieur, à 10°C, durant l'hiver. Ne pas arroser avant que la croissance reprenne ; arroser ensuite régulièrement et fertiliser une fois par mois avec un engrais polyvalent. Les feuilles poussent durant l'hiver et le printemps. Réduire puis cesser les arrosages lorsque les feuilles commencent à jaunir ; ne les reprendre que lorsque la période active recommence.	Se cultive généralement en pot, sauf dans les régions où il fait très doux. En pot, enterrer le bulbe à demi ; au jardin, l'enfouir à une profondeur de 10 à 15 cm. Planter au début de l'automne. Diviser les grosses touffes après la floraison ou au printemps. Prélever et empoter les rejets des plantes cultivées en pots.

Ornithogalum thyrsoides

Oxalis adenophylla

Puschkinia scilloides libanotica

Nom botanique et nom vulgaire	Hauteur et étalement	Description générale, remarques	Plantation et multiplication
Nivéole, voir Leucojum **Oignon ornemental,** voir Allium			
Ornithogalum *Ornithogalum nutans* (jacinthe de mai)	H 30 cm E 15 cm	Fleurs blanches et vert pâle, du milieu à la fin du printemps. A planter en touffes à l'avant des bordures, dans les rocailles ou les sous-bois. Rustique dans le sud de la zone 5.	Planter au milieu de l'automne, en plein soleil ou à la mi-ombre. Enfouir les petits bulbes à une profondeur de 5 à 8 cm et les gros bulbes à une profondeur de 10 à 15 cm. *O. thyrsoides* doit être planté en automne dans les régions tempérées. Enfouir le bulbe de cette espèce à environ 5 cm de profondeur. Quand on l'empote, couvrir à peine le bulbe de mélange terreux. Prélever les caïeux quand les feuilles sont jaunies; procéder immédiatement au repiquage des caïeux.
O. thyrsoides	H 45 cm E 10 cm	Fleurs de blanc à crème à la fin du printemps et à la mi-été. Cultiver en pot dans une serre froide (10°C la nuit) pour une floraison printanière. Peut être placé à proximité d'une fenêtre. Les fleurs coupées durent longtemps. Rustique dans le sud de la zone 7.	
O. umbellatum (étoile de Bethléem)	H 23-30 cm E 15 cm	Fleurs blanches, de la fin du printemps au début de l'été. Se multiplie rapidement; peut même devenir envahissant. Rustique dans presque toute la zone 2.	
Oxalis ou oxalide *Oxalis adenophylla*	H 7,5-10 cm E 5-7,5 cm	Petites fleurs campanulées de 4 cm, rose lavande, à pétales veinés d'une teinte plus intense; fleurit à la fin du printemps et à la mi-été. A cultiver dans les rocailles.	Planter à la mi-automne en situation ensoleillée et dans un sol bien drainé. Enfouir les bulbes à une profondeur de 5 à 8 cm et les distancer d'environ 10 cm. Rustique en zone 6. Au nord de cette zone, entreposer les bulbes de la même manière que les cormes de glaïeuls jusqu'au moment de la plantation.
Perce-neige, voir Galanthus **Perce-neige,** voir Leucojum			
Puschkinia *Puschkinia scilloides libanotica*	H 10-15 cm E 5-7,5 cm	Fleurs bleu clair à rayures bleu plus foncé; il existe une variété exquise d'un blanc pur. Fleurit du début au milieu du printemps. A planter en massif dans les rocailles, au pied d'un groupe d'arbustes ou dans une pelouse rase; déplacer les plants le moins possible.	Planter du début au milieu de l'automne, en plein soleil ou à la mi-ombre. Enfouir les bulbes à 8 cm de profondeur. Prélever les caïeux après le flétrissement des feuilles; les repiquer immédiatement ou les garder dans un endroit frais en attendant l'automne. Ils devraient fleurir quelques années plus tard.
Quamash des Indiens, voir Camassia			

Ranunculus asiaticus

Scilla tubergeniana

Tigridia pavonia

Tulipe simple hâtive

Tulipe double hâtive

Nom botanique et nom vulgaire	**Hauteur et étalement**	**Description générale, remarques**	**Plantation et multiplication**
Ranunculus ou renoncule *Ranunculus asiaticus* (renoncule d'Orient ou renoncule des fleuristes)	H 30-45 cm E 15 cm	Fleurs blanches, roses, jaune d'or, orange ou cramoisies, à la fin de l'hiver, du printemps et au début de l'été. A planter en massif dans les bordures, ou en lignes si l'on veut des fleurs coupées. Garder les racines humides et le collet sec. Cultiver dans les régions où le printemps est long et frais. Peut avoir besoin de tuteurs.	Planter les tubercules, griffes en dessous, à 5 cm de profondeur, vers la première semaine de mai. Les faire tremper une nuit au préalable pour accélérer l'enracinement. Lever et diviser les tubercules en automne, les garder à l'abri du gel. Les planter au printemps.
Safran, voir Crocus **Safran bâtard,** voir Colchique			
Scilla ou scille *Scilla sibirica* (scille de Sibérie)	H 15 cm E 10 cm	Fleurs d'un bleu lumineux du début au milieu du printemps. Grouper les plants à l'extrémité des bordures, au pied des arbres et des arbustes, dans les rocailles ou dans une pelouse rase. On trouve aussi une variété à fleurs blanches.	Planter à 10 cm de profondeur, au début de l'automne, en situation ensoleillée ou semi-ombragée. Se multiplie rapidement par ensemencement spontané. On peut aussi diviser les touffes. Repiquer les caïeux immédiatement ; ils fleuriront deux ou trois ans plus tard.
S. tubergeniana	H 10 cm E 7,5 cm	Fleurs bleu argent, au tout début du printemps. S'associe bien avec l'éranthis et le galanthus. Voir *S. hispanica* à *Endymion hispanicus.*	
Scille, voir Endymion			
Tigridia ou tigridie œil de paon *Tigridia pavonia*	H 45 cm E 10 cm	Fleurs blanches, jaunes, orange ou rouges à macules de teinte contrastante. Floraison du milieu à la fin de l'été. A planter en massif dans les bordures mixtes. Lever les bulbes après la floraison et les entreposer jusqu'au printemps.	Planter au printemps, quand les températures nocturnes se maintiennent au-dessus de 16°C. Enfouir les bulbes à une profondeur de 8 à 10 cm. Exige un emplacement ensoleillé. Lever les bulbes à la fin de l'été afin de prélever les caïeux. Mettre ceux-ci en réserve pour l'hiver.
Tulipa ou tulipe TULIPE SIMPLE HÂTIVE Plus courte que la tulipe à floraison tardive ; fleur formant presque une coupe.	H 20-35 cm E 10-15 cm	Fleurs blanches, violettes, roses, jaunes, rouges ou de deux teintes à la mi-printemps. Se plante en plate-bande, en bordure mixte ou en massif devant des touffes d'arbustes. Prospère dans toutes les régions si elle est plantée avant les gels. Variétés recommandées : 'Christmas Marvel' (fleurs roses), 'Bellona' (jaunes) et 'Keizerskroon' (rouge et jaune).	Planter du milieu à la fin de l'automne, en situation ensoleillée. Enfouir les bulbes à une profondeur de 15 à 20 cm. Protéger contre les écarts printaniers de température. Quand les souches sont trop touffues, après plusieurs années, lever les bulbes (quand les feuilles
DOUBLE HÂTIVE Ressemble à la pivoine double.	H 30-38 cm E 15 cm	Fleurs blanches, roses, jaunes, orange et écarlates à la mi-printemps. Citons 'Peach Blossom' (fleurs roses), 'Electra' (fleurs rouges), 'Carlton' (fleurs rouges) et 'Schoonoord' (fleurs écarlates).	

Nom botanique et nom vulgaire	Hauteur et étalement	Description générale, remarques	Plantation et multiplication
Tulipa ou tulipe — suite			
MENDEL Ressemble à la tulipe Darwin, mais fleurit deux semaines plus tôt.	H 40-65 cm E 15 cm	Grandes fleurs blanches, roses, jaunes, orange ou rouges à la fin du printemps. Quelques variétés : 'Athleet' (fleurs blanches), 'Pink Trophy' (fleurs roses) et 'Olga' (rouge violacé à marge blanche).	sont flétries) et les garder au sec dans un endroit bien aéré jusqu'au moment de la plantation. Planter les petits bulbes à l'écart, car ils mettront plusieurs années à fleurir.
TRIOMPHE Fleur anguleuse sur une tige robuste de longueur moyenne.	H 40-65 cm E 15 cm	Fleurs blanches, lavande, roses, jaunes, orange, rouges ou bicolores du milieu à la fin du printemps. Excellent sujet pour massif ; se prête au forçage. Le feuillage mûrit tôt. Nommons 'Peerless Pink' (fleurs rose satin), 'Golden Melody' (fleurs jaunes) et 'Albury' (rouge cerise).	
DARWIN Grande fleur carrée sur une longue tige robuste.	H 60-75 cm E 15-20 cm	Fleurs blanches, lavande, roses, jaunes, orange ou rouges à la fin du printemps. La tulipe la plus cultivée en platebande et en bordure. Parmi les variétés renommées, on trouve 'Pink Supreme' (fleurs roses), 'Sunkist' (jaunes), 'Demeter' (pourpres) et 'Cordell Hull' (rouge sur blanc).	Voir tulipe simple hâtive, p. 299.
HYBRIDE DE DARWIN La plus grande de toutes les espèces de tulipe.	H 60-75 cm E 15-20 cm	Fleurs crème, jaunes, orange ou rouges à la mi-printemps, une semaine plus tôt que les Darwin. Grandes fleurs à tiges robustes. On connaît 'Golden Oxford' (fleurs jaunes) et 'Apeldoorn' (fleurs écarlates).	Voir tulipe simple hâtive, p. 299.
FLEUR-DE-LIS Fleur allongée à pétales effilés et recourbés vers l'extérieur.	H 45-60 cm E 15 cm	Fleurs blanches, lavande, roses, jaunes, rouges ou bicolores du milieu à la fin du printemps. Fleurs très gracieuses à tige robuste. Mentionnons 'White Triumphator' (fleurs blanches), 'Maytime' (fleurs violet rougeâtre ourlées de crème), 'China Pink' (fleurs roses), 'West Point' (fleurs jaunes), 'Red Shine' (fleurs rouges) et 'Queen of Sheba' (fleurs brun écarlate marginées de jaune).	Voir tulipe simple hâtive, p. 299.
SIMPLE TARDIVE Fleur arrondie mais de forme variable.	H 60-70 cm E 15-20 cm	Fleurs blanches, vertes, lilas, roses, jaunes, orange, rouges ou bicolores, du milieu à la fin du printemps. Pétales légèrement recourbés et tiges gracieuses. Parmi les variétés, nommons 'Rosy Wings' (fleurs roses), 'Golden Harvest' (fleurs jaunes) et 'Renown' (rouge carmin).	Voir tulipe simple hâtive, p. 299.
PERROQUET, DRAGONNE Grande fleur frangée, souvent avec des pétales bicolores tordus.	H 60 cm E 20 cm	Fleurs blanches, lavande, roses, jaunes, orange, rouges ou bicolores, à pétales ondulés. Floraison du milieu à la fin du printemps. 'Flaming Parrot' (rouge et jaune) et 'Wildfire' (fleurs écarlates).	Voir tulipe simple hâtive, p. 299.
DOUBLE TARDIVE Fleur de longue durée ressemblant à la pivoine.	H 45-55 cm E 15-20 cm	Fleurs blanches, roses, jaunes ou rouges à la fin du printemps. Planter dans un endroit protégé du vent, car ses lourdes fleurs cassent facilement. 'Mount Tacoma' (fleurs blanches), 'Clara Carter' (roses) et 'Golden Lion' (jaunes).	Voir tulipe simple hâtive, p. 299.
KAUFMANNIANA Fleur formant une étoile à 6 pointes.	H 15-25 cm E 13 cm	Fleurs généralement bicolores au début du printemps. Feuilles parfois tachetées. Quelques variétés : 'Daylight' (rouge vibrant), 'Yellow Dawn' (fleurs jaune nuancé de rose) et 'Shakespeare' (fleurs saumon).	Voir tulipe simple hâtive, p. 299.
FOSTERIANA Très grande fleur ; feuillage parfois tacheté ou rayé.	H 30-45 cm E 15 cm	Très grandes fleurs roses, jaunes, orange, rouges ou bicolores à la mi-printemps. Parmi les variétés, citons 'Purissima' (fleurs blanches), 'Candela' (fleurs jaunes) et 'Red Emperor' (fleurs rouges).	Voir tulipe simple hâtive, p. 299.
GREIGII Très grande fleur ; feuilles mouchetées ou rayées.	H 18-35 cm E 15 cm	Fleurs de diverses teintes de rouge, parfois alliées au jaune, du milieu à la fin du printemps. Magnifique feuillage moucheté. Mentionnons 'Cape Cod' (fleurs abricot ourlées de jaune), 'Margaret Herbst' (fleurs rouges) et 'Plaisir' (rouge et jaune).	Voir tulipe simple hâtive, p. 299.

Tulipe Darwin

Tulipe fleur-de-lis

Tulipe simple tardive

Tulipe perroquet

Tulipe kaufmanniana

Tulipe greigii

Lilium davidii

Lis

Avec leur port majestueux, la beauté exotique de leurs fleurs, la richesse et la diversité de leurs coloris, les lis sont l'une des plus belles parures d'un jardin.

Le lis est cultivé depuis au moins 3 000 ans et il était fort prisé aussi bien dans l'Egypte ancienne qu'en Grèce, à Rome, en Chine et au Japon. Pendant de nombreux siècles, on n'en a connu que quelques espèces parmi lesquelles le beau lis blanc (*Lilium candidum*), originaire de la Méditerranée orientale et symbole traditionnel de pureté, était le plus prisé. *L. martagon* était aussi assez répandu en Europe.

Peu de plantes sont aussi variées que le lis. Le genre *Lilium* groupe maintenant près de 90 espèces de taille et de couleur différentes.

Comme plusieurs autres plantes sauvages, les lis se sont d'abord révélés difficiles à acclimater à la culture en jardin. Leurs exigences étaient souvent mal comprises. Lorsque la transplantation réussissait, les sujets végétaient péniblement pendant un an ou deux.

Des spécialistes en hybridation, fascinés par la beauté de ces fleurs, ont obtenu des plantes hybrides supérieures en tous points à leurs parents.

Aucune plante ornementale ne se compare tout à fait aux lis hybrides. Leur floraison commence quand se termine celle de la plupart des plantes vivaces printanières et se poursuit jusqu'à la fin de l'été. Chaque jour voit l'épanouissement d'un nouveau bouton. A l'exception du bleu, les lis se parent de toutes les couleurs. Grâce à leur gamme presque illimitée de tailles et de formes, les lis hybrides conviennent à tous les jardins.

Il existe aujourd'hui des variétés perfectionnées qui fleurissent à profusion, sont robustes et résistent bien aux maladies. Plusieurs d'entre elles surpassent les sujets dont elles descendent. Ayant été multipliées par méthode végétative à partir de boutures d'écailles de bulbes, elles ont conservé les caractéristiques des plantes mères.

Certains lis sont élevés commercialement à partir de graines prélevées sur des hybrides sélectionnés. Ils coûtent relativement peu cher et ne varient que sur le plan de la couleur. On les vend sous le nom de leur race : Burgundy, Golden Splendor et Imperial. On peut les cultiver aussi bien dans des bordures mixtes composées d'arbustes à feuillage persistant ou caduc qu'au milieu de plantes vivaces. Ils font de beaux bouquets.

Les lis se divisent en plusieurs catégories selon la forme de leurs fleurs. Il y a les lis à trompette, par exemple le lis Sentinel et le lis à grandes fleurs (*L. longiflorum*). Il y a également les lis à coupe tels que 'Enchantment', 'Connecticut King' et Imperial. On connaît aussi les lis à turban ou lis martagon représentés par le lis tigré (*L. tigrinum*) et par *L. davidii* ainsi que par la plupart de leurs hybrides. Les lis 'Nutmegger' et Harlequin appartiennent aussi à cette catégorie.

Plusieurs lis sont parfumés. Les hybrides Trumpet, Aurelian et Oriental le sont même tellement que leur parfum peut devenir trop lourd dans un très petit jardin.

La plupart des espèces ne peuvent être croisées qu'avec quelques espèces spécifiques. Durant les 40 ou 50 dernières années, cependant, des résultats significatifs ont été obtenus par de petits éleveurs au Canada, aux Etats-Unis, en Nouvelle-Zélande et au Japon. De leurs travaux sont nés des hybrides plus vigoureux, plus faciles à acclimater et présentant une gamme plus complète de coloris. Enfin, grâce à l'amélioration des méthodes de croisement, les horticulteurs peuvent maintenant se procurer un grand nombre de lis hybrides.

Les lis peuvent prendre place dans des bordures mixtes qui ne sont pas trop chargées. Il est préférable cependant de les cultiver avec des plantes basses qui ne font pas de tort à leurs racines. Comme les lis sont moins décoratifs après leur période de floraison, ces plantes compenseront.

On peut composer des massifs tout à fait ravissants en associant de grands lis Trumpet, des Asiatic à floraison hâtive ou des Oriental à floraison plus tardive, et des petites annuelles. Un groupe de lis en fleur devant un bouquet d'arbustes fait un très bel effet. Pendant deux ou trois semaines, leurs beaux coloris se détachent avec netteté sur cet arrière-plan de verdure.

Les lis hybrides ont été groupés sous des noms qui rappellent l'origine des espèces dont ils descendent ou la forme de leurs fleurs, mais il y a des chevauchements. Par exemple, les hybrides Asiatic d'origine chinoise sont généralement des lis issus de *L. tigrinum*, *L. davidii* et *L. cernuum* qui s'hybrident facilement entre eux.

De tous les hybrides, ce sont les Asiatic qui offrent le plus grand choix de formes et de couleurs. Les uns ont des fleurs dressées, les autres des fleurs tournées vers l'horizon. D'autres encore se distinguent par leurs pétales recourbés vers l'arrière. Un massif bien établi d'hybrides Asiatic fleurit du début au milieu de l'été. Ce sont aussi les lis les plus rustiques et les plus robustes. Enfin, selon plusieurs éleveurs, ils présentent les plus grandes dispositions à l'hybridation.

Les hybrides américains mentionnés dans ce chapitre descendent tous d'espèces indigènes. Les mieux connus sont les hybrides Bellingham.

Les hybrides martagon sont souvent plantés à l'extrémité d'un bosquet. Ce sont les premiers à fleurir. Une fois mis en terre, ils ne doivent pas être déplacés, car les fleurs peuvent mettre deux ans à apparaître après une transplantation.

Les hybrides Backhouse sont nés en Angleterre avant 1900. Ce sont des rejetons de *L. martagon*, lis originaire des régions montagneuses d'Europe et de l'Asie occidentale et de *L. hansonii* qui nous vient du Japon, de Corée et de Sibérie. Leurs fleurs sont petites mais nombreuses et poussent bien à l'ombre. Ils sont cependant assez rares. La nouvelle race Paisley ressemble aux hybrides Backhouse.

Les hybrides Trumpet descendent de quatre espèces chinoises : *L. regale*, *L. sargentiae*, *L. leucanthum* et *L. sulphureum*. Un massif d'hybrides Trumpet blancs, jaunes ou roses, de 1,20 à 1,80 m de haut, produit à la mi-été un spectacle remarquable. Leurs fleurs parfumées sont habituellement tournées vers l'extérieur ou parfois inclinées. Ces hybrides sont cependant moins rustiques que les Asiatic.

Les hybrides Aurelian résultent de croisements entre les hybrides Trumpet et l'espèce chinoise *L. henryi* ; ils ont de grandes possibilités d'acclimatation et leur rusticité est encore plus remarquable. La forme de leurs fleurs varie, depuis l'étoile à pointes récurvées jusqu'aux coupes et aux trompettes largement étalées. Leurs tiges, très souples, ont besoin d'être tuteurées. Ils fleurissent du milieu à la fin de l'été.

Les hybrides les plus exotiques et les plus capricieux sont les Oriental avec leurs fleurs magnifiques dans les tons de blanc, rose ou rouge sur des tiges robustes. Ils sont malheureusement exposés à la pourriture du bulbe et aux viroses. Aussi préfère-t-on souvent les cultiver en annuelles ou bisannuelles. Ils descendent de *L. auratum* et de *L. speciosum*. Les hybrides Jamboree ressemblent davantage à *L. speciosum* ; ce sont les moins fragiles du groupe et ils fleurissent à la fin de l'été.

Enfin, parmi les espèces botaniques, *L. davidii*, *L. tigrinum*, *L. henryi*, *L. regale* et *L. speciosum* sont les plus faciles à obtenir et à cultiver.

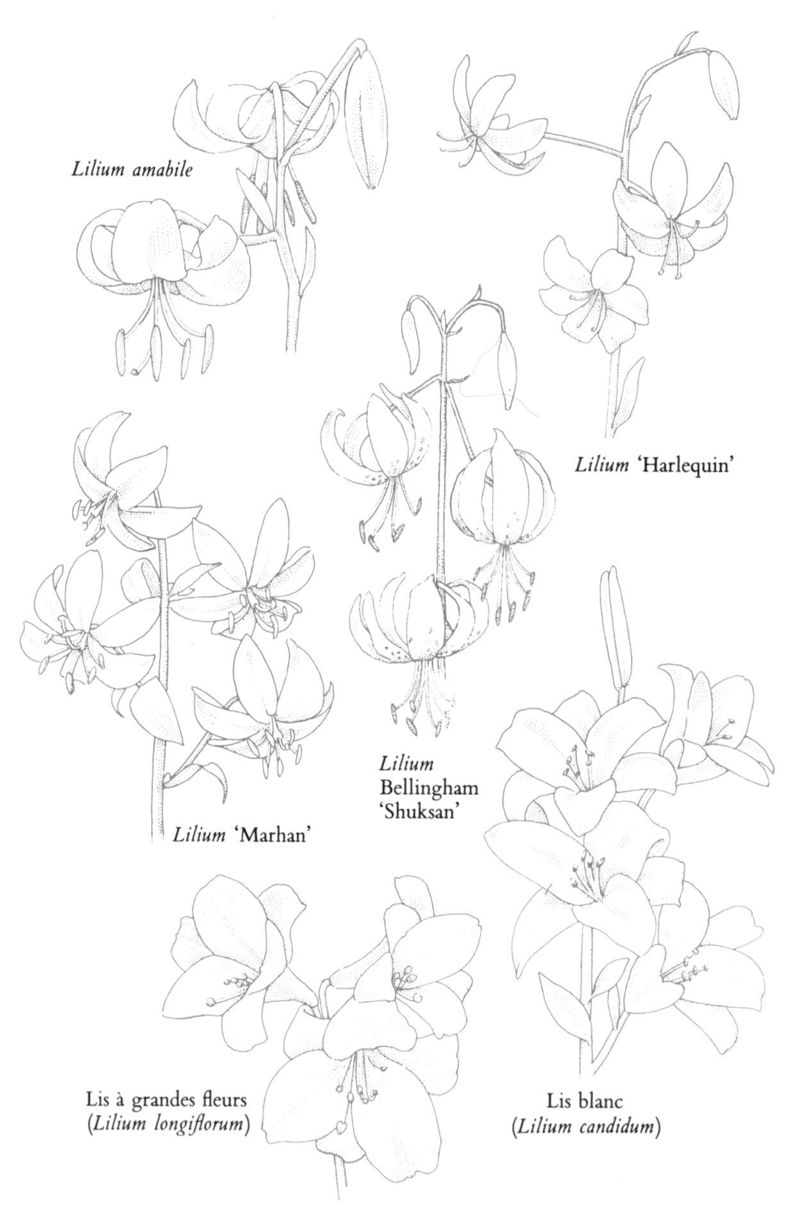

Forme des fleurs *Les lis sont groupés d'après la forme de leurs fleurs. On voit ici les lis à turban et les lis à trompette. Les premiers — tous ceux illustrés ci-dessus sauf le lis blanc* (Lilium candidum) *et le lis à grandes fleurs* (L. longiflorum) *— ont des fleurs retombantes d'environ 4 cm de long, des pétales enroulés et récurvés. La forme du lis à trompette va du tube étroit à embouchure évasée à la corolle en coupe.*

Plantation et culture des lis

Préparation du sol et choix des bulbes

La culture des lis peut se pratiquer dans tout sol bien drainé et quelque peu acide. Le lis blanc, toutefois, préfère un sol neutre ou légèrement alcalin. Bien qu'ils tolèrent une ombre légère, les lis seront beaucoup plus vigoureux s'ils se trouvent en situation ensoleillée.

La préparation du sol avant la plantation est aussi importante pour la culture des lis que pour celle des autres plantes bulbeuses. Si la terre est légère, on l'amendera par de bons apports de tourbe ou de matière organique bien décomposée. Cependant, les bulbes et les racines des lis ne supportent pas le fumier frais.

Si le sol est argileux, on lui ajoutera du sable grossier ou du gravier fin. Un apport de superphosphate enrichira en outre le sol pour plusieurs années.

L'eau ne devant pas s'accumuler autour des bulbes, choisir un emplacement où le sous-sol s'égoutte bien. Quand on ne dispose pas d'un tel site, former des plates-bandes surélevées composées de terre bien drainée ou des plates-bandes en pente légère.

N'acheter que des bulbes bien dodus et sains. On les obtient à la fin de l'automne, parfois aussi au début du printemps, dans des pépinières, chez des horticulteurs spécialisés ou par commande postale. Les bulbes doivent être fermes et recouverts d'écailles bien refermées, et doivent avoir des racines fournies. Si les bulbes sont mous ou meurtris, enlever les écailles extérieures qui se soulèvent et placer les bulbes dans des sacs de plastique, enfouis dans un peu de tourbe légèrement humide additionnée d'une pincée de fongicide (bénomyl ou captane). Fermer les sacs et les garder dans un endroit obscur et frais jusqu'à ce que les bulbes aient retrouvé toute leur vigueur.

Les bulbes de taille moyenne sont toujours préférables. Ils sont moins chers et s'acclimatent mieux à un nouvel environnement.

Quand et comment planter les bulbes

La meilleure saison pour planter les bulbes de lis est l'automne. On peut effectuer les plantations à d'autres saisons à la condition toutefois que le sol ne soit pas gelé. Le lis blanc, cependant, doit être planté à la fin de l'été si l'on veut qu'il se couvre de feuilles avant la venue de l'hiver.

Si la plantation doit être remise à plus tard, placer les bulbes dans un sac de plastique rempli de tourbe légèrement humide et les garder dans un endroit sombre et frais. Si on doit les mettre en attente tout l'hiver, on les empotera. Dans les régions où le climat est rigoureux, creuser d'avance, si possible, les trous de plantation, pailler généreusement pour empêcher le sol de geler et mettre les bulbes en terre sitôt qu'on les reçoit.

La profondeur du trou doit être égale au triple de la hauteur du bulbe. La plupart des lis cultivés en Amérique du Nord ont un système radiculaire à la base de la tige, si bien qu'un important chevelu couvre le sommet du bulbe. Les autres ont leurs racines à la base du bulbe.

Au moment de la plantation, étaler les racines et poser le bulbe de façon que la pointe soit sous environ 10 cm de terre. (Couvrir les bulbes de lis blanc de 2,5 cm seulement de terre.)

Dans les régions où il ne gèle pas, lever les bulbes à l'automne et les garder 8 à 10 semaines au réfrigérateur en guise d'hivernage.

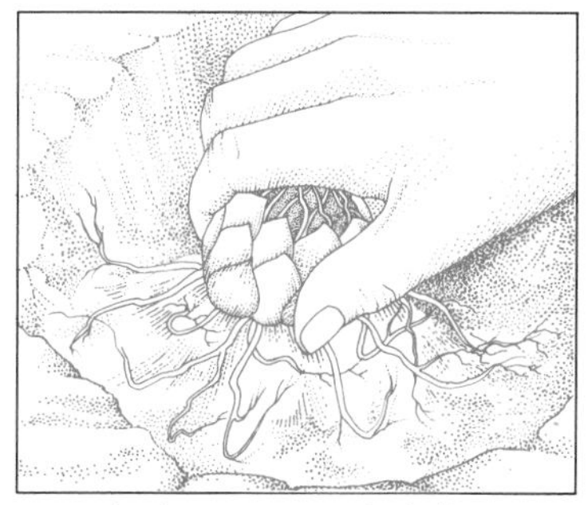

1. *Etaler les racines au fond d'un trou creusé dans un sol bien drainé.*

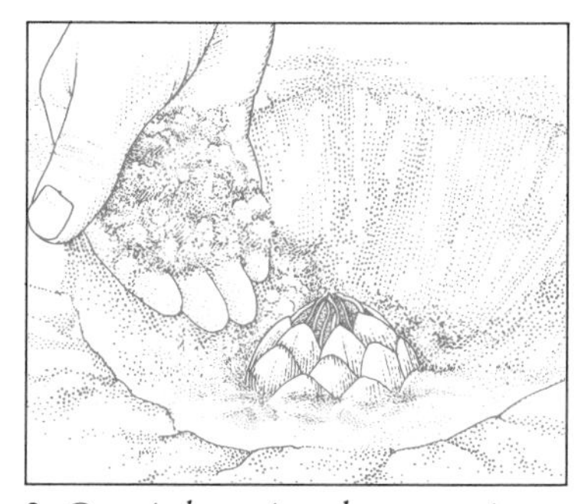

2. *Couvrir les racines de terre, puis finir de remplir le trou.*

Cueillette de fleurs pour faire des bouquets

Les lis composent de merveilleux bouquets. Cependant, il ne faut pas cueillir les fleurs sur le même plant plusieurs années de suite, car cela a pour effet d'affaiblir le bulbe. Ne couper les fleurs sur une plante que tous les deux ou trois ans. Laisser sur le pied la plus grande longueur de tige possible pour que le bulbe puisse continuer à se nourrir, ainsi que la moitié au moins du feuillage.

Laisser les tiges fraîchement coupées plusieurs heures dans de l'eau tiède avant de les mettre dans un vase. Enlever les feuilles du bas pour qu'elles ne baignent pas dans l'eau. Changer celle-ci tous les jours si possible. Ainsi, tous les boutons s'épanouiront et les fleurs se conserveront plus longtemps.

CUEILLETTE DU LIS

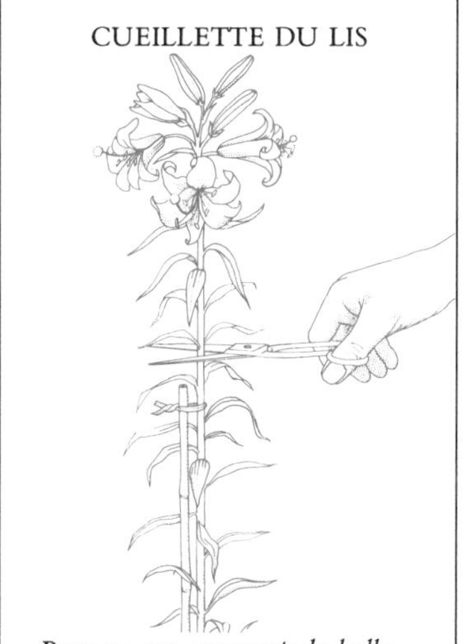

Pour ne pas appauvrir le bulbe, ne couper la tige que du tiers ou de la moitié.

Tuteurage, arrosage et fertilisation

Les lis qui atteignent 90 cm de hauteur peuvent être endommagés par le vent s'ils ne sont pas tuteurés solidement. Quant aux espèces à tige arquée, telles que *L. davidii*, *L. henryi* et leurs hybrides, elles ont plus fière allure si elles sont maintenues droites.

Choisir un tuteur solide pour chaque pied. Prendre garde de ne pas perforer le bulbe en enfonçant le tuteur. Au fur et à mesure que la plante grandit, attacher la tige au tuteur.

Les lis ont besoin d'humidité durant toute leur période active. Pailler les pieds durant l'été pour empêcher l'eau du sol de s'évaporer, freiner la croissance des mauvaises herbes et garder le sol frais au niveau des racines. Le paillis peut être composé de feuilles de chêne, d'aiguilles de pin, de foin de prés salés et avoir une épaisseur de 7,5 à 10 cm.

Faire des apports d'engrais complet quand les pousses sortent. Fertiliser de nouveau lorsque les boutons se forment. Enfin, une dernière fertilisation s'impose après la floraison.

Culture des lis en pots ou en bacs

On peut cultiver les lis en pots jusqu'à leur complète floraison, ou les démarrer hâtivement à l'intérieur et les repiquer au jardin.

Pour ce type de culture, on donne la préférence aux variétés à tige courte et à floraison hâtive, comme les hybrides Mid-Century 'Enchantment' et 'Cinnabar'.

De nouvelles variétés ont fait récemment leur apparition sur le marché. Il s'agit notamment de 'Connecticut King', de 'Connecticut Lemon Glow' et de la race Sundrop. La variété 'Red Carpet' donne de beaux lis à tige courte d'un rouge franc. Ce sont des plants rustiques qui se prêtent sans difficulté au forçage toute l'année ou presque.

Les bulbes achetés en automne seront empotés et gardés sous châssis froid pendant deux ou trois mois pour être ensuite soumis au forçage à l'intérieur. On vend aussi des bulbes de lis ayant déjà fait un stage au froid et pouvant être démarrés sans préparation. Cependant, si le forçage est effectué à la mi-hiver, il faudra augmenter l'éclairement. Les bulbes de lis achetés au printemps doivent être empotés tout de suite.

Remplir des pots de mélange composé de sable grossier ou de perlite, de tourbe et de bonne terre de jardin.

Bien arroser au moment de la plantation. Par la suite, garder le mélange à peine humide jusqu'à ce que les lis soient en pleine croissance. Les températures diurnes ne doivent pas dépasser 20°C, et les températures nocturnes tomber en dessous de 4°C.

Fertiliser les plants toutes les deux semaines jusqu'à la fin de la floraison. Ensuite, transplanter les lis au jardin ou les garder en pots jusqu'à l'année suivante. Dans les deux cas, laisser le feuillage jaunir pour ne pas priver les bulbes de nourriture.

Pour obtenir de bons résultats l'année suivante, garder les bulbes sous châssis froid durant l'hiver ou les planter dans un coin abrité du jardin.

On peut également cultiver les lis dans de grands bacs. Utiliser le mélange terreux recommandé pour les lis en pots. Cultiver comme les lis en plates-bandes.

EMPOTAGE DE DEUX TYPES DE LIS

Enracinement par la base
Remplir à demi le pot de mélange riche et sableux. Faire un monticule, y poser le bulbe et couvrir.

Enracinement par la tige
Avec le même mélange, remplir le quart du pot. Installer le bulbe, étendre ses racines et le recouvrir.

Suppression des fleurs fanées avant la montée en graine

Supprimer les fleurs fanées pour empêcher la montée en graine, étape de croissance qui affaiblit les plants.

Lorsque les tiges meurent, supprimer seulement les organes qui se dessèchent. Ne pas empiler ces déchets sur le tas de compost.

Si l'on désire récolter quelques graines, laisser une ou deux capsules sur chaque plant. Les hybrides issus de semis diffèrent souvent des plantes mères. Les rejetons d'espèces botaniques issus également de graines restent à peu près similaires aux parents.

Recueillir les capsules lorsqu'elles virent au jaune et les laisser s'ouvrir dans la maison ; dehors, les graines se disperseraient au vent.

SUPPRESSION DES FLEURS

A moins de vouloir recueillir les graines, supprimer les fleurs sitôt qu'elles sont fanées.

Ravageurs et maladies qui menacent les lis

Le tableau ci-dessous indique les principales maladies qui affectent les lis et les ravageurs qui généralement s'attaquent à eux. Dans le cas d'un symptôme qui n'est pas énuméré ici, consulter le chapitre « Ravageurs et maladies » qui commence à la page 444. Les appellations commerciales des divers produits chimiques recommandés se trouvent aux pages 480 à 482.

Symptômes	Cause	Traitement
Insectes sur les pousses et les boutons floraux. Dessous des feuilles collant. Organes mal formés.	Pucerons	Vaporisation de carbaryl, de diazinon, d'endosulfan ou de malathion.
Feuilles et fleurs mangées.	Scarabées ou chenilles	Vaporisation de carbaryl ou de méthoxychlore.
Ecailles de bulbes endommagées ; racines détruites.	Acariens des bulbes	Appliquer sur les bulbes du dicofol, de l'endosulfan ou du tétradifon. Ou les faire tremper trois heures dans de l'eau à 45°C.
Feuilles et pousses mangées ; trainées de bave.	Limaces ou escargots	Appâts à base de métaldéhyde au pied des plants.
Taches imbibées d'eau virant au gris ou au blanc sur les feuilles. Les tiges pourrissent et tombent.	Botrytis ou pourriture grise (champignon)	Vaporisation de produits à base de bénomyl, de dichlobénil ou de dichloran.
Lignes et taches pâles ou jaunes sur les feuilles.	Virose	Détruire les plants. Vaporisation contre les insectes vecteurs.

Multiplication des lis

Multiplication par bouturage d'écailles

La méthode la plus simple et la plus couramment utilisée pour multiplier les lis consiste à bouturer les écailles qui constituent le bulbe. En deux ou trois ans, on obtient de la sorte des plants qui sont en état de fleurir.

On peut détacher des écailles du bulbe à tout moment durant l'année. Ne retenir que les bulbes dodus et sains ; les écailles infectées ou endommagées ne produisent pas de nouveaux bulbes ou ceux qu'elles donnent ne poussent pas normalement. Ne pas prélever d'écailles sur des bulbes atteints de virose, car elles transmettront la maladie.

Prélever des écailles saines, bien en chair, en les détachant le plus près possible de la base du bulbe. Deux ou trois écailles suffisent à donner quelques nouveaux bulbes. Pour obtenir une plus grande quantité de bulbes d'une variété précise, bouturer toutes les écailles.

Quelques variétés se reproduisent mal par cette méthode. S'il s'agit d'un lis de grande valeur, tenter l'expérience avec quelques écailles seulement. Si les résultats sont bons, on pourra la répéter.

Laver minutieusement les écailles et les laisser sécher durant plusieurs heures. Les planter comme on l'explique ci-dessous ou les enfermer dans un sac de plastique avec juste assez de tourbe humide pour qu'elles ne se touchent pas. Ajouter une pincée de poudre fongicide à base de bénomyl ou de captane. Fermer hermétiquement le sac, étiqueter et dater.

Garder le sac dans un endroit chaud : placard ou armoire. Vérifier l'humidité du mélange toutes les semaines ou tous les 15 jours. Si les écailles semblent atteintes de mildiou ou d'un autre champignon, les laver et les enfermer de nouveau dans le sac.

Huit à dix semaines plus tard, de petits caïeux devraient apparaître. Lorsqu'ils ont 6 mm ou plus de diamètre, les mettre au réfrigérateur (à l'endroit où la température convient le mieux) ou les garder à environ 4°C pendant six à huit semaines. On peut réfrigérer tout le sac et les écailles qu'il contient ou prélever les caïeux et les enfermer dans un autre sac avec de la tourbe humide additionnée de poudre fongicide.

On peut aussi planter les écailles dans une terrine à semis de la façon illustrée ci-dessous. Cette opération doit se pratiquer à une époque où il est possible de mettre la terrine sous châssis froid pendant au moins six semaines avant que le temps se réchauffe.

Lorsque les caïeux donnent des signes de reprise, les cultiver comme des plantules (voir p. 306). Au bout de deux ou trois ans, les plants seront assez gros pour fleurir.

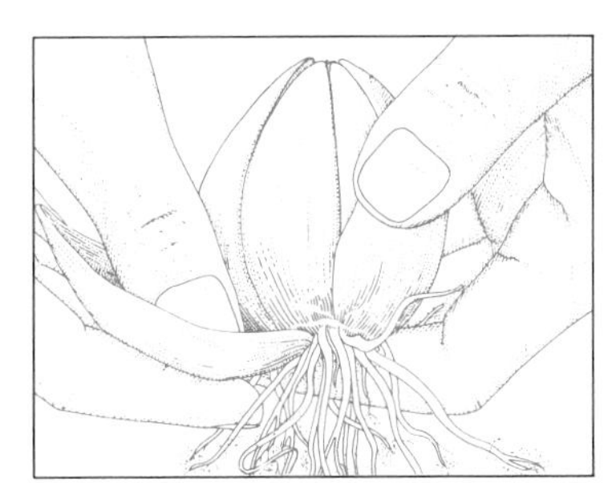

1. *Détacher d'abord les écailles externes qui sont desséchées.*

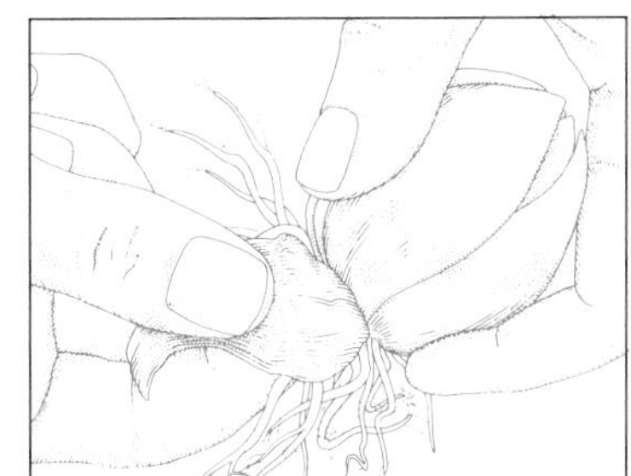

2. *Enlever délicatement des écailles charnues avec de la substance du bulbe.*

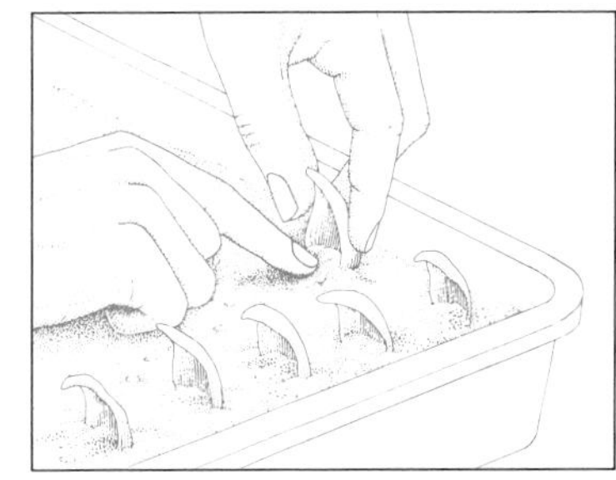

3. *Enfouir les écailles à mi-hauteur et couvrir la terrine d'un sac de plastique.*

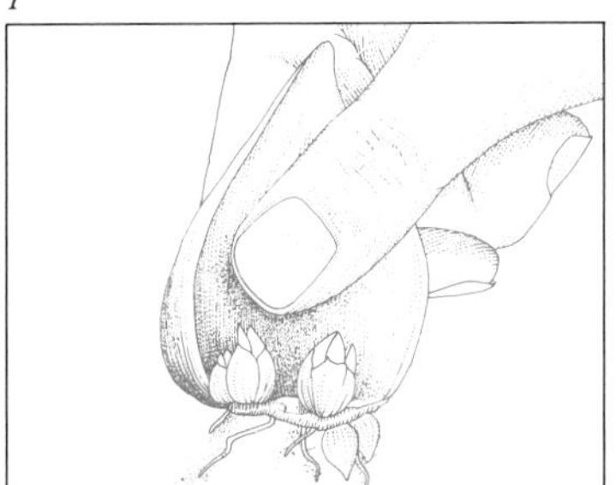

4. *Des caïeux se formeront en 10 semaines. Réfrigérer 6 semaines.*

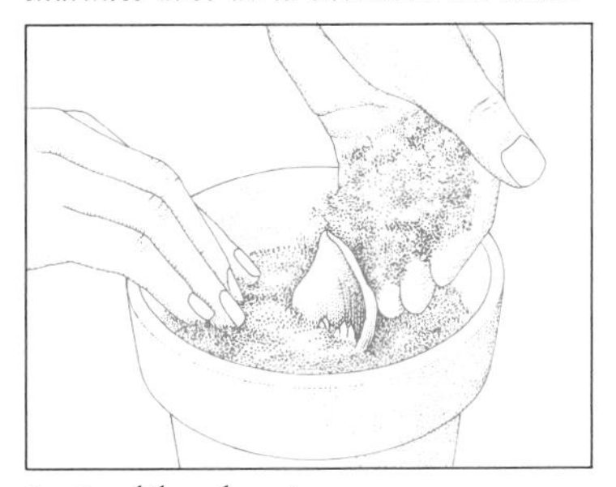

5. *Au début du printemps, rempoter chaque nouveau plant.*

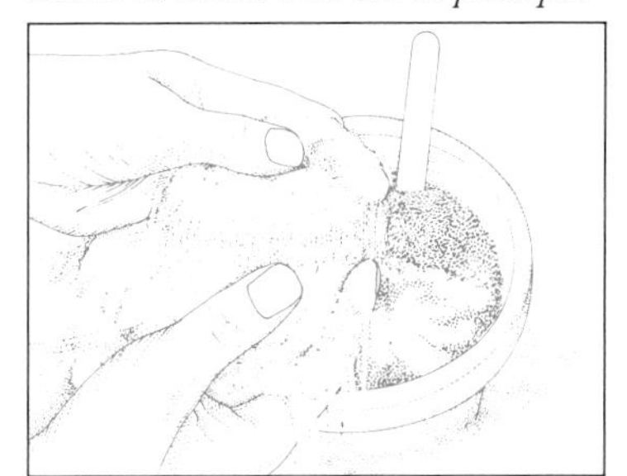

6. *Enfouir les pots dans du sable ou de la tourbe. Couvrir de 2,5 cm de sable.*

Arrachage et division de bulbes de lis

Certaines variétés de lis se multiplient spontanément avec une telle rapidité qu'il faut les diviser tous les trois ou quatre ans. Cette division doit se faire au début de l'automne.

Lever délicatement les touffes avec une fourche ou une pelle ; secouer la terre qui adhère aux racines et laver les bulbes sous un filet d'eau. Les diviser avec soin et les replanter.

Certains caïeux peuvent être assez avancés pour donner des plants qui fleurissent dès la première année. Planter les autres à l'écart ou en pots et les transplanter au jardin lorsqu'ils sont de taille à fleurir.

Certains lis ont des bulbes rhizomateux (voir ci-dessous) qu'il faut diviser de temps à autre. Après les avoir sectionnés, les couvrir de poudre fongicide et les replanter.

Après la transplantation, les lis mettent un an à s'établir. La première année, la floraison est restreinte. Aussi vaut-il mieux ne diviser qu'une partie des plants chaque année.

DIVISION DES BULBES

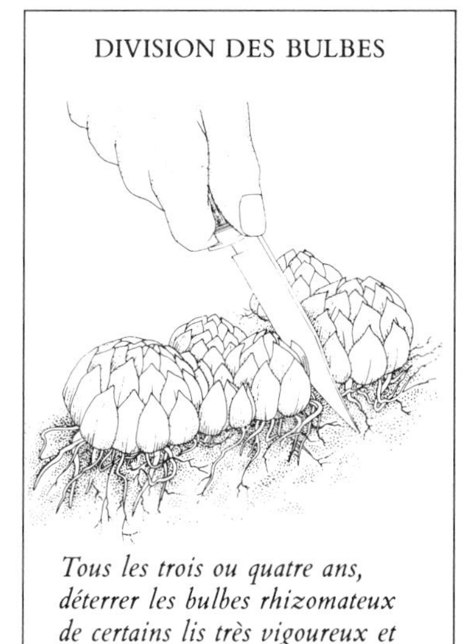

Tous les trois ou quatre ans, déterrer les bulbes rhizomateux de certains lis très vigoureux et les diviser avec un bon couteau.

Multiplication des lis au moyen des bulbilles

Les bulbilles sont de petits bulbes verts ou pourpres qui se forment à l'aisselle des feuilles de certains lis, par exemple le lis tigré.

A la fin de l'été ou en automne, détacher ces bulbilles. Les planter à 2,5 cm de profondeur dans des caissettes remplies d'un substrat composé en parties égales de terre, de tourbe et de sable. Les espacer de 2,5 cm.

Placer les caissettes sous châssis froid ou les garder sous un paillis léger dans un endroit abrité pendant tout l'hiver. Au printemps, installer les caissettes à la mi-ombre ; arroser et fertiliser comme s'il s'agissait de lis cultivés en pots. A l'automne, repiquer les plants au jardin.

CUEILLETTE DES BULBILLES

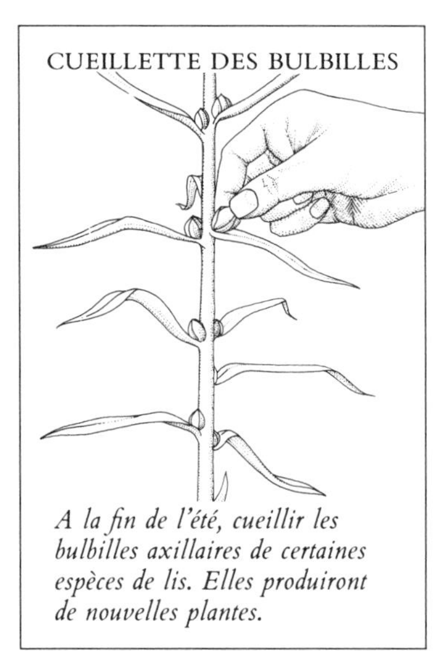

A la fin de l'été, cueillir les bulbilles axillaires de certaines espèces de lis. Elles produiront de nouvelles plantes.

Multiplication des lis au moyen des caïeux

Certaines variétés de lis produisent des caïeux ou petits bulbes qui poussent parmi les racines de la tige ou à la base du bulbe. Si ces caïeux sont petits et dépourvus de racines, les traiter de la même façon que des bulbilles. Lorsqu'ils sont plus gros et qu'ils ont des racines, les planter immédiatement.

A la fin de l'été, dégager la terre qui entoure la tige de chaque plant et détacher délicatement les petits bulbes. La première année, il vaut mieux cultiver en terrines à semis les bulbes de moins de 1,5 cm de diamètre (voir la multiplication par bulbilles). Planter les gros caïeux immédiatement au jardin. Les recouvrir de 2,5 à 5 cm de terre, selon leur taille.

CUEILLETTE DES CAÏEUX

Détacher et planter à la fin de l'été les caïeux qui poussent entre les racines des tiges ou à la base des bulbes chez certains lis.

Multiplication des lis par semis

La multiplication par semis permet d'obtenir à peu de frais une grande collection de lis. En outre, les semis sont sûrs puisque les graines ne transmettent jamais de viroses.

Les graines de lis hybrides ne donnent pas des plantes identiques aux parents, mais qui sont presque toujours jolies. Il peut même arriver que l'on obtienne un nouveau lis de qualité supérieure. Les fleurs apparaissent le deuxième ou le troisième été après les semis, mais il faut compter un ou deux ans de plus pour que la floraison soit vraiment belle.

Semer les graines immédiatement après la récolte ou au printemps. Les plantules de lis sont exposées aux maladies cryptogamiques transmises par des champignons qui vivent dans le sol. Elles doivent donc être cultivées dans une terre stérile, du moins au début.

Semer en pots ou en terrines. Espacer les graines de 2,5 cm et les recouvrir d'environ 1 cm de terre.

Placer les contenants dans une serre froide ou sur l'appui d'une fenêtre qui reçoit un peu de soleil. La température doit se situer entre 13 et 24°C. Arroser et fertiliser régulièrement. S'assurer que la terre est bien drainée.

Les semis peuvent se faire en toute saison. Un éclairage fluorescent donne d'excellents résultats. Installer les tubes 5 à 8 cm au-dessus des contenants ; maintenir cet espacement en élevant les tubes ou en abaissant les contenants à mesure que les plantules grandissent. Donner aux plantules 14 à 16 heures d'éclairement par jour.

Il existe deux types de graines de lis : épigées, qui donnent des pousses émergeant du sol et hypogées, qui donnent des bulbes souterrains sans pousse aérienne. Les graines épigées germent vite et produisent une feuille trois à six semaines après les semis. A ce type se rattachent les lis Asiatic et la plupart des lis à trompette.

Les graines hypogées ne produisent d'organes aériens qu'après une période de réchauffement de trois ou quatre mois suivie d'une période de refroidissement de deux ou trois mois à une température de 1 à 3°C. *L. speciosum* naît de ce type de graines.

Lorsque les plantules ont deux ou trois feuilles, on peut les repiquer, en les espaçant de 2,5 à 4 cm, dans un contenant plus grand ou les laisser un an dans leur premier contenant.

Repiquer au jardin, à la fin du premier cycle végétatif, les plantules qui présentent des bulbes de plus de 1,5 cm de diamètre et un bon système radiculaire ou les cultiver dans des pots d'environ 10 cm de diamètre pendant une autre année.

DEUX TYPES DE SEMIS DE LIS

Enfouir à 1,5 cm dans une terre stérile et espacer de 2,5 cm les graines épigées ou hypogées. Leur procurer chaleur et humidité.

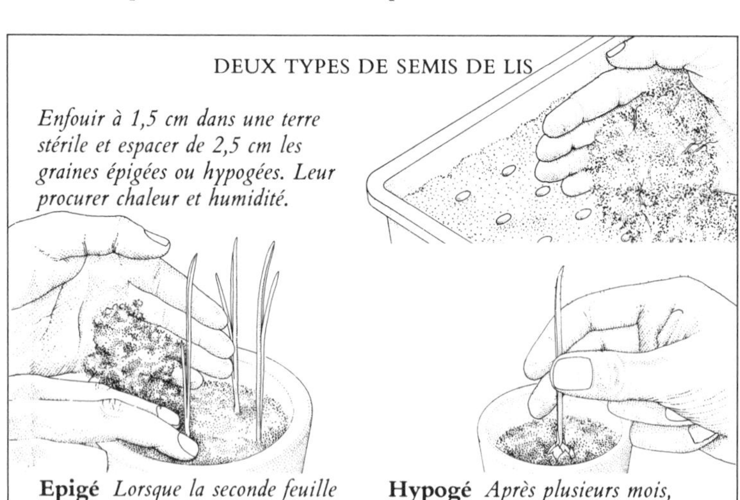

Epigé *Lorsque la seconde feuille apparaît, repiquer les plants en laissant 2,5 cm entre eux.*

Hypogé *Après plusieurs mois, quand des feuilles sortent, repiquer les plantules individuellement.*

'Galilee', un grand iris à barbe bleu et blanc.

Iris

Depuis les grands iris majestueux à sépales barbus jusqu'aux petits iris bulbeux, ces plantes aux fleurs gracieuses donnent un cachet poétique au jardin.

Les iris sont des plantes très anciennes qui étaient cultivées couramment en Asie bien avant l'ère chrétienne.

On les divise en deux groupes : ceux qui proviennent d'un épais rhizome et ceux qui naissent d'un bulbe.

Les iris rhizomateux donnent des feuilles rubanées et pointues qui s'étalent à l'extrémité des rhizomes, et des hampes portant une ou plusieurs fleurs. Les coloris sont variés.

Les plus appréciés dans cette catégorie sont les iris à barbe, ainsi appelés parce que leurs pétales extérieurs sont couverts de poils charnus.

En botanique, on divise les iris rhizomateux en deux groupes : les Eupogon, qui comprennent le grand iris à barbe, et les Arille.

Ces deux groupes se composent d'authentiques iris à barbe qui se cultivent de la même façon. On y trouve aussi des espèces botaniques ainsi que de nombreux hybrides. Les Arille, plus exotiques et plus capricieux, diffèrent des autres iris à barbe par la forme et les panachures de leurs fleurs. Leurs barbes sont plus étroites mais tout à fait remarquables et souvent colorées. Les fleurs sont veinées, grenées et réunies en bouquets serrés. Leurs feuilles sont courtes et en forme de faucille.

Les nombreux hybrides des iris Eupogon sont en outre classés selon leur hauteur à partir des grandes formes de plein vent qui font au moins 70 cm. Viennent ensuite quatre groupes d'iris de taille moyenne par ordre décroissant de grandeur : bordure, grand miniature, intermédiaire et nain standard. Les plus petits iris à barbe, appelés iris nains miniatures, ont 7,5 à 25 cm de haut.

La plupart des iris Eupogon fleurissent du milieu à la fin du printemps ou au début de l'été. Certaines variétés fleurissent au début du printemps. Les iris remontants, qui groupent des variétés appartenant à la catégorie des grands iris à barbe, sont susceptibles de refleurir en automne si le climat le permet.

Les iris Arille, dont la hauteur va de 13 à 45 cm, commencent à fleurir jusqu'à un mois avant la plupart des iris Eupogon.

Il est préférable de consacrer une plate-bande entière aux grands iris à barbe ou de les grouper en massif devant des bordures de plantes vivaces ou d'arbustes. Les variétés de petite taille se placent bien au premier rang d'une bordure ou dans un jardin de rocaille.

Les iris nains à barbe s'associent mal à d'autres genres de plantes. Il vaut mieux les planter dans des rocailles ou les grouper en massif devant des plantes courtes.

Le groupe des iris rhizomateux comprend aussi de très beaux iris sans barbe. Mentionnons *Iris dichotoma* à fleurs lavande qui s'ouvrent en août et *I. foetidissima* dont les graines vermillon compensent largement ses fleurs gris terne et l'odeur désagréable que dégagent ses feuilles lorsqu'on les froisse.

Les Apogon constituent une section importante du groupe des iris sans barbe. On y trouve les sous-groupes suivants. Leur hauteur varie de 10 cm à 1,50 m.

Le sous-groupe Laevigata renferme l'iris japonais et quelques espèces d'iris américains, ainsi que le grand iris des marais (*I. pseudacorus*). On les qualifie souvent d'aquatiques parce qu'ils croissent mieux en bordure des étangs ou des cours d'eau. Les espèces botaniques américaines *I. versicolor* et *I. virginica* sont proches parentes de ces iris.

Les espèces à longs pétales, par exemple *I. longipetala* et *I. missouriensis*, originaires d'Amérique, demandent du soleil et sont rarement cultivées dans les jardins. Au printemps, elles nécessitent un sol marécageux et en été un sol plutôt sec. *I. longipetala* se caractérise par des inflorescences blanches veinées de violet et des feuilles presque persistantes. *I. missouriensis* présente des fleurs blanches ou de diverses nuances de pourpre.

Les iris de Louisiane peuvent être cultivés dans certaines régions du Canada moyennant protection en hiver.

D'autres iris très rustiques sont cultivés dans la plupart des régions du Canada. Il s'agit de l'iris de Sibérie, *I. sibirica*, qui a donné naissance à de nombreux hybrides, et de l'iris de Mandchourie, *I. sanguinea* ou *I. orientalis* ; tous deux produisent des fleurs dans les tons de pourpre, de bleu ou de blanc.

Bien qu'ils soient faciles à cultiver à partir de semis, les iris de la côte du Pacifique se rencontrent rarement en dehors de cette région. Ce sont malheureusement des plantes qui s'adaptent mal à un changement de climat.

Il existe deux autres sous-groupes d'Apogon qui sont remarquables. Ce sont les iris Spuria qui appartiennent à une espèce extrêmement diversifiée et très hybridée, et les iris miniatures qui sont originaires d'un territoire qui s'étend du Japon à la Roumanie.

Les iris à crête ou Evansia (qui font partie des Apogon à barbe) ont des fleurs qui rappellent celles des orchidées. Elles présentent une crête sur les sépales et ont entre 7,5 et 25 cm de long. Leurs feuilles, larges et vernissées, sont persistantes.

Seuls les iris bulbeux peuvent être soumis au forçage en pot, à l'intérieur. Au jardin, ils doivent être cultivés en plein soleil et donnent une floraison continue. On les divise en trois sous-groupes dont deux, les *Scorpiris* (iris Juno) et les *Xiphium*, se rencontrent souvent dans les jardins.

Les iris Juno, de 23 à 38 cm de haut, ont un feuillage qui les fait ressembler à des plants de maïs miniatures. Leurs racines nourricières charnues s'abîment facilement, mais ces plantes se cultivent aisément en plein soleil. Sauf *I. tubergeniana*, les iris Juno présentent des crêtes et leur floraison se produit à la mi-printemps.

Connus depuis longtemps, les iris de Hollande, d'Espagne et d'Angleterre font partie, avec les iris reticulata, du sous-groupe *Xiphium*. Ils se cultivent très facilement et ont une hauteur de 45 à 60 cm.

Les iris de Hollande, renommés pour leurs grandes inflorescences qui tiennent longtemps et se prêtent bien à la composition de bouquets, sont les plus grands des iris bulbeux. Ils fleurissent au début de l'été, deux semaines environ avant les iris d'Espagne.

Les iris de Hollande et d'Espagne se couvrent d'un second feuillage en automne et doivent être paillés contre les hivers rigoureux. Leurs fleurs sont blanches ou bleu et jaune.

En fleur du début au milieu de l'été, les iris d'Angleterre préfèrent le climat humide des régions côtières de la Colombie-Britannique. Ils fleurissent parfois ailleurs si on les plante à mi-ombre, dans un sol un peu acide, humide mais bien drainé.

Les iris reticulata sont tout à fait remarquables avec leurs feuilles tubuleuses à quatre côtes. Ils fleurissent à la fin de l'hiver ou au début du printemps et certaines variétés ont des fleurs parfumées. Comme ils ne dépassent pas 10 cm de hauteur, ils sont destinés aux jardins de rocaille ensoleillés et à l'abri du vent. Ils se multiplient rapidement.

Outre *I. reticulata* à fleurs d'un violet riche et ses variétés dont les inflorescences vont du violet au bleu clair, on connaît *I. histrioides major* à fleurs bleues et *I. bakeriana* dont les fleurs ont des pétales bleus, des sépales pourpres et un cœur tacheté d'une teinte sombre.

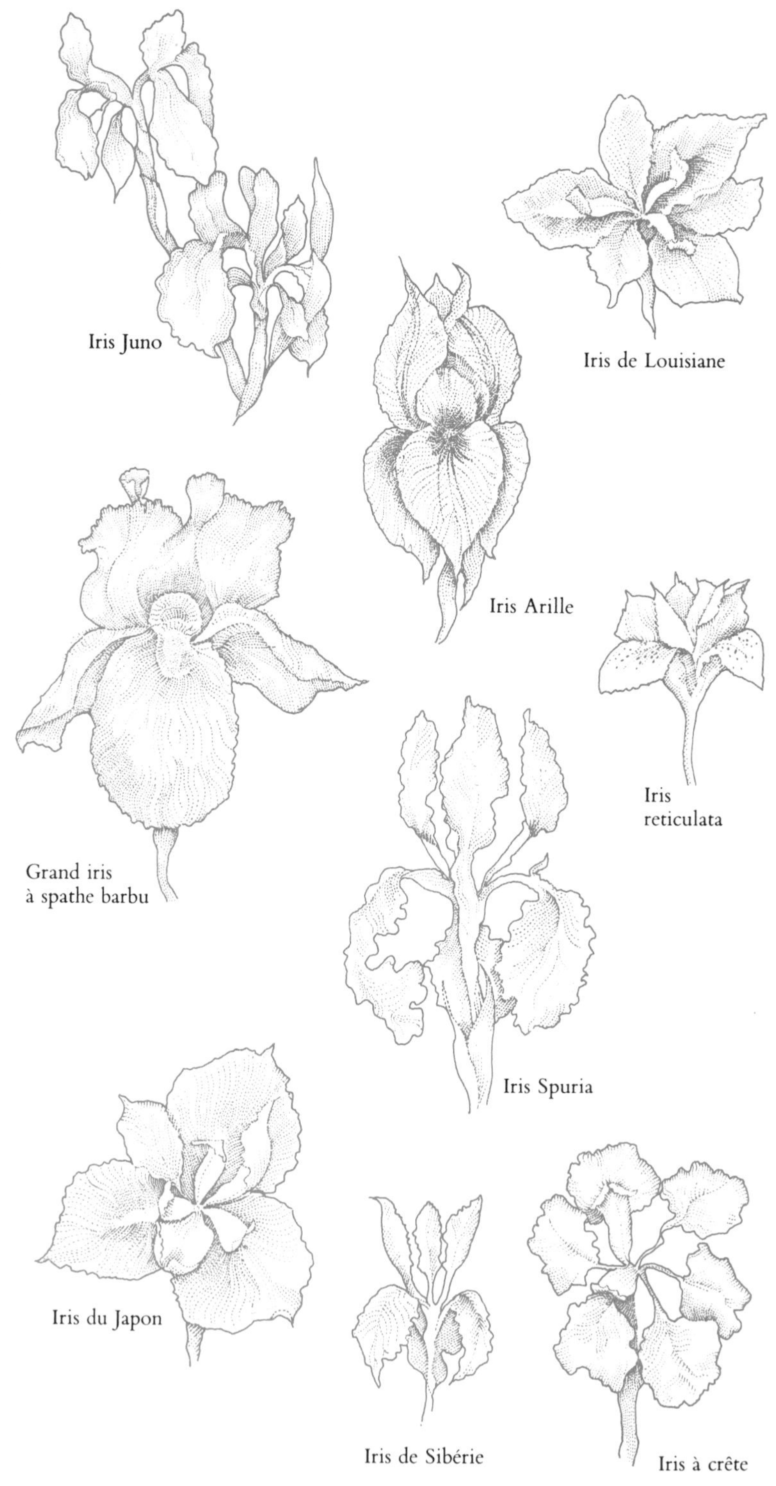

Culture des iris rhizomateux

Préparation d'un sol fertile et bien drainé

Les iris rhizomateux s'accommodent d'à peu près tous les sols dans la mesure où ils s'égouttent bien. Néanmoins, c'est l'humus fertile qui leur convient le mieux.

On aura donc soin d'amender les terres argileuses ou sablonneuses avant la plantation. Aux premières, qui sont lourdes, on ajoutera beaucoup de sable, d'humus et de tourbe. Aux secondes, qui sont trop légères, on incorporera de l'humus ou de la tourbe.

Avant la plantation, racler la terre végétale de surface et la mettre de côté. Ensuite, incorporer au sous-sol une couche d'au moins 8 cm d'humus ou de tourbe. Remettre en place la terre végétale. S'il est nécessaire d'amender celle-ci, on le fera avant de l'étendre sur les plates-bandes. Attendre une à trois semaines avant de planter.

Toujours avant la plantation, faire pénétrer à la fourche à bêcher, dans les 25 cm de surface, une couche de 1,5 cm de fumier de bovins desséché, et épandre à la surface de l'engrais 5-10-10.

Si le sol a besoin de calcaire, en ajouter avant la fertilisation, car le calcaire, en se combinant à l'azote contenu dans l'engrais, en transformerait en gaz une partie au détriment des matières nutritives.

Le chaulage s'effectue donc avant la préparation immédiate du lit de plantation, à l'aide d'un épandeur à engrais pour la pelouse. En général, les iris nécessitent un sol neutre ou légèrement acide (avec un pH de 6 à 7,2). Les iris du Japon, eux, ne tolèrent ni le calcaire ni la poudre d'os. Leur sol doit être franchement acide, avec un pH de 5 à 6. On se rappellera que le calcaire améliore la structure des sols lourds, mais qu'il faut respecter le pH recommandé.

Enfin, les iris se cultivent au grand soleil, sauf certaines variétés qui préfèrent la mi-ombre en plein été.

Plantation des iris à barbe en surface

Les rhizomes d'iris à barbe doivent être plantés entre la mi-été et le début de l'automne. Dans les régions où les étés sont chauds et secs, faire les plantations au début de l'automne.

Avant la plantation, examiner les rhizomes avec soin pour détecter les insectes perceurs ou les marques de pourriture. Supprimer, avec un couteau aiguisé, les parties abîmées et les racines endommagées. Poudrer les plaies avec de la fleur de soufre ou faire tremper les rhizomes pendant une demi-heure dans une solution à base de folpet et de streptomycine.

On recommande de planter ensemble trois à sept rhizomes de la même variété. Les enfouir à 2,5 cm au plus dans le sol en orientant tous les plants dans le même sens.

Fouler fermement le sol autour des rhizomes pour éliminer les poches d'air. Identifier les massifs.

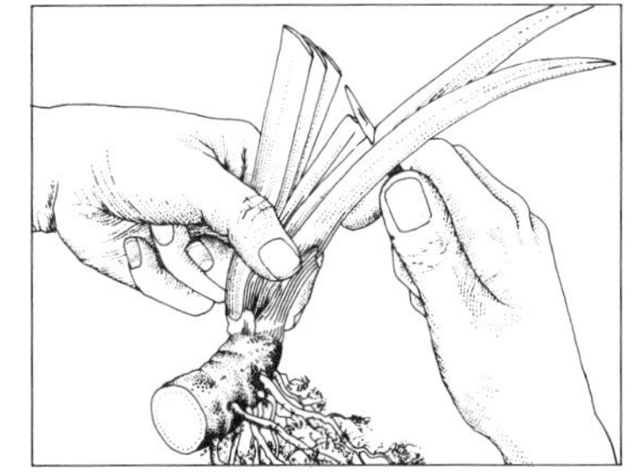

1. *Avant la plantation, tailler les feuilles en éventail.*

2. *Creuser des trous de 2,5 cm de profondeur au maximum.*

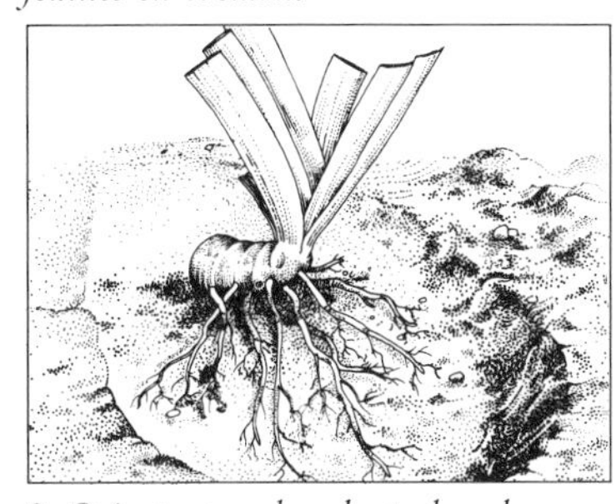

3. *Orienter tous les plants dans le même sens. Bien étaler les racines.*

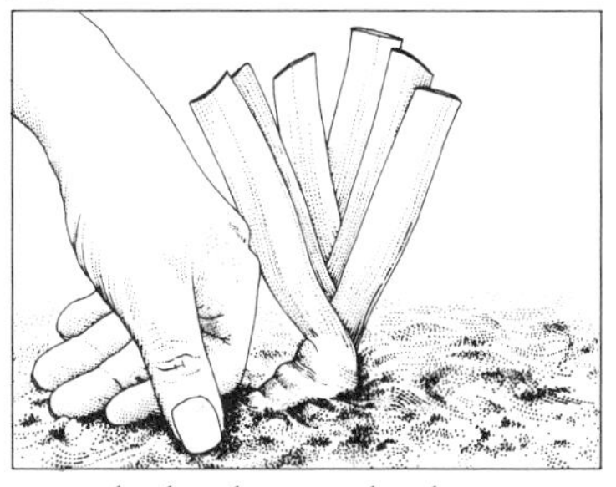

4. *Fouler le sol autour des rhizomes pour favoriser l'enracinement.*

Arrosage et fertilisation des iris à barbe

Tout de suite après la plantation, arroser le sol abondamment en utilisant un jet très fin. Continuer à arroser beaucoup durant les trois semaines qui suivent la plantation, en particulier par temps sec.

Les iris à barbe et tout spécialement les variétés de grande taille ont besoin d'une bonne fertilisation. Epandre de l'engrais 5-10-10 au début du printemps et de nouveau un mois après que les fleurs sont fanées, à raison d'une poignée par massif la première fois et d'une demi-poignée la seconde fois. Saupoudrer cet engrais tout près des racines, mais non directement dessus, et arroser.

L'engrais recommandé contient peu d'azote, ingrédient qui favorise la croissance des feuilles au détriment de celle des fleurs.

MÉFAITS DU GEL

Le gel peut déchausser les rhizomes. Ne pas les renchausser en appuyant dessus, car cela abîme les racines et affaiblit les plants. Les butter plutôt avec de la terre ou du sable.

NETTOYAGE PRINTANIER

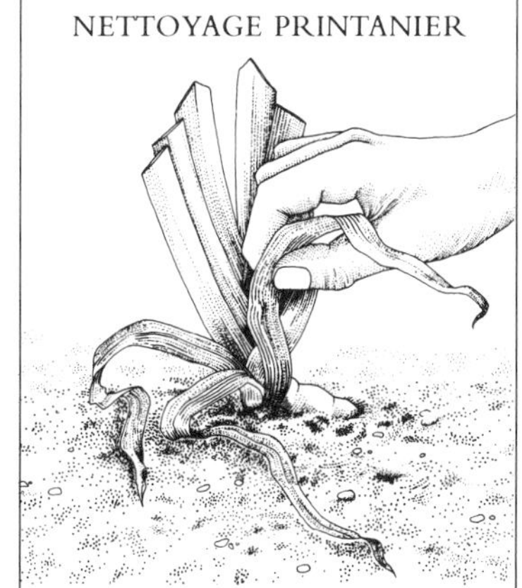

Rabattre le feuillage au début du printemps afin que le vent ne puisse abîmer les racines. Supprimer toutes les feuilles mortes qui pourraient abriter des nids à limaces.

Plantation des iris sans barbe dans le sol

Avant la plantation, les moyens à prendre contre la pourriture et les ravageurs sont les mêmes pour les iris sans barbe que pour les iris à barbe.

Les iris sans barbe préfèrent un sol bien drainé. Les iris du Japon, de Louisiane et d'Amérique croissent au contraire dans des sols humides.

Les iris du Japon et d'Amérique exigent beaucoup d'humus et nécessitent plus d'engrais que les autres espèces. Ce sont des plantes qui aiment les sols acides et pour lesquelles il faut utiliser des fertilisants acides.

La plantation doit s'effectuer au début de l'automne, sauf pour les iris de la côte du Pacifique qui réagissent mieux à une plantation printanière. Planter les iris Spuria entre le milieu et la fin de l'automne.

A l'exception des iris de Louisiane et des iris à crête, enfouir toutes les variétés de rhizomes à 5 cm de profondeur et les espacer de 38 à 45 cm. Pour les iris de Louisiane, une profondeur de 4 cm suffit. Les longs rhizomes étroits des iris à crête seront tout juste recouverts de terre.

Si l'on associe plusieurs variétés dans la même plate-bande, s'assurer que les divers coloris font un heureux mariage. Pour éviter les discordances, planter ensemble des variétés hâtives et des variétés tardives.

Arroser abondamment les nouvelles plantations et garder le sol humide tant que les rhizomes ne sont pas bien établis.

Etaler un paillis autour des plants pour aider le sol à conserver son humidité et diminuer le choc de la transplantation. Cette opération s'impose pour les iris à crête.

En guise de paillis, utiliser une matière qui ne retient pas l'eau à l'excès. Ne pas étaler de paille d'avoine ou de blé autour des plants d'iris du Japon qui sont sensibles à la rouille, dont le blé et l'avoine sont porteurs.

1. *Avant de planter les iris sans barbe et à crête, rabattre les feuilles à 23 cm.*

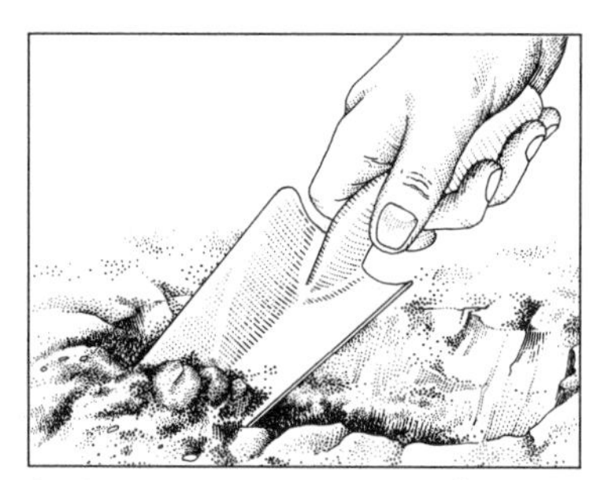

2. *Creuser un trou assez grand et assez profond pour contenir les racines.*

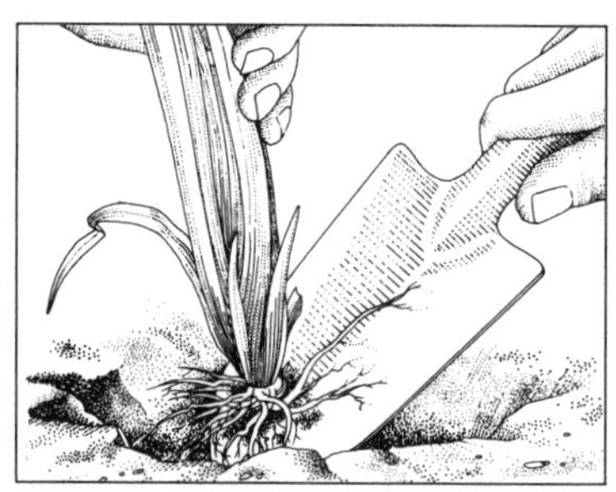

3. *Déposer de l'humus. Etaler les racines. Remplir le trou. Fouler le sol.*

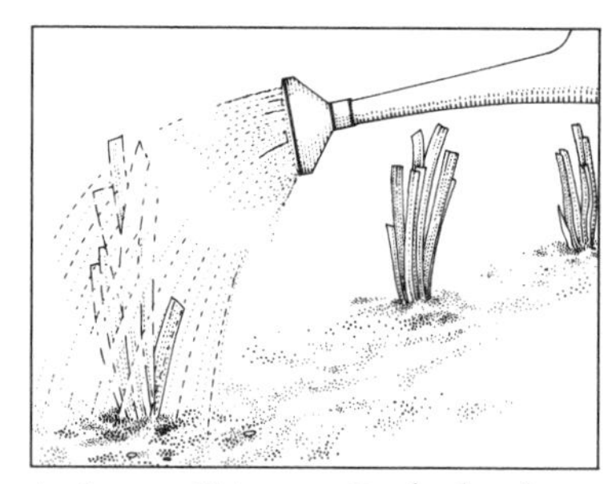

4. *Arroser. Etiqueter. Garder le sol humide jusqu'à établissement.*

Soins particuliers à donner aux iris sans barbe

Dans les endroits où les hivers sont rigoureux, il arrive souvent que les feuilles des iris sans barbe meurent. A moins que les limaces et autres ravageurs ne constituent un réel danger, ne pas les supprimer, car elles protègent les racines des dommages que peut leur causer le gel.

Au printemps, cependant, enlever et détruire toutes les feuilles mortes. Ne pas les mettre dans le tas de compost à cause des maladies ou des œufs d'insectes qu'elles peuvent recéler.

Eviter d'ameublir la terre à proximité des plants, car les iris sans barbe ont des racines superficielles. Arracher les mauvaises herbes à la main ou disposer un épais paillis autour des plants au début du printemps. Le paillis empêchera la croissance des graminées indésirables, réduira l'évaporation et gardera la terre fraîche durant les grandes chaleurs.

Supprimer les fleurs fanées, sinon elles formeront des graines, privant ainsi la plante d'une grande somme d'énergie. En outre, ces graines pourraient tomber sur le sol et y germer. Il naîtrait des plantules qui finiraient par étouffer le massif.

S'il ne pleut pas beaucoup au printemps, arroser généreusement les plates-bandes, en se rappelant qu'un seul arrosage abondant est préférable à plusieurs arrosages parcimonieux.

Fertiliser le sol sitôt qu'il est devenu malléable au printemps et recommencer après la floraison. Donner les doses suggérées par le fabricant.

Les iris Spuria peuvent mettre jusqu'à deux ans avant de fleurir normalement, à compter de la plantation, la plante étant très lente à s'établir.

PAILLER AU PRINTEMPS

Combler les paillis dispersés par les vents pour éviter mauvaises herbes et sécheresse.

SUPPRIMER LES GRAINES

Les capsules de graines doivent être supprimées pour empêcher la germination spontanée.

Division des rhizomes d'iris à barbe

Les rhizomes d'iris à barbe se ramifient à plusieurs reprises au fil des ans, si bien que les souches finissent par devenir un enchevêtrement qu'étouffent les vieux rhizomes dépourvus de feuilles. Ne pas diviser les souches, c'est épuiser le sol et laisser la masse du feuillage priver les racines d'air et de soleil. Les souches enchevêtrées fleurissent mal et sont plus exposées aux ravageurs et aux maladies.

La division s'effectue de préférence à l'époque recommandée pour la plantation initiale. Dégager et soulever délicatement chaque touffe avec une fourche à bêcher plutôt qu'avec une pelle.

Avec un couteau à lame solide et bien aiguisé, diviser les jeunes rhizomes en plusieurs segments munis de quelques bonnes racines et de un ou deux éventails de feuilles saines. Laver les racines au tuyau d'arrosage réglé à faible pression. Supprimer les vieux rhizomes du centre.

Tailler les feuilles comme indiqué ci-contre et repiquer les segments de rhizomes en suivant les instructions données à la page 309.

1. *Les grosses touffes d'iris à barbe ne fleurissent plus.*

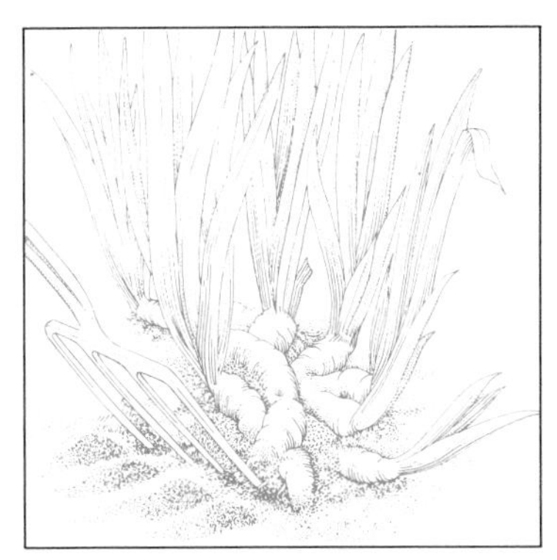

2. *Ameublir le sol. Dégager la touffe avec un mouvement de balancement.*

3. *Couper les jeunes rhizomes externes en gardant un ou deux éventails.*

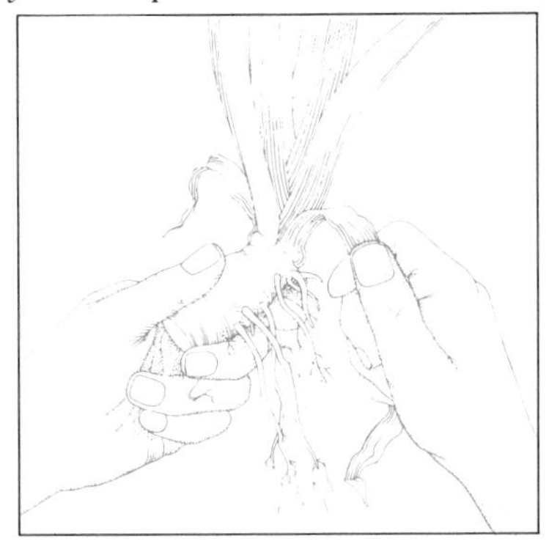

4. *Eliminer à la main les feuilles abîmées. Ne garder que les saines.*

5. *Couper le feuillage en éventail. Supprimer les racines abîmées.*

6. *Remplir le trou en laissant les feuilles à découvert. Arroser.*

Division des rhizomes d'iris sans barbe

Lorsque le centre des grosses touffes s'anémie, on peut en conclure que le sol est épuisé. Diviser alors les rhizomes à l'époque recommandée pour la plantation.

Les rhizomes de certains iris sans barbe doivent être manipulés avec le plus grand soin : ils sont en effet beaucoup plus petits et plus minces que ceux des iris à barbe.

La touffe sera plus facile à arracher si l'on rabat le feuillage à environ 25 cm. Supprimer en même temps les feuilles mortes qui encombrent le centre de la touffe.

Ameublir le sol autour de la souche à l'aide d'une fourche à bêcher en la manipulant comme un levier. Diviser chaque pied en segments comportant cinq à neuf pousses.

Ne laisser que six feuilles environ par segment. Enlever délicatement à l'eau courante la terre qui adhère aux racines et supprimer les racines abîmées ou pourries.

Ne pas laisser les segments se dessécher. S'il est impossible de les repiquer immédiatement, les enfermer dans des sacs de plastique en laissant les feuilles à l'extérieur, et les garder dans un endroit ombragé et protégé du vent. Effectuer le repiquage comme indiqué à la page 310.

1. *Avant de déterrer les iris sans barbe, rabattre les feuilles et les jeter hors des plates-bandes.*

2. *Diviser les touffes en éclats. Couper les racines endommagées. Repiquer les éclats.*

Tuteurage et taille des iris à barbe

Les quelques grands iris à barbe dont les tiges ne sont pas rigides doivent être tuteurés à la fin du printemps, dès l'apparition des hampes florales. Utiliser des tuteurs de 90 cm et y fixer la hampe au moyen d'une ficelle souple.

Il arrive qu'une partie du feuillage brunisse ou se flétrisse aux extrémités avant la floraison. Arracher les feuilles à la main ou couper les extrémités brunies.

Après la floraison, on remarque parfois que les grands rhizomes ont produit de petits rhizomes garnis d'un éventail de feuilles. Dans ce cas, rabattre les hampes florales au ras des rhizomes pour que l'eau n'imprègne pas les tiges, ce qui entraînerait la pourriture des rhizomes.

S'il ne s'est pas formé de rejets, rabattre les hampes jusqu'à un point situé sous la fleur la plus basse. Cela encouragera les iris à en produire.

TUTEURAGE

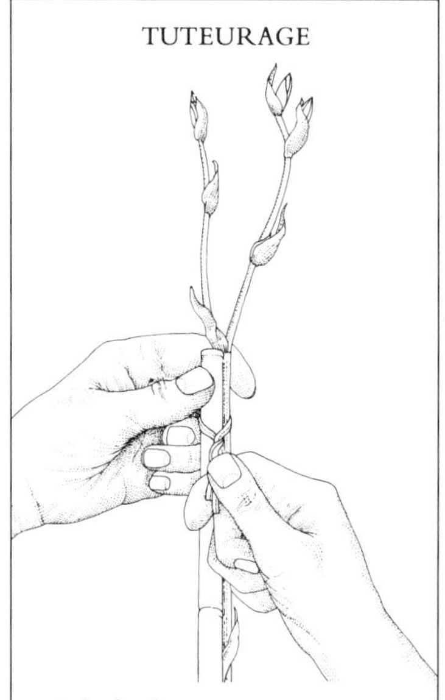

A la fin du printemps, tuteurer les tiges faibles des grands iris à barbe. Les fixer au tuteur par un nœud lâche.

SUPPRESSION DES HAMPES FLEURIES

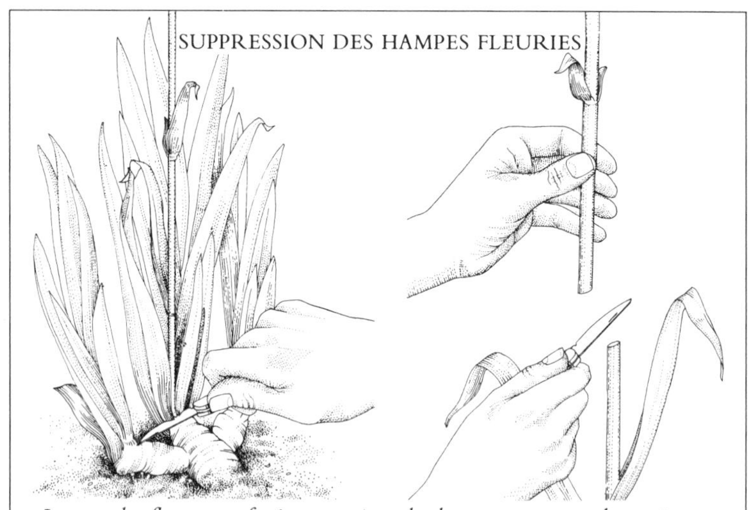

Lorsque les fleurs sont fanées, supprimer les hampes avant que les graines se forment. S'il y a des rejets (à gauche), couper les hampes près du rhizome pour empêcher l'eau de le faire pourrir. S'il n'y en a pas (à droite), couper les hampes sous les fleurs les plus basses.

Ravageurs et maladies qui menacent les iris

Vérifier souvent le feuillage et les rhizomes des iris pour dépister ravageurs et maladies. Voir au chapitre « Ravageurs et maladies », à la page 444, les symptômes non décrits ici et les noms commerciaux des produits recommandés, aux pages 480 à 482.

Symptômes	Cause	Traitement
Tiges et hampes déformées.	Pucerons	Application de diazinon, d'endosulfan ou de malathion sur le feuillage une fois par semaine.
A la mi-printemps, entailles en dents de scie sur les marges des jeunes feuilles. Plus tard, galeries creusées par les larves dans les rhizomes.	Tenthrèdes de l'iris	Vaporisation du feuillage au malathion ou au méthoxychlore une fois par semaine du début du printemps à la floraison. Déloger les ravageurs.
Graines abîmées ou détruites dans les capsules.	Larves du tarsonème de la verveine	Application de carbaryl ou de méthoxychlore chaque semaine.
En climat humide, grandes taches irrégulières sur les feuilles; un liquide visqueux s'en échappe.	Brûlure bactérienne	Eliminer les feuilles atteintes et les débris de feuilles dans les plates-bandes. Imbiber les plants et le sol de streptomycine.
Rhizomes pulpeux; boutons de fleurs souvent détruits. Apparition des symptômes du début du printemps à la mi-été.	Pourriture molle bactérienne	Supprimer les parties molles. Traiter les plaies à l'eau de Javel diluée de moitié. Applications de streptomycine au début du printemps et par temps humide.
Pourriture sèche à la base des feuilles; extrémités nécrosées. La pourriture gagne les rhizomes. De fines toiles couvrent le sol.	Pourridié sclérotique (sclérotium)	Enlever et détruire les parties atteintes du rhizome. Imbiber le sol une fois d'un produit à base de quintozène.
Taches ovales et jaunes sur les feuilles en début d'été. Souvent, les feuilles brunissent et meurent.	Tache foliaire (champignon)	Détruire le feuillage mort. Couper le feuillage vert en dessous de la tache la plus basse. Vaporisation hebdomadaire de manèbe ou de zinèbe, printemps et été. Arroser par le bas.
Rayures vert-jaune et pâles sur le feuillage. Pétales tachetés par temps humide.	Mosaïque (virus)	Choisir des variétés qui résistent aux viroses. Employer du malathion contre les pucerons.
N'affecte que les grands iris à barbe. Rhizomes et feuilles brunissent. Feuillage maladif paraissant brûlé.	Insolation	Aucun traitement connu. Arracher et détruire les plants atteints.
Pourriture visible sur les racines et les rhizomes. La maladie pénètre par des blessures dans les rhizomes; se produit par temps froid.	Pourriture hivernale (champignon)	Couper et détruire les organes atteints. Faire tremper les plants sains 15 minutes dans une solution de calomel. Pailler les rhizomes en hiver.

Comment obtenir des iris hybrides

L'amateur consciencieux peut essayer d'obtenir des iris hybrides au moyen de la pollinisation croisée. Ce sont les iris à barbe qui se multiplient le plus facilement de cette façon.

Prendre deux plants ayant chacun des fleurs. Au moyen d'une petite pince, prélever sur une fleur d'un des plants une anthère couverte de pollen. Sur le second plant, dégager les trois stigmates d'une fleur et secouer le pollen pour qu'il tombe sur la lèvre ou le bord extérieur des stigmates. N'employer que du pollen sec.

Enlever les sépales de la deuxième fleur pour éviter tout risque de pollinisation par des insectes.

Etiqueter chaque fleur en indiquant le nom des parents et la date de la fécondation.

Lorsque la capsule commence à gonfler, enlever les bractées foliaires de la tige pour l'empêcher de pourrir. Tuteurer chaque capsule.

La maturation demande environ huit semaines. Quand la capsule s'ouvre, les graines sont mûres.

Planter les graines dans un mélange de terre végétale tamisée, de tourbe et de sable grossier. Placer sous châssis froid. On peut aussi semer les graines en plates-bandes pourvu qu'on puisse les y laisser jusqu'à germination (parfois trois ans), en gardant le sol humide.

Repiquer les plantules à la fin du printemps quand elles ont entre 2,5 et 5 cm de haut. Laisser 20 à 25 cm d'espace entre les grands iris à barbe, et 8 cm entre les iris miniatures. Espacer les lignes d'au moins 40 cm. Arroser ; fertiliser avec un engrais bien dilué.

Lorsque les jeunes plants commencent à fleurir, voir si les éventails de feuilles sont satisfaisants et si les hampes florales ne sont ni trop épaisses ni trop fines. Les tiges porteront trois branches et un rameau terminal garni de six à huit boutons floraux.

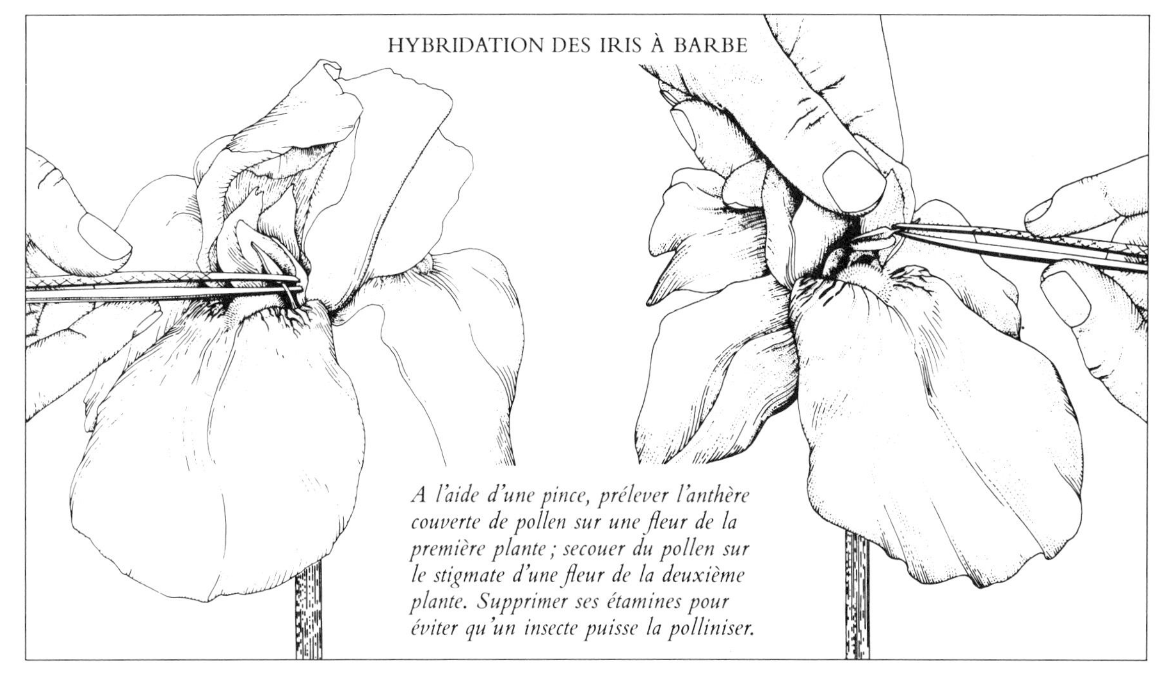
HYBRIDATION DES IRIS À BARBE

A l'aide d'une pince, prélever l'anthère couverte de pollen sur une fleur de la première plante ; secouer du pollen sur le stigmate d'une fleur de la deuxième plante. Supprimer ses étamines pour éviter qu'un insecte puisse la polliniser.

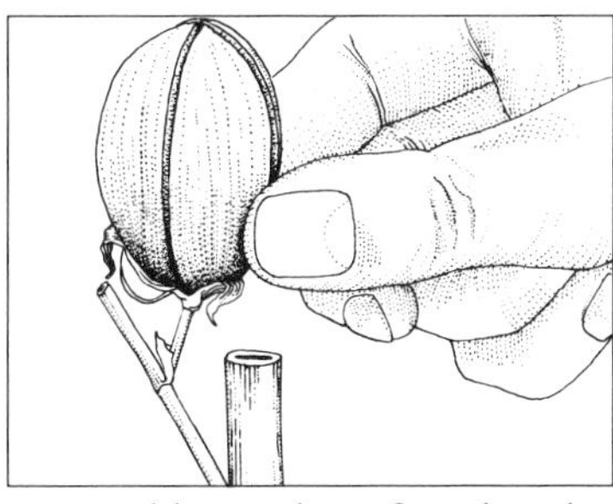
1. *Quand la capsule gonfle, enlever les bractées de la tige et tuteurer.*

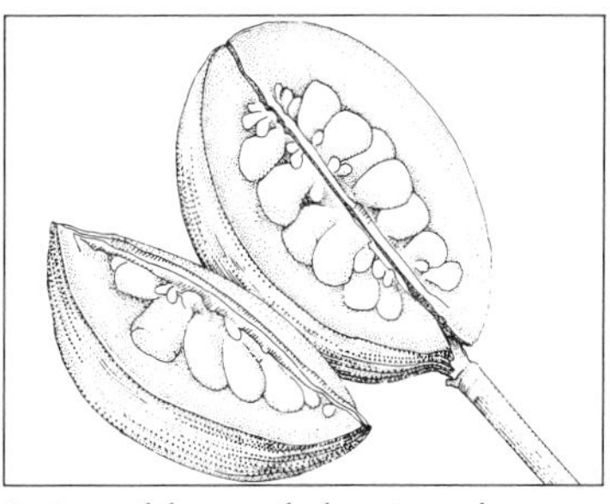
2. *Quand la capsule brunit et s'ouvre, recueillir les graines.*

3. *Les semer à 1,5 cm de profondeur dans du mélange humide.*

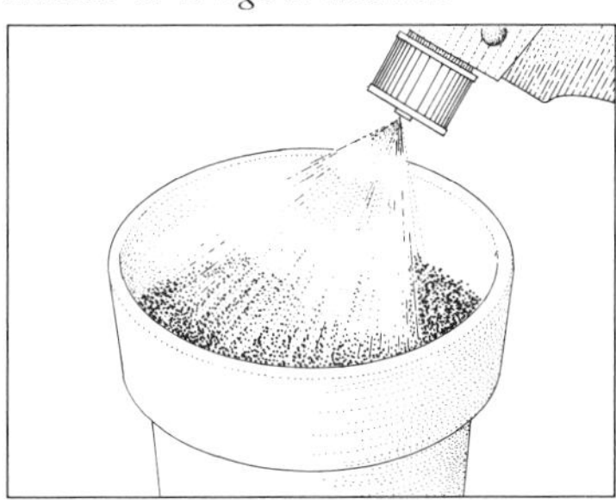
4. *Arroser peu et fréquemment, surtout durant la germination.*

5. *Un châssis froid protège les plantules de la pluie et des basses températures.*

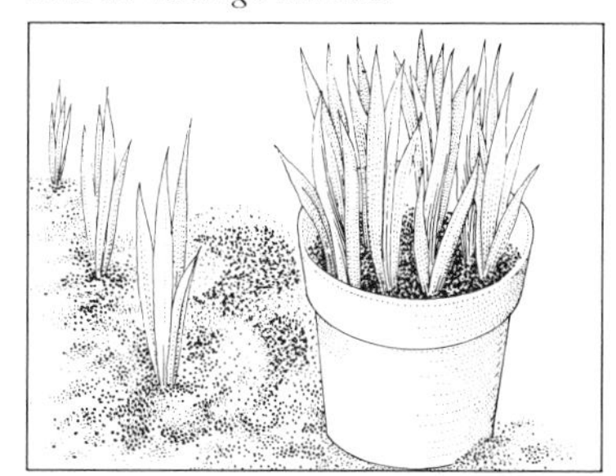
6. *Repiquer les plantules de 5 à 7,5 cm au printemps. Fertiliser et arroser.*

Culture des iris bulbeux

Grâce à leurs fleurs qui s'épanouissent successivement, les iris bulbeux sont de bonnes plantes de jardin.

D'abord apparaissent les iris reticulata qui fleurissent à partir de la fin de l'hiver jusqu'à la mi-printemps. Ils sont suivis des iris Juno dont la période de floraison, qui se situe à la mi-printemps, chevauche un peu celle des iris reticulata.

Du début au milieu de l'été, c'est au tour des iris de Hollande, d'Espagne et d'Angleterre d'apparaître.

On se souviendra que les périodes de floraison varient en fonction du climat.

Plantation des iris bulbeux

A l'exception de certaines divergences mineures précisées ci-dessous, tous les iris bulbeux exigent un sol bien drainé et une exposition au soleil.

Un sol bien drainé est essentiel. Il est donc préférable de planter les iris dans des plates-bandes surélevées de terre presque neutre (pH de 6,5 à 7) et argileuse. Au début de l'automne, enfouir les bulbes à une profondeur de 5 cm en les espaçant de 15 à 23 cm. Les manipuler délicatement pour ne pas abîmer les racines longues et fragiles d'où émaneront en saison les racines nourricières.

Parmi les *Xiphium*, les iris reticulata doivent être mis en terre entre le début et le milieu de l'automne, à 7,5 cm de profondeur, dans des plates-bandes surélevées ; les espacer de 7,5 cm également. Mélanger beaucoup de sable grossier au sol ; un drainage insuffisant leur serait fatal.

Planter les iris de Hollande et d'Espagne dans le même genre de plates-bandes à la mi-automne, à une profondeur de 10 cm en climat froid et de 6,5 cm en climat doux. Ces bulbes ont besoin d'être remplacés tous les deux ans, même s'ils sont cultivés correctement.

Les iris d'Angleterre durent un peu plus longtemps que les précédents. Ils demandent un sol légèrement acide et une exposition semi-ombragée. Les planter à 15 cm de profondeur au début de l'automne.

Soins à donner aux iris bulbeux

Durant la période active, examiner fréquemment les plates-bandes pour détecter les ravageurs ou les maladies. Les dommages sont généralement réparables lorsqu'ils sont vus à temps.

Supprimer les fleurs fanées. Une fois la période de floraison terminée, épandre de l'engrais 5-10-10 sur les plates-bandes et le faire pénétrer par griffage à 2,5 cm dans le sol. Arroser abondamment, surtout par temps sec, et cesser les arrosages en été.

Refaire les paillis si nécessaire. Si des mauvaises herbes pointent à travers, les arracher à la main.

Laisser le feuillage arriver à maturité avant de le supprimer, sinon les bulbes ne donneront pas de bons résultats l'année suivante.

Pour dissimuler le feuillage des iris durant cette période, on suggère parfois de semer entre eux des plantes annuelles. Ne pas le faire cependant si l'on doit diviser les bulbes.

Pour diviser les iris de Hollande et d'Espagne, les déterrer quand le feuillage est flétri, et les laisser sécher pendant trois semaines dans un endroit ombragé et bien aéré. Lorsqu'ils sont prêts, les diviser et les entreposer dans un endroit sec. Les planter au milieu de l'automne.

Dans les régions à climat froid, protéger au moyen d'un paillis les iris de Hollande et d'Espagne, car le feuillage se développe en automne chez ces deux espèces.

Multiplication par division des iris bulbeux

Tous les iris bulbeux se multiplient par séparation des bulbes et des caïeux. Cette opération s'effectue quand le feuillage est flétri.

Déterrer délicatement les bulbes avec une fourche à bêcher. Enlever la terre qui adhère aux racines et laisser sécher les bulbes en surface pendant quelques semaines. Les diviser ensuite en prélevant les caïeux un à un et en leur conservant quelques racines. Jeter ceux qui sont pourris.

Les planter à l'époque recommandée pour chaque variété. Suivre à la lettre les recommandations concernant la nature et le drainage du sol, l'exposition au soleil et la profondeur de plantation.

Les gros caïeux fleuriront l'année suivante et les petits deux ans plus tard. Les planter à 2,5 cm de profondeur dans des plates-bandes à semis composées d'une terre légère et meuble. Mélanger au sol une poignée de poudre d'os par mètre carré.

Les caïeux d'iris Juno doivent être munis d'au moins une racine nourricière. Prendre grand soin de ne pas abîmer cette racine. Les bulbes qui n'en ont pas doivent refaire leur système radiculaire au complet, ce qui les affaiblit et peut retarder la floraison de deux ans. Ne pas non plus laisser les racines des iris Juno se dessécher. Remettre les caïeux en terre après la division.

Si les bulbes des iris de Hollande et d'Espagne ne fleurissent pas après avoir été divisés, les remplacer.

DIVISION DES TROIS DIFFÉRENTS TYPES D'IRIS BULBEUX

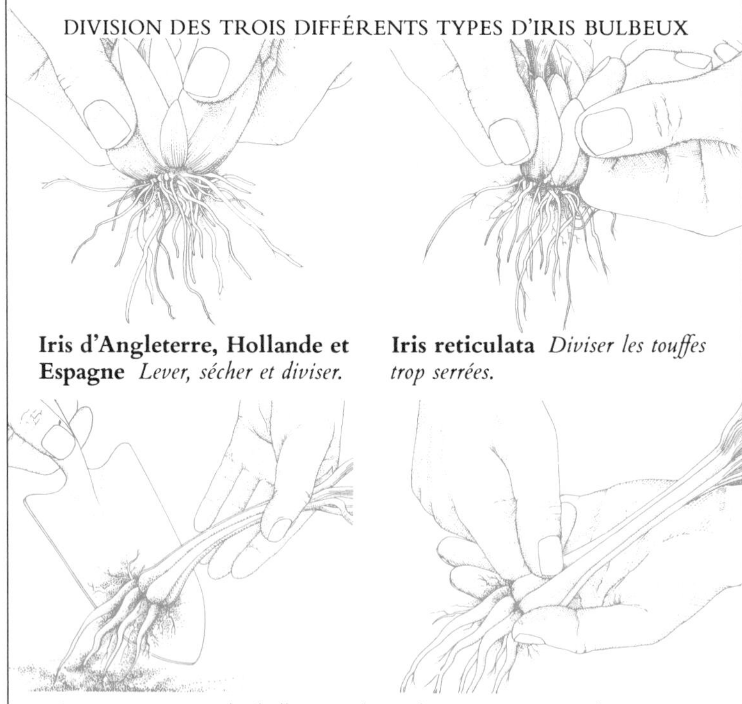

Iris d'Angleterre, Hollande et Espagne *Lever, sécher et diviser.*

Iris reticulata *Diviser les touffes trop serrées.*

Iris Juno *Déterrer les bulbes sans briser les racines. Diviser les caïeux en leur laissant une grosse racine et les replanter.*

Plantes de rocaille

Le jardin de rocaille évoque en petit un paysage de montagne. Il se compose de plantes alpines aux formes raffinées, habituées à vivre en terrain rocailleux.

La plupart des plantes de rocaille sont originaires de régions montagneuses. Elles sont très rustiques et s'accommodent d'une terre ingrate. Certaines d'entre elles tolèrent aussi les vents desséchants. Elles se cultivent facilement dans un sol bien drainé.

Les plantes alpines ont bien des atouts. Leurs couleurs éclatantes en font un bel ornement au jardin, tandis que leur taille permet de les installer partout, aussi bien dans des bacs que dans la plus petite des plates-bandes. Enfin, dès qu'elles sont établies, elles ne réclament qu'un désherbage périodique.

Dans leur milieu d'origine, ces plantes ont l'habitude d'être protégées en hiver par une épaisse couche de neige. Elles ont une courte période active et ne souffrent pas de la chaleur et de l'humidité qui existent sous nos climats.

Là où les hivers, bien que rigoureux, ne s'accompagnent pas d'importantes chutes de neige, les plantes alpines exigeront la protection d'un paillis léger, de rameaux de pin par exemple. Le paillis doit être mis en place une fois que le sol est gelé.

Certaines plantes d'altitude se cultivent de préférence en serre « alpine », c'est-à-dire dans une serre froide ou à peine chauffée. La plupart d'entre elles, cependant, doivent être cultivées à l'extérieur, dans des jardins de rocaille conçus spécialement pour elles. Dans ce dernier cas, on choisit des espèces qui ont une longue période de floraison et dont le feuillage constitue un élément décoratif. Plusieurs bulbes miniatures, plantés au-dessous de plantes tapissantes, mettent beaucoup de couleur dans la rocaille au début du printemps.

Le jardin de rocaille est généralement construit en pente. S'il est en terrain plat, on doit voir à ce qu'il s'égoutte bien. Son aménagement fait appel au principe de l'affleurement des couches. Enfouir à demi de grosses pierres dans le sol pour simuler un roc dont seule la partie supérieure apparaît. Choisir de préférence des pierres à arête, les pierres rondes devant être enfoncées plus profondément.

On peut aussi cultiver des plantes alpines dans un terrain plat entre des dalles ou dans un gazon alpin. Dans le premier cas, coucher les dalles sur un lit de sable ; laisser entre elles suffisamment d'espace pour y planter des espèces aromatiques qui dégageront leur parfum lorsqu'on les foulera du pied. Le gazon alpin se compose d'un tapis de plantes rampantes parmi lesquelles poussent des plantes bulbeuses. On s'en sert pour décorer les degrés inférieurs d'un jardin de rocaille.

Plantes de rocaille et plantes alpines se cultivent aussi en plates-bandes surélevées. On peut ainsi offrir à celles qui sont calcifuges, calcicoles ou de plein soleil, la terre, le drainage et la place qui leur conviennent.

Divers matériaux peuvent servir à construire des plates-bandes surélevées. Le plus souvent, on utilise des pierres que l'on superpose comme dans un mur de pierres sèches et dont on remplit les interstices de terre. Les plantes sont ensuite disposées de sorte qu'à la longue elles recouvrent les murets.

Des briques cimentées entre lesquelles on laisse des orifices pour l'égouttement conviennent aussi. Les traverses de chemin de fer ou de simples planches remplaceront avantageusement les pierres et les briques. Les blocs de ciment peuvent se prêter également à de jolis arrangements. Ces terrasses auront entre 15 et 90 cm, selon les goûts.

Les plantes alpines ou de rocaille peuvent aussi faire partie de plates-bandes mixtes. Cultiver les espèces rampantes ou les arbustes nains en lisière des terrasses, surtout lorsque celles-ci sont closes par un muret de pierre. Un grand nombre de plantes de rocaille se marieront avec bonheur à des herbacées vivaces de plus petite taille.

Avant d'entreprendre l'édification d'un jardin de rocaille, il est bon d'avoir un plan en tête et même de le mettre sur papier. On visitera avec profit les rocailles qui se trouvent dans les jardins botaniques ou les jardins privés. On s'adressera également aux clubs locaux de jardinage et aux sociétés horticoles ; consulter aussi les chroniques consacrées à l'horticulture dans les journaux.

Pour construire de toutes pièces un jardin de rocaille réussi et qui paraisse naturel, il faut tenir compte d'un certain nombre de principes fondamentaux. En aucun cas il ne faut essayer de reproduire dans son jardin une véritable montagne : l'effet serait tout bonnement désastreux. Les proportions seront plus justes — et le coup d'œil beaucoup plus évocateur — si l'on s'efforce de simuler un affleurement de rochers.

Tous les rochers sont d'abord une masse minérale compacte insérée dans la croûte terrestre. Sous l'action des pressions qui s'exercent, cette masse se fissure verticalement et horizontalement et parfois en diagonale.

Il y a toujours une place au jardin pour des plantes de rocaille : en cascade du haut d'un muret, entre des dalles ou dans des contenants. Elles poussent en plein soleil mais tolèrent la mi-ombre et exigent un sol bien drainé.

Aménagement d'un jardin de rocaille

L'alternance du gel et du dégel continue cette action et le roc change peu à peu de forme. Les parties les plus exposées s'effritent et la masse du rocher disparaît lentement sous une couche de pierraille qui finit par former un sol. Seules les arêtes du roc affleurent au-dessus du sol et demeurent visibles. Si l'on respecte les grandes lignes de cette évolution géologique en construisant son jardin de rocaille, on aura tout lieu d'être fier des résultats.

Là où les mouvements de la croûte terrestre ont été particulièrement accusés, il arrive que le roc, détaché de ses assises, ait basculé sur le flanc. On peut reproduire cette particularité, mais une fois qu'on a adopté une certaine inclinaison, il faut donner le même angle à toutes les pierres sous peine de rompre l'harmonie.

On verra d'autre part à respecter un certain équilibre entre la hauteur du jardin de rocaille et sa largeur. A une élévation de 30 cm doit correspondre une largeur de 1,20 à 1,50 m au niveau de la base. Par conséquent, si la rocaille a 1,20 m de haut, elle doit avoir 6 m de large à la base.

Lorsque le jardin de rocaille est aménagé dans ses grandes lignes, on peut le particulariser et l'embellir de maintes façons. L'eau est toujours un élément très séduisant. On se rappellera cependant, si l'on décide de créer une cascade, qu'elle doit elle aussi paraître le plus naturel possible.

Il faut résister à la tentation de construire une rocaille en utilisant un monticule de terre laissé sur place par le constructeur, et en insérant ici et là des pierres, peut-être laissées aussi sur place par le constructeur. Le résultat sera pitoyable, quel que soit le mal qu'on se soit donné. Dans un tel cas, il est infiniment préférable de faire niveler le terrain au bulldozer si le travail est trop considérable pour être fait à la main et de construire sa rocaille à partir du début en respectant les principes qu'on vient d'exposer.

Lorsqu'on peut choisir ses pierres soi-même, on essaiera de garder l'uniformité de la couleur et de la texture. Si l'on doit passer commande à un fournisseur, demander des pierres de tailles variées. Les plus grosses seront difficiles à déplacer et à installer, mais ce sont elles qui auront l'air le plus naturel une fois en place. Il en faut aussi de petites. D'ailleurs, on peut obtenir un effet d'affleurement rocheux avec plusieurs petites pierres disposées au même niveau. On calcule que pour une rocaille de 3 m sur 5, il faut 1,5 à 2 t de pierres.

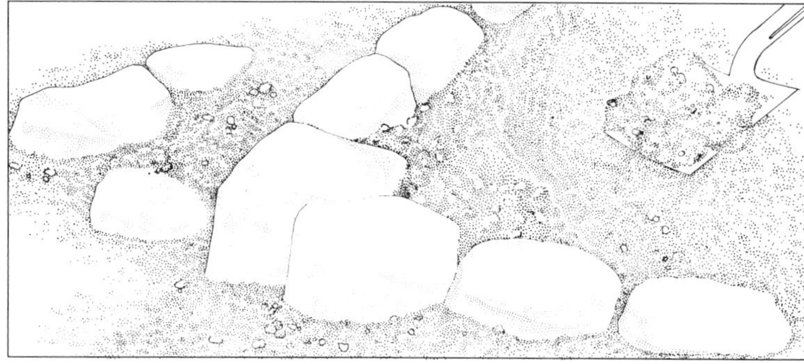

1. *Former un L avec une grosse pierre d'angle et d'autres plus petites pour les deux branches de la lettre. Remplir les interstices d'une terre qui s'égoutte bien.*

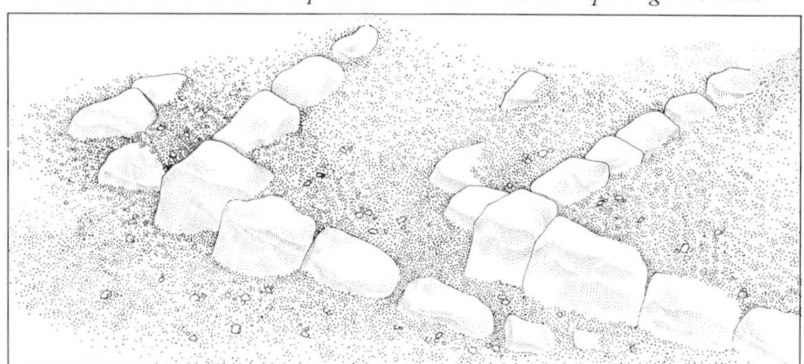

2. *Construire d'autres terrasses derrière ou à côté de la première. De petites pierres placées au hasard peuvent décorer chacune d'elles.*

3. *Continuer de la sorte tant que l'espace le permet. Se rappeler que la largeur d'une rocaille doit être quatre à cinq fois supérieure à sa hauteur.*

On aura aussi besoin de cailloutis (pierres concassées de 0,5 cm de diamètre) qu'on disposera en surface autour des plants. Le choisir autant que possible d'une teinte qui se marie à celle des pierres.

Pour un jardin de rocaille, l'emplacement idéal est un terrain en pente douce, à l'abri des vents dominants. La plupart des plantes alpines prospèrent en plein soleil, mais elles tolèrent un site à demi ombragé par le feuillage d'un grand arbre placé à plusieurs mètres de là. Elles ne s'en portent que mieux lorsque le soleil est brûlant.

Il ne faut pas établir une rocaille sous un ou plusieurs arbres, ou dans un lieu très ombragé, à moins d'y cultiver seulement des plantes de sous-bois. (Ces plantes ne sont pas à proprement parler des plantes alpines ; elles sont originaires des forêts septentrionales rocheuses qui sont établies dans les contreforts des massifs montagneux.) Si le seul emplacement dont on dispose est très ombragé, on remédiera à la situation en éclaircissant la ramure des arbres ou en rabattant les branches inférieures.

Avant tout aménagement, débarrasser le sol des mauvaises herbes en les arrachant à la main ou en se servant d'un herbicide.

Si le sol est infesté de chèvrefeuille ou d'herbe à puce, en éliminer la moindre trace au moyen d'une ou, au besoin, de plusieurs applications d'herbicide.

Si la rocaille prend place dans une pelouse, enlever délicatement le gazon et le mettre de côté. On pourra s'en servir ailleurs ou l'empiler à l'envers sur le tas de compost. On l'utilisera éventuellement pour empoter des plantes ou améliorer la composition du sol des plates-bandes.

Dans une rocaille, l'égouttement du sol est une condition majeure de succès, car les plantes alpines supportent mal l'humidité. Les sols légers associés à des sous-sols caillouteux offrent un bon égouttement naturel. Mais lorsqu'on se trouve en présence d'une terre de surface argileuse sur un sous-sol argileux, il faut exécuter des travaux de drainage pour améliorer la situation, surtout si le terrain est plat.

Creuser des tranchées inclinées de 45 cm de profondeur en les espaçant de 0,90 à 1,80 m. Les remplir à mi-hauteur de cailloux, de briques concassées ou de pierraille. Les recouvrir ensuite d'une couche de gazon retourné ou de plusieurs centimètres de gravier ou de tourbe grossière de manière que la terre de surface ne fuit pas entre les cailloux et n'empêche pas le drainage. Combler les terrasses avec de la terre.

Il n'est pas recommandé de retourner en profondeur les sols sablonneux qui s'égouttent bien, avant d'y installer les pierres.

Lorsque l'emplacement a été débarrassé des mauvaises herbes et que toutes les tranchées nécessaires au bon égouttement du sol ont été aménagées, on peut entreprendre la construction de la rocaille.

Clore le terrain ainsi préparé avec des pierres d'au moins 20 kg chacune, disposées en L. Utiliser la plus grosse pierre comme pierre d'angle, puis former les deux branches du L avec des pierres de grosseur décroissante, les dernières disparaissant presque dans le sol. Si l'effet est réussi, on aura l'impression qu'un roc affleure à cet endroit.

Pour obtenir une pente exposée au sud alors même que le terrain présente une inclinaison vers le nord, superposer des pierres dans l'angle du L de manière à changer l'orientation de la déclivité du sol.

Pour améliorer l'égouttement, disposer les pierres de façon que leurs points de jonction s'alignent horizontalement et verticalement. Ne pas recouvrir d'une pierre le point de jonction de deux autres pierres, comme dans un mur de brique.

Toutes les pierres présentent des lignes de stratification. Poser les pierres de façon que ces strates se trouvent à l'horizontale.

Asseoir solidement les pierres. Lorsqu'elles sont toutes installées et bien assises dans leur lit, remplir l'espace entre les branches du L avec une terre qui s'égoutte bien.

Préparer le sol selon la recette suivante. Mélanger du cailloutis (1/2) de 0,5 cm, de l'humus (1/4) et de la tourbe (1/4). Etendre à la pelle ce mélange entre les branches du L jusqu'à ce qu'il soit à égalité avec le dessus des pierres. Le fouler légèrement pour le tasser. Garder une partie du mélange pour terminer le remplissage quand, après quelque temps, la terre s'affaissera.

Dix jours plus tard environ (plus tôt s'il a beaucoup plu), le sol se sera tassé. Rajouter alors du mélange jusqu'au niveau voulu et niveler la surface avec un râteau.

Enfin, épandre en guise de paillis une couche de 1,5 à 2,5 cm de cailloutis de 0,5 cm et niveler avec le râteau. Non seulement ce cailloutis garde-t-il le sol frais en été, mais il en réduit l'évaporation. En outre, il empêche le collet des plantes de pourrir et la pluie d'éclabousser les fleurs.

Lorsqu'on a terminé une terrasse, on peut en entreprendre une ou plusieurs autres en gradins derrière celle-ci ou à côté.

Lorsque la rocaille est en pente, il faut placer les pierres de façon qu'elles empêchent l'eau de ruisseler en surface et lui permettent au contraire de pénétrer dans le sol.

On n'édifie pas une rocaille sans avoir fait un plan. On ne la réussit pas non plus si l'on n'observe pas les deux règles suivantes : aligner correctement les points de jonction des pierres et poser celles-ci pour que leurs strates soient à l'horizontale.

PROLONGATION D'UN JARDIN DE ROCAILLE

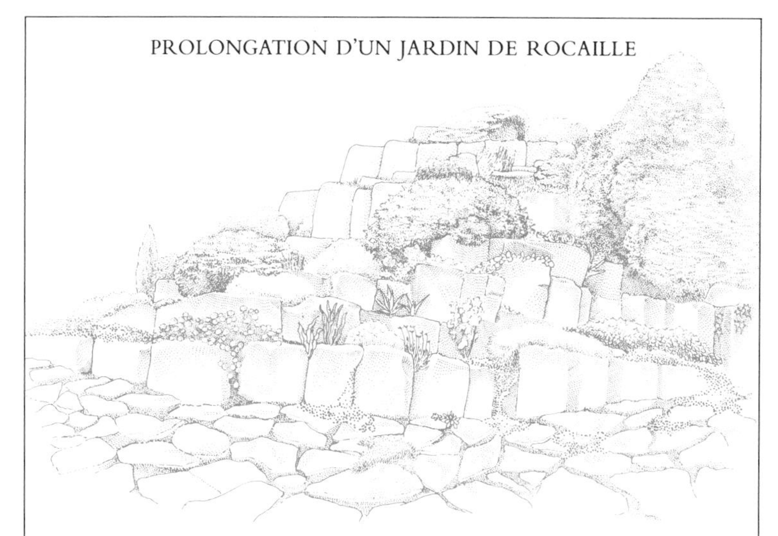

Ici, une allée pavée s'allonge au pied d'un jardin de rocaille construit en pente. Les plantes qui poussent entre les pavés rappellent avec bonheur celles qui décorent la rocaille et prolongent celle-ci avec beaucoup de naturel. On peut remplacer les pavés par des cailloux ou des galets.

Une cascade murmurante ou un miroir d'eau peuplé de poissons ou de plantes aquatiques ont beaucoup de charme lorsqu'on les associe à une rocaille. Leur construction demande du doigté. Pour être beaux, les jeux d'eau comme les jeux de pierres doivent paraître naturels.

Plantation d'un jardin de rocaille

La meilleure façon de réussir ses plantes de rocaille, c'est de les mettre en terre au printemps ou au début de l'automne. Lorsqu'on les achète en pots, cependant, on peut les repiquer en été puisque leurs racines seront peu touchées par la transplantation. Dans les régions à climat doux, le repiquage s'effectue en toute saison, dès que le sol est malléable. La plupart des pépinières expédient les plants commandés par la poste au moment justement où il convient de les mettre en terre.

Pour dépoter un plant, le tenir à l'envers, en maintenant la tige entre deux doigts. Dégager le pot ou le déchirer s'il est en papier ou en matière fibreuse. S'il est en plastique ou en grès, frapper fermement le rebord contre un objet dur pour décoller la motte de terre et de racines.

Avec un transplantoir, creuser un trou d'une profondeur égale à la hauteur de la motte de racines. Asseoir le plant dans le trou et remplir de terre. Fouler avec les doigts ou le manche du transplantoir ; remettre en place le cailloutis qu'on a dû d'abord enlever et arroser modérément.

Les plantules obtenues par semis à l'intérieur, les boutures enracinées ou les éclats de plante peuvent être repiqués directement dans la rocaille. Suivre les recommandations données ci-dessus et creuser un trou en proportion avec la motte de racines.

Arbustes et conifères dressés sont placés de préférence au pied des pierres, tandis que ceux qui sont prostrés paraissent mieux dans les terrasses supérieures où leurs rameaux, en poussant, pourront descendre en cascade du haut des murets.

Les plantes à rosettes, qui doivent être protégées contre l'excès d'humidité, seront placées dans des fissures verticales où elles courront moins le risque de pourrir. Commencer par les dépoter, puis enlever le matériel d'égouttement qui adhère aux mottes. Vérifier ensuite si elles tiennent dans la fissure. Le cas échéant, mettre de la terre dans le trou, y installer une plante et finir de remplir avec un mélange de terre et de gravier. Cette plantation se fait en règle générale au moment où l'on installe les pierres dans la rocaille, mais elle peut aussi s'effectuer plus tard.

Acheter des plantes adultes dans les pépinières locales si on ne les a pas démarrées soi-même dans une platebande temporaire. Les grosses plantes iront dans les angles que font les pierres entre elles. Déterrer les plantes par temps humide, en automne ou au début du printemps, en prélevant une grosse motte de terre autour des racines. Au besoin, utiliser un levier pour déplacer les pierres et déterrer plus aisément les plantes. Une fois les plantes installées, fouler la terre et arroser.

Placer les plantes à croissance rapide à des endroits où elles ne peuvent pas nuire aux autres.

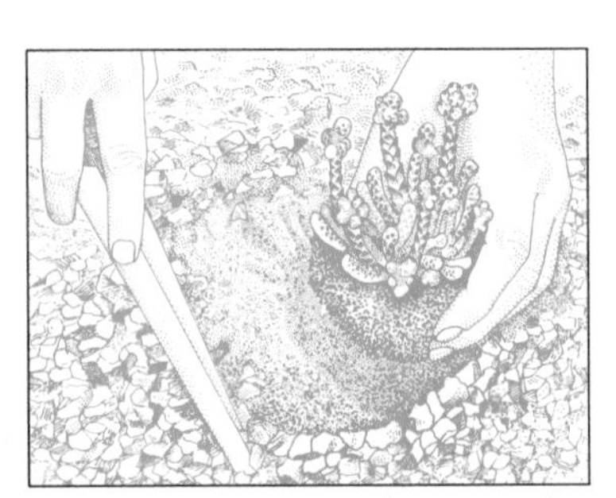

1. *Creuser un trou aux dimensions de la motte de racines. Asseoir le plant.*

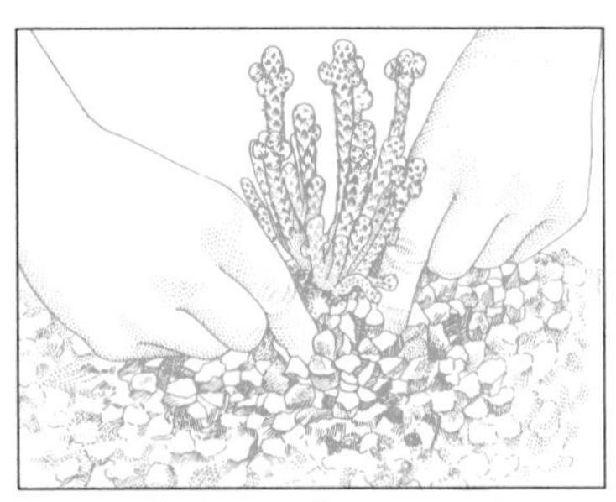

2. *Remplir le trou de terre. Fouler celle-ci. Mettre du cailloutis et arroser.*

QUATRE TYPES DE PLANTES DE ROCAILLE

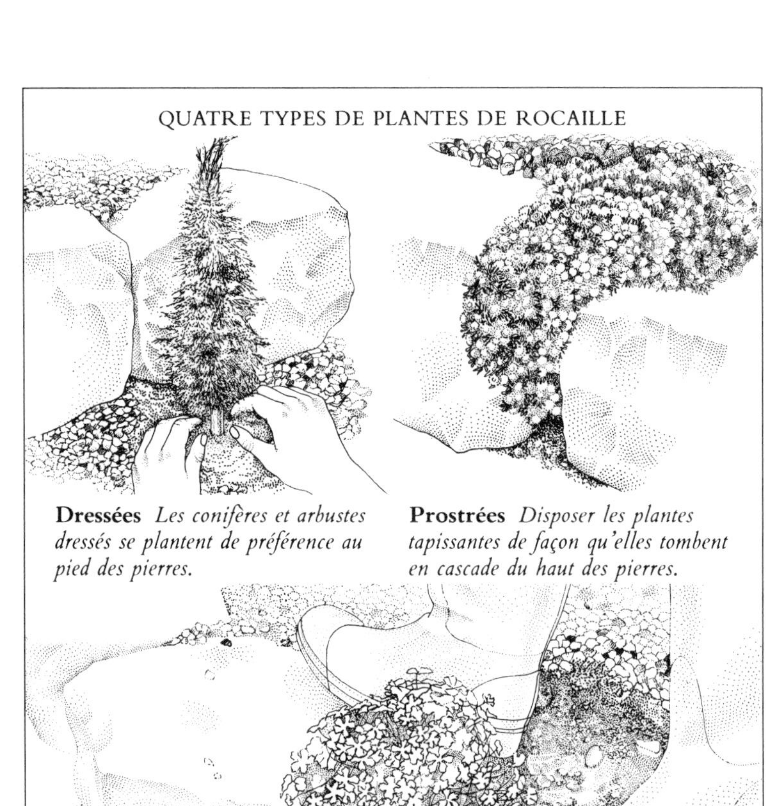

Dressées *Les conifères et arbustes dressés se plantent de préférence au pied des pierres.*

Prostrées *Disposer les plantes tapissantes de façon qu'elles tombent en cascade du haut des pierres.*

De grande taille *Les grosses plantes achetées en pépinière ou cultivées ailleurs au jardin se placent d'ordinaire dans les angles formés par les pierres. Fouler la terre autour d'elles avec le pied.*

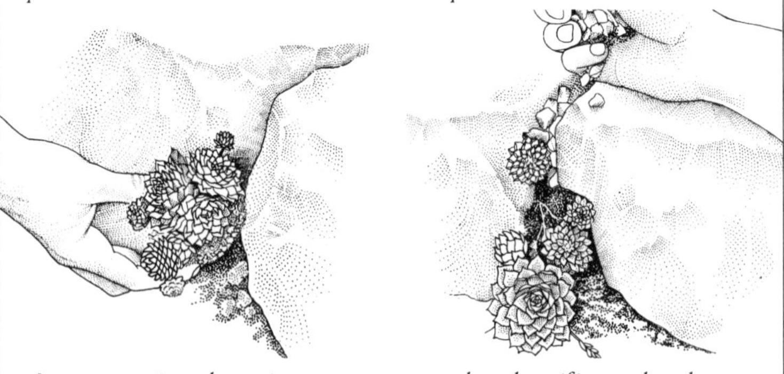

A rosettes *Les plantes à rosettes prennent place de préférence dans les fissures verticales. Enfoncer la motte de racines dans l'interstice, mettre de la terre en dessous et par-dessus et recouvrir d'une couche de cailloutis.*

Culture des plantes de rocaille

La couche de cailloutis qui sert de paillis autour des plantes après la plantation a pour premier effet de diminuer l'évaporation de l'eau. Les plantes de rocaille ont donc moins souvent besoin d'être arrosées que les autres plantes une fois qu'elles sont bien établies. En période de sécheresse, cependant, il faut les arroser abondamment le soir.

Au printemps, préparer une abondante quantité de mélange terreux composé en parties égales de tourbe, de cailloux concassés de 0,5 cm de diamètre et de compost ou de terreau de feuilles tamisés. Ajouter une poignée de poudre d'os ou de superphosphate. Etaler une couche de ce mélange sur toute la surface de la rocaille et en mettre un peu sous les plantes tapissantes.

En plus de conserver l'humidité, le cailloutis écarte les limaces et isole les plantes du sol humide.

Désherber avec une petite fourche à main : une binette endommagerait les bulbes. On peut aussi utiliser un herbicide. Mais comme, dans une rocaille, les plantes sont généralement très rapprochées les unes des autres, l'herbicide risque d'atteindre leurs racines et de les détruire.

On trouvera dans le tableau qui commence à la page 320 les méthodes de multiplication recommandées pour chaque espèce. Voir aussi les chapitres sur les arbustes, les plantes vivaces et les plantes bulbeuses.

Les espèces les moins rustiques et celles qui présentent un feuillage gris ou laineux ne survivent à l'hiver que si elles sont protégées contre le gel. Disposer des panneaux de verre au-dessus d'elles.

A l'automne, les feuilles mortes restent souvent coincées entre les pierres et entretiennent une humidité malsaine. Les enlever.

CONSTRUCTION D'UN ABRI

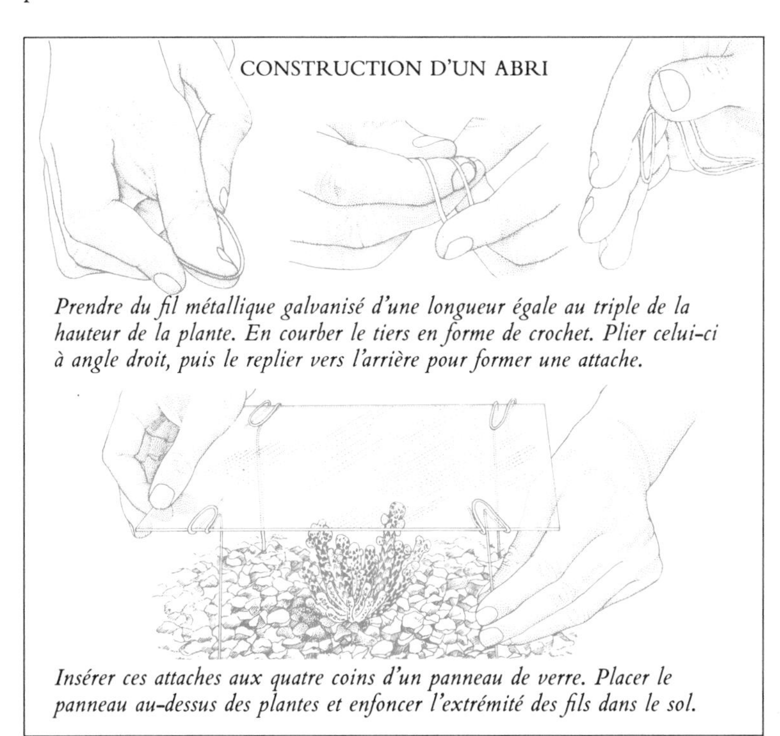

Prendre du fil métallique galvanisé d'une longueur égale au triple de la hauteur de la plante. En courber le tiers en forme de crochet. Plier celui-ci à angle droit, puis le replier vers l'arrière pour former une attache.

Insérer ces attaches aux quatre coins d'un panneau de verre. Placer le panneau au-dessus des plantes et enfoncer l'extrémité des fils dans le sol.

Rabattage des plantes vivaces à pousses herbacées

Ne rabattre les plantes que si les touffes s'enchevêtrent ou prennent trop de place. Soulever le feuillage et, avec un sécateur, tailler les rameaux du dessous au ras de la tige principale.

Les espèces, comme les aubriéties et les saponaires, qui produisent une grande quantité de pousses herbacées seront, elles, sévèrement rabattues chaque année après la floraison.

Soulever le feuillage et tailler les rameaux du dessous.

Ravageurs et maladies des plantes de rocaille

Si un sujet présente des symptômes non décrits ici, se reporter au chapitre « Ravageurs et maladies », qui commence à la page 444. On trouvera aux pages 480 à 482 les noms commerciaux des produits chimiques recommandés.

Symptômes	Cause	Traitement
Tiges florales ou jeunes pousses malingres ou déformées ; présence d'insectes gluants verts, roses ou noirs.	Pucerons	Vaporisation de diazinon, d'endosulfan ou de malathion, ou encore d'un insecticide systémique comme le diméthoate ou l'oxydéméton-méthyle.
Feuilles dévorées. Pas de traces de bave.	Chenilles	Vaporisation de carbaryl, de malathion, de méthoxychlore ou de roténone. Dépister les chenilles et les enlever à la main.
Tiges attaquées au ras du sol ou juste en dessous.	Vers gris (aussi certaines chenilles)	Imbiber le sol de diazinon, de malathion ou de méthoxychlore.
Feuilles et jeunes pousses dévorées. Traces de bave apparentes sur les plants ou autour.	Limaces ou escargots	Epandre des appâts à base de métaldéhyde autour des plants.
Moisissure grise sur des taches brunes par temps humide.	Pourriture grise (botrytis)	Vaporisation de bénomyl, de dichlobénil, de dichloran ou de thirame.
Taches brunes sur les plantes tapissantes.	Vieillissement.	Bouturer les organes sains.
	Des nids de fourmis mènent l'eau trop rapidement vers les couches profondes du sol.	Arrosage d'insecticide à fourmis et foulage du sol autour des plants. Si les taches brunes ont tout envahi, prélever les organes sains, supprimer le reste. Contre les fourmis, poudrer les plants de chlordane.
	Sécheresse excessive.	Arroser régulièrement durant les périodes de sécheresse.

Petit guide des plantes de rocaille

Les plantes énumérées ci-dessous ont été choisies parce qu'elles se cultivent bien dans un jardin de rocaille. Plusieurs d'entre elles peuvent servir à décorer des allées, des sites alpins, des jardins de cailloutis et des murs de soutènement. Elles viennent très bien aussi dans des contenants. Enfin, on peut les installer à l'avant de bordures mixtes dont le sol est bien drainé.

La plupart des plantes alpines fleurissent au printemps. En faisant un choix judicieux, cependant, on peut réunir des espèces qui fleuriront à tour de rôle tout l'été. Pour allonger la période de floraison, on associera les plantes de rocaille à quelques plantes bulbeuses naines à floraison hâtive et tardive.

Le terme « plante de rocaille » évoque l'habitat naturel du sujet. Il peut désigner des arbustes, des plantes vivaces ou des bulbes. Pour avoir de plus amples renseignements sur leurs modes de reproduction et sur la façon de les multiplier, on se reportera aux chapitres sur les arbustes, les plantes vivaces ou les plantes bulbeuses.

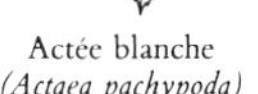

Actée blanche
(Actaea pachypoda)

Adonide du printemps
(Adonis vernalis)

Ethionème à grandes fleurs
(Aethionema grandiflorum)

Ail
(Allium senescens)

Ajuga pyramidalis

Nom vulgaire et nom botanique	Hauteur et étalement	Description générale, soins particuliers, remarques	Multiplication
Actée *(Actaea)* *A. arguta* *A. pachypoda* ou *A. alba* (actée blanche) *A. spicata* (actée des Alpes ou herbe de Saint-Christophe)	 H 45-60 cm E 25-45 cm H 45-60 cm E 25-45 cm H 45-60 cm E 25-45 cm	Plante vivace à gracieuses touffes de feuilles semblables aux fougères. Grappes de petites fleurs blanches de la fin du printemps au début de l'été. Baies vénéneuses, blanches et tachetées de noir chez *A. pachypoda,* rouges chez *A. arguta* et noires chez *A. spicata.* Se cultive à la mi-ombre, dans un sol riche en humus. Préfère les sous-bois, les jardins de cailloutis ou les plates-bandes surélevées.	Diviser les touffes au printemps ou en automne. Semer en automne les graines extraites de la chair des baies. Les touffes établies se multiplient spontanément.
Adonis ou adonide *(Adonis)* *A. amurensis* *A. vernalis* (adonide du printemps ou œil-de-bœuf)	 H 30 cm E 30 cm H 30-45 cm E 30 cm	Plante vivace à feuillage en frondes de fougère. Fleurs semblables aux boutons-d'or, s'épanouissant au début du printemps. Se cultive à la mi-ombre ou au soleil. Demande un sol bien drainé mais qui conserve son humidité.	Semer les graines dès qu'elles sont mûres. Diviser les plants au printemps ou après la floraison.
Aethionema ou éthionème *(Aethionema)* *A. grandiflorum* ou *A. pulchellum* (éthionème à grandes fleurs)	 H 15-20 cm E 38 cm	Plante vivace buissonnante à petites feuilles vert-bleu. Fleurs roses de la fin du printemps au début de l'été. *A. g.* 'Warley Rose', plante hybride, présente des fleurs d'un rose plus intense. Pousse en plein soleil, dans une terre bien drainée. Chauler les terres acides avec du calcaire moulu. Pour murets de pierres sèches, jardins de cailloutis, bacs, serres alpines.	Multiplication spontanée. Bouturer les nouvelles pousses à la mi-été.
Ail ou oignon ornemental *(Allium)* *A. senescens*	 H 10-23 cm E 30 cm	Plante vivace à belles feuilles rubanées, souvent tordues et teintées de gris. Jolies fleurs rose lavande, qui apparaissent à la mi-été et durent longtemps. Se cultive à la mi-ombre, dans un sol bien drainé. Pour murets de pierres sèches et plates-bandes surélevées. Voir aussi p. 289.	Les touffes se divisent facilement au printemps ou après la floraison.
Ajuga ou bugle *(Ajuga)* *A. genevensis* *A. pyramidalis*	 H 15-23 cm E 15 cm H 15 cm E 15-23 cm	Plante vivace à feuilles semi-persistantes, souvent rouges, bronze ou panachées. Spectaculaires épis de fleurs bleues de la mi-printemps au début de l'été. Se cultive au soleil ou à la mi-ombre, dans à peu près n'importe quel sol. Voir les variétés tapissantes, p. 41.	Se multiplie facilement par division des touffes.

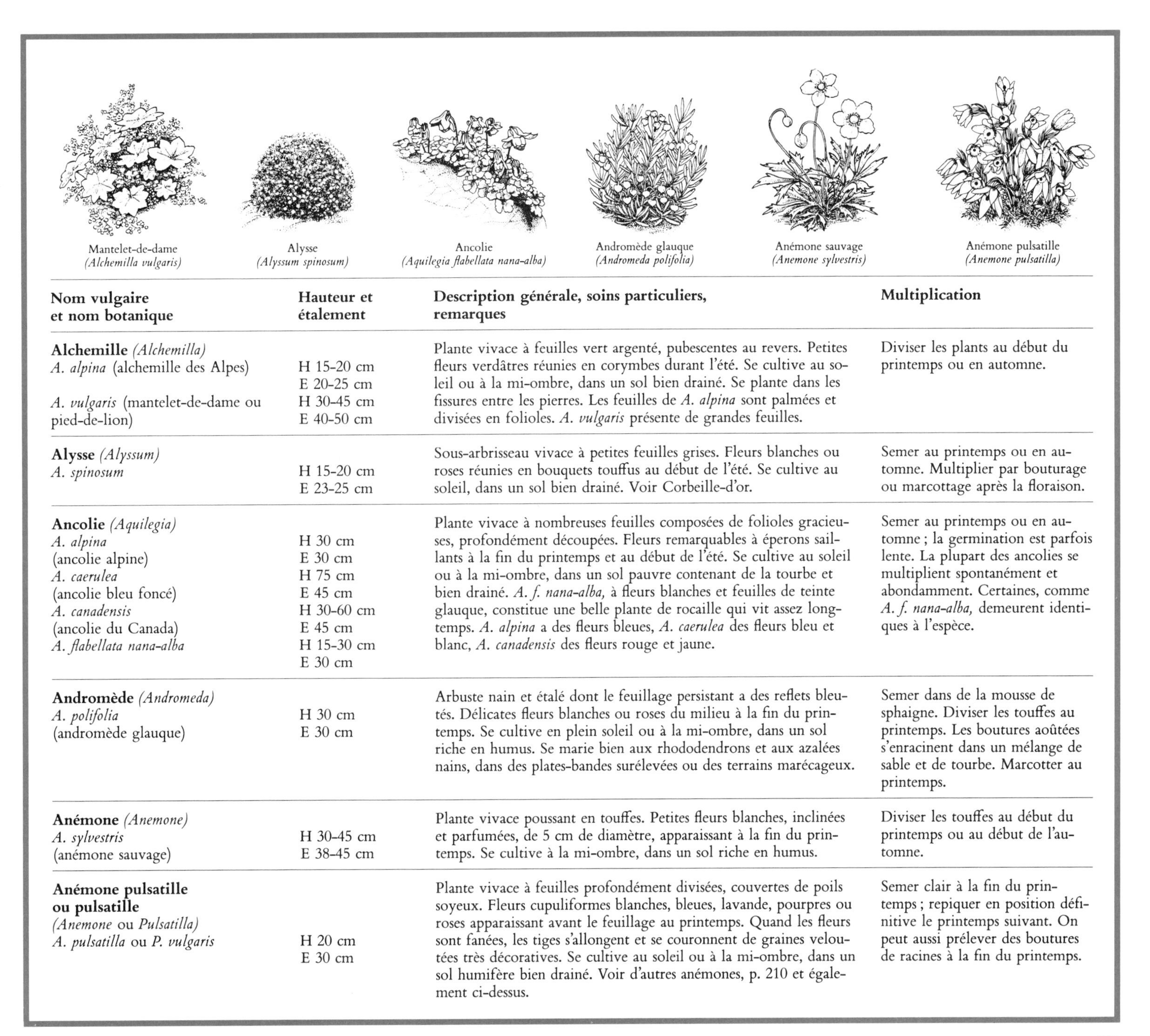

Mantelet-de-dame *(Alchemilla vulgaris)*

Alysse *(Alyssum spinosum)*

Ancolie *(Aquilegia flabellata nana-alba)*

Andromède glauque *(Andromeda polifolia)*

Anémone sauvage *(Anemone sylvestris)*

Anémone pulsatille *(Anemone pulsatilla)*

Nom vulgaire et nom botanique	Hauteur et étalement	Description générale, soins particuliers, remarques	Multiplication
Alchemille *(Alchemilla)* *A. alpina* (alchemille des Alpes) *A. vulgaris* (mantelet-de-dame ou pied-de-lion)	 H 15-20 cm E 20-25 cm H 30-45 cm E 40-50 cm	Plante vivace à feuilles vert argenté, pubescentes au revers. Petites fleurs verdâtres réunies en corymbes durant l'été. Se cultive au soleil ou à la mi-ombre, dans un sol bien drainé. Se plante dans les fissures entre les pierres. Les feuilles de *A. alpina* sont palmées et divisées en folioles. *A. vulgaris* présente de grandes feuilles.	Diviser les plants au début du printemps ou en automne.
Alysse *(Alyssum)* *A. spinosum*	 H 15-20 cm E 23-25 cm	Sous-arbrisseau vivace à petites feuilles grises. Fleurs blanches ou roses réunies en bouquets touffus au début de l'été. Se cultive au soleil, dans un sol bien drainé. Voir Corbeille-d'or.	Semer au printemps ou en automne. Multiplier par bouturage ou marcottage après la floraison.
Ancolie *(Aquilegia)* *A. alpina* (ancolie alpine) *A. caerulea* (ancolie bleu foncé) *A. canadensis* (ancolie du Canada) *A. flabellata nana-alba*	 H 30 cm E 30 cm H 75 cm E 45 cm H 30-60 cm E 45 cm H 15-30 cm E 30 cm	Plante vivace à nombreuses feuilles composées de folioles gracieuses, profondément découpées. Fleurs remarquables à éperons saillants à la fin du printemps et au début de l'été. Se cultive au soleil ou à la mi-ombre, dans un sol pauvre contenant de la tourbe et bien drainé. *A. f. nana-alba,* à fleurs blanches et feuilles de teinte glauque, constitue une belle plante de rocaille qui vit assez longtemps. *A. alpina* a des fleurs bleues, *A. caerulea* des fleurs bleu et blanc, *A. canadensis* des fleurs rouge et jaune.	Semer au printemps ou en automne ; la germination est parfois lente. La plupart des ancolies se multiplient spontanément et abondamment. Certaines, comme *A. f. nana-alba,* demeurent identiques à l'espèce.
Andromède *(Andromeda)* *A. polifolia* (andromède glauque)	 H 30 cm E 30 cm	Arbuste nain et étalé dont le feuillage persistant a des reflets bleutés. Délicates fleurs blanches ou roses du milieu à la fin du printemps. Se cultive en plein soleil ou à la mi-ombre, dans un sol riche en humus. Se marie bien aux rhododendrons et aux azalées nains, dans des plates-bandes surélevées ou des terrains marécageux.	Semer dans de la mousse de sphaigne. Diviser les touffes au printemps. Les boutures aoûtées s'enracinent dans un mélange de sable et de tourbe. Marcotter au printemps.
Anémone *(Anemone)* *A. sylvestris* (anémone sauvage)	 H 30-45 cm E 38-45 cm	Plante vivace poussant en touffes. Petites fleurs blanches, inclinées et parfumées, de 5 cm de diamètre, apparaissant à la fin du printemps. Se cultive à la mi-ombre, dans un sol riche en humus.	Diviser les touffes au début du printemps ou au début de l'automne.
Anémone pulsatille ou pulsatille *(Anemone* ou *Pulsatilla)* *A. pulsatilla* ou *P. vulgaris*	 H 20 cm E 30 cm	Plante vivace à feuilles profondément divisées, couvertes de poils soyeux. Fleurs cupuliformes blanches, bleues, lavande, pourpres ou roses apparaissant avant le feuillage au printemps. Quand les fleurs sont fanées, les tiges s'allongent et se couronnent de graines veloutées très décoratives. Se cultive au soleil ou à la mi-ombre, dans un sol humifère bien drainé. Voir d'autres anémones, p. 210 et également ci-dessus.	Semer clair à la fin du printemps ; repiquer en position définitive le printemps suivant. On peut aussi prélever des boutures de racines à la fin du printemps.

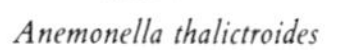
Anemonella thalictroides

Antennaire
(Antennaria dioica)

Anthylle
(Anthyllis montana)

Arabette
(Arabis albida)

Arctostaphyle raisin d'ours
(Arctostaphylos uva-ursi)

Gazon d'Espagne
(Armeria maritima)

Nom vulgaire et nom botanique	Hauteur et étalement	Description générale, soins particuliers, remarques	Multiplication
Anemonella *(Anemonella)* *A. thalictroides*	H 10-25 cm E 13 cm	Plante vivace à racines tubéreuses portant de délicates folioles trilobées. Fleurs blanches ou roses, simples, semi-doubles ou doubles, apparaissant de la fin du printemps au début de l'été. Se cultive à la mi-ombre, dans une terre riche en humus.	Diviser délicatement les tubercules (ils ressemblent à ceux du dahlia) après la floraison. Le feuillage meurt durant l'été.
Antennaire *(Antennaria)* *A. dioica*	H 5-10 cm E 45 cm	Plante vivace formant tapis, présentant des feuilles grises et laineuses à revers blancs. Inflorescences denses composées de fleurons gris parfois teintés de rose, du début au milieu de l'été. Se cultive en plein soleil, dans un sol sec et pauvre. S'associe bien aux petites plantes bulbeuses printanières.	Se divise facilement au printemps ou en automne.
Anthylle ou anthyllide *(Anthyllis)* *A. montana*	H 7,5-15 cm E 25 cm	Plante légumineuse vivace formant tapis, à feuilles composées grises. Fleurs roses ou rouges ressemblant à celles du trèfle et s'épanouissant au début de l'été. Se cultive en plein soleil, dans un sol bien drainé.	Se multiplie par semis ou par division au début du printemps.
Arabette ou arabide *(Arabis)* *A. albida* *A. a. florepleno*	H 15-25 cm E 60 cm H 2,5-7,5 cm E 60 cm	Plante vivace tapissante à feuillage gris de texture douce. Grappes de fleurs parfumées et blanches apparaissant du milieu à la fin du printemps. *A. a. florepleno* présente des fleurs doubles qui durent longtemps. Se cultive en plein soleil, dans un sol bien drainé. Rabattre après la floraison.	Par semis. (La plante se multiplie spontanément si on ne la rabat pas après la floraison.) Par division ou par bouturage à la mi-été.
Arabide, voir Arabette			
Arctostaphyle raisin d'ours ou bousserole *(Arctostaphylos)* *A. uva-ursi*	H 2,5-4 cm E 38 cm	Arbuste rampant à feuilles persistantes et luisantes qui rougissent en hiver. Fleurs roses en forme d'urne apparaissant à la fin du printemps. Baies rouges, rustiques, en automne et en hiver. Se cultive au soleil ou à la mi-ombre, dans un sol acide, sablonneux ou pierreux, mais bien drainé. Bonne plante tapissante pour talus sablonneux ou rocailleux.	Les plantes sauvages se transplantent mal. Les boutures s'enracinent bien, cependant, dans un mélange de tourbe et de sable. Utiliser des caissettes à couvercle, en plastique. Repiquer les boutures au printemps ou en été.
Armérie *(Armeria)* *A. juniperifolia* ou *A. caespitosa* *A. maritima* (gazon d'Espagne ou gazon d'Olympe)	H 5-7,5 cm E 15 cm H 15-30 cm E 30 cm	Plante vivace formant des coussinets. Feuillage persistant et rigide ressemblant à de l'herbe. Inflorescences blanches ou roses, de texture papyracée, apparaissant de la fin du printemps à la mi-été. Se cultive au soleil, dans un sol bien drainé. Planter *A. juniperifolia* sur des murets de pierres sèches, dans des jardins de cailloutis ou des bacs. *A. maritima* et ses variétés sont plus faciles à cultiver.	*A. maritima,* par division ou semis de graines fraîches. *A. juniperifolia,* par enracinement de boutures basales dans un mélange de tourbe et de sable au début de l'été : succès peu assuré.

Aspérule odorante
(Asperula odorata)

Aster alpin
(Aster alpinus)

Astilbe chinensis pumila

Petit bleu
(Aubrieta deltoidea)

Benoîte des montagnes
(Geum montanum)

Nom vulgaire et nom botanique	Hauteur et étalement	Description générale, soins particuliers, remarques	Multiplication
Asaret, voir Gingembre sauvage			
Aspérule *(Asperula)* *A. odorata* (aspérule odorante)	H 15-20 cm E 60 cm	Plante vivace à port étalé et à feuillage délicat disposé en spirale. Bouquets légers de petites fleurs blanches à la fin du printemps. Se cultive en plein soleil ou à la mi-ombre, dans un sol humifère et bien drainé.	Les touffes se divisent facilement au printemps et au début de l'automne.
Aster *(Aster)* *A. alpinus* (aster alpin)	H 20-25 cm E 25-45 cm	Plante vivace à fleurs violettes (variétés à fleurs blanches, lavande et rosées), apparaissant au début de l'été. Se cultive au soleil, dans un sol bien drainé.	Diviser les touffes à la fin de l'été, après la floraison.
Astilbe *(Astilbe)* *A. chinensis pumila* *A. simplicifolia*	H 25 cm E 60 cm H 30 cm E 30 cm	Plante vivace portant de ravissantes touffes de feuilles divisées comme celles des fougères. Les feuilles de *A. simplicifolia* sont brillantes mais non divisées. Spectaculaires épis floraux roses ou magenta du milieu à la fin de l'été. Se cultive en plein soleil ou à la mi-ombre, dans un sol riche en humus. A planter au sommet de murets ou dans des plates-bandes surélevées.	Se multiplie par division au printemps ou au début de l'automne. *A. c. pumila* se multiplie souvent spontanément.
Aubrieta ou aubriétie *(Aubrieta)* *A. deltoidea* (petit bleu)	H 7,5-15 cm E 45 cm	Plante tapissante vivace portant des bouquets de fleurs pourpres de la mi-printemps au début de l'été. Se cultive au soleil ; dans les régions où les étés sont très chauds, il faut abriter les plants au milieu du jour. Demande un sol bien drainé. Rabattre après la floraison. Pour dallages et murets de pierres sèches.	Semer au printemps. Multiplier par division, marcottage ou bouturage à la mi-été.
Bec-de-grue, voir Géranium			
Benoîte *(Geum)* *G. borisii* *G. montanum* (benoîte des montagnes) *G. reptans* (benoîte rampante)	H 25 cm E 30 cm H 30 cm E 30 cm H 15 cm E 15-20 cm	Plante vivace à feuillage nettement découpé, formant un coussin. Fleurs semblables aux roses, apparaissant du début au milieu de l'été. Se cultive au soleil ou à la mi-ombre, dans une terre de rocaille normale. Pousse sur les murs de soutènement et dans des plates-bandes surélevées. *G. borisii* présente des fleurs orange, *G. montanum* des fleurs jaune d'or. *G. reptans,* à feuillage léger et doré, demande un peu d'ombre le midi et une terre humide et fraîche. Voir, p. 212, *G. heldreichii.*	Se multiplie facilement par division des touffes au début du printemps ou après la floraison, à la fin de l'été ou au début de l'automne. Se reproduit aussi par semis.
Bonnet-d'évêque, voir Epimède **Bousserole,** voir Arctostaphyle raisin d'ours **Bugle,** voir Ajuga			

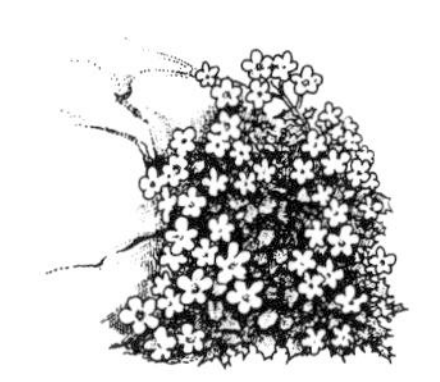
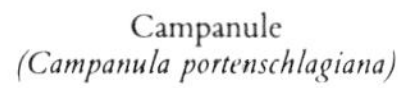
Campanule
(Campanula portenschlagiana)

Cassiope tetragona

Céraiste tomenteux
(Cerastium tomentosum)

Ceratostigma plumbaginoides

Clématite alpine
(Clematis alpina)

Nom vulgaire et nom botanique	Hauteur et étalement	Description générale, soins particuliers, remarques	Multiplication
Campanule *(Campanula)* *C. carpatica* (campanule des Carpathes) *C. cochlearifolia* ou *C. pusilla* *C. elatines* *C. portenschlagiana* *C. poscharskyana* *C. rotundifolia* (campanule à feuilles rondes ou clochette)	 H 23-30 cm E 30-38 cm H 10-20 cm E 30 cm H 15-20 cm E 38 cm H 15-23 cm E 25 cm H 10 cm E 60 cm H 20-30 cm E 30 cm	Plante vivace dont certaines espèces sont touffues, d'autres cespiteuses, d'autres encore rampantes. Fleurs ravissantes, étoilées ou campanulées, blanches ou de diverses nuances de bleu, s'épanouissant du début à la fin de l'été. La plupart se cultivent en plein soleil. *C. rotundifolia,* très facile à cultiver, et *C. portenschlagiana* tolèrent un peu d'ombre. Toutes exigent un sol rocailleux et bien drainé, qui conserve une certaine humidité. Splendide plante pour murets ; pousse bien aussi dans les jardins de cailloutis, entre des dalles, dans des bacs et dans des serres alpines. Il existe d'autres espèces de campanules, mais elles poussent difficilement hors d'un environnement alpin.	Semer du printemps à l'automne ; les semis d'automne peuvent germer le printemps suivant. Les graines sont minuscules ; les mélanger à du sable pour ne pas semer trop serré. La plupart des campanules se multiplient spontanément si on ne supprime pas les fleurs fanées. Plusieurs espèces peuvent être divisées au printemps ou en automne. Prélever des boutures de tiges non fleuries à la fin du printemps.
Cassiope *(Cassiope)* *C. lycopodioides* *C. tetragona*	 H 7,5 cm E 20-30 cm H 25-30 cm E 15-20 cm	Arbuste nain et compact. Petites feuilles étroites et persistantes sur de fines tiges. Fleurs minuscules et campanulées, blanches, du milieu à la fin du printemps. Se cultive au soleil ou à la mi-ombre, dans un sol sablonneux amendé de tourbe et bien drainé. Peu rustique, sauf si la rocaille est couverte de neige tout l'hiver.	Prélever des boutures de tiges non fleuries du milieu à la fin de l'été ; leur faire prendre racine dans un mélange de sable et de tourbe. Ou marcotter.
Céraiste *(Cerastium)* *C. alpinum lanatum* *C. tomentosum* (céraiste tomenteux)	 H 10 cm E 20 cm H 15 cm E 1,20-1,50 m	Plante vivace formant tapis, à feuillage gris et laineux. Bouquets de petites fleurs blanches au début de l'été. Se cultive en plein soleil, dans un sol bien drainé. *C. tomentosum* est une plante rampante de croissance rapide qui se multiplie spontanément comme une mauvaise herbe. *C. a. lanatum* est plus délicate. Pousse dans les fissures ou dans les jardins de cailloutis.	Se multiplie par semis ou par division au printemps ou au début de l'automne. Prélever des marcottes pourvues de racines de *C. a. lanatum* au printemps ou au début de l'automne.
Cératostigma *(Ceratostigma)* *C. plumbaginoides*	 H 15-30 cm E 60 cm	Plante vivace cespiteuse à feuillage brillant et semi-persistant qui prend une couleur bronze en automne. Fleurs d'un bleu vif à la fin de l'été. Se cultive au soleil ou à la mi-ombre, dans une terre normale. Pousse bien sur les murets.	Se divise sans problème à la fin du printemps ou après la floraison en automne.
Chapeau-d'évêque, voir Epimède			
Clématite *(Clematis)* *C. alpina* (clématite alpine)	 H 15 cm E 60 cm	Arbuste touffu ou plante grimpante à fleurs bleu violacé de 4 cm de long à la fin du printemps. Se cultive au soleil ou à la mi-ombre, dans un sol riche en humus et bien drainé. Idéale pour les grandes rocailles : la plante court sur les pierres.	Graines lentes à germer ; les semer en automne et cultiver les plantules en pots jusqu'à la mi-printemps.

Coptide du Groenland
(Coptis trifolia)

Corbeille-d'or
(Aurinia saxatilis)

Cornouiller du Canada
(Cornus canadensis)

Corydale jaune
(Corydalis lutea)

Crisogone de Virginie
(Chrysogonum virginianum)

Cytise de Kew
(Cytisus kewensis)

Nom vulgaire et nom botanique	Hauteur et étalement	Description générale, soins particuliers, remarques	Multiplication
Cœur-saignant, voir Dicentre			
Coptide *(Coptis)* *C. trifolia* (coptide du Groenland)	H 10-15 cm E 30-45 cm	Plante vivace acaule formant tapis. Feuilles persistantes et composées, à marges festonnées. Fleurs blanches ou jaunes ressemblant à des boutons-d'or, apparaissant du début au milieu de l'été. Se cultive à la mi-ombre, dans un sol humide et humifère. Ne prospère que là où les hivers sont froids. Jolie plante de sous-bois.	Diviser au début du printemps ou à la fin de l'été. Semer des graines fraîches dans un mélange de tourbe et de sable gardé humide.
Corbeille-d'argent, voir Ibéride			
Corbeille-d'or *(Aurinia* ou *Alyssum)* *Aurinia saxatilis* ou *Alyssum saxatile*	H 15-20 cm E 30-45 cm	Plante vivace à feuillage gris. Fleurs d'un jaune brillant apparaissant au début du printemps. Se cultive au soleil, dans un sol bien drainé. Rabattre après la floraison. Pour dallages et murets de pierres sèches. *A. s. citrina* présente des fleurs jaune clair.	Semer au printemps ou en été (se multiplie spontanément). Prélever des boutures au début de l'été.
Cornouiller *(Cornus)* *C. canadensis* (cornouiller du Canada)	H 15-23 cm E 30 cm	Petit arbuste formant tapis, à feuilles verticillées, persistantes ou semi-persistantes. Belles bractées blanches entourant de petites fleurs peu apparentes à la fin du printemps et au début de l'été. Grappes de baies rouges, comestibles à la fin de l'été et en automne. Se cultive à la mi-ombre, dans un sol acide, humide et riche en humus. Plante idéale pour les sous-bois.	Les semis d'automne germent au printemps. Les plants sauvages se naturalisent difficilement. On peut acheter des plants en pot dans les pépinières.
Corydale *(Corydalis)* *C. lutea* (corydale jaune)	H 20-30 cm E 30 cm	Plante vivace à feuillage semblable à celui d'une fougère. Fleurs jaunes à courts éperons durant tout l'été à partir de la fin du printemps. Se cultive à l'ombre dans un sol bien drainé.	Semer dès que les graines sont mûres. Se multiplie spontanément. Repiquer au printemps.
Coucou, voir Primevère			
Crisogone *(Chrysogonum)* *C. virginianum* (crisogone de Virginie)	H 20-30 cm E 60 cm	Plante vivace à feuillage pubescent et coriace. Fleurs jaunes en forme d'étoile, de la mi-printemps à la mi-été. Se cultive au soleil ou à la mi-ombre, dans un sol bien drainé.	Semer au printemps. Diviser les touffes au début du printemps ou de l'automne.
Cynoglosse printanière, voir Petite bourrache			
Cytise *(Cytisus)* *C. kewensis* (cytise de Kew)	H 25 cm E 60 cm	Arbuste rampant à rameaux filiformes verts. Fleurs blanc crème semblables à celles des pois de senteur, naissant à la fin du printemps. Se cultive au soleil, dans un sol pauvre, bien drainé. Pour grandes rocailles ou murets de pierres sèches.	Bouturer des tiges non fleuries à la fin du printemps ou au début de l'été.

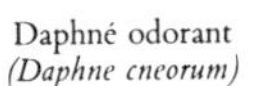

Daphné odorant
(Daphne cneorum)

Cœur-saignant
(Dicentra eximia)

Disporum sessile variegatum

Epigée rampante
(Epigaea repens)

Nom vulgaire et nom botanique	Hauteur et étalement	Description générale, soins particuliers, remarques	Multiplication
Daphné *(Daphne)* *D. blagayana* (daphné des Balkans) *D. cneorum* (daphné odorant) *D. retusa*	 H 15-30 cm E 1,80 m H 15 cm E 60 cm H 90 cm E 45-90 cm	Petit arbuste à feuillage persistant. Fleurs parfumées à la fin du printemps. Se cultive au soleil ou à la mi-ombre, dans un sol bien drainé, enrichi de terreau de feuilles ou de tourbe. Pousse bien au pied d'un mur, dans des tourbières ou dans des plates-bandes surélevées. *D. blagayana* présente des fleurs blanc crème sur des branches presque prostrées, *D. cneorum* des fleurs roses sur des branches rampantes ; cette espèce demande le plein soleil. *D. retusa* donne des boutons pourpres d'où sortent des fleurs roses. Le daphné pousse lentement.	Il est préférable d'acheter des plants en pots. Bouturer *D. cneorum* et *D. retusa* en été dans un mélange de tourbe et de sable. Marcotter *D. blagayana* et *D. cneorum.*
Désespoir des peintres, voir Saxifrage			
Dicentre *(Dicentra)* *D. canadensis* (dicentre du Canada) *D. cucullaria* (dicentre à capuchon) *D. eximia* (cœur-saignant)	 H 10-25 cm E 25 cm H 25-30 cm E 30 cm H 30-60 cm E 20-25 cm	Plante vivace dont le feuillage ressemble beaucoup à celui d'une fougère. Grappes de fleurs délicates en forme de cœur s'épanouissant du milieu à la fin du printemps. Se cultive à la mi-ombre dans un sol riche en humus. (Ajouter du calcaire broyé aux sols très acides.) Vient bien dans les sous-bois, les fissures des murs ou les jardins de rocaille. *D. canadensis* présente des fleurs blanches à courts éperons. *D. cucullaria* a des fleurs blanches ou rosées à longs éperons. *D. eximia* se distingue par des fleurs roses en forme de cœur réunies en épis.	Diviser les touffes en segmentant les tubercules après la floraison. Les graines sont lentes à germer ; semer à l'automne pour obtenir une levée au printemps.
Disporum *(Disporum)* *D. hookeri* *D. lanuginosum* *D. sessile variegatum*	 H 23-40 cm E 60 cm H 30-60 cm E 30-60 cm H 20 cm E 30 cm	Gracieuse plante vivace dont le feuillage ressemble à celui du lis. Fleurs crème ou verdâtres et campanulées à la fin du printemps. Se cultive à la mi-ombre dans un sol acide, riche en humus. Pousse dans les sous-bois, au pied des murs ou sur des talus rocailleux. *D. lanuginosum* est originaire de l'est des Etats-Unis ; *D. hookeri,* de l'ouest des Etats-Unis ; *D. s. variegatum,* du Japon et présente des feuilles panachées.	Se multiplie facilement par division des rhizomes au début du printemps ou après la floraison. Semer à la fin du printemps.
Epigée rampante ou fleur de mai *(Epigaea)* *E. repens*	 H 2,5-7,5 cm E 45-60 cm	Sous-arbrisseau tapissant à feuilles persistantes de 7,5 cm de long. Fleurs roses ou blanches, campanulées et parfumées, à la mi-printemps. Se cultive à l'ombre partielle ou totale, dans un sol acide, riche en humus. Pailler en hiver dans les régions à climat froid. Garder les plantes récemment repiquées dans un sol humide jusqu'à complet établissement. Se plante bien dans les sous-bois, dans les coins ombragés d'une rocaille, entre les pierres ou dans les terrains boisés.	Acheter l'épigée rampante en pot ; l'entourer d'un paillis de terreau de feuilles ou d'aiguilles de pin. Bouturer les racines en été dans un mélange de tourbe et de sable.

Epimède
(Epimedium grandiflorum)

Euphorbia myrsinites

Galax aphylla

Gaylussacia brachycera

Genêt velu
(Genista pilosa)

Nom vulgaire et nom botanique	Hauteur et étalement	Description générale, soins particuliers, remarques	Multiplication
Epimède *(Epimedium)* *E. alpinum* (chapeau-d'évêque) *E. grandiflorum* *E. pinnatum* (bonnet-d'évêque)	 H 15-23 cm E 30 cm H 23 cm E 60 cm H 23-30 cm E 25-60 cm	Plante vivace à port étalé et à feuillage persistant remarquable. Gracieuses grappes de fleurs à éperons dans les teintes de blanc, rose, violet ou jaune, de la mi-printemps au début de l'été. Se cultive au soleil ou à la mi-ombre, dans un sol bien drainé, riche en humus et conservant l'humidité. Se place bien au pied des murs, dans les sous-bois, devant des arbustes et sur des talus rocailleux. Grand nombre de variétés et d'hybrides.	Se divise facilement au début du printemps, après la floraison, ou au début de l'automne. Déterrer les touffes et séparer les tiges souterraines.
Euphorbe *(Euphorbia)* *E. myrsinites*	 H 30 cm E 30 cm	Plante vivace prostrée présentant un feuillage gris-bleu sur des tiges charnues. Bractées jaune soufre à la fin du printemps. Se cultive en plein soleil, dans un sol bien drainé.	Se multiplie par semis, par division ou par bouturage du milieu à la fin du printemps.
Fil-d'araignée, voir Joubarbe **Fleur de mai,** voir Épigée rampante			
Galax *(Galax)* *G. aphylla*	 H 15-30 cm E 30-60 cm	Plante vivace acaule. Feuilles persistantes et cordiformes devenant bronze en automne et en hiver. Myriades de petites fleurs blanches à la fin du printemps. Se cultive à la mi-ombre, dans un sol acide et riche en humus. Se plaît dans les sous-bois, sur les talus ombragés ou parmi les pierres.	Diviser les plants établis au début du printemps ou de l'automne en séparant les rhizomes. La croissance des plantules obtenues par semis est très lente.
Gaulthérie couchée, voir Thé des bois			
Gaylussacia *(Gaylussacia)* *G. brachycera*	 H 45 cm E 60 cm	Arbuste rampant. Feuilles persistantes et vernissées devenant bronze à l'automne. Fleurs campanulées à la fin du printemps ; baies bleues et comestibles à la fin de l'été. Se cultive au soleil ou à la mi-ombre, dans un sol humifère et acide. Croissance lente tant que les plants ne sont pas établis. S'utilise comme couvre-sol sur les talus, dans les terres de bruyères et dans les rocailles.	Acheter des plants en pots. Se multiplie par division des racines traçantes ou par bouturage au début de l'été.
Gazon d'Espagne ou d'Olympe, voir Armérie			
Genêt *(Genista)* *G. pilosa* (genêt velu) *G. sagittalis* (genêt à tige ailée)	 H 10 cm E 60-90 cm H 30 cm E 60 cm	Petits arbustes prostrés, à tiges vertes et ailées ressemblant au feuillage des conifères. Fleurs jaunes semblables à celles des pois, de la fin du printemps au début de l'été. Se cultive au soleil, dans un sol sablonneux, profond et bien drainé. Ne se transplante pas facilement ; acheter les plants en pots ou bouturer les jeunes sujets pour les planter ensuite à un autre endroit. Convient aux climats chauds.	Prélever des boutures de nouvelles pousses au début de l'été ; semer en automne ou au printemps.

Gentiane acaule
(Gentiana acaulis)

Géranium sanguin
(Geranium sanguineum prostratum)

Asaret d'Europe
(Asarum europaeum)

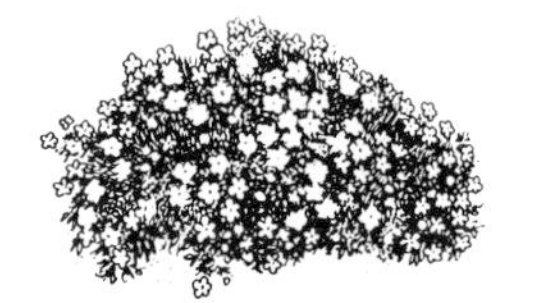

Gypsophile rampante
(Gypsophila repens)

Nom vulgaire et nom botanique	Hauteur et étalement	Description générale, soins particuliers, remarques	Multiplication
Gentiane *(Gentiana)* *G. acaulis* (gentiane acaule) *G. andrewsii* (gentiane d'Andrew) *G. scabra* *G. septemfida*	 H 7,5-10 cm E 45 cm H 30 cm E 30 cm H 30 cm E 30 cm H 23-45 cm E 30 cm	Plante vivace dont quelques variétés présentent un feuillage persistant ; fleurs d'un bleu intense. Se cultive au soleil ou à la mi-ombre dans un sol bien drainé, mais humide et riche en humus. *G. acaulis* présente un feuillage persistant et de grandes fleurs bleues en trompette à la fin du printemps ; elle se cultive difficilement. *G. andrewsii* porte des fleurs bleu-pourpre au début de l'automne ; elle pousse bien dans les sous-bois et sur les talus ombragés. *G. scabra* se signale par de grandes fleurs d'un bleu intense, du milieu à la fin de l'automne ; elle convient aux jardins ombragés. Enfin, *G. septemfida* donne de grandes fleurs campanulées d'un bleu profond à la mi-été.	Diviser *G. acaulis* et *G. andrewsii* au début du printemps. *G. septemfida* se multiplie par bouturage. Toutes se reproduisent par semis, et tout spécialement *G. andrewsii, G. scabra* et *G. septemfida.*
Géranium ou bec-de-grue *(Geranium)* *G.* 'Ballerina' *G. cinereum subcaulescens* *G. dalmaticum* *G. sanguineum prostratum* ou *G. lancastriense* (géranium sanguin)	 H 15-23 cm E 30 cm H 10-15 cm E 30 cm H 7,5-15 cm E 23-30 cm H 15-23 cm E 30 cm	Plante vivace à beau feuillage profondément découpé, formant un coussin. Fleurs ravissantes apparaissant au début de l'été. Se cultive au soleil ou à la mi-ombre, dans une terre à rocaille normale. Utiliser comme couvre-sol, sur les murs de pierres sèches, entre les dalles et dans des bacs. *G.* 'Ballerina' présente des fleurs roses ; *G. c. subcaulescens,* de petites feuilles festonnées et des fleurs rose carmin ; *G. dalmaticum,* un feuillage sombre et luisant et des fleurs roses ou blanches ; et *G. s. prostratum,* des fleurs roses veinées.	La plupart de ces géraniums se multiplient par division des touffes au début du printemps ou après la floraison, ainsi que par boutures de racines ou par semis.
Gingembre sauvage ou asaret *(Asarum)* *A. europaeum* (asaret d'Europe) *A. shuttleworthii* *A. virginicum* (asaret de Virginie)	 H 13 cm E 25 cm H 20 cm E 40 cm H 18 cm E 35 cm	Plante vivace formant tapis et présentant des rhizomes rampants à saveur de gingembre. Belles feuilles persistantes et cordiformes, souvent mouchetées d'argent, cachant des fleurs tubuleuses brunes ou marron poussant près du sol au début du printemps. Se cultive à l'ombre, dans un sol riche en humus et bien drainé. Plante appréciée pour les sous-bois et les rocailles ombragées.	Diviser les rhizomes au printemps et les repiquer dans une terre humifère. Garder le sol humide jusqu'à complet épanouissement de la plante.
Gypsophile *(Gypsophila)* *G. repens* (gypsophile rampante)	H 10-13 cm E 60 cm	Plante vivace à port prostré ou rampant et à feuilles étroites, vert-gris. Légers bouquets de petites fleurs blanches du début au milieu de l'été. Se cultive au soleil, dans un sol bien drainé et légèrement alcalin. Se prête à diverses utilisations dans les rocailles. *G. r. rosea* présente des fleurs roses sur des tiges de 10 cm.	Se multiplie de préférence par semis.

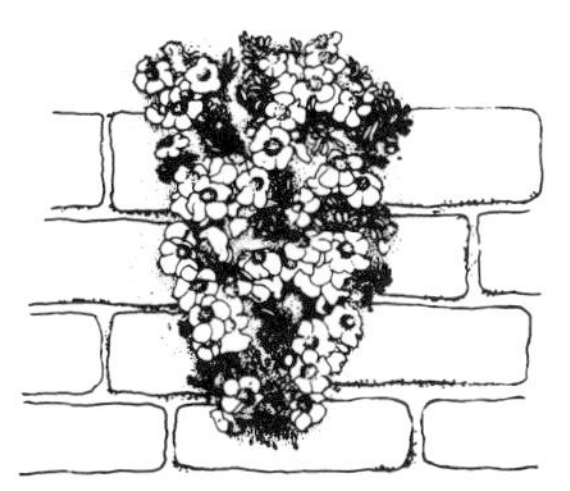

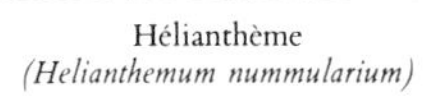

Hélianthème
(Helianthemum nummularium)

Hépatique
(Hepatica nobilis)

Thlaspi toujours vert
(Iberis sempervirens)

Iris cristata

Nom vulgaire et nom botanique	Hauteur et étalement	Description générale, soins particuliers, remarques	Multiplication
Hélianthème *(Helianthemum)* *H. alpestre* *H. lunulatum* *H. nummularium* ou *H. chamaecistus*	 H 7,5-15 cm E 30 cm H 23-30 cm E 30 cm H 10-30 cm E 60 cm	Sous-arbrisseau à feuillage persistant ou semi-persistant. Fleurs abondantes, ayant la forme de roses, du début au milieu de l'été. Se cultive au soleil, dans une couche épaisse de sol pauvre. Rabattre après la floraison. Acheter des plants en pots. *H. alpestre* présente des fleurs jaunes sur des plants rameux ; *H. lunulatum,* des fleurs jaune d'or, tandis que celles de *H. nummularium* sont simples ou doubles, jaunes, roses ou blanches. Plusieurs variétés de cette dernière espèce portent des noms distinctifs. Protéger l'hélianthème en hiver dans la plupart des régions.	Bouturer en été les variétés identifiées. Multiplier les autres variétés de la même façon ou par semis au printemps.
Hépatique *(Hepatica)* *H. acutiloba* *H. nobilis* ou *H. triloba* *H. transsilvanica* ou *H. angulosa*	 H 15-23 cm E 15-25 cm H 10-23 cm E 23-30 cm H 10-15 cm E 25 cm	Plante vivace à feuilles persistantes trilobées ; de nouvelles feuilles apparaissent après la floraison. Jolies fleurs de bleu violacé à presque blanc portant des étamines spectaculaires au début du printemps. Se cultive à l'ombre, dans un sol bien drainé, riche en humus et qui ne se dessèche pas. Pousse dans les sous-bois, les plates-bandes surélevées, sur les murs de soutènement et les talus rocailleux. Les espèces botaniques sont similaires.	Diviser les touffes au début de l'automne ou après la floraison. Semer des graines fraîches à l'automne : elles germeront au printemps. Se multiplie spontanément.
Herbe de Saint-Christophe, voir Actée			
Ibéride ou thlaspi *(Iberis)* *I. saxatilis* *I. sempervirens* (thlaspi toujours vert ou corbeille-d'argent)	 H 15 cm E 30 cm H 30 cm E 60 cm	Plante vivace étalée ou sous-arbrisseau portant d'étroites feuilles persistantes. Fleurs blanches de longue durée, réunies en ombelles et apparaissant à la fin du printemps. Se cultive en plein soleil dans un sol bien drainé. *I. sempervirens* 'Autumn Snow' fleurit au printemps, puis de nouveau en automne.	Prélever des boutures après la floraison. Les repiquer le printemps suivant. Se multiplie aussi par marcottage et par division des touffes.
Iris *(Iris)* *I. cristata* *I. gracilipes* *I. pumila* (iris nain) *I. ruthenica* *I. verna*	 H 7,5-10 cm E 30 cm H 20-25 cm E 20 cm H 7,5 cm E 15-20 cm H 15-20 cm E 20 cm H 25 cm E 25 cm	Plante vivace formant tapis, à feuillage herbacé. Petites fleurs identiques à celles des grands iris de jardin, du début du printemps au début de l'été. *I. cristata* à crête et *I. verna* sans barbe ont des fleurs bleu lilas et poussent bien à la mi-ombre dans un sol humifère. *I. gracilipes,* ravissante espèce cristée originaire du Japon, présente des fleurs rosées de 2,5 cm à crête ondulée orange. L'iris nain à barbe, *I. pumila,* fleurit au début du printemps et offre plusieurs variétés désignées dans une grande gamme de coloris. *I. ruthenica,* iris Apogon, se signale par des fleurs parfumées blanches ponctuées de bleu. Toutes se cultivent en plein soleil, dans un sol riche et bien drainé. Voir aussi Iris, p. 307.	Diviser et repiquer les touffes après la floraison. Bien arroser jusqu'à complet établissement. Les espèces botaniques se multiplient par semis en automne pour que la germination se fasse le printemps suivant.

Jeffersonia dubia

Fil-d'araignée (*Sempervivum arachnoideum*)

Leiophyllum buxifolium

Lin alpin (*Linum perenne alpinum*)

Linaire des Alpes (*Linaria alpina*)

Linnée boréale (*Linnaea borealis*)

Lychnis alpina

Nom vulgaire et nom botanique	Hauteur et étalement	Description générale, soins particuliers, remarques	Multiplication
Jeffersonia *(Jeffersonia)* *J. diphylla* *J. dubia*	 H 25 cm E 20 cm H 15 cm E 10-13 cm	Plante vivace à feuilles opposées, réniformes ou cordiformes. Jolies fleurs blanches ressemblant à celles des anémones (bleues chez *J. dubia,* forme asiatique rare), au milieu du printemps. Se cultive à la mi-ombre, dans un sol humifère. Pour sous-bois et jardin de rocaille ombragé.	Diviser au début du printemps après le flétrissement du feuillage qui suit de près la floraison. Semer des graines fraîches à la fin de l'été ; la germination est lente.
Joubarbe *(Sempervivum)* *S. arachnoideum* (fil-d'araignée) *S. fauconnettii* *S. globiferum* (joubarbe globuleuse) *S. tectorum* (joubarbe des toits)	 H 2,5-10 cm E 30 cm H 20 cm E 25-30 cm H 15-30 cm E 25 cm H 5-7,5 cm E 30 cm	Plante vivace rampante formant de petites rosettes de feuilles succulentes. Panicules de fleurs étoilées en été. Se cultive au soleil, dans un sol bien drainé. Pousse dans les fissures, sur les corniches, les murets et entre les dalles. *S. arachnoideum* est une plante de rocaille remarquable avec ses feuilles en rosettes reliées par des fils gris et ses fleurs rose-rouge voyantes. *S. fauconnettii* présente un feuillage teinté de rouge ou de pourpre et des fleurs d'un rouge vif ; *S. globiferum,* des fleurs jaune pâle ; *S. tectorum,* des feuilles grises et des fleurs roses. Hybrides et variétés en grand nombre.	Se multiplie facilement par division des rosettes. La multiplication par semis ne donne pas toujours des sujets identiques à l'espèce.
Lédum à feuilles de buis *(Leiophyllum)* *L. buxifolium*	 H 25-30 cm E 45 cm	Arbuste à croissance lente portant de petites feuilles persistantes et vernissées qui virent au vert-brun en automne. Bouquets serrés de fleurs roses ou blanches à la fin du printemps. Se cultive au soleil ou à la mi-ombre dans une terre grasse et sablonneuse enrichie de tourbe. Supporte le voisinage de la mer et les embruns.	Semer sous verre au début du printemps. Prélever des boutures semi-aoûtées à la mi-été ou multiplier par marcottage.
Lin *(Linum)* *L. perenne alpinum* (lin alpin)	 H 10-25 cm E 20 cm	Plante vivace à feuilles étroites gris-bleu. Jolies fleurs bleues au début de l'été. Se cultive au soleil, dans un sol bien drainé. Pour *L. flavum* et *L. narbonnense,* voir p. 222.	Se multiplie facilement par semis. Repiquer les plantules à leur place définitive.
Linaire *(Linaria)* *L. alpina* (linaire des Alpes)	 H 7,5-23 cm E 30 cm	Plante vivace rampante à feuilles bleutées. Petites fleurs pourpre et jaune semblables à celles du muflier et s'épanouissant tout l'été. Se cultive au soleil ou à la mi-ombre, dans un sol bien drainé.	Semer au printemps. Ne vit pas longtemps mais se multiplie spontanément.
Linnée *(Linnaea)* *L. borealis* (linnée boréale)	 H 5-7,5 cm E 60 cm	Arbrisseau rampant à petites feuilles persistantes. Fleurs campanulées roses, groupées par deux sur des tiges de 5 cm à la fin du printemps. Se cultive à la mi-ombre, dans un sol de rocaille humide, acide et riche en humus.	Diviser en éclats pourvus de racines ou marcotter au printemps ; garder le sol humide jusqu'à complet établissement.
Lychnis ou lychnide *(Lychnis)* *L. alpina*	 H 10 cm E 10 cm	Plante vivace à touffes de feuilles étroites. Fleurs rose pourpré s'épanouissant au début de l'été. Se cultive au soleil ou à la mi-ombre, dans un sol normal. Pour jardins de cailloutis et dallages.	Se multiplie facilement par semis à la mi-été.

Millepertuis
(Hypericum polyphyllum)

Mitchella rampante
(Mitchella repens)

Myosotis des Alpes
(Myosotis alpestris)

Œillet alpin
(Dianthus alpinus)

Nom vulgaire et nom botanique	Hauteur et étalement	Description générale, soins particuliers, remarques	Multiplication
Mantelet-de-dame, voir Alchemille			
Millepertuis *(Hypericum)* *H. coris* *H. olympicum* (millepertuis de l'Olympe) *H. polyphyllum* *H. rhodopeum*	 H 15-30 cm E 30 cm H 23-30 cm E 30 cm H 15 cm E 30 cm H 13 cm E 20 cm	Petit arbuste rampant, à feuillage souvent persistant dans les climats doux. Fleurs jaune d'or remarquables, à étamines saillantes du début au milieu de l'été. Se cultive au soleil, dans un sol bien drainé. Supporte mal le repiquage. A planter dans des fissures ou des crevasses de terre profondes sur des murs ou dans des rocailles. Utile aussi entre les dalles, dans les jardins de cailloutis et sur les talus ensoleillés.	Prélever des boutures au début de l'été ; leur faire prendre racine dans un mélange de sable et de tourbe. Se multiplie aussi par semis si l'on arrive à se procurer des graines.
Mitchella *(Mitchella)* *M. repens* (mitchella rampante ou pain-de-perdrix)	 H 7,5 cm E 60 cm	Arbrisseau étalé, à petites feuilles persistantes veinées de blanc. Ravissantes fleurs tubuleuses blanches ou rosées à la fin du printemps, suivies de baies rouges persistantes se développant par paires. Se cultive à l'ombre, dans un sol humifère. Bonne plante tapissante pour plates-bandes surélevées et sous-bois.	Diviser les touffes après la floraison. Les garder dans un sol humide jusqu'à complet établissement. Faire s'enraciner les boutures dans un mélange de sable et de tourbe.
Myosotis *(Myosotis)* *M. alpestris* ou *M. rupicola* (myosotis des Alpes)	 H 5-15 cm E 10-15 cm	Délicate plante vivace à courtes inflorescences d'un bleu lumineux au début de l'été. Se cultive au soleil ou à la mi-ombre, dans un sol rocailleux et bien drainé, qui retient l'humidité. Plante éphémère pour jardins de cailloutis, dallages, bacs et serres alpines.	Semer les graines à l'extérieur à la fin de l'été ; les plants issus des semis fleuriront deux ans plus tard. Peut être multiplié également par division des rosettes de feuilles.
Œil-de-bœuf, voir Adonis			
Œillet *(Dianthus)* *D. alpinus* (œillet alpin) *D. deltoides* (œillet deltoïde) *D. neglectus* (œillet des glaciers)	 H 7,5-13 cm E 15 cm H 10-38 cm E 30-45 cm H 5-15 cm E 15 cm	Plante vivace formant tapis ou coussins, à feuillage persistant semblable à des brins d'herbe. Belles fleurs roses, souvent garnies d'un œil remarquable, à la fin du printemps et au début de l'été. Se cultive en plein soleil, dans un sol bien drainé et rocailleux. (Ajouter du calcaire aux sols acides.) Utile pour décorer les murs de soutènement, les jardins de cailloutis, les dalles ou les bacs. Il existe de nombreux autres œillets, espèces ou hybrides, qui se cultivent en rocailles.	Diviser les touffes ou prélever des boutures après la floraison. Semer à la fin du printemps ou au début de l'été. La plupart des œillets se multiplient spontanément, mais les fleurs peuvent perdre les caractères de l'espèce.
Oignon ornemental, voir Ail			

Orpin de Siebold
(Sedum sieboldii)

Pavot alpin
(Papaver alpinum)

Petite bourrache
(Omphalodes verna)

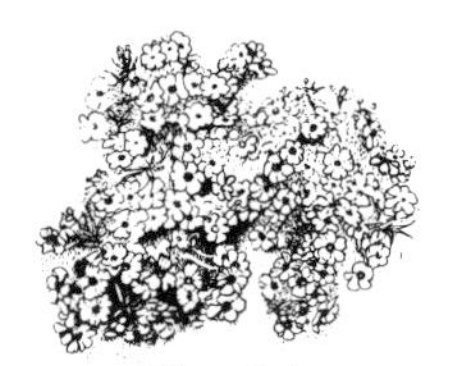

Phlox subulé
(Phlox subulata)

Nom vulgaire et nom botanique	Hauteur et étalement	Description générale, soins particuliers, remarques	Multiplication
Orpin *(Sedum)* *S. cauticolum* *S. dasyphyllum* (orpin à feuilles épaisses) *S. ewersii* (orpin d'Ewers) *S. sieboldii* (orpin de Siebold)	 H 7,5-20 cm E 25-60 cm H 2,5-5 cm E 30 cm H 10-30 cm E 30-38 cm H 15-23 cm E 30 cm	Plante vivace à port étalé et à feuillage succulent. Se cultive au soleil, dans un sol bien drainé. Pousse sur les murs, entre les dalles et peut servir de couvre-sol. *S. cauticolum* présente un feuillage grisâtre et des fleurs rose-rouge à la mi-été ; *S. dasyphyllum,* un coussin de feuilles bleutées et des fleurs roses au début de l'été ; *S. ewersii,* un port arbustif, des feuilles vert-gris et des fleurs roses à la fin de l'été ; *S. sieboldii,* des feuilles grises sur des branches arquées et des fleurs roses à la fin de l'été et en automne.	La méthode la plus rapide consiste à diviser les plants au printemps ou en été.
Pain-de-perdrix, voir Mitchella			
Pavot *(Papaver)* *P. alpinum* (pavot alpin)	 H 10-25 cm E 10-25 cm	Plante vivace à feuillage finement découpé. Fleurs délicates dans une grande gamme de couleurs au début de l'été. Se cultive au soleil, dans un sol rocailleux additionné d'humus et bien drainé. Pailler avec du cailloutis. Pour murs de soutènement, dallages, jardins de cailloutis et bacs.	Semer les graines dans un emplacement définitif au début du printemps ou en automne, car les racines fragiles ne supportent pas le repiquage. La plante se multiplie également spontanément.
Petite bourrache ou cynoglosse printanière *(Omphalodes)* *O. verna*	 H 20 cm E 30 cm	Plante vivace rampante à feuillage léger, persistant dans le Sud. Fleurs bleu vif de 1,5 cm de diamètre au début du printemps. Se cultive à la mi-ombre, dans un sol riche en humus. Plante utile pour couvrir le sol ; à cultiver dans les sous-bois et sur les murs de pierres sèches.	Diviser les touffes au printemps ou après la floraison. Se multiplie par semis, mais les graines sont difficiles à trouver sur le marché.
Phlox *(Phlox)* *P. bifida* *P. pilosa* *P. stolonifera* *P. subulata* (phlox subulé)	 H 25 cm E 25-30 cm H 25-30 cm E 38 cm H 20-25 cm E 38-50 cm H 7,5-15 cm E 50 cm	Plante vivace à fleurs spectaculaires du début à la fin du printemps. Forme un coussin peu compact de tiges ligneuses ; fleurs de blanc à bleu violacé à la fin du printemps. Demande une situation ensoleillée ainsi qu'un sol sablonneux. Fleurs blanches, roses ou pourprées réunies en petites touffes. Mi-ombre ou soleil et sol normal. Fleurs de rose à lavande. Se cultive à la mi-ombre, dans un sol riche en humus. Fleurs étoilées en diverses nuances de rose, rouge, pourpre, bleu et blanc. Feuillage persistant. Plein soleil et sol bien drainé. Voir *P. divaricata,* p. 226.	Diviser les touffes ou coussins de *P. pilosa*, *P. stolonifera* et *P. subulata* au début du printemps ou après la floraison. *P. bifida* se multiplie plus facilement par marcottage.
Pied-de-lion, voir Alchemille			

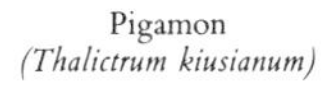

Pigamon
(Thalictrum kiusianum)

Potentille
(Potentilla nitida)

Primevère oreille d'ours
(Primula auricula)

Ramonda myconi

Nom vulgaire et nom botanique	Hauteur et étalement	Description générale, soins particuliers, remarques	Multiplication
Pigamon *(Thalictrum)* *T. alpinum* (pigamon alpin) *T. kiusianum*	 H 15-20 cm E 30-35 cm H 5-20 cm E 25-30 cm	Plante vivace à gracieux feuillage de fougère. Fleurs dépourvues de pétales et dotées d'étamines jaunes ou roses à la mi-été. Se cultive à la mi-ombre, dans un sol humide et rocailleux pour *T. alpinum,* humifère et bien drainé pour *T. kiusianum.*	Les touffes se divisent facilement au début du printemps ou au début de l'automne.
Potentille *(Potentilla)* *P. alba* *P. aurea* ou *P. verna aurea* *P. nitida* *P. tormentillo-formosa* ou *P. tonguei* *P. tridentata* (potentille tridentée)	 H 20-25 cm E 30-38 cm H 15 cm E 15-20 cm H 2,5-7,5 cm E 30 cm H 20 cm E 60 cm H 5-30 cm E 30-60 cm	Plante annuelle ou vivace à feuilles composées de 3 à 5 folioles. Fleurs simples à 5 pétales. Se cultive au soleil dans un sol bien drainé. Utile sur les murets de pierres sèches, entre les dalles, dans les jardins de cailloutis. *P. alba* présente des folioles soyeuses, et produit des fleurs blanches au début de l'été ; *P. aurea,* des fleurs jaunes au début du printemps sur des coussins de feuilles vert sombre ; *P. nitida,* des fleurs rose pâle au début de l'été sur des coussins de feuilles soyeuses. *P. tormentillo-formosa* est une plante annuelle à racines traçantes et à fleurs abricot à la fin de l'été. Enfin, *P. tridentata* offre des feuilles vernissées et semi-persistantes qui rougissent en automne, ainsi que des fleurs blanches à la mi-été.	Diviser les coussins ou les touffes au début du printemps ou après la floraison à la fin de l'été. Se multiplie aussi par semis. Plusieurs variétés se multiplient spontanément.
Primevère *(Primula)* *P. auricula* (primevère oreille d'ours) *P. juliae* (primevère de Mme Julia) *P. polyantha* (primevère des jardins) *P. sieboldii* (primevère de Siebold) *P. vulgaris* ou *P. acaulis* (coucou ou primevère commune)	 H 15-20 cm E 15-25 cm H 7,5 cm E 15 cm H 25-30 cm E 25-30 cm H 15-23 cm E 23-25 cm H 15-23 cm E 15-38 cm	Plante vivace à feuillage en touffes, en rosettes ou en coussins. Jolies fleurs de teintes éclatantes au printemps. Se cultive à la mi-ombre dans un sol fertile et humifère. Se plante dans les sous-bois, devant un massif d'arbustes, sur les murets de pierres sèches, dans les serres alpines et les jardins de cailloutis. *P. auricula* présente des fleurs richement colorées. *P. juliae* est une plante naine cespiteuse qui se distingue par des fleurs roses, rouges ou écarlates et offre plusieurs hybrides. *P. polyantha* a des fleurs de plusieurs coloris, *P. sieboldii* des fleurs blanches ou roses et des feuilles festonnées et délicates. *P. vulgaris* a des fleurs jaunes et solitaires ; plusieurs races et hybrides à fleurs bleues, roses, rouges et blanches. Voir aussi p. 229.	Diviser les plants tous les trois ou quatre ans pour les garder en bonne santé. Après la floraison, déterrer et diviser les plants ; repiquer immédiatement dans un sol enrichi d'humus. Semer à la mi-été ou en automne en prévision d'une germination au printemps ; ce procédé donne des résultats inégaux et des plantules qui se développent lentement.
Pulsatille, voir Anémone pulsatille			
Ramonda *(Ramonda)* *R. myconi* *R. nathaliae*	 H 10-15 cm E 23 cm H 10 cm E 15-20 cm	Plante vivace à rosettes de feuilles pubescentes. Bouquets de fleurs bleu lavande à étamines jaune d'or au début de l'été. Se cultive à l'ombre dans un sol humifère et humide. Pousse dans les fissures d'un mur. *R. myconi* présente des feuilles plus duveteuses et des fleurs à 5 pétales.	Diviser les collets, comme pour les violettes du Cap. On peut aussi bouturer des feuilles avec leur pétiole ou semer des graines.

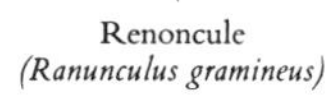
Renoncule
(Ranunculus gramineus)

Sabline des montagnes
(Arenaria montana)

Sanguinaire du Canada
(Sanguinaria canadensis)

Saponaire des rocailles
(Saponaria ocymoides)

Saxifrage
(Saxifraga grisebachii)

Nom vulgaire et nom botanique	Hauteur et étalement	Description générale, soins particuliers, remarques	Multiplication
Renoncule *(Ranunculus)* *R. alpestris* (renoncule des montagnes) *R. gramineus* *R. montanus*	 H 15 cm E 15 cm H 30 cm E 20-30 cm H 15 cm E 30 cm	Plante vivace formant un tapis ou des touffes de feuilles découpées, d'un vert-gris chez *R. alpestris* et *R. gramineus.* Fleurs jaunes (blanches chez *R. alpestris*) à la mi-printemps. Se cultive au soleil ou à la mi-ombre, dans un sol rocailleux, riche en humus. (*R. alpestris* préfère une terre riche, humide ou même marécageuse, et pousse bien près de pièces d'eau.)	Les touffes se divisent facilement au début du printemps ou après la floraison.
Sabline *(Arenaria)* *A. montana* (sabline des montagnes)	 H 5-10 cm E 45 cm	Plante vivace rampante ou retombante, à feuilles étroites. Fleurs blanches et étoilées s'épanouissant de la fin du printemps au début de l'été. Se cultive en plein soleil, dans un sol riche en humus et bien drainé.	Se multiplie facilement par semis, plus difficilement par division au début de l'automne ou par bouturage à la mi-été.
Sanguinaire *(Sanguinaria)* *S. canadensis* (sanguinaire du Canada)	 H 10-23 cm E 23-30 cm	Plante vivace à rhizomes et à feuilles grises et lobées. Le feuillage se flétrit d'ordinaire à la mi-été. Ravissantes fleurs blanches (doubles et de plus longue durée chez *S. c. multiplex*) au début du printemps. Se cultive à la mi-ombre, dans un sol riche en humus.	Après la floraison, diviser les rhizomes en segments dotés d'au moins un œil chacun. La plante se multiplie aussi spontanément.
Saponaire *(Saponaria)* *S. ocymoides* (saponaire des rocailles)	 H 7,5 cm E 15-30 cm	Plante vivace rampante à bouquets de petites fleurs roses très voyantes à la fin du printemps. Se cultive au soleil, dans un sol profond, bien drainé et frais, à cause de ses racines pivotantes. Rabattre tout de suite après la floraison.	Semer au printemps ; transplanter les plantules le plus tôt possible dans leur emplacement définitif. Bouturer les beaux plants.
Saxifrage *(Saxifraga)* *S. apiculata* *S. cotyledon* (saxifrage cotylédon) *S. grisebachii* *S. longifolia* *S. moschata* *S. sarmentosa* ou *S. stolonifera* (saxifrage sarmenteuse) *S. umbrosa* (saxifrage ombreuse ou désespoir des peintres)	 H 10 cm E 30-45 cm H 60 cm E 30-38 cm H 15-23 cm E 23-30 cm H 45 cm E 30 cm H 2,5-7,5 cm E 30-45 cm H 60 cm E 30-45 cm H 30 cm E 30-45 cm	Plante vivace formant un coussin ou des rosettes de feuilles argentées ou panachées, semblable tantôt à une mousse, tantôt à une plante grasse. Fleurs blanches, roses, pourpres ou jaunes, de la fin du printemps au début de l'été. Se cultive au soleil ou à la mi-ombre, dans un sol rocailleux bien drainé (ajouter de la tourbe ou du terreau de feuilles pour *S. sarmentosa* et *S. umbrosa*). Plante peu exigeante pouvant croître sur des murs de soutènement, dans des fissures, entre des dalles, dans des jardins de cailloutis, des bacs ou des serres alpines (surtout *S. apiculata* et *S. grisebachii*). *S. sarmentosa* doit être protégé en hiver dans la plupart des régions et pousse dans les sous-bois. Dans les catalogues, on retrouve parfois cette espèce dans les géraniums fraisiers.	Diviser et repiquer les rosettes enracinées après la floraison ; démarrer les rosettes sans racines plus tôt dans du sable humide. Certaines espèces, dont *S. cotyledon, S. longifolia* et *S. sarmentosa,* doivent être divisées après la floraison. Effectuer les semis dans une terre rocailleuse renfermant un peu d'humus mélangé à du terreau de feuilles ou à de la tourbe. Les plants seront prêts à fleurir trois ans plus tard.

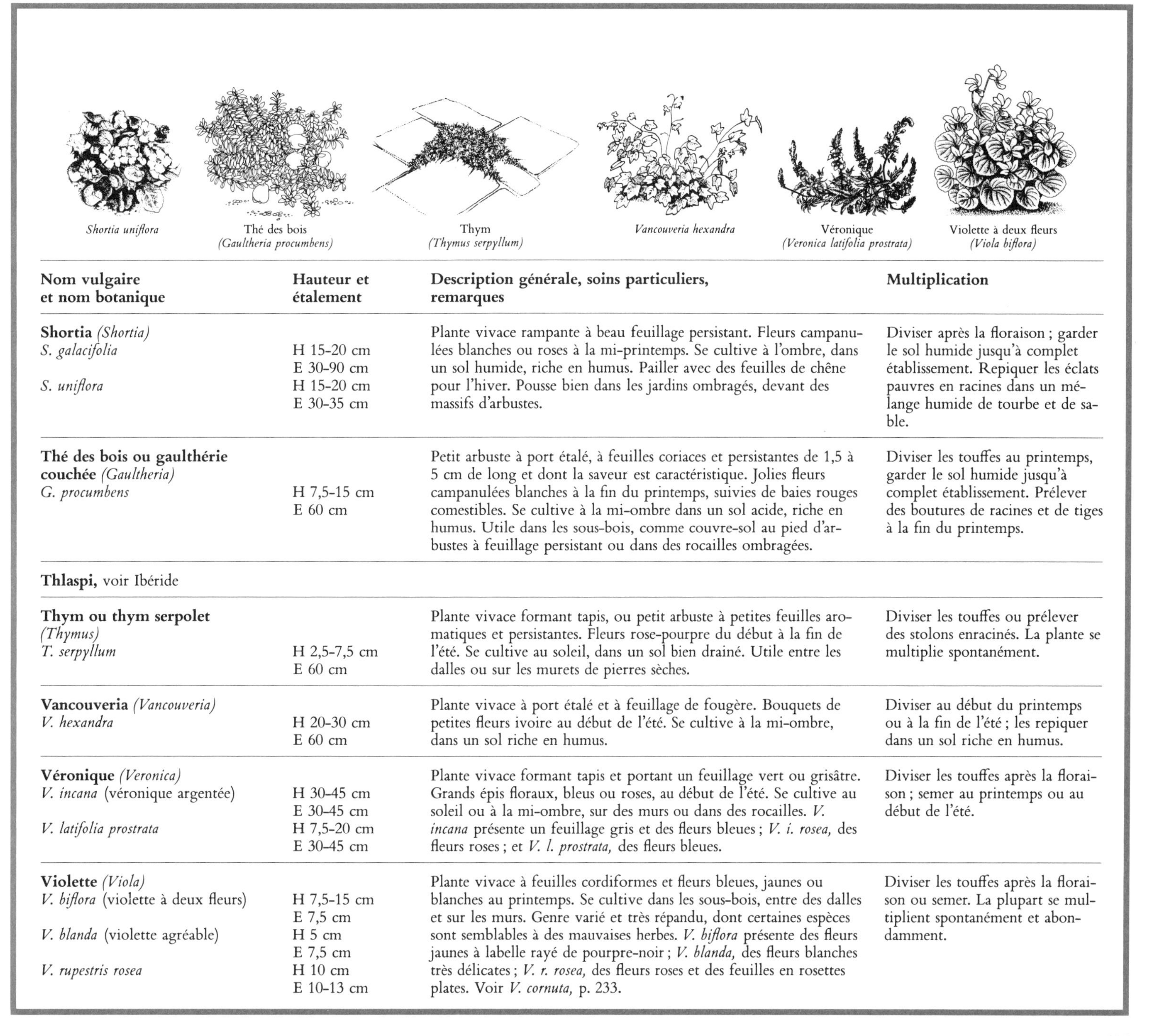

Shortia uniflora — Thé des bois (*Gaultheria procumbens*) — Thym (*Thymus serpyllum*) — *Vancouveria hexandra* — Véronique (*Veronica latifolia prostrata*) — Violette à deux fleurs (*Viola biflora*)

Nom vulgaire et nom botanique	Hauteur et étalement	Description générale, soins particuliers, remarques	Multiplication
Shortia *(Shortia)* *S. galacifolia* *S. uniflora*	 H 15-20 cm E 30-90 cm H 15-20 cm E 30-35 cm	Plante vivace rampante à beau feuillage persistant. Fleurs campanulées blanches ou roses à la mi-printemps. Se cultive à l'ombre, dans un sol humide, riche en humus. Pailler avec des feuilles de chêne pour l'hiver. Pousse bien dans les jardins ombragés, devant des massifs d'arbustes.	Diviser après la floraison ; garder le sol humide jusqu'à complet établissement. Repiquer les éclats pauvres en racines dans un mélange humide de tourbe et de sable.
Thé des bois ou gaulthérie couchée *(Gaultheria)* *G. procumbens*	 H 7,5-15 cm E 60 cm	Petit arbuste à port étalé, à feuilles coriaces et persistantes de 1,5 à 5 cm de long et dont la saveur est caractéristique. Jolies fleurs campanulées blanches à la fin du printemps, suivies de baies rouges comestibles. Se cultive à la mi-ombre dans un sol acide, riche en humus. Utile dans les sous-bois, comme couvre-sol au pied d'arbustes à feuillage persistant ou dans des rocailles ombragées.	Diviser les touffes au printemps, garder le sol humide jusqu'à complet établissement. Prélever des boutures de racines et de tiges à la fin du printemps.
Thlaspi, voir Ibéride			
Thym ou thym serpolet *(Thymus)* *T. serpyllum*	 H 2,5-7,5 cm E 60 cm	Plante vivace formant tapis, ou petit arbuste à petites feuilles aromatiques et persistantes. Fleurs rose-pourpre du début à la fin de l'été. Se cultive au soleil, dans un sol bien drainé. Utile entre les dalles ou sur les murets de pierres sèches.	Diviser les touffes ou prélever des stolons enracinés. La plante se multiplie spontanément.
Vancouveria *(Vancouveria)* *V. hexandra*	 H 20-30 cm E 60 cm	Plante vivace à port étalé et à feuillage de fougère. Bouquets de petites fleurs ivoire au début de l'été. Se cultive à la mi-ombre, dans un sol riche en humus.	Diviser au début du printemps ou à la fin de l'été ; les repiquer dans un sol riche en humus.
Véronique *(Veronica)* *V. incana* (véronique argentée) *V. latifolia prostrata*	 H 30-45 cm E 30-45 cm H 7,5-20 cm E 30-45 cm	Plante vivace formant tapis et portant un feuillage vert ou grisâtre. Grands épis floraux, bleus ou roses, au début de l'été. Se cultive au soleil ou à la mi-ombre, sur des murs ou dans des rocailles. *V. incana* présente un feuillage gris et des fleurs bleues ; *V. i. rosea,* des fleurs roses ; et *V. l. prostrata,* des fleurs bleues.	Diviser les touffes après la floraison ; semer au printemps ou au début de l'été.
Violette *(Viola)* *V. biflora* (violette à deux fleurs) *V. blanda* (violette agréable) *V. rupestris rosea*	 H 7,5-15 cm E 7,5 cm H 5 cm E 7,5 cm H 10 cm E 10-13 cm	Plante vivace à feuilles cordiformes et fleurs bleues, jaunes ou blanches au printemps. Se cultive dans les sous-bois, entre des dalles et sur les murs. Genre varié et très répandu, dont certaines espèces sont semblables à des mauvaises herbes. *V. biflora* présente des fleurs jaunes à labelle rayé de pourpre-noir ; *V. blanda,* des fleurs blanches très délicates ; *V. r. rosea,* des fleurs roses et des feuilles en rosettes plates. Voir *V. cornuta,* p. 233.	Diviser les touffes après la floraison ou semer. La plupart se multiplient spontanément et abondamment.

Fougères

Ces plantes au feuillage remarquable s'associent bien aux primevères et aux ancolies, autres espèces qui aiment la fraîcheur et se plaisent à l'ombre.

Différents types de fougères peuvent recréer le charme du sous-bois dans un coin ombragé du jardin, qu'il est difficile de mettre en valeur. Planter les grandes fougères à l'arrière-plan, dans l'ombre que répand l'arbre, et disposer les petites à l'avant, parmi des pierres rugueuses.

Les fougères sont parmi les plus anciennes plantes du monde. Leur apparition sur Terre remonte à environ 400 millions d'années et précède même celle des plantes florifères.

On a dénombré dans le monde entier plus de 12 000 espèces de fougères dont la grande majorité est originaire des régions tropicales. Des 360 espèces natives d'Amérique du Nord, la plupart se trouvent dans le Nord et dans l'Est, là où une abondante humidité assure leur fertilisation. A cette flore indigène se sont ajoutées récemment quelques espèces originaires des autres régions tempérées du globe et que l'on peut maintenant trouver sur le marché local.

La plupart des fougères sauvages se transplantent au jardin en massif. On peut y mêler des espèces différentes et des plantes florifères qui sont en mesure de partager leur habitat ombragé.

Parmi ces plantes, mentionnons tout particulièrement le cœur-de-Jeannette (*Dicentra spectabilis*) et l'astilbe qui s'harmonisent aux grands dryoptérides (*Dryopteris*) et aux osmondes. Certaines fleurs sauvages, par exemple les géraniums et les violettes, ont des couleurs vives qui font ressortir le vert acidulé des frondes de fougères. Les ancolies et les primevères offrent une gamme de coloris qui s'associent de même très bien aux tons des fougères. Certains arbustes florifères, les azalées notamment, font merveille au printemps auprès de ces plantes.

Avec leurs feuilles panachées ou unies, les hostas ou hémérocalles du Japon se marient agréablement aux fougères. Plusieurs autres plantes à feuillage panaché de vert et de blanc pourront admirablement mettre en relief le vert sombre des fougères. Toutefois, il faut utiliser prudemment certaines de ces plantes : parfois envahissantes, elles pourraient nuire à la longue aux fougères.

Il est préférable de laisser assez d'espace entre les fougères pour que leurs frondes ne s'entremêlent pas. Les espaces vides pourront être comblés par des plantes vivaces de courte taille : bergénias ou muguet. Ce dernier ayant tendance à proliférer, on entourera les touffes d'ardoises, de tuiles ou de plaques en plastique ou en aluminium ondulé qui, enfoncées dans le sol, limitent l'extension des rhizomes.

Des torénias de Fournier ou des bégonias des plates-bandes peuvent également border un massif de fougères. Des bégonias tubéreux et des bégonias rustiques (*Begonia evansiana*), aux tiges et aux feuilles rouges, disséminés entre les fougères, créent un bel effet.

Il est préférable d'associer les narcisses et jonquilles aux grandes fougères et non aux petites. Après la floraison, les frondes cacheront le feuillage flétri de ces fleurs. Quant aux grands lis, ils ont encore plus de grâce lorsque leur svelte silhouette s'élève parmi les gracieuses frondes arquées d'un groupe de fougères.

Il n'y a pas lieu toutefois de limiter la culture des fougères aux seules zones d'ombre. Certaines espèces, et notamment le dennstaedtia à lobules ponctués (*Dennstaedtia punctilobula*), prospèrent presque en plein soleil.

De nombreuses fougères ont un feuillage persistant. Les dryoptérides et les polypodes (*Polypodium*) en particulier sont ravissants lorsque leurs frondes sont délicatement frangées de givre en hiver. Dans la rocaille, l'asplénie à frondes persistantes conserve son éclat alors que la plupart des plantes ont perdu leur beauté.

Plantation des fougères rustiques

Les fougères poussent partout, sauf dans des sols lourds et mal drainés. Toutes doivent être protégées du plein soleil et des vents dominants.

Au pied d'un mur ou d'une clôture exposés au nord, les fougères trouvent la lumière atténuée dont elles ont besoin. Elles se plaisent aussi à l'ombre des arbres, pourvu qu'elles reçoivent par intermittence les rayons du soleil.

L'automne et le printemps sont les saisons les plus favorables à la plantation des fougères. On peut les planter aussi en été, à condition de garder le sol humide tant que les plants ne sont pas bien établis. Ne pas laisser leurs racines se dessécher avant la plantation.

Ameublir le sol à 30 cm et briser les mottes de terre. Epandre de la poudre d'os à raison d'une petite tasse par mètre carré ; ajouter une couche de 8 cm de terreau de feuilles ou de compost à jardin et faire pénétrer ces additifs à la fourche-bêche dans le sol.

Du point de vue morphologique, on divise les fougères en trois catégories selon qu'elles ont des souches compactes, des souches rhizomateuses ou des souches courtes et fibreuses.

Chez les premières, les frondes émergent en couronne au-dessus d'une souche dense et trapue. C'est le cas de la fougère dryoptéride (*Dryopteris*) et de la fougère plume d'autruche (*Matteuccia*).

Avant de les planter, couper les bases lignifiées des anciennes frondes pour permettre aux nouvelles racines de se former plus rapidement.

Creuser un trou assez profond pour recevoir les racines. Y installer la plante et le remplir de façon que la base de la couronne soit juste au niveau du sol. Bien fouler la terre au pied du plant.

Les fougères à souche rhizomateuse émettent des frondes tout le long du rhizome, mais elles ne forment pas de couronne. Les dennstaedtias à lobules ponctués et les polypodes font partie de cette catégorie.

Pour les planter, creuser un trou peu profond dans le sol avec une fourche. Placer le rhizome dans le trou ; remplir et bien fouler la terre avec les doigts.

Les fougères à souche courte et fibreuse se développent mieux lorsqu'elles sont installées à l'horizontale dans un jardin de rocaille ou sur un mur de pierres sèches, et à la mi-ombre. L'asplénie chevelue (*Asplenium trichomanes*) et les woodsias se rangent dans ce groupe.

Pour les planter, commencer par retirer une pierre du mur ou de la rocaille. Placer ensuite la fougère sur le côté dans l'espace dégagé et couvrir généreusement ses racines de terreau de feuilles. Remettre ensuite la pierre en place.

PRÉPARATION DU SOL AVANT LA PLANTATION

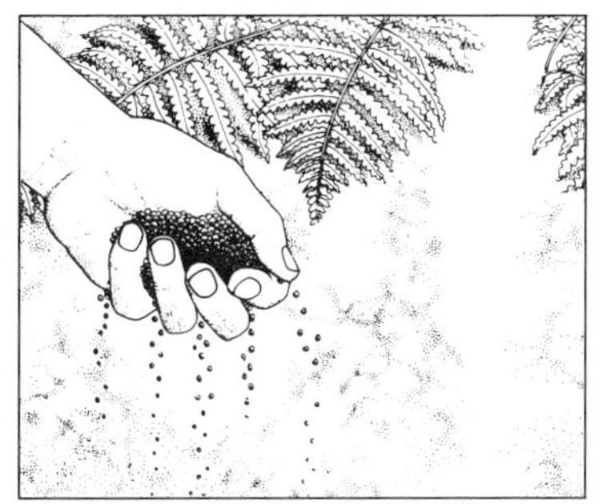

1. *Creuser en automne ou au printemps ; épandre de la poudre d'os.*

2. *Ajouter 8 cm de terreau de feuilles ; faire pénétrer dans le sol.*

TROIS TECHNIQUES DE PLANTATION

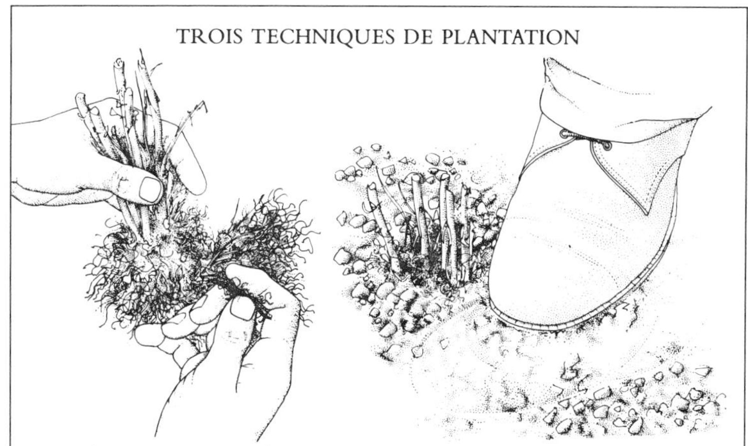

Souche compacte *Enlever les vieilles frondes. Installer la souche pour que la couronne affleure. Ex. : dryoptéride et plume d'autruche.*

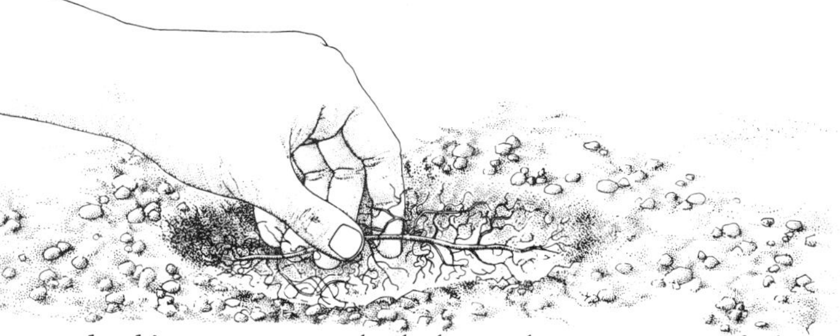

Souche rhizomateuse *Coucher le rhizome dans un trou peu profond. Couvrir et fouler. Ex. : dennstaedtias à lobules ponctués et polypodes.*

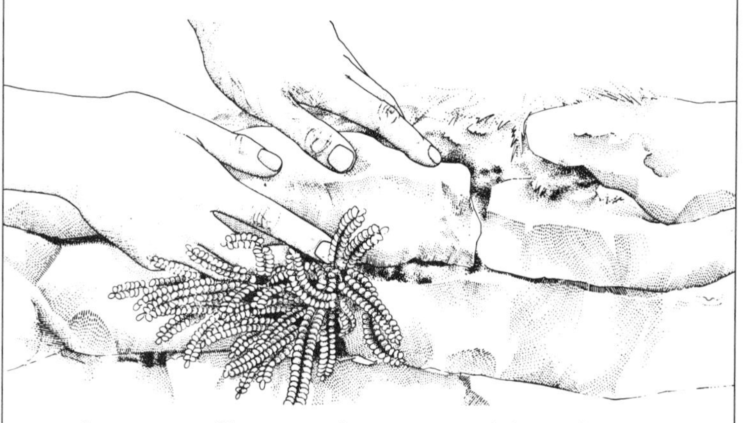

Souche courte et fibreuse *Enlever une pierre de la rocaille. Planter la fougère sur le côté dans du terreau de feuilles. Replacer la pierre.*

Multiplication des fougères

Multiplication à partir des spores

Pour obtenir un très grand nombre de fougères, semer les spores qui se trouvent sur la face inférieure des frondes fertiles.

Ne sélectionner que les plants parfaits, les malformations pouvant se transmettre à la descendance.

Effectuer l'opération entre le début de l'été et le début de l'automne. Prélever une fronde, l'étaler sur la moitié d'une feuille de papier blanc. Replier l'autre moitié de la feuille et ranger le tout dans un endroit sec.

Un ou deux jours plus tard, une fine poussière, les spores, se sera échappée des sporanges.

Rassembler les spores dans le pli du papier. Puis placer le papier soigneusement dans une enveloppe.

On peut semer les spores immédiatement ou le printemps suivant ; dans certains cas, elles demeurent viables pendant plusieurs années.

Semis de spores Désinfecter une terrine à semis ou un pot de 10 cm avec une solution à base de chlore (1 volume de désinfectant pour 10 volumes d'eau) ou laver à l'eau bouillante.

Déposer au fond une couche d'environ 1,5 cm de gravier ou de tessons de grès. Terrines et pots doivent être munis de trous de drainage.

Prendre un mélange terreux ordinaire ou le substrat de culture pour violettes du Cap qu'on trouve dans le commerce. Le passer au tamis (mailles de 0,5 cm). Mettre d'abord au fond du contenant les résidus qui restent dans le tamis ; une couche de 2,5 cm suffit. Ajouter ensuite environ 1,5 cm de mélange tamisé. Tasser avec le fond d'un autre pot.

Poser une feuille de papier sur le mélange et y verser de l'eau bouillante. Ajouter de l'eau jusqu'à ce que le contenant devienne brûlant.

Laisser ensuite refroidir la terrine, puis enlever le papier et couvrir le contenant d'une plaque de verre.

Quand le mélange terreux est froid, prélever avec la pointe d'un canif quelques spores contenues dans l'enveloppe.

Retirer la plaque de verre qui recouvre la terrine. Faire tomber délicatement les spores sur le mélange en les répartissant le plus uniformément possible. Etiqueter et dater les semis.

Recouvrir immédiatement la terrine de la plaque de verre et la placer dans une serre ombragée ou sur l'appui d'une fenêtre ombragée ou encore sous des tubes fluorescents. Ne plus soulever la plaque de verre.

Si le mélange terreux semble se dessécher, placer la terrine dans un bassin rempli d'une solution à base de fongicide comme du Panodrench. Ce produit détruira tous les organismes que l'eau pourrait renfermer.

Les prothalles Un ou deux mois après les semis, des petites lames vertes, ou prothalles, se forment à la surface du mélange terreux. La formation des prothalles représente le stade sexué intermédiaire dans le cycle de reproduction des fougères. Trois mois après les semis, les prothalles prennent l'apparence de petits organismes plats en forme de cœur.

Cinq ou six mois après les semis, de minuscules fougères se développent à la face inférieure des prothalles. Quand elles atteignent une hauteur de 2,5 à 4 cm, les repiquer dans une caissette ou une terrine plus grande. On recommande de placer environ 35 petites fougères dans une caissette de 15 cm sur 22.

Etaler au fond de la caissette une mince couche de gravillons qui recouvre les trous de drainage. Disposer par-dessus une couche de terre stérilisée. (Pour stériliser la terre, la mettre dans un contenant troué et l'ébouillanter.) Remplir la caissette jusqu'à 1,5 cm du bord. Tasser la terre en frappant délicatement la caissette contre une surface dure.

A l'aide d'un canif, prélever une touffe de fougères dans la terrine. Les séparer les unes des autres. Planter les fougères une à une dans la terre en s'assurant que leurs racines sont bien couvertes. Tasser la terre.

Plonger la caissette jusqu'à mi-hauteur dans l'eau jusqu'à ce que la surface de la terre prenne une teinte plus sombre. Mettre alors la caissette dans une boîte et la couvrir d'une plaque de verre.

Garder la caissette dans un endroit frais et ombragé, par exemple dans une serre, sur un appui de fenêtre ou sous des tubes fluorescents. Lorsque la terre se dessèche, arroser modérément par le haut.

CUEILLETTE DES SPORES

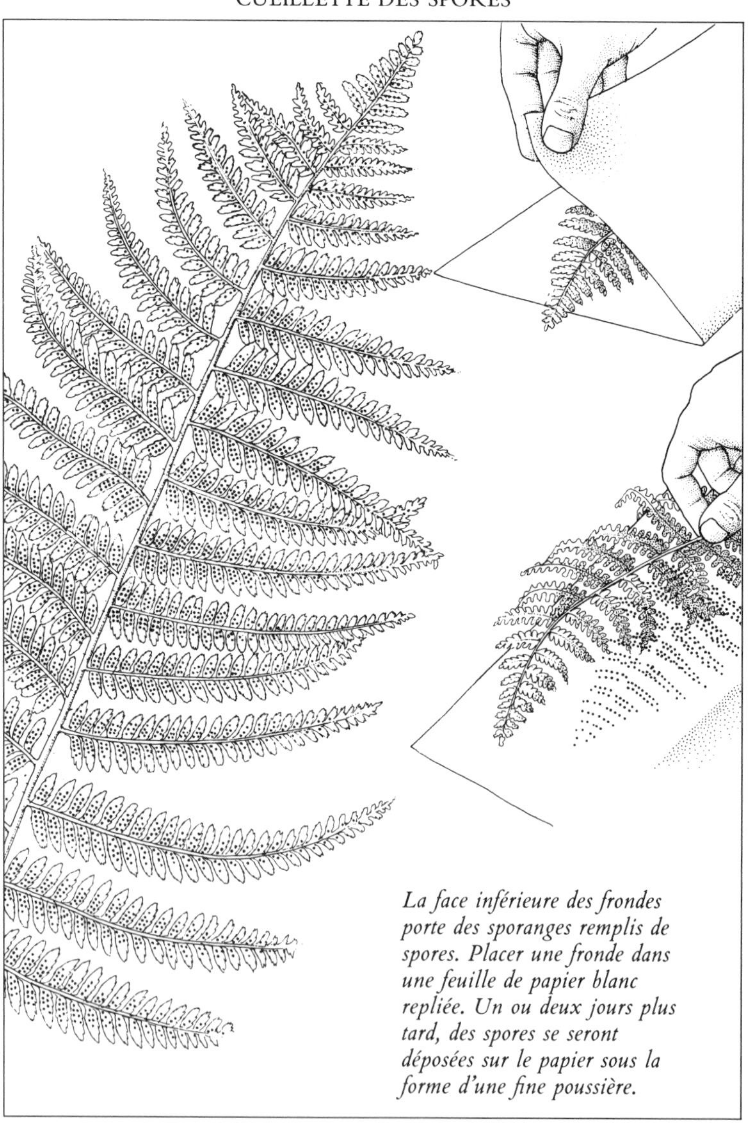

La face inférieure des frondes porte des sporanges remplis de spores. Placer une fronde dans une feuille de papier blanc repliée. Un ou deux jours plus tard, des spores se seront déposées sur le papier sous la forme d'une fine poussière.

Lorsque les jeunes fougères ont produit de nouvelles frondes (six semaines plus tard environ), il faut les endurcir. Si elles se trouvent dans une boîte munie d'un couvercle, soulever celui-ci progressivement 10 à 15 jours après l'apparition des frondes, en insérant des cales de plus en plus grandes entre la boîte et le couvercle. Deux ou trois semaines plus tard, enlever définitivement le couvercle. Quelques jours après, les fougères seront endurcies.

Empotage des fougères Le temps est maintenant venu d'empoter individuellement les jeunes fougères.

Remplir un pot de 6,5 cm, jusqu'à 1,5 cm du bord, de mélange terreux léger.

Avec un petit transplantoir, prélever les fougères et les planter dans des pots. Tasser la terre avec les doigts.

Pour garder le mélange au frais et éviter la formation d'une croûte au moment des arrosages, recouvrir de gravillons la surface du mélange.

Arroser beaucoup et placer les pots dans une serre ombragée, sur l'appui d'une fenêtre non ensoleillée ou sous des tubes fluorescents.

Deux mois plus tard, examiner les racines. Extraire les plantes en retournant le pot à l'envers et en cognant légèrement le rebord contre une surface dure pour dégager la motte.

Si les racines ont atteint la périphérie de la motte, ameublir la base de celle-ci et rempoter les fougères dans des pots de 7,5 cm. Les remettre dans un emplacement ombragé.

Rempoter les plantes au fur et à mesure qu'elles se développent. Les repiquer au jardin lorsqu'elles sont de bonne taille.

DE LA SPORE À LA FOUGÈRE EN DOUZE ÉTAPES

1. *Tamiser le mélange et en placer la partie la plus fine sur le dessus.*

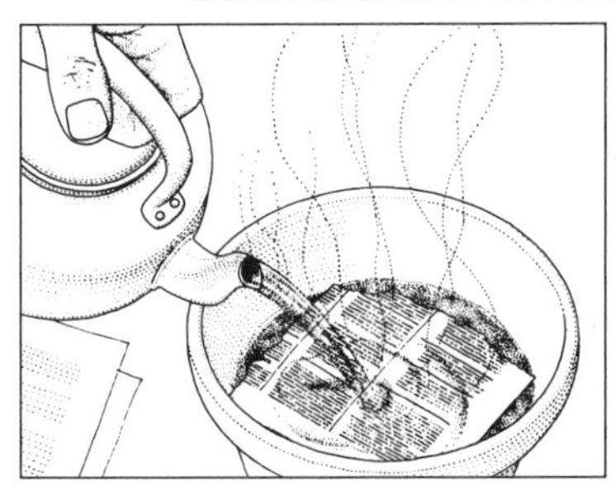

2. *Stériliser à l'eau bouillante en protégeant la surface avec du papier.*

3. *Répartir les spores sur la surface et couvrir d'une plaque de verre.*

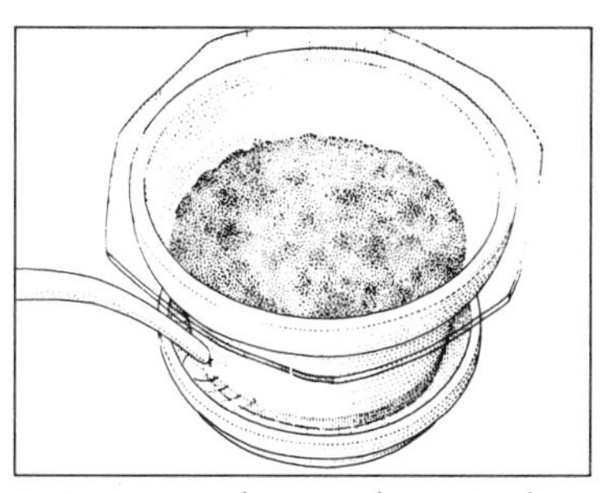

4. *Arroser en plongeant la terrine dans une solution à base de Panodrench.*

5. *Un ou deux mois plus tard, les prothalles (premier stade) apparaissent.*

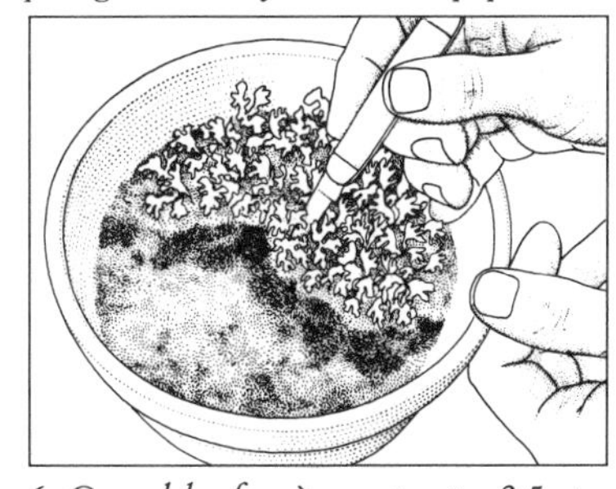

6. *Quand les fougères ont entre 2,5 et 4 cm, il est temps de les repiquer.*

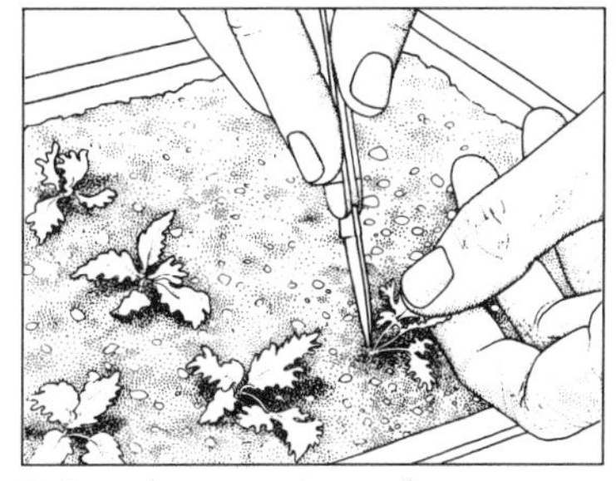

7. *Les planter une à une dans une caissette en tassant le mélange.*

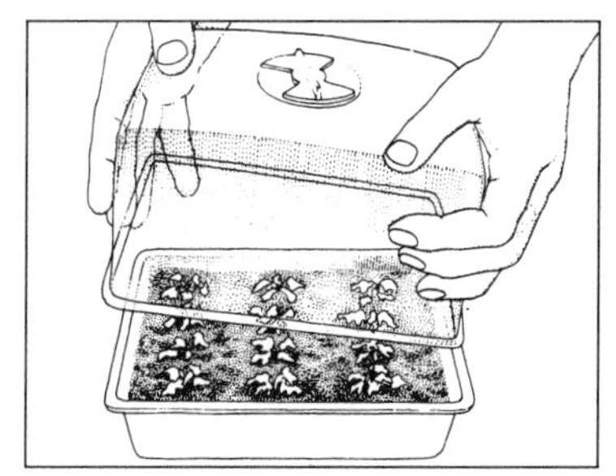

8. *Couvrir. Les garder six semaines dans un endroit frais et ombragé.*

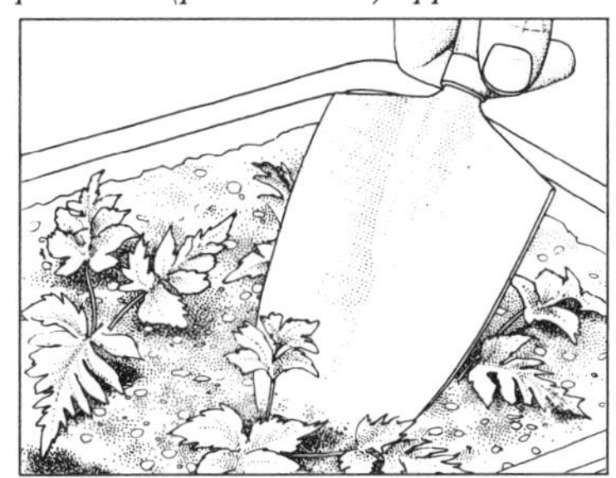

9. *Quand elles ont des frondes, les déplanter avec un petit transplantoir.*

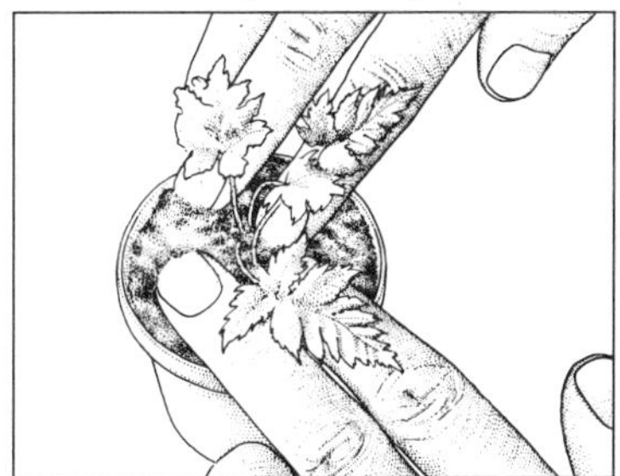

10. *Les empoter en pots de 6,5 cm remplis de mélange léger. Tasser.*

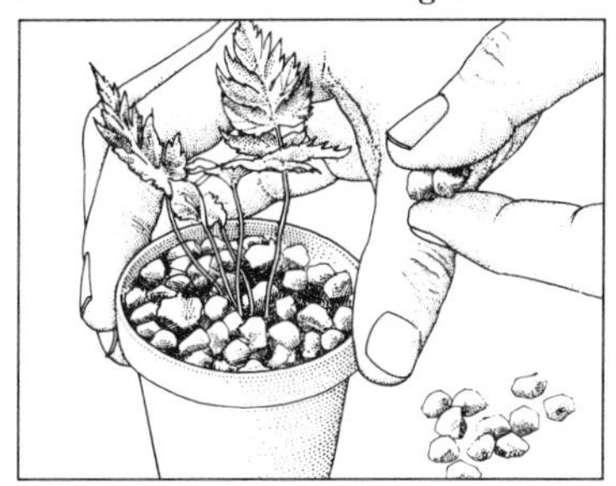

11. *Couvrir de gravier pour éviter la formation d'une croûte à l'arrosage.*

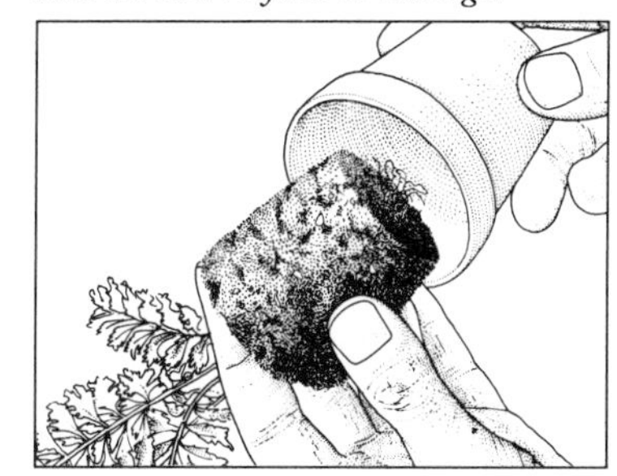

12. *Rempoter deux mois plus tard si la croissance des racines l'exige.*

La division — méthode de multiplication facile

C'est par la division des souches, à la mi-printemps, qu'il est le plus facile de multiplier les fougères à couronne comme la fougère dryoptéride et la fougère plume d'autruche.

A l'aide d'une fourche-bêche, déterrer délicatement un plant et en couper les frondes.

Si le plant est petit, on pourra diviser la couronne à la main. S'il est de bonne taille, on utilisera deux fourches-bêches. Les enfoncer dos à dos au centre de la touffe en prenant garde que les dents n'abîment la couronne. Ecarter peu à peu les manches des fourches jusqu'à ce que la touffe se sectionne en deux éclats. Il est parfois préférable de terminer l'opération avec un couteau tranchant qui donne une coupe nette. Diviser de la même façon les deux demi-souches. Les mettre en terre comme il est indiqué à la page 337 pour les fougères à souche compacte.

On peut également multiplier par division les fougères à souche rhizomateuse. A la mi-printemps, déterrer une touffe de fougères et en couper les frondes. Avec un couteau tranchant, sectionner le rhizome en fragments. Chaque fragment doit porter au moins un bourgeon de croissance.

Mettre les fragments en terre de la façon décrite à la page 337 pour les fougères à souche rhizomateuse.

DIVISION DES FOUGÈRES

A couronne *A la mi-printemps, enfoncer dos à dos deux fourches-bêches au cœur d'une grosse touffe. Ecarter peu à peu les manches.*

A rhizome *A la mi-printemps, déterrer la fougère et diviser le rhizome en éclats porteurs d'au moins un bourgeon de croissance.*

Arrosage, fertilisation, soins de routine

Une fois établies, les fougères ne demandent à être arrosées que par temps chaud, lorsque le sol se dessèche.

Après la mise en terre, recouvrir le pied des fougères d'une couche de 7,5 cm de compost, de terreau de feuilles ou de tourbe. Renouveler les paillis deux fois par an, au printemps et en automne.

Avant d'étendre le paillis sur la plate-bande, au printemps, épandre de la poudre d'os autour des plantes à raison d'une tasse par mètre carré.

Il vaut mieux désherber les massifs de fougères à la main pour ne pas endommager le système radiculaire.

Enfin, au printemps, un petit nettoyage de routine s'impose. Supprimer les frondes mortes avec un couteau ou un sécateur en les coupant près de la couronne.

PAILLAGE

Au printemps et en automne, pailler avec du terreau de feuilles ou de la tourbe.

Ravageurs et maladies qui attaquent les fougères

Si les fougères présentent des symptômes qui ne sont pas décrits dans le tableau ci-dessous, se reporter au chapitre « Ravageurs et maladies », page 444. On trouvera aux pages 480 à 482 les appellations commerciales des produits chimiques recommandés.

Symptômes	Cause	Traitement
Plaques poisseuses, parfois recouvertes de fumagine. Frondes parfois déformées.	Pucerons ou punaises	Pucerons : vaporisation de diazinon ou de malathion. Punaises : carbaryl, diazinon ou méthoxychlore.
Flétrissure ou effondrement des frondes durant les périodes de chaleur ou de sécheresse.	Larves du charançon de la vigne	Epandre de la poudre à base de chlordane, de lindane ou de méthoxychlore sur le sol ou arroser avec du malathion.
Rayures brun-noir ou marques étroites sur les frondes. Infestées, les frondes meurent.	Anguillules des feuilles (nématodes)	Détruire les plants infestés. Essayer les vaporisations de chlorpyrifos ou de diazinon ou les insecticides systémiques.
Frondes dévorées.	Limaces ou escargots	Déposer des appâts granulés sur le sol autour des plants.
Jeunes frondes entaillées sur les bords.	Cloportes	Epandre de la poudre à base de carbaryl ou de diazinon sur le sol près des couronnes.

Des fougères pour les jardins ombragés

On trouvera dans le tableau ci-dessous une vaste sélection de fougères qui peuvent être cultivées à l'extérieur en Amérique du Nord. Elles vont de la minuscule asplénie chevelue (*Asplenium trichomanes*) qui ne dépasse pas 13 cm de hauteur, à l'osmonde royale (*Osmunda regalis*) qui peut atteindre jusqu'à 1,80 m.

Ces fougères ne sont pas rustiques dans toutes les régions du Canada. Aussi, avant de faire un choix, est-il préférable de s'adresser à une pépinière locale ou à un cercle d'horticulteurs pour connaître la zone de rusticité de ces espèces.

On trouvera dans la colonne intitulée « Multiplication » les méthodes recommandées pour chaque espèce. Le terme « dimorphe » qui apparaît dans la colonne « Remarques » décrit les fougères dont les frondes fertiles n'ont pas la même forme que les frondes stériles.

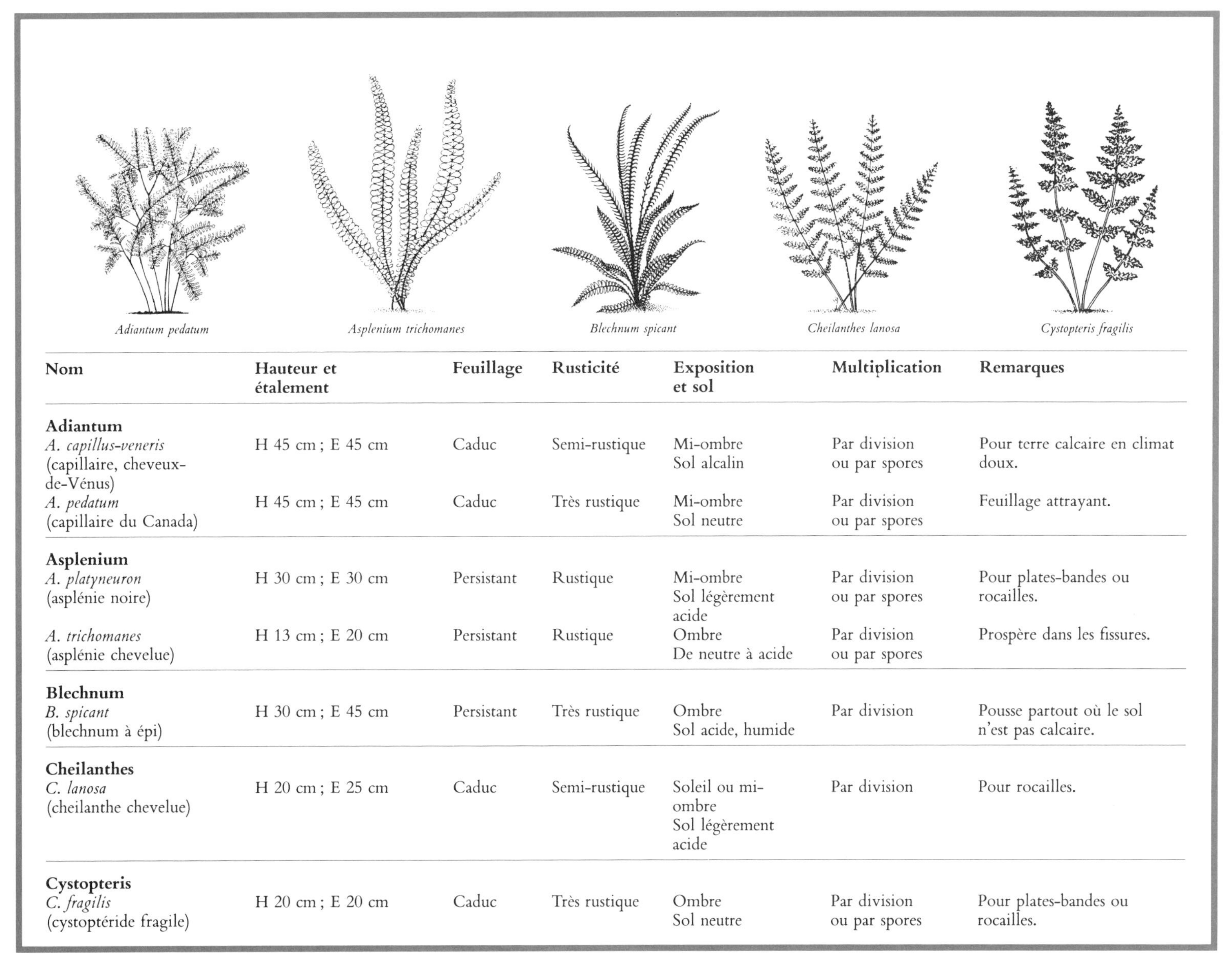

Adiantum pedatum — *Asplenium trichomanes* — *Blechnum spicant* — *Cheilanthes lanosa* — *Cystopteris fragilis*

Nom	Hauteur et étalement	Feuillage	Rusticité	Exposition et sol	Multiplication	Remarques
Adiantum						
A. capillus-veneris (capillaire, cheveux-de-Vénus)	H 45 cm ; E 45 cm	Caduc	Semi-rustique	Mi-ombre Sol alcalin	Par division ou par spores	Pour terre calcaire en climat doux.
A. pedatum (capillaire du Canada)	H 45 cm ; E 45 cm	Caduc	Très rustique	Mi-ombre Sol neutre	Par division ou par spores	Feuillage attrayant.
Asplenium						
A. platyneuron (asplénie noire)	H 30 cm ; E 30 cm	Persistant	Rustique	Mi-ombre Sol légèrement acide	Par division ou par spores	Pour plates-bandes ou rocailles.
A. trichomanes (asplénie chevelue)	H 13 cm ; E 20 cm	Persistant	Rustique	Ombre De neutre à acide	Par division ou par spores	Prospère dans les fissures.
Blechnum						
B. spicant (blechnum à épi)	H 30 cm ; E 45 cm	Persistant	Très rustique	Ombre Sol acide, humide	Par division	Pousse partout où le sol n'est pas calcaire.
Cheilanthes						
C. lanosa (cheilanthe chevelue)	H 20 cm ; E 25 cm	Caduc	Semi-rustique	Soleil ou mi-ombre Sol légèrement acide	Par division	Pour rocailles.
Cystopteris						
C. fragilis (cystoptéride fragile)	H 20 cm ; E 20 cm	Caduc	Très rustique	Ombre Sol neutre	Par division ou par spores	Pour plates-bandes ou rocailles.

Dennstaedtia punctilobula

Dryopteris cristata

Gymnocarpium dryopteris

Matteuccia struthiopteris

Onoclea sensibilis

Osmunda regalis

Nom	Hauteur et étalement	Feuillage	Rusticité	Exposition et sol	Multiplication	Remarques
Dennstaedtia						
D. punctilobula (dennstaedtia à lobules ponctués)	H 60 cm ; E 60 cm	Caduc	Rustique	Soleil ou mi-ombre De neutre à acide	Par division	Se propage vite et peut devenir envahissant.
Dryopteris						
D. cristata (dryoptéride cristée)	H 60-90 cm ; E 60 cm	Persistant	Rustique	Ombre Sol acide, tourbeux	Par division ou par spores	Les folioles s'étalent en gradins.
D. goldiana (dryoptéride de Goldie)	H 1,20 m ; E 1,20 m	Persistant	Rustique	Ombre Sol neutre	Par division ou par spores	Plante massive qui ne passe pas inaperçue.
D. intermedia (dryoptéride spinuleuse)	H 60 cm ; E 60 cm	Persistant	Rustique	Ombre De neutre à acide	Par division ou par spores	Remarquable par ses feuilles vert-bleu.
D. marginalis (dryoptéride marginale)	H 60-90 cm ; E 75 cm	Persistant	Rustique	Mi-ombre Sol neutre	Par division ou par spores	S'établit facilement. Présente des frondes vert-gris.
Gymnocarpium						
G. dryopteris	H 23 cm ; E 23 cm	Caduc	Rustique	Ombre Sol acide	Par division	L'une des plus belles fougères. Se plaît au jardin, en sol humifère.
Matteuccia						
M. struthiopteris (plume d'autruche)	H 0,90-1,50 m E 1,20-2,45 m	Caduc	Rustique	Mi-ombre De neutre à acide, humide	Par division	Se place bien aux abords d'une maison. Frondes dimorphes.
Onoclea						
O. sensibilis (onoclée sensible)	H 60-90 cm ; E 60 cm	Caduc	Rustique	Soleil ou mi-ombre De neutre à acide, humide	Par division	Croît n'importe où. Frondes dimorphes. Le feuillage vert se flétrit au premier gel.
Osmunda						
O. cinnamomea (osmonde cannelle)	H 1,20-1,80 m E 0,60-0,90 m	Caduc	Très rustique	Mi-ombre Sol acide, humide	Par division ou par spores	Première fougère au printemps. Crosses laineuses.
O. regalis (osmonde royale)	H 1,20-1,80 m E 1,20-2,45 m	Caduc	Rustique	Mi-ombre De neutre à acide, humide	Par division ou par spores	Sporanges terminaux dorés ressemblant à des fleurs.

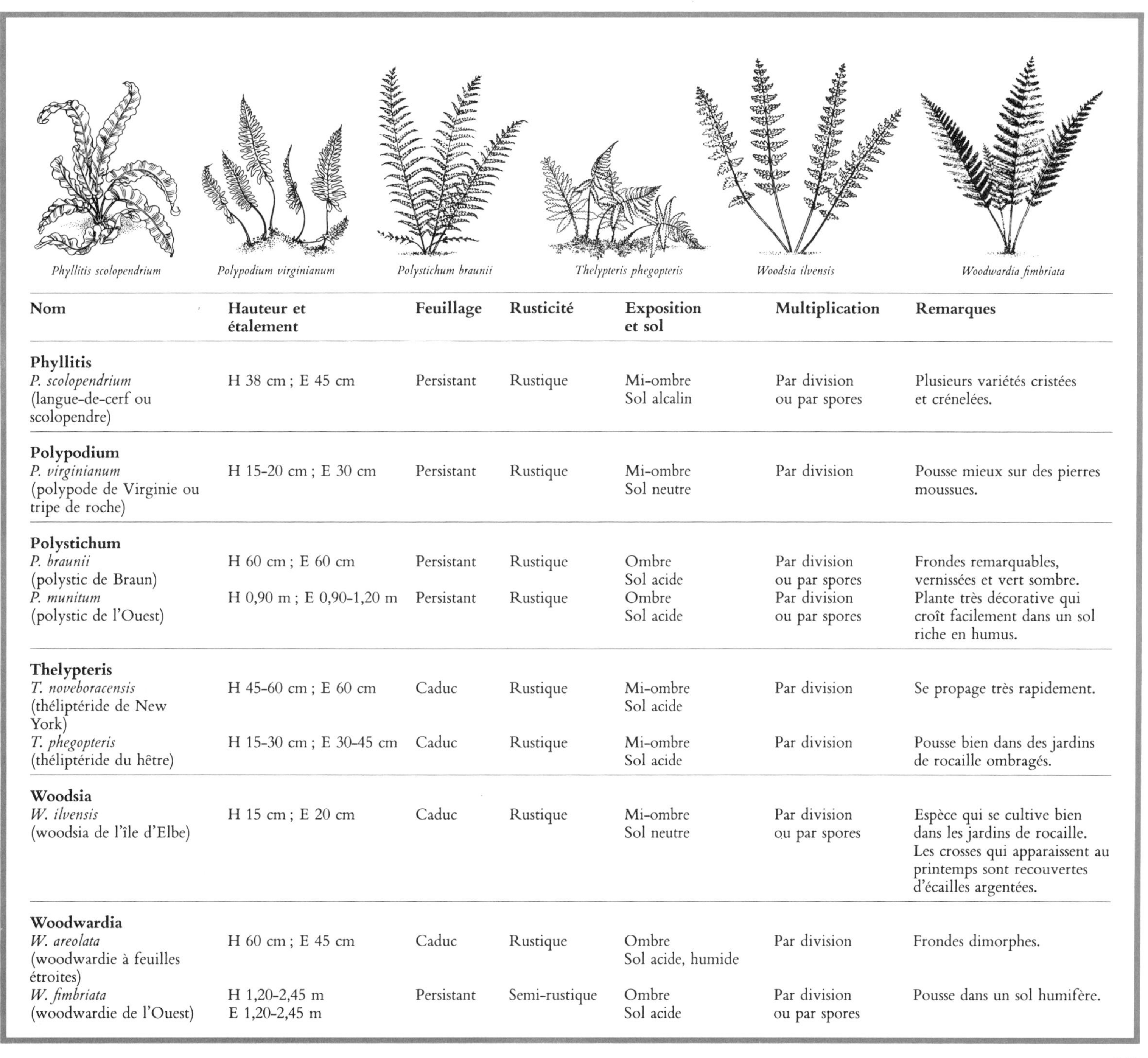

Nom	Hauteur et étalement	Feuillage	Rusticité	Exposition et sol	Multiplication	Remarques
Phyllitis						
P. scolopendrium (langue-de-cerf ou scolopendre)	H 38 cm ; E 45 cm	Persistant	Rustique	Mi-ombre Sol alcalin	Par division ou par spores	Plusieurs variétés cristées et crénelées.
Polypodium						
P. virginianum (polypode de Virginie ou tripe de roche)	H 15-20 cm ; E 30 cm	Persistant	Rustique	Mi-ombre Sol neutre	Par division	Pousse mieux sur des pierres moussues.
Polystichum						
P. braunii (polystic de Braun)	H 60 cm ; E 60 cm	Persistant	Rustique	Ombre Sol acide	Par division ou par spores	Frondes remarquables, vernissées et vert sombre.
P. munitum (polystic de l'Ouest)	H 0,90 m ; E 0,90-1,20 m	Persistant	Rustique	Ombre Sol acide	Par division ou par spores	Plante très décorative qui croît facilement dans un sol riche en humus.
Thelypteris						
T. noveboracensis (théliptéride de New York)	H 45-60 cm ; E 60 cm	Caduc	Rustique	Mi-ombre Sol acide	Par division	Se propage très rapidement.
T. phegopteris (théliptéride du hêtre)	H 15-30 cm ; E 30-45 cm	Caduc	Rustique	Mi-ombre Sol acide	Par division	Pousse bien dans des jardins de rocaille ombragés.
Woodsia						
W. ilvensis (woodsia de l'île d'Elbe)	H 15 cm ; E 20 cm	Caduc	Rustique	Mi-ombre Sol neutre	Par division ou par spores	Espèce qui se cultive bien dans les jardins de rocaille. Les crosses qui apparaissent au printemps sont recouvertes d'écailles argentées.
Woodwardia						
W. areolata (woodwardie à feuilles étroites)	H 60 cm ; E 45 cm	Caduc	Rustique	Ombre Sol acide, humide	Par division	Frondes dimorphes.
W. fimbriata (woodwardie de l'Ouest)	H 1,20-2,45 m E 1,20-2,45 m	Persistant	Semi-rustique	Ombre Sol acide	Par division ou par spores	Pousse dans un sol humifère.

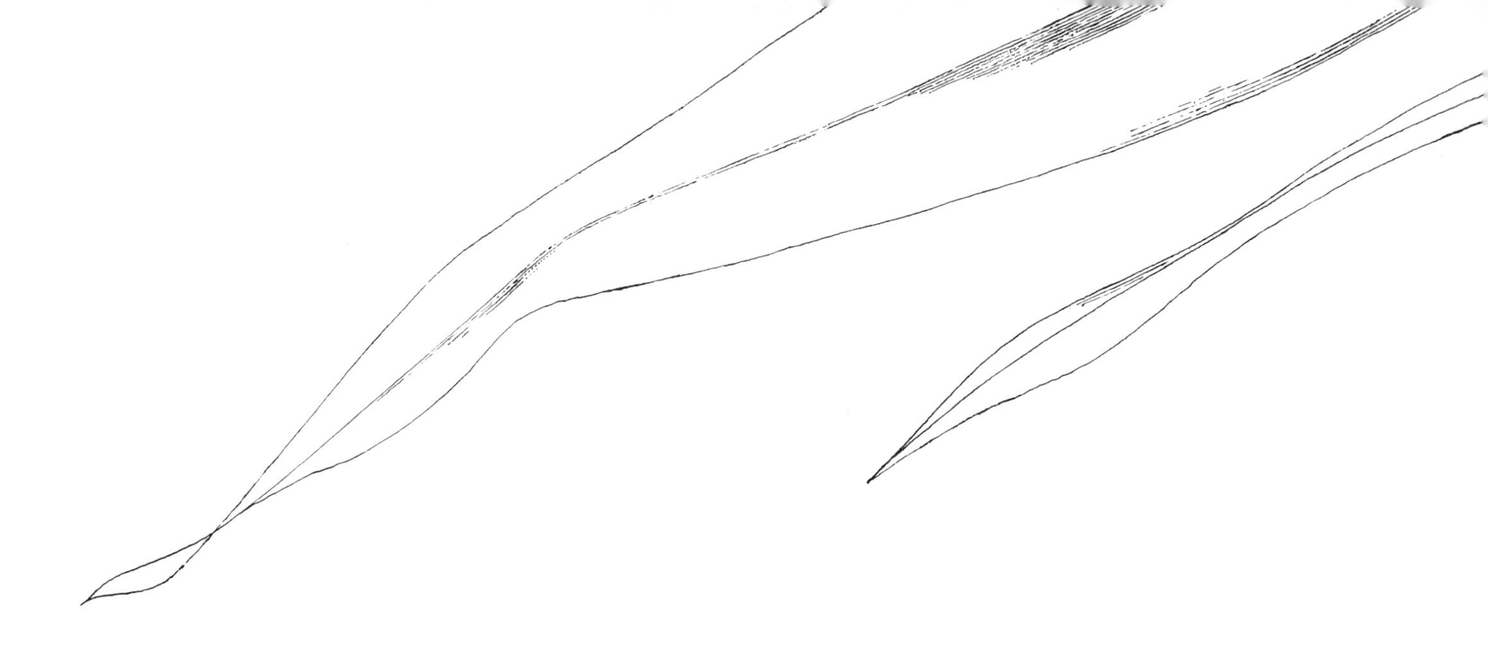

Le jardin fruitier et le potager

Fruits

Tout jardin, quelles que soient ses dimensions, peut permettre la culture des fruits et même des petits arbres fruitiers palissés contre un mur ou poussant librement.

Petits fruits

A l'exception du fraisier qui est une plante basse cultivée en plate-bande, les petits arbustes fruitiers se caractérisent par une charpente pérenne et des rameaux prenant naissance au niveau du sol ou sur un tronc très court. Ils atteignent environ 1,20 m de hauteur et d'étalement.

Les groseilliers taillés à une, deux ou trois branches charpentières peuvent être cultivés à plat sur un mur ou un treillage.

Certains arbustes fruitiers se caractérisent par des tiges sarmenteuses qui prennent naissance au niveau du sol ou juste en dessous et qu'il est préférable, pour cette raison, de palisser contre des échalas ou sur du fil métallique. Comme les pousses meurent après avoir fructifié, il faut les supprimer tous les ans pour favoriser l'apparition de nouvelles pousses.

Arbustes fruitiers

Les modes de conduite les mieux adaptés à un verger familial sont le cordon, la palmette simple, la palmette en éventail et le fuseau. Les formes greffées sur un système radiculaire nanisant, comme M IX ou M 26 (voir p. 385), conviennent parfaitement. Les formes sur demi-tige et haute-tige sont réservées à la culture commerciale.

Arbres basses-tiges Cette forme est employée surtout pour la culture des pommiers et des poiriers. La variété choisie est greffée sur un système radiculaire à basse-tige ou à demi-tige. L'arbre fruitier comporte alors un tronc de 60 à 68 cm de haut, couronné de branches charpentières formant la frondaison. Sa hauteur et son étalement ne dépassent pas 1,80 à 3 m. Il existe aussi des formes dont la tige intermédiaire nanisante M IX de 15 à 20 cm (30 cm au-dessus du sol) est montée sur un système radiculaire MM 106 et couronnée par la variété 'Golden Delicious'.

Cordons Cette forme est l'une des plus recommandées pour un petit jardin. Elle comprend un axe unique sans ramifications latérales importantes. Les cordons occupent très peu d'espace, sont faciles à conduire et produisent abondamment en dépit de leur faible volume.

Les cordons sont palissés sur des fils de fer. On peut les conduire verticalement, mais la conduite est généralement horizontale ou inclinée à 45 degrés afin de permettre à l'axe d'atteindre une plus grande longueur. Le développement d'un cordon moyen variant de 2,45 à 3 m, la hauteur du cordon oblique sera de 2,10 m environ. Le double cordon en U, variante du précédent, est habituellement conduit à la verticale. Ces formes sont destinées surtout aux pommiers et aux poiriers.

Palmettes simples Cette forme se caractérise par un axe central muni de charpentières horizontales et opposées, supportées par un palissage. Elle exige une taille et une conduite attentives. Les palmettes simples conviennent aux pommiers et aux poiriers, dans les petits jardins. Leur hauteur moyenne est de 2,45 m, et leur étalement de 1,80 à 3 m.

Palmettes en éventail Dans cette forme, les charpentières sont palissées en éventail, généralement contre un mur. Tous les arbres fruitiers étudiés ici peuvent être conduits de cette façon, mais les palmettes en éventail demandent beaucoup d'espace et une taille soignée. Leur hauteur est en moyenne de 3 m, et leur étalement de 3 à 4,50 m.

Fuseaux Cette forme comporte un axe central muni de charpentières qui naissent à environ 40 cm du sol et raccourcissent vers le sommet. Les fuseaux conviennent aux pommiers et aux poiriers. La hauteur moyenne se situe entre 2,10 et 3 m, et l'étalement entre 0,90 et 1,80 m.

Pollinisation

Les fleurs ne donnent de fruits que si elles sont fécondées par le pollen que transportent le vent et les insectes.

La plupart des arbres fruitiers ont des fleurs bisexuées, mais tous ne sont pas autofertiles, c'est-à-dire fécondables par leur propre pollen. Il faut alors les cultiver avec une autre variété fleurissant en même temps de façon que leurs fleurs se fécondent mutuellement.

A l'exception des bleuets, les arbustes à petits fruits sont autofertiles.

Taille

La taille des arbres fruitiers se fait en deux étapes. La première, ou taille de formation, a pour but de donner au jeune arbre ou au buisson la forme désirée, et la deuxième, ou taille d'entretien, de maintenir cette forme une fois qu'elle est établie.

Pour l'ensemble des arbres fruitiers, la taille de formation est généralement identique à celle qui se pratique sur les pommiers. Les tailles d'entretien, cependant, peuvent varier considérablement d'un arbre à l'autre. Comme la taille a pour principaux objectifs des récoltes régulières et des fruits de qualité, elle se fait toujours en fonction du type de croissance de l'arbre.

Les pommiers, les cerisiers à fruits doux et les poiriers produisent la plus grande partie de leurs fruits sur du

bois d'au moins deux ans. La taille vise donc principalement à maintenir un équilibre entre les anciennes et les nouvelles pousses.

Par contre, les mûres, les groseilles, les bleuets, les pêches, les framboises d'été (non remontantes) et les cerises acides viennent surtout du bois de un an. Le raisin poussant sur du bois de l'année, les vignes doivent être débarrassées au printemps des pousses qui ont déjà fructifié. Les framboises d'automne sont généralement remontantes, la fructification estivale se faisant sur le bois qui a donné des fruits l'automne précédent. La taille consiste alors à supprimer les tiges qui ont fructifié pendant l'été.

Les groseilles à grappes et les groseilles à maquereau viennent sur du bois d'au moins un an. Il faut donc encourager les buissons à produire de nouvelles pousses en abondance.

La taille de fructification des arbres fruitiers s'effectue généralement à la fin de l'automne ou de l'hiver. Effectuée au début de l'automne, elle risque d'entraîner une mauvaise cicatrisation des plaies. Les grandes plaies devront d'ailleurs, de toute façon, être enduites d'un produit cicatrisant.

Quant aux arbres menés en petite forme, ils peuvent exiger une première taille en été et une deuxième en période de dormance.

Multiplication

Un arbre fruitier issu de semis diffère notablement de ses parents. La seule méthode sûre pour perpétuer une variété est la greffe.

Même si cette opération délicate devrait être laissée aux pépiniéristes expérimentés, voici comment elle se pratique. Il faut prélever sur la variété qu'on veut multiplier un fragment de pousse appelé greffon et l'insérer dans un porte-greffe d'une autre variété comprenant un système radiculaire et une portion de tige. L'union du porte-greffe et du greffon s'appelle point de greffe ; il est souvent repérable à un renflement sur la tige.

Le porte-greffe détermine la taille, la vigueur et la production fruitière de l'arbre. Aussi, pour chaque espèce, a-t-on normalisé et classifié de nombreux porte-greffes, comme on peut le voir sur le diagramme de la page 385. En conséquence, lors de l'achat d'un arbre fruitier, il est bon de préciser au pépiniériste le mode de conduite que l'on veut adopter, ainsi que les conditions de culture et le type de sol qu'on a à offrir. Il pourra alors proposer le porte-greffe le mieux adapté.

Les petits fruits sont cultivés sur leurs propres racines.

Achat des arbres fruitiers

Les arbres de un an demandent une formation complète, tandis que ceux de deux ans sont déjà partiellement formés. Il n'est pas recommandé d'acheter des arbres plus vieux, car leur reprise est plus lente.

On peut calculer l'âge d'un arbre à la ramification des charpentières inférieures. La première année, seul l'axe principal croît. La deuxième année, on voit apparaître des ramifications latérales qui seront les futures charpentières. L'année suivante, ces charpentières se ramifient à leur tour.

Par conséquent, si la charpentière inférieure d'un arbre possède une ramification latérale elle-même ramifiée, on peut en déduire que l'arbre a quatre ans. Chez le pêcher, cependant, la pousse de l'année s'accompagne de ramifications anticipées.

Plantation des arbres et arbustes fruitiers

A moins qu'ils ne soient achetés en contenants, les arbres fruitiers doivent être plantés au plus tôt, entre la mi-automne et le début du printemps. En climat froid, la plantation s'effectue au début du printemps seulement. Si leurs racines sont développées, les arbres vendus en contenants peuvent être plantés quand le sol est malléable.

Eviter de planter lorsque le sol est gelé ou détrempé. Le sol est prêt lorsqu'une poignée de terre tient fermement lorsqu'on la presse, mais se défait lorsqu'on la laisse tomber.

Creuser un trou assez large pour que les racines y soient à l'aise une fois étendues, et assez profond pour que les racines supérieures soient recouvertes de 8 à 10 cm de terre. Ameublir le fond du trou avec une fourche-bêche pour que les racines puissent s'y enfoncer.

En principe, il ne faut pas cultiver les arbres fruitiers dans un sol lourd qui s'égoutte mal. S'il n'y a pas d'autre possibilité, creuser un trou d'un tiers plus profond que le trou de plantation normal et disposer des pierres au fond pour le drainage. Au moment du remplissage, incorporer au sol une bonne brouettée de terre sablonneuse. Cette solution n'est efficace que si le sous-sol est assez imperméable.

Enfoncer aussi profondément et solidement que possible un tuteur au centre du trou. Ce tuteur doit être de la hauteur du tronc. Disposer au fond du trou 10 à 15 cm de fumier bien décomposé ou de compost. Bien l'ameublir et le répartir également pour que les racines n'adhèrent pas à de gros morceaux de ces substances.

Si les racines sont sèches, les faire tremper dans de l'eau pendant deux heures. Rabattre en biseau au sécateur celles qui sont abîmées. Rabattre le bois mort au ras du tronc et éliminer les extrémités endommagées.

Ne pas enfouir l'arbre plus profondément qu'il ne l'était précédemment. Il faut l'aide d'une autre personne pour maintenir l'arbre en place.

Remplir le trou en utilisant d'abord la terre de surface. Secouer l'arbre pour que la terre glisse bien entre les racines. Quand celles-ci sont complètement recouvertes, fouler la terre. Puis finir de remplir le trou avec la terre qui reste en la laissant meuble. Egaliser la surface au râteau et attacher l'arbre au tuteur (voir p. 45). Ne pas cultiver de gazon au pied de l'arbre avant deux ou trois ans.

Après la plantation, on doit tout juste apercevoir l'ancienne marque laissée sur le tronc par la terre, et le point de greffe doit se trouver à au moins 10 cm au-dessus du sol.

A 8 cm du tronc, épandre deux poignées d'engrais pour gazon sur une bande circulaire de 30 cm de large.

Cordons, palmettes simples ou en éventail Avant la plantation, fixer les fils de support avec leurs tendeurs à des poteaux ou au mur. Pour les cordons, tendre les fils à 0,30, 0,90, 1,50 et 2,10 m au-dessus du sol ; pour les palmettes simples, tous les 30 à 40 cm ; pour les palmettes en éventail, tous les 23 à 30 cm.

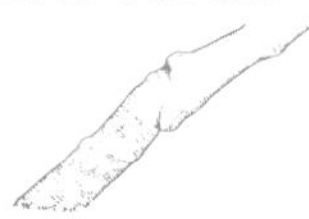

Un scion sur un cordon

Si les arbres sont plantés contre un mur, placer les troncs à 15 cm au moins de celui-ci. Incliner légèrement les arbres vers le mur pour faciliter le palissage.

Dans les cordons, orienter les troncs vers le nord pour qu'ils reçoivent le plus de lumière possible. Placer le point de greffe en haut pour qu'il n'y ait pas de rupture si l'on doit à nouveau incliner le cordon. Enfin, planter le dernier arbre de la rangée à au moins 2,45 m du dernier piquet ou de l'extrémité du mur pour pouvoir modifier au besoin l'inclinaison du cordon.

Que faire si l'on ne peut planter immédiatement

S'il est impossible de planter les arbres et arbustes fruitiers dès leur réception, on peut les placer en jauge, c'est-à-dire les installer temporairement dans une tranchée en recouvrant leurs racines de terre. Le sol ne doit être ni trop sec ni trop humide. Lorsqu'on doit recourir à la jauge durant une saison pluvieuse, choisir un emplacement au pied d'un mur : le sol y est rarement détrempé. On pourra l'arroser s'il devient trop sec.

Pour conserver l'emplacement humide tout en l'empêchant de geler, le couvrir d'une feuille de plastique et disposer par-dessus de la paille sèche, des déchets de gazon ou des feuilles. Terminer avec une deuxième feuille de plastique.

A l'arrivée des arbres et des arbustes, découvrir la jauge et y creuser une tranchée de la manière suivante. Délier les plants et les adosser contre la partie inclinée de la jauge. Remplir la tranchée de façon à couvrir complètement les racines. Ne pas dépasser la marque laissée précédemment par la terre sur la tige. Tasser le sol.

Si les plants arrivent à une époque où il est impossible de les mettre en jauge, les délier et les placer, pas trop longtemps, dans un endroit frais. Couvrir les racines de tourbe.

MISE EN JAUGE

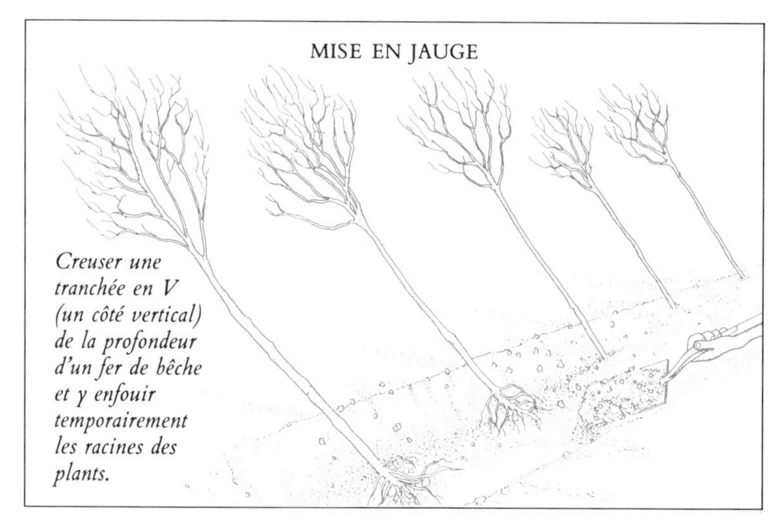

Creuser une tranchée en V (un côté vertical) de la profondeur d'un fer de bêche et y enfouir temporairement les racines des plants.

Distance de plantation

Les distances de plantation mentionnées dans le petit tableau ci-contre ne sont qu'indicatives et conviennent à des porte-greffes peu vigoureux ou à des formes naines. On se renseignera précisément lors de l'achat des arbres. Ces distances seront d'autant plus importantes que les porte-greffes seront plus vigoureux et que le sol de culture sera plus fertile.

Forme de l'arbre	Distance entre les arbres	Distance entre les rangs
Basse-tige	2,45-4,50 m	2,45-4,50 m
Demi-tige	3-3,65 m	3-3,65 m
Fuseau nain	1-1,20 m	2,10-3 m
Cordon	0,75-0,90 m	1,80-3 m
Palmette simple	3-4,50 m	2,45-3 m
Palmette en éventail	4,50-7,25 m	2,45-3 m

Mise à fruit d'un arbre improductif

Quand un arbre se développe avec beaucoup de vigueur mais qu'il produit peu de fruits ou n'en produit pas du tout, il est bon de réduire son alimentation azotée en semant de l'herbe autour du pied. Tondre régulièrement ce gazon pour l'encourager à croître et, par le fait même, diminuer la teneur du sol en azote.

Une autre méthode consiste à tailler les racines de l'arbre pendant sa période de dormance. Dessiner autour de l'arbre un demi-cercle d'un rayon légèrement inférieur à l'étalement de sa frondaison. Creuser sur le pourtour une tranchée étroite et assez profonde pour exposer les racines horizontales. Couper net toutes celles qui ont été ainsi dégagées en utilisant une bêche coupante pour les petites racines et des cisailles pour les grosses. Quand les racines ont été sectionnées, remplir la tranchée et tasser la terre. L'année suivante, répéter l'opération de l'autre côté de l'arbre.

Pour les pommiers et les poiriers, pratiquer une décortication annulaire au moment de la floraison. L'arbre risque cependant de mourir si le travail n'est pas fait de la façon suivante. A 15 cm au-dessous de l'insertion des premières branches, retirer une étroite bande d'écorce sur une demi-circonférence et effectuer la même opération sur l'autre moitié du tronc à 8 cm sous la première. Plus l'arbre est petit ou jeune, plus cette bande doit être étroite. Même sur de grands arbres, elle ne doit pas avoir plus de 3 mm de large.

Utiliser un couteau tranchant et inciser l'écorce superficielle seulement. Dès qu'on a détaché la bande d'écorce, couvrir la plaie d'un ruban isolant. Ne pas faire l'incision trop profonde. Si l'on entaille le cambium et qu'on y pratique une incision sur toute la circonférence du tronc, l'arbre mourra.

Protection des fruits contre ravageurs et maladies

Les bourgeons à fruits et les fruits en croissance peuvent être gravement endommagés par les oiseaux. La seule protection vraiment efficace consiste à recouvrir les arbres et arbustes fruitiers d'un filet de nylon ou de polyéthylène à mailles de 2,5 cm.

Les petits fruits et les arbres conduits en espaliers seront plus facilement protégés si l'on emploie des cages grillagées. On peut aussi ensacher les fruits dans des sacs de polyéthylène, des bas de nylon, des cônes en papier journal ou des manchons en plastique. Les alarmes sonores, les produits répulsifs ou les fils de coton ou de papier aluminium tendus entre les branches sont moins efficaces.

Les maladies cryptogamiques, les bactérioses et les viroses, ainsi que les ravageurs peuvent causer des dégâts importants aux arbres et même les faire mourir.

On peut bien sûr utiliser des pesticides. Certains même sont spécialement conçus pour les vergers domestiques. Il faut cependant les utiliser avec prudence et ne jamais en appliquer au moment où les arbres et les arbustes sont en fleurs, de crainte de tuer les insectes pollinisateurs.

Certains ravageurs développent toutefois une accoutumance à l'égard de produits chimiques. On sait par exemple que les araignées rouges résistent à de nombreux acaricides.

La lutte contre les ravageurs exige une attention sans relâche, mais on n'aura recours à un traitement chimique que lorsqu'on peut apercevoir l'insecte ou que la plante a été attaquée de façon identique l'année précédente. Ne traiter que le sujet infesté et ceux qui l'entourent.

On trouve dans les centres de jardinage des produits polyvalents pour arbres fruitiers. Ce sont les plus commodes pour un petit verger.

Le maintien de la propreté du jardin concourt au contrôle des ravageurs et des maladies. Ne pas abandonner sur le sol les déchets de la taille. En automne, cueillir et détruire les fruits gâtés.

Pour obtenir les meilleures récoltes, on devra suivre le programme de traitements établi par les producteurs commerciaux. Voici le programme annuel recommandé aux pomiculteurs du sud de l'Ontario.

Quand les boutons ont 1,5 cm de vert, faire des traitements contre les cochenilles et les ériophyides.

Sept jours plus tard au moins, mais avant que les fleurs s'ouvrent, traiter contre la tavelure et les pucerons.

Lorsque 90 pour cent des pétales des fleurs sont tombés, traiter contre la tavelure, les charançons, les chenilles et les ériophyides.

Quatorze jours plus tard, traiter de nouveau contre la tavelure, les carpocapses et les charançons.

Deux semaines plus tard, traiter contre la tavelure et les carpocapses.

Vingt et un jours plus tard, traiter contre la tavelure, la pourriture du fruit, les mouches de la pomme et les pucerons. Répéter trois fois à trois semaines d'intervalle.

Il va de soi que la nature et l'époque des traitements varient selon les régions. Se renseigner à ce sujet auprès du représentant du ministère provincial de l'Agriculture.

ÉTAYAGE DES BRANCHES CHARGÉES DE FRUITS

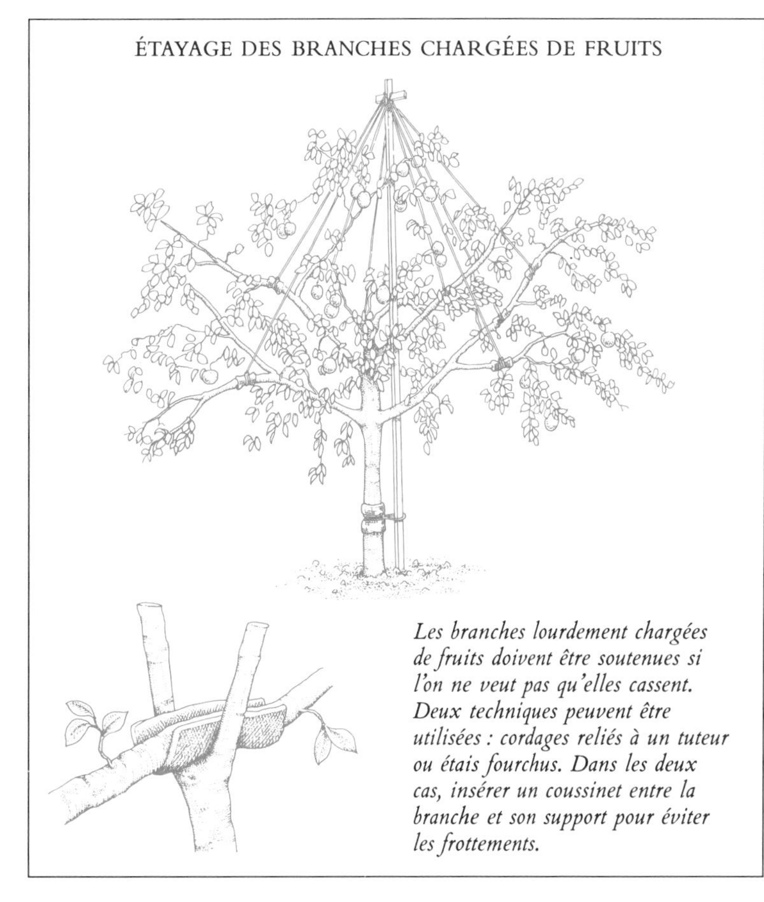

Les branches lourdement chargées de fruits doivent être soutenues si l'on ne veut pas qu'elles cassent. Deux techniques peuvent être utilisées : cordages reliés à un tuteur ou étais fourchus. Dans les deux cas, insérer un coussinet entre la branche et son support pour éviter les frottements.

Bleuet

Bleuet 'Bluecrop'

Parmi les nombreuses espèces de bleuets originaires d'Amérique du Nord, il vaut mieux choisir celles qui sont recommandées par les fermes expérimentales de sa région.

Le bleuet demande un sol acide, à pH se situant entre 5 et 6 environ (voir p. 438), qui retient l'humidité. Il préfère une exposition dégagée et ensoleillée, mais tolère la mi-ombre. Dans les régions septentrionales, protéger les arbustes contre les vents froids en hiver.

Il est inutile d'entreprendre la culture des bleuets dans un sol alcalin. Lorsqu'il n'y a pas d'autre possibilité, il est préférable de les cultiver dans des contenants. Remplir ceux-ci d'un compost à base de tourbe ou d'une autre matière acide ; ne pas ajouter de calcaire.

La cueillette s'effectue généralement vers le milieu ou la fin de l'été et chaque pied donne des fruits durant plusieurs semaines.

Les bleuets ne sont pas des plantes totalement autofertiles ; aussi est-il nécessaire de planter au moins deux variétés pour s'assurer d'obtenir une bonne récolte.

La multiplication des plants peut s'effectuer par marcottage (voir p. 84) en automne ou au printemps. On peut également prélever des boutures de tiges semi-aoûtées à la fin de l'été (voir p. 80).

Comment tailler les bleuets

On ne taille pas les bleuets les trois premières années. Ensuite, on les taille tous les hivers. Pour favoriser la croissance de nouvelles pousses qui fructifieront l'année suivante, supprimer une à quatre vieilles tiges sur chaque arbuste. Les rabattre jusqu'à un rameau latéral vigoureux, ou au ras du sol si les pousses basales sont nombreuses.

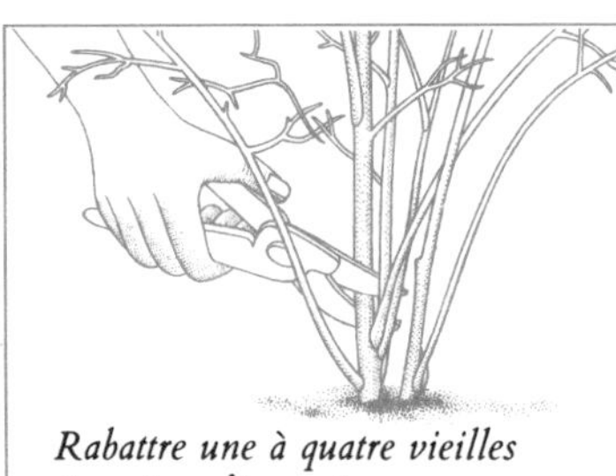

Rabattre une à quatre vieilles tiges jusqu'à une jeune pousse vigoureuse ou jusqu'au sol.

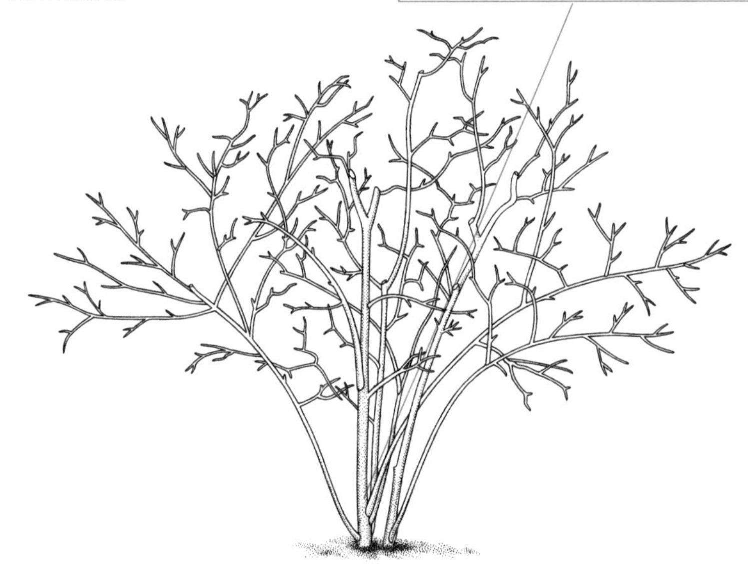

Plantation et culture des bleuets

Planter les bleuets en automne ou au printemps, au moment où le sol est malléable. Les espacer de 0,90 à 1,20 m et les enfouir plus profondément qu'ils ne l'étaient en pépinière, c'est-à-dire de 2,5 cm environ.

Fertiliser un mois avant la reprise de la croissance, comme pour les mûres (voir p. 363). Epandre du sulfate d'ammoniaque à raison de 15 à 30 g au mètre carré. Dans les sols sablonneux, fertiliser de nouveau un mois après la reprise.

Au tout début de l'été, pailler avec du fumier bien décomposé, du compost, du terreau de feuilles ou de la tourbe. Couvrir les arbustes d'un filet pour les protéger des oiseaux.

Un sol trop calcaire peut entraîner la chlorose des plants. Pour corriger le pH, incorporer au sol des matières acides, comme de la tourbe, et épandre du soufre ou du chélate de fer en suivant le mode d'emploi.

Si d'autres symptômes apparaissent, consulter le chapitre qui commence à la page 444 et la liste des produits recommandés, aux pages 480 à 482.

Variétés recommandées pour le jardin familial

Les indications qu'on trouve ci-dessous sur l'époque de maturation des fruits ne valent que pour les grandes régions de culture du bleuet. Plus on monte vers le nord, plus la récolte est tardive. Elle peut aussi varier en fonction des températures annuelles.

Nom	Maturité	Remarques
'Weymouth'	Hâtive (du milieu à la fin de l'été)	Grosses baies bleu sombre. Mise à fruit régulière. Qualité moyenne. Arbuste peu vigoureux.
'Berkeley'	Normale (fin de l'été)	Très grosses baies. Qualité moyenne. Arbuste moyennement rustique.
'Bluecrop'	Normale (fin de l'été)	Bonnes grosses baies. Arbuste rustique de vigueur moyenne ; résiste à la sécheresse.

Cerise

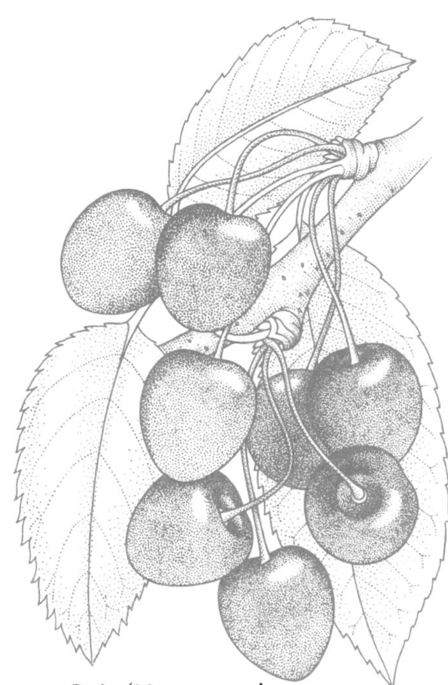

Cerise 'Montmorency'

Les cerisiers à fruits doux et les cerisiers à fruits acides sont rustiques dans les zones 5 à 9. Ils requièrent un sol profond, bien drainé, dont le pH se situe aux environs de 6,5. Le cerisier à fruits doux n'est pas autofertile.

Culture et taille du cerisier à fruits doux et à fruits acides

Planter contre un mur orienté au sud ou à l'ouest. Espacer les cerisiers doux de 5,50 à 7,25 m et les cerisiers acides de 4,50 à 5,50 m.

Un mois ou deux avant la reprise de la croissance, épandre un engrais de formule 10-10-10 ou 10-6-4 autour de l'arbre, à raison de 350 g pour un jeune sujet, 2,25 kg pour un arbre adulte et 4,50 kg si le cerisier manque de vigueur. En terrain alcalin ou très sablonneux, ajouter 225 g de sulfate de magnésium tous les trois ans. Si le sol est pauvre en azote, appliquer 225 g de sulfate d'ammoniaque pour

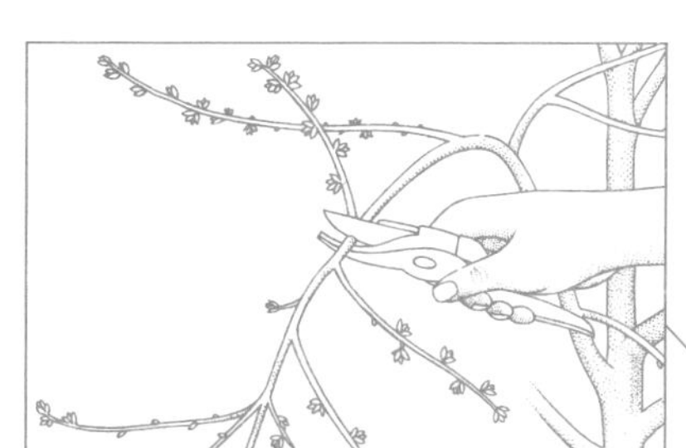

A l'éclosion des bourgeons, rabattre le vieux bois à une latérale de un an.

chaque année que compte l'arbre, sans dépasser 4,50 kg. Pailler à la fin de l'automne. N'arroser qu'en période de sécheresse.

Taille et conduite Durant les trois premières années, tailler le cerisier comme un pommier conduit en éventail (voir p. 379), au printemps. Par la suite, tailler légèrement.

Au début de l'été, supprimer les nouvelles pousses qui pointent vers le mur ou en sens contraire. Pincer l'extrémité des autres au début ou au milieu de l'été. Rabattre les charpentières hautes sur une latérale peu vigoureuse. A défaut de latérale, incliner les prolongements à l'horizontale et les palisser.

Au début de l'automne, rabattre les pousses pincées au quatrième gros bouton à fleurs. Couper le bois mort.

Sur les sujets adultes, palisser les nouvelles pousses, s'il y a de l'espace, au début ou au cours de l'été.

Ravageurs et maladies

Les deux types de cerisiers sont victimes des pucerons qu'on déloge par des vaporisations de carbaryl ou de diméthoate, après la floraison. Contre la tache foliaire, détruire les feuilles atteintes et vaporiser de dodine, de folpet ou de zinèbe. Voir aussi le chapitre « Ravageurs et maladies », à la page 444, et le tableau des pesticides aux pages 480 à 482.

TAILLE DU CERISIER

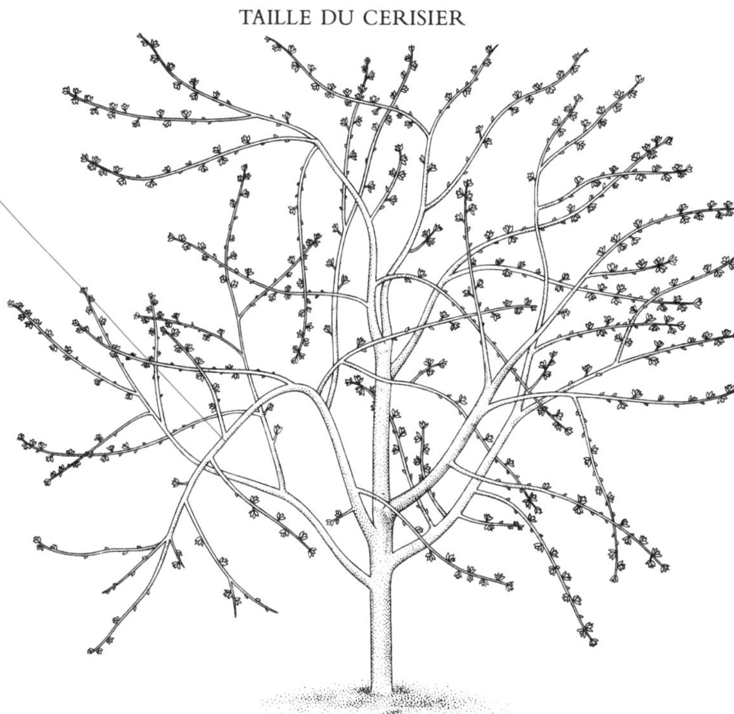

Variétés recommandées pour le jardin familial

Les cerisiers à fruits doux s'interpollinisent au moment de la floraison. On ne peut cependant choisir indifféremment deux variétés, même si elles fleurissent simultanément. Suivre, à ce sujet, les recommandations du pépiniériste ou communiquer avec un représentant du ministère de l'Agriculture.

Planter les arbres à proximité les uns des autres.

Nom	Maturité**	Couleur
Cerisiers à fruits doux*		
'Vista'	Début été	Rouge foncé
'Royal Ann' aussi nommé 'Napoléon'	Mi-été	Jaune d'or à flancs rouges
'Schmidt'	Mi-été	Noir
'Windsor'	Mi-été	Rouge foncé
'Hedelfingen'	Mi-été	Noir
Cerisiers à fruits acides		
'Montmorency'	Mi-été	Ecarlate

**Cultiver au moins deux variétés qui s'interpollinisent.*

***Les cerises mûrissent du début au milieu de l'été dans la plupart des régions.*

Fraise

Fraise 'Veestar'

Il existe des fraisiers qui donnent une seule récolte par an, au début de l'été, et des fraisiers qui en donnent deux, l'une au début de l'été et l'autre à la mi-automne. Ceux-ci sont généralement moins rustiques. On s'assurera que les plants que l'on achète sont exempts de viroses.

Les fraisiers doivent être cultivés dans une terre fertile et bien drainée, à pH de 5,5 à 6 environ, et qui conserve l'humidité. La plantation doit se faire au printemps ou en automne dans une plate-bande orientée de préférence au sud. Ne pas planter les fraisiers dans les zones à gel tardif.

Préparation du sol et plantation

Planter les variétés non remontantes de préférence au début du printemps, ou au début de l'automne dans les régions où le climat est doux. La mise en terre des variétés remontantes s'effectue au printemps.

Deux ou trois semaines avant la plantation, travailler le sol par double bêchage (voir p. 441) s'il est assez profond. Arracher les mauvaises herbes et incorporer en surface du fumier bien décomposé ou du compost à raison de 10 l au mètre carré si la terre est pauvre, et 5 l si elle est riche.

Ajouter à la fourche un engrais complet. Utiliser un râteau pour briser les mottes et niveler la surface.

Espacer les plants de 45 cm, et les rangs de 75 cm. Si les plants se trouvent dans des pots de tourbe comprimée, les faire d'abord tremper une heure. Les enfouir à peine.

Planter les fraisiers à racines nues dans un sol humide. Creuser un trou de 2,5 à 5 cm plus profond que la hauteur des racines et installer le plant sur un petit monticule en y déployant les racines. Le collet doit être juste au niveau du sol. Enfoui plus profondément, il pourrira ; moins profondément, les racines se dessécheront. Arroser par temps sec.

Etaler les racines de façon que le collet soit au niveau du sol.

Culture des fraisiers de la plantation à la récolte

Après la plantation, arroser régulièrement pendant quelques semaines, par temps sec. Un manque d'eau à ce stade peut retarder la croissance et peut même ruiner les plants.

En automne, pour conserver aux fraisiers leur vigueur, éliminer tous leurs stolons. A la fin de l'hiver, épandre un engrais complet. Si la végétation est faible, ajouter de l'engrais entre les rangs, au milieu du printemps. Ne pas en répandre sur le feuillage. Si par accident il en tombe sur les feuilles, les brosser aussitôt. Au printemps, biner superficiellement pour détruire les mauvaises herbes.

La première année, supprimer toutes les fleurs des variétés non remontantes plantées à la fin de l'automne ou au printemps. Sur les variétés remontantes, enlever les fleurs au début du printemps.

Quand les fruits des variétés non remontantes touchent presque le sol, recouvrir celui-ci de paille propre. Une pellicule de plastique peut remplacer la paille si le sol est humide.

Pour isoler les fruits du sol, on peut aussi fabriquer des supports avec du fil de fer galvanisé. Cette méthode est surtout pratique lorsque les fraisiers sont cultivés dans des contenants ou en serre. Insérer l'extrémité du support dans le sol à côté du plant. Replier l'autre extrémité en forme de crochet et y attacher une grappe de fruits avec un lien plastifié.

Arroser par temps sec, mais surtout au moment où les fruits mûrissent. Attention cependant : un excès d'eau pourrait entraîner la pourriture grise.

Pour avoir des fruits de la meilleure qualité, cueillir les fraises avec leurs pédoncules lorsqu'elles sont complètement mûres. Ne pas trop les manipuler : elles se meurtrissent très facilement.

PROTECTION DES JEUNES PLANTS ET DES FRUITS

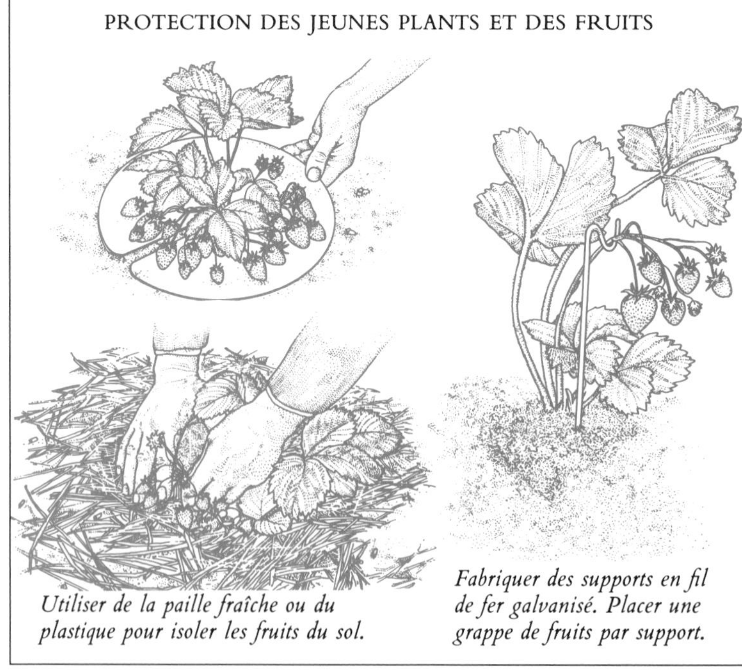
Utiliser de la paille fraîche ou du plastique pour isoler les fruits du sol.

Fabriquer des supports en fil de fer galvanisé. Placer une grappe de fruits par support.

Nettoyage des plates-bandes de fraises

Dès que la récolte des variétés non remontantes est terminée, ramener la paille sur les plants et y mettre le feu. Cette opération n'endommage pas les plants, mais détruit les vieilles feuilles malades et les parasites. De nouvelles feuilles ne tarderont pas à apparaître et elles auront l'air et la lumière dont elles ont besoin.

Si le brûlage n'est pas permis ou est impossible à réaliser, rabattre tous les plants à la cisaille en les coupant à environ 8 cm au-dessus du collet. Arracher les coulants indésirables ainsi que les vieilles feuilles malades ; enlever la pellicule de plastique s'il y a lieu. Ramasser les déchets au râteau et les brûler.

Renouveler les fraisiers tous les deux ou trois ans. On peut d'ailleurs pratiquer soi-même la multiplication.

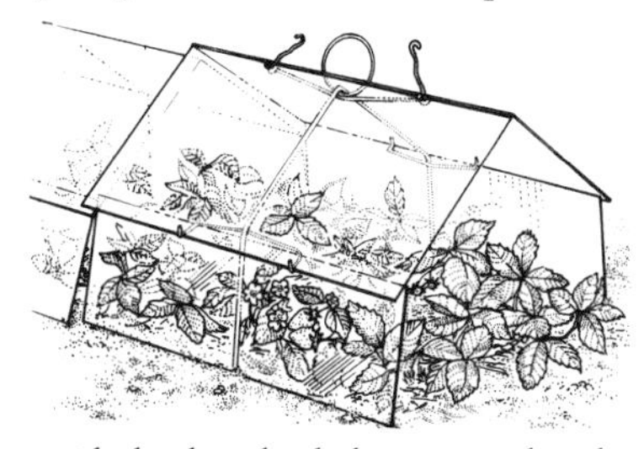

Cloche de polyéthylène contre le gel

Les variétés remontantes fructifient jusqu'aux gelées d'automne. Les recouvrir en automne.

Ne pas enlever les feuilles des variétés remontantes ; éclaircir simplement le vieux feuillage.

NETTOYAGE DES FRAISIERS NON REMONTANTS

Après la récolte, relever la paille sur les plants et y mettre le feu pour détruire feuilles et parasites.

Ou rabattre les plants à 8 cm au-dessus du collet. Arracher vieilles feuilles et stolons inutiles.

Multiplication des plants au moyen de stolons

Les fraisiers peuvent être multipliés au moyen de stolons. Au début de l'été, repérer les pieds vigoureux pourvus de bons stolons. Sélectionner quatre stolons vigoureux sur chacun des pieds choisis et les répartir uniformément autour de la plante mère.

Il est plus facile de repiquer les stolons qui ont pris racine en pot. A cette fin, remplir des pots de 7,5 cm de bonne terre riche, de compost d'enracinement ou d'un mélange des deux. Sur chaque stolon, repérer la plantule située le plus près de la plante mère et, avec un transplantoir, creuser sous elle un trou assez grand pour recevoir le pot.

Enterrer le pot jusqu'au rebord, puis insérer la plantule dans le mélange terreux. Il sera nécessaire de l'y maintenir avec un bout de fil de fer galvanisé de 15 cm plié en U et installé comme ci-dessous. Ne pas détacher la jeune plante du pied dont elle est issue, mais rabattre le stolon de l'autre côté de la plantule jusqu'au pot. Garder le substrat humide.

Il faut compter quatre à six semaines pour que le jeune plant prenne racine. A la fin de l'été, couper les stolons qui relient les nouveaux fraisiers aux plantes mères. Continuer d'arroser généreusement. Une semaine plus tard, dégager délicatement les jeunes plants et les repiquer immédiatement dans leur emplacement définitif. Les cultiver comme des fraisiers.

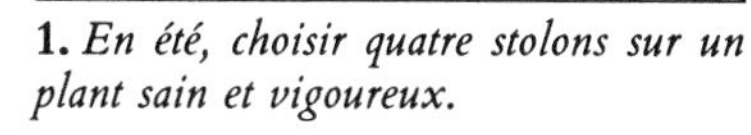

1. *En été, choisir quatre stolons sur un plant sain et vigoureux.*

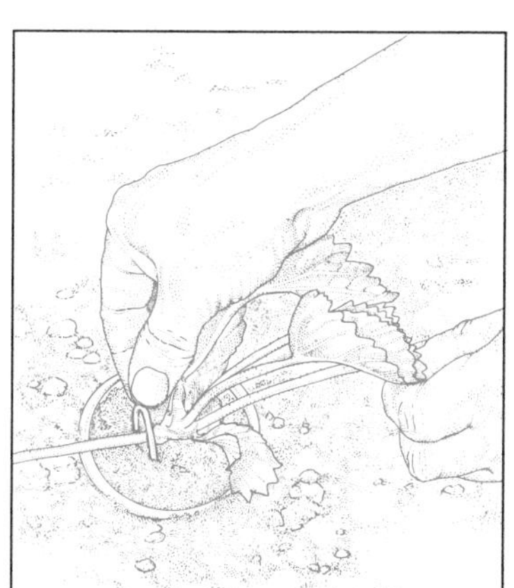

2. *Fixer une plantule de chaque stolon dans un pot de terre enfoncé dans le sol.*

3. *Ne pas la détacher de la plante mère, mais pincer le stolon de l'autre côté.*

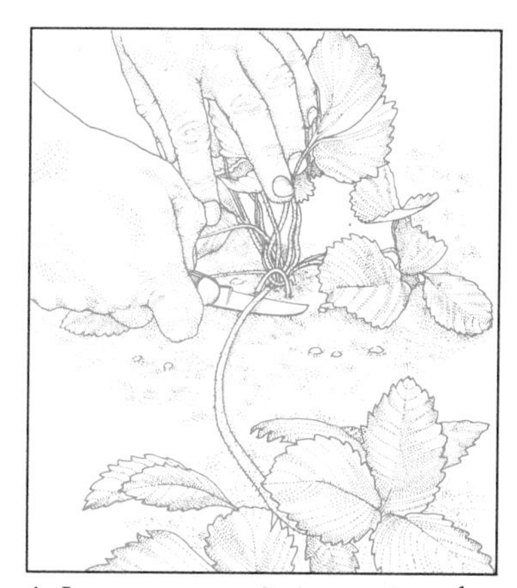

4. *La sevrer quatre à six semaines plus tard. Repiquer une semaine après.*

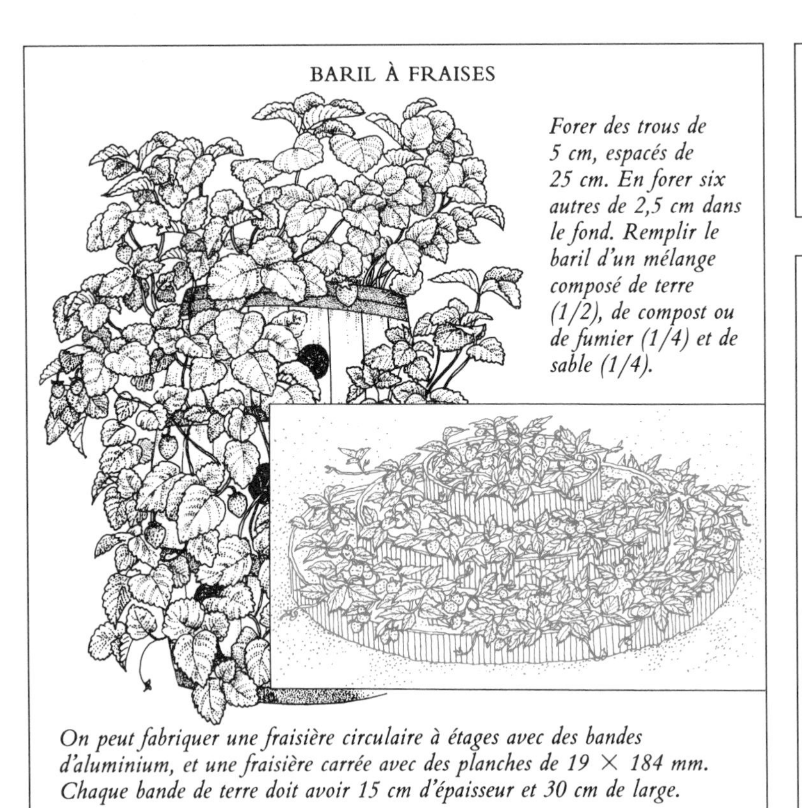

On peut fabriquer une fraisière circulaire à étages avec des bandes d'aluminium, et une fraisière carrée avec des planches de 19 × 184 mm. Chaque bande de terre doit avoir 15 cm d'épaisseur et 30 cm de large.

Variétés recommandées ; ravageurs et maladies

L'époque de la récolte varie en fonction des zones de culture.

Devant des symptômes non décrits ici, se reporter au chapitre « Ravageurs et maladies », à la page 444. Les appellations commerciales des produits sont aux pages 480 à 482.

Nom	Zones de culture	Maturité
Variétés non remontantes		
'Catskill'*	Presque partout	Tardive
'Midway'*	Prairie et Est	Normale
'Northwest'**	Côte Ouest	Normale-tardive
'Redcoat'*	Presque partout	Normale
'Stark Red Giant'*	Prairie	Normale
'Surecrop'*	Prairie et Est	Normale
'Veestar'	Ontario et Est	Hâtive
'Vibrant'	Ontario, Québec	Hâtive
Variétés remontantes		
'Ogallala'	Presque partout	
'Rich Red'	Côte Ouest	

**Se congèle dans le sucre.* ***D'excellente qualité.*

Symptômes	Cause	Traitement
Fleurs et fruits dévorés. Feuilles dévorées, enroulées.	Chenilles	Appliquer de la poudre de carbaryl ou de méthoxychlore.
Collet, feuilles, fleurs et fruits déformés. Présence du plus néfaste des ravageurs pour toutes les régions.	Tarsonèmes du cyclamen	Au printemps, plonger les plants attaqués dans de l'eau à 38°C pendant 20 minutes. Vaporisations de dicofol, d'endosulfan ou de tétradifon.
Le ravageur se nourrit à même les fruits et sous le plant durant le jour.	Perce-oreilles	Répandre des appâts ou de la poudre de carbaryl autour des plants avant la récolte.
Feuilles endommagées ou chétives ; elles jaunissent.	Pucerons du fraisier	Vaporiser de carbaryl, de diazinon, de diméthoate ou de nicotine.
Insectes visibles sur les racines, les feuilles et les tiges. Plants pâles, manquant de vigueur ; feuilles pâles et petites. Fruits immatures et secs.	Pucerons rhizophages	Plonger les plants dans une solution à base de diazinon, de diméthoate ou de malathion avant la plantation. Vaporisations foliaires de diazinon, d'endosulfan ou de malathion.
De petits insectes sucent la sève du feuillage et des racines.	Charançons de la racine	Traiter le sol au méthoxychlore à la plantation. Vaporiser de carbaryl ou de malathion.
Les larves endommagent les racines ; les adultes mangent les feuilles.	Galéruques du fraisier	Traiter le sol au chlordane ou au méthoxychlore autour des plants.
Plants faibles et décolorés. Dessous des boutons et jeunes feuilles dévorés.	Tétranyques à deux points	Vaporisation de dicofol ou de tétradifon tous les 7 à 10 jours durant toute la saison.
Les fruits pourrissent et se couvrent d'une moisissure grise.	Pourriture grise (champignon)	Vaporisation de bénomyl trois fois tous les 14 jours. Détruire les fruits malades. L'année suivante, vaporiser dès que les fleurs s'ouvrent.
Les feuilles virent au pourpre et s'enroulent, montrant leur revers.	Blanc (champignon)	Avant la floraison, traiter au calcaire soufré 1½ pour cent ou au dinocap. Répéter tous les 10 à 14 jours jusqu'à une ou deux semaines avant la récolte.
Feuilles petites, marginées de jaune. Plants rabougris. Mauvaise récolte.	Virose	Aucun traitement. Déterrer et détruire les plants. Réprimer les pucerons vecteurs.

Framboise

Framboise 'Heritage'

Certaines variétés de framboisiers fructifient à la mi-été sur du bois de l'année précédente ; d'autres portent leurs fruits au début ou au milieu de l'automne, sur des tiges de l'année. Les cannes qui ont donné des fruits meurent, cédant la place à de nouvelles qui sortent du système radiculaire chaque printemps.

Trois types de framboisiers poussent ici. Il y a d'abord les framboisiers rouges, très populaires, dont les cannes sont dressées et qui se multiplient par les drageons qu'émettent les racines. Les framboisiers noirs et les framboisiers pourpres sont également des arbustes dressés dont les cannes s'arquent tellement qu'elles finissent par s'enraciner à leur extrémité. On se sert de ces marcottes pour multiplier les plants. Les framboisiers pourpres sont des hybrides issus d'un croisement entre framboisiers rouges et framboisiers noirs. Enfin, il existe des framboisiers jaunes qui ne sont qu'une variante des rouges. Toutes les variétés de framboisiers sont autofertiles.

Acheter des plants de un an et les planter à la fin de l'automne. Comme les framboisiers sont sujets aux viroses, il vaut mieux se procurer des plants traités dans une pépinière réputée et ne pas les multiplier.

Le framboisier se cultive en plein soleil mais tolère la mi-ombre. Ne pas le planter dans des endroits exposés au gel ou aux vents violents ; éviter aussi les terrains en pente raide qui s'assèchent rapidement. Choisir un sol légèrement acide, qui s'égoutte bien mais conserve son humidité. Un sol alcalin convient aussi s'il est amendé par des apports de compost ou de fumier décomposé.

Préparation du sol et plantation

Les framboisiers sont plantés en rangs et leurs cannes sont palissées sur du fil de fer. Débarrasser le lit de plantation des mauvaises herbes, soit en retournant la terre, soit en utilisant un herbicide à base de paraquat.

A la fin de l'été ou au début de l'automne, creuser à la profondeur d'un fer de bêche une tranchée de 75 cm de large. Incorporer au fond de cette tranchée du compost, de la tourbe ou du fumier bien décomposé, à raison de deux seaux de 10 l au mètre carré. Ajouter à cette fumure deux cuillerées à soupe de fertilisant. Remplir ensuite la tranchée.

De préférence, la plantation se fait à la fin de l'automne, mais elle peut s'effectuer entre l'automne et le printemps. Creuser une tranchée de 8 cm de profondeur et de 15 à 25 cm de large. Y installer les plants debout, en les espaçant de 45 cm. Bien étaler leurs racines. Les recouvrir de 8 cm de terre et fouler délicatement du pied. Espacer les rangs de 1,80 m.

Rabattre immédiatement chaque canne au-dessus d'un bourgeon bien constitué, soit à une distance de 25 à 30 cm du sol.

Epandre du fumier en automne. Un mois environ avant que la croissance reprenne, épandre environ 125 g d'engrais 5-10-5 au mètre carré. Laisser ces fertilisants pénétrer dans le sol sous l'action de l'eau.

Au début du printemps, constituer un paillis de 5 cm d'épaisseur avec du compost, du fumier ou de la tourbe. Arroser abondamment durant les périodes de chaleur et de sécheresse.

Appliquer un herbicide à base de paraquat ou arracher les mauvaises herbes à la main. Ne pas biner entre les plants, surtout pendant la période de végétation.

Pendant que les fruits mûrissent, couvrir les plants d'un filet pour les protéger des ravages des oiseaux.

Palissage des cannes sur fil de fer

En été, quand naissent les nouvelles pousses, ficher en terre un piquet de bois de 2,50 m, à 60 cm de profondeur, à chaque extrémité du rang. Tendre entre eux deux fils de fer galvanisé, l'un à 90 cm du sol, l'autre à 1,60 m. On peut aussi tendre ces deux fils parallèlement en les fixant à des traverses clouées à angle droit sur les poteaux, à 1,20 m du sol. Laisser 30 cm entre les fils et utiliser de forts crochets en S pour qu'ils soient bien parallèles.

A la mi-été, l'année de la plantation, attacher les cannes aux fils. Voir à ce que les cannes soient entre les fils parallèles si on utilise ceux-ci.

Palissage à deux fils *Tendre les fils de fer à 90 cm et à 1,60 m du sol ; y attacher les cannes.*

Palissage à fils parallèles *Tendre des fils parallèles entre lesquels les cannes seront retenues.*

Quand cueillir les fruits

Ne pas récolter de fruits l'année de la plantation afin de ne pas affaiblir les futures cannes. Au début du premier été, c'est-à-dire après la plantation, éliminer les fleurs ou les fruits qui apparaissent sur les jeunes cannes. La première vraie récolte n'aura lieu que la seconde année.

Renouvellement des cannes

Les variétés qui fructifient à la mi-été sont bisannuelles. Après la récolte, délier les cannes qui ont donné des fruits et les rabattre au sol. Ne pas tailler les pousses de l'année.

Sur chaque plant, palisser huit nouvelles pousses vigoureuses. Rabattre au ras du sol les pousses trop frêles. Eliminer également toutes celles qui sortent du sol entre les rangs.

Vers la fin de l'hiver, rabattre les cannes qui dépassent le fil supérieur en coupant au-dessus d'un bourgeon situé à quelques centimètres du fil.

Lorsqu'on cultive des variétés remontantes, par exemple 'Heritage', rabattre les cannes sur du bois vivant et éclaircir en éliminant les cannes frêles après la mise à fruit d'automne. On obtiendra alors une récolte de framboises au début de l'été et une autre en automne.

Cependant, si on cultive aussi des framboisiers non remontants à récolte estivale, comme 'Sodus', tailler les plants de la variété 'Heritage' jusqu'au ras du sol en hiver. Ce rabattage supprime la première des deux récoltes, mais permet d'obtenir de meilleurs fruits en automne.

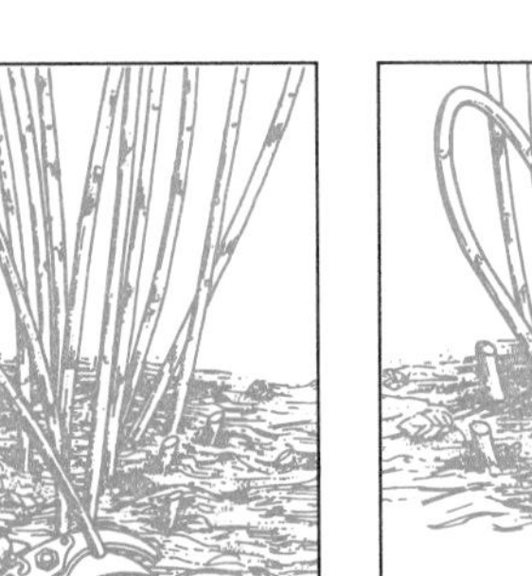

1. *A la fin de l'été, rabattre au ras du sol toutes les cannes qui ont fructifié.*

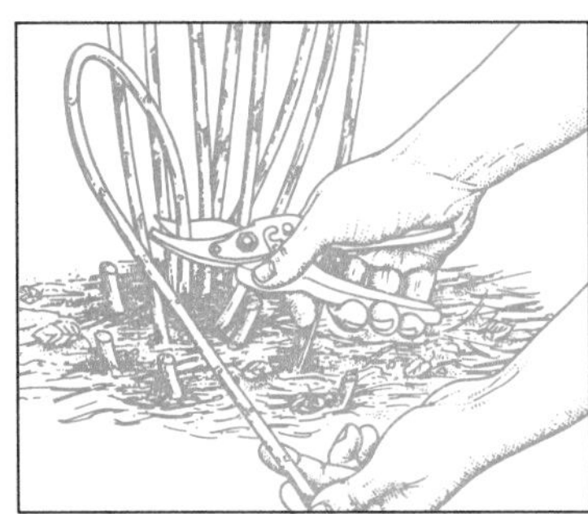

2. *Sur chaque plant, garder huit nouvelles pousses solides. Les palisser.*

3. *Après le palissage, arracher tous les rejets émis par les racines.*

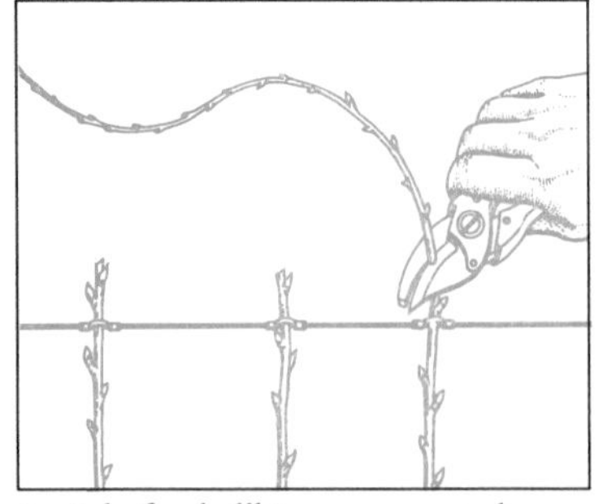

4. *A la fin de l'hiver, raccourcir les cannes à un œil au-dessus du fil.*

Variétés recommandées ; ravageurs et maladies

Choisir des variétés de framboisiers exemptes de virus.

En cas de symptômes non décrits ici, se reporter au chapitre « Ravageurs et maladies », à la page 444. Les appellations commerciales des produits sont aux pages 480 à 482.

Nom	Maturité	Remarques
'Avon'	Hâtive	Gros fruits rouges.
'Bristol'	Normale	Gros fruits noirs.
'Canby'	Normale	Fruits rouges. Cannes sans épines.
'Fall Gold'	Hâtive et tardive	Fruits jaunes. Variété rustique.
'Heritage'	Hâtive et tardive	Bons fruits rouges. Plants productifs.
'Latham'	Hâtive	Fruits rouges de qualité ordinaire. Assez rustique.
'Plum Farmer'	Hâtive	Fruits noirs ; deux ou trois récoltes. Résistance à la sécheresse.
'September'	Hâtive et tardive	Fruits rouges de taille moyenne.
'Sodus'	Normale	Gros fruits pourpres de bonne qualité. Plants vigoureux et rustiques.
'Viking'	Hâtive	Fruits rouges de taille moyenne et de bonne qualité. Cannes sans épines.
'Willamette'	Normale	Fruits rouges de bonne qualité. Plants productifs et vigoureux.

Symptômes	Cause	Traitement
Feuilles enroulées ou déformées ; insectes gluants.	Pucerons	Vaporisation de diméthoate.
Les ravageurs adultes pondent dans les collets ; les larves y creusent des galeries.	Rhizophages du framboisier	Au printemps, rabattre à la base les cannes atteintes. Ecraser les vieux chicots. Saturer les collets de diazinon en automne.
Les larves attaquent et détruisent les fruits.	Noctuelles ou larves de la tenthrède	Vaporiser de diazinon ou de carbaryl au débourrement et juste avant la floraison.
Le ravageur se nourrit du fruit qu'il déforme.	Punaises	Vaporisation de carbaryl, de diazinon ou de malathion.
Le champignon entre par les blessures, créant de grandes taches brunes. Les feuilles se flétrissent et meurent en été.	Brûlure de la tige	Rabattre en dessous du sol les cannes atteintes. Traiter les nouvelles cannes à la bouillie bordelaise, au ferbam ou au zinèbe.
Taches circulaires pourpres sur les cannes, se transformant en tumeurs. Avortement du fruit.	Anthracnose (champignon)	Même traitement que pour la brûlure de la tige. On peut aussi appliquer du calcaire soufré en vaporisation.

Groseille à grappes

Groseille 'Red Lake'

Les groseilliers à fruits rouges et ceux à fruits noirs (qu'on appelle cassissiers) sont couramment cultivés au Canada, tandis que les groseilliers à fruits blancs sont très rares.

Groseilliers et cassissiers peuvent se cultiver en buissons (sur tige de 25 cm environ), ou en cordons simples, doubles ou triples.

Tous deux préfèrent des sols bien drainés qui conservent l'humidité. Le groseillier, toutefois, vient mieux dans un sol léger, et prospère dans les régions fraîches et humides. Les deux espèces se cultivent en plein soleil ou à la mi-ombre, mais comme elles fleurissent tôt dans la saison, il faut se méfier des gels tardifs. La récolte se produit en général au début de l'été.

Avant la plantation, bêcher la terre profondément et y incorporer un engrais complet en suivant les instructions du fabricant. Groseilliers et cassissiers sont sensibles à une carence en potassium qui produit des marques de brûlure sur les marges des feuilles.

Planter au début du printemps ou en automne. Espacer les buissons de 1,50 m, les cordons simples de 40 cm, les cordons doubles de 80 cm et les cordons triples de 1,20 m. Laisser 1,20 m entre les rangs de cordons.

Les cordons nécessitent pour chaque pied l'installation de piquets de 5 cm sur 5 et de 2,45 m de haut dont 1,50 à 1,80 m doit émerger du sol. On peut aussi palisser les cordons sur trois ou quatre fils de fer horizontaux espacés de 60 cm en les attachant à des bambous verticaux fixés aux fils.

Au début du printemps, épandre un engrais polyvalent en cercle, à 30 cm du pied de chaque plant. Ajouter un paillis de 5 cm d'épaisseur de fumier ou de compost.

Freiner le développement des mauvaises herbes avec un paillis ou un herbicide à base de paraquat. Ne pas biner : les racines sont à fleur de terre.

N'arroser qu'en période de sécheresse. Eliminer tous les rejets issus de la tige ou des racines. Si le gel déchausse les jeunes plants, fouler la terre avec le pied. Les pousses peuvent se rompre sous l'effet d'un vent violent. Tuteurer les rameaux importants des jeunes arbustes pour leur garder leur forme.

Les oiseaux causent des dommages aux bourgeons et aux fruits. Le meilleur moyen de protéger ceux-ci est de les couvrir de filets. Aussi récolter les baies dès qu'elles sont mûres.

Taille d'hiver des buissons et des cordons

Pour éviter les dommages causés par les oiseaux, attendre pour tailler que les bourgeons commencent à gonfler. Les groseilliers fructifient sur des coursonnes issues du vieux bois.

Tout de suite après la plantation d'un arbuste de un an, rabattre au quatrième œil chacun des rameaux issus de l'axe principal. Couper au-dessus d'un œil extérieur.

Le second hiver, rabattre au ras de l'axe tous les rameaux mal placés ou inutiles. Raccourcir des deux tiers les prolongements des branches les plus faibles, de moitié ceux des branches vigoureuses, en coupant au-dessus d'un œil extérieur. Rabattre les latérales à un œil de leur empattement.

Les troisième et quatrième années, laisser certaines latérales bien placées se développer, si l'espace le permet, de façon que l'arbuste ait 8 à 10 branches principales sur un tronc de 15 à 25 cm. Rabattre chaque année les autres latérales jusqu'aux coursonnes obtenues.

Le troisième hiver, rabattre de moitié les prolongements des charpentières. Le quatrième hiver, les raccourcir du quart. Par la suite, laisser les charpentières s'allonger de 2,5 cm chaque année. Maintenir le centre des arbustes bien ouvert.

Sur les cordons, rabattre les latérales à un œil afin d'obtenir des coursonnes. Tant que l'axe vertical n'a pas atteint 1,80 m de hauteur, rabattre son prolongement de 25 cm ou des deux tiers, en choisissant la taille la moins sévère des deux. Quand l'axe atteint 1,80 m, rabattre chaque hiver le prolongement au-dessus d'un œil.

LE PREMIER HIVER

Après la plantation, rabattre les rameaux à quatre yeux.

LE SECOND HIVER

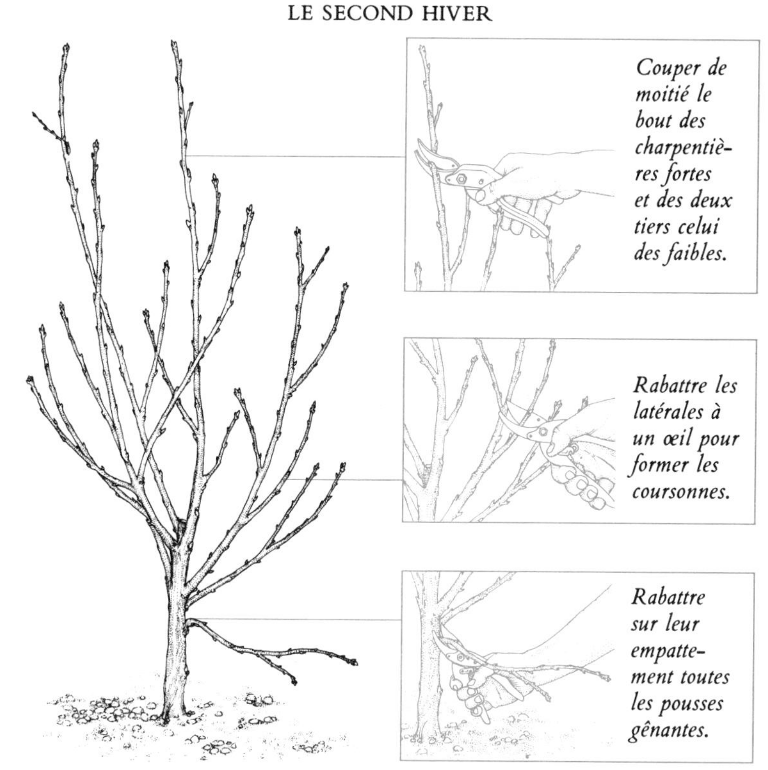

Couper de moitié le bout des charpentières fortes et des deux tiers celui des faibles.

Rabattre les latérales à un œil pour former les coursonnes.

Rabattre sur leur empattement toutes les pousses gênantes.

Taille d'été des buissons et des cordons

Les buissons et les cordons âgés de deux ans et plus seront taillés de la même façon tous les étés. Commencer la taille au début de la saison, lorsque les jeunes pousses brunissent. Rabattre les latérales à trois ou cinq feuilles, au-dessus d'un nœud.

Quand le cordon atteint 1,80 m de hauteur, rabattre le prolongement à quatre feuilles. En hiver, il sera rabattu complètement.

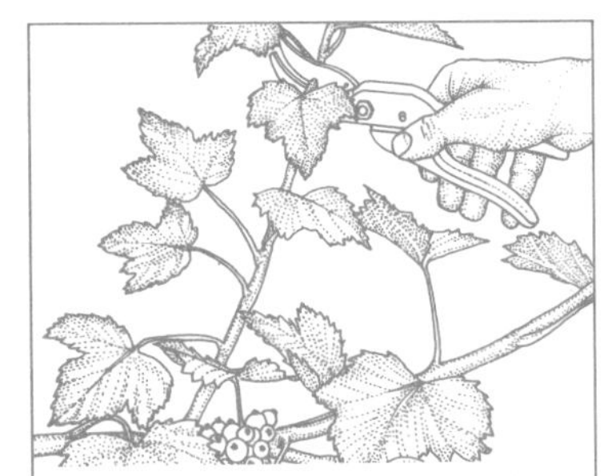

Dès le début de l'été, rabattre les latérales sur 3 à 5 feuilles.

Variétés recommandées pour le jardin familial

Les variétés vendues dans les pépinières locales ont été mises à l'épreuve au point de vue rusticité.

Le groseillier le mieux connu et le plus recommandable est 'Red Lake'. Cet arbuste produit une abondance de fruits rouge foncé d'une saveur exquise, réunis en longues grappes. Sa période de fructification est très longue. Les variétés 'Filler' et 'Cascade' sont aussi très renommées.

Chez les cassissiers, la variété 'Magnus' est la plus réputée. On trouve aussi les variétés 'Willoughby' et 'Climax'.

Multiplication des groseilliers

Groseilliers et cassissiers se multiplient de préférence au moyen de boutures de 40 cm de long. A la mi-automne, sélectionner des pousses de l'année bien droites. Les sectionner presque sur leur empattement, au-dessus d'un œil.

Eliminer tout le bois mal aoûté à l'extrémité du rameau en taillant au-dessus d'un œil. Il est inutile de couper le haut du rameau s'il est lignifié. Ramener la bouture à 40 cm de longueur en taillant la base juste au-dessus d'un œil.

Eborgner tous les yeux, sauf les quatre ou cinq supérieurs. Plonger la base de la bouture dans de la poudre d'hormones de bouturage.

Creuser à la bêche une tranchée en V de 20 cm de profondeur en lui donnant une paroi verticale et une autre inclinée à 45 degrés. Couvrir le fond de sable. Ranger les boutures debout, en les espaçant de 15 cm ; elles devront sortir du sol de 25 cm. Remplir la tranchée et fouler.

A la fin de l'automne, transplanter les jeunes plants en les enfouissant un peu plus profondément que lors du bouturage. Tout de suite après, rabattre leurs branches de moitié.

Ravageurs et maladies des groseilliers et cassissiers

Pucerons et oiseaux sont les ravageurs les plus terribles. Devant un symptôme non décrit ici, se reporter au chapitre « Ravageurs et maladies », à la page 444. On trouvera aux pages 480 à 482 les appellations commerciales des produits recommandés.

Symptômes	**Cause**	**Traitement**
Feuilles enroulées ou gondolées, ayant parfois un reflet rougeâtre. Extrémités des tiges parfois déformées.	Pucerons	Vaporisation d'huile miscible de viscosité 60 ou d'huile émulsionnée à la mi-hiver pour détruire les œufs. Vaporisation d'un produit de contact à base de carbaryl, d'endosulfan ou de malathion. Au printemps, juste avant la floraison, vaporisation d'insecticide systémique : diméthoate ou oxydéméton-méthyle. Répéter après la floraison si le ravageur persiste.
Feuilles déformées et décolorées, ponctuées de points argentés.	Tétranyques à deux points	Vaporisation hebdomadaire d'un produit à base de dicofol ou de tétradifon, au besoin.
Nécrose des pousses ou des grosses branches. Taches rouge corail sur le bois mort.	Dépérissement nectrien (champignon)	Couper les pousses mortes à au moins 5 à 10 cm du point de nécrose et les détruire. Fertiliser, pailler et arroser les plants. Vérifier l'égouttement du sol. Application de bouillie bordelaise ou de calcaire soufré après la taille.
Poudre blanche sur les plants, devenant brune. Pousses parfois déformées.	Blanc (champignon)	Couper les pousses atteintes en automne. Vaporisations régulières à base de bénomyl, de dinocap ou de thiophanate-méthyle.

Groseille à maquereau

Groseille à maquereau 'Pixwell'

Les groseilles à maquereau se consomment fraîches ou en confitures. Les plants de groseillier prospèrent dans les régions où le sol est bien drainé mais humide, et se cultivent en plein soleil ou à la mi-ombre. Il vaut mieux éviter de planter des groseilliers épineux dans des zones où il gèle au printemps, car les fruits se forment très tôt.

Le groseillier épineux est autofertile. Les fruits sont prêts au début de l'été et la récolte peut durer jusqu'au milieu ou à la fin de l'été. Selon les variétés, les fruits sont verts, jaunes, rouges ou blancs.

Il est préférable d'acheter des pieds de deux ou trois ans et de les planter par temps doux, entre la mi-automne et le début du printemps. Si la terre est profonde, la travailler par double bêchage (voir p. 441) et incorporer au sol une bonne quantité de fumier ou de compost. Espacer les plants de 1,50 à 1,80 m et les tuteurer au moyen de piquets de 5 cm sur 5 et d'environ 1,50 m de haut.

La variété 'Pixwell' peut être cultivée presque partout au pays et même jusque dans la zone 2. Dans l'Est, on donne la préférence à 'Downing' et à 'Champion'.

Culture et fertilisation du groseillier épineux

Chaque année, au printemps, entourer le pied des groseilliers d'un paillis de compost bien décomposé, ce qui gardera le sol humide et exempt de mauvaises herbes. Au besoin, désherber à la binette ou à la fourche. Eliminer tous les rejets qui sortent de la tige ou des racines. N'arroser qu'en période de sécheresse.

A la fin de l'hiver, incorporer au sol ½ à 1 cuillerée à soupe de sulfate de potassium au mètre carré. Tous les trois ans, ajouter 2 cuillerées à soupe de superphosphate au mètre carré. Au début du printemps, épandre 1 cuillerée à soupe de sulfate d'ammoniaque, toujours au mètre carré.

En hiver, tasser la terre autour des plants que le gel a déchaussés. Protéger les arbustes contre les ravages des oiseaux en les couvrant d'un filet. A l'époque de la floraison, protéger les arbustes contre les gelées nocturnes au moyen d'un filet épais, mais le retirer durant le jour pour permettre aux insectes pollinisateurs de féconder les fleurs.

Eclaircissage et récolte des fruits

Effectuer une première récolte destinée à la cuisson quand les fruits ont la taille d'un gros pois. Les cueillir de façon à laisser 8 cm entre ceux qui demeurent sur la branche. On obtiendra de la sorte des fruits plus gros. N'effectuer cette seconde récolte que lorsque les fruits sont tendres et bien mûrs.

Taille de 1re année d'un groseillier

Les fruits viennent sur du bois neuf et sur les coursonnes issues du vieux bois. Tailler en automne ou en hiver, ou même juste avant le gonflement des bourgeons si l'on craint les dommages causés par les oiseaux.

Certaines variétés ayant un port retombant, les fruits risquent de toucher la terre et de s'abîmer. Tailler ces variétés sur un œil pointant vers le haut ou vers l'intérieur.

D'autres variétés ont un port dressé ; les tailler sur un œil extérieur. En cas de doute, ou s'il s'agit d'une variété intermédiaire, tailler sur un œil tourné vers l'extérieur.

Lorsque l'arbuste a un an, choisir trois ou quatre rameaux vigoureux et les rabattre des trois quarts en coupant au-dessus d'un œil. Rabattre les autres sur leur empattement.

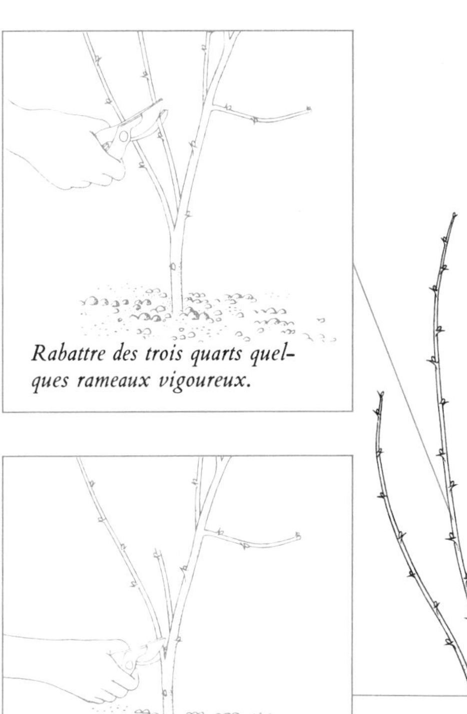

Rabattre des trois quarts quelques rameaux vigoureux.

Rabattre ensuite jusqu'à leur empattement tous les rameaux qui restent.

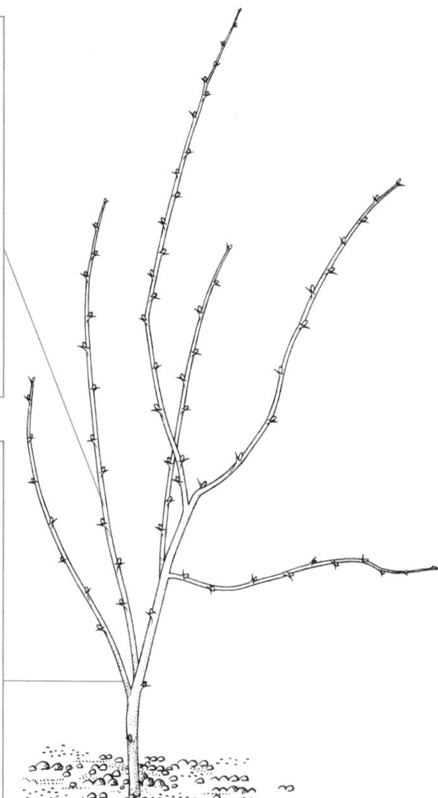

Taille de 2e année d'un buisson

Sur un groseillier de deux ans, choisir six à huit rameaux parmi les plus robustes. Couper leurs prolongements de moitié s'ils sont vigoureux, des deux tiers s'ils paraissent faibles. Rabattre toutes les autres pousses à un œil de leur empattement.

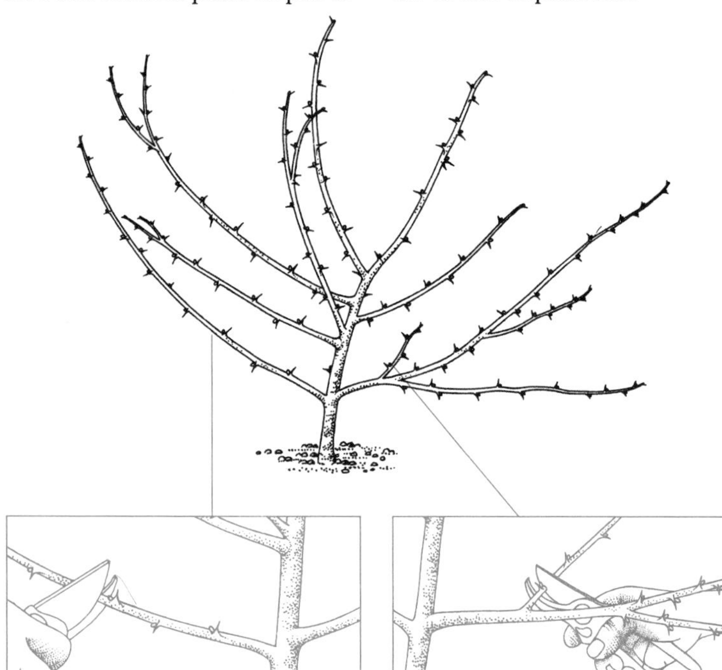

Rabattre de moitié la nouvelle pousse sur six à huit rameaux.

Rabattre les autres pousses à un œil de leur empattement.

Taille d'un buisson devenu adulte

En hiver, rabattre les prolongements des charpentières de moitié. Rabattre les latérales les plus vigoureuses de façon à ne garder que 8 cm de la nouvelle pousse. Ne conserver que 3 cm du prolongement si la latérale est peu robuste. Supprimer les pousses faibles à leur empattement.

Lorsqu'une branche retombe jusqu'au sol, choisir à sa base une pousse de remplacement et rabattre le vieux bois à l'empattement. Raccourcir au moins de la moitié la pousse de remplacement. Elaguer de façon à garder le centre de l'arbuste bien ouvert.

A la mi-été, tailler toutes les latérales à cinq feuilles en coupant au-dessus d'un nœud. Ne pas tailler les charpentières.

TAILLE D'HIVER

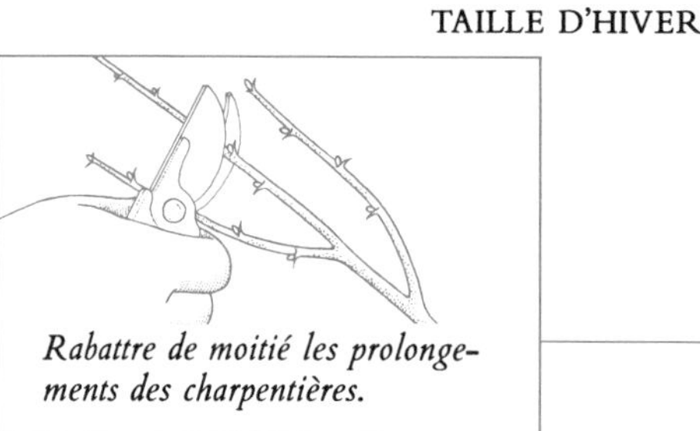

Rabattre de moitié les prolongements des charpentières.

Rabattre à 8 cm les prolongements des latérales vigoureuses, les autres à 3 cm.

Ravageurs et maladies du groseillier épineux

Si l'on remarque la présence de symptômes ou d'indices non décrits ici, se reporter au chapitre « Ravageurs et maladies », à la page 444. On trouvera les appellations commerciales des produits recommandés aux pages 480 à 482.

Symptômes	Cause	Traitement
Feuilles enroulées ou gondolées, parfois à reflets rougeâtres. Extrémités des tiges quelquefois déformées.	Pucerons	Vaporisation d'huile miscible 60 ou d'huile émulsionnée à la mi-hiver. Vaporisation de carbaryl ou de malathion. Avant la floraison, vaporisation de diméthoate. Répéter au besoin après la floraison.

Symptômes	Cause	Traitement
Tissus foliaires dévorés.	Larves de la tenthrède	Vaporisation d'un produit à base de malathion ou de roténone dès l'apparition des symptômes.
Dépôts gris sur les fruits. Taches sur les feuilles. Dans les cas graves, les brindilles se nécrosent.	Pourriture grise (champignon)	Employer du chlorothalonil ou du dichloran. Vaporisation avant la floraison, pendant la floraison, et jusqu'à ce que les fruits soient mûrs.
Dépôts blancs poudreux sur les feuilles, les pousses et les fruits, devenant bruns. Les pousses se déforment.	Blanc (champignon)	Couper les pousses atteintes en automne. Vaporisations régulières de bénomyl, de dinocap ou de thiophanate-méthyle.

Melon

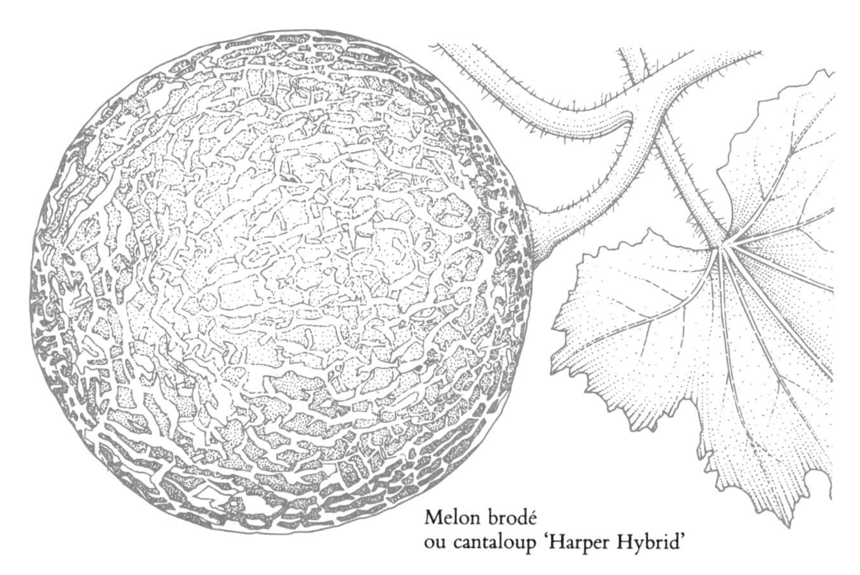

Melon brodé
ou cantaloup 'Harper Hybrid'

Bien qu'il s'agisse de fruits, les melons sont généralement cultivés dans le jardin potager. Avant la fructification, on a même du mal à les distinguer de leurs proches parents, le concombre et la courge. Ces plantes grimpantes nécessitent beaucoup d'espace, de chaleur et d'humidité.

Toutes les variétés de melons mettent trois à quatre mois à mûrir. C'est pour cette raison que la plupart d'entre elles — melon d'eau ou pastèque, melons Honeydew, Crenshaw, Persian et Casaba — ne peuvent se cultiver que dans les régions où le climat est chaud. Seul le melon brodé (qu'on appelle ici cantaloup) mûrit assez rapidement, c'est-à-dire en 75 à 85 jours ; il convient donc aux régions à courte période de culture. Cependant, les horticulteurs ont récemment mis au point des variétés hybrides de melons Honeydew et Crenshaw ainsi que des melons d'eau miniatures qui mûrissent en 80 à 90 jours et dont la zone de culture est de ce fait beaucoup plus étendue.

Le melon supporte mal des températures inférieures à 13°C la nuit et 27°C le jour. Dans les régions où la chaleur ne se maintient pas à ce niveau durant trois mois, il est préférable d'opter pour des variétés qui mûrissent plus rapidement.

Il existe des techniques de mûrissement plus rapides. Le démarrage des plants à l'intérieur en est une. Le palissage des plants contre un mur ou une clôture orientés au sud en est une autre. La culture du melon sous châssis froid ou dans des endroits protégés accélère aussi le mûrissement. Enfin, des feuilles de plastique noir étalées sur le sol autour des plants absorbent la chaleur et la communiquent au sol, agissent comme isolant et empêchent la terre de se refroidir rapidement quand la nuit tombe.

Méthodes de culture

Semis à l'intérieur Pour démarrer des plants de melon à l'intérieur, planter trois graines par pot. Utiliser des pots de tourbe ou bien de grands gobelets de carton qu'on peut déchirer lors du repiquage en pleine terre, le melon n'aimant pas qu'on dérange ses racines. Ne pas utiliser cependant des cubes de tourbe comprimée, car ils gardent trop l'humidité et pourraient faire pourrir les graines avant qu'elles aient réussi à germer.

Semer quatre semaines environ avant la date du dernier gel et garder les pots dans un endroit chaud. Pour germer, les graines de melon doivent se trouver dans un sol dont la température se maintient autour de 21°C.

Quand les plantules ont à peu près 5 cm de haut, éclaircir pour ne conserver, dans chaque pot, que la plus vigoureuse des plantules. Les repiquer au jardin quand les températures diurnes et nocturnes ne descendront pas en dessous de 27°C et de 13°C respectivement, et de préférence avant qu'elles aient produit des vrilles. Les plantules de melon exposées à des températures inférieures à 10°C continueront de croître, mais les plants ne produiront peut-être pas de fruits. Ne pas oublier, avant d'effectuer le repiquage, de les endurcir progressivement.

Plantation des melons On plante généralement les melons sur de petits monticules de terre fertilisée. Creuser d'abord un trou de 30 cm de profondeur et de 60 cm de large. Déposer au fond de ce trou 10 à 15 cm de compost ou de fumier bien décomposé. Remettre la terre excavée dans le trou et former un petit monticule d'environ 10 cm de haut. Espacer les buttes de 1,20 à 1,80 m. Les buttes de plantation du melon d'eau seront cependant espacées de 3 m.

Recouvrir les monticules de plastique noir. A défaut de plastique, étaler un paillis organique. Le paillis apportera au sol des éléments nutritifs, mais il n'accumulera pas la chaleur autant que le plastique noir. Laisser les buttes se tasser d'elles-mêmes pendant quelques jours avant d'y repiquer les plantules.

Les plantes qui ont été semées dans des pots de tourbe comprimée seront repiquées dans leur contenant. Inciser les parois des pots avant la plantation. S'assurer que les pots sont bien enfouis dans la terre pour que la tourbe comprimée reste humide et finisse par se décomposer. Si les semis ont été pratiqués dans des gobelets de carton, dégager ceux-ci avec soin de la motte de racines. Si on a utilisé des pots de grès, on décollera la motte de racines en frappant légèrement le pot.

Pratiquer deux fentes dans la feuille de plastique noir. Ne pas planter plus de deux plantules par monticule. L'encombrement diminue la fructification.

Tout de suite après le repiquage, protéger chaque plant à l'aide d'un capuchon. Les centres de jardinage en vendent, mais on peut en fabriquer à l'aide de contenants de deux litres de lait. Couper le dessus des contenants et pratiquer quelques trous dans les parois pour l'aération. Les protecteurs de plants conservent la chaleur du sol et mettent les plantules à l'abri des vents froids et des insectes voraces. Les retirer après quelques jours, sitôt que les plants sont établis.

Arroser abondamment les monticules. S'ils sont recouverts de plastique noir, faire pénétrer l'eau par les fentes pratiquées avant la plantation.

Semis en pleine terre dans les régions à climat chaud Préparer le sol comme expliqué ci-dessus. Semer six à huit graines par monticule. Après la levée, choisir dans chaque butte les deux plantules les plus vigoureuses et éliminer les autres.

Soins à donner aux melons Lorsque les tiges des melons ont environ 30 cm de long, faire des apports d'engrais, à raison de 50 g d'engrais 5-10-5 par monticule. Epandre l'engrais autour de la butte. Fertiliser de nouveau après l'apparition des premiers fruits. Par temps sec, arroser abondamment sous le plastique ou à travers le paillis. Arracher les mauvaises herbes à la main ou biner superficiellement. A plus de 2 cm de profondeur, on risque d'abîmer les racines qui sont superficielles.

Si les plants ne sont pas paillés au moment de la fructification, soulever chaque fruit avec précaution et poser dessous un coussinet de paille ou de foin. Les fruits qui demeurent constamment en contact avec le sol risquent en effet de pourrir. Tout comme le concombre, on peut inciter le melon à grimper sur une clôture ou sur un treillage. Les melons étant cependant beaucoup plus lourds, il leur faudra des supports. On peut soutenir les fruits à l'aide de liens en tissu attachés au treillage. On peut aussi suspendre les melons dans des sacs de filet comme ceux dans lesquels sont vendus les oignons. La conduite sur treillage doit commencer alors que le plant est encore jeune. Les tiges deviennent en effet plus cassantes avec l'âge. A mesure que les plants prennent de la hauteur, palisser leurs prolongements solidement à la clôture ou au treillage.

Récolte des melons Cueillir le cantaloup lorsqu'en pressant près du pédoncule le fruit se détache.

Les melons Crenshaw et Persian sont mûrs lorsqu'il s'en dégage un bon parfum, tandis que les melons Casaba et Honeydew sont prêts à cueillir quand ils deviennent jaunes.

On reconnaît que le melon d'eau est mûr lorsqu'il rend un son creux quand on le heurte, ou lorsque la peau qui repose sur le sol jaunit.

Attention : cueillir les fruits qui commencent à se former après la mi-été. Ils n'auront de toute façon pas le temps de mûrir et s'accapareront une partie de la sève dont les fruits en cours de mûrissement ont besoin.

Ravageurs et maladies qui détruisent le melon

La chrysomèle rayée du concombre détruit les tiges, les feuilles et les fruits du melon et répand la flétrissure bactérienne, maladie mortelle. On détruit ces ravageurs par vaporisations de roténone ou de méthoxychlore.

Lorsque les feuilles des plants se fanent, se méfier du perceur de la courge qui pond ses œufs à la base des plants et creuse des galeries dans les tiges. Enlever les insectes à la main quand ils sont apparents et détruire les œufs en vaporisant le pied des plants avec un insecticide à base de méthoxychlore.

La maladie la plus fréquente est la flétrissure fusarienne. Si certains pieds en présentent des symptômes — brunissement des tiges, suivi de flétrissure —, les détruire.

Le blanc se manifeste par des amas poudreux sur les feuilles. Couper les pousses malades et vaporiser régulièrement de bénomyl ou de dinocap.

Variétés recommandées

Deux excellentes variétés de cantaloups sont : 'Burpee Hybrid' à chair verte (72 jours de maturation), et 'Delicious 51' à chair orange et résistant à la flétrissure fusarienne (86 jours de maturation). La variété 'Harper Hybrid' à chair orange (74 jours de maturation) est aussi recommandée.

Les melons d'eau ou pastèques les plus recommandés sont les variétés 'You Sweet Thing' à chair rose (70 jours), 'Sugar Baby' à chair rouge et croquante (72 jours), 'Crimson Sweet' à chair rouge foncé (72 jours) et 'Yellow Baby' à chair jaune et croquante (72 jours).

Parmi les variétés à maturation plus prolongée, on recommande 'Golden Beauty Casaba' à chair blanche (120 jours), 'Honey Dew' à chair verte (110 jours), 'Persian' à chair orange (120 jours) et 'Burpee's Early Hybrid Crenshaw' à chair rose (90 jours).

Mûre

Mûre 'Thornless Evergreen'

Mûre de Boysen 'Thornless Logan'

Le mûrier est un arbuste à tiges dressées ou sarmenteuses appelé ronce. Au nombre des ronces sarmenteuses se trouvent la ronce de Logan, mutation à fruits rouges de la ronce à fruits noirs, et la ronce de Boysen, mutation de la ronce bleue qui englobe plusieurs espèces. Toutes ces plantes exigent à peu près les mêmes soins.

Les ronces prospèrent au soleil mais tolèrent la mi-ombre. Elles demandent un sol bien drainé mais retenant convenablement l'humidité et dont le pH se situe autour de 5,5.

Choisir des plants racinés et les planter de préférence au début de l'automne (voir p. 73). Là où le sol ne gèle pas, ils peuvent être plantés jusqu'au début du printemps. Espacer les variétés dressées de 1,50 m, et les rangs de 2,50 m. Lorsqu'il s'agit de plants vigoureux, sarmenteux et dépourvus d'épines comme 'Thornless Evergreen', laisser 2,50 à 3,60 m entre les plants et 3 m entre les rangs. Dans les autres cas, on se contentera d'espacer les pieds de 1,20 à 1,80 m et les rangs de 2,50 m en tenant compte de la fertilité du sol et du mode de conduite. Immédiatement après la plantation, rabattre les tiges à une distance de 25 à 40 cm du sol en coupant audessus d'un œil.

Pour réduire les risques de maladies et empêcher l'apparition de ravageurs, utiliser une terre travaillée depuis plusieurs années. Acheter également des variétés résistantes aux maladies, saines et exemptes de nématodes. Jeter les déchets de la taille et enlever régulièrement les mauvaises herbes et les feuilles mortes.

Les maladies les plus répandues sont la flétrissure verticillienne des racines, la tumeur de la tige, l'anthracnose et la rouille orangée. Parmi les ravageurs à redouter se trouvent le puceron, la cicadelle et l'araignée rouge. Consulter à ce sujet le chapitre « Ravageurs et maladies », page 444, ou communiquer avec le ministère de l'Agriculture.

TECHNIQUE DU PALISSAGE ALTERNÉ

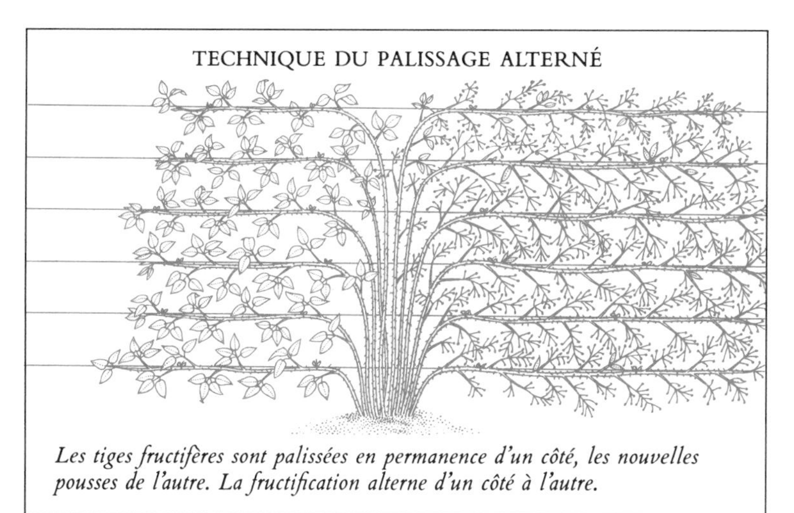

Les tiges fructifères sont palissées en permanence d'un côté, les nouvelles pousses de l'autre. La fructification alterne d'un côté à l'autre.

Elagage des vieilles tiges

Après la récolte, rabattre au ras du sol les tiges qui ont donné des fruits. Si les plants sont palissés sur des piquets, disposés en éventail ou entrelacés sur du fil de fer, délier les pousses de l'année et les attacher à la place des vieilles tiges qu'on vient de couper.

Multiplication des plants de ronce

Les ronces sarmenteuses se multiplient facilement par marcottage. C'est d'ailleurs la seule méthode pour les variétés sans épines.

A la mi-été, incliner jusqu'au sol une pousse de l'année et creuser à cet endroit un petit trou de 15 cm de profondeur avec un transplantoir. Insérer l'extrémité de la tige dans ce trou. Au début de l'automne, détacher la marcotte en coupant au-dessus d'un œil. Transplanter en position définitive à la fin de l'automne.

Les variétés dressées se multiplient aussi par boutures de racine. Déterrer les plants établis au début du printemps; prélever des segments de racine de 8 cm et les enfouir dans des trous de 5 à 8 cm de profondeur.

Culture et conduite des ronces

Les ronces dressées peuvent être palissées sur une rangée d'échalas espacés de 4,50 m et sur un fil de fer à environ 75 cm du sol.

Palisser les ronces sarmenteuses sur des échalas ou des fils de façon à écarter les nouvelles pousses des tiges fructifères de deux ans. Cette disposition empêche la propagation des maladies d'une tige à l'autre.

En guise d'échalas, utiliser des poteaux de 10 cm sur 10 et de 2,75 à 3 m de haut et les enfoncer de 60 à 90 cm dans le sol. Palisser les tiges fructifères sur ces poteaux et lier sans serrer les pousses qui sortent du sol en les rangeant toutes d'un seul côté.

Dans la conduite sur fil de fer, tendre les fils entre les poteaux à environ 1,80 m du sol. Espacer les fils de 30 cm et les fixer aux poteaux avec des agrafes métalliques.

Dans le palissage en éventail, les tiges fructifères sont déployées de chaque côté, tandis que les nouvelles pousses sont temporairement fixées au fil supérieur. Dans le palissage entrelacé, les tiges fructifères sont entrecroisées entre les fils. Enfin, les tiges fructifères peuvent être palissées de façon permanente d'un côté des fils, tandis que les nouvelles pousses sont nouées de l'autre côté.

Arrosage et fertilisation Arroser seulement en période de sécheresse. Après la reprise au printemps, épandre de l'engrais 10-10-10. Les deux premières années, épandre l'engrais dans un rayon de 30 cm à la base de chaque pied. Pailler avec du compost.

Une ronce dressée avant la taille au printemps (à gauche), et après.

Variétés recommandées pour le jardin familial

N'acheter que des plants exempts de virus. Les mûriers noirs, les ronces de Logan et les ronces bleues s'autofertilisent (sauf 'Flordagrand'). La cueillette des mûres est plus facile lorsqu'on choisit des variétés dépourvues d'épines.

Nom	Maturité	Zone de culture	Remarques
Variétés dressées			
'Bailey'	Tardive	Ont., C.-B.	Très productive.
'Darrow'	Hâtive, longue saison	Ont., C.-B.	Productive. Rustique.
'Eldorado'	Hâtive à normale	Ont., C.-B.	Durable. Productive.
'Hendrick'	Hâtive	Ont., C.-B.	Bonne saveur.
'Lowden'	Normale	C.-B.	Se congèle bien.
'Thornfree'	Tardive	Ont., C.-B.	Sans épines*. Semi-dressée. La variété qui résiste le mieux au froid.
Variétés rampantes			
'Thornless Evergreen'	Très tardive	C.-B.	Sans épines*. Gros fruits fermes et sucrés. Grosses graines.
'Thornless Logan'	Hâtive	C.-B.	De Logan sans épines*. Gros fruits savoureux.
'Lucretia'	Hâtive	Régions froides	Ronce bleue. Doit être protégée contre le grand froid.

**Les variétés sans épines peuvent souffrir du froid. Les protéger là où la température descend en dessous de − 17°C.*

Pêche et nectarine

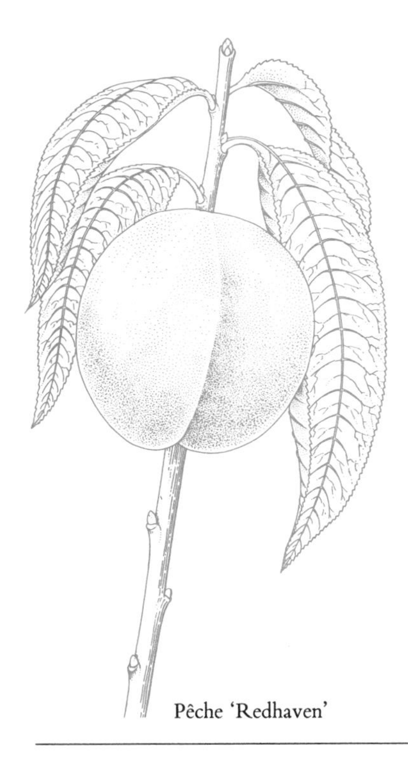
Pêche 'Redhaven'

On peut cultiver des pêchers et des nectariniers en Colombie-Britannique et en Ontario, sauf dans les endroits où la température hivernale tombe en dessous de −23°C.

Les sujets cultivés en espalier ou les formes naines dressées poussent à peu près partout, sauf dans les zones à gel tardif et les emplacements exposés aux vents froids. Cependant, un endroit chaud et ensoleillé leur convient mieux. Les arbres cultivés en espalier donnent en particulier de meilleurs résultats si le mur contre lequel ils sont palissés fait face au sud ou au sud-ouest.

Les nectarines sont des pêches à peau lisse cultivées de plus en plus dans les jardins familiaux.

Pêchers et nectariniers sont autofertiles, c'est-à-dire que leurs fleurs se fertilisent elles-mêmes. On peut donc ne cultiver qu'un seul sujet et obtenir des fruits. Les pêches et les nectarines sont mûres et bonnes pour la consommation à partir de la mi-été.

Culture des pêchers et des nectariniers

Tout sol fertile et bien drainé convient à la culture des pêchers et des nectariniers. La plantation se fait comme celle des autres arbres fruitiers (voir p. 348).

Si le sol est fertile, épandre de l'azote uniquement. Sinon, faire des apports de sulfate d'ammoniaque, à raison de 150 g par année que compte l'arbre (ne pas dépasser 1,25 kg). Lorsqu'il s'agit d'arbres adultes, donner de l'engrais 10-10-10 ou 10-6-4, à raison de 45 g par année que compte l'arbre (sans dépasser de 3 à 4,50 kg). Etaler cet engrais autour de l'arbre, sur la superficie correspondant à la frondaison. En région humide, si la terre est acide, ajouter 2,25 kg de calcaire tous les deux ans. Le pêcher exige plus d'azote en sol gazonné. Après quelques années de fertilisation et de paillage, les arbres se contenteront d'un paillage annuel.

Arroser abondamment s'il y a danger que le sol se dessèche.

Le nectarinier requiert plus d'engrais et des arrosages plus fréquents lors du gonflement des fruits. Désherber par binage en surface ou employer un herbicide au paraquat.

Pour obtenir une meilleure récolte, il est bon de favoriser la pollinisation en agitant chaque fleur avec un pinceau de poils de chameau tous les trois jours par temps chaud et sec.

Lorsque les pêches sont grosses comme une bille, les éclaircir à un fruit par grappe.

Lorsqu'elles ont la taille d'une balle de ping-pong, les éclaircir de nouveau de façon à laisser un espace de 25 cm entre elles.

Conserver les pêches dans un endroit frais en contenants coussinés, sans qu'elles soient serrées.

Formation de 1re année d'un pêcher

Au printemps, au moment où des yeux apparaissent sur le pêcher qui a été planté au tout début de la saison ou l'automne précédent, rabattre l'axe central à environ 60 cm du sol, au-dessus d'un œil.

Conserver les trois ou quatre yeux ou pousses du sommet, sous la coupe, pour former les premières branches.

Eliminer les autres pousses latérales qui sortent de l'axe principal.

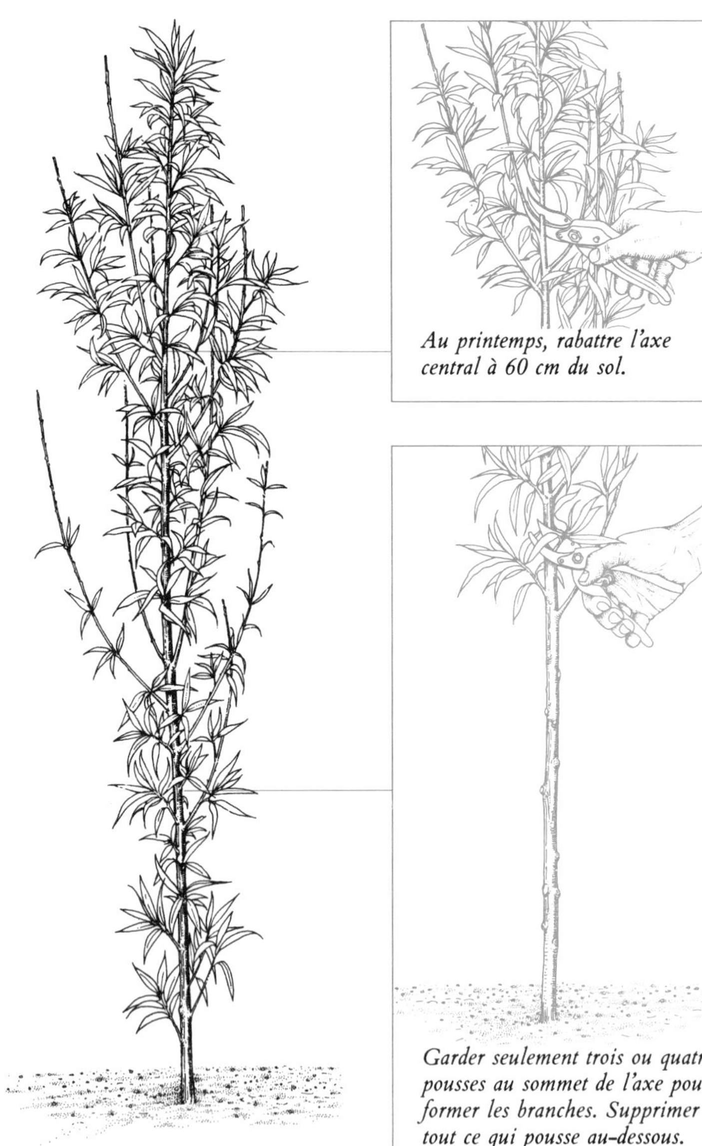

Au printemps, rabattre l'axe central à 60 cm du sol.

Garder seulement trois ou quatre pousses au sommet de l'axe pour former les branches. Supprimer tout ce qui pousse au-dessous.

Taille du pêcher à partir de la 2e année

A partir de la deuxième année, la taille doit être faite à la fin de l'hiver. Couper les branches qui s'entrecroisent, au niveau de leur empattement. Rabattre les rameaux malades jusqu'à une pousse saine.

Couper les pousses situées en dessous des branches, au niveau de leur empattement. Quand une branche se nécrose à son extrémité, la rabattre sur une bonne tige latérale ou sur une branche pointant vers l'extérieur. Si l'on remarque sur la coupe la présence d'une coloration brune, l'arbre est atteint de dessèchement ; rabattre alors davantage de façon à atteindre le bois sain.

Sur les arbres adultes, tailler les branches qui ploient sous le poids de leurs fruits. Supprimer les vieilles branches qui ne fructifient plus.

Eliminer sur empattement le rameau qui en croise un autre.

Rabattre toutes les branches qui sont endommagées.

Taille et conduite du pêcher en éventail

La formation du pêcher en éventail est semblable à celle du pommier (voir p. 379), sauf que la taille s'effectue à la reprise, au début du printemps, et non en hiver. Contrairement au pommier, le pêcher produit des pousses latérales sur du bois de l'année. Pincer ces pousses latérales à un œil de leur empattement.

A partir du quatrième printemps après la plantation de l'arbre (la palmette comporte alors entre 24 et 32 charpentières), la taille n'est plus la même puisque le pêcher fructifie surtout sur du bois de un an. Lorsque la croissance reprend, au printemps de la

Après la récolte, rabattre les latérales sur les pousses de remplacement et palisser celles-ci.

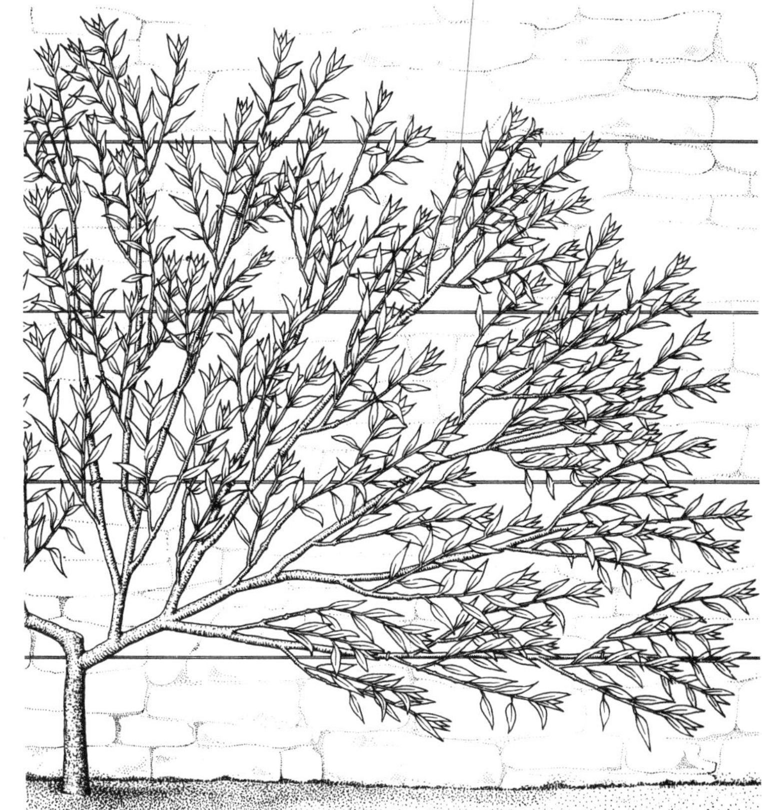

quatrième année, éborgner les yeux ou pincer les pousses qui pointent vers le mur ou à l'opposé.

Parmi les yeux qui restent, en choisir quelques-uns, de chaque côté des charpentières, de manière qu'ils soient espacés de 15 cm ; éborgner les autres et conserver l'œil terminal.

Au cours du quatrième été, ces yeux évolueront en latérales et celles-ci se mettront à fruit l'année suivante. L'œil terminal produira un prolongement. Vers la fin de l'été, palisser les latérales et les prolongements sur les fils de fer. Pincer les latérales qui dépassent 45 cm de longueur.

Le cinquième printemps, laisser pousser les prolongements des latérales fructifères. Pincer les anticipés.

En automne ou au début de l'hiver, après la récolte, rabattre toutes les latérales qui ont fructifié.

Chaque année, répéter ces opérations : éborgnage, pincement, rabattage des vieilles pousses et palissage des rameaux de renouvellement. Sur les prolongements des charpentières, sélectionner des yeux. Quand les charpentières atteignent le fil supérieur, les traiter comme des latérales.

Pincer les rameaux fructifères à quatre feuilles s'ils en ont six.

Au printemps, pincer un œil à la base de chaque coursonne.

Symptômes	Cause	Traitement
Les pousses se flétrissent ; des fruits suinte une gomme liquide.	Tordeuses orientales du pêcher	Après la chute des pétales, faire des vaporisations de malathion et de méthoxychlore tous les 10 jours.
Chute prématurée des fruits petits et verts.	Charançons de la prune	Vaporiser de carbaryl ou de méthoxychlore à la chute des pétales et après 7 à 10 jours. Répéter deux fois.
Dépôts bruns et poudreux sur les fruits. Plus tard, les fruits se dessèchent et durcissent.	Pourriture brune (champignon)	Vaporisation de captane, de ferbam, de folpet ou de soufre avant la floraison. Répéter à l'éclosion des fleurs, puis deux fois à une semaine d'intervalle.
Boursouflures rougeâtres sur le feuillage. Les feuilles blanchissent, brunissent et tombent prématurément.	Cloque (champignon)	Bouillie bordelaise, ferbam ou calcaire soufré début printemps, deux semaines plus tard et avant la chute des feuilles.
Ramilles et écorce gommeuses. Taches pourpres et trous sur les feuilles.	Chancre cytosporéen (champignon)	Extraire le chancre, traiter au dinitrol. Arroser le feuillage à la bouillie bordelaise.
Jeunes pousses déformées ; feuilles et fruits brillants, gommeux et marbrés.	Pucerons du pêcher (noirs ou verts)	Vaporisation de carbaryl, d'endosulfan ou de malathion. Répéter au besoin.
Pousses frêles, feuillage jaunâtre, écorce verruqueuse portant des dépôts bruns, gris ou blanchâtres.	Cochenilles (diverses espèces)	Vaporiser d'huile pour période de dormance avant la reprise au printemps. En mai, vaporiser de diazinon ou de malathion.

Ravageurs et maladies des pêchers et nectariniers

Si l'on se trouve en présence de symptômes non décrits ci-dessous, se reporter au chapitre « Ravageurs et maladies », à la page 444. Pour connaître les appellations commerciales des produits recommandés, voir aux pages 480 à 482.

Symptômes	Cause	Traitement
Une gomme brun orangé suinte à la base de l'arbre. Les insectes creusent des galeries sous l'écorce et détruisent l'arbre.	Perceurs du pêcher	Au printemps, déloger les larves ; nettoyer les plaies. Voir p. 477. En automne, mettre des boules de naphtaline sur 8 cm à 15-20 cm du pied ; couvrir de 25 cm de terre. A l'hiver, enlever la terre.
Les vieilles feuilles virent au jaune bronze et meurent.	Acariens	Vaporisation de dicofol, de diméthoate, de malathion ou de tétradifon.
Feuilles dévorées ou reliées par des fils de soie.	Larves de la tordeuse	Vaporisation de malathion ou de trichlorfon.

Variétés recommandées pour le jardin familial

Pêchers et nectariniers sont autofertiles : on peut ne cultiver qu'un seul sujet. L'époque de maturation est ici basée sur la pêche de juillet 'Elberta'. Les chiffres ci-dessous donnent le nombre de jours qui précèdent la date de maturation de cette variété.

Nom Pêche (P) Nectarine (N)	**Nombre de jours précédant 'Elberta'**	**Couleur de la chair**	**Remarques** *(Tous les fruits sont à noyau libre.)*
'Babcock' (P)	31	Blanche	Très sucrée.
'Redhaven' (P)	30	Jaune	Variété productive.
'Mericrest' (N)	25	Jaune	Variété rustique.
'July Elberta' ou 'Burbank' (P)	16	Jaune	Très bonne qualité. Se conserve bien.
'Loring' (P)	11	Jaune	Excellente variété.
'Stark Redgold' (N)	3	Jaune	Excellente variété.
'Elberta' (P)	0	Jaune	Mûrit à la fin de l'été.

Poire

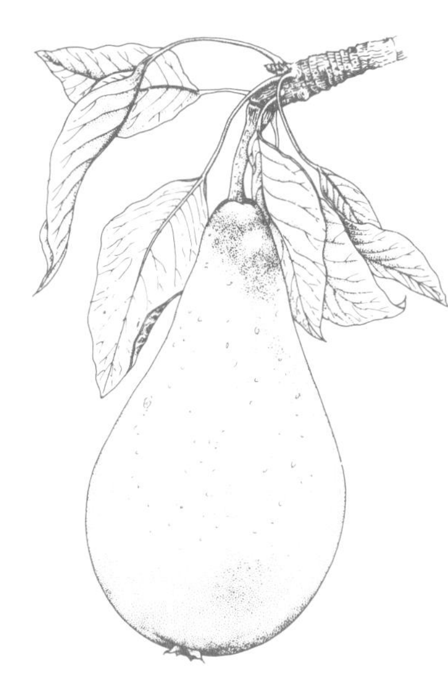

Poire 'Bartlett'

Du fait de leur floraison précoce, les poiriers sont sensibles aux gelées printanières. Il est donc préférable de les planter dans un endroit ensoleillé, à l'abri des vents du nord.

Les poiriers préfèrent des sols limoneux et profonds qui retiennent bien l'humidité en été. Ils résistent mal aux embruns.

Les modes de conduite du poirier se rapprochent beaucoup de ceux du pommier, mais on ne trouve qu'une ou deux variétés fructifiant sur rameaux couronnés.

Le poirier n'est pas un arbre autofertile. Il faut donc en planter au moins deux variétés pour que se produise une pollinisation croisée. (Voir à ce sujet « Variétés recommandées pour le jardin familial », ci-contre.) Comme dans le cas des pommiers, on peut cependant trouver des poiriers comportant trois variétés et même davantage soutenues par un même porte-greffe.

Dans les jardins d'amateurs, on donnera la préférence aux poiriers greffés sur un système radiculaire de petite taille.

Dans les régions humides, deux mois à peu près avant le gonflement des bourgeons, épandre environ 4,50 kg d'engrais 5-10-5 ou 2,25 kg de 10-6-4. Dans les régions arides, ajouter entre 900 g et 1,35 kg de sulfate d'ammoniaque ou l'équivalent en azote.

Au début de l'été, il se produit une chute normale de fruits, mais si le sol est sec et pauvre, on peut perdre alors toute sa récolte.

Récolte des fruits Cette période est toujours critique. En effet, il faut éviter de laisser les fruits mûrir complètement sur l'arbre, car ils se ramollissent et la chair devient farineuse.

Cueillir les fruits des variétés précoces au moment où ils sont mûrs mais encore fermes, c'est-à-dire avant qu'ils se détachent facilement du pédoncule. Cueillir les variétés de demi-saison et les variétés tardives dès que les fruits se détachent facilement du pédoncule quand on les soulève en les tournant légèrement.

Après la récolte, disposer les poires sur des étagères à claire-voie, en une seule couche et sans les mettre en contact les unes avec les autres. Les conserver dans un endroit frais où la température se maintient à 4°C. L'atmosphère du local doit être un peu plus sèche que pour les pommes. Examiner les fruits régulièrement et retirer ceux qui manifestent des signes de pourriture.

Pour achever leur maturation, placer les fruits dans une pièce chaude (18°C environ) pendant deux ou trois jours. Ils devraient se conserver plusieurs mois. Consommer les petits fruits en premier.

Taille et conduite des poiriers Elles sont sensiblement identiques à celles préconisées pour le pommier (voir p. 370). Cependant, le poirier doit être taillé moins sévèrement que le pommier pour ne pas favoriser le développement de nouvelles pousses herbacées qui seraient sensibles à la brûlure bactérienne.

Le poirier produit également des lambourdes en abondance, qu'il faut éclaircir soigneusement. La taille estivale se pratique généralement à la mi-été, avant celle du pommier. Sur un poirier tige ou nain qui a été négligé, procéder de la même manière que pour un pommier (voir p. 374).

Variétés recommandées pour le jardin familial

Toutes les variétés ci-dessous, sauf 'Keiffer', donnent des fruits à couteau, sucrés et juteux. Ils sont tous de bonne taille, sauf ceux de 'Seckel'.

Seule la variété 'Duchess' est autofertile. Pour tous les autres poiriers, il faut pratiquer la pollinisation croisée.

Il est donc recommandé de choisir trois variétés différentes, ou même davantage, et de les planter à proximité les unes des autres. On peut également acheter un poirier composé de trois variétés différentes greffées sur un même porte-greffe. On obtient de la sorte un arbre autofertile.

On trouve également des poiriers greffés sur porte-greffe nain.

Nom	Zones de culture	Remarques
'Anjou', 'Bosc', 'Comice', 'Fame', 'Tyson'	Toutes les régions	Variétés durables. L''Anjou' a la préférence des jardiniers amateurs.
'Bartlett'	Toutes les régions	Fruit de la plus haute qualité. Sensible à la brûlure, mais facile à cultiver.
'Duchess'	Toutes les régions	Gros fruit de bonne qualité. Variété autofertile, facile à cultiver. Vient bien sur porte-greffe 'Provence'.
'Keiffer'	Toutes les régions	Fruit moyen, de qualité ordinaire. Satisfaisant s'il est bien conservé. Arbre durable, résiste à la brûlure.
'Seckel'	Toutes les régions	Petits fruits sucrés. Résiste à la brûlure bactérienne.
'Starking Delicious'	Toutes les régions	Fruit de qualité et de bonne taille. Facile à cultiver.
'Stark Jumbo'	Toutes les régions	Présente la plupart des qualités de la 'Bartlett'. Très gros fruit.
'Starkrimson'	Côte Ouest	Beau fruit très coloré. Sensible à la brûlure, mais satisfaisant sous tous les autres rapports.

Ravageurs et maladies qui attaquent le poirier

Les poiriers sont exposés aux attaques des pucerons et à la brûlure bactérienne. En présence de symptômes non décrits ici, se reporter au chapitre « Ravageurs et maladies », à la page 444. Les noms commerciaux des produits sont aux pages 480 à 482.

Symptômes	Cause	Traitement
Pousses et jeunes feuilles crispées et déformées. Présence de nombreux insectes collants.	Pucerons	Vaporisation d'insecticide systémique (diméthoate ou oxydéméton-méthyle), ou de carbaryl, d'endosulfan ou de malathion.
Nombreuses et minuscules cloques brun foncé des deux côtés des feuilles.	Phytoptes du poirier	Détruire les feuilles et les fruits infestés. Vaporisation de calcaire soufré au début du printemps.
Jeunes fruits déformés, allongés ou arrondis. Plus tard, ils se craquellent, moisissent et tombent.	Cécidomyie des poires	A la chute des pétales, traitement préventif de diméthoate ou de malathion. Détruire les fruits tombés.
Surface des feuilles dévorée ; les nervures exposées brunissent et meurent. Présence de petites chenilles noires.	Tenthrèdes du poirier ou du cerisier	Vaporisation de carbaryl, de chlorpyrifos ou de malathion aussitôt qu'on remarque la présence des ravageurs.
Ponte d'œufs dans les jeunes fruits. Les larves se nourrissent des fruits et les détruisent.	Charançons de la prune	Vaporisation de carbaryl ou de méthoxychlore à la chute des pétales et 7 à 10 jours plus tard. Répéter deux fois au même intervalle.
Macules brun pâle entourées de petites cloques jaunâtres ou blanchâtres en cercles concentriques. Le fruit peut sécher sur l'arbre.	Pourriture brune (champignon)	Détruire les fruits pourris ou desséchés, qu'ils soient sur l'arbre, sur le sol ou entreposés. A la taille, détruire les pousses mortes. Vaporiser les arbres de captane, de folpet, de soufre ou de thiophanate-méthyle à la fin de l'été pour éviter la pourriture des fruits entreposés.
Des tumeurs se développent à la base des pousses nécrosées ; les feuilles brunissent et se flétrissent mais ne tombent pas.	Brûlure bactérienne (bactérie)	Communiquer avec le ministère provincial de l'Agriculture pour connaître le traitement à appliquer. Il peut être nécessaire de détruire l'arbre. Les vaporisations de produits antibiotiques peuvent aider.
Petites dépressions de tissus morts sur les brindilles et les jeunes tiges. Elles s'agrandissent ; le centre craque et pèle. Le chancre entoure le tronc et fait mourir l'arbre.	Chancre du poirier (champignon)	Couper ou parer les parties infectées et les détruire. Appliquer un enduit cicatrisant sur les plaies. Améliorer l'égouttement du sol s'il y a lieu, l'excès d'eau pouvant aggraver la maladie.
Taches brunes ou noires sur les feuilles et les fruits ; les tiges se boursouflent et se craquellent au printemps.	Tavelure du poirier (champignon)	Vaporisation de bénomyl, de captane, de thiophanate-méthyle ou de thirame, à l'éclosion des fleurs, à la chute des pétales et trois semaines plus tard.

Pomme

Pomme 'Golden Delicious'

Bien que croissant dans la plupart des sols, les pommiers préfèrent des terres bien drainées, à réaction neutre ou légèrement alcaline et qui ne se dessèchent pas en été.

Ces arbres n'aiment guère le voisinage de la mer : les vents chargés d'embruns les endommagent. Ils ne prospèrent pas non plus dans les régions où il ne gèle pas en hiver, quoiqu'il existe maintenant des variétés acclimatées aux climats doux.

Dans la plupart des cas, les pommiers exigent une pollinisation croisée qui leur est assurée par une variété différente, mais fleurissant au même moment (voir p. 385). Pour contourner cette difficulté, les pépiniéristes ont mis au point des arbres provenant de variétés multiples en greffant sur un même système radiculaire trois à cinq variétés différentes, susceptibles de se polliniser l'une l'autre.

Une plantation de 6 pommiers nains (ou de 4 pommiers en éventail, de 4 en espalier, de 8 fuseaux nains, ou de 12 cordons) donne une récolte suffisante pour quatre personnes. Les fruits mûrissent entre la mi-été et l'automne, mais il est possible de conserver certaines variétés de pommes jusqu'au printemps suivant.

Les meilleures époques de plantation sont l'automne et le printemps dans les régions tempérées, et le printemps dans les régions à climat froid (voir p. 348). Les racines d'un pommier nouvellement planté exigent beaucoup d'eau ; il faut donc voir à ce que le sol demeure humide.

Durant les trois premières années, couvrir le sol au printemps de paille ou d'un autre paillis en laissant 60 cm de dégagement autour du pied.

A la fin de l'hiver, et de nouveau au printemps si les pommiers manquent de vigueur, fertiliser avec un engrais complet. Pour un pommier nain adulte à étalement de 1,80 m, donner entre 250 et 500 g d'engrais 10-10-10.

Epandre l'engrais sur une surface excédant légèrement la frondaison pour atteindre les racines nourricières. Le laisser pénétrer de lui-même dans le sol. Désherber en binant superficiellement et arroser en périodes prolongées de sécheresse.

Eclaircissage des jeunes fruits trop abondants

L'éclaircissage des jeunes fruits a pour effet de permettre à ceux qu'on garde d'atteindre leur pleine croissance. Il se pratique à la fin du printemps ou avant la chute anticipée des fruits. Celle-ci est un phénomène normal qui, toutefois, peut s'aggraver si le sol est pauvre et sec. On y remédiera par la fertilisation et le paillage du sol.

Au moment de l'éclaircissage, ne pas arracher les fruits à la main de crainte d'endommager la lambourde. Se servir de ciseaux. Sur chaque bouquet, supprimer d'abord le fruit central, s'il est déformé.

Continuer l'éclaircissage en ne conservant que deux pommes par bouquet, et qu'une seule si les bouquets sont très rapprochés. Eclaircir de nouveau à la mi-été si nécessaire. Laisser un espace de 10 à 15 cm entre les pommes à couteau, et un espace de 15 à 23 cm entre les pommes à cuire. Ne conserver qu'une pomme par lambourde.

Au début de l'été, éclaircir à deux fruits par bouquet.

Conservation des pommes

La meilleure technique de conservation des pommes consiste à envelopper les fruits individuellement dans du papier sulfurisé ou dans un morceau de 25 cm de côté de papier journal. L'emballage ne doit pas être complètement étanche. Rabattre simplement un coin de la feuille de papier sur le fruit ; replier le coin opposé par-dessus, puis les deux autres. Sans emballage, les pommes risquent de pourrir ou de se dessécher.

Choisir un local sombre, humide et frais dont la température se situe entre 2 et 4°C. Une ventilation excessive provoque un flétrissement rapide des fruits, tandis qu'une aération insuffisante peut faire pourrir l'intérieur du fruit.

Pour accroître l'humidité du local, en humidifier périodiquement le sol. Poser les pommes emballées, plis en dessous, en une seule rangée sur des rayonnages à claire-voie ou en deux ou trois couches dans une boîte bien ventilée. Eliminer régulièrement les fruits marqués de pourriture.

Plutôt que de les emballer individuellement, on peut ranger les pommes dans des sacs solides en polyéthylène d'une capacité de 2 ou 3 kg. Percer ceux-ci (six petits trous pour une surface de 150 cm^2), car les fruits peuvent pourrir dans des sacs hermétiques.

Ne pas mettre plusieurs variétés de pommes dans le même sac. Le gaz éthylénique dégagé par les fruits les plus précoces hâterait la maturation des fruits plus tardifs.

Récolte des pommes selon la saison

Pour s'assurer que les pommes sont à point pour la cueillette, en soulever une à l'horizontale avec la paume de la main et exécuter un léger mouvement de torsion. Elle est bonne à cueillir si elle se détache facilement de l'arbre en gardant son pédoncule.

Pour atteindre les fruits qui sont hors de portée, utiliser un filet de cueillette monté sur une perche. Appuyer le cadre du filet contre le pédoncule du fruit. Si la pomme est bonne à cueillir, elle tombera d'elle-même. Déposer délicatement les fruits dans un récipient coussiné.

Les pommes précoces se conservent mal et doivent être consommées sitôt cueillies. Les variétés de demi-saison ou celles qui sont tardives sont cueillies à la mi-automne avant d'être tout à fait mûres ; elles mûriront pendant leur conservation.

Ranger les variétés de demi-saison qui seront consommées de la fin de l'automne au début de l'hiver à l'écart des variétés tardives qui seront prêtes à manger à partir de la mi-hiver. En mûrissant, les premières dégagent des gaz éthyléniques qui feront mûrir précocement les secondes.

Certaines pommes tardives se conservent jusqu'au milieu et même jusqu'à la fin du printemps si elles sont gardées dans de bonnes conditions. Après la récolte, placer les pommes dans une pièce ou un hangar frais et bien aéré où elles pourront « transpirer » pendant deux ou trois jours. Ensuite, trier les pommes abîmées, même légèrement, ainsi que celles qui ont perdu leur pédoncule.

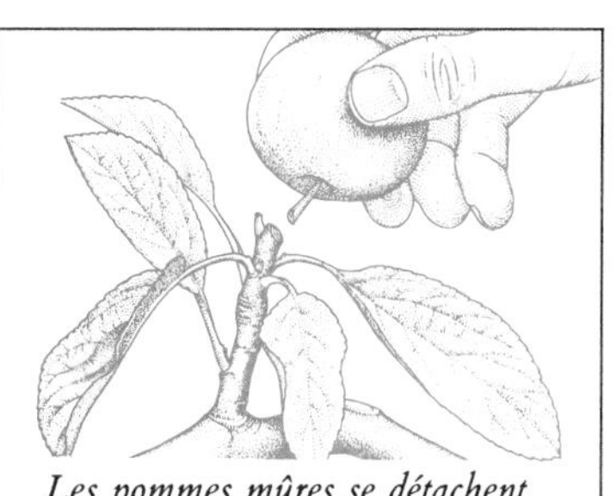

Les pommes mûres se détachent avec leur pédoncule par torsion.

Ravageurs et maladies qui attaquent les pommes

La majorité des ravageurs peuvent être détruits par un traitement effectué pendant la période de dormance et des traitements appliqués ensuite régulièrement. Le premier traitement doit être fait au moment où les boutons s'ouvrent. Les autres s'échelonnent ainsi : avant l'épanouissement des fleurs, après la chute des pétales, puis à des intervalles de une, deux, quatre, six et huit semaines.

Se reporter au tableau commençant à la page 480 pour connaître les appellations commerciales des produits phytosanitaires recommandés.

Symptômes	Cause	Traitement
Feuilles enroulées, parfois teintées de rouge ; pousses déformées. Présence d'insectes gluants.	Pucerons (pucerons verts et autres espèces)	Traiter avant la floraison avec du carbaryl, de l'endosulfan ou du malathion. Répéter après la floraison au besoin.
Petites flétrissures sur la pelure du fruit. Dans le fruit, marques liégeuses brunes ; le ver est visible.	Larves de la mouche de la pomme	Vaporisation d'un insecticide à base de carbaryl ou de méthoxychlore en période d'activité des larves (du début à la mi-été). Répéter le traitement toutes les trois semaines tout l'été.
Petits trous bruns dans la peau des jeunes fruits, entourés d'un halo brun. L'intérieur des fruits dégage une odeur nauséabonde. Les fruits atteints tombent prématurément.	Tenthrèdes de la pomme (larves)	Vaporisation d'un insecticide à base de carbaryl, de malathion ou de méthoxychlore immédiatement après la chute des pétales.

Symptômes	Cause	Traitement
A partir de la mi-été, apparition sur les fruits de petits trous.	Carpocapses (larves)	Au début de l'été, vaporiser de carbaryl ou de méthoxychlore. Répéter trois semaines plus tard.
Feuilles tachetées, virant au jaune ou au rouille.	Araignées rouges, tétranyques	Au début de l'été, vaporiser avec un produit à base de tétradifon. Répéter au besoin.
Déposés sur les brindilles, les œufs éclosent quand les fleurs sont rose sombre. Les larves dévorent le feuillage.	Tordeuses (chenilles) ou lieuses	Vaporisation de carbaryl ou de méthoxychlore à la chute des pétales, 7 à 10 jours plus tard et encore au moins deux fois à intervalles de 7 à 10 jours.
Les charançons vont pondre au cœur des très jeunes fruits. Après éclosion, les larves se nourrissent de la pomme.	Charançons de la prune	Vaporisation de carbaryl ou de méthoxychlore à la chute des pétales, 7 à 10 jours plus tard et encore au moins deux fois à intervalles de 7 à 10 jours.
Dépôts écailleux blancs, gris ou bruns sur les brindilles, l'écorce et les fruits. Les insectes sucent la sève. La croissance de l'arbre ralentit.	Cochenilles (de San José, écailleuses et autres)	Vaporisation avec un insecticide à base d'huile miscible avant la reprise au printemps. Vaporiser avec des produits de contact comme le diazinon ou le malathion à la fin du printemps.
Feuilles et jeunes tiges déformées, couvertes d'une poudre blanche.	Blanc (champignon)	A la fin du printemps et au début de l'automne, vaporisations de cycloheximide, de dinocap ou de soufre.
Taches brunes ou noirâtres sur fruits, feuilles et pousses, qui deviennent liégeuses et peuvent se craqueler.	Tavelure (champignon)	Depuis la chute des écailles des bourgeons jusqu'à la mi-été au besoin, arrosages à base de bénomyl, captane, dodine, ferbam ou manèbe. Couper et détruire les parties atteintes.
Taches foliaires, puis défoliation complète. Petites dépressions d'écorce nécrotique sur les jeunes tiges ; au centre, le tissu se craquelle et s'écaille.	Chancre du pommier (champignon)	Vaporisation de bouillie bordelaise ou de chaux sulfurisée. Ou employer du folpet ou du manèbe (mêlé à un autre insecticide si autres insectes). Supprimer les rameaux atteints. Si le cas est grave, vaporiser de bouillie bordelaise avant la chute des feuilles et dès la sortie des bourgeons. Supprimer les vieux fruits.
Au début de l'été, taches foliaires orange devenant sombres, croûtées et tavelées. Dépressions ou taches orange sur les fruits.	Rouille (de la pomme de cèdre ou de l'aubépine)	Eliminer les cèdres rouges (*Juniperus*) dans un rayon de 800 m. Supprimer les tumeurs hivernales sur les cèdres. Vaporiser de carbamate (ferbam, manèbe ou thirame) quand les boutons rosissent. Répéter à l'épanouissement, à la chute des pétales et trois autres fois tous les 10 jours.

Taille et conduite des pommiers

Pendant les quatre premières années, le but de la taille est de donner au pommier une charpente solide et régulière. Par la suite, la taille vise à ouvrir la frondaison et à maintenir un équilibre entre la mise à fruit et la croissance. La taille hivernale dirige la poussée végétative vers les yeux à bois. La taille estivale favorise la formation des boutons à fruit.

Boutons à fruit et yeux à bois Le bouton à fruit, gros et arrondi, produit une fleur puis un fruit. Le bourgeon ou œil à bois, plus petit, est accolé au rameau. Un œil à bois se transforme parfois en bouton à fruit.

Prolongement et latérales On appelle prolongement la pousse terminale d'une branche charpentière, et latérales les branches situées de part et d'autre de cette branche.

Lambourdes et rameaux couronnés Certaines variétés produisent leurs fruits à l'extrémité de lambourdes. D'autres les portent à l'extrémité des rameaux de l'année précédente. Il y a aussi des races dont la poussée végétative est moindre, mais qui se couvrent de lambourdes.

Technique de taille Utiliser un sécateur bien affûté pour éviter de mâcher le bois, ce qui favorise la pénétration de germes. Couper juste au-dessus d'un œil extérieur et dans le même sens que celui-ci. Ne pas laisser un chicot au-dessus de l'œil.

Mise à fruit Durant l'année qui suit la plantation, ne garder qu'un fruit ou deux. Le cordon est mis à fruit l'année qui suit la plantation, mais un arbre nain monté sur un porte-greffe vigoureux ne l'est qu'après cinq ans.

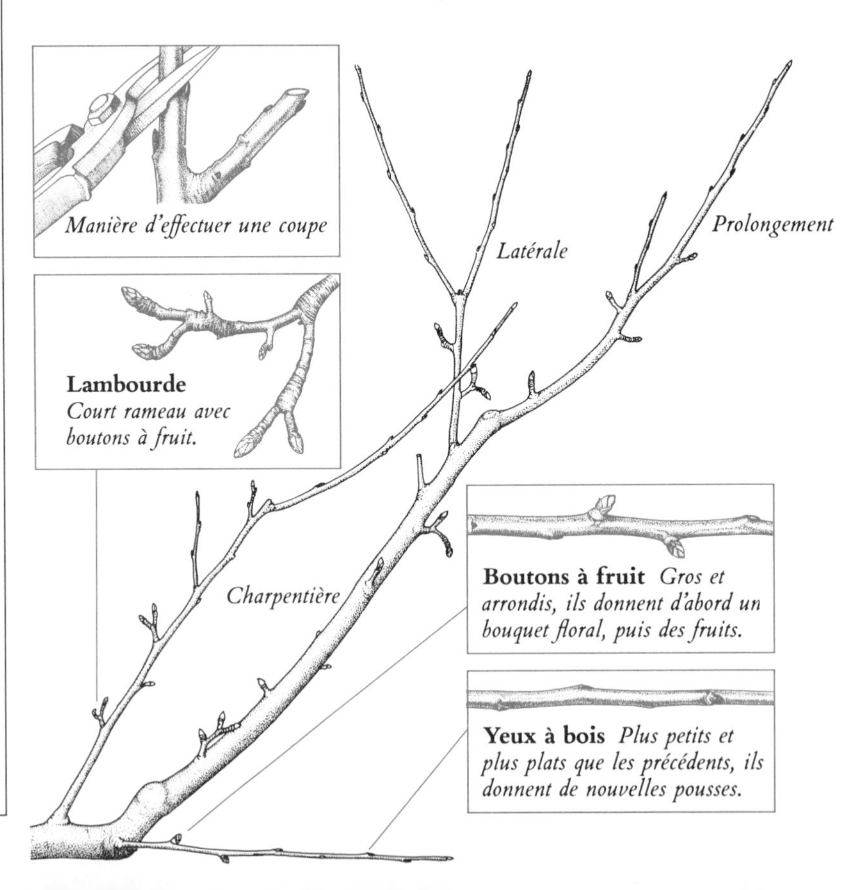

Manière d'effectuer une coupe

Lambourde *Court rameau avec boutons à fruit.*

Boutons à fruit *Gros et arrondis, ils donnent d'abord un bouquet floral, puis des fruits.*

Yeux à bois *Plus petits et plus plats que les précédents, ils donnent de nouvelles pousses.*

Taille et formation d'un jeune pommier nain

Formation de 1re année d'un pommier nain

Espacer les arbres nains de 3 à 5 m selon la vigueur de leur porte-greffe.

Si l'on achète un arbre de un an, rabattre la tige à une hauteur de 45 à 60 cm, au-dessus d'un œil à bois, après la plantation qui doit avoir lieu en automne ou au printemps (voir p. 348).

Les yeux ou petites pousses situées juste en dessous de la coupe se développeront l'été suivant. En choisir trois ou quatre pour former les premières charpentières. (Il peut n'y en avoir que quatre ou cinq.) Ces yeux doivent être répartis régulièrement autour du tronc et aucun ne doit pointer vers le tuteur. Eborgner les yeux indésirables avec le pouce.

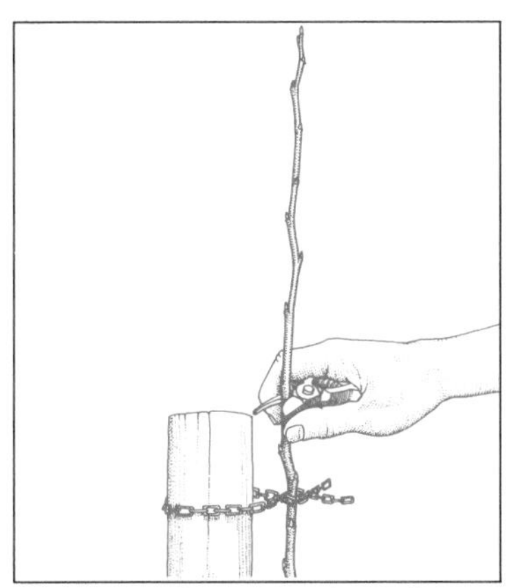

1. *Après la plantation, rabattre l'axe central au-dessus d'un œil à 45-60 cm.*

2. *Garder trois ou quatre yeux pour les branches. Eborgner les autres.*

Formation de 2e année d'un pommier nain

Un arbre nain de deux ans présente en hiver les trois ou quatre branches qui se sont développées durant l'été. Rabattre ces futures charpentières au-dessus d'un œil extérieur et selon la vigueur de l'arbre.

Si les pousses sont fortes, les rabattre de moitié. Si elles sont faibles, les rabattre des deux tiers. Eborgner avec le pouce les yeux juste en dessous des coupes et tournés vers le tronc.

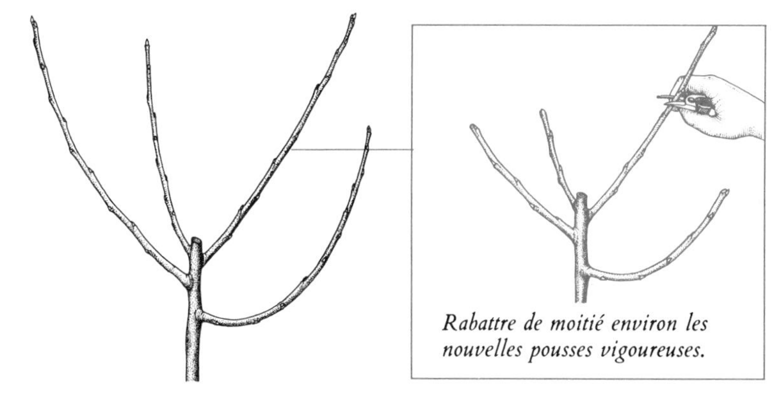

Rabattre de moitié environ les nouvelles pousses vigoureuses.

Formation de 3e année d'un pommier nain

Lors du troisième hiver, l'arbre présente des pousses latérales qui se sont formées sur les branches. Choisir les plus vigoureuses pour constituer, avec les premières branches, la future charpente de l'arbre.

Les rameaux choisis doivent tous pointer vers l'extérieur et leurs extrémités, après rabattage, doivent être distantes les unes des autres d'au moins 45 cm.

Rabattre les prolongements des branches principales du tiers si la poussée végétative a été vigoureuse, et de moitié si elle a été normale, en coupant au-dessus d'un œil pointant vers l'extérieur. Si la poussée végétative a été faible, rabattre la nouvelle pousse des deux tiers.

Les latérales qui n'ont pas été choisies pour former la charpente du pommier doivent être rabattues à quatre yeux de leur base.

Rabattre sur leur empattement tous les rameaux secondaires de la tige principale.

L'achèvement de cette taille de troisième année marque la fin de la formation de base d'un pommier.

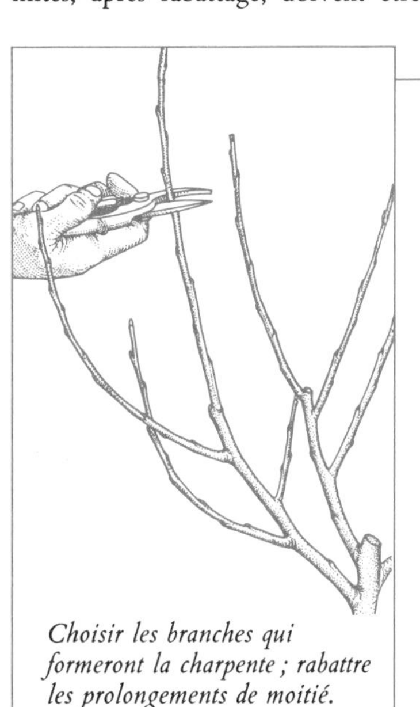

Choisir les branches qui formeront la charpente ; rabattre les prolongements de moitié.

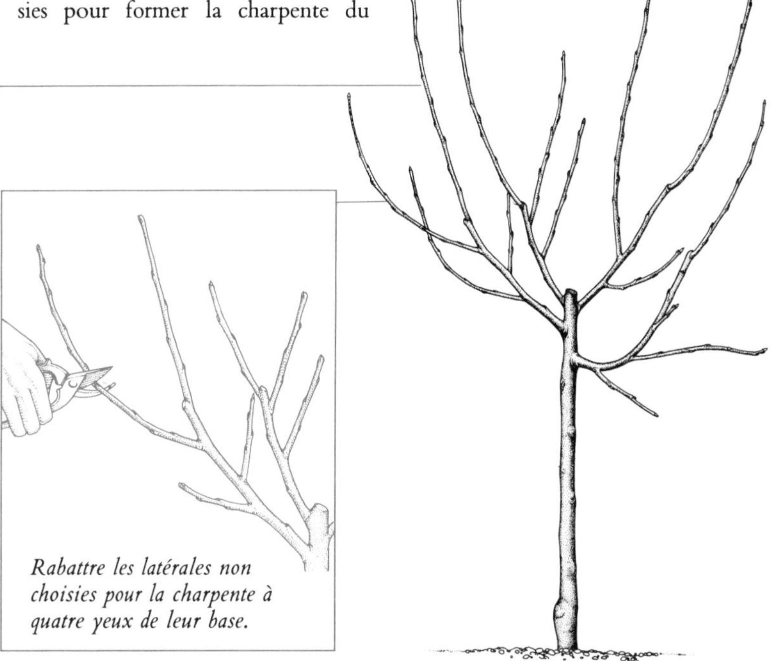

Rabattre les latérales non choisies pour la charpente à quatre yeux de leur base.

Taille d'un pommier nain produisant sur lambourdes

Les pommiers nains établis qui portent presque tous leurs fruits sur des lambourdes (c'est le cas des pommiers 'Golden Delicious' et 'McIntosh') doivent être taillés chaque hiver selon une méthode appelée taille de renouvellement. Cette taille a pour but de favoriser l'apparition, chaque année, de nouvelles lambourdes qui remplaceront une partie de celles qui ont déjà porté des fruits. Elle est faite en fonction d'un cycle de fructification de trois ans.

Le premier été, un œil à bois devient un rameau. Le deuxième été, ce rameau produit des boutons à fruit. Le troisième été, les boutons à fruit évoluent en lambourdes qui fructifient le même été et les étés suivants.

Durant le deuxième été, le rameau ne produit pas que des lambourdes. Il donne aussi une pousse terminale, de sorte que le rameau de deux ans se termine par une pousse de un an. Le rameau de trois ans présente, pour sa part, à la fois un prolongement de deux ans et une pousse terminale de un an.

Dans la taille de renouvellement, on rabat un certain nombre de pousses de deux ans et de trois ans pour éviter une surproduction de fruits et de rameaux, améliorer la qualité des fruits et favoriser l'apparition de nouvelles lambourdes.

On ne taille pas les pousses de un an qu'émet une branche principale. Mais il va de soi qu'on perd des pousses terminales de un an lorsqu'on supprime du bois de deux ou de trois ans. Au moment de la sélection des pousses à tailler, remonter jusqu'au vieux bois en partant des extrémités de un an.

Si la poussée végétative du pommier est faible, rabattre les pousses de deux ans au deuxième bouton à fruit à partir de la base. Epargner un plus grand nombre de boutons si l'arbre est vigoureux. Rabattre les pousses de trois ans à la lambourde la plus basse. Les yeux à bois produiront de nouveaux rameaux et le cycle de fructification recommencera.

Le prolongement annuel des charpentières sera rabattu du tiers si la branche est vigoureuse, de moitié si sa poussée végétative est normale, des deux tiers si elle est faible. Quand les charpentières ont atteint leur plein développement (environ 2,50 m de longueur), tailler leurs prolongements de la même façon que les pousses latérales.

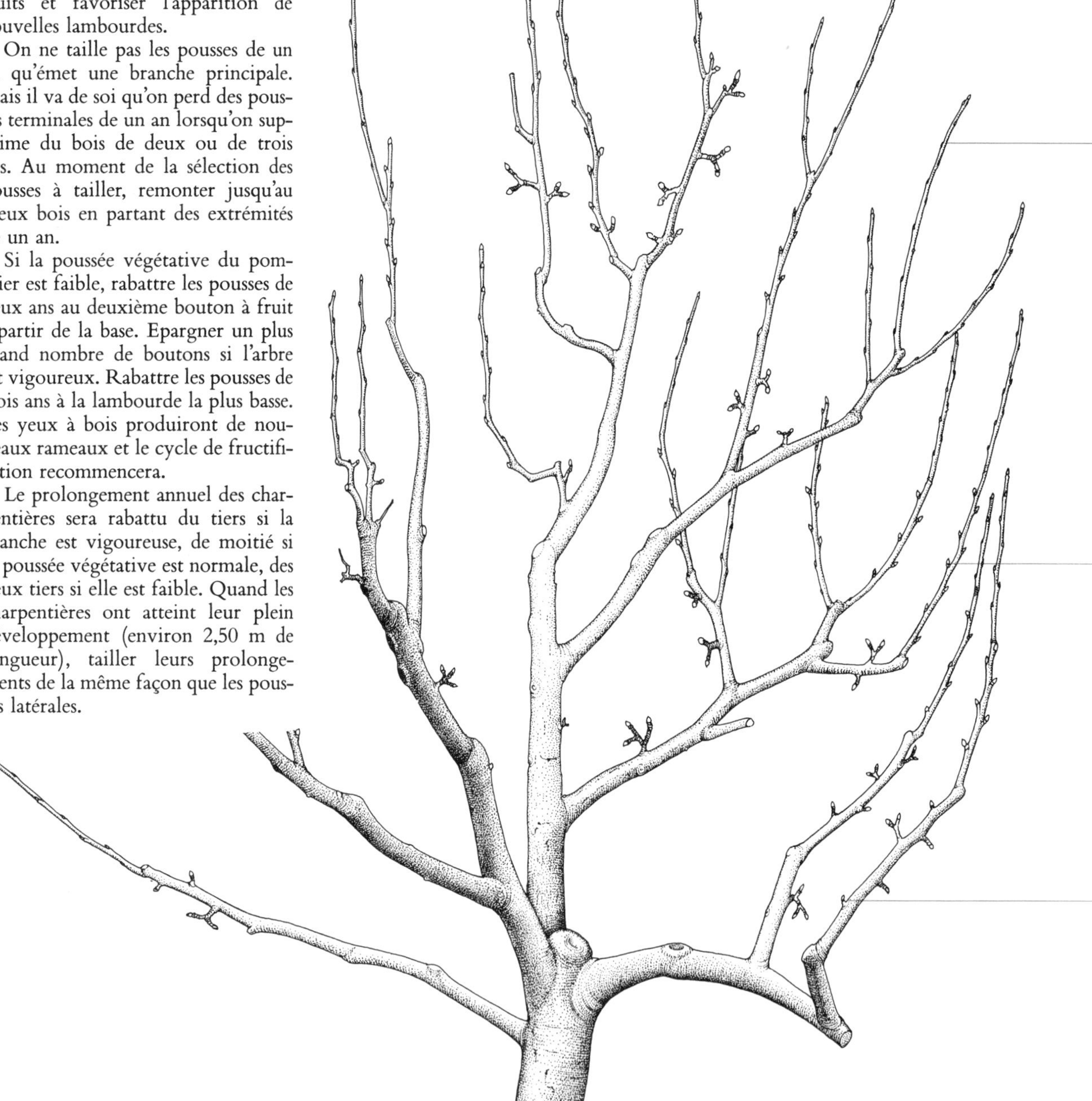

PROLONGEMENTS

Rabattre de moitié les prolongements des charpentières si la croissance a été moyenne, du tiers si elle a été vigoureuse, des deux tiers si elle a été faible.

Taille d'un pommier nain produisant sur rameaux couronnés

RAMEAUX DE UN AN

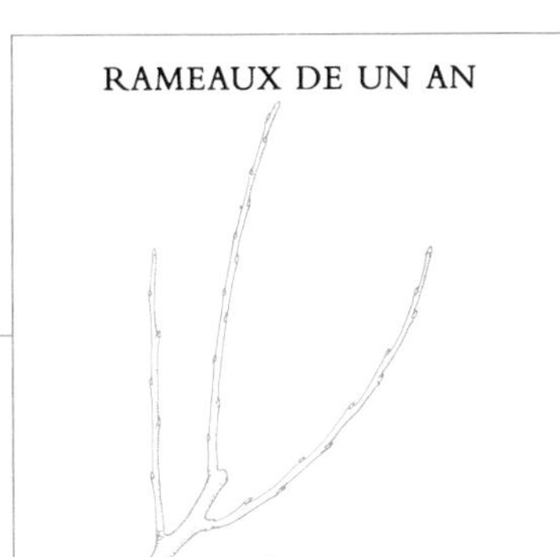

Les rameaux de un an issus d'une charpentière n'ont que des yeux à bois. Ne pas les tailler.

RAMEAUX DE DEUX ANS

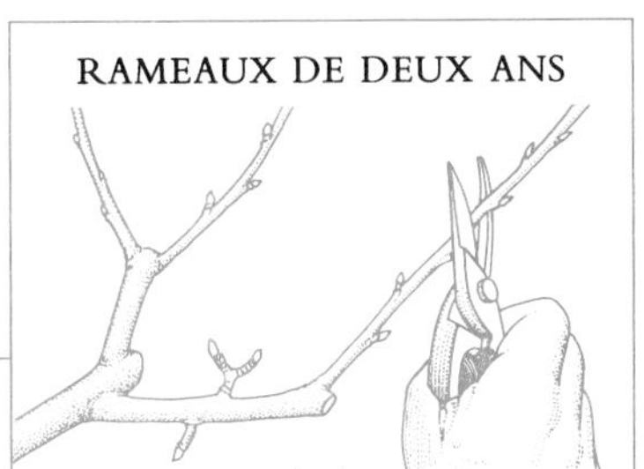

Les rameaux de deux ans ont des boutons à fruit. En conserver deux si les rameaux sont faibles, plus s'ils sont forts.

RAMEAUX DE TROIS ANS

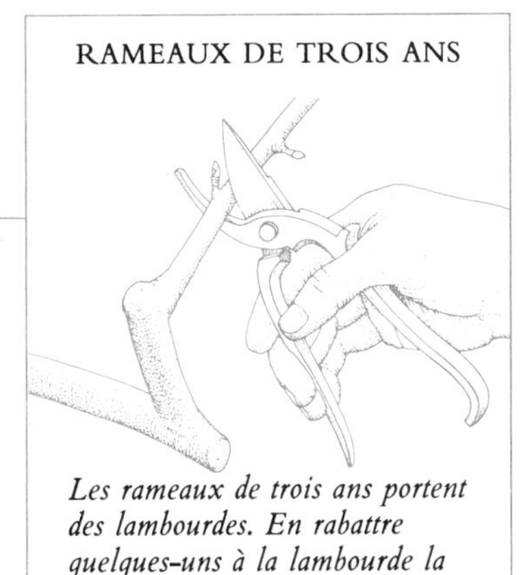

Les rameaux de trois ans portent des lambourdes. En rabattre quelques-uns à la lambourde la plus basse pour le renouvellement.

Les variétés fructifiant sur rameaux et brindilles couronnés sont rares. On peut nommer : 'Rome Beauty', 'Jonathan' et 'Stayman'. Une grande partie de leurs boutons à fruit apparaissent à l'extrémité des rameaux, le reste étant produit sur lambourdes.

Leur cycle de croissance est le même que celui des pommiers fructifiant sur lambourdes, sauf qu'un grand nombre de leurs pousses de un an se couronnent d'un bouton à fruit.

Chaque hiver, tailler les rameaux non couronnés, c'est-à-dire sans bouton à fruit terminal, en les rabattant sur le bouton à fruit le plus haut, ou sur le quatrième ou cinquième œil à bois à partir de la base du rameau s'il n'y a pas de bouton à fruit.

Les rameaux couronnés ne seront taillés que si leurs extrémités sont à moins de 30 cm les unes des autres. Eclaircir alors la frondaison en rabattant quelques-uns des rameaux à deux yeux de la base, mais de préférence au-dessus d'un bouton à fruit.

Rabattre les prolongements couronnés des charpentières au-dessus d'un œil à bois.

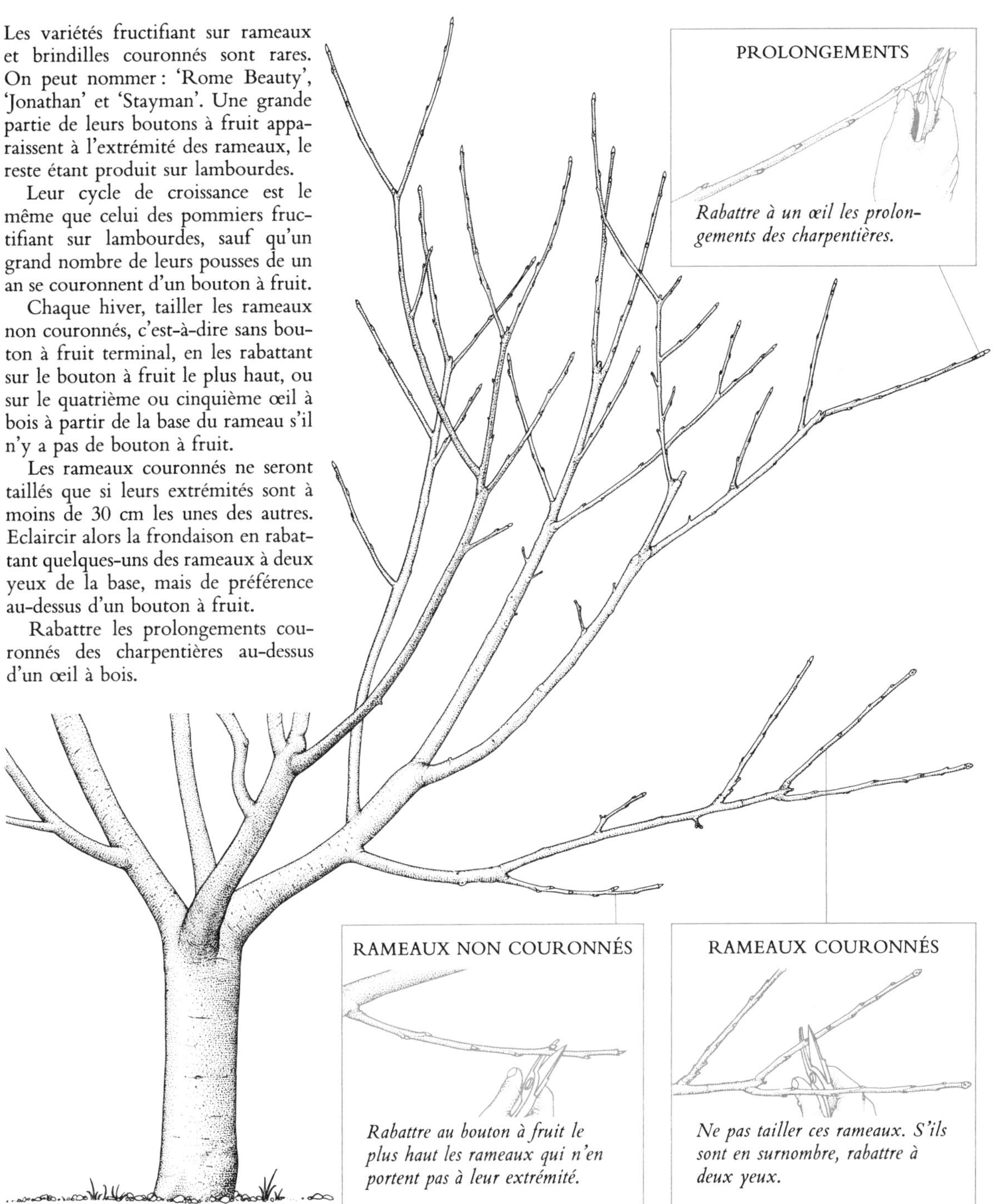

PROLONGEMENTS

Rabattre à un œil les prolongements des charpentières.

RAMEAUX NON COURONNÉS

Rabattre au bouton à fruit le plus haut les rameaux qui n'en portent pas à leur extrémité.

RAMEAUX COURONNÉS

Ne pas tailler ces rameaux. S'ils sont en surnombre, rabattre à deux yeux.

Taille d'un pommier négligé

Les pommiers nains ou les pleins-vents dont la taille a été abandonnée peuvent être repris par une taille hivernale. Si la croissance de l'arbre a été faible cette année-là, toute la taille de reprise peut être effectuée d'un coup. Dans les autres cas, étaler le travail sur deux ou trois ans.

En premier lieu, éliminer les branches mortes ou malades. Puis, ouvrir la frondaison en supprimant des grosses branches du centre pour qu'il y ait 60 à 90 cm entre elles à la périphérie de la ramure où se développent les nouvelles pousses. Supprimer également toutes les branches mal placées ou qui se croisent. Rabattre les charpentières des arbres très grands jusqu'à une latérale.

Lorsqu'on doit éliminer une grosse branche, la couper aussi près que possible de son empattement (voir p. 47). Parer la plaie à la serpette et la couvrir d'un enduit cicatrisant.

Eclaircir le coursonnage en supprimant certaines coursonnes et en simplifiant les autres. En règle générale, les lambourdes doivent être espacées de 25 à 30 cm. Etaler ce travail sur plusieurs années chez tous les sujets.

Eliminer herbe et mauvaises herbes au pied de l'arbre. Biner le sol dans un rayon de 2,50 m.

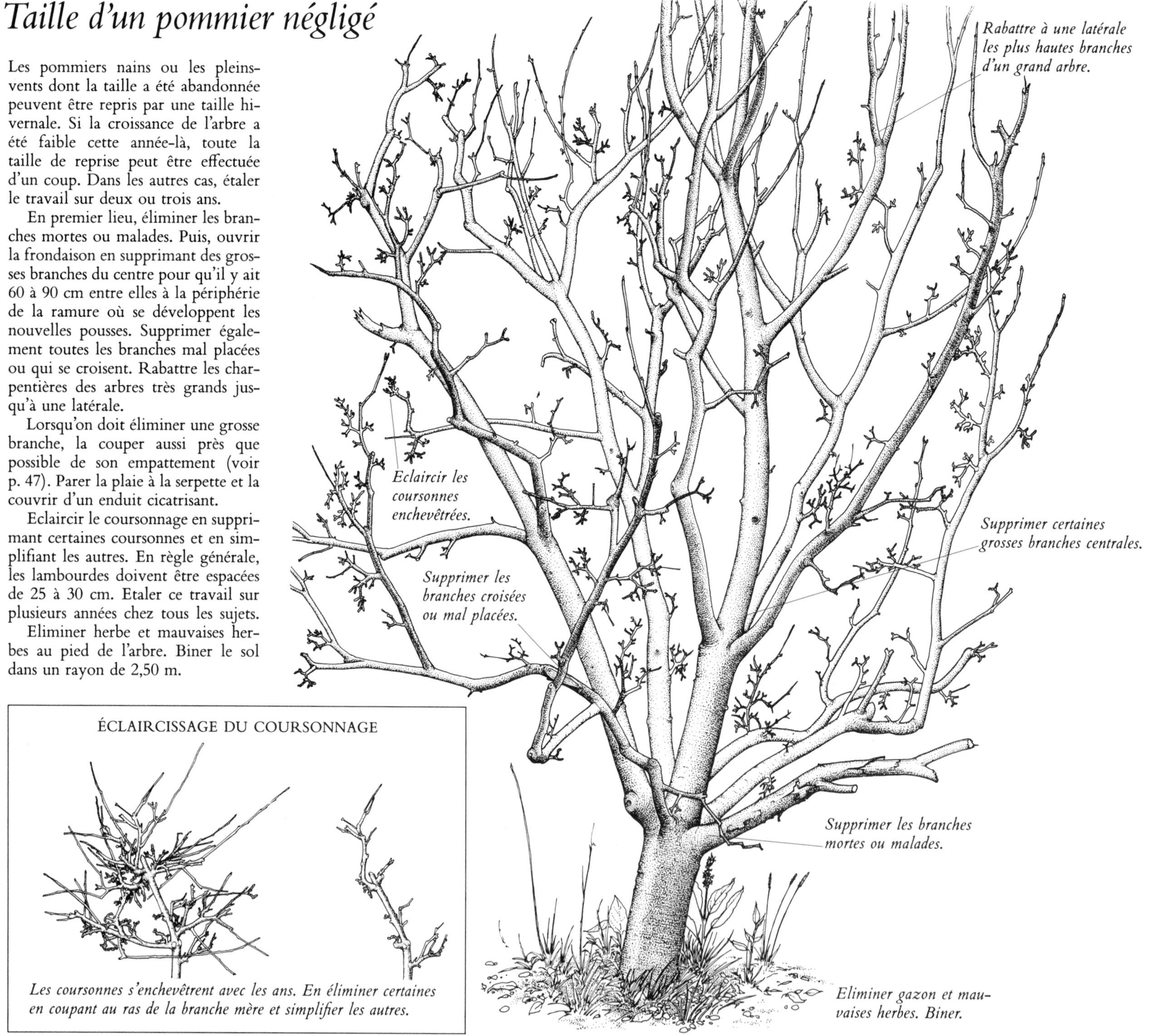

Les coursonnes s'enchevêtrent avec les ans. En éliminer certaines en coupant au ras de la branche mère et simplifier les autres.

Taille et formation d'un cordon

Planter les cordons à 75 cm les uns des autres — à 90 cm en sol fertile (voir p. 348). Espacer les rangs d'au moins 1,80 m.

Après la plantation de l'arbre, quel que soit son âge, fixer une tige de bambou de 2,50 à 3 m de long aux fils horizontaux en lui donnant la même inclinaison que celle de l'arbre (généralement 45 degrés).

Attacher la tige de l'arbre au bambou avec un lien souple. Retirer le bambou lorsque le cordon atteint le haut du palissage.

Il n'est pas nécessaire de tailler le pommier au moment de la plantation. Tailler de la même façon, chaque été, au moment de la maturation du nouveau bois, c'est-à-dire entre le milieu et la fin de l'été ou au début de l'automne. La pousse adulte est ligneuse à sa base ; elle mesure au moins 25 cm et porte des feuilles d'un vert foncé caractéristique.

Rabattre les pousses adultes latérales en conservant trois feuilles au-dessus de la rosette de base. Rabattre à une feuille de la rosette de base les rameaux issus des latérales ou des coursonnes. Ne pas tailler l'axe principal du cordon.

Lorsque la taille a lieu en été, il y a une repousse au cours des mois suivants. Si l'été est sec et la repousse peu vigoureuse, rabattre toutes les nouvelles pousses à un œil au début de l'automne. Si l'été est humide et la repousse abondante, tailler jusqu'au début de l'hiver au besoin.

Sur les cordons adultes, éclaircir en hiver (voir p. 384) les coursonnes qui sont devenues trop touffues.

Délier le cordon et le palisser. Lorsqu'il dépasse le fil métallique supérieur, lui donner une plus grande inclinaison en le palissant. Ne pas l'incliner à plus de 35 degrés cependant : il pourrait casser. Lorsqu'il n'est plus possible de l'abaisser davantage, rabattre son prolongement à 1,5 cm de la coupe précédente, au-dessus d'un œil. Pratiquer cette taille vers la fin du printemps.

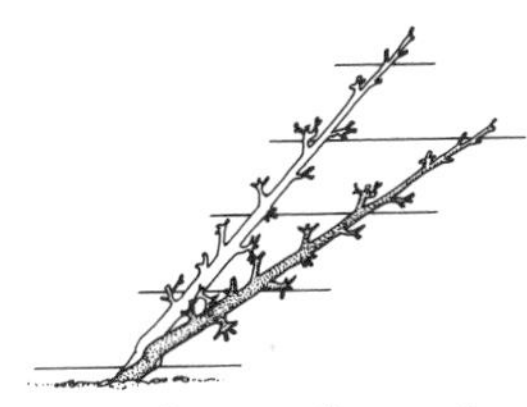

Inclinaison d'un cordon

TAILLE D'AUTOMNE

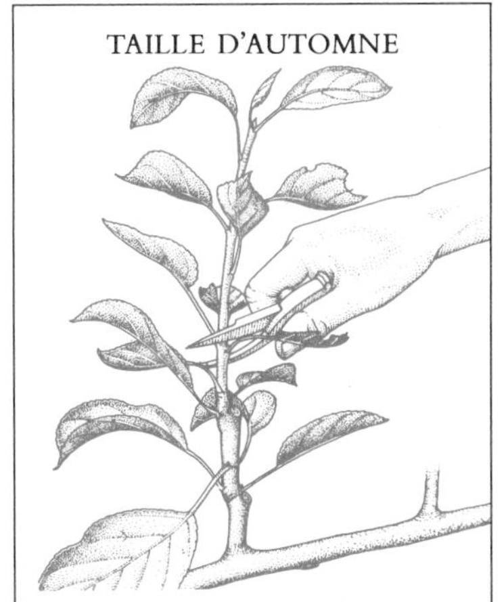

En début d'automne, rabattre à un œil la repousse qui se produit après la taille de mi-été.

A la mi-été, rabattre les latérales adultes à trois feuilles au-dessus de la rosette de base.

Rabattre à la rosette de base les pousses issues de latérales ou de coursonnes.

TAILLE DU PROLONGEMENT

Quand l'axe du cordon ne peut plus être incliné, rabattre le prolongement à 1,5 cm au-dessus d'un œil.

Taille et formation d'une palmette simple

Formation de 1re année d'une palmette simple

Espacer les palmettes de 3 à 4,50 m selon la vigueur du porte-greffe. Se renseigner à ce sujet auprès du pépiniériste au moment de l'achat.

Si l'arbre est âgé de un an, le rabattre tout de suite après la plantation. Couper au-dessus d'un œil ou d'une pousse, à environ 35 cm du sol et à 5 cm au-dessus du fil de support le plus bas.

Choisir un œil sous lequel se trouvent deux yeux ou deux pousses opposés et pointant dans l'axe du fil. L'œil supérieur produira une pousse érigée qui servira d'axe principal, tandis que des deux yeux inférieurs sortiront les pousses qui formeront le premier étage. Eborgner les autres yeux et couper les autres pousses.

Effectuer une petite entaille au-dessus de l'œil inférieur pour stimuler sa croissance. Pratiquer cette entaille avec un couteau bien aiguisé en enlevant un morceau d'écorce juste au-dessus de l'œil.

L'été suivant, les yeux évolueront en pousses. Palisser ces trois pousses dans les directions requises au moyen de tiges de bambou. Conduire l'axe principal (issu de l'œil supérieur) verticalement. Conduire les deux pousses latérales en oblique.

Fixer un bambou verticalement par rapport aux fils de fer et y attacher avec un lien souple l'axe principal issu de l'œil supérieur. De chaque côté de ce bambou, en fixer deux autres en leur donnant un angle de 45 degrés. Avec un lien souple, attacher à ces deux tiges les deux pousses latérales issues des yeux inférieurs.

S'il est nécessaire d'équilibrer la vigueur des deux rameaux latéraux, modifier leur inclinaison respective. Incliner davantage le rameau plus vigoureux et redresser le rameau moins développé. Prolonger ces mesures correctives tant que les deux rameaux ne seront pas égaux.

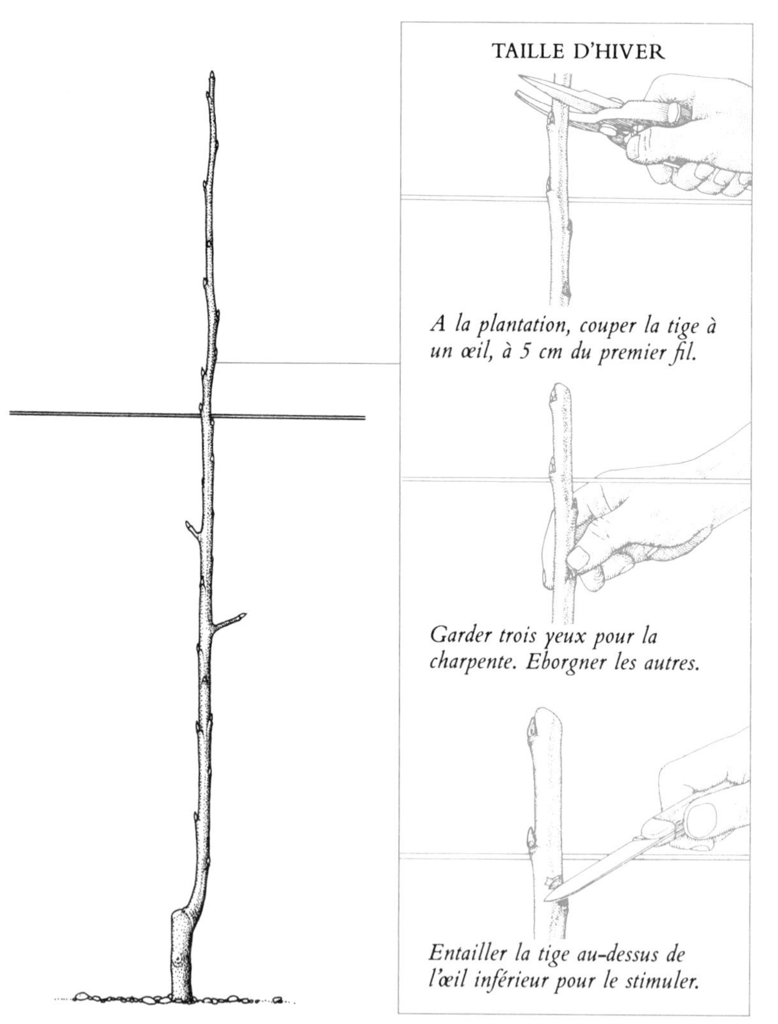

TAILLE D'HIVER

A la plantation, couper la tige à un œil, à 5 cm du premier fil.

Garder trois yeux pour la charpente. Eborgner les autres.

Entailler la tige au-dessus de l'œil inférieur pour le stimuler.

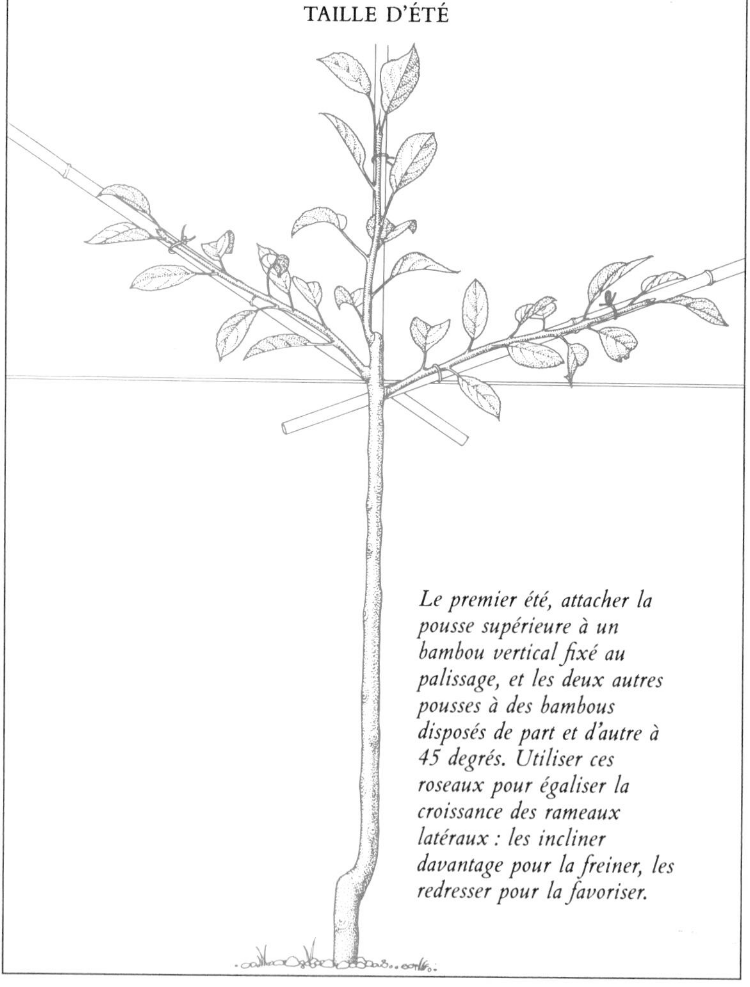

TAILLE D'ÉTÉ

Le premier été, attacher la pousse supérieure à un bambou vertical fixé au palissage, et les deux autres pousses à des bambous disposés de part et d'autre à 45 degrés. Utiliser ces roseaux pour égaliser la croissance des rameaux latéraux : les incliner davantage pour la freiner, les redresser pour la favoriser.

Formation de 2e et de 3e année

Au cours du second hiver, abaisser les deux rameaux latéraux à l'horizontale, de part et d'autre de la tige principale. Enlever les bambous et attacher les branches au fil de fer.

Pour favoriser la croissance des coursonnes, tailler les prolongements des branches juste au-dessus d'un œil. S'ils sont vigoureux, les rabattre de moins de la moitié, et de plus de la moitié s'ils sont faibles. Cette taille donnera deux charpentières égales.

Rabattre l'axe principal à 5 cm environ au-dessus du deuxième fil en coupant juste au-dessus d'un œil. Sous cette coupe, choisir deux yeux qui formeront la deuxième paire de charpentières horizontales. Eborgner les autres yeux et couper les pousses.

Comme précédemment, pratiquer dans l'écorce, au-dessus de l'œil le plus bas, une entaille en demi-lune.

L'été suivant, fixer les deux nouvelles charpentières à des bambous placés à 45 degrés sur le palissage, de part et d'autre de l'axe principal. Conduire les branches de la façon indiquée pour le premier étage dont la formation a été pratiquée l'année précédente. Palisser à l'horizontale les pousses terminales des prolongements des charpentières du premier étage.

A la mi-été, tailler sur du bois adulte la pousse de l'année en cours. Dans certaines régions, cette taille doit être faite au début de l'automne.

La pousse adulte mesure au moins 23 cm de long ; elle est ligneuse à la base et porte des feuilles vert foncé. Rabattre les latérales adultes à trois feuilles au-dessus de la rosette de base.

Si cette taille a été effectuée en été, il se peut qu'une repousse apparaisse en automne. La rabattre à un seul œil. Si la repousse est abondante, il faudra peut-être prolonger la taille.

Le troisième hiver, rabattre le prolongement des charpentières comme précédemment et choisir les yeux qui donneront naissance au troisième étage.

L'été suivant, former le troisième étage et tailler les rameaux adultes comme durant le troisième été. Les pousses issues des latérales ou des coursonnes seront rabattues à une feuille au-dessus de la rosette de base.

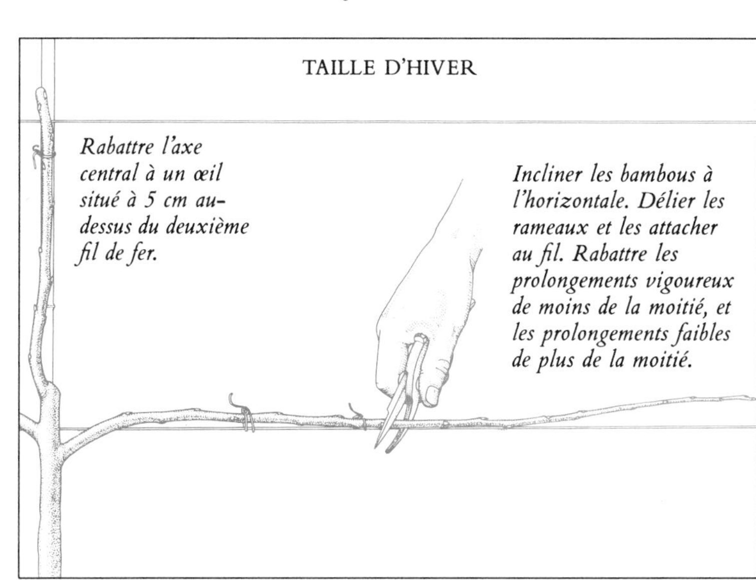

TAILLE D'HIVER

Rabattre l'axe central à un œil situé à 5 cm au-dessus du deuxième fil de fer.

Incliner les bambous à l'horizontale. Délier les rameaux et les attacher au fil. Rabattre les prolongements vigoureux de moins de la moitié, et les prolongements faibles de plus de la moitié.

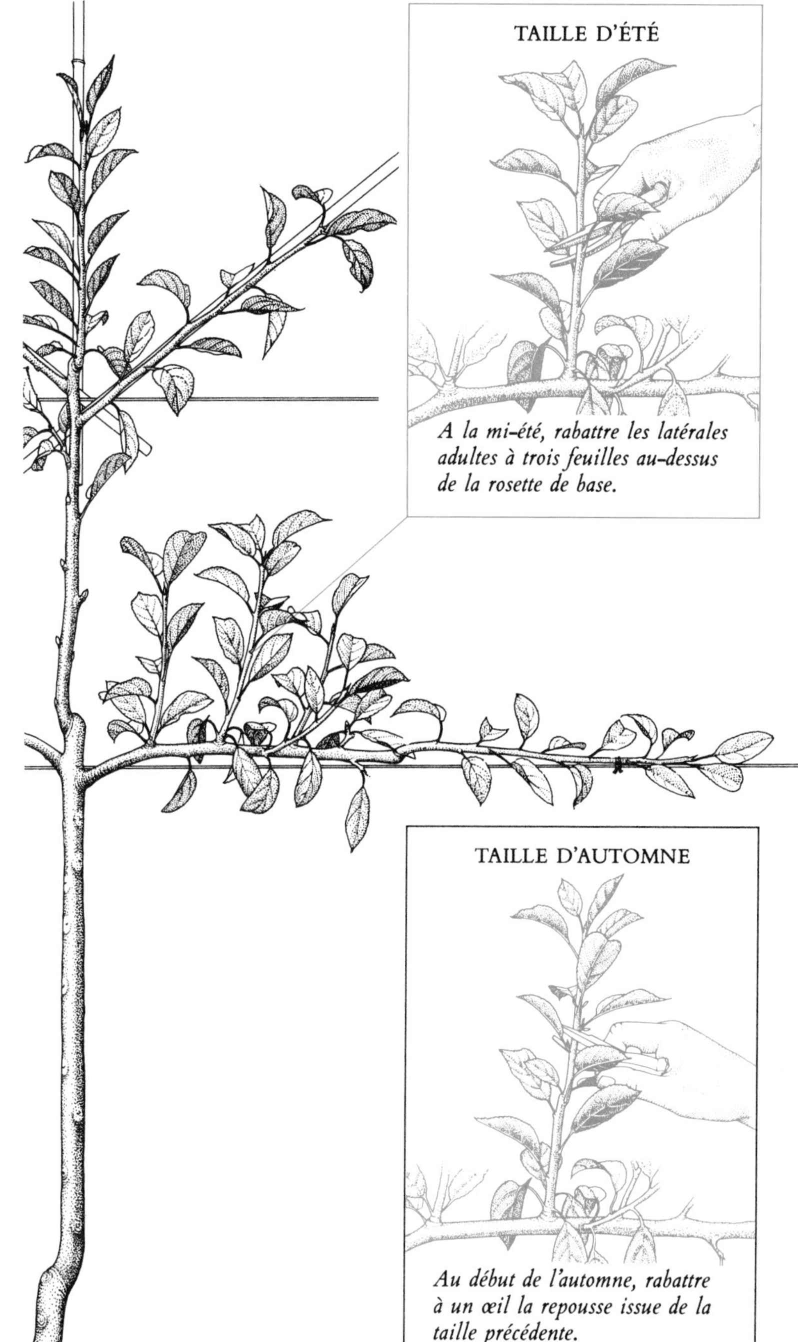

TAILLE D'ÉTÉ

A la mi-été, rabattre les latérales adultes à trois feuilles au-dessus de la rosette de base.

TAILLE D'AUTOMNE

Au début de l'automne, rabattre à un œil la repousse issue de la taille précédente.

Formation du dernier étage d'une palmette simple

La taille de formation du dernier étage a lieu en hiver. Rabattre l'axe principal au-dessus de deux yeux latéraux et éborgner les yeux inutiles. Cette opération empêche la palmette de pousser en hauteur.

Au début de l'été suivant, palisser à 45 degrés sur des bambous les pousses nées des deux yeux qui ont été conservés l'hiver précédent. Equilibrer la croissance des deux rameaux.

L'hiver suivant, abaisser les branches à l'horizontale, retirer les bambous et palisser les rameaux sur les fils de fer.

La palmette simple n'a généralement pas plus de quatre ou cinq étages. L'arbre atteint une hauteur de 1,80 à 2,45 m et la palmette présente une largeur d'environ 3,60 m, les branches de l'arbre ayant une extension de 1,80 m de part et d'autre de l'axe vertical.

Si l'on veut 10 étages de charpentières, on limitera la largeur de la palmette à 1,80 m pour obtenir une bonne récolte. De même, on peut se limiter à un seul étage de charpentières, qui n'aura alors que 30 à 40 cm de haut.

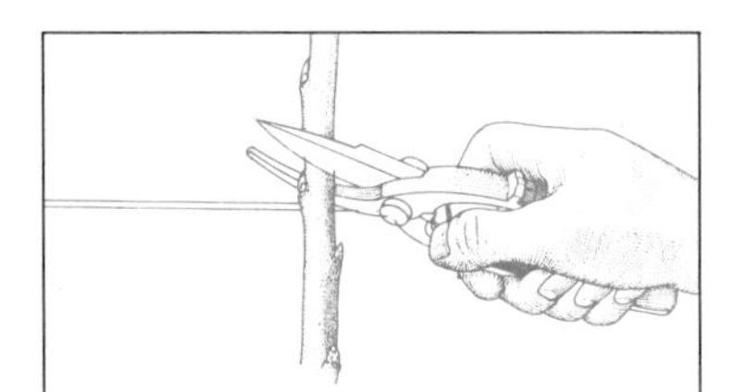

Former le dernier étage en rabattant l'axe à deux yeux.

Taille de fructification d'une palmette simple achevée

Chaque été, rabattre la pousse de l'année sitôt qu'elle est adulte. Elle aura alors plus de 23 cm de long, son écorce aura commencé à brunir à la base et ses feuilles seront vert foncé.

Rabattre les latérales adultes issues des charpentières à trois feuilles au-dessus de la rosette de base.

Rabattre les tiges ou les coursonnes adultes issues de ces latérales à une feuille au-dessus de leur rosette de base.

Lorsque la nouvelle pousse n'est pas encore adulte à la mi-été, attendre la fin de l'été avant de la tailler. Dans les régions plus au nord, il faut parfois même reporter cette taille au début de l'automne.

Si la taille a eu lieu à la mi-été, il se sera sans doute produit une repousse quand arrivera l'automne. Si cette repousse est peu vigoureuse, la rabattre à un seul œil. Si elle est abondante, il faut parfois prolonger la taille jusqu'au début de l'hiver.

Lorsque les charpentières ont atteint 1,80 m ou qu'elles occupent tout l'espace dont on dispose, il faut commencer à les tailler en été comme on le fait pour les latérales adultes.

Les coursonnes aussi deviennent parfois trop nombreuses sur les arbres adultes. Les éclaircir en hiver en coupant certaines d'entre elles au ras de la tige dont elles sont issues et en simplifiant les autres (voir p. 384).

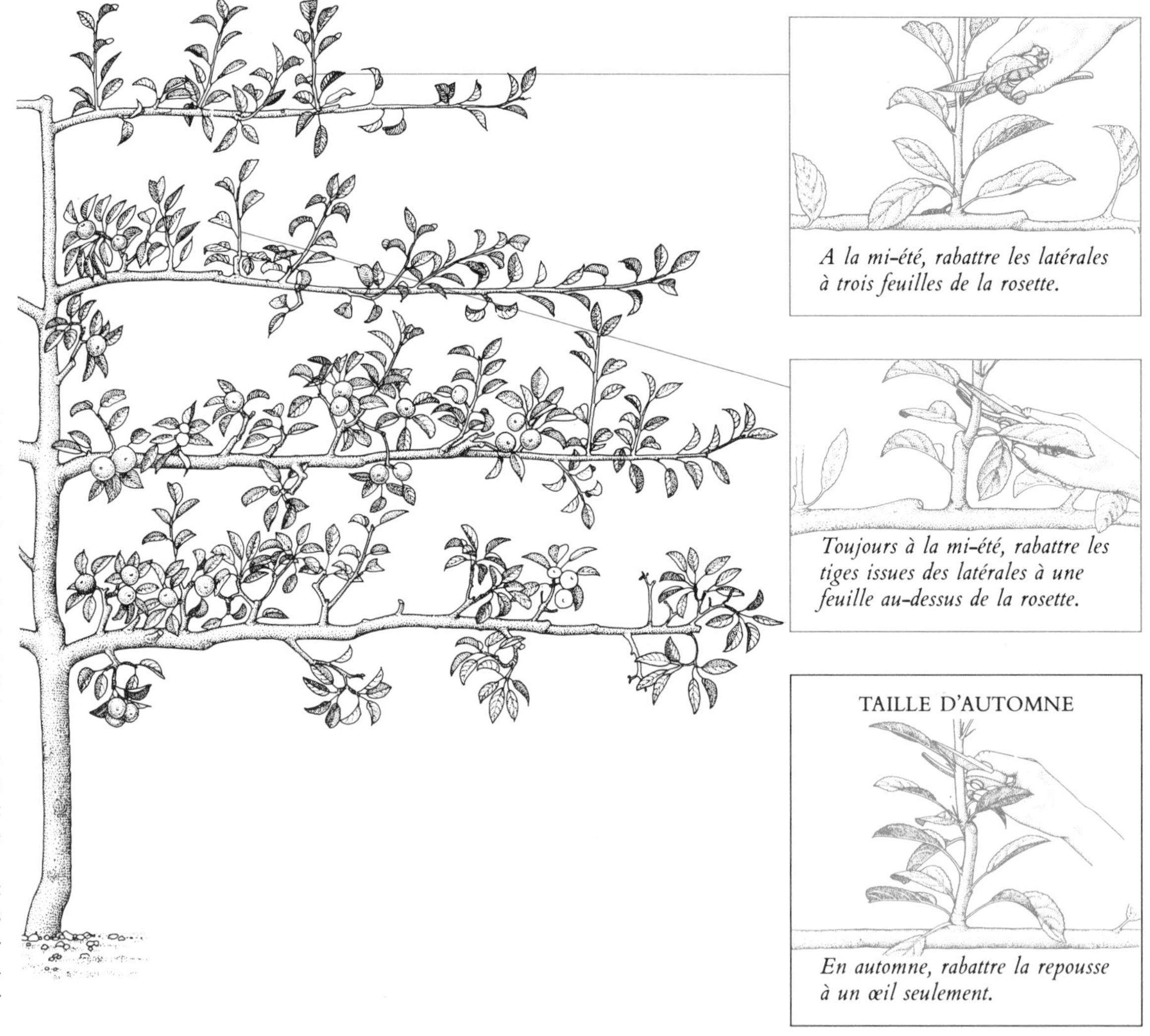

A la mi-été, rabattre les latérales à trois feuilles de la rosette.

Toujours à la mi-été, rabattre les tiges issues des latérales à une feuille au-dessus de la rosette.

TAILLE D'AUTOMNE

En automne, rabattre la repousse à un œil seulement.

Taille et formation d'une palmette en éventail

Formation de 1re année d'un pommier en éventail

Effectuer la plantation en automne ou au printemps (voir p. 348) en espaçant les palmettes de 4,50 à 6 m, selon le porte-greffe.

S'il s'agit d'un scion de un an, rabattre la tige principale à 60 cm du sol après la plantation. Tailler au-dessus de deux yeux latéraux opposés.

L'été suivant, des pousses de 23 à 30 cm seront issues des deux yeux. Les palisser à des bambous fixés aux fils en les inclinant à 45 degrés. Eborgner les yeux ou couper les pousses au-dessous de ces rameaux.

Equilibrer la croissance des deux charpentières en abaissant le bambou qui supporte la plus vigoureuse et en redressant l'autre.

Lorsque les charpentières sont de même taille, les palisser à 45 degrés. Enlever les bambous et attacher les branches aux fils métalliques lorsqu'elles sont devenues ligneuses.

TAILLE D'HIVER

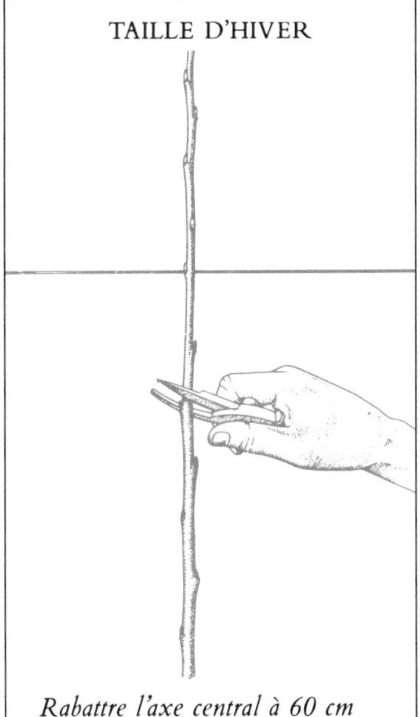

Rabattre l'axe central à 60 cm du sol, au-dessus de deux yeux.

TAILLE D'ÉTÉ

Fixer les pousses de 23 à 30 cm à des bambous inclinés à 45 degrés. Redresser ou abaisser les bambous pour accélérer ou freiner la croissance.

Formation de 2e année d'un pommier en éventail

Le deuxième hiver, rabattre les charpentières au-dessus d'un œil à bois. Elles n'auront que 30 à 45 cm.

Le deuxième été, attacher les prolongements à un bambou.

Choisir deux pousses espacées régulièrement sur le dessus de chacune des deux charpentières et une autre en dessous. Enlever avec le pouce toutes les autres. Lorsque les trois pousses choisies sont suffisamment longues, attacher six bambous au palissage et les y fixer.

TAILLE D'HIVER

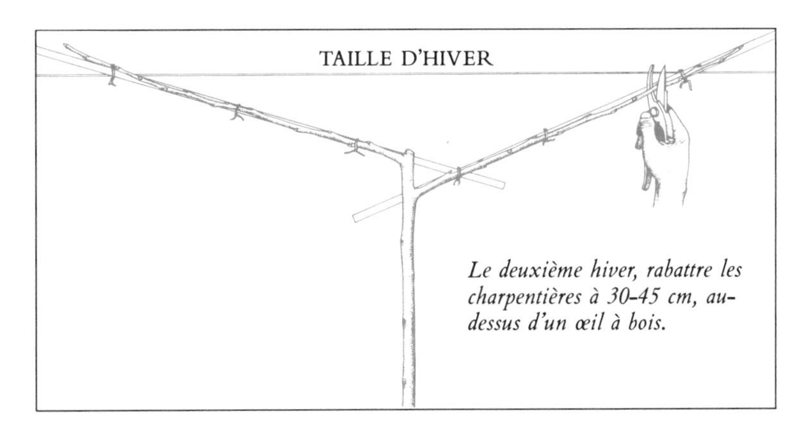

Le deuxième hiver, rabattre les charpentières à 30-45 cm, au-dessus d'un œil à bois.

TAILLE D'ÉTÉ

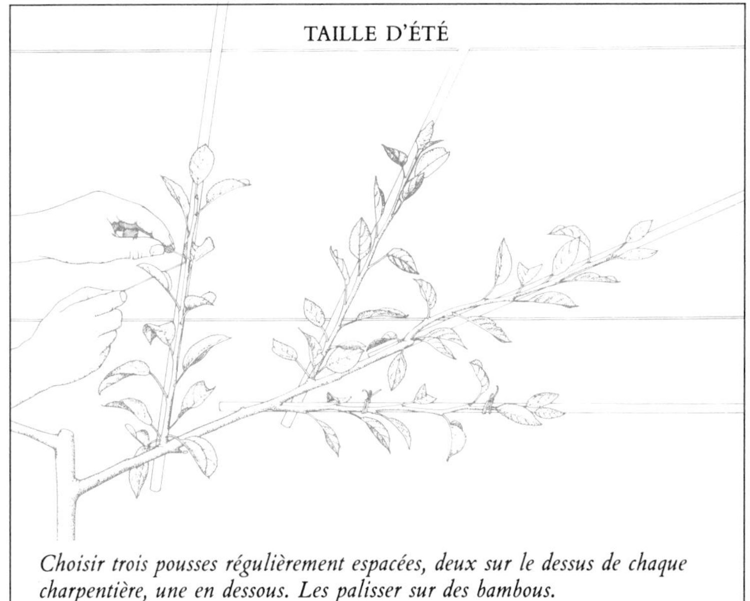

Choisir trois pousses régulièrement espacées, deux sur le dessus de chaque charpentière, une en dessous. Les palisser sur des bambous.

Formation de 3e année d'un pommier en éventail

Le troisième hiver, rabattre les huit charpentières à 60-75 cm en coupant juste au-dessus d'un œil à bois.

Au cours de l'été suivant, palisser le prolongement de chaque charpentière sur le bambou qui la supporte.

Garder sur chaque charpentière trois pousses espacées régulièrement, dont deux sur le dessus et une en dessous. Rabattre les autres pousses adultes à trois feuilles au-dessus de la rosette de base.

Palisser sur des bambous les 24 nouvelles charpentières de l'éventail qui en compte maintenant 32. Enlever les bambous et palisser les branches ligneuses sur les fils de fer.

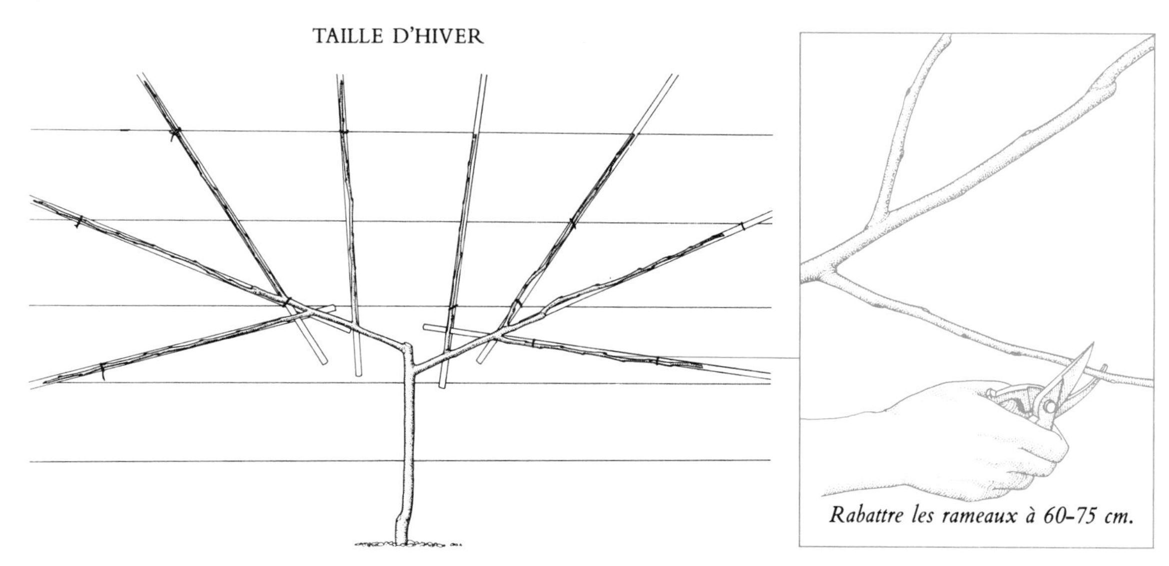

Rabattre les rameaux à 60-75 cm.

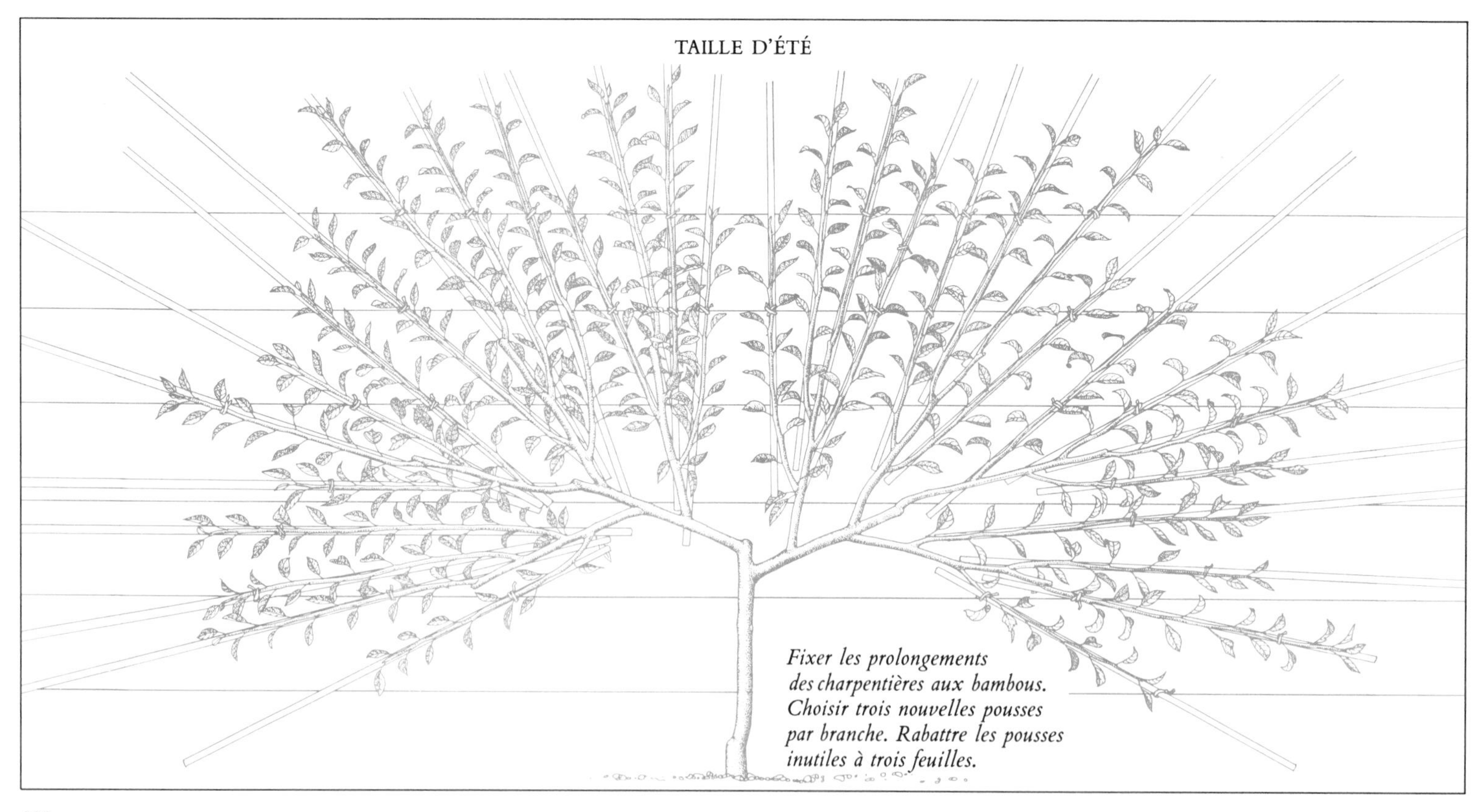

Fixer les prolongements des charpentières aux bambous. Choisir trois nouvelles pousses par branche. Rabattre les pousses inutiles à trois feuilles.

Taille de fructification de l'éventail achevé

Lorsque la forme de la palmette en éventail est bien établie, on ne la taille que pour éclaircir le coursonnage devenu trop abondant. Cette opération hivernale permet à l'arbre de donner des récoltes régulières et des fruits de meilleure qualité. Eclaircir les coursonnes en rabattant certaines d'entre elles au ras du rameau dont elles sont issues. Réduire la taille des autres et éclaircir les boutons à fruit (voir p. 384).

En été, rabattre les nouvelles pousses devenues adultes. Cette opération peut se prolonger durant un mois environ. Les pousses adultes ont au moins 23 cm de long, sont ligneuses à la base et portent des feuilles vert foncé.

Rabattre les nouvelles pousses latérales adultes issues des charpentières à une feuille au-dessus de la rosette basale. Palisser les pousses de remplacement sur les fils métalliques.

Les pousses qui ne sont pas encore assez mûres à la mi-été seront rabattues à la fin de l'été seulement. Dans les régions septentrionales, il faut parfois reporter cette taille au début de l'automne.

Lorsque la taille a lieu à la mi-été, une repousse se produit parfois. Si cette repousse est peu vigoureuse, il suffit de la rabattre à un seul œil en automne. Si elle est très abondante, la taille pourra se prolonger jusqu'au début de l'hiver.

Si les charpentières prennent trop d'espace, les rabattre à une latérale robuste qu'on palissera comme s'il s'agissait d'une pousse de remplacement.

TAILLE D'ÉTÉ

Si une charpentière excède l'espace qui lui est réservé, la rabattre à une latérale robuste et palisser celle-ci.

A la mi-été, rabattre les pousses latérales adultes à une feuille au-dessus de la rosette de base.

Taille et formation d'un fuseau nain

Formation de 1re année d'un fuseau nain

Les fuseaux nains atteignent d'ordinaire une hauteur d'environ 2,10 m. Les charpentières, très courtes, sont étagées sur le tronc.

La plantation doit être effectuée à la mi-automne ou au début du printemps. Espacer de 1 m les sujets montés sur un porte-greffe M IX (1,20 m si le sol est très fertile) et laisser un espace de 2,10 à 3 m entre les rangs (voir p. 348).

Dans le cas d'un scion, rabattre la tige principale à 50 cm environ au-dessus du sol, tout de suite après la plantation. Faire la coupe au-dessus d'un œil à bois ou d'une pousse latérale. Enlever ensuite l'œil ou la pousse qui suit.

Choisir sous l'œil supérieur trois ou quatre yeux qui donneront naissance aux premières charpentières. Ces yeux doivent être bien répartis autour du tronc. Supprimer les autres yeux ou pousses.

Pour favoriser la croissance des pousses issues des deux yeux situés le plus bas, effectuer une entaille au-dessus de chacun de ces yeux, en prélevant un croissant d'écorce.

Taille d'hiver d'un jeune fuseau nain

Au cours du deuxième hiver, rabattre l'axe central à 45 cm environ au-dessus de la coupe de l'année précédente.

Pour que l'axe soit bien droit, effectuer la coupe au-dessus d'un œil pointant dans la direction opposée à celle de l'œil qui a été conservé l'hiver précédent.

Eliminer le deuxième œil situé au-dessous de la coupe qui vient d'être faite. Choisir trois ou quatre yeux répartis autour du tronc pour former le deuxième étage. Faire une entaille au-dessus des deux yeux inférieurs.

Répéter cette taille de formation chaque hiver jusqu'à ce que l'axe central de l'arbre ait 2 m de haut.

Au cours du deuxième hiver uniquement, rabattre les charpentières du premier étage à 23 cm en coupant au-dessus d'un œil logé en dessous de la branche. Par la suite, ne tailler les charpentières qu'en été.

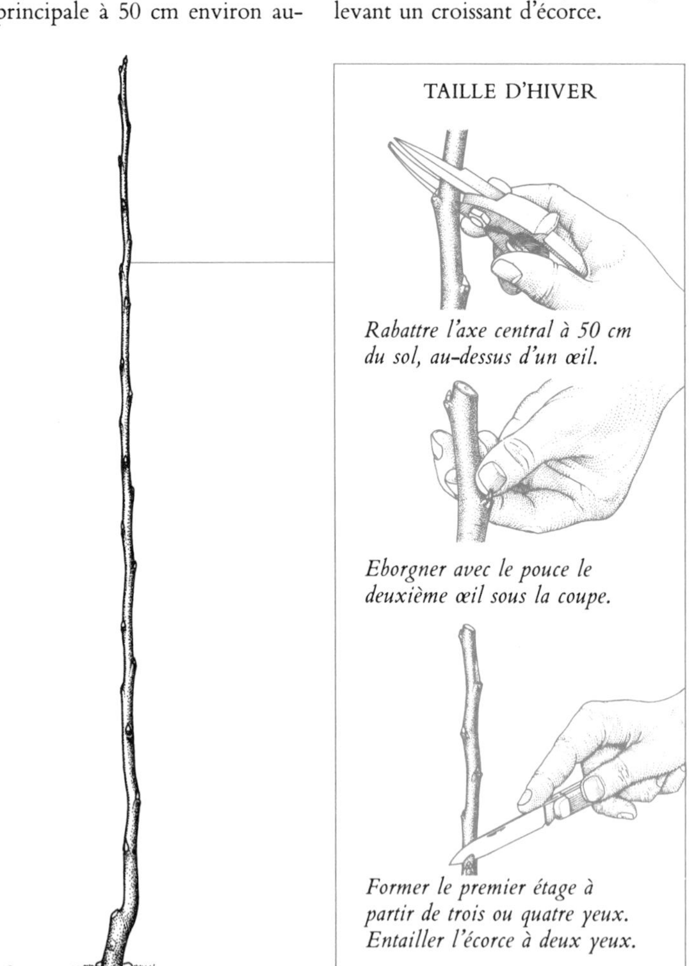

TAILLE D'HIVER

Rabattre l'axe central à 50 cm du sol, au-dessus d'un œil.

Eborgner avec le pouce le deuxième œil sous la coupe.

Former le premier étage à partir de trois ou quatre yeux. Entailler l'écorce à deux yeux.

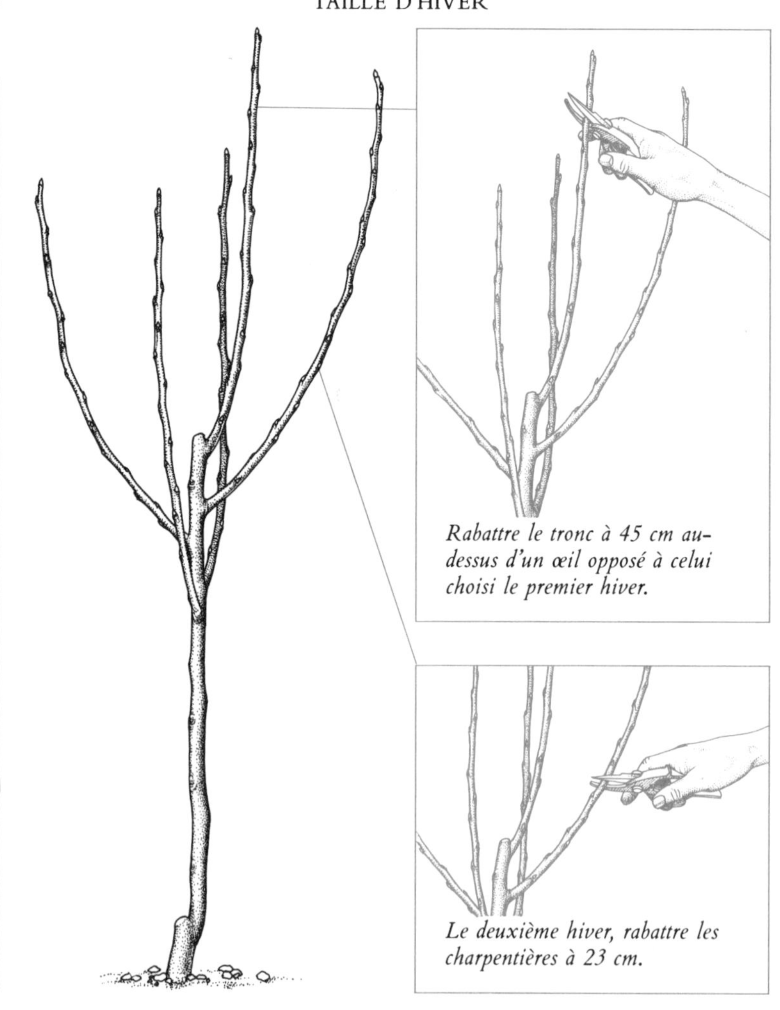

TAILLE D'HIVER

Rabattre le tronc à 45 cm au-dessus d'un œil opposé à celui choisi le premier hiver.

Le deuxième hiver, rabattre les charpentières à 23 cm.

Taille d'été d'un jeune fuseau nain

Un scion ne nécessite aucune taille durant l'été de sa plantation.

En revanche, les rameaux des arbres plus âgés doivent être taillés au fur et à mesure qu'ils deviennent adultes, c'est-à-dire pendant un mois environ à partir de la mi-été. (On reconnaît un rameau adulte aux traits suivants : il a au moins 23 cm de long, il est ligneux à la base et porte des feuilles vert foncé.)

Rabattre les prolongements des charpentières à cinq ou six feuilles au-dessus de la rosette de base. Effectuer la coupe au-dessus d'un œil situé sur la face inférieure du rameau.

Rabattre les ramifications latérales adultes issues des charpentières à trois feuilles au-dessus de la rosette de base.

Si les ramifications latérales ou les coursonnes portent elles-mêmes des pousses secondaires adultes, les rabattre à une feuille au-dessus de la rosette de base. Jusqu'au quatrième été, rabattre à leur empattement toutes les nouvelles pousses sur la tige centrale.

Si la pousse de l'année n'est pas suffisamment lignifiée à la mi-été pour être taillée, attendre la fin de l'été, ou même l'automne.

Quand la taille d'été est effectuée au milieu de la saison, elle encourage une poussée végétative secondaire à l'automne. Si la repousse est peu vigoureuse, la rabattre à un seul œil de la tige mère en automne. Si elle est abondante, il ne faudra pas hésiter alors à poursuivre la taille jusqu'au début de l'hiver.

Fin de la formation d'un fuseau nain

Les tailles d'hiver et d'été doivent être poursuivies comme on vient de le décrire jusqu'à ce que l'axe central ait atteint une hauteur d'environ 2,10 m. (L'arbre devrait alors avoir sept ou huit ans.) A ce stade, le pommier devrait posséder au moins six étages de charpentières.

A la fin du printemps, on pourra alors rabattre l'axe central à la moitié de la pousse de l'année précédente. La période de formation du fuseau nain est à ce moment-là terminée.

Lorsque le pommier atteint l'âge de 15 ans, il perd sa silhouette pyramidale. On maintiendra la longueur de toutes les charpentières à 45 cm au moyen d'une taille d'entretien.

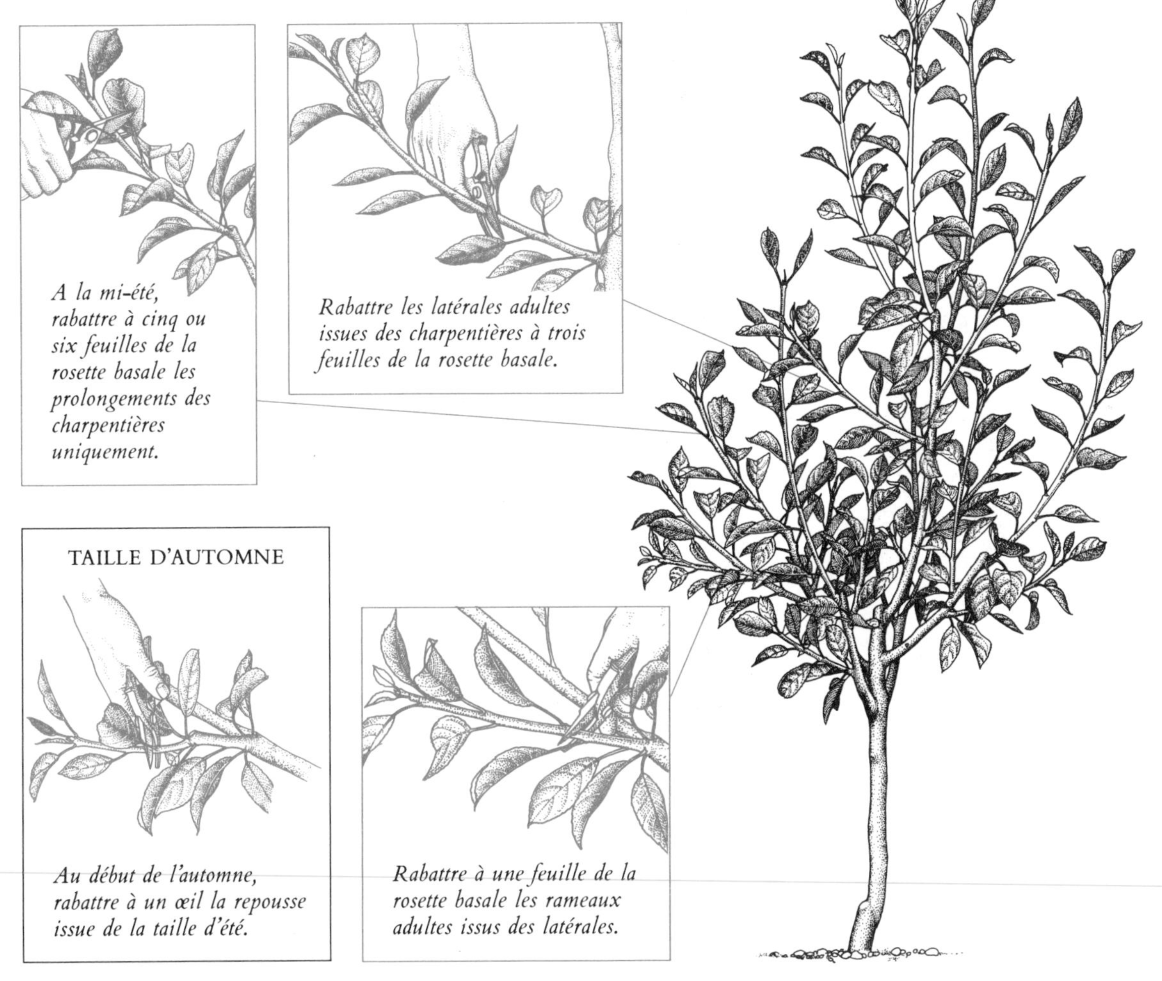

A la mi-été, rabattre à cinq ou six feuilles de la rosette basale les prolongements des charpentières uniquement.

Rabattre les latérales adultes issues des charpentières à trois feuilles de la rosette basale.

TAILLE D'AUTOMNE

Au début de l'automne, rabattre à un œil la repousse issue de la taille d'été.

Rabattre à une feuille de la rosette basale les rameaux adultes issus des latérales.

TAILLE DE L'AXE CENTRAL

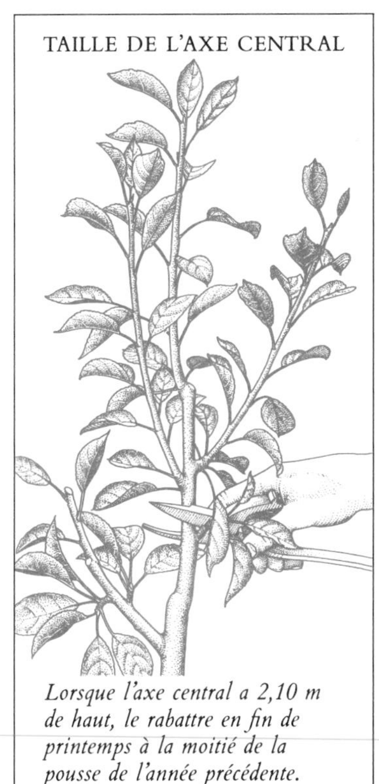

Lorsque l'axe central a 2,10 m de haut, le rabattre en fin de printemps à la moitié de la pousse de l'année précédente.

Taille de fructification d'un fuseau nain adulte

Chaque année, à la fin du printemps, rabattre l'axe central au-dessus d'un œil en ne gardant que 1,5 cm de la pousse de l'année précédente. Quand les charpentières atteignent environ 45 cm, les maintenir à cette longueur.

Si les prolongements des charpentières deviennent envahissants, rabattre d'abord la moitié de la nouvelle pousse au printemps. Par la suite, ne conserver qu'environ 1,5 cm de la nouvelle pousse chaque printemps.

Rabattre à la mi-été les pousses adultes. Rabattre les latérales adultes issues des charpentières à trois feuilles au-dessus de la rosette de base. Rabattre les ramifications adultes émises par les latérales ou les coursonnes à une feuille au-dessus de la rosette.

Si les pousses ne sont pas lignifiées à la mi-été, reporter la taille à la fin de l'été ou au début de l'automne.

Rabattre la poussée végétative secondaire issue de la taille d'été à un seul œil en automne. Si cette repousse est abondante, prolonger la taille jusqu'au début de l'hiver.

Avec le temps, les coursonnes deviennent trop abondantes ou sont excessivement ramifiées. Supprimer en hiver certaines d'entre elles et simplifier les autres.

TAILLE DES COURSONNES

En hiver, éliminer une partie des coursonnes en surnombre et simplifier les autres.

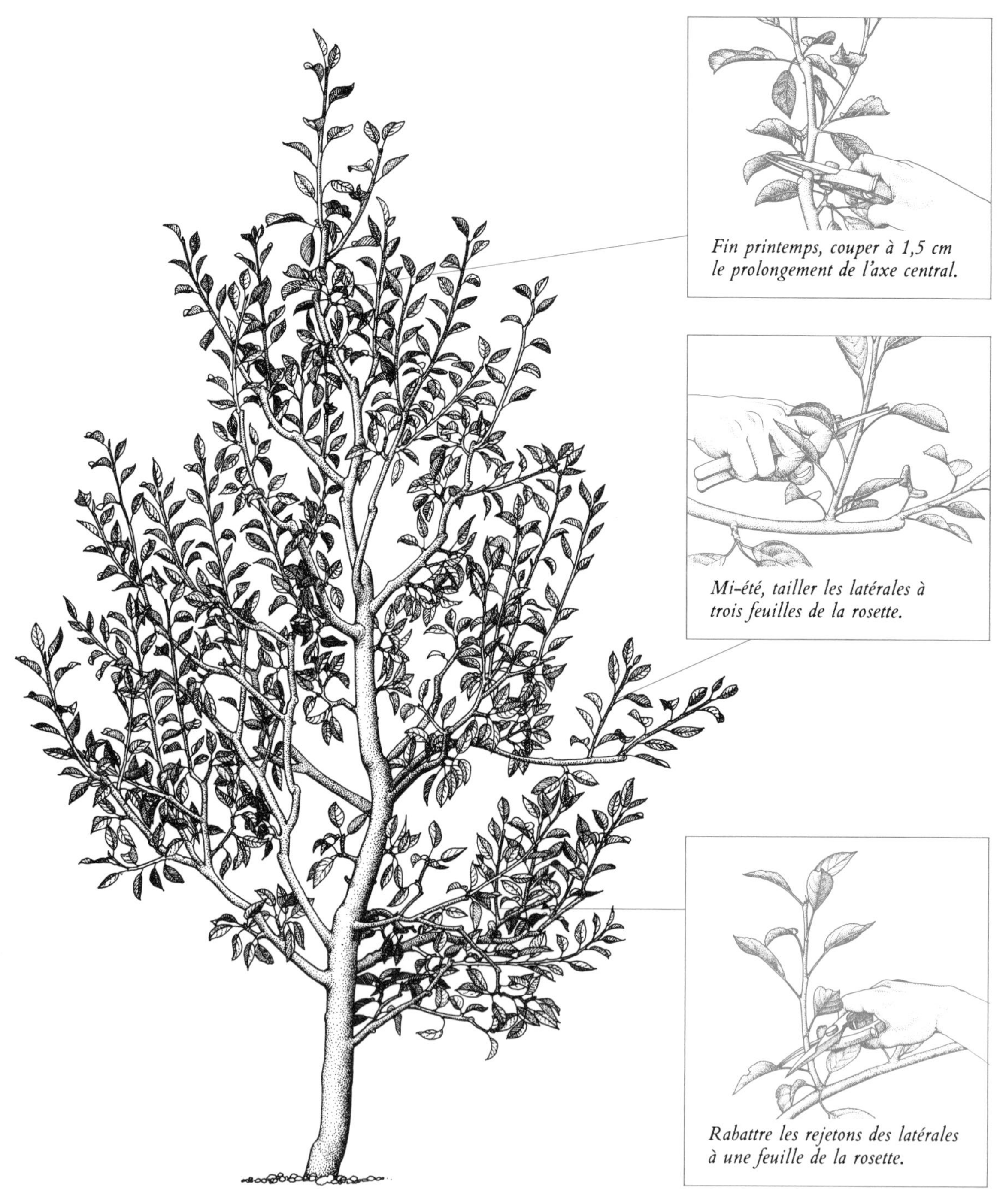

Fin printemps, couper à 1,5 cm le prolongement de l'axe central.

Mi-été, tailler les latérales à trois feuilles de la rosette.

Rabattre les rejetons des latérales à une feuille de la rosette.

Variétés de pommiers recommandées

On devrait trouver en pépinière les variétés énumérées ci-dessous. Elles sont classées par ordre de maturité.

Groupes de pollinisation Aucune variété de pommier n'est vraiment autofertile. Par conséquent, il faut cultiver plusieurs variétés différentes. Choisir de préférence des sujets appartenant au même groupe de pollinisation, bien que des variétés appartenant à des groupes adjacents puissent se polliniser mutuellement. Les groupes suivants ont été déterminés par leur période de floraison :

1. précoce à normale ;
2. normale ;
3. normale à tardive.

Les variétés triploïdes (T) sont pratiquement stériles et doivent être associées à deux autres variétés du même groupe.

Période de fructification La date des récoltes varie en fonction de la zone de culture et des températures annuelles. De plus, toutes les pommes ne mûrissent pas en même temps. Il peut donc y avoir plusieurs récoltes, surtout pour les groupes 1 et 2.

Nom	Groupe de pollinisation	Période de fructification	Couleur	Remarques
'Gravenstein' (T)	1	90-95 jours	Rouge strié	Bonne qualité. Acidité prononcée. A cuisson. Se garde 40-60 jours.
'Cortland'	2	125-130 jours	Rouge moyen	Bonne qualité. Acidité moyenne. A couteau et à cuisson. Se garde 90-100 jours.
'Duchess'	2	125-130 jours	Rouge rayé	Bonne qualité. Acidité moyenne. A cuisson. Se garde 40-60 jours.
'Lobo'	2	125-130 jours	Rouge	Bonne qualité. Acidité moyenne. A couteau. Se garde 60-90 jours.
'McIntosh' (L)	1	125-130 jours	Rouge moyen	Bonne qualité. Acidité moyenne. A couteau et à cuisson. Se garde 60-90 jours.
'Melba'	2	125-130 jours	Rouge	Bonne qualité. Acidité assez prononcée. A couteau. Se garde 60-90 jours.
'R. I. Greening' (T)	2	135-145 jours	Vert jaunâtre	Bonne qualité. Acidité assez prononcée. A cuisson. Se garde 90-120 jours.
'Golden Delicious' (L)	2	140-145 jours	Jaune	Qualité supérieure. Acidité moyenne. A couteau et à cuisson. 90-120 jours.
'Jonathan'	2	140-145 jours	Rouge vif	Bonne qualité. Acidité prononcée. A couteau et à cuisson. 60-90 jours.
'Red Delicious' (L)	2	140-150 jours	Rouge moyen	Populaire. Acidité peu marquée. A couteau et à cuisson. Se garde 90-100 jours.
'Northern Spy'	3	145-155 jours	Rouge rayé	Bonne qualité. Acidité moyenne. A couteau et à cuisson. Se garde 120-150 jours.

(T) Nombre triploïde de chromosomes ; doit être pollinisée par deux variétés voisines. (L) Existe aussi en races fructifiant sur lambourdes avec porte-greffe nanisant.

EFFET D'UN PORTE-GREFFE NANISANT SUR LA TAILLE D'UN POMMIER

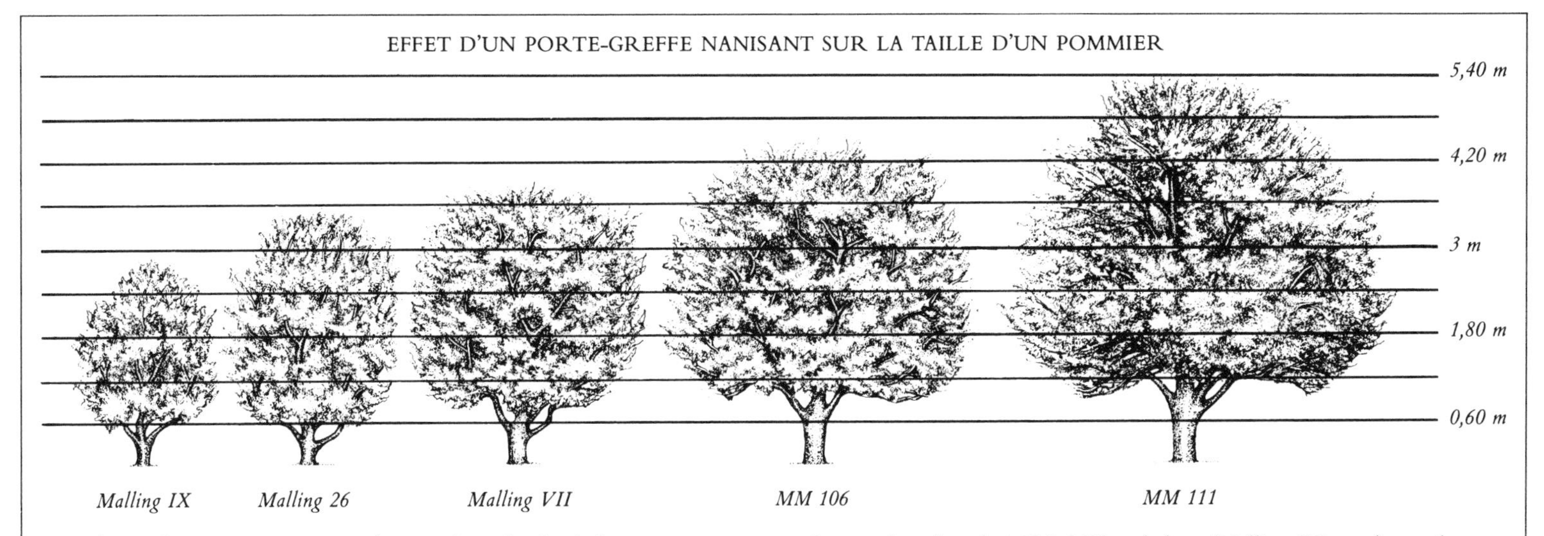

La plupart des pommiers recommandés pour le jardin familial sont maintenant greffés sur des porte-greffes à basse tige ou à demi-tige obtenus par multiplication végétative, ce qui facilite la taille, les arrosages et la récolte. Les porte-greffes Malling et Malling-Merten (MM), originaires d'Angleterre, donnent des arbres de 1,80 à 2,75 m de haut (Malling IX), tandis que les pommiers demi-tige n'atteignent que la moitié ou les trois quarts de la hauteur d'un pommier normal. Les races sur lambourdes sont un quart plus petites. Evidemment, la fertilité du sol et les apports d'engrais ont une influence.

Variétés de pommiers rustiques

Les variétés énumérées à la page 385 sont rustiques dans les zones 5 à 9. Les variétés suivantes sont plus rustiques. On se renseignera dans les pépinières sur l'époque de la récolte. Pour que la pollinisation s'effectue, planter des pommiers de variétés différentes.

Nom	Couleur	Remarques
'Breakey'	Vert-jaune	A couteau et à cuisson.
'Carroll'	Vert crème	A couteau et à cuisson.
'Collet'	Jaune-vert	A couteau et à cuisson.
'Edith Smith'	Jaune-vert	A couteau.
'Glenorchie'	Jaune pâle	A couteau et à cuisson.
'Haralson'	Vert	A couteau.
'Harcourt'	Jaune et rouge	A couteau.
'Luke'	Jaune et rouge	A couteau et à cuisson.

Variétés recommandées de pommetiers

Les pommetiers sont le produit du croisement entre un pommier normal et un pommier sauvage. Ce sont des sujets très rustiques qu'on peut cultiver dans des endroits exposés. Les variétés dont les noms suivent sont couramment cultivées.

Nom	Couleur	Remarques
'Kerr'	Rouge sombre	A couteau ; pour conserves et gelée.
'Renown'	Jaune et rouge	A couteau ; sucrée à la mi-septembre.
'Rescue'	Jaune et rouge	A couteau et pour conserves.
'Trail'	Rayé rouge et jaune	A couteau et pour conserves.

Pommiers à variétés multiples

Certains pommiers portent trois à cinq variétés greffées sur le même porte-greffe. Vérifier si elles sont compatibles en consultant les groupes de pollinisation, page 385. Certaines variétés sont plus vigoureuses que d'autres et s'approprieront l'arbre entier, même aux dépens de la mise à fruit, si elles ne sont pas sévèrement rabattues.

Utilisation des pesticides

Si l'on remarque la présence d'un symptôme ou d'un indice inquiétant durant la période de croissance, consulter le tableau des pages 369 et 370. Les vaporisations doivent se faire surtout en début de saison, époque où les problèmes surviennent le plus souvent. Les ministères provinciaux de l'Agriculture publient généralement des dépliants à ce sujet.

Raisin

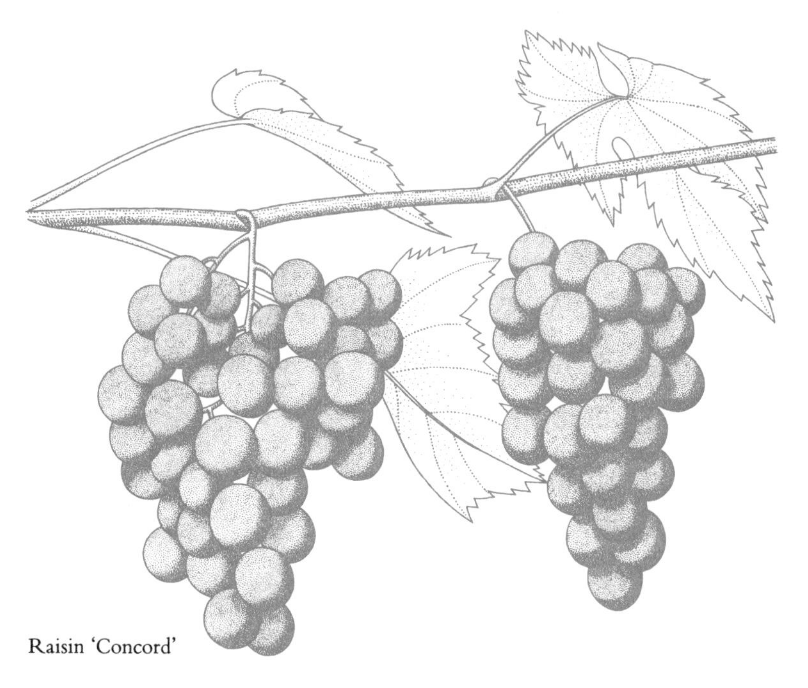

Raisin 'Concord'

Toutes les variétés de vignes se cultivent à peu près de la même façon. En Amérique du Nord, la vigne de type européen (*Vitis vinifera*), comme 'Thompson Seedless' et 'Flame Tokay', se caractérise par des baies dont la peau adhère à la pulpe. On la cultive dans l'ouest des Etats-Unis.

Les variétés originaires d'Amérique et dérivées de *V. labrusca* ou de ses hybrides, par exemple 'Concord', ont des raisins dont la peau se détache facilement de la pulpe. Ces variétés viennent mieux à l'est des Rocheuses. Enfin, il existe un autre type de vigne, le raisin muscat (*V. rotundifolia*), qui n'est pas très rustique. La variété 'Southland' fait partie de ce groupe. Elle est peu cultivée au Canada.

La tige principale d'une vigne s'appelle cep. Du cep partent des latérales qui, si elles sont épargnées, donnent des sarments, des coursons et des pampres. Ce sont les coursons qui portent les fruits.

De toutes les plantes grimpantes, la vigne est certainement celle qui se prête le plus facilement au palissage. Selon les objectifs recherchés, un pied de vigne peut donner une, deux ou trois souches. La conduite sur une souche unique s'impose quand l'espace est limité ; elle permet de cultiver parallèlement d'autres variétés. Il faut multiplier les plants si l'on vise à produire du raisin de cuve pour l'obtention du jus ou du vin.

Toutes les vignes se prêtent aux diverses techniques de palissage : sur treillage, clôture, berceaux et tonnelles. Les variétés européennes se conduisent également comme de petits arbres, soit sur un cep à hauteur de taille, supporté par un tuteur.

Plantation et culture La culture de la vigne exige un sol bien drainé et de fertilité au moins modérée. Un humus substantiel d'une texture moyenne lui convient particulièrement. Il faut aussi planter la vigne en plein soleil si l'on veut obtenir des raisins qui renferment assez de sucre pour qu'on puisse les manger frais ou en extraire du jus ou du vin.

La plantation s'effectue au début du printemps ou de l'automne dans un trou dont les dimensions excèdent légèrement celles du système radiculaire. Planter les pieds en rangs. Laisser environ 1,80 m d'espace entre les pieds, et 2,50 m entre les rangs.

Il est possible de démarrer les plants de vigne au moyen de boutures aoûtées. Prélever les boutures en automne. Tailler le sarment à 20-30 cm de longueur en lui laissant un œil au sommet et un œil à la base. Planter les boutures dans une tranchée peu profonde aménagée dans un sol très substantiel. Déposer entre 3 et 4 cm de sable au fond et y installer les boutures de façon qu'une fois enfouies, l'œil du sommet affleure au-dessus du sol.

Les plants déjà racinés sont enfouis de manière que l'œil terminal soit au niveau du sol. Ils sont ensuite buttés (voir ci-dessous).

La vigne requiert à la fois beaucoup d'humidité et un bon drainage. En outre, elle demande des apports réguliers d'engrais. Le paillage des ceps tôt au printemps donne d'excellents résultats, surtout si l'on utilise du fumier bien décomposé mélangé à de la paille. En régions humides, fertiliser davantage encore. Epandre une tasse d'engrais 10-6-4 ou 10-10-10 dans un rayon de 15 cm autour de chaque cep, mais à quelques centimètres du tronc. Si le sol est aride, il faudra sans doute ajouter un engrais riche en azote, à raison de un tiers de tasse environ par cep.

Formation d'une jeune vigne européenne

Il existe quatre méthodes de conduite de la vigne européenne : sur charpentières, sur sarments, en cordon ou par palissage.

Formation d'une jeune vigne Pour permettre à la jeune vigne de se doter de bonnes racines, on lui accorde une saison de croissance sans taille. Arroser abondamment mais sans excès et bassiner le feuillage durant les journées chaudes. Pendant la période de dormance qui suit, supprimer tous les rameaux, sauf le plus vigoureux ; rabattre celui-ci au deuxième ou au troisième œil. Lorsque la croissance reprend, ne garder que la pousse la plus vigoureuse et la mieux formée. L'attacher sans serrer à un tuteur et la laisser produire des latérales. Eliminer les rejets à la base et pincer toutes les pousses latérales inférieures. Si l'on choisit la conduite sur charpentières ou sur sarments, laisser le prolongement dépasser son tuteur d'environ 30 cm. Le pincer par la suite.

Taille de 2e année Dans la conduite en cordon, rabattre dès le début du second été toutes les pousses, sauf deux des latérales les plus vigoureuses, ou garder le prolongement de l'axe principal et une latérale. Palisser ces deux sarments sur un support en fil de fer en leur donnant des directions opposées. Quand ils se sont allongés de 45 cm environ, pincer leurs extrémités.

Dans la conduite sur charpentières, rabattre le courson supérieur sur un nœud, juste au-dessus de l'endroit où se formera la tête de la vigne. Couper au travers du nœud : l'œil est alors détruit. Supprimer toutes les latérales qui poussent sur la moitié inférieure du tronc, ainsi que toutes celles du dessus qui sont grêles. Ne garder que deux à quatre latérales et les rabattre en leur laissant de un à quatre yeux selon leur vigueur. Laisser un œil au sarment gros comme un crayon, deux au sarment gros comme le petit doigt, trois à celui de la taille de l'index, et quatre à celui de la taille du pouce.

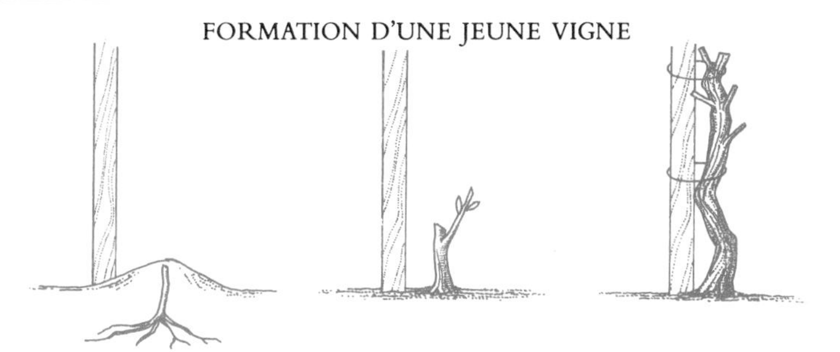

Planter des boutures racinées au printemps. A l'hiver, tailler la meilleure pousse à deux ou quatre yeux. L'hiver d'après, garder quelques coursons.

Dans la conduite sur sarments, on peut ne conserver qu'un sarment comportant de 8 à 10 yeux à la fin du second été. Si ce sarment est faible, le rabattre sur un courson doté de deux yeux seulement.

Taille de 3e année Supprimer les rejets issus de la moitié inférieure du tronc, que la vigne soit conduite sur charpentières ou sur sarments.

Dans la conduite en cordon, rabattre à 40-45 cm de longueur les pousses les plus vigoureuses. Supprimer toutes les pousses au-dessous des bras.

Pour que les sarments poussent droit, palisser les pousses terminales vigoureuses sur un fil de fer placé au-dessus des bras. Supprimer une partie des bouquets floraux.

Taille d'une vigne européenne adulte

Conduite sur charpentières Cette conduite se pratique sur plusieurs vignes de cuve et quelques vignes de table, comme la variété 'Flame Tokay'. Dans ce mode de formation, les vignes sont sévèrement rabattues chaque année. Durant l'hiver, tailler en ne gardant que trois à six sarments vigoureux répartis uniformément au sommet du tronc. Les rabattre sur deux à quatre yeux chacun. La plupart des yeux conservés évolueront en rameaux fructifères l'été suivant ; quelques-uns donneront de nouveaux sarments. Chaque année, sélectionner quelques nouveaux sarments issus des coursons ou du tronc et pratiquer la même taille. Au fur et à mesure que la vigne prend de l'âge, on peut lui conserver de plus en plus de coursons.

Conduite sur sarments Cette conduite est utilisée surtout dans la production du raisin sec et un peu dans celle du raisin de cuve ; une taille très sévère est pratiquée annuellement. Chaque hiver, éliminer les sarments qui ont porté des fruits. Ne conserver que deux à quatre nouveaux sarments par cep. Les rabattre sur 6 à 10 yeux chacun. Ils porteront des fruits l'été suivant. Toujours en hiver, rabattre deux à quatre autres nouveaux sarments jusqu'aux coursons, comme dans la taille précédente. Durant la période de croissance, plusieurs nouvelles pousses apparaissent au sommet du tronc. Choisir les deux plus vigoureuses et les palisser en direction opposée sur un fil de fer.

Sur les vignes adultes, on peut garder jusqu'à six sarments. Si elles sont

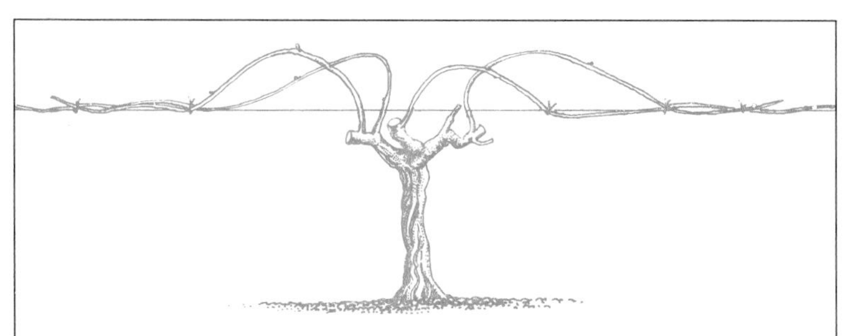

Sur sarments *Chaque hiver, ne garder que 2 à 4 sarments ayant 6 à 10 yeux et plusieurs coursons ayant 2 à 4 yeux.*

palissées, on peut en garder encore plus pour combler les vides. On choisira chaque année les sarments qui poussent près du tronc, car ils reçoivent plus de sève.

Conduite en cordon Les vignes conduites en cordon exigent énormément d'attention. Les coursons issus des sarments doivent être éloignés les uns des autres de 20 à 25 cm, et chaque courson ne doit garder que deux ou trois yeux. A mesure que sa circonférence s'agrandit, le sarment s'affaisse : il faut donc le rectifier régulièrement. Palisser les jeunes pousses vigoureuses qui en sont issues sur un fil de fer placé au-dessus.

Durant la période de croissance, pincer les pampres les plus vigoureux de façon à permettre aux plus faibles de rattraper les autres. Enlever quelques bouquets : l'éclaircissage donne de plus belles grappes.

Conduite sur pergola La taille des vignes conduites sur pergola ressemble à celle des vignes conduites en cordon. Sur pergola, on permet au tronc de prendre plus de hauteur, et plutôt que de palisser les sarments à l'horizontale sur un fil de fer, on leur fait couvrir complètement leur support. Par la suite, on taille régulièrement les sarments et les coursons de façon à maintenir la mise à fruit de la vigne, comme dans la culture de la vigne américaine (voir ci-contre).

Toujours laisser 90 cm environ entre les sarments destinés à devenir des charpentières. Lorsque leur croissance est achevée, pratiquer la taille de fructification sur coursons. Sur les pergolas et les tonnelles, ce sont les coursons horizontaux qui produisent le plus de fruits.

La vigne cultivée en espalier contre un mur doit être conduite en cordons multiples. Espacer les cordons de 90 cm et palisser les sarments sur des supports, comme dans la treille à la Kniffin (voir ci-contre).

Taille de la vigne américaine

La vigne américaine, par exemple la variété 'Concord' et ses hybrides, se taille à peu près comme la vigne européenne cultivée sur sarments. Une différence cependant : pour la vigne américaine, on adopte généralement la treille à la Kniffin décrite ci-dessous.

Ficher des piquets en terre tous les 7 à 9 m. Le fil métallique supérieur doit se trouver à 1,65-1,80 m du sol et le fil inférieur à environ 90 cm. Il y a de la place pour trois vignes entre les piquets.

Choisir des plants racinés et les rabattre à deux yeux après la plantation. Au cours du premier été, pincer les pousses, sauf la plus robuste qui deviendra le cep. L'attacher à un tuteur. L'hiver suivant, supprimer toutes les nouvelles pousses, sauf le prolongement de l'axe central. Avec un lien souple, palisser celui-ci sur le fil supérieur. Attacher la base de la tige au fil inférieur.

Après la deuxième saison de croissance, supprimer toutes les latérales issues du cep, sauf deux au niveau de chacun des fils. Palisser ces deux sarments en direction opposée sur les fils : ils donneront des coursons l'été suivant. S'il se forme plus de quatre à huit yeux, sans compter l'œil de base, éborgner les surnuméraires.

Des pousses apparaîtront à la base de ces tiges. Les rabattre au deuxième œil ; c'est là que prendront naissance les nouveaux coursons.

Durant les années suivantes, supprimer en hiver les sarments qui ont fructifié de façon que les pousses nées l'été précédent reçoivent assez de sève pour fructifier au cours de la prochaine période de croissance. Rabattre sur 6 à 10 yeux, selon leur vigueur, les nouveaux rameaux. De la paire d'yeux des coursons naîtront des grappes de raisins, mais ces rameaux évolueront surtout en sarments qui fructifieront l'été suivant. Répéter cette taille chaque année.

La vigne américaine peut être palissée sur pergola ou sur tonnelle. Laisser les troncs prendre la hauteur voulue et sélectionner des sarments et des coursons bien espacés. Tailler selon le système Kniffin.

Sur charpentières *En hiver, rabattre la vigne à quelques coursons — nouveaux sarments munis de deux à quatre yeux.*

TREILLE À LA KNIFFIN

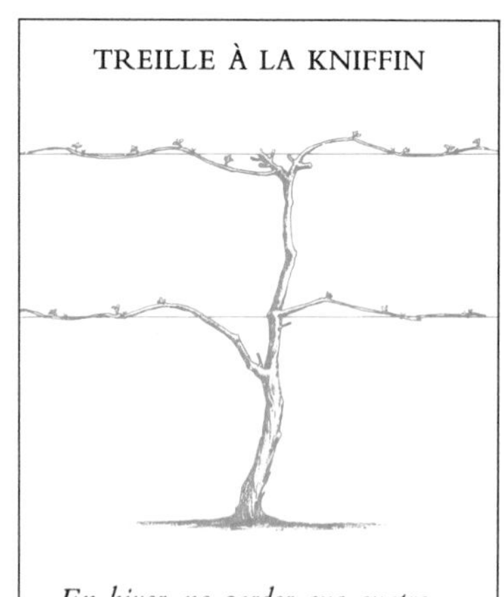

En hiver, ne garder que quatre nouveaux sarments ; les palisser comme ci-dessus. Rabattre quatre à six coursons sur deux yeux.

PERGOLA OU TONNELLE

Laisser la vigne les recouvrir. En hiver, supprimer les sarments qui ont donné. Rabattre les nouveaux sur 6 à 10 yeux.

Culture de la vigne américaine

Les variétés sélectionnées de vigne américaine (voir « Variétés recommandées pour le jardin familial », p. 390) peuvent être cultivées jusqu'en zone 5. On peut même en tenter la culture jusqu'en zone 4, à la condition de bien protéger les plants en hiver en les enveloppant dans de la paille à laquelle seront ajoutés des appâts empoisonnés contre les rongeurs.

Il est primordial de cultiver la vigne dans une terre bien drainée. Si le sol est argileux ou composé de dépôts limoneux compacts, le rendre plus humifère en y incorporant du fumier ou des engrais verts, comme du trèfle, de la luzerne ou de l'ivraie. S'il s'agit de sols sablonneux, plus filtrants, augmenter les épandages d'engrais (surtout d'azote) pendant la période de croissance.

Dans les régions qui bordent la zone de culture recommandée, voir à ce que les vignes soient entrées en période de dormance lorsque s'installe l'hiver. Pour ce faire, ne plus fertiliser à partir de la mi-été.

Prendre les moyens qui s'imposent dès qu'on constate la présence d'une maladie ou d'un ravageur durant l'été. Si la récolte est abondante, étaler la cueillette de façon à dégarnir progressivement les plants.

TAILLE DE LA VIGNE CONDUITE EN CORDON

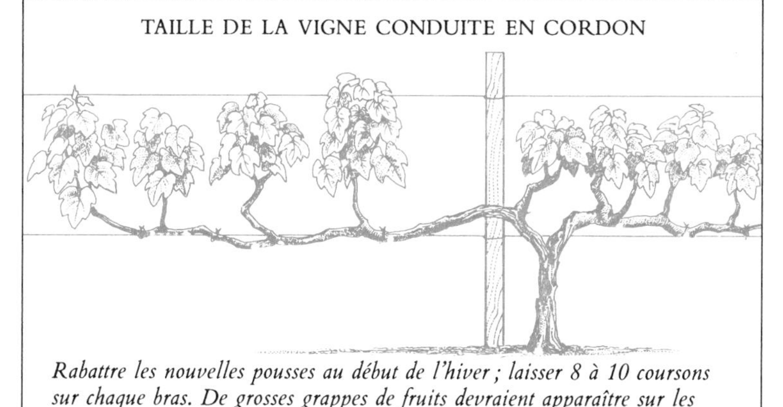

Rabattre les nouvelles pousses au début de l'hiver ; laisser 8 à 10 coursons sur chaque bras. De grosses grappes de fruits devraient apparaître sur les sarments qui en résulteront.

Taille de fructification de la vigne adulte

Il est possible d'améliorer le rendement d'une vigne en effectuant certaines opérations durant l'été. Ce sont l'éclaircissage des fleurs et des fruits, la suppression du feuillage superflu et l'incision annulaire du tronc et des sarments (voir ci-dessous).

L'éclaircissage des fruits peut se faire de trois façons : en éliminant une partie des fleurs au printemps, en supprimant des grappes de fruits ou en enlevant des grains de raisin.

Le pincement des bouquets floraux est une méthode simple et efficace. Mais au lieu de pincer les bouquets floraux, on peut attendre que les fruits aient commencé à se former et supprimer les grappes les plus petites. Cette technique donnera aussi de belles grappes de fruits. Le ciselage ou suppression d'un certain nombre de grains de raisin favorise la croissance des autres et permet d'obtenir des grappes parfaites. Employer des ciseaux pour éliminer les ramifications à la base des grappes et les moins vigoureuses au centre de celles-ci.

Pendant la mise à fruit, les feuilles qui entourent les grappes les protègent contre les rayons ardents du soleil. Plus tard, cependant, leur ombre peut retarder le mûrissement. A la fin de l'été, on pincera donc le feuillage des pampres qui ne conserveront qu'une feuille.

L'incision annulaire empêche la sève du plant de retourner vers les racines. Enlever un anneau d'écorce de 5 mm de large sur le tronc, sur un bras ou sur un sarment. La plaie se cicatrisera en trois à six semaines.

CISELAGE

A la véraison, éliminer les plus petits grains des grappes.

TAILLE EN VERT

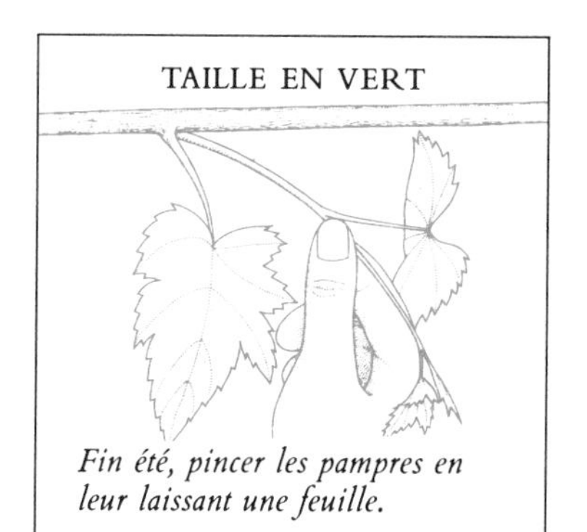

Fin été, pincer les pampres en leur laissant une feuille.

Comment déterminer l'époque de la récolte

C'est en les goûtant qu'on peut le mieux juger si les grains de raisin sont assez mûrs pour être consommés. On peut aussi se laisser guider par leur couleur. Les raisins verts, comme les variétés 'Romulus' et 'Thompson Seedless', deviennent blanchâtres ou jaunâtres quand ils sont à maturité ; les variétés de raisins rouges ou noirs prennent une teinte plus foncée.

Une fois cueilli, le raisin ne mûrit plus. Il faut donc attendre qu'il soit bien mûr avant de commencer la récolte. Couper les grappes avec des ciseaux ou un couteau aiguisé.

Cueillir un peu plus tard le raisin destiné à être séché, comme la variété 'Thompson Seedless', de façon que sa teneur en sucre augmente. On peut entreposer le raisin plusieurs semaines dans un endroit où la température se situe à environ 0°C et l'humidité relative à 90 pour cent.

TAILLE DE FRUCTIFICATION

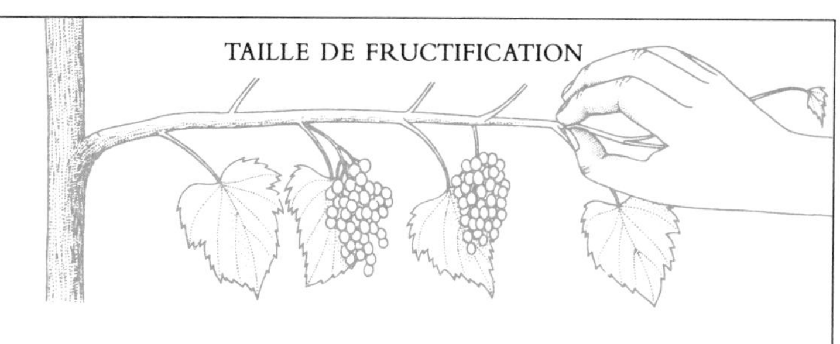

Au début de l'été, pincer les sarments à deux feuilles depuis une grappe. Laisser une grappe par sarment la première année, puis deux ou trois.

Variétés recommandées pour le jardin familial

Dans le choix d'une vigne, on doit tenir compte de la zone de rusticité et de l'usage qu'on veut faire du raisin. La vigne étant autofertile, on peut n'en cultiver qu'un seul pied. Le rendement est cependant meilleur lorsqu'on en plante davantage.

Nom*	Couleur	Taille		Remarques
		Grain	Grappe	
Vignes américaines et hybrides				(Pour les régions côtières de la Colombie-Britannique et le sud de l'Ontario.)
'Campbell's Early'	Bleu	Gros	Grosse	Très répandue. Raisin de table.
'Fredonia'	Noir	Moyen	Moyenne	Bon rendement. Pour pergolas. Zone 3. Bon raisin de table.
'Himrod' (sans pépins)	Blanc	Petit	Grosse	Exposée à la pourriture noire. Raisin de table. Rarement offerte dans les catalogues.
'Delaware'	Rouge	Petit	Petite	Raisin de cuve et de table. Rustique en zone 5.
'Beta'	Noir	Moyen	Petite	Très rustique (zone 2). Raisin de cuve et de table.
'Niagara'	Jaune	Moyen	Moyenne	Populaire. Rustique.
'Romulus' (sans pépins)	Jaune-vert	Petit	Grosse	Raisin de cuve et de table.
'Buffalo'	Bleu	Moyen	Grosse	Pour jardin familial.
'Concord'	Bleu-noir	Moyen	Moyenne	Très répandue. Rustique. Raisin de cuve.
'Christmas'	Noir	Gros	Grosse	Pour pergolas. Rustique, rare.
Vignes européennes				(Pour les régions côtières de la Colombie-Britannique et le sud de l'Ontario.)
'Thompson Seedless' (sans pépins)	Blanc-vert	Moyen	Grosse	Taille sur sarments. Hâtive. Populaire. Tolère les vallées chaudes. Bon raisin de table.
'Ribier'	Noir	Gros	Moyenne	Conduite en cordon. Raisin de table. Climat doux seulement.
'Scarlet'	Noir	Moyen	Moyenne	Raisin de table ; aussi pour jus.
'Flame Tokay'	Rouge	Moyen	Grosse	Taille sur charpentières. Raisin de table et de cuve.
'Muscat Alexandria'	Vert	Gros	Moyenne	Taille sur charpentières. Pour raisins secs. Aussi de table.
'Muscat Hamburg'	Noir	Moyen	Moyenne	Taille sur charpentières. Très recommandée, mais seulement dans les régions à climat doux.

**Par ordre approximatif de maturité dans chaque groupe.*

Ravageurs et maladies de la vigne

La vigne est une plante vulnérable. En présence de symptômes non décrits ci-dessous, se reporter au chapitre « Ravageurs et maladies », à la page 444. On trouvera aux pages 480 à 482 les noms commerciaux des produits recommandés.

Symptômes	Cause	Traitement
Le ravageur adulte s'introduit quand les pousses ont entre 30 et 40 cm et pond ses œufs dans les tiges, à 15 cm de l'extrémité. Les larves creusent des galeries ; les tiges meurent.	Anneleurs des rameaux	Vaporisation d'un pesticide à base de méthoxychlore au début du printemps, aussitôt que l'insecte est décelé. Examiner les sarments, les sectionner à 10 cm sous la région atteinte.
La larve pénètre dans le fruit et s'en nourrit. Les grappes sont reliées par des fils. Les grains sont véreux.	Tordeuses de la vigne	Vaporisation de carbaryl ou de méthoxychlore après la floraison ; répéter 10 à 14 jours plus tard, puis de nouveau au milieu ou à la fin de l'été.
La larve de ce ravageur se nourrit du feuillage des pampres et peut même attaquer les fruits.	Tordeuses, lieuses	Vaporisation de carbaryl ou de méthoxychlore en début d'été. Répéter deux semaines plus tard.
L'insecte adulte se nourrit abondamment à même le feuillage, ne laissant que des squelettes de feuilles.	Scarabées du rosier, japonais et d'Orient	Même traitement que dans le cas de la tordeuse de la vigne.
Le champignon attaque les feuilles en début d'été, puis les fruits à demi formés. La grappe entière se dessèche ; les grains, devenus noirs, ressemblent à du raisin sec.	Pourriture noire	L'infection se produit durant la floraison. Traitement à base de captane, de dodine ou de zinèbe avant et après la floraison, puis tous les 10 à 14 jours jusqu'au début de l'automne.
Ce champignon est l'un des plus redoutables pour la vigne. Il attaque d'abord les feuilles et les sarments, puis les jeunes pousses. La maladie pénètre dans les tissus de la plante par les plaies que laisse la taille ou que cause le froid en hiver.	Dessèchement des rameaux (champignon)	Lors de la taille d'hiver, couper la vigne atteinte au ras du sol. Arrosage à base de captane ou de folpet quand les nouvelles pousses ont 2,5 cm et de nouveau quand elles ont 13 cm.
De petites taches jaunes se remarquent d'abord sur les feuilles suivies d'amas blancs et duveteux. Il peut s'ensuivre une défoliation complète. Les grains attaqués durcissent et se décolorent.	Mildiou	Même traitement que pour la pourriture noire. Certaines variétés comme 'Concord' résistent à ce champignon.
Dépôts poudreux blancs sur les feuilles et les fruits en début d'été et d'automne.	Oïdium	Vaporisation de cycloheximide ou de dinocap au besoin.

Rhubarbe

Rhubarbe 'Valentine'

Généralement classée parmi les légumes, la rhubarbe est consommée comme fruit. C'est pourquoi nous la rangeons parmi les fruits. Les amateurs apprécient cette plante aussi bien pour son feuillage décoratif que pour ses tiges savoureuses.

La rhubarbe est une plante vivace dont le mode de culture se rapproche, sous plusieurs aspects, de celui de l'asperge. En effet, comme l'asperge, la rhubarbe doit être plantée dans des plates-bandes qui demandent une longue préparation. Dans les deux cas, cependant, les plants, une fois qu'ils sont bien établis, requièrent peu de soins et produisent durant de nombreuses années. Enfin, comme l'asperge, la rhubarbe doit connaître une période de dormance et vient donc mieux là où les hivers sont assez rigoureux et où le sol gèle à une profondeur de 5 à 8 cm.

Rhubarbe et asperge sont des plantes peu exigeantes quant au sol, mais la première consomme une grande quantité de substances nutritives. Il faut donc la cultiver dans un sol fertile ou amendé par d'abondants apports de matières organiques et d'engrais s'il n'est pas assez riche.

On cultive rarement la rhubarbe à partir de semis. On utilise plutôt des éclats de souches, c'est-à-dire des segments de collet garnis de racines et de bourgeons. On les trouve dans les catalogues de semences, dans les pépinières ou les centres de jardinage.

La rhubarbe peut occuper longtemps le même carré dans le jardin. Aussi est-il préférable de lui accorder un emplacement isolé, un coin par exemple ou un rang de bordure, où elle ne nuira pas aux autres cultures et ne sera pas ennuyée par les travaux périodiques de jardinage.

Méthode de culture

Les plants de rhubarbe demandent un sol fertile, bien drainé et qui a été travaillé en profondeur. On peut se contenter de préparer des trous pour chaque éclat.

Creuser des trous de 60 cm de profondeur et d'autant de large ; les espacer de 90 cm dans toutes les directions. Mettre au fond des trous une couche de 15 cm de compost ou de fumier. A la terre excavée, mélanger une quantité équivalente de compost ou de fumier et ajouter 100 g d'engrais 10-10-10. Remplir les trous de ce mélange jusqu'à la moitié.

Au début du printemps, installer les éclats dans les trous de façon que les yeux soient à environ 8 à 10 cm sous le niveau du sol. Tasser la terre fermement autour des racines et finir de remplir les trous avec le mélange décrit ci-dessus. Niveler.

Lorsque les premiers signes de reprise se manifestent, et tous les printemps suivants, incorporer autour des plants, par griffage, 250 g d'engrais 10-10-10. Entourer chaque plant d'un paillis pour garder le sol humide et empêcher le gel d'abîmer les racines. Retirer le paillis au moment de la fertilisation et le remettre en place ensuite.

Les plants de rhubarbe produisent des tiges florifères qu'on doit couper le plus tôt possible pour qu'elles ne nuisent pas à la production des tiges comestibles.

Après plusieurs années, les plants deviennent très touffus et les tiges comestibles s'amincissent. Déterrer alors les plants et diviser les souches. Pratiquer cette opération au printemps, au moment où les nouvelles tiges viennent tout juste de pointer, ou au commencement de l'automne. Laisser un à trois yeux par segment et planter les segments dans une autre platebande en les traitant comme des éclats de souche. Si la division se fait à l'automne, protéger les nouveaux plants d'un épais paillis.

Les tiges de rhubarbe peuvent atteindre 45 cm de hauteur et même davantage. Si les plants semblent être à maturité, cueillir quelques tiges au printemps de la deuxième année. A partir de la troisième année, récolter environ la moitié des tiges en laissant les plus fines sur le pied.

Ne pas consommer l'extrémité supérieure des tiges, qui est légèrement toxique.

Forçage de la rhubarbe en hiver
En automne, lorsque le feuillage est mort, déterrer des plants et les placer dans un bac de 45 cm de diamètre, rempli de terre végétale, de compost et de fumier. Laisser le bac subir l'effet du gel pendant quelques semaines à l'extérieur. Le rentrer ensuite dans un endroit sombre et frais. Garder le sol humide. Un mois environ avant la date prévue pour la récolte, transporter le bac dans un endroit plus chaud (16°C est la température idéale), mais le garder si possible à l'obscurité. Les racines, en état de dormance, commenceront alors à produire des bourgeons. Récolter quand les tiges auront 45 cm de haut.

Ravageurs et maladies qui détruisent la rhubarbe

La rhubarbe est très résistante. Cependant, le charançon de la rhubarbe, qui prolifère dans les touffes de mauvaises herbes, peut l'attaquer. Désherber régulièrement et enlever les insectes à la main dès qu'on en voit.

Variétés recommandées

Les variétés 'MacDonald' et 'Valentine', très connues, donnent la rhubarbe classique à tiges rouges. La variété 'Victoria' présente des tiges plus vertes que rouges. Là où les hivers sont relativement doux, il est préférable de choisir la variété 'Cherry'.

Légumes

Les légumes fraîchement cueillis du potager ont une saveur insurpassable. Aussi vaut-il la peine d'en cultiver, même si l'on ne dispose que de peu d'espace.

La culture potagère que nous abordons dans ce chapitre nécessite évidemment un plus grand travail de préparation et d'entretien que la culture des roses d'Inde, par exemple, ou d'autres fleurs annuelles.

Avant d'aménager un potager, il faut d'abord étudier le terrain dont on dispose. L'idéal serait d'avoir un espace sans arbres et arbustes (ceux-ci s'approprieraient l'eau et les matières nutritives), exposé au soleil pendant au moins six heures par jour et situé à proximité d'une prise d'eau. Le sol devrait être également bien drainé.

Il est possible cependant de s'accommoder de moins. Par exemple, si le terrain n'est pas assez ensoleillé, on cultivera des légumes-racines et des verdures qui demandent moins de soleil. Que le terrain qu'on veut convertir en potager soit rocailleux ou complètement envahi par les mauvaises herbes n'est pas non plus un obstacle insurmontable.

Avant de délimiter le jardin potager, on tiendra compte du temps qu'on peut lui consacrer et du nombre de personnes qu'il doit nourrir. On calcule en règle générale qu'un terrain de 4,50 m sur 6 suffit à satisfaire les besoins d'une famille de quatre personnes.

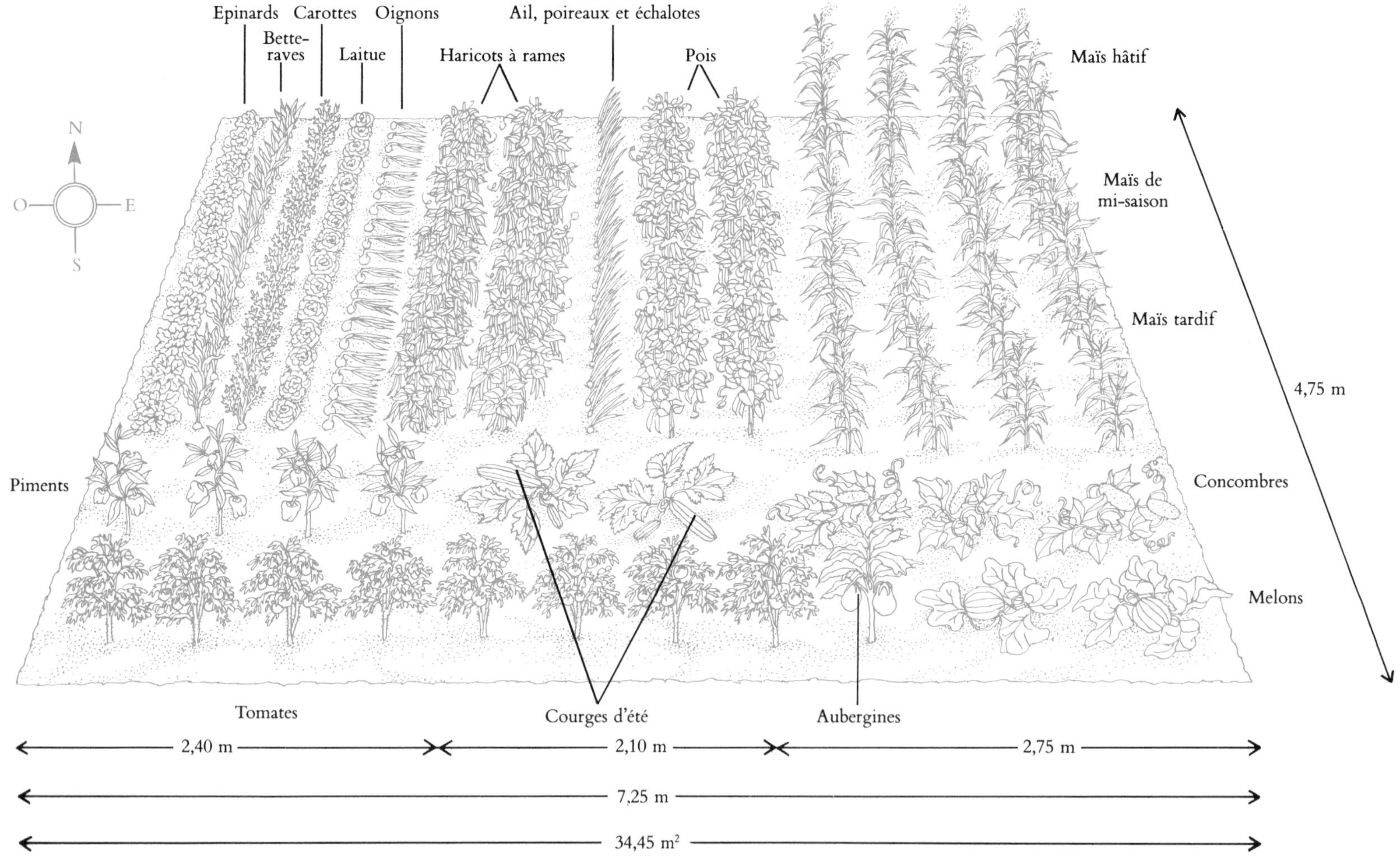

Un potager bien pensé n'a pas besoin d'être grand pour fournir une belle récolte à une famille moyenne. Pour augmenter la production, cultiver en succession des légumes qui poussent vite. Placer les grands légumes, comme le maïs, là où ils ne jettent pas d'ombre et accorder beaucoup d'espace aux plantes potagères rampantes.

Comment obtenir le meilleur rendement de son potager

Aménager son potager dans un endroit très ensoleillé, à l'écart des grands arbres dont les racines s'étalent sur une large surface. Ne pas choisir un terrain inégal qui risque d'être inondé ou qui se draine mal. S'assurer qu'il y a une prise d'eau à proximité pour les arrosages, mais ne pas s'approcher à plus de 60 cm des murs de la maison. La terre y est généralement très chargée de calcaire à cause des fondations et contient souvent des déchets de construction. Un terrain en pente douce est excellent, surtout s'il est orienté au sud. Se méfier cependant des emplacements situés au pied d'une colline : le sol y est toujours plus froid et plus humide.

Mesurer ensuite le terrain avec exactitude et reporter les dimensions sur papier. Tracer un plan qui situera les différentes plantations. Une échelle simple suffit ; par exemple, 10 cm pour 1 m de terrain. Prévoir des allées entre les groupes de rangs et planifier les cultures de façon que le potager produise tout l'été.

Aires de culture Pour bien pousser, chaque légume a besoin d'une aire de culture qui lui est propre et dont il ne faut pas le priver sous prétexte de gagner de l'espace. Par exemple, les courges s'étendent sur des mètres dans toutes les directions, tandis que les radis poussent dru : on ne leur accordera pas la même superficie. Le maïs, les asperges et les haricots à rames sont des légumes de grande taille : il faut les placer pour qu'ils ne jettent pas d'ombre. Par contre, les choux et les choux de Bruxelles sont des plantes touffues à port relativement étalé : il leur faut beaucoup de dégagement.

Délais de maturation Les légumes ne mûrissent pas tous en même temps. La laitue frisée est prête en quelques semaines seulement, les betteraves en huit semaines environ, les carottes en moins de trois mois. On peut donc, dans le même espace, cultiver des légumes qui mûrissent rapidement en les faisant se succéder les uns aux autres. Etaler la culture de la laitue pour en avoir à plusieurs reprises au cours de la saison. Cultiver carottes et betteraves à l'endroit où poussaient les pois. Remplacer les carottes hâtives par des épinards d'automne et la laitue par des haricots.

Par contre, d'autres légumes mettent l'été à mûrir. Les tomates, les aubergines et les courges d'hiver mûrissent en trois mois et requièrent beaucoup d'espace et de substances nutritives. Il faut donc leur consacrer un grand carré ensoleillé.

Ensoleillement Certains légumes demandent moins de soleil que d'autres. Les épinards et la laitue préfèrent la mi-ombre ; on peut donc les cultiver entre des lignes de légumes de plus grande taille, comme le brocoli ou les choux de Bruxelles.

Culture intercalaire Pour gagner de l'espace, cultiver certains légumes de croissance rapide — laitue frisée, bettes à carde et épinards — entre des rangs de légumes plus lents à pousser, comme les piments, les aubergines ou les tomates. Les premiers atteindront leur maturité longtemps avant que les autres soient assez développés pour leur faire de l'ombre. Semer les radis entre les carottes ou le persil. Ils germeront rapidement et seront cueillis les premiers.

Plantes vivaces Trois plantes vivaces seulement sont cultivées dans les jardins potagers : la rhubarbe et les fraises (voir « Fruits », p. 346), ainsi que les asperges. Elles exigent beaucoup d'espace et deux d'entre elles, rhubarbe et asperges, ne donnent pas de récolte avant au moins deux ans.

Rendement des légumes Certains légumes ont un rendement considérable. Par exemple, un rang complet de pieds de laitue, plantés ou semés au même moment, donne plus de laitue qu'on ne peut en consommer. Il est alors préférable de faire ses rangs plus courts et de semer à intervalles de deux ou trois semaines.

Lorsqu'on dispose d'une grande cave ou d'un cellier, on peut augmenter le nombre des plants de courges d'hiver, d'oignons et de pommes de terre. Ceux qui possèdent un congélateur peuvent cultiver une plus grande quantité de choux de Bruxelles, de carottes et de betteraves. Enfin, les tomates supplémentaires peuvent être mises en conserve.

Epoques de plantation Les pois et les épinards poussent mieux par temps frais, au printemps. Ne pas repiquer les plants de tomate tant qu'il y a risque de gel, mais se rappeler que la laitue prospère au printemps et en automne, tandis qu'elle monte vite en graine quand il fait chaud.

MEILLEUR RENDEMENT PAR LA ROTATION DE CULTURE

Au début du printemps

Dès que le sol peut être travaillé :

PLANTER
- Brocoli
- Chou

SEMER
- Endive
- Epinard
- Laitue
- Navet
- Oignon
- Pois
- Radis
- Rutabaga

A la mi-printemps

Deux semaines avant le dernier gel prévu :

PLANTER
- Chou-fleur

SEMER
- Bette à carde
- Betterave
- Carotte
- Oignon
- Panais

Une semaine plus tard :

SEMER
- Haricot
- Maïs
- Pomme de terre hâtive

Au début de l'été

Lorsque la terre et le temps se sont réchauffés :

PLANTER
- Aubergine
- Piment
- Tomate

SEMER
- Citrouille
- Concombre
- Courge
- Gombo
- Haricot de Lima
- Pomme de terre tardive

De la mi-été à l'automne

Vers la fin de juin :

SEMER
- Betterave
- Brocoli
- Carotte
- Chou
- Chou-fleur
- Laitue
- Radis

Au début du mois d'août :

PLANTER
- Brocoli*
- Chou*
- Chou-fleur*

SEMER
- Epinard
- Laitue
- Navet
- Rutabaga

Dix semaines avant le premier gel sévère :

SEMER
- Betterave
- Carotte

*La mise en terre des plants se fait plus tard que les semis parce que ces légumes supportent mal la chaleur.

Outillage de base pour le potager

L'outillage de base qui sert à l'entretien du potager n'a pas varié depuis des siècles. Même s'il est bien connu de tous, on oublie parfois qu'il doit être adapté à la taille, au poids et à la force de l'utilisateur. L'outil dont le manche est trop long, par exemple, exige de celui qui s'en sert un effort excessif, tandis qu'un travail exécuté avec un outil dont le manche est trop court causera des courbatures. Avant d'acheter un outil, il faut donc le manier quelque peu. Il doit paraître équilibré quand on le soulève. La lame ou la griffe ne doit pas être trop lourde et la poignée doit tenir solidement dans la main.

On commencera par acheter les outils essentiels :

- une bêche à fer plat et une pelle de jardin ronde pour creuser ;
- un râteau en acier pour ratisser, ameublir et égaliser la surface du sol ;
- une binette pour désherber, retourner la terre et tracer des sillons ;
- un transplantoir pour repiquer les plants ;
- un tuyau d'arrosage et un arrosoir ;
- une lime ou une pierre pour affûter les outils à lame tranchante.

En outre, il est utile de se procurer une brouette ; c'est même une nécessité si le jardin potager est situé à une bonne distance de la maison ou de la remise à outils.

On trouvera dans les centres de jardinage bien d'autres outils ou équipements qu'il est tentant de se procurer : sarcloir, cultivateur, fourche de jardin, belette, arroseur, tuteurs, matériel à filet, à clôture, etc. Leur utilité dépend de la nature et de l'ampleur des travaux qu'on a à exécuter au jardin, ainsi que des problèmes qui se posent. Il est préférable d'attendre, avant de les acheter, d'en avoir vraiment besoin.

DES OUTILS UTILES

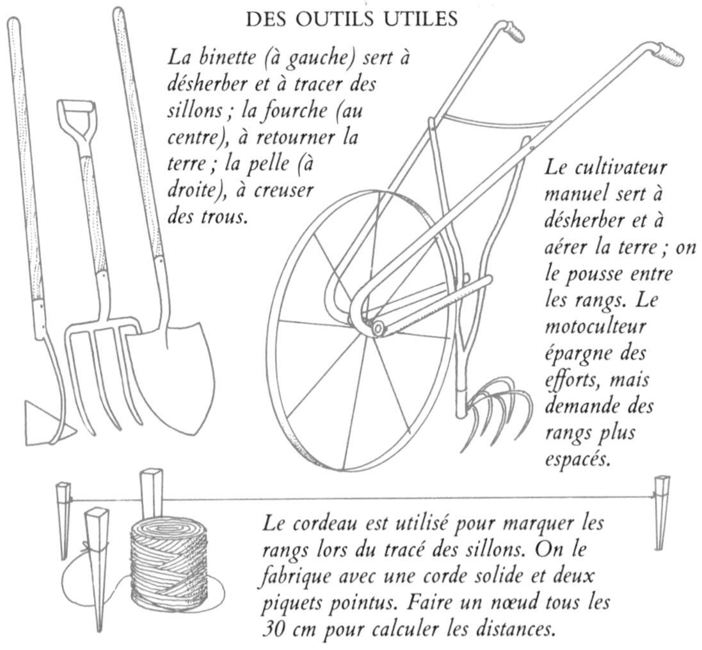

La binette (à gauche) sert à désherber et à tracer des sillons ; la fourche (au centre), à retourner la terre ; la pelle (à droite), à creuser des trous.

Le cultivateur manuel sert à désherber et à aérer la terre ; on le pousse entre les rangs. Le motoculteur épargne des efforts, mais demande des rangs plus espacés.

Le cordeau est utilisé pour marquer les rangs lors du tracé des sillons. On le fabrique avec une corde solide et deux piquets pointus. Faire un nœud tous les 30 cm pour calculer les distances.

Amélioration de la composition du sol

La qualité des légumes dépend beaucoup de la composition du sol. Dans une terre pauvre et non travaillée, les plants pourront atteindre leur maturité, mais leur rendement laissera à désirer. Par ailleurs, même une terre fertile cesse de produire si, été après été, on la laisse s'épuiser ou devenir compacte.

Avant de prendre des dispositions pour améliorer le sol, il faut commencer par en déterminer la composition. S'il est lourd et compact, c'est qu'il renferme trop d'argile. S'il est fin et léger, c'est qu'il contient trop de sable.

La terre la meilleure est humifère, perméable et d'un beau noir. Quand on en malaxe une poignée dans la main, elle s'agglomère et garde sa forme, mais s'effrite au toucher. La terre argileuse donne une motte dure qui se brise en gros morceaux sous l'effet d'un choc. La terre sablonneuse ne s'agglomère pas du tout.

Les sols argileux et les sols sablonneux peuvent être pauvres en matières organiques. Il est nécessaire alors de leur en ajouter. En se décomposant, ces matières font se détacher les particules d'argile les unes des autres, ce qui aère le sol. Par ailleurs, elles donnent de la cohésion aux particules de sable et rendent de ce fait les sols sablonneux moins perméables.

Ainsi donc, en ajoutant du terreau de feuilles, des déchets de gazon, de la paille ou du fumier à un sol argileux, on le rend assez léger pour que les plantules puissent y être enfouies. En ajoutant ces matières à un sol sablonneux, on le rend assez dense pour soutenir les racines des plantes. En outre, ces matières organiques fournissent à la terre les éléments nutritifs dont les plantes ont besoin.

Le compost constitue l'une des meilleures sources de matières organiques (voir p. 439). A défaut de compost, on peut utiliser diverses matières végétales souples : feuilles sèches, déchets végétaux de cuisine, foin ou fumier bien décomposé. Ajouter à ces matières un engrais riche en azote pour hâter leur décomposition et les incorporer dans le sol à une profondeur de 5 à 7,5 cm. Puis ajouter les autres amendements à la main ou avec un motoculteur.

C'est en automne, lorsque le sol est chaud et sec, qu'il est préférable de le travailler. Les matières organiques ont alors tout l'hiver pour se transformer en humus. Au printemps, le sol est plus riche et plus malléable.

Toutes les plantes ont besoin de trois éléments : azote, phosphore et potassium. Pour s'assurer que la terre en contient suffisamment, on la fertilise avec un engrais complet. On peut aussi la faire analyser au laboratoire du ministère provincial de l'Agriculture. Certaines pépinières offrent le même service à leur clientèle. (On trouvera de plus amples renseignements sur les engrais et sur l'analyse du sol à la page 438.)

Qu'est-ce que le pH ? Lorsque, après avoir enrichi, amendé et travaillé convenablement le sol, on continue à avoir des problèmes de culture, c'est que le pH du sol, c'est-à-dire son degré d'acidité ou d'alcalinité, est déficient. Le pH se mesure sur une échelle de 1 (acidité maximale) à 14 (alcalinité maximale).

Dans l'est de l'Amérique du Nord, le sol est généralement acide. A l'analyse, les terres argileuses ou sablonneuses, celles où poussent le pin, le chêne ou le rhododendron, se classent au bas de l'échelle du pH. Or, les légumes prospèrent lorsque le pH du sol se situe entre 6 et 7. On corrige l'acidité du sol en lui ajoutant du calcaire finement broyé. On ajoute par contre de la tourbe ou de la fleur de soufre aux terres extrêmement alcalines qu'on veut acidifier. (On trouvera plus de renseignements sur le pH du sol à la page 438.)

Epoque des premiers et des derniers gels

D'une région à l'autre, la durée de la saison de culture à l'extérieur peut varier considérablement. On calcule, par exemple, qu'il n'y a que 100 jours de culture dans la Prairie, tandis qu'il y en a 300 en Colombie-Britannique. Le début de la saison de croissance se situe généralement après le dernier gel au printemps, et la fin avant le premier gel sévère d'automne. C'est en fonction de ces deux dates qu'on doit établir le calendrier des plantations et effectuer le choix des variétés. Pour se renseigner sur la saison culturale, consulter un centre de jardinage ou s'adresser au ministère provincial de l'Agriculture.

Il est sage de se rappeler cependant que le climat varie aussi beaucoup d'un endroit à l'autre, à l'intérieur d'une région donnée, en fonction notamment de l'altitude ou de la proximité d'une grande nappe d'eau. Dans une vallée ou loin de la côte, la période de croissance peut être beaucoup plus courte que sur une colline ou au voisinage de la mer. Il faut donc déterminer son calendrier de plantation également d'après le climat de sa propre localité. On tiendra compte en outre des bulletins météorologiques.

« Aussitôt que le sol peut être travaillé » : voilà une phrase qui revient souvent. Elle signifie qu'on peut semer les légumes qui résistent au gel (pois, épinard ou oignon) dès que la terre s'est ressuyée.

Pour vérifier l'état du sol, malaxer un peu de terre dans le creux de la main. Si la motte s'effrite facilement, on peut commencer à jardiner. Si elle conserve sa forme, il faut attendre quelques jours, car les semis en sol imbibé d'eau risquent de pourrir avant de germer.

POUR ALLONGER LA SAISON

Avec un châssis froid, on peut semer plusieurs semaines avant que les plantules puissent être repiquées au jardin.

Les plantes grimpantes reçoivent plus de soleil et produisent davantage lorsqu'elles sont palissées sur un grillage ou sur des ficelles reliées à des tuteurs.

Le tunnel de plastique qu'on peut acheter ou fabriquer soi-même avec des supports métalliques protège les plants contre le froid et les pluies.

Couper la partie supérieure d'un carton de lait et placer celui-ci à l'envers sur le plant en ouvrant le fond. Par temps froid, refermer le couvercle.

Achat de graines et de plants de légumes

Les légumes-racines, tels que les carottes et le panais, peuvent être semés directement en pleine terre. D'autres doivent être démarrés en pots ou en terrines et repiqués au jardin.

Achat de plants Au printemps, tous les centres de jardinage disparaissent sous les étalages de caissettes (petites boîtes contenant six à huit plants) ou de pots de plants divers. Ces plants font économiser du temps et des efforts tout en éliminant les risques d'échec que comportent toujours les semis à l'intérieur. Pour ceux qui n'ont pas de pièces ensoleillées, ils sont indispensables.

Quand on achète des plants du commerce, cependant, on doit forcément se limiter aux variétés qui sont offertes. En outre, si l'achat se fait dans un endroit non spécialisé, comme dans un supermarché, il est probable qu'on devra se passer de certains renseignements essentiels. On ne saura pas, par exemple, s'il s'agit de variétés de tomates hâtives ou tardives, renseignement que peuvent donner les pépiniéristes.

On a intérêt à acheter des plants en pots individuels. Ainsi, au moment du repiquage, on ne risque pas d'abîmer leurs racines. Par contre, lorsqu'il en faut beaucoup, il est plus économique de les acheter en caissettes.

Examiner la tige des plants. Elle doit être courte et épaisse ; les plants hauts et malingres ont souvent un système radiculaire déficient que la transplantation peut ruiner. Vérifier le feuillage : s'il est jaune ou décoloré, c'est que le plant est malade ou qu'il a manqué d'éléments nutritifs. Lorsque les plants de chou, de brocoli ou de chou-fleur ont des feuilles à reflets pourprés, c'est bon signe : les plants ont été endurcis et sont prêts à être repiqués. (On trouvera des renseignements sur le repiquage des plants à la page 397.)

Achat de graines Lorsqu'on a à sa disposition des fenêtres ensoleillées, une serre ou un châssis froid, on peut démarrer soi-même ses plants (voir p. 396).

Le choix peut se faire à partir d'un catalogue. Pour chaque plante, vérifier s'il est spécifié qu'elle résiste aux maladies qui normalement peuvent l'attaquer. Noter également sa taille, sa productivité et son délai de maturation. Les variétés qui ont reçu la mention All-America Award ont généralement donné de bons résultats un peu partout sur le continent : on peut se fier à leur qualité.

Les variétés dites nouvelles sont souvent d'anciennes qui ont été améliorées, c'est-à-dire rendues plus résistantes aux maladies ou plus productives. Elles peuvent être intéressantes parce qu'elles demandent moins d'espace ou parce qu'elles donnent des légumes d'une saveur plus fine.

Pour ce qui est de la quantité à acheter, il est préférable de se procurer les plus petits sachets. On y trouve suffisamment de graines pour un rang de 7,50 m ; or, un tel rang produit environ 9 kg de betteraves, 11 de carottes et 9 de laitue.

Conservées dans un endroit frais et sec, la plupart des graines gardent leur force germinative, mais il est préférable d'en acheter de fraîches chaque année. Certains catalogues présentent des graines sous une forme spéciale : en granules (c'est-à-dire enrobées d'une matière semblable à l'argile, qui les rend plus faciles à semer) ou fixées à un ruban soluble dans l'eau. Dans ce dernier cas, elles sont déjà convenablement espacées ; on étend le ruban au fond du sillon et on le recouvre de terre. Il n'y a pas à éclaircir les plantules par la suite, mais les graines qui ne germent pas laissent des vides dans les rangs. Est-il besoin de préciser que les graines vendues en granules ou en ruban coûtent beaucoup plus cher que les autres.

Semis de graines

Semis sous abri

On peut démarrer des cultures jusqu'à 10 semaines plus tôt en faisant des semis sous abri. Certains légumes sont d'ailleurs rarement semés directement au jardin. Tels sont notamment les piments, les aubergines, les choux-fleurs et les tomates. On a vu à la page 257 les méthodes de base recommandées pour les semis de fleurs annuelles à l'intérieur. Elles conviennent pour les légumes, sauf pour les quelques particularités suivantes.

Substrats de culture On évitera d'employer de la terre de jardin, car elle renferme des mauvaises herbes et des champignons. Il vaut mieux utiliser un mélange terreux stérilisé ou un substrat composé de tourbe et de sable ou de vermiculite. La sphaigne déchiquetée finement convient aux petites graines. On se rappellera cependant que les mélanges dits « sols synthétiques » doivent recevoir un apport d'engrais liquide puisqu'ils ne renferment eux-mêmes aucune substance nutritive.

Pots et caissettes On sème les petites graines dans des caissettes, et les grosses dans des pots individuels de grès, de plastique ou de tourbe comprimée. Les pots de tourbe peuvent être enfouis directement dans le sol au moment du repiquage. Ils s'y décomposent lentement et les plants subissent un traumatisme moins grand.

L'époque des semis sous abri varie selon le rythme de croissance du légume et le moment où il peut être repiqué au jardin. Le piment, par exemple, demande 8 à 10 semaines de croissance sous abri et ne doit être repiqué au jardin que lorsque tout risque de gel est écarté. Par contre, le poireau peut être repiqué à l'extérieur au début du printemps et les plants doivent avoir 12 semaines. Semer les graines de choux cinq à sept semaines et celles des concombres trois à quatre semaines avant le moment du repiquage.

Pour germer, les graines ont besoin d'une terre chaude : installer caissettes et pots dans un endroit où ils auront de la chaleur. Les couvrir jusqu'à la levée pour leur procurer l'obscurité et l'humidité nécessaires. Noter l'évolution des semis. Si après trois semaines, par exemple, les graines d'aubergines n'ont rien donné, il vaudra mieux acheter quelques plants. Dès que la levée a eu lieu, donner aux plantules le plus de lumière possible.

La fonte des semis L'atmosphère chaude et humide que requiert la germination favorise la croissance de champignons très néfastes. Les seuls traitements que l'on connaisse sont de nature préventive : acheter un substrat stérile, éviter d'arroser ou de fertiliser de façon excessive et vérifier constamment le degré d'humidité du mélange terreux. S'il se forme de la condensation sur le plastique ou le verre qui recouvre les semis, l'essuyer. On peut aussi traiter les semences avec un fongicide, comme du bénomyl, avant de les mettre en terre.

Eclaircissage et empotage Lorsque les plantules ont deux vraies feuilles, c'est le moment de les éclaircir. Ne garder que les plantules vigoureuses. Couper les tiges avec de petits ciseaux. Ne pas les arracher pour éviter d'abîmer les racines des plantules voisines. Plus tard, lorsque les plantules auront grossi et que la caissette sera de nouveau encombrée, repiquer les plants. A l'aide d'une spatule en bois ou d'une fourchette, séparer les plantules et les repiquer une à une dans des pots de 6,5 ou de 7,5 cm. Si elles poussaient précédemment dans un sol synthétique, utiliser maintenant un mélange composé de ce dernier et de substrat terreux. Les plants s'habitueront ainsi peu à peu à la terre de jardin qui est plus lourde. Les arroser immédiatement avec une faible solution fertilisante pour amoindrir le traumatisme que cause la transplantation.

Endurcissement des plants Il faut habituer les plants à l'atmosphère extérieure, c'est-à-dire les endurcir. Ils pourront supporter les températures plus fraîches et surtout très variables de la culture à l'air libre ainsi qu'un sol plus sec. La méthode la plus sûre pour endurcir les plants est de les placer sous châssis froid (voir p. 258).

Quand l'air se réchauffe, mais au moins une semaine avant le repiquage au jardin, installer les plants sous châssis froid. Si le temps est sec et ensoleillé, couvrir le châssis de papier journal pour empêcher les jeunes plants d'être inondés de soleil. Soulever le couvercle du châssis un peu plus chaque jour en s'assurant que la température à l'intérieur ne s'élève jamais au-dessus de 21°C. Refermer le châssis le soir si la température doit descendre en dessous de 13°C. Si l'on prévoit un coup de froid, étendre une couverture sur le châssis.

SEMIS SOUS ABRI

	Date des semis (semaines précédant le dernier gel)	Germination (en semaines)	Epoque du repiquage
Aubergine	8-9	2-3	Mi-printemps, début été
Brocoli	5-7	1-2	Après le dernier gel, fin été
Chou	5-8	1-2	Après le dernier gel, fin été
Chou de Bruxelles	4-6	1-2	Après le dernier gel, fin été
Chou-fleur	5-8	1-2	Après le dernier gel, fin été
Concombre	2-3	1-2	Deux semaines après le dernier gel
Laitue	3-5	2-3	Après le dernier gel
Oignon (globe)	6-8	2-3	Après le dernier gel
Piment	8-10	1-2	Milieu-fin printemps
Poireau	10-12	2-3	Milieu-fin printemps
Tomate	6-8	2-3	Milieu-fin printemps

Semis au jardin

Le sol du potager ayant été bêché, débarrassé des cailloux, enrichi de matières organiques et fertilisé, il est prêt pour les semis. Si le plan du carré à légumes a été bien fait, les rangs iront du nord au sud et les plantes de haute taille seront placées sur les côtés nord et est du carré. La culture devra comprendre des légumes précoces (laitue, pois et épinard) et d'autres qui demandent beaucoup de chaleur (tomate, aubergine et piment). On pratiquera la culture dérobée — la laitue hâtive précédant les carottes tardives, les radis suivis des betteraves — et on ne plantera pas des rangs entiers de légumes très productifs ou de croissance rapide, comme la laitue ou la bette à carde. On en étalera plutôt la culture.

Entretien du potager

Sillons et semis Utiliser un cordeau pour marquer les rangs : deux piquets enfoncés aux extrémités et reliés par des ficelles. Tracer des sillons d'à peine 1,5 cm de profondeur pour les petites graines et de 2,5 cm environ pour les grosses graines. Répartir les premières régulièrement en semant serré ; espacer les secondes de 2,5 cm.

Recouvrir les petites graines d'une mince couche de sol synthétique ou de terre mélangée à du sable ou à de la tourbe finement déchiquetée, surtout là où le sol a tendance à former une croûte. Appuyer légèrement sur les graines et arroser avec précaution. Identifier et dater les semis au moyen d'une étiquette.

Pour germer, les semences ont besoin d'une humidité constante. Vérifier chaque jour et arroser au besoin. Par contre, ne pas donner trop d'eau non plus : l'humidité excessive peut faire pourrir les grosses graines.

Surveiller la levée. Elle est plus lente lorsque le sol est froid et par temps frais. Le délai de germination de la laitue est d'une dizaine de jours au début du printemps, mais de quatre ou cinq jours seulement lorsque le sol s'est réchauffé. Carottes et panais germent lentement. Cependant, si l'on constate après trois semaines qu'ils n'ont pas germé, il faut reprendre les semis. Plusieurs causes sont possibles. La germination a pu être compromise par la sécheresse ou la température du sol, le sillon était peut-être trop profond, le sol a peut-être formé une croûte ne permettant pas aux plantules de percer.

Eclaircissage On éclaircit lorsque les plantules ont entre 2,5 et 5 cm de haut. Dans un rang de laitues très touffues, par exemple, enlever une plantule sur deux. Quand les pieds prennent de l'ampleur, éclaircir de nouveau ; on pourra peut-être alors consommer les légumes enlevés. Arracher les plantules avec soin, en les tirant verticalement pour ne pas abîmer les racines des plantules voisines.

On peut repiquer les plantules supprimées lorsqu'on a pris soin de ne pas endommager leurs tiges et leurs racines. Utiliser un petit transplantoir ou une spatule pour les déterrer et prélever une petite motte de terre avec les racines. Les manipuler délicatement. Les repiquer dans un sol souple, fin et humide et les recouvrir d'un petit dôme de papier journal ou de débris de gazon.

Repiquage des plants Lorsque les plants issus de semis sous abri ont été endurcis convenablement, attendre un jour sans soleil pour les repiquer au jardin. (Les plants achetés dans le commerce ont généralement été endurcis avant la vente.) Si la chaleur est accablante ou le sol très sec, les plantes se flétriront rapidement. Lorsque le beau temps persiste, effectuer le repiquage en fin d'après-midi et protéger les plants des rayons du soleil avec un écran quelconque, sans pour autant les priver d'air.

Creuser des trous à intervalles réguliers en suivant les instructions données pour chaque sorte de légume. Remplir les trous d'eau et attendre que celle-ci se soit absorbée. De la sorte, les plants auront assez d'humidité au niveau des racines pour bien démarrer.

Si les plantules ont été repiquées dans des pots de tourbe comprimée, perforer les parois des pots en deux ou trois endroits pour faciliter la percée des racines. Enfouir les pots complètement dans le sol pour que, sous l'action de l'humidité, ils se désagrègent. Pour ce qui est des plantules cultivées dans des pots de plastique ou des caissettes, il faut les manipuler avec le plus grand soin. Retirer ou détacher les plantules avec la terre qui entoure leurs racines. Les installer dans les trous qui leur sont destinés et s'assurer que la terre de jardin n'est pas trop molle autour de la motte. Ménager une petite dépression autour de chaque plant pour recueillir et conserver l'humidité. Bien arroser.

Les légumes plantés avec soin dans un sol amendé et enrichi pousseront correctement s'ils reçoivent beaucoup d'eau et de soleil et si l'on désherbe leur lit régulièrement. Les mauvaises herbes disputent aux légumes l'humidité et la nourriture dont ils ont besoin. Dans un sol riche et bien travaillé, elles ont toutes les chances de proliférer. Négliger de les supprimer quand elles sont encore jeunes, c'est risquer, au moment du désherbage, d'endommager les racines des plantes qu'on cultive.

Le désherbage doit devenir une opération de routine. Passer entre les rangs une ou deux fois par semaine avec une binette. Quand les mauvaises herbes sont jeunes, on peut les enlever tout simplement en raclant le sol. Mais lorsqu'il faut enfoncer la binette à plus de 1,5 cm dans le sol, on risque de couper les racines des légumes. Arracher à la main les mauvaises herbes de grande taille et celles qui poussent dans les rangs. Le désherbage se fait plus facilement lorsque la terre est humide.

Arrosage Il est nécessaire d'arroser durant les périodes de grande chaleur ou de sécheresse, chaque fois que le sol est poudreux et sec. Les arrosages sont d'autant plus importants que les jeunes plantes ont des racines superficielles. A mesure qu'elles croissent, leurs racines pénètrent plus profondément dans le sol et y trouvent encore de l'humidité au moment où la terre de surface paraît sèche. Arroser abondamment et en profondeur. Lorsque les arrosages sont parcimonieux, les racines demeurent superficielles ; elles sont plus exposées à souffrir des rayons desséchants du soleil et à être endommagées au moment du binage.

Régler la buse du tuyau d'arrosage de façon à obtenir une pulvérisation fine et appuyer le tuyau sur un support quelconque : clôture ou étai. Arroser pendant une heure. Tourniquet et tuyau de plastique perforé sont des accessoires d'arrosage très pratiques.

Arroser en matinée ou au début de l'après-midi pour que le feuillage ait le temps de sécher avant la tombée de la nuit. C'est une précaution à prendre contre les maladies cryptogamiques. Arroser également de préférence par temps couvert ; l'eau s'évaporera moins rapidement que s'il fait grand soleil.

Les plantes ont besoin de 2,5 à 4 cm d'eau par semaine. Pour vérifier si le potager reçoit bien cette quantité, laisser un plat gradué dans le jardin et en prendre la lecture de temps à autre. Arroser généreusement au moins une fois par semaine durant les grandes chaleurs de la mi-été.

Paillage On appelle paillis une couche de matière généralement organique — feuilles, foin ou débris de gazon — qu'on dépose sur le sol autour des plants. L'emploi de paillis diminue les travaux de désherbage et aide le sol à conserver son humidité. Les paillis empêchent également diverses maladies issues du sol de se répandre sur les feuilles et les fruits.

Le paillis organique se décompose lentement et pénètre peu à peu dans le sol. Il ajoute à celui-ci des matières nutritives, le rend moins compact et permet aux vers de terre de proliférer et d'améliorer l'aération du sol. Le paillis favorise en outre la croissance de plusieurs micro-organismes bénéfiques à la vie des plantes.

Parmi les matières qui constituent de bons paillis, il y a le foin en voie de décomposition, les débris de gazon desséchés, le terreau de feuilles ou les feuilles mortes déchiquetées, le fumier mélangé à de la paille et la tourbe mélangée à de la sciure ou des copeaux de bois (la tourbe employée seule devient si compacte que l'eau n'arrive plus à passer au travers). La sciure de bois, les copeaux de bois et les aiguilles de pin constituent aussi de bons paillis, mais il faut diminuer leur acidité par l'addition de calcaire et leur ajouter un engrais riche en azote. Les feuilles de plastique noir

Asperge

ne se décomposent pas et sont utiles quand il faut rapidement isoler une plante de tout contact avec le sol, ou dans le cas de légumes comme les melons qui deviennent beaucoup plus gros lorsqu'on les pose sur un revêtement de couleur noire qui conserve la chaleur.

Lorsque les plantules ont 10 cm de haut, épandre une épaisse couche de matières à paillis entre les plants et entre les rangs. En rajouter au fur et à mesure que le paillis se décompose, au cours de l'été, et épandre un engrais riche en azote pour hâter la décomposition des matières organiques.

Quand le sol du jardin est constamment recouvert d'un paillis de matières organiques, il met plus de temps à se réchauffer et à se ressuyer au printemps. En prévision de plantations hâtives, il faudra donc mettre ce paillis de côté là où l'on a l'intention d'ouvrir des sillons à semis et attendre que le sol se soit réchauffé et asséché.

Quelques conseils pratiques Pour avoir des légumes sains et éloigner les ravageurs, voici quelques règles très simples à observer.

- Choisir des semences de variétés résistantes aux maladies.
- Examiner soigneusement les plants achetés au magasin. Si leurs feuilles sont marquées ou décolorées, ils sont peut-être malades ou mal nourris.
- Arracher et détruire les plants malades. Ne pas les jeter dans la réserve de compost.
- Pratiquer l'assolement en alternant les cultures, surtout celles du chou et de ses proches parents, pour éviter les maladies transmises par le sol.
- Désherber souvent et détruire les mauvaises herbes qui hébergent des ravageurs.
- Ne pas jardiner après la pluie. Mouillé, le feuillage s'abîme et s'altère plus facilement. A marcher sur un terrain détrempé, on le durcit.
- Après chaque récolte, détruire ce qui reste des plants. S'ils sont sains, on peut les ajouter au tas de compost.

L'asperge est l'une des rares plantes potagères qui soit vivace. On calcule en effet qu'un carré d'asperges bien cultivé peut produire pendant une vingtaine d'années et même davantage. Les travaux de préparation du sol sont beaucoup plus élaborés, cependant, que pour les légumes annuels et il faut attendre la troisième année qui suit la plantation avant de profiter d'une récolte. Mais lorsqu'on peut consacrer à cette culture le temps et l'espace qu'elle réclame, on obtient de façon économique des légumes exquis dont la congélation n'altère pas la saveur.

Il est préférable de planter les asperges dans une plate-bande séparée, ce qui permettra de cultiver et de récolter les légumes annuels sans nuire à ces plants.

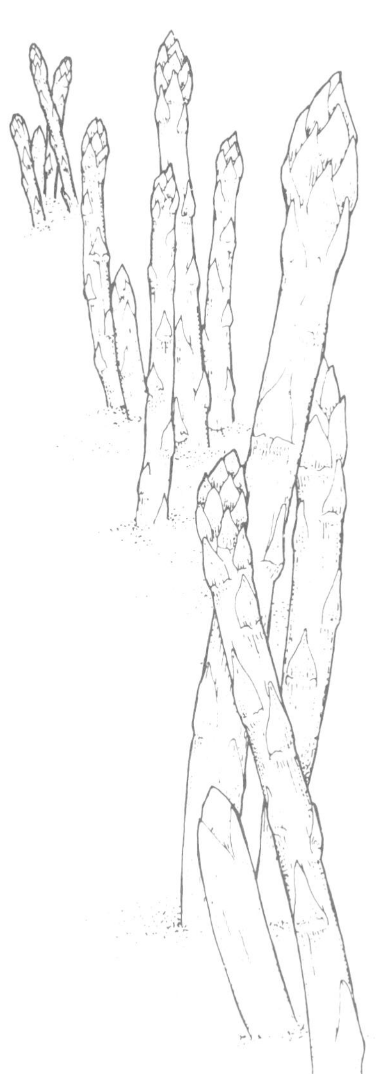

Asperge 'Mary Washington'

Méthode de culture

L'asperge s'obtient plus facilement à partir des griffes (c'est-à-dire les rhizomes et leurs racines). Les semis prolongent de un an le délai de la récolte. Compter 12 plants pour 7,50 m de rang. Laisser un espace de 1,20 à 1,50 m entre les rangs.

Tout sol fertile et bien drainé convient aux asperges. La terre doit être légèrement acide, mais ne doit jamais avoir un pH inférieur à 6. Dès que le sol se laisse travailler au printemps, creuser une tranchée de 45 cm de large et de 25 cm de profondeur. A la terre retirée de la tranchée, ajouter de l'engrais 5-10-5 et une grande quantité de matières organiques. Bien mélanger. Remplir la tranchée jusqu'à 15 cm sous le niveau du sol. Fouler, puis disposer les griffes dans la tranchée en les espaçant de 60 cm. Couvrir de 5 à 8 cm de terre. A mesure que les plants se développent, ajouter de la terre dans la tranchée.

Faire un nouvel apport d'engrais 5-10-5 deux ou trois mois après la plantation. Chaque année, fertiliser de nouveau au printemps et en automne. Supprimer les mauvaises herbes par un binage superficiel. Etendre un paillis autour des plants. Quand le gel fait mourir le feuillage à l'automne, rabattre les plants au ras du sol et pailler de nouveau.

Durant les deux premières années, la plante se dote d'un système radiculaire important. Le deuxième printemps, cueillir quelques turions lorsqu'ils ont 18 cm de long, mais ne pas prolonger la récolte au-delà de un mois. A partir de la troisième année, cueillir tous les turions, sauf ceux qui sont très fins. La récolte commence lorsque les pousses ont entre 13 et 20 cm et que les boutons sont encore fermes. Dès que ceux-ci commencent à s'ouvrir, les turions sont déjà moins bons. Terminer la cueillette quand les turions deviennent trop fins. (La récolte dure en général entre six et huit semaines.) Laisser les pousses sur le pied : il en sortira de grandes tiges semblables à celles des fougères, qui aideront le système radiculaire à se nourrir.

La cueillette des asperges s'effectue en arquant les tiges jusqu'au sol. Elles se cassent net et la partie blanche de la pousse reste dans le sol. Si les légumes ne peuvent être consommés immédiatement, les garder debout dans de l'eau jusqu'au moment de la cuisson.

Ravageurs et maladies

La rouille est la maladie qui affecte le plus souvent les asperges. Acheter des variétés qui y résistent. Contre le criocère de l'asperge, utiliser un produit à base de roténone. Débarrasser régulièrement le carré d'asperges des mauvaises herbes.

Variétés recommandées

La variété 'Mary Washington' résiste à la rouille. Les variétés suivantes ont aussi fait leurs preuves : 'Viking' ('Mary Washington Improved') et 'Viking 2K', variétés mises au point par la station expérimentale de Vineland, en Ontario.

Aubergine

Aubergine
'Burpee Hybrid'

L'aubergine, le piment et la tomate ont beaucoup en commun. Ils appartiennent tous trois à la famille des solanacées, et exigent un sol riche et chaud, ainsi qu'une longue saison de culture.

L'aubergine n'est pas facile à cultiver. Les graines doivent être semées à l'intérieur au moins huit semaines avant le repiquage au jardin et les plantules demandent du soleil, de la chaleur et un sol humide. Les semis étant difficiles à réussir, on préfère dans bien des cas acheter des plants dans un centre de jardinage. Choisir de préférence ceux qui poussent individuellement dans des pots de façon à moins déranger les racines lors du repiquage. Vérifier également l'état des tiges : les plants à tiges ligneuses produiront moins bien que ceux à tiges vertes et souples.

A partir des semis, il faut compter 100 à 200 jours de maturation. Comme le repiquage ne peut pas s'effectuer tant que la température diurne demeure inférieure à 21°C, il est préférable de choisir des variétés précoces ou hâtives dans les régions où l'été est de courte durée.

Méthode de culture

Si l'on fait ses propres semis, mettre les graines en terre huit semaines avant le dernier gel. Prendre de petits pots, les remplir de terre et terminer en recouvrant celle-ci d'une couche de vermiculite ou de mousse de sphaigne. Semer trois graines par pot, à 0,5 cm de profondeur, et arroser généreusement. La germination demande une température de 24°C. La levée peut prendre trois semaines.

Lorsque les plantules ont entre 4 et 5 cm de haut, garder la plus vigoureuse et couper les deux autres avec des ciseaux. Abaisser peu à peu la température au fur et à mesure que les plantules se développent. L'endurcissement en prévision du repiquage au jardin est une période critique puisque des températures inférieures à 10°C feront régresser les plants.

Eviter de planter les aubergines à proximité des tomates ou des piments et ne pas les cultiver là où l'année précédente on a fait pousser des aubergines, des tomates, des piments ou des pommes de terre. Ces plantes étant apparentées, elles sont toutes vulnérables aux mêmes maladies transmises par le sol.

En préparation pour la plantation, incorporer au sol environ un tiers de boisseau d'humus et 75 à 150 g d'engrais 5-10-5 par mètre de rang. Repiquer les plants lorsque le ciel est couvert ou à la fin du jour pour qu'ils ne se flétrissent pas au soleil. Creuser des trous peu profonds, en laissant 60 cm entre eux et 90 cm entre les rangs, et les remplir d'eau. Lorsque l'eau est absorbée, repiquer les plants en ménageant autour de chacun d'eux une petite rigole. Arroser de nouveau tout de suite après la plantation.

Protéger les aubergines contre les vers gris au moyen d'une collerette en papier rigide (par exemple un gobelet de papier auquel on a enlevé le fond) enfoncée à 3 cm de profondeur au moins dans le sol. Si les feuilles se ramollissent ou semblent se flétrir, abriter les plants sous une tente en papier journal durant quelques jours.

Garder le sol très humide et désherber régulièrement. Etaler des paillis entre les plants pour diminuer l'évaporation et freiner la croissance des mauvaises herbes. Au paillis organique, préférer si possible le plastique noir qui réchauffe le sol. S'il faut désherber, le faire à la main.

Dès le début de la fructification, compter le nombre de fruits par plant. Pour que la récolte soit de bonne qualité, ne pas laisser plus de six fruits par pied. Pincer les autres.

Quatre-vingts jours environ après le repiquage des plantules au jardin, les fruits devraient avoir 13 à 15 cm de long et 10 à 13 cm de diamètre ; ils auront une belle peau brillante d'un pourpre foncé. C'est le moment de les cueillir.

Ne pas essayer d'arracher le fruit ; avec un couteau bien aiguisé, trancher la tige à 2,5 cm environ audessus du fruit.

Garder les aubergines dans un endroit frais et les consommer le plus tôt possible.

Ravageurs et maladies

La flétrissure verticillienne, maladie transmise par le sol, affecte les aubergines aussi bien que les tomates et les pommes de terre. Pratiquer la rotation de culture, c'est-à-dire ne pas planter d'aubergines là où l'on a cultivé des tomates, des piments ou des aubergines durant les trois années précédentes.

Le doryphore de la pomme de terre, l'altise et le puceron sont les principaux ennemis de l'aubergine. Traiter avec du carbaryl, du diazinon ou du méthoxychlore. Vérifier sur l'étiquette le délai à respecter entre le traitement et la récolte.

Variétés recommandées

Dans les régions où la période estivale est de courte durée, il est recommandé de cultiver les variétés 'Dusky' et 'Black Nite'. Là où l'été est plus long, on peut choisir 'Burpee Hybrid' et 'Jersey King Hybrid'.

Betterave

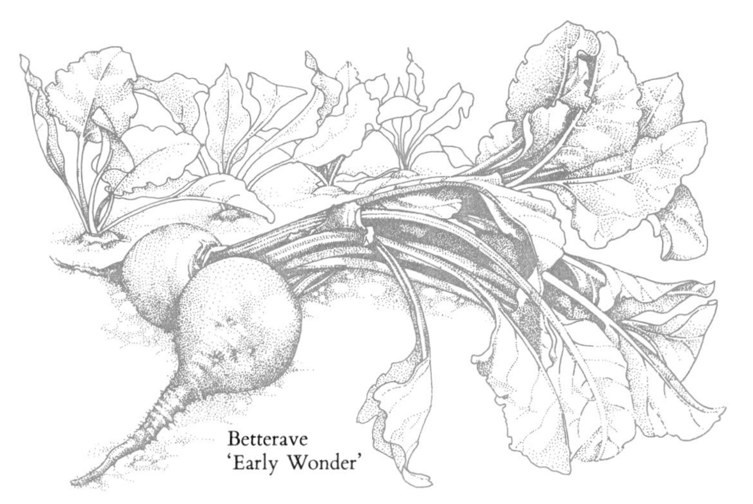

Betterave
'Early Wonder'

La betterave est un légume facile à cultiver et dont toutes les parties sont comestibles. Bien que tolérant la chaleur, elle préfère les climats frais et supporte même un froid intense qu'on ne doit pas confondre toutefois avec le gel. Sa maturation est rapide : elle se fait en 55 à 70 jours. La plante exige peu d'espace et peu de soins, mais elle ne peut prospérer dans une terre très acide.

La betterave est un des légumes-racines dont on peut manger le feuillage. Chez les jeunes plants, les feuilles, très tendres, sont excellentes en salade ; quand la plante est plus grosse, on peut les faire cuire et les apprêter comme des épinards. La racine se prête à un nombre encore plus grand d'usages culinaires. On peut la faire cuire, la faire mariner ou la mettre en conserve.

Méthode de culture

Avant les semis, bêcher le sol à une profondeur d'environ 20 cm, puis le ratisser pour enlever les cailloux. Si la terre est acide, incorporer du calcaire une semaine au moins avant les semis. La betterave vient mieux dans un sol à pH de 6 à 7,5. (Voir le chaulage des sols, p. 438.) La cendre de bois renferme du calcaire et de la potasse ; elle peut donc servir à alcaliniser les sols. Juste avant les semis, épandre un engrais de formule 5-10-5 à raison de 30 g par mètre de rang.

Les betteraves germent et poussent plus rapidement par temps frais. On fera donc les semis dès que la terre se laisse travailler. Dans les régions où les étés sont frais, semer plusieurs fois, à trois semaines d'intervalle, de façon à récolter durant tout l'été. Dans celles où les étés sont longs et chauds, semer pour que les récoltes ne coïncident pas avec les grandes chaleurs.

Espacer les rangs de betteraves d'au moins 35 cm et creuser des sillons de 1,5 cm de profondeur. Les semences se présentent sous la forme de glomérules réunissant trois ou quatre graines. Les semer ainsi, sans les séparer, en les espaçant de 2,5 cm. A la levée, les plantules sortent en touffes qui doivent être éclaircies quand elles ont environ 5 cm de haut. A ce stade, ne garder qu'une touffe tous les 2,5 cm. Lorsque les plantules ont 10 cm, n'en conserver que quatre à six sur 30 cm de rang.

Lors des semis de mi-été, creuser des sillons de 3 cm de profondeur : le sol y sera plus humide. Couvrir les semences de terreau de feuilles, de vermiculite ou d'une matière qui ne durcit pas et laisse passer l'eau.

Pour obtenir des betteraves tendres et juteuses, deux facteurs sont essentiels : une croissance rapide et une récolte opportune. Il faut donc éviter le manque d'eau, les carences alimentaires ou la prolifération des mauvaises herbes qui ralentissent la croissance et produisent des racines dures et ligneuses. Si le sol a été fertilisé avant les semis, il suffit d'un seul autre apport d'engrais avant la récolte. Lorsque les plantules ont environ 8 cm de haut, épandre de l'engrais 5-10-5 de chaque côté du rang, à raison de 50 g par mètre de rang. Etendre ensuite autour des plants un léger paillis de paille, de sciure de bois ou de débris de gazon. Si les mauvaises herbes persistent malgré le paillis, les arracher à la main dans les rangs et, entre les rangs, biner superficiellement. Arroser régulièrement.

Ne cueillir que quelques jeunes feuilles à la fois sur chaque plant pour ne pas entraver la croissance.

Les betteraves atteignent leur maturité en 55 à 70 jours selon la variété. Lorsque le collet des racines apparaît au-dessus du sol, enlever délicatement un peu de terre autour de l'une d'elles pour vérifier sa taille. Elles sont prêtes à être cueillies quand elles ont entre 4 et 5 cm de diamètre. Plus grosses, elles sont fibreuses.

Voici comment cueillir les betteraves. *Tirer* la racine hors du sol ; ne pas la déterrer. Couper le feuillage en laissant 2,5 cm de tige pour que les légumes ne se décolorent pas lors de la cuisson.

L'entreposage des betteraves dans une cave obscure et fraîche donne de bons résultats. Pour qu'elles restent croquantes, les enfouir dans du sable ou de la tourbe humides. On peut également les enfermer dans des sacs de plastique perforés de petits trous.

Ravageurs et maladies

Lorsque les semis ont été faits très tôt au printemps et que la température s'est maintenue en dessous de 4°C pendant plusieurs semaines, les betteraves peuvent monter en graine. On cueille alors les feuilles pour les consommer en salade et on recommence les semis.

Si le feuillage des betteraves jaunit et s'étiole alors que le sol a été convenablement chaulé, il peut s'agir d'une déficience en phosphore. Y remédier en ajoutant à la terre un engrais approprié, de la poudre d'os ou du superphosphate.

Les betteraves attirent peu de ravageurs dans les régions où les hivers sont rigoureux. Dans les régions à climat doux, elles peuvent être attaquées par une petite mineuse jaune que le malathion détruit.

Les betteraves cultivées dans les mêmes plates-bandes deux années de suite sont parfois victimes de la tache foliaire. Traiter avec un fongicide.

Une carence de bore se manifeste d'ordinaire par le noircissement de certaines parties des racines. Faire dissoudre un quart de cuillerée à thé de borax pour usage domestique dans 55 l d'eau. Arroser le sol avec cette solution.

Variétés recommandées

Parmi les variétés à racines rouges, les plus recommandées sont 'Early Wonder' qui mûrit en 55 jours environ et 'Winter Keeper', appréciée pour ses feuilles et sa bonne conservation. La variété 'Formanova' présente de longues racines cylindriques qui se tranchent en belles rondelles uniformes. Parmi les variétés à racines jaunes et blanches, on recommande dans le premier cas 'Burpee's Golden', et dans le second 'Albino White'.

Brocoli

Brocoli 'Green Comet'

Le brocoli fait partie du genre *Brassica*, vaste groupe de plantes variées qui inclut également le chou de Bruxelles, le chou et le chou-fleur. Toutes ces plantes croissent mieux par temps frais. Extrêmement rustique, le brocoli exige une longue saison fraîche pour prospérer. C'est l'un des premiers légumes à planter au printemps. On le récolte alors à la fin du printemps ou au début de l'été. Une seconde plantation effectuée à la fin de l'été permet d'avoir une autre récolte en automne.

Méthode de culture

La date de plantation des brocolis doit être calculée pour que la récolte se fasse quand la température est encore fraîche. Dans les régions où la saison de culture est de courte durée, il est préférable de faire les semis à l'intérieur. La plupart des catalogues mentionnent le nombre de jours qui doivent s'écouler entre le repiquage des plantules au jardin et la récolte. A ce délai, qui est ordinairement de 60 à 80 jours, il faut ajouter les quatre à six semaines qu'exigent les semis sous abri. (Dans les régions où le climat est doux, semer en pleine terre dès que le sol se laisse travailler.)

Semer à l'intérieur dans des caissettes, six semaines avant les derniers gels. Enfouir les graines à 1,5 cm de profondeur, étaler au-dessus une mince couche de mousse de sphaigne stérile ou de vermiculite et bien arroser. Garder les caissettes dans un endroit frais et obscur jusqu'à la levée, ou les recouvrir de papier journal. Eclaircir les plantules pour qu'elles soient espacées de 1,5 à 2,5 cm. Couper avec des ciseaux celles qui sont de trop. Lorsque celles qui ont été conservées ont environ 4 cm de haut, les repiquer dans des pots individuels ou dans des caissettes où elles auront plus d'espace pour se développer. Les placer dans un endroit ensoleillé mais frais : la chaleur ne favorise pas leur développement.

Deux semaines au moins avant le moment prévu pour le repiquage (plus tôt encore si le temps n'est pas trop froid), installer les plantules sous châssis froid ou dans un coin ensoleillé et protégé du jardin pour les endurcir, c'est-à-dire les habituer à la vie au grand air.

Toutes les plantes du genre *Brassica* sont vulnérables à un certain nombre de maladies transmises par le sol. On ne cultivera donc pas du brocoli là où l'année précédente se trouvaient d'autres espèces de ce genre.

Deux semaines avant la transplantation, incorporer au râteau dans la terre 60 g d'engrais 5-10-10 par mètre de rang. Chauler le sol au même moment s'il est très acide, et si cela n'a pas été fait l'automne précédent.

Deux semaines environ avant le dernier gel, repiquer en pleine terre les plantules endurcies. Laisser 45 à 60 cm entre les plantules et 90 cm entre les rangs. Entourer les plants d'une collerette en papier pour les protéger des attaques des vers gris. Enfoncer les collerettes à 3 cm dans le sol. Arroser abondamment et recouvrir le sol d'un paillis.

Pour obtenir une récolte en automne, semer sous châssis froid ou au jardin à la fin de mai ou en juin. Enfouir les graines à 1,5 cm de profondeur et les recouvrir d'une mince couche de terre additionnée de sable ou de tourbe pour l'empêcher de former une croûte. Eclaircir à 2,5 cm. Quand les plantules ont 13 cm de haut, les repiquer dans un carré où l'on a déjà récolté des légumes-racines, par exemple des carottes. Fertiliser la terre avant le repiquage.

Pour obtenir une bonne récolte, il faut donner au brocoli beaucoup d'eau et une terre riche. Etendre un épais paillis sur le sol pour le garder humide et arroser lentement et longtemps en périodes de sécheresse. Une fois au moins durant la saison, mettre le paillis de côté et épandre 75 g d'engrais 10-10-10 par mètre de rang. Remettre le paillis en place et arroser pour faire pénétrer l'engrais.

La formation d'une inflorescence dense indique que les plants sont en voie de mûrissement. Il faut la cueillir avant que les fleurons s'ouvrent. Couper la tige à 15 cm sous l'inflorescence. Les tiges latérales produiront de plus petites inflorescences pendant au moins deux mois.

Ravageurs et maladies

Hernie, jambe noire et nervation noire sont des maladies graves qui peuvent être évitées par la rotation de culture. La hernie se manifeste par des plants jaunis à racines déformées. Traiter en haussant le pH du sol à 7,2 par des apports de calcaire hydraté et arroser les plantules après le repiquage avec une solution de quintozène ou d'un fongicide similaire.

La jambe noire se manifeste par des lésions sur les tiges, tandis que la nervation noire fait moisir les plants entiers. Ces deux maladies affectent les semences. Vaporiser les plantules de manèbe ou de chlorothalonil.

Contre la pyrale du chou, utiliser du *Bacillus thuringiensis*.

Variétés recommandées

Parmi les variétés hâtives de brocolis, on remarque 'Green Comet' et 'Spartan Early' qui sont de bonne qualité. Les variétés 'Waltham 29' et 'Calabria' sont recommandées pour les récoltes automnales.

Carotte

Carotte 'Short 'n Sweet'

La carotte se cultive facilement et se conserve sans problème. En étalant bien les récoltes, on peut consommer ce légume presque toute l'année.

La carotte résiste au froid et arrive à maturité en 60 à 85 jours. En faisant les premiers semis assez tôt, on pourra replanter plusieurs fois. Bien que préférant un temps frais, elle peut être cultivée à la mi-été partout, sauf dans les régions où le climat est très chaud, et donner une bonne récolte. Toutefois, en cette saison, il faut garder le sol très humide. Par ailleurs, dans les endroits où l'hiver est doux, on peut, en paillant bien, semer en septembre et récolter dans le temps de Noël.

La racine de la carotte, qui est la partie comestible de la plante, peut être courte ou longue, ronde, cylindrique ou conique. Avant de choisir les variétés qu'on veut cultiver, il faut déterminer la nature du sol. S'il est profond de 25 à 30 cm, sablonneux, poreux et dépourvu de cailloux, on peut semer des variétés à racine longue et fuselée comme 'Imperator' ou 'Gold Pak'. Si, au contraire, la terre est argileuse et rocailleuse, on choisira plutôt la variété 'Danvers 126' à racine trapue de 15 à 18 cm, ou la variété 'Short 'n Sweet' à racine ronde et épaisse de 10 à 13 cm de long.

Méthode de culture

Dès que la terre se laisse travailler, bêcher à une profondeur d'au moins 20 cm en ratissant bien pour enlever les cailloux. Si le sol est lourd et argileux, lui ajouter de généreuses quantités d'humus ou de sable.

Délimiter les rangs à l'aide d'un cordeau et creuser des sillons peu profonds. Les graines de carotte sont lentes à germer : les rangs seront envahis par les mauvaises herbes bien avant qu'on voie apparaître les plantules. Aussi suggère-t-on de mélanger quelques graines de laitue ou de radis aux graines de carotte.

Semer les graines de carotte à 0,5 cm de profondeur dans des rangs espacés de 40 à 60 cm. (Par grande chaleur, semer à 1,5 cm de profondeur.) Pour empêcher la terre de former une croûte, recouvrir les graines d'une mince couche de compost fin ou de terre tamisée ; tasser et arroser. Garder le sol relativement humide jusqu'à la levée. Eclaircir à 2,5 cm la première fois. Quand les plants sont de nouveau tassés, éclaircir pour dégager un espace de 5 à 8 cm.

Semer toutes les trois semaines environ durant la saison en effectuant les derniers semis 40 à 60 jours avant le premier gel sévère d'automne.

Les carottes demandent peu de soins. Une fois le sol bien bêché et débarrassé des cailloux qui pourraient faire obstacle à la croissance des racines, il suffit de les arroser et de désherber régulièrement. Un paillis aide à conserver l'humidité du sol et freine la croissance des mauvaises herbes.

Pour bien germer, les graines de carotte doivent se trouver dans un sol humide. Il ne faudrait pas en déduire, cependant, que la culture des carottes exige un sol gorgé d'eau. Un excès d'eau, surtout à l'approche de la récolte, peut faire éclater les racines.

Epandre une petite quantité d'engrais 5-10-10 (environ 50 g par mètre) quand le feuillage des plants atteint 8 à 10 cm de haut. Répéter l'opération quand le feuillage a 15 à 20 cm. Examiner fréquemment la base des tiges. Quand le collet orange des racines apparaît au ras du sol, butter légèrement les plants, car la lumière du soleil les ferait verdir.

Même si les carottes arrivent à maturité en 60 à 85 jours, elles sont cependant plus tendres et plus juteuses si on les cueille un peu avant. Examiner les collets des plants. S'ils paraissent suffisamment épais et ont environ 2 cm de diamètre, arracher les carottes. Il n'est pas nécessaire de les cueillir toutes le même jour. On peut en laisser dans le sol pendant quelques semaines sans risquer qu'elles durcissent. Si les carottes tardives sont recouvertes d'un épais paillis, on peut même continuer d'en cueillir à travers la neige.

Ravageurs et maladies

Les larves de la mouche de la carotte éclosent par temps chaud et se creusent des galeries dans les racines. Pour prévenir leurs dégâts, faire des semis hâtifs ou tardifs. Un petit insecte brun, le charançon de la carotte, est aussi à craindre : il peut détruire une récolte entière si on le laisse proliférer. Vaporiser ou poudrer les plants avec un produit à base de carbaryl ou de roténone.

Si les racines sont déformées, c'est que la terre est trop caillouteuse ou les plants trop tassés.

Variétés recommandées

Outre les variétés déjà mentionnées, en voici d'excellentes : 'Nantaise' qui donne une racine demi-longue et surtout 'Baby Finger Nantaise' dont la racine d'à peine 9 cm de long est un délice de gourmet.

Céleri

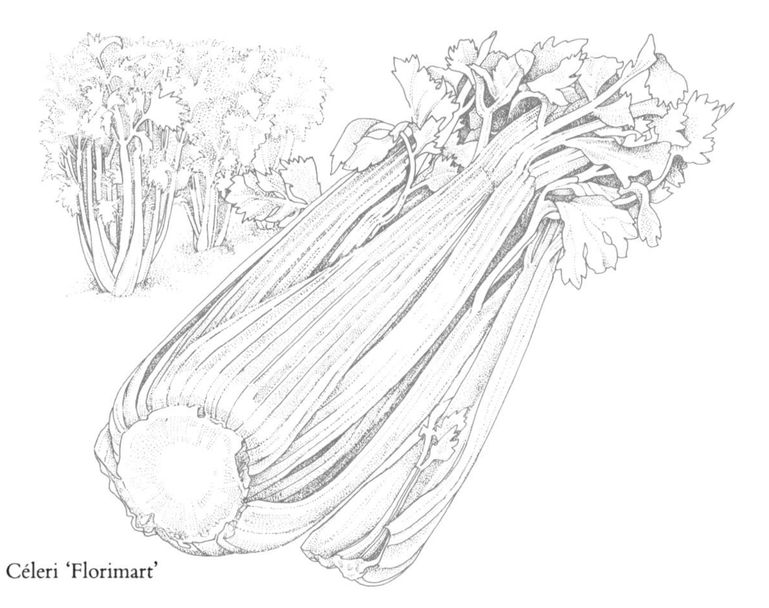
Céleri 'Florimart'

Le céleri est loin d'être facile à cultiver. Il nécessite une longue période de culture comprenant une saison fraîche. En effet, il n'arrive à maturité que cinq ou six mois après les semis. En outre, il requiert des soins spéciaux, consomme plus qu'une ration normale de substances nutritives et demande un sol bien préparé, ainsi que des arrosages abondants et réguliers. Enfin, ses graines minuscules sont difficiles à faire lever, même dans les conditions idéales qui sont celles des semis à l'intérieur. Seul un horticulteur accompli peut réussir la culture de ce légume.

Méthode de culture

Les semis se font généralement à l'intérieur dans des caissettes. Les graines étant dures, les faire d'abord tremper une nuit dans l'eau pour que le tégument se ramollisse. Comme substrat de culture, utiliser un mélange léger de terre et de sable ou de la mousse de sphaigne stérile. Etaler les graines en surface, dans les caissettes, et les recouvrir de 0,5 cm de mousse de sphaigne. Garder le substrat humide. Les graines peuvent mettre jusqu'à trois semaines à germer.

Lorsque les plantules ont environ 3 cm de haut, les repiquer individuellement dans des pots. Ne les transplanter au jardin que lorsqu'elles ont au minimum 8 cm de haut, soit 10 à 12 semaines après les semis. (On peut également acheter des plants tout prêts, vendus en temps opportun et ayant généralement 15 cm de haut.)

Repiquer les plantules en pleine terre deux à quatre semaines avant le dernier gel. Il faut compter au moins 120 jours de culture à l'extérieur pour les plants issus de semis à l'intérieur et 115 jours pour les plants achetés en pépinière. Comme le céleri préfère des températures fraîches, la majeure partie de cette période de sa croissance doit se dérouler au printemps, avant que les grandes chaleurs surviennent.

La façon traditionnelle de cultiver le céleri consistait à creuser une tranchée, à y installer les plantules et à butter les plants au fur et à mesure qu'ils prenaient de la hauteur. La terre ainsi buttée conservait son humidité et gardait les plants blancs et tendres en les protégeant contre la lumière du soleil. Les horticulteurs ont par la suite mis au point des lignées de céleri dont les côtes peuvent verdir au soleil tout en demeurant tendres et qui sont plus nourrissantes que celles des céleris blancs. Il existe également des espèces à côtes jaunâtres qui n'ont pas besoin d'être buttées, elles non plus. C'est pour cette raison qu'on plante maintenant le céleri dans des sillons ordinaires.

La tranchée offre néanmoins certains avantages que ne donne pas le sillon. Elle protège du gel les récoltes tardives, facilite la fertilisation et élimine le désherbage. Si l'on décide de creuser une tranchée, lui donner 40 cm de large et 25 cm de profondeur. Mettre au fond 12 cm de terre végétale et fertiliser comme indiqué ci-dessous.

Quelle que soit la méthode de culture utilisée, il est nécessaire de préparer le sol en lui ajoutant de généreuses quantités de matières organiques, compost ou fumier bien décomposé, ainsi qu'environ 150 g d'engrais 5-10-10 par mètre de rang. Le sol doit être préparé au moins deux semaines avant le repiquage. L'engrais risquant de brûler les plants s'il entre en contact avec eux, le faire pénétrer profondément dans le sol et arroser abondamment.

Procéder au repiquage par temps nuageux. Laisser 15 à 20 cm entre les plants et espacer les rangs d'au moins 60 cm. Arroser abondamment. Pendant les quelques jours qui suivent le repiquage, protéger les plants des rayons du soleil.

Le céleri exigeant beaucoup d'eau, pailler abondamment le sol pour lui conserver son humidité. Le paillis contribuera également à freiner la croissance des mauvaises herbes. Enrichir le sol régulièrement, c'est-à-dire toutes les deux ou trois semaines, en versant autour de chaque plant de l'engrais liquide dilué de moitié.

On peut faire blanchir le céleri qui n'est pas planté en tranchée en plaçant des planches de 30 cm de large de chaque côté du rang. On peut également envelopper chaque pied de papier épais en ne laissant dépasser que le feuillage. Cette opération doit être faite deux semaines avant la récolte.

Le céleri est prêt à être cueilli quatre mois environ après le repiquage des plants au jardin. Mais on peut, deux ou trois semaines plus tôt, cueillir une côte extérieure sur chaque plant. Pour récolter le plant entier, l'arracher du sol ou le déterrer et couper les racines à la base.

Ravageurs et maladies

Le céleri est principalement victime de maladies cryptogamiques qui causent des taches jaunes ou brunes sur les feuilles et les côtes. En guise de mesures préventives, ne pas cultiver de céleri deux années de suite au même endroit, ne pas manipuler les plants lorsqu'ils sont mouillés et désherber les rangs. Si des taches apparaissent quand même, poudrer ou vaporiser les pieds avec un produit à base de cuivre, de manèbe, de zinèbe ou de ziram. Bien les laver après la récolte.

Variétés recommandées

Dans la catégorie du céleri vert hâtif, on recommande les variétés 'Florimart', 'Florida 683' et 'Tendercrisp'. Pour ce qui est du céleri jaune hâtif, l'une des variétés les plus renommées est 'Stokes Golden Plume'.

Là où les étés sont longs et frais, on peut essayer de cultiver 'Utah 52-70', un céleri vert foncé à côtes épaisses qui ne monte pas en graine — c'est-à-dire qui ne produit pas une tige dure couronnée d'une inflorescence — aussi facilement que les autres.

Chou

Le chou se cultive dans un sol fertile et moyennement acide. On connaît le chou vert, le chou pommé et le chou rouge. En semant des variétés hâtives, de mi-été, et tardives, on peut faire la récolte des choux tout l'été et jusqu'en automne. Mais le chou demande beaucoup d'espace. Si le potager est petit, on ne plantera qu'une seule variété tardive.

Méthode de culture

Pour prévenir les maladies dont les germes se trouvent dans le sol, ne jamais placer les choux dans des planches où l'année précédente on a cultivé une espèce du genre *Brassica :* brocoli, chou-fleur, navet, chou de Bruxelles ou chou vert. Si le sol est très acide, le chauler le plus longtemps possible avant les semis, de préférence l'automne qui précède. Le chou prospère dans un sol dont le pH se situe entre 6 et 7,5.

Le chou mûrit plus rapidement et sa saveur est plus fine s'il est cultivé dans un sol généreusement fertilisé. Pour ce légume, l'engrais par excellence demeure le fumier bien décomposé, parce que cette matière organique améliore la texture du sol et augmente sa capacité de rétention d'eau tout en l'enrichissant. Qu'on utilise ou non du fumier, il faut aussi ajouter au sol 60 g d'engrais 10-10-10 par mètre de rang.

Cinq à huit semaines avant la date des derniers gels, semer à l'intérieur les variétés hâtives. (Pour les semis à l'intérieur, voir Brocoli, p. 401.) On peut aussi repiquer des plants achetés. On donnera la préférence aux sujets à tige courte et épaisse, caractéristique d'un plant vigoureux et bien parti.

Repiquer les plants au jardin deux ou trois semaines avant les derniers gels en laissant un espace de 30 cm entre les plants et de 60 à 90 cm entre les rangs. Les protéger des vers gris en les abritant d'un gobelet de carton sans fond enfoui de 2,5 cm dans le sol.

Semer les variétés d'été en pleine terre à l'époque des derniers gels. Enfouir ensemble trois ou quatre graines à environ 1 cm de profondeur ; laisser un espace de 30 cm entre les groupes et de 60 à 90 cm entre les rangs. Quand les plantules sortent de terre, les éclaircir en ne gardant que le sujet le plus vigoureux de chaque groupe.

A moins que le sol ne soit très riche, le fertiliser régulièrement. Une fois par mois, épandre de l'engrais 10-10-10 sur 15 cm autour de chaque plant ou utiliser un engrais organique à forte teneur en azote.

Le chou a des racines superficielles. Pour qu'il ne manque pas d'humidité, il est préférable de pailler le pied de chaque plant. Le paillis freinera aussi la croissance des mauvaises herbes. Arracher à la main celles qui réussiront à percer. On peut effectuer ce travail avec une binette, mais en faisant attention aux racines.

Par grande chaleur, les grosses pommes de chou risquent de se fendre, ce qu'on peut éviter en coupant les racines sur un côté du plant avec une bêche. Faire de même si un trop grand nombre de choux arrivent à maturité en même temps.

Les choux sont prêts à être cueillis lorsqu'ils sont fermes au toucher. Selon les variétés, le délai de maturation peut être de 60 à 110 jours à compter du repiquage. Ajouter 30 à 50 jours si les semis sont faits à l'intérieur. On récolte les choux en coupant la tige juste sous la pomme.

Ravageurs et maladies

La chenille du chou est particulièrement à craindre. Elle dévore les feuilles les plus tendres et peut même se creuser des galeries dans les pommes. Poudrer les plants le plus rapidement possible avec du *Bacillus thuringiensis* pour les préserver.

Variétés recommandées

Parmi les variétés hâtives, citons : 'Early Marvel', 'Stonehead' et 'Meteor'. Au nombre des variétés estivales, il y a : 'King Cole' et 'Savoy King'. Dans la catégorie des variétés tardives se trouvent : 'Penn. State Ballhead', 'Red Danish' et 'Tastie'.

Chou de Bruxelles

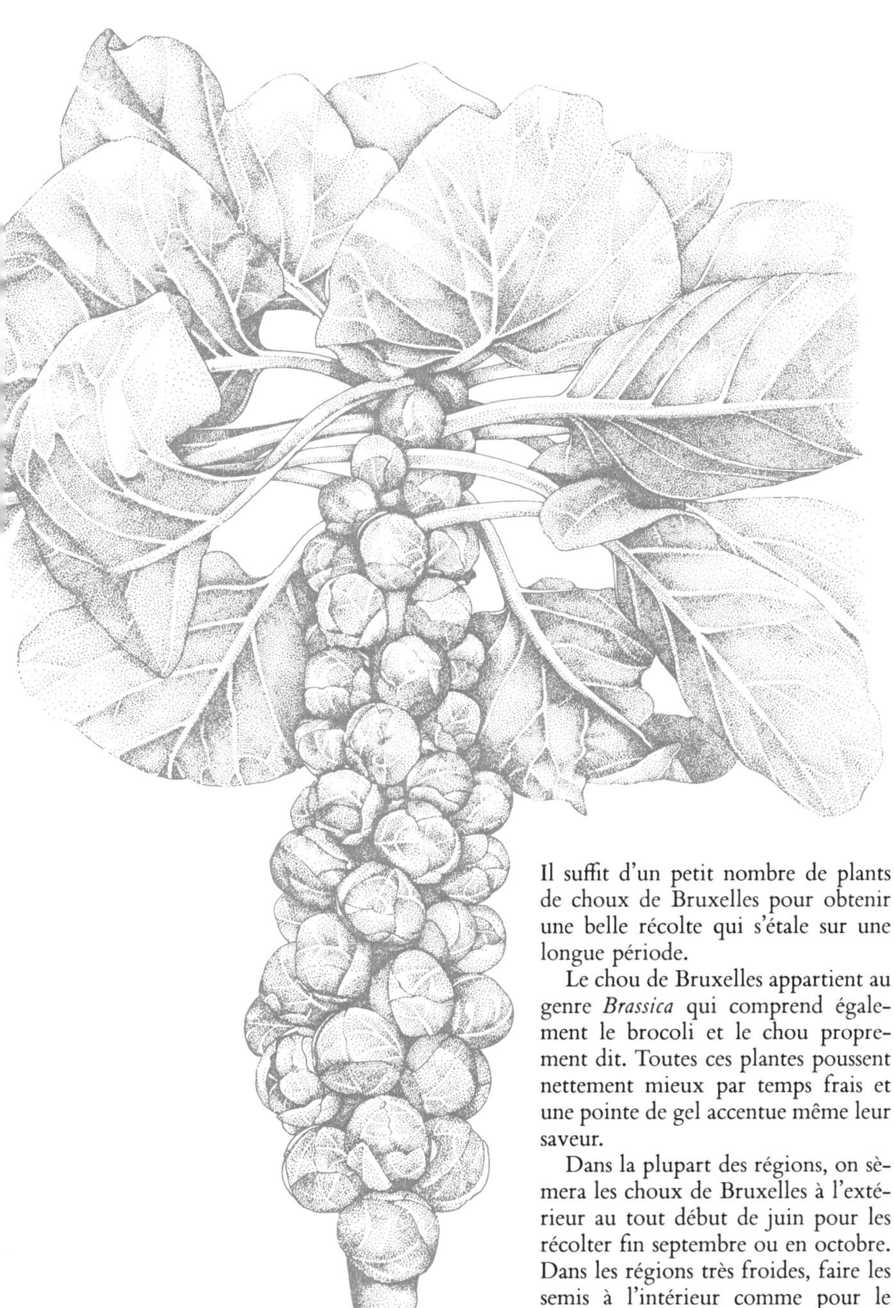

Chou de Bruxelles
'Jade Cross Hybrid'

Il suffit d'un petit nombre de plants de choux de Bruxelles pour obtenir une belle récolte qui s'étale sur une longue période.

Le chou de Bruxelles appartient au genre *Brassica* qui comprend également le brocoli et le chou proprement dit. Toutes ces plantes poussent nettement mieux par temps frais et une pointe de gel accentue même leur saveur.

Dans la plupart des régions, on sèmera les choux de Bruxelles à l'extérieur au tout début de juin pour les récolter fin septembre ou en octobre. Dans les régions très froides, faire les semis à l'intérieur comme pour le brocoli (voir p. 401) de façon à obtenir une récolte hâtive, et semer au jardin au mois de juin pour avoir une seconde récolte.

Méthode de culture

La préparation du sol est de la plus grande importance. Pour prévenir l'apparition des maladies et ravageurs associés aux plantes du genre *Brassica*, choisir un coin de jardin où l'on n'a pas cultivé de *Brassica* l'année précédente. Deux semaines avant les semis, incorporer au sol des matières organiques : compost, fumier bien décomposé ou terreau de feuilles, et ajouter 60 g d'engrais 5-10-10 par mètre de rang. Si le sol a tendance à être acide, saupoudrer un peu de calcaire.

Semer trois ou quatre graines à la fois en laissant un espace de 60 cm entre les groupes et de 90 cm entre les rangs.

Lorsque les plantules ont environ 4 cm de haut, les éclaircir en ne gardant que la plus vigoureuse de chaque groupe. Prévenir immédiatement les ravages du ver gris en couvrant chaque plant d'un gobelet de carton sans fond. Enfoncer le gobelet de 2,5 cm dans le sol.

Si la terre est riche et bien préparée, les choux de Bruxelles se développent normalement sans autre soin que des arrosages, surtout lorsqu'ils sont jeunes. Pailler les plants.

Lorsque les premiers bourgeons commencent à se former à la base de la tige, 10 à 12 semaines après les semis, épandre de l'engrais 5-10-10 sur 15 cm autour de chaque plant et arroser pour le faire pénétrer dans le sol.

Les choux de Bruxelles poussant lentement, il est possible de semer d'autres légumes entre les plants. Radis et laitue, notamment, seront prêts à manger bien avant que les choux de Bruxelles aient atteint une taille qui puisse leur nuire.

Les bourgeons se forment tout le long de la tige, entre les feuilles. Tout bourgeon dur et ferme qui mesure au moins 1,5 cm de diamètre est prêt à être récolté. Les meilleurs ont entre 1,5 et 4 cm de diamètre.

Si la récolte se fait convenablement, chaque plant peut donner durant six à huit semaines. Les bourgeons du bas seront prêts à être cueillis avant ceux du haut. Enlever d'abord les feuilles inférieures en tirant d'un coup sec vers le bas et poursuivre cette opération à mesure que les choux mûrissent. Les feuilles parties, les bourgeons ont plus d'espace encore pour se développer. Supprimer aussi les feuilles quelques jours avant la cueillette des choux. Ne pas enlever cependant la touffe terminale : la tige cesserait de croître et les bourgeons ne se formeraient plus.

Pour avoir une récolte hâtive, pincer la pousse terminale des plants en septembre. Les bourgeons arriveront à maturité trois semaines plus tôt et seront tous prêts en même temps.

Ravageurs et maladies

Pour prévenir l'apparition de la hernie du chou ou d'autres maladies causées par des organismes vivant dans le sol, ne pas cultiver de choux de Bruxelles là où l'année précédente on a planté une espèce du genre *Brassica*. Pour combattre la maladie, désinfecter le sol avant la plantation avec un produit à base de quintozène et le chauler (voir p. 401).

Contre la chenille du chou, asperger les plants de *Bacillus thuringiensis*.

Les vers du chou attaquent les racines des choux de Bruxelles. Les détruire en arrosant le sol avec une solution de diazinon (même concentration qu'en vaporisation).

Variétés recommandées

'Jade Cross Hybrid' arrive à maturité en 80 jours environ et atteint une hauteur de 55 cm. 'Long Island Improved' mûrit en 90 jours et atteint une hauteur de 50 cm.

Chou-fleur

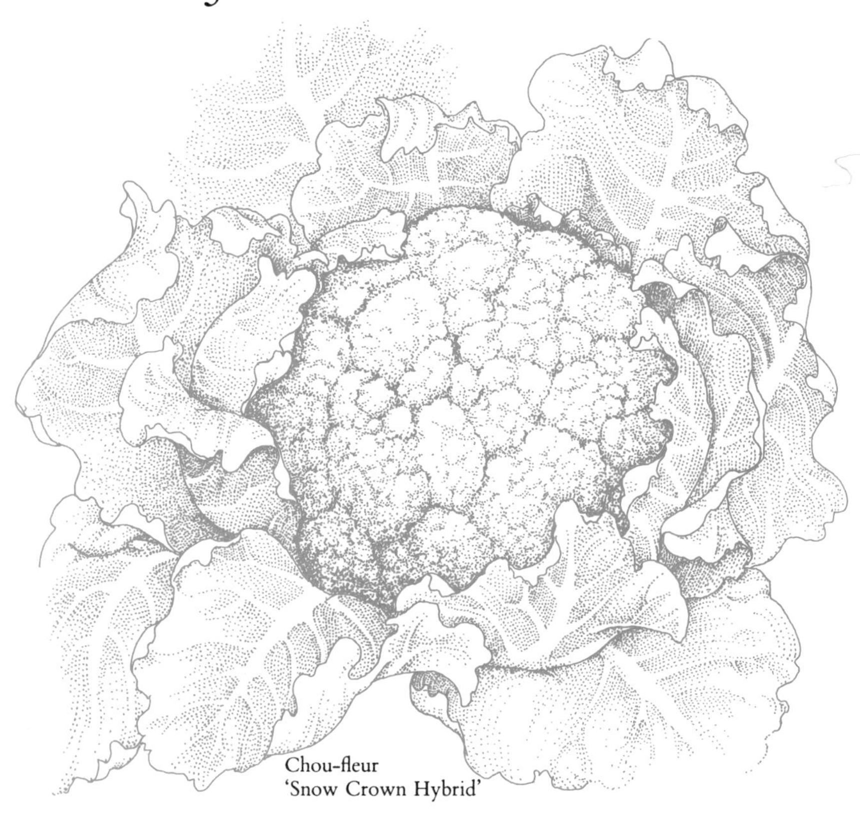
Chou-fleur
'Snow Crown Hybrid'

De tous les légumes appartenant au genre *Brassica* (bette à carde, brocoli, chou, chou de Bruxelles et navet), le chou-fleur est le plus difficile à cultiver. Il exige des températures fraîches, beaucoup d'humidité et un sol fertile. Il ne supporte pas le gel, mais les pommes ne se forment pas par temps très chaud. Aussi le chou-fleur est-il plus facile à cultiver en fin de saison, alors même qu'on le range généralement parmi les légumes de printemps. Le chou-fleur précoce demande 55 à 80 jours pour mûrir à compter du repiquage au jardin. Les variétés d'automne semées en pleine terre mettent une dizaine de semaines pour arriver à maturité.

Le blanc pur des pommes de chou-fleur s'obtient en couvrant l'inflorescence pour empêcher la lumière d'en faire verdir les grains. Cette opération conserve également au chou-fleur sa fine saveur. Il existe cependant une variété à pomme pourpre qu'on n'a pas besoin de protéger de la lumière. On en recommande souvent la culture aux jardiniers amateurs. Elle devient verte à la cuisson et sa saveur rappelle celle du brocoli.

Méthode de culture

Le chou-fleur demande un sol semblable à celui qui convient au chou. Si l'on dispose d'un sol très acide, l'amender avec du calcaire aussi longtemps que possible avant la plantation et, de préférence, l'automne précédent. La richesse du sol étant un facteur essentiel, ajouter de grandes quantités de compost ou de fumier bien décomposé et épandre 60 g d'engrais 10-10-10 par mètre de rang.

Dans le cas d'une culture précoce, semer à l'intérieur six à huit semaines avant le dernier gel, dans la plupart des régions. Mettre trois ou quatre graines par godet. Quand les plantules les apparaissent, ne garder que la plus vigoureuse. Conserver les pots dans un endroit frais mais ensoleillé. Deux semaines avant le repiquage au jardin, mettre les plants sous châssis froid pour les endurcir. (Sur la façon de procéder pour les semis à l'intérieur, voir Brocoli, p. 401.)

Repiquer les plantules en pleine terre à peu près à l'époque du dernier gel. Espacer les plants de 40 à 60 cm et laisser 60 à 90 cm entre les rangs. Les protéger contre le ver gris en les entourant d'une collerette de carton.

Pour récolter à l'automne, semer en juin trois ou quatre graines ensemble à 1,5 cm de profondeur dans une terre bien préparée. Espacer les groupes de 45 à 60 cm. Lorsque les plantules ont 2,5 cm de haut, ne garder que la plus vigoureuse de chaque groupe. Pour gagner de l'espace, semer sous châssis froid ou en plate-bande à semis. Repiquer les plantules dans le carré réservé au chou-fleur lorsqu'elles ont 10 à 15 cm de haut.

Enrichir régulièrement la terre. Toutes les trois ou quatre semaines, épandre de l'engrais 10-10-10 de chaque côté des rangs, sur une largeur de 15 cm, sans en répandre sur les plants. Arroser généreusement pour faire pénétrer l'engrais dans le sol.

Bien qu'essentielle, la fertilisation ne suffit pas. Il faut aussi un bon arrosage. En effet, si le système radiculaire des plants est privé d'eau, même pendant un court laps de temps, la pomaison n'a pas lieu. Arroser les rangs à fond au moins une fois par semaine et protéger le sol à l'aide d'un épais paillis de foin ou de compost à demi décomposé.

Quand le bourgeon central a entre 10 et 15 cm de diamètre, ramener les feuilles inférieures par-dessus. Les attacher dans cette position, sans trop serrer, avec de la ficelle souple ou une bande élastique. Ménager assez d'espace à l'intérieur de cette enveloppe foliaire pour que la pomme puisse atteindre son complet développement, c'est-à-dire 20 à 30 cm de diamètre. Cette enveloppe lui conservera sa blancheur.

On récolte les pommes de chou-fleur lorsqu'elles sont fermes et bien compactes. Plus mûres, elles se conservent moins longtemps. Cueillir en coupant la tige sous la pomme.

Ravageurs et maladies

Le chou-fleur est exposé aux mêmes maladies et aux mêmes ravageurs que les autres plantes du genre *Brassica.* On les prévient par la rotation de culture, autrement dit en ne cultivant pas deux années de suite chou-fleur, chou de Bruxelles, chou ou navet dans la même plate-bande.

Si la pyrale du chou fait son apparition, utiliser du *Bacillus thuringiensis.* Déloger les pucerons en lavant les plants avec un bon jet d'eau ou en les poudrant avec un insecticide à base de diazinon.

Variétés recommandées

Parmi les variétés hâtives de choux-fleurs, les plus recommandées sont 'Snow Crown Hybrid', qui arrive à maturité en une cinquantaine de jours après le repiquage au potager, et 'Early Snowball', qui met environ 60 jours à mûrir. La variété 'Purple Head' mûrit en 80 à 85 jours et on peut la cultiver en début ou en fin de saison. Parmi les variétés d'automne, on recommande 'Snowball' ainsi que 'Self-Blanche' dont les feuilles se rabattent d'elles-mêmes pour envelopper la pomme.

Chou frisé et chou vert

Chou frisé 'Green Curled Scotch'

Le chou frisé et le chou vert, mal connus, sont pourtant au nombre des légumes les plus nourrissants. Ce sont deux légumes verts non pommés apparentés au chou. Ils se consomment cuits et, quand ils sont jeunes et tendres, on peut les apprêter en salade.

Ils sont productifs et faciles à cultiver. Ils ont l'avantage de bénéficier du froid. Une pointe de gel affine en effet leur saveur et le chou frisé, en particulier, jouit d'une excellente résistance à l'hiver.

Le chou frisé atteint environ 60 cm de hauteur et met deux mois à mûrir. Le chou vert atteint environ 90 cm et son délai de maturation est de deux mois et demi.

Méthode de culture

Le chou frisé et le chou vert demandent une terre fertile dont le pH se situe à 6,5 ou au-dessus. S'il y a excès d'acidité, chauler longtemps avant la plantation. Ajouter en outre des matières organiques comme du fumier bien décomposé, ainsi que 60 g d'engrais 10-10-10 par mètre de rang.

Semer le chou frisé et le chou vert en pleine terre au début du printemps, dès que la terre se laisse travailler. Enfouir les graines à 2,5 cm de distance dans des sillons de 2,5 cm de profondeur et laisser 60 à 90 cm entre les rangs. Couvrir les graines de 1,5 cm de terre. La levée se fait généralement en 7 à 10 jours.

Si le potager est assez grand, effectuer un second semis en juin, par exemple après la récolte des pois hâtifs, en prévision d'une récolte en automne. Le chou frisé résiste mieux au froid que le chou vert ; on peut le récolter longtemps après les autres verdures du jardin. Dans les régions où le sol ne gèle pas en hiver, semer à la fin de l'été pour récolter en hiver.

Lorsque les plantules ont 8 cm de haut, éclaircir peu à peu jusqu'à ce qu'il y ait 60 cm entre les plants. (Consommer en salade les plantules qu'on supprime.) A cause de sa taille et de ses lourdes feuilles, le chou frisé a besoin de supports. Attention de ne pas abîmer les racines en enfonçant les tuteurs : elles sont superficielles et très étalées. Installer les tuteurs le long des rangs au moment de l'éclaircissage et attacher les plants lorsqu'ils ont environ 30 cm de haut.

Prendre garde aussi aux racines au moment du désherbage. Ne pas biner à plus de 2,5 cm de profondeur. Etaler un paillis pour freiner la croissance des mauvaises herbes.

Fertiliser au moins une fois pendant la période de croissance en épandant de l'engrais 10-10-10 de chaque côté des rangs, à raison de 50 g par mètre de rang.

Commencer à récolter le chou frisé un mois environ après les semis, quand les feuilles sont d'un beau vert. En mûrissant, elles deviennent plus foncées, coriaces et amères. Ne pas trop dégarnir les plants, car ils cesseraient de croître. Pour protéger le chou frisé quand le froid s'installe, étendre autour de chaque plant un épais paillis de paille, de foin de prés salés ou de terreau de feuilles, ou butter les pieds de quelques centimètres.

Le chou vert atteint sa maturité en deux ou trois mois, mais on peut commencer la récolte beaucoup plus tôt. Cueillir le pied au complet ou retirer quelques feuilles à la base de la tige. En coupant, ne pas toucher le bourgeon central, car cela entraverait la formation de nouvelles feuilles.

Ravageurs et maladies

Pour éviter les maladies qui attaquent le chou frisé, le chou vert, le chou proprement dit, le chou de Bruxelles et le brocoli, ne pas cultiver le chou frisé ou le chou vert là où poussait l'une ou l'autre de ces plantes les deux années précédentes.

Le chou frisé et le chou vert sont également exposés aux attaques de la pyrale du chou. Lorsqu'on remarque la présence de cette chenille, vaporiser les plants de *Bacillus thuringiensis.*

Variétés recommandées

Dans la catégorie du chou frisé, la variété 'Green Curled Scotch' est la plus recommandée. La variété 'Flowering Kale' a une valeur ornementale.

Parmi les variétés de choux verts, l'une des plus populaires et des plus fréquemment cultivées est la variété nommée 'Vates'. Il s'agit d'un plant sélectionné, trapu et à feuilles épaisses, qui a été développé aux Etats-Unis, à la station expérimentale de Virginia Truck.

Concombre et cornichon

Concombre 'Marketmore 70'

Le concombre demande beaucoup de soins, mais est en revanche très prolifique. Il a besoin de chaleur, mais sa période de maturation très courte — 55 à 60 jours — permet de le cultiver dans presque toutes les régions.

Plante rampante, le concombre peut émettre des tiges de plus de 1,80 m de long. Lorsque l'espace au sol n'est pas suffisant, on peut le palisser contre une clôture ou un treillage. D'ailleurs, le palissage donne souvent des légumes mieux formés.

Il existe de nombreuses variétés de concombres et de cornichons parmi lesquelles on retrouve le concombre long et cylindrique qui se découpe bien en tranches et que l'on consomme cru, ainsi que le cornichon court et dodu qui se conserve en marinade.

Le concombre est vulnérable à quelques maladies : gale, mosaïque, blanc et mildiou. Les horticulteurs ont mis au point, cependant, des races qui y sont réfractaires. Il est préférable toutefois de se renseigner auprès du pépiniériste sur les variétés qui résistent aux maladies répandues dans la région où elles sont cultivées. Vérifier aussi sur les sachets de graines : cette précision y est généralement donnée.

Il existe des variétés de concombres gynodioïques qui, au lieu de porter à la fois des fleurs mâles et des fleurs femelles — ces dernières seules produisant des fruits —, présentent exclusivement ou principalement des fleurs femelles. Ces variétés sont évidemment beaucoup plus productives. Cependant, comme elles ont besoin d'être fécondées, on les plante avec des sujets à fleurs mâles. C'est la raison pour laquelle on trouve dans les sachets de graines de variétés gynodioïques quelques graines différentes — colorées pour qu'on puisse les identifier — qu'il faut semer avec les premières pour assurer la pollinisation des plants.

Méthode de culture

On cultive les concombres en poquets (groupes de deux ou trois plants) ou en rangs. La culture en poquets est la plus couramment pratiquée, mais la culture en rangs est mieux appropriée lorsqu'on veut palisser les pieds. Laisser 1,80 m entre les rangs ; donner aux poquets 30 cm de diamètre et les espacer de 1,80 m.

La préparation du sol revêt une importance particulière, car le concombre requiert un sol fertile et bien drainé. Bêcher la terre à une profondeur d'environ 30 cm et y incorporer une brouettée de fumier bien décomposé ou de compost, ainsi que 75 g d'engrais 5-10-5 par mètre de rang ou 115 g par poquet.

Dans la plupart des régions, on sème les graines de concombre sous abri, dans de petits godets de tourbe comprimée, deux ou trois semaines avant le dernier gel. (Il est préférable d'utiliser des pots plutôt que des caissettes, les concombres tolérant mal qu'on dérange leurs racines.) Semer trois graines à 1,5 cm de profondeur dans chaque pot ; quand les plantules ont 4 cm de haut, ne garder que la plus vigoureuse. Lorsqu'on se sert de variétés gynodioïques, étiqueter les pots contenant les graines colorées ; il faut repiquer en pleine terre au moins un plant pollinisateur tous les 7,50 m de rang.

Le repiquage des plantules au jardin s'effectue généralement trois ou quatre semaines plus tard. Espacer les plants de 30 cm dans le rang ou placer deux ou trois plantules au centre de chaque poquet.

Dans les régions où la période de culture est longue, semer en pleine terre au moment du dernier gel. Ne pas oublier d'identifier les plants pollinisateurs pour ne pas les supprimer par mégarde au moment de l'éclaircissage. Dans la culture en rangs, semer à 1,5 cm de profondeur et laisser 10 à 15 cm entre les graines. Quand les plantules ont 4 à 5 cm de haut, les éclaircir à 30 cm. Dans la culture en poquets, semer six à huit graines à 1,5 cm de profondeur par poquet et éclaircir en temps opportun à deux ou trois plantules.

Les jeunes plants de concombre doivent être protégés de la pluie et du froid par des cloches translucides.

Arroser fréquemment. Etaler une épaisse couche de paillis organique ou entourer les plants d'une feuille de plastique noir pour diminuer l'évaporation. Le plastique noir conserve davantage la chaleur en cas de plantations hâtives. Si des mauvaises herbes percent à travers le paillis, les arracher à la main.

Les concombres sont généralement mûrs lorsqu'ils atteignent 15 à 20 cm de longueur et les cornichons quand ils mesurent de 4 à 8 cm. On peut cependant cueillir les uns et les autres avant leur complète maturité. Faire une récolte tous les deux ou trois jours, sinon les plants cesseront de produire. Les concombres sont bons à cueillir quand ils sont vert sombre.

Ravageurs et maladies

La chrysomèle du concombre ronge les plants et leur communique la flétrissure bactérienne. Si l'insecte se manifeste couramment dans une région, mettre les jeunes plants à l'abri sous des cloches. On peut aussi appliquer un insecticide en suivant bien les instructions du fabricant.

Variétés recommandées

Dans la catégorie des concombres, les meilleures variétés sont 'Victory Hybrid' (variété gynodioïque) et 'Marketmore 70' ; dans celle des cornichons, 'Wisconsin SMR 18' et un hybride appelé 'Liberty'. Enfin, certains concombres, dont 'Burpless Hybrid', ne donnent pas de gaz stomacaux.

Courge et citrouille

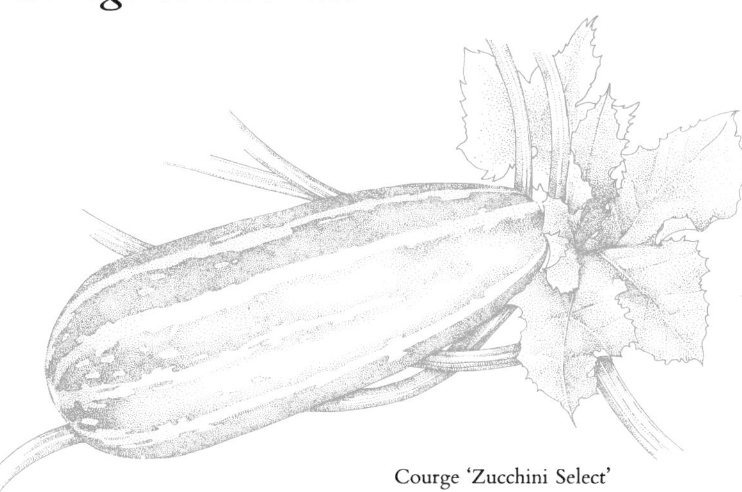

Courge 'Zucchini Select'

En dépit de leur saveur et de leur apparence différentes, les deux principaux types de courges, la courge d'été et la courge d'hiver, sont apparentés et se cultivent de la même façon.

Les courges d'été sont des plantes buissonnantes et rampantes dont on récolte les fruits au moment où leur peau est tendre et comestible. La plupart des courges d'hiver, appelées aussi potirons, sont des plantes sarmenteuses qui prennent encore plus d'espace que les courges d'été. On laisse les fruits sur le plant jusqu'à leur complète maturité ; leur écorce est alors coriace et on ne la consomme pas. Bien entreposées, les courges d'hiver se conservent jusqu'au printemps.

Les citrouilles sont en réalité des variétés de courges buissonnantes ou rampantes. Comme les courges d'hiver, on ne les cueille qu'à maturité.

Il existe bien des variétés de courges. Parmi les courges d'été, on connaît la courge jaune, à cou tors ou à cou droit, la courge verte ou zucchini et le pâtisson à peau blanche ou verdâtre. La plupart des courges d'été se cueillent entre 50 et 60 jours après la plantation.

Les courges d'hiver les plus hâtives sont la courge en forme de gland et la courge bulbeuse qui sont prêtes à cueillir entre 75 et 85 jours après la plantation. Le giraumon turban met 100 jours à mûrir, tandis que la courge gris ardoise ou verte Hubbard, qui peut atteindre une taille énorme, en met 110. Quant aux citrouilles, elles ont un délai de maturation de 100 à 120 jours.

Toutes les courges exigent une terre riche, humeuse, qui garde bien l'humidité et qu'on enrichit par des apports d'humus ou d'engrais.

Méthode de culture

On cultive généralement les courges sur de petits monticules appelés poquets. Creuser des trous de 30 à 45 cm de profondeur et d'environ 60 cm de diamètre. Mettre au fond 10 à 15 cm de compost ou de fumier bien décomposé. Remettre ensuite dans les trous la terre qu'on en avait retirée de manière à former un petit monticule d'environ 15 à 20 cm de haut. Espacer les poquets de 1,20 à 1,80 m pour les variétés buissonnantes et de 2,45 à 3 m pour les variétés rampantes, y compris les citrouilles.

On sème les courges en pleine terre au moment du repiquage des tomates et des aubergines, c'est-à-dire lorsque la température ne descend plus en dessous de 13°C la nuit. Enfouir six graines par poquet à environ 2,5 cm de profondeur. Quand les plantules ont 15 cm de haut, ne garder que les deux ou trois plus vigoureuses de chaque poquet.

On peut aussi semer les courges à l'intérieur trois ou quatre semaines plus tôt qu'au jardin. Le développement des plantules risque cependant d'être retardé par le repiquage. Faire très attention de ne pas déranger leurs racines.

Lorsqu'on a incorporé au sol, au moment de la préparation, de généreuses quantités de compost ou de fumier, il n'est pas nécessaire de fertiliser de nouveau. En cas de doute, épandre 50 g d'engrais 5-10-10 autour de chacun des plants lorsqu'ils ont quelques feuilles.

Les courges requièrent beaucoup d'humidité. Arroser lentement et en profondeur pendant les périodes de sécheresse, mais ne pas garder la terre constamment détrempée. Le paillis est très recommandé dans la culture des courges.

On peut tailler les courges sarmenteuses dont les tiges sont envahissantes. Au moment où apparaissent de petits fruits sur les tiges, couper les extrémités des longs coulants en gardant des feuilles.

Pour récolter les courges, couper le fruit avec un couteau. Les courges d'été se cueillent quand le fruit est petit et qu'on peut facilement en percer la peau avec l'ongle. Récolter les courges de forme allongée lorsqu'elles mesurent 4 à 5 cm de diamètre et les pâtissons lorsqu'ils ont 7,5 à 10 cm de diamètre.

Les courges d'hiver ne doivent être cueillies que lorsque leur écorce est coriace. Les exposer au soleil ou les garder dans un endroit chaud et bien aéré durant une semaine, puis les conserver dans un endroit sec où la température se maintient entre 13 et 16°C.

Ravageurs et maladies

Les courges et les citrouilles sont exposées aux mêmes maladies que les concombres et les melons. La chrysomèle rayée du concombre peut communiquer aux plants une virose mortelle. Détruire les ravageurs par des vaporisations de méthoxychlore ou de roténone. Le perceur de la courge dépose ses œufs au pied des plants. Un bon moyen de le déloger consiste à vaporiser le pied des plants de méthoxychlore, mais si le ravageur s'est creusé une galerie dans le plant, entailler celui-ci.

Il n'existe pas de traitement contre la fusariose, maladie cryptogamique, mais on peut la prévenir en alternant les cultures ou en stérilisant le sol au métam-sodium. Si les feuilles sont attaquées par le blanc, couper les pousses atteintes et vaporiser régulièrement de bénomyl.

Variétés recommandées

Les courges d'été les plus populaires sont 'Zucchini Select' et 'Cocozelle' (de type zucchini), 'Baby Straightneck' et 'Patisson St. Pat Hybrid'. Ce sont des plantes buissonnantes.

Les courges d'hiver rampantes les plus recommandées sont 'Hubbard bleue' (6,75 kg), 'Reine de table' (450-1 000 g), 'Buttercup' (2,25 kg) et 'Waltham Butternut' (1,35-1,80 kg). Parmi les courges d'hiver buissonnantes, on recommande les variétés 'Gold Nugget' (900 g) et 'Bush Ebony', petite courge de 450 à 675 g en forme de gland.

Parmi les citrouilles, la variété 'Petite sucrée' atteint 25 cm de diamètre. La variété 'Big Max' peut atteindre 1,75 m de circonférence, mais elle n'est pas très savoureuse. 'Cinderella', bonne variété buissonnante, donne des fruits de 25 cm de diamètre.

Epinard, bette à carde et moutarde

Epinard 'Viking'

Epinard, bette à carde et moutarde font partie de la grande famille des légumes-feuilles cultivés pour leurs tiges et leurs feuilles tendres et riches en vitamines. Font également partie de cette famille le chou frisé et le chou vert (voir p. 407) et les feuilles du navet (voir p. 416).

L'épinard ne vient bien que dans les régions où le climat est frais. Là où il fait plus doux, on cultive de préférence l'épinard de Malabar ou l'épinard de Nouvelle-Zélande (tétragone) qui ont la même saveur que l'épinard mais n'ont aucune parenté avec lui. La bette à carde ou poirée est un proche parent de la betterave, mais on la cultive surtout pour son feuillage. Elle vient facilement et donne beaucoup. Enfin, les feuilles de moutarde ont une saveur piquante et elles arrivent rapidement à maturité.

Epinard, bette à carde et moutarde ont besoin du même type de sol et des mêmes engrais : une terre non acide (à pH de 6 à 7,5), amendée de matières organiques et riche en azote. Sauf la bette à carde, ces légumes préfèrent un climat frais, la chaleur les faisant rapidement monter en graine. Ils peuvent même supporter de légers gels s'ils sont recouverts d'un paillis.

Méthode de culture

Avant la plantation, bêcher le sol aussitôt qu'il se laisse travailler et incorporer du fumier bien décomposé ou du compost ainsi que de l'engrais 10-10-10.

Culture de l'épinard Semer l'épinard dans des sillons de 1,5 cm de profondeur en espaçant les rangs de 40 cm. L'épinard mûrit rapidement (40 à 50 jours) et monte facilement en graine : il ne faut donc pas cultiver de longs rangs, mais pratiquer plutôt des semis successifs en rangs courts, tous les 10 jours environ jusqu'à ce que la température se maintienne le jour autour de 21°C. On reprend les semis à la fin d'août pour récolter au cours de l'automne.

Eclaircir les plantules à 8 cm. Lorsque les feuilles des plants se touchent de nouveau, enlever un pied sur deux. Le dernier éclaircissage vise à laisser environ 25 cm entre les plants.

Lorsque les plants ont 15 à 20 cm de haut, épandre un engrais riche en azote à raison de 30 g par mètre de rang. Désherber régulièrement et garder le sol bien humide.

Cueillir les feuilles extérieures lorsqu'elles ont la taille souhaitée, mais cueillir le pied entier lorsqu'il se forme un bourgeon au centre.

Culture de l'épinard de Malabar et de Nouvelle-Zélande L'épinard de Malabar ne pousse que dans les régions à climat très chaud. Plante sarmenteuse, on peut la faire grimper. Elle produit des feuilles comestibles en 70 jours environ. Lorsque tout risque de gel est écarté, semer à 1,5 cm de profondeur et espacer les plants de 8 cm.

L'épinard de Nouvelle-Zélande demande aussi un climat chaud. Semer à l'intérieur après avoir fait tremper les graines pendant 12 heures. Garder les pots dans un endroit frais. A la levée, ne garder que la plus vigoureuse des plantules de chaque pot. Repiquer en pleine terre deux semaines environ avant le dernier gel.

L'épinard de Nouvelle-Zélande s'étale beaucoup : il faut donc laisser 45 cm entre les plants et 90 cm entre les rangs. Quand il s'est écoulé entre 60 et 70 jours après le repiquage, on peut couper et consommer tout le plant. Les cueillettes successives décuplent la vigueur de la plante.

Culture de la bette à carde ou poirée Environ 60 jours après les semis, la bette à carde commencera à donner des feuilles comestibles et la récolte peut durer tout l'été. A l'époque du dernier gel, enfouir les graines (ou glomérules) dans des sillons de 1,5 cm de profondeur. Laisser un espace de 75 cm entre les rangs. Espacer les glomérules de 8 cm et, à la levée, éclaircir à 15 cm. Lorsque les feuilles des pieds se touchent, arracher un plant sur deux. Les plants supprimés peuvent être consommés.

Pailler et donner au moins une fois durant la saison entre 30 et 40 g d'engrais 10-10-10 par mètre de rang.

La récolte s'effectue en coupant les feuilles extérieures à la souche ; de nouvelles feuilles se développeront au centre.

Culture de la moutarde Semer les graines de moutarde tôt au printemps dans un sol cultivé. Les enfouir à 1,5 cm de profondeur dans des sillons espacés d'environ 40 cm. Laisser 2,5 à 4 cm entre les graines. A la levée, éclaircir pour laisser 15 cm d'espace entre les plants. Pratiquer des semis successifs au début du printemps et un ou deux autres à la fin de l'été. Les feuilles de moutarde sont mûres après 35 à 40 jours. Les cueillir avant que le plant ait atteint sa taille adulte, autrement, celui-ci montera en graine.

Ravageurs et maladies

L'épinard est souvent affligé d'une sorte de mosaïque virale ou brûlure qui fait jaunir les feuilles. Contre cette maladie, un seul moyen préventif : acheter des variétés immunisées. Contre le puceron et la mineuse, vaporiser de malathion. La mineuse attaque aussi la bette à carde, même si cette plante, comme la moutarde, est peu vulnérable.

Variétés recommandées

Parmi les variétés les plus populaires d'épinards printaniers se trouvent 'Long-standing Bloomsdale' et 'America', toutes deux à feuilles cloquées, de même que 'Viking', à feuilles lisses. Les variétés 'Hybride n° 7' et 'Winter Bloomsdale' peuvent être semées au printemps ou en automne. On trouve l'épinard de Malabar ou de Nouvelle-Zélande sous la rubrique « Epinard » dans les catalogues de semences.

Parmi les variétés de bettes à carde ou poirées, on recommande 'Fordhook Giant' à feuilles vert foncé et 'Lucullus' à feuilles plus pâles. 'Rhubarbe' a des tiges rouges et des feuilles vertes.

Enfin, parmi les variétés de moutarde, les plus populaires sont 'Tendergreen', la plus hâtive, et 'Florida Broad Leaf'.

Haricot

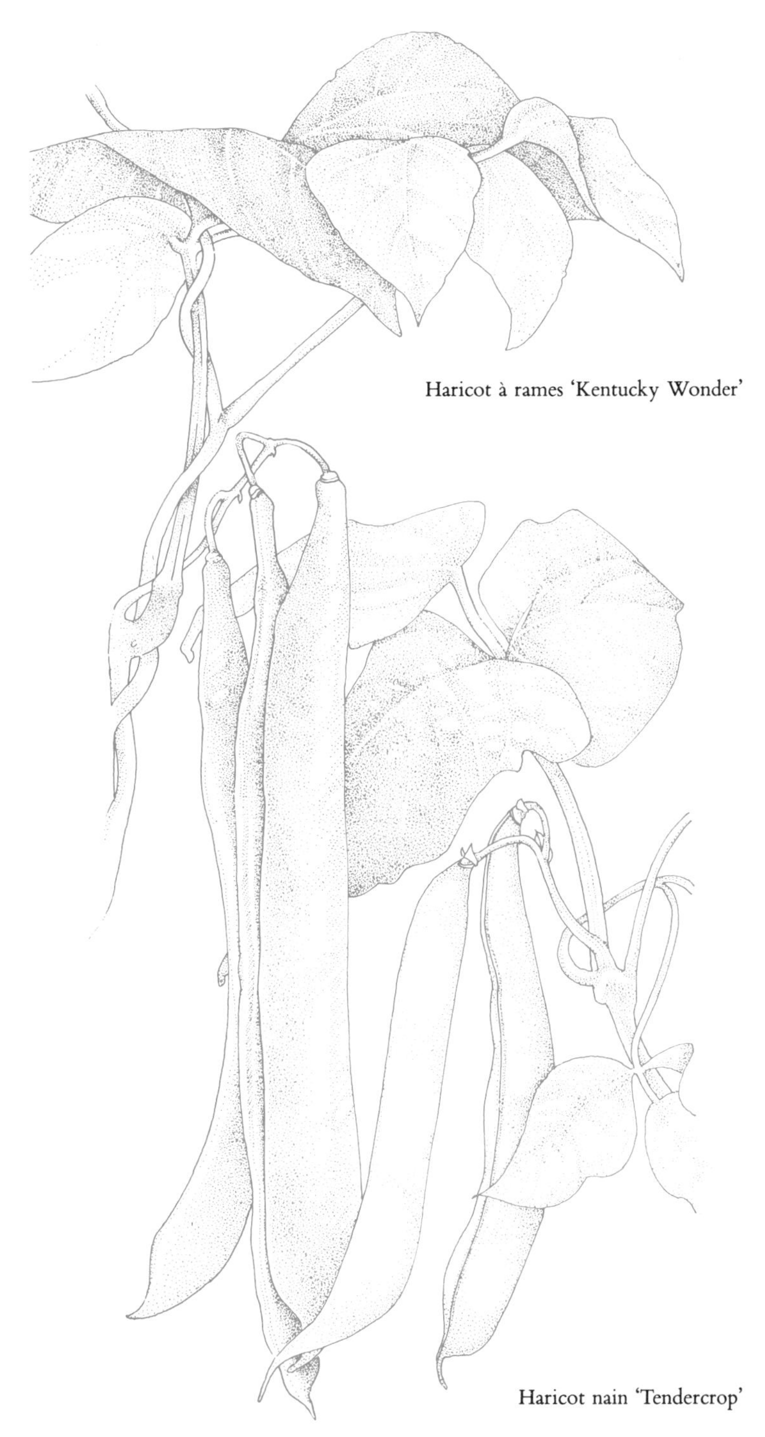

Haricot à rames 'Kentucky Wonder'

Haricot nain 'Tendercrop'

Les haricots mangetout se cultivent facilement et donnent de bonnes récoltes. Les haricots verts ou jaunes sont des variétés de haricots mangetout. On peut les cultiver dans n'importe quelle bonne terre de jardin, soit sous la forme d'arbustes nains, soit sous celle de plantes volubiles palissées sur des rames. Les haricots nains sont généralement plus tendres que les haricots à rames. Si l'on dispose de l'espace nécessaire, il est tout à fait possible de cultiver les deux formes conjointement.

Les haricots nains atteignent environ 45 cm de hauteur, mûrissent en 60 jours (ou moins si on les plante à la mi-été) et produisent pendant deux ou trois semaines. Le délai de maturation étant court, on peut cultiver les mangetout nains en succession de façon à en récolter tout l'été. Les haricots à rames, qui atteignent 1,80 m ou davantage, mettent deux semaines de plus à mûrir, mais la récolte est plus abondante et dure six à huit semaines. Le mangetout à rames est plus productif que le mangetout nain.

Méthode de culture

Les haricots ont la faculté d'absorber l'azote de l'atmosphère et de le communiquer au sol. Comme une bactérie du sol participe à ce phénomène, on recommande de poudrer les semences de haricots, avant de les mettre en terre, d'un inoculant renfermant cette bactérie.

Lors de la préparation du sol, épandre un engrais de formule 5-10-5 à raison de 150 à 200 g au mètre carré. Eviter les engrais fortement azotés qui favoriseraient la croissance des feuilles et non des gousses.

Les semences de haricots sont extrêmement vulnérables à certaines maladies cryptogamiques qui les font pourrir. C'est pourquoi, dans la majorité des cas, les graines commercialisées ont déjà été traitées avec un fongicide à base de captane. Ce produit étant toxique, les graines traitées doivent être mises hors de la portée des jeunes enfants. Les graines de quelques variétés sont vendues sans avoir été traitées.

Plantation des haricots nains Attendre que le sol se soit bien réchauffé et qu'il se soit complètement ressuyé. D'après les catalogues des grainetiers, il faut attendre pour semer que le sol ait atteint une température d'au moins 16°C, c'est-à-dire une semaine ou deux avant la date approximative du dernier gel. Pour plus de sûreté, il vaut mieux attendre cette date pour mettre les graines en terre.

Espacer les rangs d'environ 60 cm et creuser des sillons de 2,5 cm de profondeur. Déposer une graine tous les 5 à 8 cm. Comme il suffit de laisser 10 cm entre les plants de haricots nains, il ne sera nécessaire d'éclaircir que si toutes les graines lèvent. Pour les semis d'été, creuser des sillons de 5 cm de profondeur afin que les graines se trouvent dans un milieu plus humide. Dans les deux cas, ne pas recouvrir les graines de plus de 2,5 cm de terre pour leur permettre de lever plus facilement.

La récolte des haricots nains étant courte, prévoir des semis successifs toutes les trois semaines jusqu'à environ huit semaines avant la date habituelle du premier gel d'automne. Si possible, ne pas semer de haricots là où l'on vient d'en cultiver.

Culture des haricots nains Lorsque les haricots nains ont environ 15 cm de haut, épandre de l'engrais 5-10-5 de chaque côté des rangs en s'assurant qu'il ne touche ni aux feuilles ni aux tiges. Garder le sol humide, mais ne jamais arroser par le haut. Eviter de toucher aux plants lorsque le feuillage est humide de crainte de transmettre à la plantation des maladies dont sont atteints certains sujets. Entourer les pieds d'un paillis.

Récolte des haricots nains Cueillir les haricots avant leur complète maturité, c'est-à-dire au moment où ils peuvent encore se casser quand on les plie et avant que la forme des grains se dessine sur la cosse. Pour que les plants continuent à produire pendant deux ou trois semaines, éliminer toutes les grosses gousses dures. On diminue le rendement des plants lorsqu'on y laisse des gousses mûres.

Cueillir les haricots avec soin. Tenir la tige d'une main et détacher les haricots de l'autre, pour ne pas endommager la tige.

Plantation des haricots à rames Les haricots à rames produisent durant une grande partie de l'été si on leur fournit les matières nutritives nécessaires. Avant les semis, incorporer au sol 30 g d'engrais 5-10-5 par mètre de rang. Mettre les graines en terre un peu plus tardivement que celles des haricots nains, c'est-à-dire au moment des derniers gels.

Les haricots à rames ont besoin de supports solides. Ceux-ci doivent être assez robustes en effet pour résister au poids de la plante et aux coups de vent (voir les illustrations, p. 413). Utiliser des piquets en bois de charpente ou des rames qui ont conservé leur écorce pour que les haricots puissent s'y accrocher. Les ficher en terre à 60 cm de profondeur en laissant 90 cm entre eux et espacer les rangs de 0,90 à 1,20 m. Si la culture s'effectue dans un angle du jardin, placer les piquets en triangle et les attacher ensemble à leur sommet de façon à former une sorte de tente indienne.

On peut substituer aux piquets un treillage de fil métallique ou une clôture solide. Placer treillage ou clôture du côté nord du jardin pour ne pas jeter d'ombre. Bien ancrer le treillage dans le sol pour qu'il puisse supporter le poids des plants adultes et résister aux coups de vent.

La construction du support terminée, mettre les graines en terre à 3 cm de profondeur. Si c'est une clôture ou un treillage qui sert de support, espacer les graines de 5 cm et éclaircir par la suite en laissant entre les plantules un espace de 10 à 15 cm. Si l'on se sert de piquets comme tuteurs, semer six graines autour de chacun d'eux et garder les quatre plantules les plus vigoureuses.

Culture des haricots à rames Au moment où les haricots commencent à grimper, les aider à se fixer en enroulant leurs tiges volubiles autour des rames ou des lattes du treillage, selon leur courbe naturelle. A la mi-saison, épandre de l'engrais sur une bande parallèle aux rangs, à 15 cm des plants, ou en cercle autour des rames. Ne pas verser d'engrais sur les feuilles et les tiges. Arroser abondamment et au ras du sol pour ne pas mouiller les plants. Etaler autour des plants un épais paillis.

Récolte des haricots à rames Si les plants ont eu suffisamment d'humidité et de nourriture et que le temps s'est maintenu au chaud, la récolte devrait commencer deux mois et demi environ après la plantation. On ne cueille pas les haricots à rames aussi petits que les haricots nains. Ils sont meilleurs quand ils sont d'une bonne taille et bien charnus.

Pour que la récolte se poursuive, cueillir les gousses dès qu'elles sont mûres. Plus on en cueille, plus il en repousse. Effectuer la cueillette très soigneusement.

La récolte se prolonge normalement jusqu'aux premiers froids. Si, à cette époque, les plants sont encore très chargés de gousses, attendre que celles-ci sèchent et jaunissent avant de les cueillir. Ecosser alors les haricots et mettre les grains à sécher au four pendant une heure à feu très doux. La chaleur détruira les charançons qui pourraient les avoir infestés. Les grains secs se conservent pendant plusieurs mois dans des bocaux fermés hermétiquement.

CONTRE LES PUCERONS

Vaporiser de l'eau ou une solution à base d'insecticide.

PINCEMENT DES TIGES

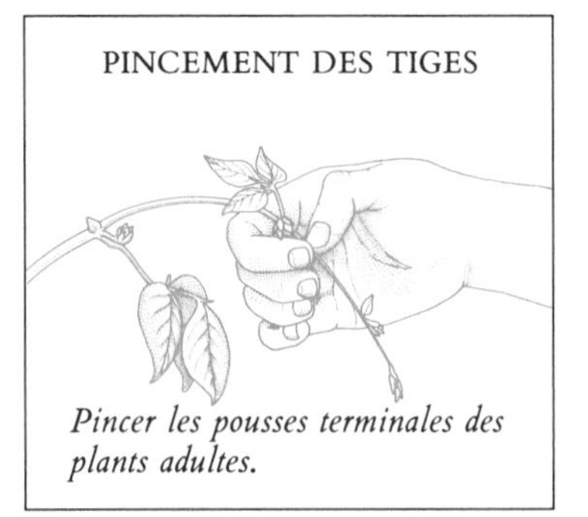

Pincer les pousses terminales des plants adultes.

Ravageurs et maladies

Dans certains endroits, le scarabée japonais détruit les haricots mangetout. Si la plante n'est envahie que par quelques scarabées, secouer les feuilles et faire tomber les insectes dans un seau d'eau recouvert d'une mince pellicule de kérosène ou d'essence. Effectuer ce traitement tous les jours si nécessaire. Si les scarabées pullulent, vaporiser les plants avec un insecticide à base de carbaryl, en suivant à la lettre le mode d'emploi. On peut aussi prendre des mesures préventives. Il existe un traitement bactérien qui consiste à faire pénétrer des germes dans le sol où les larves passent l'hiver.

La coccinelle mexicaine du haricot, petit insecte de teinte cuivrée à points noirs qui ressemble à la coccinelle ordinaire, ainsi que ses larves jaunes et allongées sont des ravageurs très prolifiques qui causent de grands dommages aux haricots. Ils se logent au revers des feuilles et dévorent celles-ci de même que les gousses. Des vaporisations de carbaryl ou de malathion et des poudrages de roténone aident à les détruire. Vérifier sur l'étiquette de ces produits le délai après lequel on peut consommer sans danger les gousses qui ont été traitées.

Le puceron s'attaque aux haricots, comme à tous les légumes. On s'en débarrasse en arrosant les plants avec un fort jet d'eau.

Les haricots sont vulnérables au mildiou et à la brûlure, particulièrement par temps chaud et humide. Eviter de froisser les feuilles mouillées et arroser pendant qu'il fait soleil pour que les plants sèchent avant la tombée de la nuit. Si l'on constate la présence de moisissures blanches sur les feuilles, poudrer celles-ci avec un produit fongicide.

Variétés recommandées

Haricots nains Il existe d'excellents haricots mangetout nains. Des variétés à cosses vertes, les meilleures sont 'Tendercrop' et 'Bush Blue Lake'. Les gousses pourpres de 'Royalty Purple Pod' verdissent à la cuisson. 'Eastern Butterwax' et 'Pencil Pod' sont des haricots beurre. 'Bush Romano' a des gousses plates.

Haricots à rames Parmi les haricots verts à rames, mentionnons 'Kentucky Wonder' et 'Blue Lake' à grains plus petits. La variété 'Romano', ou haricot romain, produit une gousse plate à maturation rapide. 'Burpee Golden' et 'Royalty' donnent l'un des haricots beurre, l'autre des gousses pourpres qui deviennent vertes à la cuisson. Enfin, 'Oregon Giant' est renommée pour ses haricots à écosser.

Haricot ou fève de Lima

Haricot de Lima à rames 'King of the Garden'

Comme tous les haricots, les haricots de Lima ordinaires et les variétés à petits grains appelées haricots beurre appartiennent à la vaste famille des légumineuses. Ces légumes nourrissants et savoureux se cultivent assez facilement. Cependant, ils croissent mieux dans les régions où les étés sont longs et chauds. Là où le climat est plus frais, on peut remplacer la culture du haricot de Lima par celle de la gourgane, ou fève des marais, qui demande une longue saison fraîche et donne un très bon rendement en échange de peu de soins.

Les haricots de Lima nains comprennent des haricots nains et des haricots à rames. Ces derniers produisent davantage en moins d'espace que les premiers, mais mûrissent plus lentement. Les haricots de Lima à rames mûrissent en trois mois environ — soit deux semaines après que commence la récolte des haricots nains.

Méthode de culture

Lors de la préparation du sol, épandre un engrais de formule 5-10-10. Semer à l'époque où l'on effectue le repiquage au jardin des légumes qui réclament beaucoup de chaleur : tomates, piments et concombres.

Enfouir les semences de haricots de Lima nains à 3 cm de profondeur en les espaçant de 5 à 8 cm. Prévoir un espace de 60 cm entre les rangs. Il n'est pas nécessaire que les plants adultes soient espacés de plus de 10 cm ; aussi, à moins que toutes les graines ne lèvent, on n'aura pas besoin d'éclaircir.

On peut voir ci-dessous différentes façons de tuteurer les haricots à rames, qu'il s'agisse des haricots de Lima ou des haricots mangetout. Installer les supports avant de semer. Ceux destinés aux haricots de Lima doivent être plus robustes que ceux des haricots mangetout (parce que la plante est plus lourde) et plus hauts (parce que le haricot de Lima atteint 2,45 m de haut, tandis que le haricot mangetout ne dépasse pas 1,80 m).

Lorsque les haricots de Lima à rames sont cultivés près d'une clôture, laisser 8 à 13 cm entre les graines et éclaircir les plantules de 15 à 25 cm. Si la culture s'effectue sur rames, espacer celles-ci de 60 cm en laissant 90 cm entre les rangs. Semer environ six graines autour de chaque rame, puis éclaircir à trois ou quatre plants.

Les haricots de Lima sont sensibles au mildiou et aux autres maladies : biner superficiellement et par temps sec. Arroser au ras du sol et toujours le matin pour que le feuillage ait le temps de sécher avant la nuit. Pailler ; fertiliser parcimonieusement.

Les légumes sont mûrs quand la cosse est ronde et ferme et que la forme des grains apparaît. Récolter toutes les fèves mûres.

Vers la fin de la saison, on peut laisser sécher les haricots qui restent avant de les cueillir. On les fera stériliser à four très doux pendant une heure. Ils se conserveront pendant de nombreux mois dans un bocal fermé hermétiquement.

Ravageurs et maladies

Il arrive que les plants de haricots de Lima qui fleurissent par temps extrêmement chaud ne donnent pas de gousses. Dans certaines régions, les grains sont dévorés par les perceurs du haricot. Les haricots plantés tôt sont cependant moins souvent attaqués. Dans le cas des autres, nettoyer les feuilles pour détruire les nids.

Variétés recommandées

Parmi les variétés de haricots de Lima nains, on recommande 'Fordhook 242' ou 'Baby Fordhook' qui souffrent moins de la chaleur au moment de la formation des gousses. Parmi les variétés de haricots de Lima à rames, on donnera la préférence à une plante qui a fait ses preuves depuis longtemps, 'King of the Garden'.

TUTEURAGE DES HARICOTS À RAMES

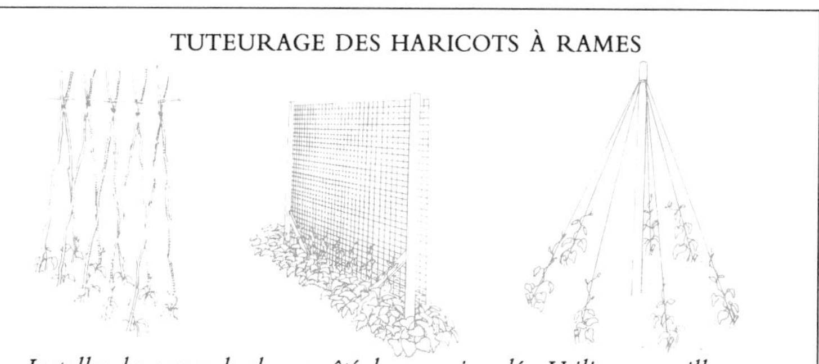

Installer des rames de chaque côté de rangs jumelés. Utiliser un grillage ou former une tente indienne avec un bâton, des piquets et de la ficelle.

Laitue et chicorée

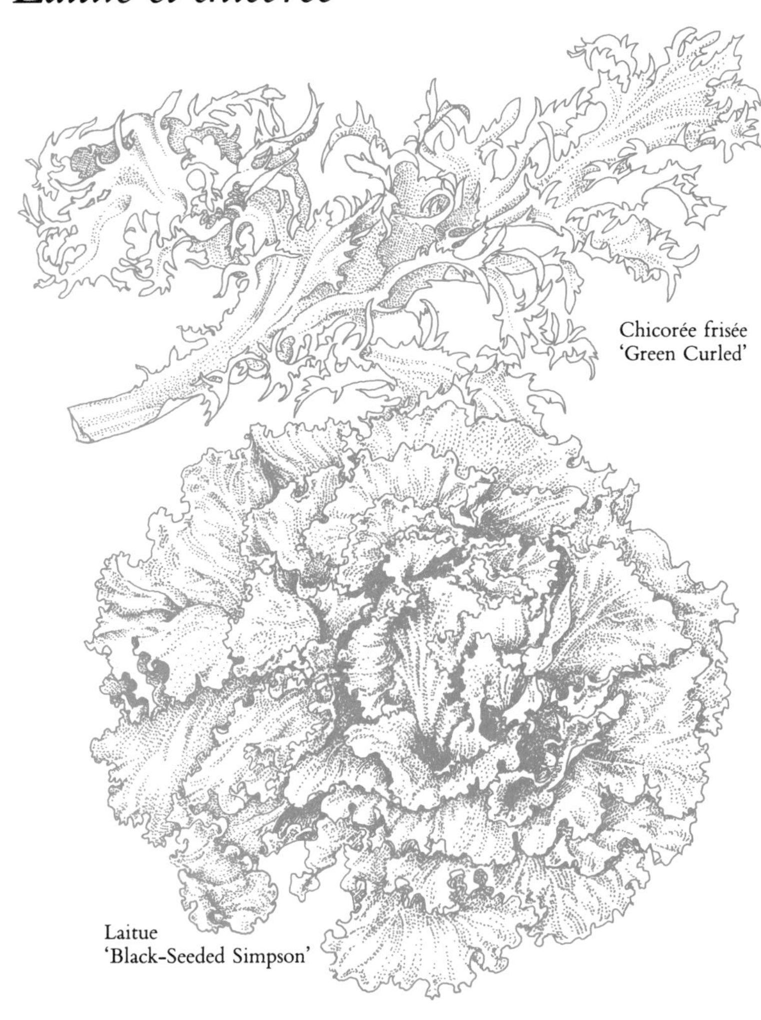

Chicorée frisée
'Green Curled'

Laitue
'Black-Seeded Simpson'

Il existe de nombreuses variétés de laitue. Pourtant, certains magasins d'alimentation n'offrent que la variété 'Iceberg'. C'est pourquoi il est si avantageux de cultiver sa propre laitue, ce qui permet de savourer des variétés aussi rares et délicates que 'Oak Leaf' ou aussi tendres que 'Buttercrunch'.

Il existe quatre types principaux de laitue : la vraie laitue pommée, à laquelle se rattache la variété 'Iceberg', dont les feuilles forment une pomme serrée rappelant celle du chou, la laitue Butterhead dont la pomme est beaucoup plus lâche, la romaine qui donne une pomme allongée pouvant atteindre 30 cm de haut et la laitue frisée dont on peut récolter les feuilles tout l'été. La vraie laitue pommée est rarement cultivée par des amateurs à cause de ses exigences culturales. Les trois autres types, cependant, se cultivent facilement à peu près partout, mais c'est la laitue frisée qui pousse le plus vite et qui est la plus productive.

En règle générale, la laitue pousse mieux avant les chaleurs de la mi-été. Lorsque la température atteint 21°C et s'y maintient, la laitue a tendance à monter en graine, c'est-à-dire à lancer une tige centrale portant fleurs et graines. Arrivée à ce stade, elle n'est plus bonne à manger. La laitue frisée est la dernière à monter en graine durant la canicule et c'est elle aussi qui mûrit le plus rapidement. Dans les régions à climat frais, c'est la seule qu'on puisse encore planter à la fin de juin ou en juillet.

La laitue frisée arrive à maturité en 6 ou 7 semaines, la laitue Butterhead en 9 ou 10 semaines, la romaine en 11 ou 12 semaines. (Les feuilles de toutes ces laitues sont cependant bonnes à manger à n'importe quel stade.) Pour avoir de la laitue fraîche tout l'été, semer un rang de 1,50 à 1,80 m de long toutes les deux semaines. Interrompre les semis vers la mi-été et les reprendre après les grandes chaleurs.

On gagne de l'espace en cultivant les laitues entre des légumes plus lents à mûrir, comme le piment et le chou. Elles auront déjà été récoltées quand ces légumes prendront toute la place.

La chicorée se cultive comme la laitue. Mais, contrairement à celle-ci, elle prospère durant les périodes très chaudes. Elle supporte aussi mieux le froid : on peut donc la récolter plus tard.

Les deux types de chicorée les plus couramment cultivés sont la chicorée frisée à grandes feuilles ondulées et la chicorée scarole à feuilles plus lisses. Leur feuillage est moins tendre que celui de la laitue et il a une saveur légèrement amère. C'est pour atténuer ces défauts de la chicorée qu'on la soumet d'ordinaire au blanchiment en cours de croissance. Protégées du soleil, ses feuilles demeurent plus tendres et prennent une saveur plus délicate.

Méthode de culture

La laitue et la chicorée demandent un sol riche en humus. Avant la plantation, incorporer à la terre de généreuses quantités de matières organiques, comme du compost ou du fumier bien décomposé ou, à défaut, 60 g d'engrais 10-10-10 par mètre de rang.

Plantation et culture de la laitue
La laitue frisée peut être semée en pleine terre dès que le sol se laisse travailler et qu'il s'est ressuyé des neiges et des pluies d'hiver. La romaine et la Butterhead doivent être semées en caissettes à l'intérieur six semaines environ avant la date des semis à l'extérieur, c'est-à-dire avant que la terre devienne malléable. En pleine terre, elles peuvent être semées à la même époque que la laitue frisée.

Dans le cas de semis en caissettes à l'intérieur, enfouir les graines à 1,5 cm de profondeur et à 2,5 cm l'une de l'autre. Garder les caissettes dans un endroit frais (la laitue germe à 16°C). Lorsque les plantules ont 2,5 cm de haut, les éclaircir à 5 cm ou les repiquer dans des pots individuels. Les installer dans un endroit à la fois frais et ensoleillé.

Le repiquage au jardin peut s'effectuer lorsque les plantules atteignent 5 à 8 cm de hauteur et que la terre est prête à être bêchée. Compter une semaine d'endurcissement avant de les transplanter dans le potager. Les espacer de 15 à 20 cm dans le rang et laisser 30 à 45 cm entre les rangs.

Dans le cas de semis en pleine terre, enfouir les graines à 1,5 cm de profondeur et à 2,5 cm l'une de l'autre ; laisser 30 à 45 cm entre les rangs. Lorsque les plantules ont 5 cm environ, les éclaircir de manière à laisser un espace de 5 cm entre elles. Les éclaircir de nouveau lorsqu'elles se touchent. Il sera sans doute nécessaire d'éclaircir une nouvelle fois plus tard pour que les plants soient espacés de 15 à 20 cm. Les plants de laitue peuvent être plus rapprochés, mais les pommes restent alors petites et les plants montent plus vite en graine.

Les laitues doivent être fertilisées au moins une fois durant la période de croissance. Epandre de l'engrais 10-10-10 de chaque côté des rangs à raison de 50 g par mètre de rang. Si on en verse sur les plants, les laver aussitôt, car l'engrais les brûlerait.

Désherber avec précaution et arroser souvent. Comme la laitue demande une humidité constante, entourer les pieds d'un paillis.

Plantation et culture de la chicorée On peut semer la chicorée tout de suite en pleine terre. Si le potager est petit, semer d'abord en platebande et repiquer ensuite les plantules dans les rangs libres quand elles ont 5 à 8 cm de haut.

La chicorée semée à la mi-été pourra être récoltée en automne. Enfouir les graines à 1,5 cm de profondeur et à 2,5 cm de distance l'une de l'autre. Laisser un espace de 60 cm entre les rangs. Eclaircir à plusieurs reprises, de manière qu'à la fin les plants soient espacés de 35 à 40 cm.

Les travaux de fertilisation, de désherbage et d'arrosage se font de la même manière que pour la laitue. Cependant, deux ou trois semaines avant que la chicorée arrive à maturité, blanchir les pommes pour en atténuer la saveur un peu amère. Il existe deux méthodes de blanchiment. On peut soit rabattre les grandes feuilles extérieures au-dessus de la pomme et les attacher avec un élastique, soit placer au-dessus des plants une planche assez large. Celle-ci ne risque pas d'écraser les feuilles puisqu'elles poussent près du sol.

Récolte de la laitue et de la chicorée Dans le cas de la laitue frisée, cueillir seulement les feuilles extérieures : il en naîtra d'autres au centre du pied. Dans le cas de la Butterhead, de la romaine et de la chicorée, couper le pied entier au ras du sol. Faire de fréquentes récoltes. Lorsque la laitue n'est pas récoltée, elle perd peu à peu sa valeur nutritive et sa saveur s'affadit beaucoup.

Ravageurs et maladies

Quelques ravageurs menacent la santé de la laitue et de la chicorée. Dans les endroits humides, les limaces font rage. On s'en débarrasse en disposant des soucoupes remplies de bière éventée dans lesquelles elles iront se noyer. On peut également les dépister, la nuit tombée, avec une lampe de poche et les enlever à la main. Ne pas utiliser d'appâts à limaces, car ils sont toxiques pour les plantes potagères. S'il y a infestation de pucerons, vaporiser les plants de malathion. Contre les cicadelles qui se logent au revers des feuilles et les dévorent, utiliser du carbaryl. Si des vers font leur apparition, les enlever à la main ou vaporiser de carbaryl.

Variétés recommandées

Les variétés de laitue frisée recommandées sont 'Grand Rapids Forcing', 'Black-Seeded Simpson' et 'Ruby' à feuilles rouges. Elles mûrissent en 40 à 45 jours environ, mais on peut commencer à les récolter un mois après la plantation.

Dans la catégorie des laitues Butterhead, les variétés les plus populaires sont 'Dark Green Boston', 'Buttercrunch', 'Bibb' et 'Summer Bibb' (qui mûrit plus tard que 'Bibb', mais monte moins vite en graine durant les jours chauds).

Les variétés de laitue romaine recommandées sont 'Parris Island Cos' et 'Valmaine Cos' qui atteignent environ 25 cm de hauteur, tandis que 'Dwarf Cos' est un peu plus petite.

'Green Curled' est la chicorée frisée la plus répandue et 'Full Heart Batavian' est prisée des gourmets.

Maïs

Maïs 'Golden Cross Bantam'

La meilleure façon d'apprécier le goût délicat du maïs, c'est de le consommer frais cueilli, car il perd très vite de sa finesse. Les vrais amateurs mettent l'eau à bouillir avant même de cueillir les épis. Seuls ceux qui cultivent ce légume peuvent donc en connaître la pleine saveur.

Le maïs le plus hâtif est prêt en deux mois, et le plus tardif en trois mois. La plupart des amateurs cultivent à la fois du maïs hâtif, du maïs normal et du maïs tardif de façon à mieux étaler la récolte. C'est dans cet esprit que certains catalogues offrent ensemble trois variétés qui arrivent successivement à maturité. On obtient le même résultat en semant des graines d'une variété hâtive tous les 10 jours environ jusqu'à la mi-été.

Méthode de culture

Il faut disposer d'un grand jardin pour cultiver du maïs. Chaque pied occupe en effet beaucoup d'espace, tout en ne donnant que un ou deux épis. En outre, comme c'est le vent qui transporte le pollen d'un pied à l'autre, il faut que les plants soient disposés de façon à se polliniser mutuellement. C'est pour cette raison qu'on ne cultive pas le maïs sur un seul rang disposé en longueur, mais sur plusieurs rangs courts. Le carré à maïs doit avoir au moins 1,80 m de large sur 2,45 m de long. On peut y tracer quatre rangs espacés de 60 cm.

Avant la plantation, incorporer au sol de grandes quantités de fumier décomposé, de compost ou d'une autre matière organique. Ajouter 100 g d'engrais 5-10-10 par mètre de rang et le faire pénétrer à 10 cm de profondeur pour éviter qu'il entre en contact avec les graines et les brûle.

Deux semaines environ avant le dernier gel, enfouir les graines à 2,5 cm de profondeur en les espaçant de 8 à 10 cm. (En été, semer à 5 cm de profondeur pour avoir plus d'humidité.) Laisser 60 cm entre les rangs s'il s'agit de maïs hâtif et 90 cm s'il s'agit de maïs tardif parce que celui-ci pousse plus haut. Lorsque les plantules ont environ 8 cm de haut, supprimer les moins vigoureuses de façon à laisser un espace de 30 cm entre les plants.

Certains horticulteurs recommandent de semer le maïs en poquets. Selon cette méthode, on met six graines en terre sur le périmètre d'un cercle de 30 cm de diamètre (c'est ce qu'on appelle un poquet de maïs même s'il n'y a pas d'élévation, comme dans le cas des melons). Les poquets doivent être espacés de 90 cm. Quand les plantules ont 8 cm, ne garder que les trois plus vigoureuses de chaque poquet.

Le maïs demande beaucoup d'humidité. Pour réduire l'évaporation et freiner la croissance des mauvaises herbes, couvrir le sol soit d'un épais paillis de paille ou de foin, soit d'une pellicule de plastique noir.

Le maïs consomme de grandes quantités de substances nutritives ; aussi faut-il fertiliser régulièrement. Lorsque les plants ont 15 à 25 cm de haut, étaler de l'engrais 5-10-5 de chaque côté des rangs à raison de 30 g par mètre de rang. Si le sol est couvert d'un paillis, enlever celui-ci avant d'épandre des granules d'engrais ; ou verser un fertilisant soluble à travers.

Dans un sol fertile, les mauvaises herbes prolifèrent et privent le maïs de sa nourriture. Le désherbage est donc primordial. Prendre garde de ne pas abîmer les racines.

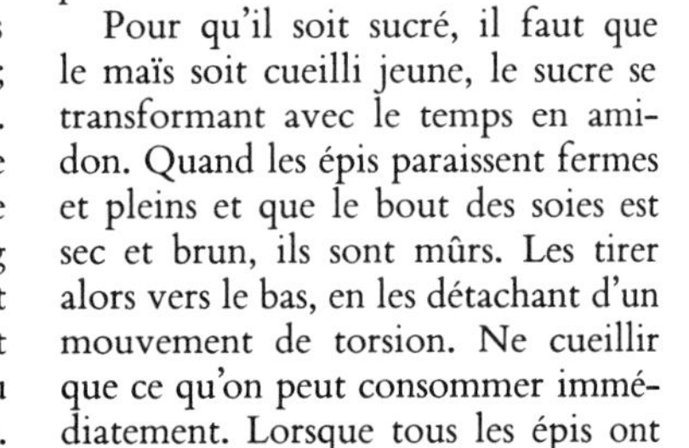

Pour qu'il soit sucré, il faut que le maïs soit cueilli jeune, le sucre se transformant avec le temps en amidon. Quand les épis paraissent fermes et pleins et que le bout des soies est sec et brun, ils sont mûrs. Les tirer alors vers le bas, en les détachant d'un mouvement de torsion. Ne cueillir que ce qu'on peut consommer immédiatement. Lorsque tous les épis ont été cueillis, rabattre les pieds.

1. *Pincer les pousses latérales à la base de la tige quand elles ont 15 cm.*

2. *Butter le sol autour des tiges pour donner plus de vigueur aux racines.*

Ravageurs et maladies

Lorsqu'on remarque la présence de petits trous à la base et sur les côtés des épis de maïs, on peut en déduire que la plante est infestée par la pyrale du maïs, petit ravageur de 2,5 cm de long qui se nourrit des tiges et attaque l'épi. A titre préventif, faire des vaporisations de carbaryl ou de diazinon quand les pieds ont 45 cm de haut et que les épis commencent à se former. Bien s'assurer qu'on vaporise aussi les feuilles qui entourent l'épi. Répéter le traitement au moins trois fois à cinq jours d'intervalle. En prévision de l'année suivante, détruire les pieds et les chicots après la récolte.

Les corneilles déterrent les semences ou dévorent les plantules dès la levée. L'épouvantail n'étant pas toujours efficace, on peut essayer le stratagème suivant : attacher ensemble de vieilles boîtes de conserve ou des assiettes d'aluminium de façon qu'elles tintent au vent.

Variétés recommandées

Les meilleures variétés hâtives sont 'Polar Vee' et 'Earlivee', toutes deux à grains jaunes, et 'Silver Sweet', à grains blancs. 'Honey and Cream' (aussi appelée 'Beurre et Sucre') est une bonne variété semi-tardive à grains jaune et blanc, tout comme les variétés 'Barbecue' à grains jaunes et 'Snowcrest' à grains blancs. Les variétés tardives reconnues sont 'Golden Cross Bantam' à grains jaunes et 'Silver Queen Hybrid' à grains blancs.

Navet et rutabaga

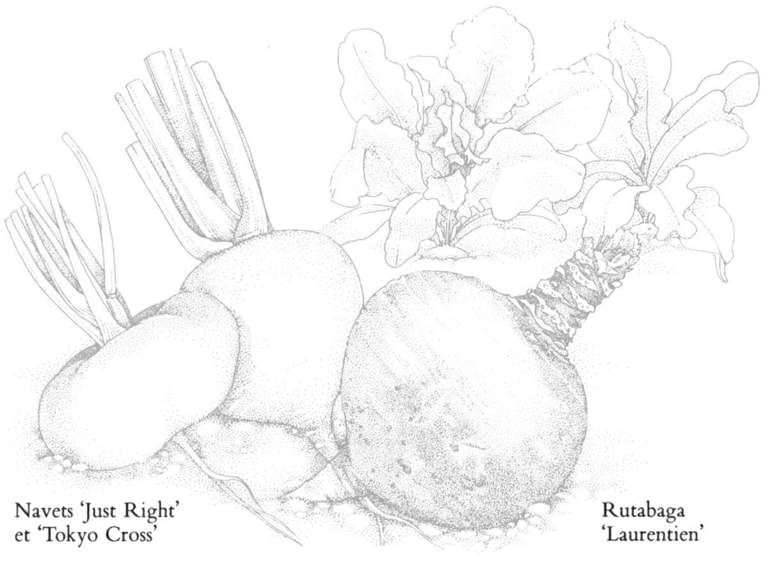

Navets 'Just Right' et 'Tokyo Cross'

Rutabaga 'Laurentien'

Les navets sont des légumes à petites racines proches parents du rutabaga. Ils ont une saveur plus fine lorsque leur taille ne dépasse pas 5 cm de diamètre et sont cuits frais cueillis. Leur feuillage est également très nourrissant. La racine du rutabaga peut atteindre 13 à 15 cm de diamètre et se conserve pendant plusieurs mois.

Navets et rutabagas sont des légumes de régions à climat frais et on les cultive généralement en vue d'une récolte à l'automne. On peut aussi planter des navets au début du printemps, mais les plants risquent de monter en graine et de devenir ligneux quand la chaleur survient.

Comme leur plantation s'effectue souvent en été, navets et rutabagas ont l'avantage de pouvoir se cultiver là où poussaient, par exemple, des épinards, des pois ou des pommes de terre hâtives. Si le sol a été bien engraissé pour la récolte précédente, il suffira d'ajouter très peu d'engrais. Les navets et les rutabagas viennent mal, cependant, dans une terre acide ; si le pH se situe en dessous de 5,5, incorporer au sol par ratissage du calcaire broyé, assez longtemps avant la plantation.

Selon les variétés, les navets arrivent à maturité au bout de six à huit semaines, tandis que les rutabagas mûrissent en trois mois. On plante généralement les navets à la mi-été en prévision d'une récolte à la mi-automne, mais il existe des variétés qui résistent à la chaleur et qu'on peut donc planter au début du printemps. On ne sème le rutabaga qu'une fois, au début de l'été.

Les variétés de navets cultivées uniquement pour leur feuillage se plantent en règle générale au début du printemps.

Méthode de culture

En préparation pour la plantation des navets et des rutabagas, bêcher et ratisser le sol à fond. S'il n'a pas été fertilisé pour la culture précédente, épandre une petite poignée d'engrais 5-10-5 par mètre de rang et le faire pénétrer par ratissage.

Semer les graines dans des sillons d'environ 1,5 cm de profondeur en laissant un espace de 30 à 60 cm entre les rangs. Pour empêcher le sol de former une croûte et faciliter la levée des plantules, recouvrir les graines d'un mélange de sable et de terre.

Dès la levée, éclaircir pour laisser un espace de 2,5 cm entre les plantules. Un second éclaircissage se fera lorsque les plants auront entre 8 et 10 cm de haut ; laisser à ce moment 10 cm entre les plants de navet et 15 cm entre ceux de rutabaga.

Il n'est pas nécessaire de fertiliser durant la croissance des navets, sauf s'il n'y a pas eu déjà fertilisation ou si les plants manquent de vigueur. Epandre alors de l'engrais 5-10-5 des deux côtés de chaque rang, à raison de 40 g par mètre de rang.

Comme pour tous les légumes-racines, il faut désherber régulièrement. Un léger paillis contribue à freiner la croissance des mauvaises herbes. Arracher les mauvaises herbes à la main ou avec une binette en prenant soin de ne pas déranger le collet des racines à fleur de terre.

Les navets sont savoureux quand ils ont entre 5 et 8 cm de diamètre. Ensuite, ils durcissent. Bien qu'une pointe de gel leur donne une douceur particulière, il faut les récolter avant les grands froids. Les entreposer dans un endroit frais en les enfouissant dans du sable humide.

On peut récolter les feuilles des navets sitôt qu'elles sont de taille suffisante. Si les navets sont cultivés uniquement pour leur feuillage, couper toutes les feuilles un mois environ après la plantation. Si on veut avoir aussi des racines, ne prélever que quelques feuilles par plant.

Les rutabagas sont prêts à être cueillis lorsqu'ils ont 8 cm de diamètre, mais on peut les laisser grossir. Leur chair devient plus coriace, cependant, lorsqu'ils dépassent 13 à 15 cm de diamètre. On les conserve dans du sable humide et dans un endroit frais. On peut aussi les laisser dans le sol, qu'on couvrira d'un bon paillis, et les récolter plus tard.

Ravageurs et maladies

Les asticots du chou attaquent parfois les racines des navets et des rutabagas. Si le cas se produit, épandre de la cendre de bois des deux côtés de chaque rang. Quand, avant la plantation, on soupçonne la présence de ces ravageurs, arroser le sol avec du diazinon après les semis.

Les pucerons se logent au revers des feuilles. Pour les déloger, les arroser avec un fort jet d'eau ou utiliser un insecticide à base de malathion. Dans ce dernier cas, il faut suivre à la lettre les instructions du fabricant et retarder en conséquence la récolte des racines ou du feuillage.

L'altise rayée creuse des centaines de petits trous dans les feuilles des plants de navets ou de rutabagas. Poudrer le feuillage deux ou trois fois durant la saison avec un insecticide à base de roténone.

Variétés recommandées

Parmi les variétés les plus populaires de navets se trouvent 'Blanc globe à collet violet', dont la racine a un collet pourpre et qui mûrit en 55 jours ; 'Tokyo Cross', navet blanc qui mûrit en 35 jours environ ; et 'Just Right', dont la racine mûrit en 60 jours, et le feuillage en 30 jours. 'Blanc globe à collet violet' et 'Tokyo Cross' sont lentes à monter en graine et peuvent se planter hâtivement.

S'il s'agit de navets cultivés principalement pour leur feuillage, on recommande les variétés 'Foliage' ('Shogoin'), dont les feuilles mûrissent en 30 jours, et 'Seven Top', qui mûrit en 45 jours.

Parmi les variétés de rutabagas les plus répandues se trouvent 'Laurentien' et 'Altasweet' à chair jaune et 'Macomber' à chair blanche. Elles mûrissent en trois mois environ.

Oignon et poireau

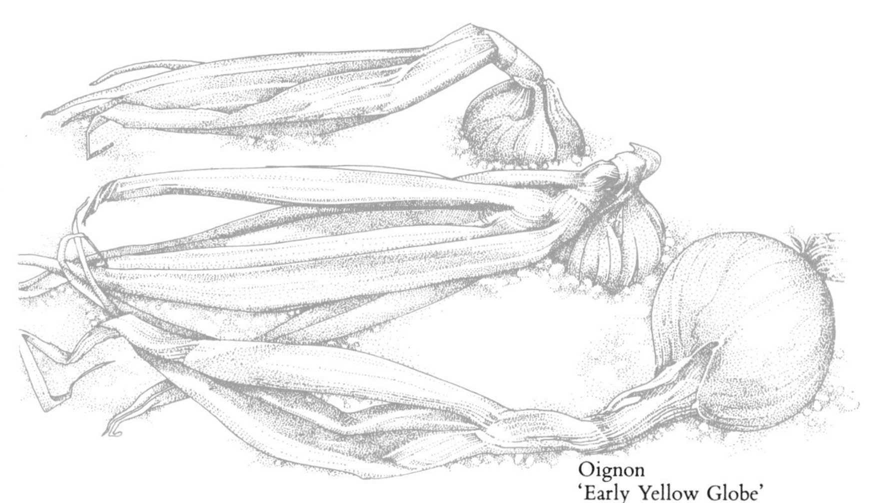

Oignon
'Early Yellow Globe'

L'oignon à bulbe sphérique cultivé au jardin n'est pas vraiment meilleur que celui qu'on achète au marché. C'est pourquoi on le trouve peu souvent dans les potagers familiaux.

L'oignon vert, cependant, petit oignon récolté jeune, a beaucoup plus de saveur frais cueilli que lorsqu'il vient du marché. En outre, il prend moins d'espace au jardin que l'oignon à gros bulbe. Tous les oignons, en fait, peuvent être cueillis quand ils sont verts, mais certaines variétés ont été spécialement mises au point à cette fin. Dans les catalogues de semences, on leur donne souvent le nom d'oignons à botteler parce qu'au marché ils sont généralement vendus en bottes. Dans le langage courant, on les appelle échalotes.

Le poireau est proche parent de l'oignon. Il a, en plus gros, l'apparence de l'oignon à botteler, mais ses exigences culturales ne sont toutefois pas les mêmes.

L'oignon et le poireau mettent beaucoup de temps à mûrir. A partir des semences, il faut compter trois à cinq mois pour les oignons et quatre mois et demi pour les poireaux. L'oignon à botteler, beaucoup plus précoce, se récolte deux mois après les semis.

L'ail et la ciboulette sont des plantes apparentées à l'oignon et au poireau, mais comme ces légumes sont aussi des condiments, on les retrouvera dans le chapitre « Plantes aromatiques et condimentaires », qui commence à la page 426.

Méthode de culture

Pour cultiver l'oignon et le poireau, il faut une terre fertile, bêchée avec soin, à la fois humide et bien drainée. Comme ces légumes peuvent pousser dans le même emplacement pendant plusieurs années, il vaut mieux bien préparer le sol dès la première année. Incorporer environ 600 g de fumier bien décomposé ou de compost par mètre de rang, ainsi que 75 g d'engrais 5-10-10 par mètre de rang.

Plantation des oignons à bulbe Ces oignons sont rustiques, aussi peut-on les semer en pleine terre au début du printemps. Cependant, on utilise plutôt des petits bulbes à ensemencement qui réduisent le délai de maturation de quatre à six semaines et donnent une récolte plus sûre que les semis. Dans les endroits où la terre ne gèle pas à plus de 1,5 cm de profondeur, on peut semer en automne pour récolter au printemps.

Les bulbes d'ensemencement sont vendus au poids ; 30 g par mètre de rang suffisent. Ils ne doivent pas avoir plus de 1,5 cm de diamètre ; plus gros, ils risquent de monter en graine avant d'avoir donné des oignons.

Dès que le sol est prêt, planter les bulbes à 2,5 cm de profondeur et à 10 cm de distance dans des rangs espacés de 30 cm. Les plants d'oignons commercialisés se plantent comme les bulbes.

Semer les graines à 1,5 cm de profondeur et à 2,5 cm l'une de l'autre, dès que le sol se laisse travailler. Lorsque les plantules ont 8 à 10 cm de haut, les éclaircir à 5 cm. Enfin, lorsqu'elles atteignent 15 cm de hauteur, les éclaircir de nouveau à 10 cm.

Plantation de l'oignon vert (ou oignon à botteler) On peut récolter des oignons verts en semant des graines d'oignon à bulbe par groupes de six. Le manque d'espace restreignant leur développement, les plants forment de longues tiges blanches au lieu de bulbes arrondis. Les récolter deux ou trois mois plus tard.

On peut aussi acheter des semences de variétés conçues pour la récolte en vert. Elles sont de deux sortes : l'une se sème au début du printemps et se récolte en été ; l'autre se sème à la fin du printemps pour se récolter au début de l'automne, ou se sème en automne pour se récolter le printemps suivant. Dans les régions à climat froid, les semis d'automne doivent être paillés pour l'hiver.

La culture de l'oignon vert à partir de semis est semblable à celle de l'oignon boule, sauf qu'on n'éclaircit pas les plantules.

Culture de l'oignon boule et de l'oignon vert Ces deux variétés d'oignons ont des systèmes radiculaires superficiels. Il leur faut donc des arrosages abondants et des désherbages fréquents. Entre les rangs, désherber par binage superficiel et, dans les rangs, sarcler à la main.

Fertiliser au moins une fois durant la période de croissance. Quand les plantules ont 20 à 25 cm de haut, épandre de l'engrais de chaque côté des rangs à raison de 30 g par mètre de rang. Pour ne pas déranger les racines, faire pénétrer l'engrais dans le sol par arrosage.

Récolte de l'oignon boule et de l'oignon vert L'oignon boule est bon à cueillir cinq mois environ après les semis ou trois mois et demi après le repiquage des bulbes ou des plantules. Le feuillage du plant se flétrit à mesure que le bulbe arrive à maturité. On peut hâter la maturation et obtenir des bulbes plus gros en couchant le feuillage lorsque les feuilles extérieures jaunissent. Deux semaines plus tard, soulever délicatement les bulbes en insérant une fourche à bêcher sous les plants. A deux semaines d'intervalle, déterrer les bulbes avec la fourche. On peut couper le feuillage à 2,5 cm du bulbe ou le garder pour le monter en botte lorsque les oignons auront séché. Etaler les bulbes dans un endroit chaud et bien aéré, et les laisser sécher pendant quelques jours. Tresser ensuite le feuillage et suspendre les bottes. On peut aussi suspendre les bulbes dans un filet ou les garder dans des boîtes peu profondes, ouvertes et placées dans un endroit frais et modérément humide.

Commencer à récolter les oignons verts quand les bulbes ont 0,5 à 1,5 cm de diamètre. Ne récolter que ce dont on a besoin, car les oignons verts se conservent tout au plus deux semaines. Les faire sécher complètement avant de les entreposer.

Plantation du poireau Pour garder au poireau son long bulbe blanc, on le plante généralement dans une tranchée où il est à l'abri du soleil. En préparation pour la plantation, creuser un sillon d'environ 15 cm de profondeur et 23 cm de large. Laisser 30 à 60 cm entre les tranchées. Enlever les pierres et défaire les mottes. Incorporer à la terre au fond de la tranchée environ 300 g de matières organiques et 120 g d'engrais 5-10-10 par mètre de rang. La préparation du sol se fait de préférence à l'automne.

Le poireau demandant 130 jours pour arriver à maturité, les semis se font généralement à l'intérieur, 10 à 12 semaines avant la date du dernier gel. Mettre les graines en terre à 0,5 cm de profondeur et à 2,5 cm de distance. A la levée, éclaircir les plantules avec des ciseaux de façon qu'elles soient espacées de 5 cm. Quand elles ont environ 10 cm de haut, les repiquer dans des trous pratiqués tous les 10 à 15 cm au fond de la tranchée, en ne laissant sortir que la partie supérieure des feuilles. A mesure que les plants grandissent, les butter.

On peut aussi semer le poireau en pleine terre, dès que le sol se laisse travailler. Si les plants ne sont pas arrivés à maturité à l'automne, les laisser dans le sol pendant l'hiver en les protégeant d'un épais paillis et les récolter le printemps suivant.

Semer les graines de poireau dans une planche à semis à 1,5 cm de profondeur, dans des rangs espacés de 15 cm. Quand les plantules ont 15 à 20 cm de haut, les repiquer dans une tranchée. Avant le repiquage, rabattre de moitié le feuillage de chaque plant.

Culture et récolte du poireau Fertiliser à la mi-été et faire pénétrer l'engrais par arrosage plutôt que par ratissage. Désherber fréquemment en prenant garde d'abîmer les racines.

On peut récolter les poireaux longtemps avant qu'ils soient à maturité. Déterrer les plants avec une fourche à bêcher. Les entreposer dans une cave en les recouvrant de terre ou les laisser au jardin jusqu'à la récolte en les protégeant d'un paillis épais. On peut repiquer les pousses latérales pour obtenir une nouvelle récolte.

1. *Quand les feuilles extérieures jaunissent, coucher le feuillage des bulbes.*

2. *Deux semaines plus tard, lever les bulbes et les faire sécher.*

Ravageurs et maladies

La mouche de l'oignon se nourrit des bulbes d'oignon et de poireau. Une fois que la plantation est infestée, il n'y a plus de remède. A titre de mesure préventive, vaporiser les jeunes plants de diazinon. Le thrip de l'oignon se nourrit des feuilles, les marque de taches et les fait se dessécher. Vaporiser les plants de malathion en suivant le mode d'emploi.

Variétés recommandées

Parmi les bonnes variétés d'oignons à bulbe se trouvent 'White Portugal', 'White Sweet Spanish', 'Southport Red Globe' et 'Early Yellow Globe'. Les variétés d'oignons à botteler les plus recommandées sont 'Southport White Globe' et 'Hardy White Bunching'. 'Unique', 'Titan' et 'Giant Musselburgh' sont les variétés de poireaux les plus répandues.

Panais

Panais 'Hollow Crown'

Le panais est un légume-racine qui met quatre mois à mûrir. Comme le froid fait ressortir sa douce et délicate saveur, c'est un légume à cultiver dans les régions où la saison de culture est courte. A vrai dire, si le sol est paillé suffisamment, on peut récolter du panais tout l'hiver. Cependant, si le sol gèle, le panais sera toujours bon à récolter le printemps suivant.

Dans les régions où le climat est doux, on peut planter le panais en automne et en obtenir une récolte à la fin de l'hiver.

Méthode de culture

Le panais se cultive à peu près de la même façon que la carotte. Cependant, si l'on ne veut pas que la racine comestible, qui est très longue, se déforme, il faut bêcher le sol en profondeur et le débarrasser des cailloux.

Semer le panais en pleine terre deux semaines environ avant la date du dernier gel. Mettre les graines en terre à 1,5 cm de profondeur en semant serré dans des rangs espacés de 45 à 75 cm. Couvrir les graines d'une mince couche de terre ou d'un mélange composé de terre et de sable ou de terre et de tourbe. Bien fouler. Comme les semences de panais sont lentes à germer, on peut intercaler des radis dans les rangs. Lorsque les plantules de panais ont environ 2,5 cm de haut, les éclaircir pour qu'elles soient espacées de 5 à 8 cm.

Faire des apports d'engrais 5-10-10 toutes les six semaines environ, à raison de 50 g par mètre de rang. Pailler pour freiner la croissance des mauvaises herbes.

La récolte peut commencer lorsque les racines, à leur sommet, ont 4 à 5 cm de diamètre. Les déterrer avec soin. Le panais qui reste dans le sol durant l'hiver doit être récolté avant qu'il ne donne de nouvelles feuilles au printemps. Ce légume peut être conservé dans un endroit frais.

Ravageurs et maladies

Ne pas cultiver le panais à proximité des carottes ou du céleri, car ces trois légumes sont attaqués par les mêmes ravageurs. Le plus néfaste est la mouche de la carotte. Vaporiser le sol de diazinon après les semis.

Variétés recommandées

Les variétés de panais les plus recommandées sont 'Hollow Crown' et 'Harris Model'. La variété 'All-American' donne un panais de très grande qualité qui mûrit environ 100 jours après les semis.

Piment

Piment hybride 'Ace'

Il existe deux types de piments : le piment fort et le piment doux. Ce dernier est aussi appelé poivron. Le piment doux est généralement vert, bien qu'il lui arrive de devenir rouge ou jaune quand il atteint sa pleine maturité. Le piment fort, vert en début de croissance, jaunit ou rougit en mûrissant. Les piments aiment la chaleur, tout comme les tomates et les aubergines, et demandent à peu près les mêmes soins culturaux.

On trouve dans les catalogues de semences une liste étonnante de variétés de piments doux et forts qui diffèrent entre eux par la forme et la taille. Dans les régions où la belle saison est courte, il y a intérêt à choisir des variétés hâtives, puisque même celles-ci demandent au moins deux mois de culture après la transplantation. Il faut aussi compter les huit semaines nécessaires à la formation des plantules à partir des semis à l'intérieur.

Méthode de culture

Semer le piment à l'intérieur huit semaines environ avant la date normale du dernier gel. Enfouir les graines à 0,5 cm de profondeur dans des pots individuels, à raison de trois graines par pot. Garder les pots dans un endroit chaud (à environ 24°C). A la levée, les transporter dans un endroit ensoleillé. Lorsque les plantules ont 2,5 cm de haut, ne garder dans chaque pot que la plus vigoureuse.

L'endurcissement des plants de piment est un moment critique. Si le temps est trop froid lors de leur acclimatation, ils peuvent régresser ou même mourir.

On peut aussi utiliser des plants prêts à être mis en terre. Choisir ceux qui présentent des tiges courtes et robustes et des feuilles vert foncé.

Eviter de cultiver des piments là où on a fait pousser précédemment des tomates ou des aubergines. Ces trois légumes sont en effet vulnérables aux mêmes maladies. Incorporer au sol une couche de 8 à 10 cm d'épaisseur de matières organiques, ainsi que 60 g d'engrais 5-10-10 par mètre de rang. Laisser 60 cm entre les rangs.

On peut aussi préparer des emplacements pour chaque plant de piment. Creuser des trous de 15 cm de profondeur et de 15 cm de diamètre. Mettre au fond une couche de 5 cm d'épaisseur de compost ou de fumier bien décomposé mélangé à 1 cuillerée à soupe de fertilisant. Remplir ensuite les trous de terre. Laisser au moins 60 cm entre les plants. Les piments n'ont pas absolument besoin d'être tuteurés. Des supports peuvent cependant les aider à résister aux coups de vent. Les installer avant de repiquer les plants.

Lorsque tout danger de gel est écarté et que la température se maintient le jour au-dessus de 13°C, effectuer le repiquage. Faire ce travail par temps nuageux et à la tombée de la nuit. Laisser 45 cm entre les plantules dans le rang.

Arroser abondamment immédiatement après la plantation. Entourer chaque plant d'une collerette de carton qui éloignera les vers gris. Mettre les jeunes plants à l'abri du soleil ou des pluies violentes en les recouvrant de gobelets translucides spéciaux.

Le piment est une plante qui consomme peu de matières nutritives. Si le sol a été convenablement fertilisé avant la plantation, il ne sera pas nécessaire d'ajouter de l'engrais en cours de culture.

Pour fructifier, le piment a besoin par contre de beaucoup d'humidité. Pailler le sol autour des plants et arroser régulièrement en période de sécheresse. Si des mauvaises herbes se fraient un chemin à travers le paillis, les arracher délicatement.

On peut consommer les piments doux à n'importe quel moment de leur croissance. Si on les laisse arriver à maturité, ils deviennent rouges et prennent une saveur plus douce. Cependant, on ne doit pas laisser de piments très mûrs sur les plants, car cela réduirait leur productivité.

Toujours couper les piments avec des ciseaux. Autrement, on risque d'arracher la tige avec le fruit.

Comme le piment mûrit vers la fin de la saison, on peut toujours craindre qu'un gel se produise avant que toute la récolte soit terminée. Si le froid menace, couvrir les plants d'une feuille de plastique retenue au sol avec des cailloux ou de la terre. Si le gel n'est pas très prolongé, cette mesure peut sauver les plants. Quand les fruits sont presque mûrs, arracher les plants avec leurs racines et les suspendre à l'intérieur, dans un local frais où ils finiront de mûrir.

On ne cueille pas les piments forts avant qu'ils aient atteint leur pleine maturité. Pour les conserver, les enfiler par le pédoncule sur une ficelle ou un fil et les suspendre à l'intérieur.

Ravageurs et maladies

Le piment attire peu de ravageurs. Si on voit des pucerons, arroser les plants. Au besoin, utiliser un insecticide à base de diazinon ou de malathion. S'il y a des mouches blanches, faire un poudrage de pyréthrine.

Variétés recommandées

L'hybride 'Ace' est un piment doux hâtif. 'Calwonder', 'Yolo Wonder' et 'Bell Boy Hybrid' sont de bonnes variétés tardives. Les meilleurs piments forts sont 'Long rouge étroit Cayenne' et 'Jaune hongrois fort'.

Pois

Pois 'Lincoln'

Les pois frais cueillis du jardin sont tellement supérieurs à ceux qu'on achète au marché qu'on devrait en cultiver, même dans le plus petit des potagers. Comme ils poussent mieux au frais qu'à la chaleur et ne mettent que 55 jours environ à arriver à maturité, s'il s'agit de variétés hâtives, on peut les remplacer par un autre légume après la récolte.

Il existe deux types principaux de pois : les petits pois et les pois mangetout dont on mange la cosse et les graines. Bien que les seconds soient moins productifs que les premiers, ils valent la peine d'être cultivés pour leur délicate saveur.

Les variétés naines de petits pois et de pois mangetout n'ont pas besoin de tuteurs. Il en faut aux variétés à rames des deux catégories, variétés très productives.

Les pois n'aiment pas la chaleur. Une température constante de plus de 21°C freine presque complètement leur mûrissement. Au moment de l'achat de semences, il faut donc vérifier sur le sachet le délai de maturation qui est ordinairement indiqué en jours. Dans les régions où le printemps est court, choisir des variétés hâtives. Là où le temps frais se maintient en été, cultiver à la fois des variétés hâtives et des variétés tardives pour récolter des pois durant toute la belle saison.

La plupart des semences de pois sont traitées avec un fongicide qui les empêche de pourrir en sol froid et humide. Les graines non traitées risquent évidemment de pourrir si la saison est pluvieuse. Garder les graines traitées hors de la portée des enfants et des animaux domestiques.

Méthode de culture

Bêcher le carré destiné aux pois aussitôt que possible au printemps. Incorporer en même temps au sol de généreuses quantités de matières organiques : fumier bien décomposé, compost, terreau de feuilles ou foin vieilli. Pour la plantation des pois nains, creuser une tranchée à fond plat de 5 cm de profondeur et de 8 à 10 cm de large. Pour celle des pois à rames, creuser une tranchée de 25 cm et installer le treillage au centre : les plants seront cultivés de chaque côté de ce support. On peut également laisser les pois à rames grimper contre une clôture.

Lorsqu'on veut s'épargner les efforts d'installer un treillage, on peut semer une double rangée de pois. Arrivés à l'âge adulte, les plants se supporteront les uns les autres. Cette méthode convient notamment aux variétés qui atteignent environ 45 cm de hauteur. Les variétés dont la taille peut atteindre 75 à 90 cm auront besoin de supports supplémentaires.

En guise de treillage pour les pois à rames, utiliser du treillis pour poulailler, du filet de plastique léger pour potager ou des ficelles tendues entre deux piquets. On peut également employer des rames, c'est-à-dire des branches de grande taille, bien pourvues de brindilles. Les installer sur toute la longueur du rang, de façon très serrée. Tout support doit être mis en place avant de procéder à la plantation.

Juste avant de semer, déposer au fond de la tranchée une petite quantité d'engrais pauvre en azote (5-10-10). Le mélanger au sol.

Egalement avant les semis, couvrir les graines d'une poudre à base de culture bactérienne qui a la propriété de fixer l'azote dans le sol.

Enfouir les graines de pois à 5 cm de profondeur et à 2,5 cm de distance les unes des autres. Pour empêcher les oiseaux de dévorer les semences, couvrir les rangs d'un filet de plastique ou d'un treillage de ficelle et l'y laisser jusqu'à la levée.

Quand les plantules ont environ 8 cm de haut, butter la terre autour pour mieux les faire tenir. A mesure que les plants grandissent, enrouler leurs vrilles sur les supports.

Les pois demandent beaucoup d'humidité. Pailler les rangs pour diminuer l'évaporation et freiner la croissance des mauvaises herbes. Arroser dès que la terre semble sèche. Les pois étant vulnérables aux maladies cryptogamiques, arroser au ras du sol, et non la plante directement, afin de ne pas mouiller le feuillage.

Lorsque les plants ont 15 à 20 cm de haut, étaler de l'engrais 5-10-10 des deux côtés de chaque rang, à raison de 50 g par mètre de rang. Eviter d'en laisser tomber sur le feuillage.

Si les pois à rames s'écartent des supports, les y attacher à l'aide de longues bandes de tissus ou avec des ficelles souples.

Les pois ont meilleur goût s'ils sont cueillis jeunes et tendres. Un retard de un ou deux jours peut gâter une récolte en donnant le temps aux grains de durcir. En les récoltant régulièrement, on obtient longtemps des pois de première qualité. Examiner en premier lieu les cosses du bas, car elles mûrissent plus vite.

Par ailleurs, si on laisse des cosses mûres sur les plants, ceux-ci ralentissent leur production.

Les petits pois sont bons à cueillir lorsque les cosses sont remplies de grains bien développés mais encore tendres. On cueille les pois mangetout quand les gousses commencent à gonfler. Ne pas attendre cependant que la forme des grains se voie à travers la cosse, car celle-ci sera devenue trop coriace. Si l'on a trop attendu pour les cueillir, on écossera les mangetout et on apprêtera les grains comme les petits pois.

Pour cueillir les pois, tenir la tige d'une main, et de l'autre tirer sur la cosse. En procédant autrement, on risque d'arracher une partie du plant.

Si, après avoir récolté les pois, l'on veut cultiver un autre légume dans le carré qui leur était réservé, il faudra arracher les plants et les jeter sur le tas de compost ou les enterrer tout simplement. Comme les pois consomment beaucoup de matières nutritives, il faudra enrichir le sol que leur culture a appauvri. On fera donc un épandage d'engrais et on ajoutera du compost avant d'entreprendre la culture d'un autre légume.

Il peut arriver qu'en toute fin de saison, on se retrouve avec une récolte surabondante, qui dépasse les besoins de la consommation immédiate. En ce cas, laisser les cosses sur les plants jusqu'à ce que les grains soient durcis. Les cueillir alors, les écosser et faire sécher les pois pendant une demi-heure dans le four réglé à la température la plus basse. Les pois secs peuvent être conservés en bocal dans un endroit sec.

TUTEURAGE DES VARIÉTÉS DE GRANDE TAILLE

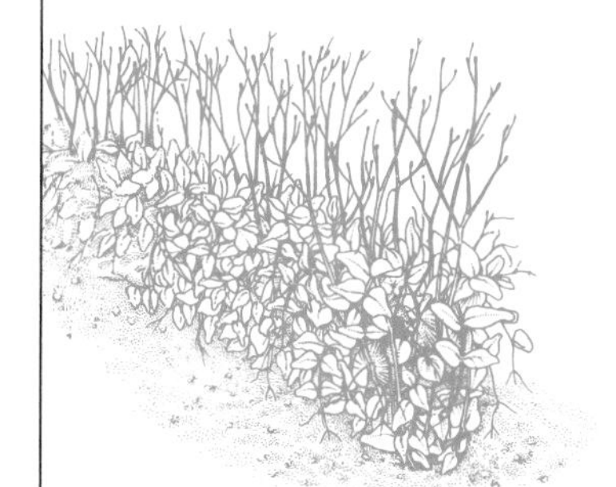

Quand les tiges ont quatre feuilles, les faire grimper sur des rames.

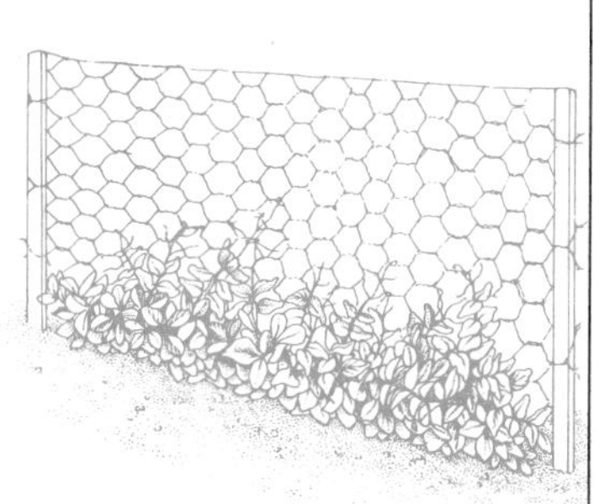

Ou utiliser des grillages à larges mailles fixés à deux piquets.

Ravageurs et maladies

Les pucerons répandent une virose grave, la mosaïque, pour laquelle il n'y a pas de traitement. Dès l'apparition des insectes, laver les tiges et le revers des feuilles ou vaporiser de malathion. Le charançon du pois, petit ver noir, blanc ou brun, doit être enlevé à la main ou éliminé par des vaporisations de malathion.

Si le printemps est froid et humide, les plants seront sujets au blanc. Les vaporiser ou les poudrer de dinocap ou de soufre. Le pourridié attaque aussi les pois au moment de la floraison, faisant jaunir les feuilles et noircir les tiges. Il n'y a pas de traitement connu. Prévenir la réapparition de la maladie, l'année suivante, en plantant les pois dans un sol bien drainé qui n'a jamais été cultivé.

Variétés recommandées

Parmi les variétés de pois nains les plus cultivées, on compte 'Petite merveille', qui atteint 40 à 50 cm de haut, 'Alaska' ou 'Extra précoce', variété à pois lisses qui mûrit parfois en moins de 55 jours, et 'Progrès de Laxton amélioré', reconnue comme la meilleure variété hâtive en culture au Canada et qui mûrit en 55 jours environ.

Parmi les variétés à rames se trouvent 'Wando', de 75 cm de haut, qui produit beaucoup et tolère la chaleur ; 'Green Arrow', 75 cm de haut, qui produit des cosses à grains très serrés au sommet des plants, ce qui rend la cueillette plus facile ; et 'Lincoln', de 75 cm de haut et dont les pois sont considérés par plusieurs comme les plus savoureux.

Dans la catégorie des pois mangetout, les plus appréciés sont 'Little Sweetie', variété hâtive (60 jours de maturation) qui n'exige pas de tuteurs, et 'Mangetout Géant', qu'il faut tuteurer.

Pomme de terre

Pomme de terre 'Norgold Russet'

Il faut beaucoup d'espace, mais peu de travail, pour faire pousser des pommes de terre.

Ces légumes poussent facilement dans un sol fertile et bien drainé et dans un emplacement ensoleillé. Dans la plupart des régions, on peut cultiver à la fois une variété hâtive et une variété tardive. La première se récolte et se consomme en été ; la seconde se récolte en automne et, bien entreposée, peut se conserver tout l'hiver. Là où il ne gèle pas en hiver et où les étés sont très chauds, on ne fait qu'une seule plantation, en automne ou au début de l'hiver.

Méthode de culture

La culture de la pomme de terre se fait à partir de tubercules garnis d'yeux. Une fois mis en terre, ces tubercules produisent des tiges feuillues au-dessus du sol et des touffes de pommes de terre dans le sol. Ne pas planter les pommes de terre achetées au marché, car elles ont souvent été traitées avec un produit chimique qui entrave leur germination. On est beaucoup plus certain d'obtenir une bonne récolte en achetant des tubercules certifiés exempts de maladie.

Couper les tubercules en segments de 60 g ou de la taille d'une grosse noix. Chaque éclat doit porter au moins un œil. Laisser d'abord légèrement sécher les éclats en les étalant dans un endroit aéré et bien éclairé, ce qui permettra à la plaie de durcir. On peut poudrer les segments avec un fongicide, du captane par exemple, pour prévenir la pourriture. Ne pas oublier que le captane est un produit toxique ; s'en servir avec prudence et le mettre hors de la portée des enfants et des animaux domestiques.

La pomme de terre demande un sol acide dont le pH peut descendre jusqu'à 5,2. Il ne faut donc pas la cultiver dans un sol qui a été récemment amendé avec de la chaux. Avant la plantation, étaler une couche de 8 à 13 cm d'épaisseur de fumier bien décomposé. Cet amendement enrichira la terre et en améliorera le drainage. Epandre également de l'engrais 5-10-10 à raison de 75 g par mètre de rang si le sol a été fumé ou de 150 g s'il ne l'a pas été. Bien mélanger les amendements avec la terre ; un contact direct des tubercules avec l'engrais abîmerait ceux-ci.

Dès que le sol se laisse travailler au printemps, enfouir les éclats dans des sillons de 10 cm de profondeur, de 8 cm de large et tracés à 90 cm l'un de l'autre. Espacer les éclats de 30 cm en orientant vers le haut les yeux des tubercules. Les recouvrir d'une couche de terre de 8 cm.

La levée se produit trois semaines après la plantation. A mesure que les plants grandissent, les butter ou ajouter au lit de plantation du terreau de feuilles, de la paille ou du compost de façon à bien couvrir les tubercules en formation. En effet, si elles sont exposées au soleil, les pommes de terre deviennent vertes et produisent de la solanine, substance toxique.

Il n'est pas nécessaire de faire un deuxième apport d'engrais. On verra cependant à ce que le sol autour des plants ne devienne pas compact. Arracher régulièrement les mauvaises herbes en se servant d'une binette.

On peut commencer à récolter des pommes de terre à peu près au moment où les plants sont en fleur, soit sept ou huit semaines après la plantation. Dégager avec soin la souche du plant et cueillir quelques tubercules ou pommes de terre nouvelles. Laisser quelques tubercules atteindre leur taille normale.

Lorsque le feuillage commence à se flétrir, les tubercules sont mûrs. Les déterrer à ce moment-là ou les laisser quelque temps dans le sol. Il est préférable toutefois de les récolter avant le premier gel sévère.

Avant d'entreposer les pommes de terre, les laver et les placer sans les tasser dans un contenant couvert mais bien aéré. Les y laisser sécher pendant quelques heures. (Ne jamais étaler les pommes de terre au soleil.) Les conserver ensuite dans un endroit sombre et frais à 3°C.

Ravageurs et maladies

On élimine bien des risques de maladies en achetant uniquement des tubercules immunisés, mais rien ne protège la pomme de terre contre la brûlure. La maladie se manifeste d'abord par des marques pourpres puis brunes sur les feuilles. Pour prévenir la maladie, faire des vaporisations de manèbe tous les 7 à 10 jours dès que les plants ont 15 cm de haut. La gale est aussi une maladie très fréquente. Pour la combattre, acheter des variétés résistantes, par exemple 'Norland', et maintenir le sol acide.

L'ennemi le plus dangereux de la pomme de terre est le doryphore. L'insecte et ses larves rouges attaquent le feuillage et détruisent les plants. Enlever les ravageurs à la main ou faire des poudrages ou des vaporisations de méthoxychlore. Contre le puceron et la cicadelle qui sont des insectes vecteurs de viroses, utiliser du diazinon.

Variétés recommandées

Il est préférable de se renseigner auprès d'un centre de jardinage ou auprès du ministère de l'Agriculture sur les variétés recommandées dans la région où l'on se trouve. Parmi les variétés hâtives, 'Irish Cobbler', 'Norgold Russet' et 'Norland' se cultivent dans toutes les zones. Les variétés tardives 'Katahdin', 'Kennebec' et 'Russet Burbank' sont très appréciées.

Radis

Radis 'Champion'

Il existe deux types de radis : le radis d'été, rouge vif ou blanc, qui mûrit en peu de temps et dont la culture est très répandue, et le radis d'hiver, plus lent à mûrir, de saveur plus piquante et dont la pelure est soit noire soit blanche.

Les enfants aiment cultiver les petits radis rouges parce qu'il s'écoule peu de temps, généralement trois semaines, entre les semis et la récolte.

Tracer des rangs courts. En effet, des rangs de 1,50 à 1,80 m donnent une bonne récolte. Pour avoir des radis frais tout l'été, semer toutes les semaines ou tous les 10 jours, sauf à la mi-été, car ces légumes viennent moins bien lorsque la température dépasse 27°C. Dans la plupart des régions, on peut faire quelques autres semis à la fin de l'été. Dans le cas de ces semis tardifs, la récolte arrivera avant les premières gelées.

Les radis d'hiver mettent 60 jours ou plus à mûrir ; on les sème à la mi-été pour les récolter à l'automne.

Méthode de culture

Avant la plantation, bêcher la terre à une profondeur de 15 cm et incorporer une couche de 2,5 à 5 cm d'épaisseur de compost ou de fumier bien décomposé ainsi que 100 g d'engrais 10-10-10 par mètre de rang.

Enfouir les graines dès que le sol se laisse travailler au printemps. Elles sont assez grosses pour qu'on puisse les espacer à volonté, ce qui évite à peu près l'opération fastidieuse de l'éclaircissage. Tracer un sillon de 1,5 cm de profondeur et espacer les graines de 1,5 cm. Bien tasser la terre dont on recouvre les semences et arroser délicatement.

On gagne de l'espace en semant les radis parmi des légumes plus lents à pousser, comme les carottes ou le panais. Pour avoir des radis sains, il faut les arroser très généreusement au moins une fois par semaine (plus souvent encore durant les périodes de sécheresse) et leur ménager l'espace voulu. Trop tassés, ils ne donneront pas cette racine charnue qui fait leur réputation. Même si l'on a observé un bon espacement au moment des semis, il faudra sans doute éclaircir à un certain moment pour laisser un espace de 2,5 à 5 cm entre les plants.

Désherber souvent et avec précaution, car les racines des radis poussent en surface. Un sol qui n'est pas compact et qu'on travaille souvent donne de bons radis.

Selon les variétés, le radis d'été mûrit en 20 à 30 jours, tandis que le radis d'hiver demande 60 à 75 jours. La taille maximale des diverses variétés est ordinairement indiquée sur les sachets de graines. Lorsqu'on tarde à faire la récolte, le radis mûrit trop, durcit et sa saveur devient très piquante. On sait également qu'il est trop mûr quand il est fendu ou fissuré.

Ravageurs et maladies

A cause de sa saveur piquante, le radis a très peu de ravageurs. Son principal ennemi est un asticot rhizophage qui se trouve souvent dans le sol des rangs où l'on a déjà cultivé du chou. Pour l'éliminer, épandre des granules de diazinon à la surface des rangs après les semis. Suivre le mode d'emploi et faire pénétrer l'insecticide dans le sol par arrosage. Répéter le traitement une semaine plus tard.

La chenille du chou dévore aussi parfois les feuilles de radis. Employer alors du *Bacillus thuringiensis.*

Variétés recommandées

Les radis d'été rouges les plus populaires sont 'Cherry Belle' (qui mûrit en 22 jours et donne des radis de 2 cm de diamètre), 'Comet' (25 jours, 2,5 cm) et 'Champion' (28 jours, 5 cm). 'Glaçon' (28 jours, 13 cm de long) donne un radis d'été blanc.

Parmi les radis d'hiver, on recommande 'Rond noir d'Espagne' (55 jours, 8 à 10 cm de diamètre) et 'White Chinese', aussi appelé 'Celestial' (60 jours, 15 à 20 cm de long).

CULTURE ALTERNATIVE DE CAROTTES ET DE RADIS

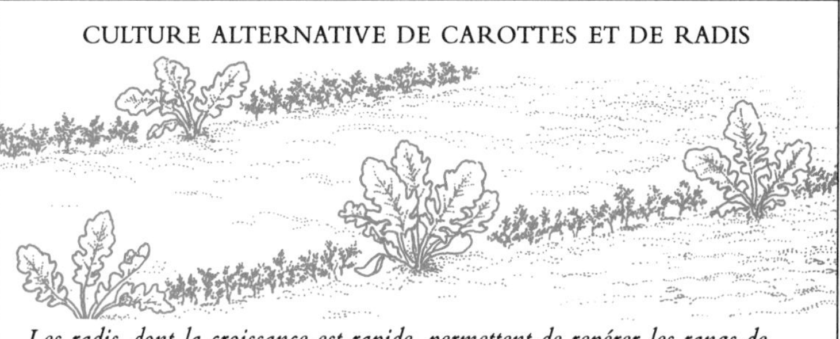

Les radis, dont la croissance est rapide, permettent de repérer les rangs de carottes. Ils auront été récoltés lorsque les carottes réclameront plus d'espace.

Tomate

Tomate 'Small Fry Hybrid'

La tomate est assurément l'un des légumes que l'on retrouve le plus souvent dans les petits jardins potagers. Les catalogues des grainetiers lui consacrent toujours plusieurs pages.

Ce grand succès de la tomate a incité les horticulteurs à créer des centaines de variétés. Ces nouvelles variétés, généralement des hybrides, sont à la fois plus savoureuses et moins vulnérables à certains germes contenus dans le sol.

Au moyen d'un code, les catalogues des grainetiers précisent toujours à quelle maladie ou à quel ravageur chaque variété est en mesure de résister. Par exemple, la lettre V indique une résistance à la verticilliose, la lettre F à la fusariose et la lettre N aux nématodes. La flétrissure verticillienne et la flétrissure fusarienne sont deux maladies qui frappent le feuillage, tandis que les nématodes sont des vers qui s'attaquent au système radiculaire de la plante. L'utilisation de semences qui résistent à ces maladies et à ce ravageur est une précaution sanitaire à prendre.

Les variétés de tomates se divisent en deux groupes principaux : les variétés hâtives et les variétés à croissance normale. Les variétés hâtives sont en règle générale déterminées, c'est-à-dire qu'après avoir atteint une certaine taille et donné une seule récolte, elles meurent. D'autre part, elles n'ont pas besoin de tuteurs. Les variétés normales sont très rarement déterminées : elles continuent de croître et de produire jusqu'aux froids. Bien que ces variétés donnent des tomates même si on laisse les plants ramper sur le sol, il vaut mieux attacher les branches à un support. La récolte est ainsi moins exposée aux maladies et aux attaques des ravageurs, et les fruits mûrissent plus rapidement.

Les tomates étant très sensibles au froid, les horticulteurs de certaines régions auront intérêt à planter quelques variétés hâtives en plus des variétés à croissance normale. Sauf dans les régions les plus chaudes du pays, on cultive les tomates à partir de plants et non de semis. Les délais de maturation précisés dans les catalogues sont toujours calculés à partir du moment de la transplantation.

Méthode de culture

Les semis de tomates doivent être commencés à l'intérieur environ huit semaines avant la date habituelle des derniers gels. Semer les graines dans des caissettes ou des pots à 0,3 cm de profondeur ; quand les plantules ont environ 2,5 cm de haut, les repiquer individuellement dans des pots de 7,5 à 10 cm. Placer les pots dans un endroit chaud et ensoleillé et garder le mélange humide. Ne pas oublier d'endurcir les plants avant de les transplanter au jardin.

A l'achat, choisir des plants robustes dans des caissettes peu remplies. S'assurer que les plants ont été endurcis, sinon il faudra le faire.

Pour obtenir une bonne récolte de tomates, il est indispensable de bien préparer les plates-bandes. L'automne précédent, si possible, bêcher la terre à plusieurs centimètres de profondeur en y incorporant une couche de 5 cm de compost ou d'engrais organique. Tôt au printemps, faire pénétrer au râteau de l'engrais 5-10-10 à raison de 60 g par mètre de rang.

Si les plates-bandes n'ont pas été apprêtées, creuser pour chaque plant de tomates hâtives un trou de 15 cm de profondeur et de 60 cm de diamètre. Pour les variétés plus tardives, pratiquer un trou de la même profondeur mais de 90 cm de diamètre. Au fond des trous, disposer une couche de 5 cm de compost ou de tourbe humide comprenant un peu d'engrais et de terre de surface.

Tuteurage Installer les treillages ou les tuteurs avant la plantation. En règle générale, on utilise de hauts tuteurs qu'on enfonce dans le sol à côté du plant. On attache la tige au tuteur avec des liens : ficelle ou bandes étroites de tissu. Au fur et à mesure que le plant prend de la hauteur, on réajuste les liens.

On peut aussi se servir d'un grillage de fil de fer (clôture de poulailler de 1,80 m de haut) faisant toute la longueur de la planche. Deux piquets plantés aux extrémités de la platebande et reliés par du fil métallique constituent également un bon treillage. L'essentiel est de soutenir le plant au fur et à mesure qu'il se développe de façon que les tomates ne touchent pas le sol et qu'elles soient bien exposées au soleil.

Les petites variétés hâtives n'ont pas besoin de tuteurs, mais il est préférable de leur éviter tout contact avec le sol en les entourant, au moment de la plantation, d'un cylindre de 90 cm de haut et de 45 cm de diamètre, en filet métallique. Les mailles doivent offrir des ouvertures d'au moins 15 cm pour que les branches puissent facilement passer à travers. Assujettir le cylindre au moyen d'un robuste piquet fiché à 15 cm de profondeur dans le sol.

On peut aussi interposer un paillis (des pellicules de plastique noir conviennent aussi) entre le sol et les petits plants pour empêcher les tomates d'être contaminées par des ravageurs terricoles.

TAILLE DES TOMATES

Couper les jeunes gourmands ou les détacher par torsion.

Après formation de six grappes, pincer le bourgeon central.

TUTEURAGE DES TOMATES

Attacher les tiges à des tuteurs avec de la ficelle ou du tissu.

Ou enrouler des ficelles autour des plants et les relier à un fil.

Plantation et entretien Mettre les plants de tomates en terre lorsque les températures nocturnes ne descendent plus en dessous de 13°C. Espacer les plants de 60 cm s'il s'agit de variétés hâtives, de 90 cm dans les autres cas, et laisser 90 cm entre les rangs. Ou planter les pieds dans des trous comme on vient de le décrire.

Enfouir les plants jusqu'à la naissance du feuillage. Ils produiront des racines qui rendront le pied plus stable. Coucher les pieds de haute taille : la tige entière se trouvera alors dans le sol, tandis que seules les feuilles du haut émergeront. Tout de suite après le repiquage, fertiliser les plantules avec 225 ml d'engrais liquide dilué de moitié. Pour protéger les plants du ver gris, les entourer de collerettes de carton enfouies dans le sol à au moins 2,5 cm de profondeur. Si on annonce un coup de gel, couvrir les plants pour la nuit de tentes de papier journal.

Si le sol n'a pas été fertilisé avant la plantation, engraisser la terre une fois par mois en épandant environ 50 g d'engrais 5-10-5 dans un rayon de 60 cm autour des plants.

Couvrir le sol d'un épais paillis pour le garder humide et pour freiner la croissance des mauvaises herbes.

Rabattre les plants indéterminés à un seul axe central en pinçant les pousses latérales, ou gourmands, à mesure qu'elles font leur apparition. Elles naissent à l'axe de la tige principale et des pétioles des feuilles. Les couper au ras de la tige quand elles sont encore jeunes. Couper aussi les gourmands qui sortent de la souche.

Les plants de tomates demandent des arrosages abondants. Il leur faut au moins 2,5 cm d'eau par semaine, surtout pendant les périodes de sécheresse. Vérifier constamment l'apparition des gourmands et les couper. Rattacher les plants à leurs tuteurs à mesure qu'ils prennent de la hauteur.

Récolte des tomates Si le temps se maintient au chaud et que les pluies sont abondantes, les tomates devraient mûrir 60 à 85 jours après le repiquage au jardin. Lorsqu'elles commencent à rougir, inspecter les plants tous les jours et cueillir celles qui sont bien rouges (ou bien jaunes, selon les variétés) et assez fermes. Les tomates trop mûres tombent et pourrissent rapidement au sol.

Un léger gel suffit d'ordinaire à faire mourir quelques feuilles, mais le plant lui-même continuera à croître et à produire. Un gel plus sévère, cependant, risque de tuer le plant entier. S'il y a menace de gel, étendre sur les plants une pellicule de plastique ou un vieux drap de lit. Ou arracher les plants avec les racines et les suspendre à l'envers dans la cave jusqu'à ce que les fruits soient mûrs. Aucune de ces méthodes n'est cependant infaillible. Dans les régions froides, le premier gel marque d'ordinaire la fin de la récolte des tomates.

Il ne faut pas jeter les tomates qui ne sont pas mûres. Les mettre à mûrir dans un endroit chaud, ou les envelopper une à une dans du papier journal et les entreposer dans un endroit frais et sombre où elles mûriront.

Ravageurs et maladies

Les tomates sont la proie de maladies et de ravageurs nombreux, mais les risques sont moins grands si la culture s'effectue dans un sol riche et bien préparé où de préférence on n'a pas cultivé de tomates l'année précédente.

Si les feuilles sont déchirées, examiner les plants ; il s'y trouve probablement des sphinx de la tomate. Les enlever à la main. Combattre les pucerons par des vaporisations de malathion. Contre les altises de la tomate, utiliser des produits à base de roténone.

Le mildiou se manifeste par des taches foncées et séreuses sur les feuilles et un duvet blanchâtre en dessous ainsi que sur les pétioles et les tiges. A titre préventif, vaporiser de manèbe tous les 10 à 14 jours à partir du moment où les fruits apparaissent. La pourriture apicale se manifeste par des cicatrices coriaces ou des taches de pourriture dans la zone apicale des fruits. Elle est généralement due à un manque de calcaire et d'eau dans le sol. Chauler et arroser celui-ci.

Variétés recommandées

Parmi les variétés de tomates hâtives, on recommande 'Springset', variété déterminée qui met 67 jours à mûrir après le repiquage au jardin et qui résiste à la flétrissure verticillienne et fusarienne (VF) ; 'Spring Giant,' déterminée, 65 jours, VF ; 'Campbell 1327', semi-déterminée (plants robustes ne demandant pas de tuteurs), 69 jours, VF.

Les variétés de pleine saison produisent généralement des fruits plus gros que les précédentes. Parmi les plus populaires, toutes indéterminées, se trouvent 'Beefeater', 75 jours, VFN ; 'Better Boy', 70 jours, VFN ; 'Big Boy', 78 jours, F ; et 'Burpee's VF Hybrid', 72 jours, VF.

Il existe aussi plusieurs variétés spéciales parmi lesquelles 'Small Fry Hybrid' (petite tomate cerise), déterminée, 52 jours, VFN ; 'Roma' (tomate prune), déterminée, 76 jours, VF ; 'Yellow Pear' (petits fruits jaunes), indéterminée, 70 jours ; et 'Sunray' (grosse tomate orangée), semi-déterminée, 72 jours, F.

Plantes aromatiques et condimentaires

La culture des plantes aromatiques et condimentaires procure de grandes joies. Ces plantes embaument le jardin et sont des alliées indispensables de l'art culinaire.

La culture des plantes aromatiques et condimentaires remonte à l'aube de la civilisation. Dans les plus anciens manuscrits, il est fait mention de l'utilisation des fines herbes, soit pour préparer ou conserver les aliments, soit pour embaumer l'air, soit pour soigner les plaies ou guérir les maladies. Au cours des siècles, ces connaissances empiriques ont été approfondies par les herborisateurs puis les botanistes. Certaines herbes médicinales employées il y a près de 2 000 ans servent encore aujourd'hui à soigner les mêmes maladies.

La plupart des plantes aromatiques et condimentaires sont des plantes robustes qui ont peu évolué malgré des siècles de culture. Elles préfèrent généralement une exposition ensoleillée et une terre fertile et bien drainée, mais certaines d'entre elles survivent à la mi-ombre et dans un sol pauvre.

On leur réserve généralement un carré spécial, mais on les place également dans le potager. Certains jardiniers les disposent de façon à faire ressortir les coloris et le feuillage. Il est souvent utile d'identifier les rangs de plantes ou même de faire un tracé des plates-bandes pour éviter toute confusion. On aura soin de ne pas placer les plantes de haute taille devant les plantes basses pour que celles-ci ne soient pas privées de lumière.

Plantation mixte Regroupées selon leurs propriétés, les plantes aromatiques peuvent tirer profit les unes des autres. Par exemple, la menthe, le persil, la sauge, le romarin et l'ail font fuir les ravageurs : on a donc intérêt à les placer près de plantes vulnérables. D'autres, comme l'hysope, la mélisse, l'aneth et le thym, attirent les abeilles et favorisent la pollinisation d'autres plantes. Cependant, les feuilles ou les racines de certaines plantes exsudent des substances qui peuvent favoriser ou retarder la croissance des plantes voisines. On dit par exemple que les haricots verts poussent mieux à proximité de la sarriette annuelle, mais moins bien près de l'ail, de la ciboulette ou d'autres membres de la même famille. L'aneth fait bon ménage avec le chou, mais ses racines sécrètent une substance qui pourrait nuire à la croissance de carottes plantées tout près.

Petits jardins d'hiver Un grand nombre de plantes aromatiques poussent très bien l'hiver en pots ou en caissettes près d'une fenêtre ensoleillée. Telles sont la marjolaine, la ciboulette, la menthe et la sarriette vivace. On les démarre à l'intérieur à partir d'éclats de souche ou de boutures prélevées en automne. On peut semer du basilic, de l'aneth, du persil et d'autres annuelles à la fin de l'été à l'extérieur et les repiquer en pots à l'automne. Employer alors un mélange terreux léger qui s'égoutte bien et arroser au besoin.

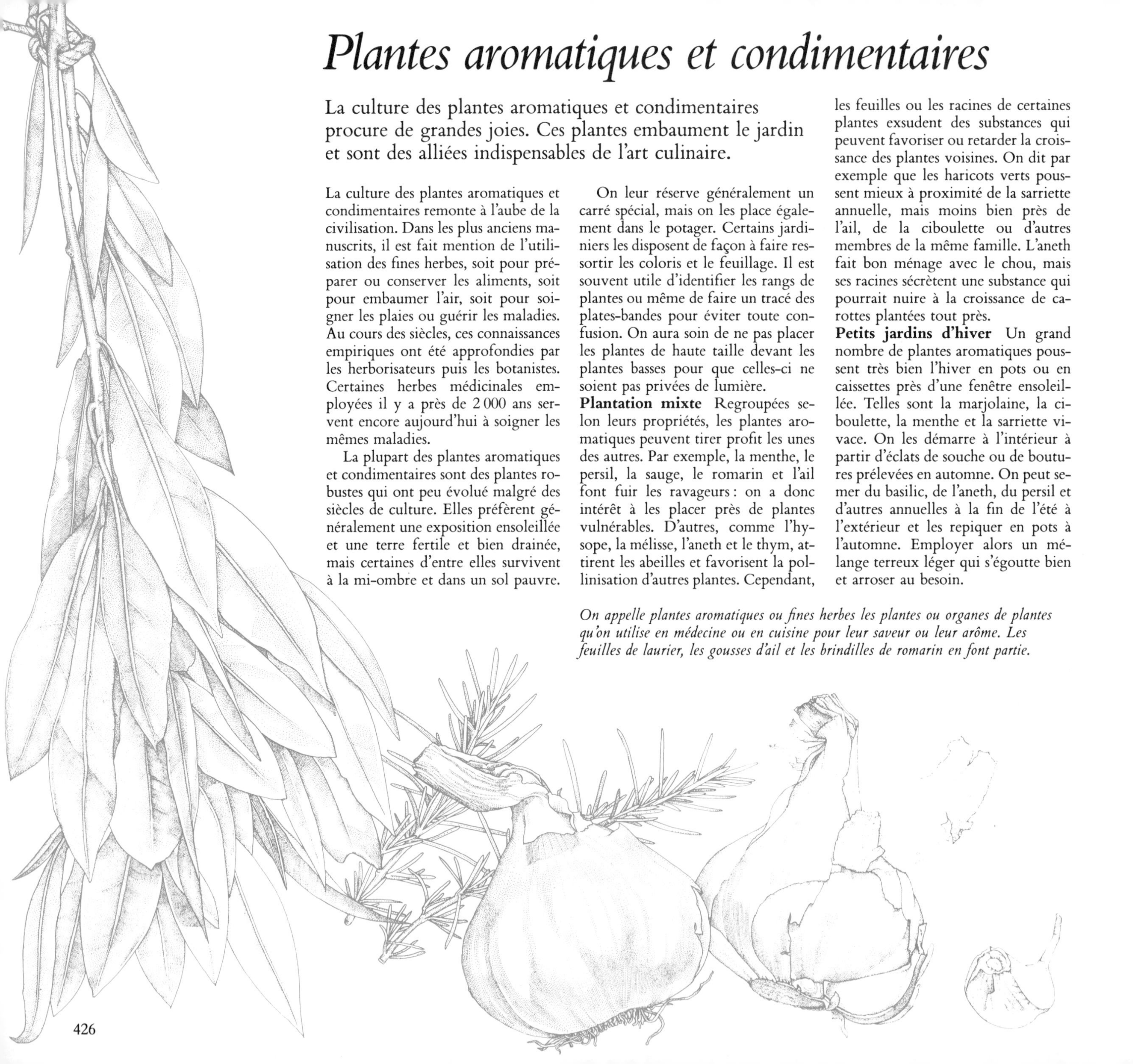

On appelle plantes aromatiques ou fines herbes les plantes ou organes de plantes qu'on utilise en médecine ou en cuisine pour leur saveur ou leur arôme. Les feuilles de laurier, les gousses d'ail et les brindilles de romarin en font partie.

Ail

(Allium sativum)

L'ail est l'un des plus anciens condiments. A maturité, le bulbe se divise en caïeux, ou gousses, recouverts d'une tunique papyracée. On utilise ces caïeux en cuisine et pour la multiplication des plants. L'ail a la réputation de chasser plusieurs ravageurs. En planter près des tomates et des rosiers, ainsi qu'autour des arbres fruitiers.
Utilisations : En petite quantité, l'ail râpé, haché ou tranché peut servir à aromatiser à peu près tous les mets. Il ne faut jamais abuser de ce fort condiment, surtout dans les salades. On le consomme cru ou cuit.
Type : Vivace.
Dimensions : H 30-60 cm ; E 23-30 cm.
Emplacement : Plein soleil ; sol léger.
Plantation : Au début du printemps, planter à 2,5-5 cm de profondeur. Dans les régions à climat doux, planter en automne.

Récolte : Déterrer les bulbes quand le feuillage meurt après la floraison.
Conservation : Sécher les bulbes au soleil ou dans un endroit chaud. Les conserver au frais et au sec.
Multiplication : Par division des gousses.

Aneth

(Anethum graveolens)

Son léger feuillage vert clair tranche sur les tiges vert-bleu. Les fleurs jaunes en ombelles naissent à la mi-été et attirent les abeilles. L'aneth peut être planté avec les choux, mais non avec les carottes.
Utilisations : Feuilles et graines ont une saveur un peu amère. Fraîches ou sèches, elles parfument poissons, soupes, salades, viandes, omelettes et pommes de terre.
Type : Annuelle rustique.
Dimensions : H 60-90 cm ; E 23-30 cm.
Emplacement : Plein soleil ; sol humide et bien drainé.
Plantation : Au début du printemps, semer à 0,5 cm de profondeur, en rangs espacés de 25 cm. Eclaircir à 25 cm.

Récolte : Cueillir les feuilles quand les fleurs s'ouvrent. Couper les tiges par temps sec lorsque les graines commencent à mûrir.
Conservation : Sécher les feuilles au four à 38°C. Pour recueillir les graines, suspendre les fleurs dans un endroit chaud et sec. Les faire sécher au soleil ou dans un four à basse température.
Multiplication : Par semis.

Angélique

(Angelica archangelica)

Plante de bordure qui donne des fleurs blanc-vert à la fin du printemps de la deuxième année. En supprimant les inflorescences, on obtient une plante vivace ; autrement, elle meurt après la floraison.
Utilisations : Coupées et confites, les jeunes tiges sont utilisées en pâtisserie. Les côtes des feuilles, blanchies, se consomment en salade. Les graines servent aux infusions.
Type : Bisannuelle ou vivace.
Dimensions : H 1,20-2,10 m ; E 90 cm.
Emplacement : Mi-ombre ; sol riche et humide.
Plantation : Au début de l'été, semer par groupes de 3 ou 4 graines à 60 cm de distance. Quand les plantules ont 3 ou 4 feuilles, n'en conserver qu'une par groupe.

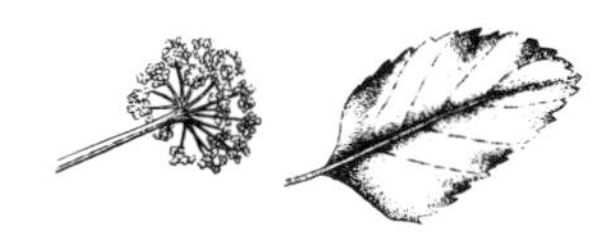

Récolte : Cueillir les jeunes tiges au printemps de la deuxième année avant la floraison, les feuilles tout l'été et les graines une fois mûres.
Conservation : Confire les tiges dans un sirop de sucre saturé.
Multiplication : Il est préférable d'acheter des graines. Cultivée en bisannuelle, la plante se multiplie spontanément et abondamment.

Anis

(Pimpinella anisum)

Les petites fleurs blanches naissant à la mi-été sont suivies de fruits à saveur de réglisse. Entre dans la fabrication de plusieurs remèdes contre la toux et d'onguents contre les démangeaisons.
Utilisations : Sert à parfumer biscuits, gâteaux, bonbons, pains et marmelade de pommes. Entre dans la préparation des caris à l'indienne, des ragoûts, de l'anisette et de l'absinthe. Ses feuilles fraîches se consomment en salade.
Type : Annuelle et rustique.
Dimensions : H 45 cm ; E 23-30 cm.
Emplacement : Chaud et ensoleillé dans un sol léger et bien drainé.
Plantation : Semer à la mi-printemps à 1,5 cm de profondeur, dans des rangs espacés de 30 à 45 cm. Eclaircir à 25 cm.

Récolte : Un mois après la floraison, avant que les graines se détachent, couper les fleurs et faire tomber les graines dans un sac en papier.
Conservation : Faire sécher les graines. Les garder dans un contenant sec et étanche.
Multiplication : Par semis.

Basilic
(*Ocimum basilicum*)

Plante vivace en climat tropical, annuelle en climat tempéré. Feuilles de 2,5-5 cm à parfum épicé. Chasse les moustiques et accompagne les plants de tomates. *O. basilicum minimum*, variété naine, se cultive bien en pot.
Utilisations : Saveur chaude et épicée. A utiliser dans les soupes à la tomate, les sauces, les salades, les omelettes, avec la viande, la volaille et le poisson.
Type : Annuelle, peu rustique.
Dimensions : H 30-60 cm ; E 30 cm.
Emplacement : Soleil ; terre riche et légère.
Plantation : Semer au début du printemps en serre ou près d'une fenêtre ensoleillée. Repiquer au jardin au début de l'été ou semer en pleine terre à la fin du printemps.

Récolte : Pour utiliser immédiatement, couper des feuilles avant la floraison ; en laisser 2 ou 3 à la base de chaque tige. Enlever les fleurs pour accroître le feuillage. Pour la mise en conserve, rabattre les plants à 15 cm une ou deux fois.
Conservation : Sécher ou congeler. Les feuilles se gardent aussi en bocaux dans le réfrigérateur ; alterner feuilles et sel et ajouter de l'huile d'olive.
Multiplication : Par semis.

Baume-coq
(*Chrysanthemum balsamita*)

Herbe aromatique qui pousse de façon un peu désordonnée et dont les feuilles ont une saveur piquante de menthe. Pincer les fleurs dès qu'elles apparaissent à la mi-été pour favoriser la croissance du feuillage. Racines rampantes et persistantes qui demandent à être contenues.
Utilisations : Feuilles à saveur légèrement amère et au goût de menthe. A utiliser parcimonieusement dans les salades de verdures ou pour aromatiser des boissons glacées. Fraîches ou sèches, les feuilles font une délicieuse infusion. En garder en sachets dans les tiroirs ou les armoires pour chasser les mites.
Type : Vivace rustique.
Dimensions : H 60-90 cm ; E 90 cm.
Emplacement : Plein soleil ou demi-ombre ; sol riche et bien drainé.
Plantation : Repiquer au début du printemps les plants achetés en pépinière ; les espacer de 60 cm.

Récolte : Cueillir les jeunes feuilles au besoin. Rabattre les plants en automne.
Conservation : Sécher ou congeler les feuilles.
Multiplication : Par division des racines au début du printemps à intervalles de trois ans.

Bourrache
(*Borago officinalis*)

Fleurs étoilées et retombantes bleu azur, lavande ou roses, dont le parfum attire les abeilles. Au Moyen-Age, une potion fabriquée avec les feuilles était censée donner du courage. Se plante bien près des fraisiers et dans les vergers. Chasse le ver de la tomate.
Utilisations : Les jeunes feuilles dégagent un parfum de concombre et accompagnent bien les salades. Les fleurs confites garnissent les gâteaux.
Type : Annuelle rustique.
Dimensions : H 30-90 cm ; E 30 cm.
Emplacement : Plein soleil ou mi-ombre ; sol bien drainé.
Plantation : Semer fin automne ou début de printemps à 1,5 cm de profondeur, en rangs espacés de 45 cm. Eclaircir à 30 cm.

Récolte : Cueillir les premières feuilles 6 semaines après la levée, et les fleurs quand elles s'ouvrent ou juste avant.
Conservation : Pas de méthode satisfaisante pour les feuilles. Pour confire les fleurs, les plonger dans du blanc d'œuf battu puis dans du sucre, et les faire sécher.
Multiplication : Par semis. Semis spontanés si les fleurs ne sont pas supprimées.

Carvi ou cumin
(*Carum carvi*)

Les feuilles sont finement découpées et les fleurs viennent en bouquets plats. Les graines sont censées faciliter la digestion.
Utilisations : Graines à saveur légèrement piquante. En saupoudrer le porc, l'agneau, le veau ainsi que les pommes cuites au four, avant la cuisson. En ajouter dans les plats au fromage, la marmelade de pommes et la tarte aux pommes. Ajouter des graines en sachet à l'eau de cuisson du chou pour combattre l'odeur. Hacher de jeunes feuilles dans les salades et les soupes ; cuire les vieilles feuilles comme des épinards.
Type : Bisannuelle rustique.
Dimensions : H 30-60 cm ; E 23-30 cm.
Emplacement : Plein soleil ; terre bien drainée.
Plantation : Semer au printemps ou à la fin de l'été à 0,5 cm de profondeur en rangs espacés de 30 cm. Eclaircir à 30 cm.

Récolte : Les fleurs viennent l'été qui suit les semis. Les couper quand les graines sont mûres. Cueillir les feuilles au besoin.
Conservation : Récupérer les graines en suspendant les fleurs dans un endroit chaud, sec et bien aéré. Conserver les graines en bocaux.
Multiplication : Par semis.

Cerfeuil

(*Anthriscus cerefolium*)

Le cerfeuil a un feuillage découpé qui s'accroît quand on pince les boutons floraux. Planté près des radis, il leur donne une saveur plus piquante.
Utilisations : Cette herbe à saveur anisée entre, à part égale avec la ciboulette, le persil et l'estragon, dans l'assaisonnement des omelettes, des soupes et de la sauce tartare. Parfume les pommes de terre, le thon, les légumes verts, la volaille, les œufs, le fromage et le poisson. En garnir les viandes rouges et les huîtres ; en relever les farces.
Type : Annuelle rustique.
Dimensions : H 30-60 cm ; E 23-30 cm.
Emplacement : Mi-ombre ; sol humide et bien drainé.
Plantation : Semer à 0,5 cm de profondeur en rangs espacés de 30 cm. Eclaircir à 25 cm. Semer toutes les 4 à 6 semaines du début du printemps à l'automne. Se cultive en pots ou à l'intérieur sous châssis froid durant l'hiver.

Récolte : Cueillir les feuilles 6 à 8 semaines après les semis. Rabattre les plants au sol.
Conservation : Les feuilles fraîches sont meilleures mais elles peuvent être séchées.
Multiplication : Par semis.

Cerfeuil musqué ou myrrhis

(*Myrrhis odorata*)

Le cerfeuil musqué porte un feuillage semblable à celui de la fougère et fait une jolie plante de bordure. Bouquets de petites fleurs blanches de la mi-printemps à la mi-été.
Utilisations : Herbe à saveur anisée utilisée pour parfumer salades, soupes et ragoûts. Les feuilles hachées remplacent une partie du sucre dans les tartes aux fruits ou sur les fraises. Les graines à saveur épicée donnent du goût aux soupes et aux vinaigrettes. Les racines se mangent crues ou cuites, comme du fenouil.
Type : Vivace rustique.
Dimensions : H 60-90 cm ; E 45 cm.
Emplacement : Ombre ou mi-ombre ; sol humide et bien drainé.
Plantation : Semer au début de l'automne ; les graines germeront le printemps suivant. Semer à 1,5 cm de profondeur en rangs espacés de 45 cm. Eclaircir à 30 cm. Repiquer les plants de serre au printemps.

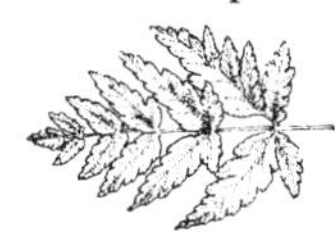

Récolte : Cueillir les graines encore vertes ; les utiliser fraîches. Cueillir les feuilles en été ; rabattre les plants au ras du sol en automne.
Conservation : Sécher ou congeler.
Multiplication : Par semis ou par division des racines en automne et au printemps (voir p. 205).

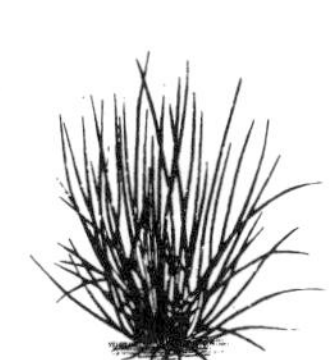

Ciboulette

(*Allium schoenoprasum*)

La ciboulette est une plante à feuillage tubulaire et à fleurs lavande naissant du milieu à la fin de l'été. A planter près des carottes, car les bulbes exsudent une substance qui empêche la prolifération d'un champignon dangereux pour ces légumes.
Utilisations : Herbe à douce saveur d'oignon. Sert à parfumer salades, plats aux œufs ou au fromage, fromage à la crème, purée de pommes de terre, hamburgers, garnitures de sandwichs et sauces.
Type : Vivace rustique.
Dimensions : H 15-25 cm ; E 30 cm.
Emplacement : Plein soleil ou mi-ombre ; sol riche et bien drainé.
Plantation : Semer au printemps ou en automne, à 1,5 cm de profondeur, en rangs espacés de 30 cm. Eclaircir à 15 cm. Ou repiquer les plants de pépinière au début du printemps en les espaçant de 25 à 30 cm.

Récolte : Cueillir les feuilles 4 à 6 mois après les semis. Couper souvent au ras du sol.
Conservation : Mettre une ou deux touffes en pots à l'automne et les conserver près d'une fenêtre ensoleillée. On peut aussi congeler les feuilles (voir p. 435).
Multiplication : Par division des touffes tous les 3 ou 4 ans.

Coriandre

(*Coriandrum sativum*)

Les feuilles et les fleurs sont décoratives, mais leur odeur est déplaisante jusqu'à ce que les graines mûrissent et deviennent aromatiques.
Utilisations : Pulvériser les graines sèches et en parfumer veau, porc ou jambon avant cuisson, gâteaux, pâtisseries, biscuits ou desserts, viande hachée, saucisse et ragoûts. Les jeunes feuilles ont un goût de zeste d'orange séché et renferment beaucoup de vitamines A et B1, ainsi que calcium, riboflavine et niacine. Donnent du goût aux salades et aux soupes et, hachées, décorent les avocats.
Type : Annuelle rustique.
Dimensions : H 45 cm ; E 15-23 cm.
Emplacement : Plein soleil ; sol bien drainé.
Plantation : Semer au début du printemps à 0,5 cm de profondeur en rangs espacés de 30 cm. Eclaircir à 15 cm.

Récolte : Cueillir les graines quand elles sont mûres et les feuilles au besoin.
Conservation : Etaler les bouquets dans des plateaux pour les faire sécher au soleil ou à la lumière artificielle. Battre à la main. Garder les graines en bocaux hermétiques.
Multiplication : Par semis.

Estragon français

(Artemisia dracunculus)

L'estragon a des feuilles aromatiques vert foncé sur des tiges ligneuses. Ses racines ne supportent pas le gel, surtout en terrain humide. Rustique jusqu'en zone 5. L'estragon russe (*A. dracunculoides*) lui ressemble mais est moins aromatique. On le cultive à partir de semis.

Utilisations : Les feuilles ont un arôme anisé qui relève la saveur des soupes, salades, œufs, ragoûts et fromages crémeux. Accompagne très bien l'agneau. En mettre dans du beurre fondu pour arroser poisson, steak et légumes. Entre dans la composition de la sauce tartare et de plusieurs chutneys.

Type : Vivace rustique.

Dimensions : H 60 cm ; E 40 cm.

Emplacement : Plein soleil ; sol sec, peu fertile et bien drainé.

Plantation : Vient mal par semis. Acheter des plants et les repiquer au début du printemps en les espaçant de 45 cm.

Récolte : Cueillir les feuilles au besoin. Rabattre les plants à l'automne.

Conservation : Sécher ou congeler.

Multiplication : Par division des racines au début du printemps (voir p. 205).

Fenouil

(Foeniculum vulgare)

Le fenouil ressemble à l'aneth. Certaines variétés ont des feuilles cuivrées.

Utilisations : Les feuilles ont une saveur douce qui accompagne bien poissons, porc, veau, soupes et salades. Les graines ont un goût plus marqué qui parfume choucroute, sauce à spaghetti, plats à base de chili et soupes. Ne pas confondre cette plante avec le fenouil doux (*F. vulgare dulce*) ni avec *F. vulgare piperitum,* consommé comme le céleri.

Type : Plante vivace.

Dimensions : H 0,90-1,20 m ; E 60 cm.

Emplacement : Plein soleil ; sol bien drainé.

Plantation : Semer par groupes de 3 ou 4 graines à la mi-printemps, à 0,5 cm de profondeur, et espacer de 45 cm. Garder la plantule la plus vigoureuse de chaque groupe.

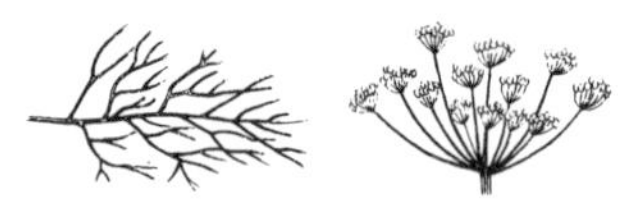

Récolte : Cueillir les feuilles au besoin. Pour utiliser les tiges, couper les jeunes hampes florales avant la floraison. Pour avoir des graines, couper les tiges en automne et faire comme pour les fleurs d'aneth.

Conservation : Sécher ou congeler.

Multiplication : Par semis tous les 2 ou 3 ans.

Hysope

(Hyssopus officinalis)

L'hysope est une jolie plante vivace à feuillage persistant en climat chaud. Feuilles à odeur musquée. Fleurs blanches, roses ou bleu vif de la mi-été jusqu'en automne, dont abeilles et papillons raffolent.

Utilisations : Les feuilles ont un parfum résineux dont on tire une infusion revigorante qu'on sucre de préférence au miel. Ne pas en abuser dans les soupes et les salades.

Type : Vivace rustique, partiellement ligneuse.

Dimensions : H 60 cm ; E 23-30 cm.

Emplacement : Plein soleil ; sol léger, bien drainé.

Plantation : Semer en plate-bande à semis à 0,5 cm de profondeur au début du printemps. Eclaircir à 8 cm. Repiquer au jardin quand le temps se réchauffe en laissant 30 cm entre les plants.

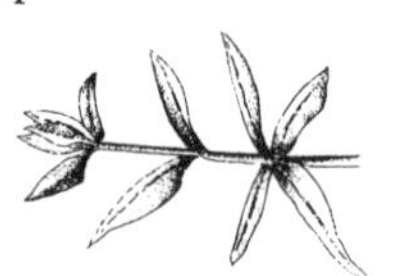

Récolte : Cueillir les feuilles au besoin ; choisir les plus jeunes, surtout pour les salades.

Conservation : Sécher ou congeler.

Multiplication : Par semis, division des racines au printemps (voir p. 205) ou boutures terminales à la fin de l'été (voir p. 206).

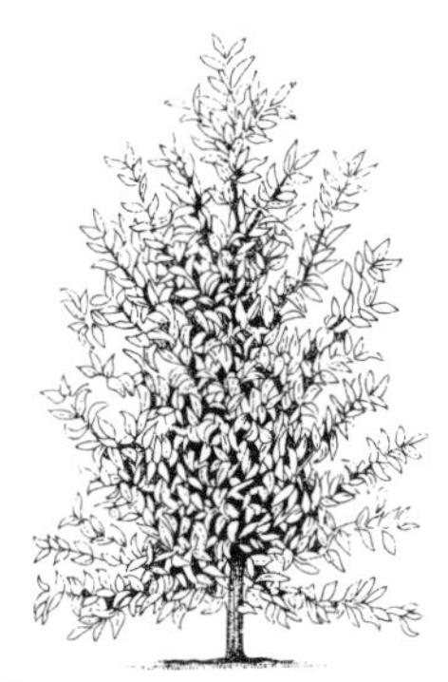

Laurier

(Laurus nobilis)

Il ne faut pas confondre cette plante avec le laurier de montagne (*Kalmia latifolia*) dont les feuilles sont vénéneuses. En Amérique du Nord, la plante ne devient pas plus grande qu'un arbuste (voir « Kalmia », p. 142) et n'est rustique que dans la zone 9. Dans les zones 1 à 8, elle se cultive en pot et doit être rentrée en hiver. Tailler deux ou trois fois en période de croissance.

Utilisations : Assaisonnement puissant. Entre dans le bouquet garni pour ragoûts, plats gratinés ou sauces à la viande. En insérer des feuilles dans la farine ou les céréales entreposées pour chasser les insectes.

Type : Arbuste.

Dimensions : H 4,25 m ; E 4,25 m.

Emplacement : Abrité ; soleil ou mi-ombre ; terre bien drainée.

Plantation : En zone 9, repiquer les jeunes plants au début de l'automne ou à la mi-printemps.

Récolte : En cueillir au besoin.

Conservation : Faire sécher les feuilles à l'obscurité ; les étendre entre des feuilles de papier absorbant et presser avec une planche. Ou faire sécher à four tiède.

Multiplication : Par boutures semi-herbacées fin été (voir p. 80).

Livèche
(*Levisticum officinale*)

La livèche est une plante vivace vigoureuse, ressemblant à un arbuste et qui a l'apparence, l'odeur et le goût du céleri. A moins de tenir aux graines, pincer les fleurs dès leur apparition pour empêcher la plante de jaunir.
Utilisations : Les jeunes feuilles, ainsi que les graines séchées, entières ou pulvérisées, donnent une saveur de céleri aux soupes, ragoûts, salades et sauces. Blanchir les bases des tiges et les manger comme du céleri.
Type : Vivace rustique.
Dimensions : H 0,90-1,20 m ; E 60-90 cm.
Emplacement : Soleil ou mi-ombre ; sol riche, profond et humide.
Plantation : Semer les graines mûres en automne en les couvrant à peine de terre. Au printemps, éclaircir à 60 cm environ.

Récolte : Cueillir les jeunes feuilles au besoin. Récolter les graines.
Conservation : Sécher ou congeler. Traiter les graines comme celles de l'aneth.
Multiplication : Par semis ou par division des racines au printemps (voir p. 205).

Marjolaine ou origan
(*Origanum onites*)

Cette plante est appréciée pour son arôme. Bien qu'elle soit plus rustique que la marjolaine proprement dite, elle demande un emplacement chaud dans les régions à climat froid.
Utilisations : Saupoudrer de feuilles hachées, fraîches ou sèches, l'agneau, le porc et le veau avant le rôtissage. Sert à parfumer soupes, ragoûts, plats aux œufs ou au fromage, et sauces à poisson. Son arôme se rapproche de celui du thym.
Type : Vivace.
Dimensions : H 30 cm ; E 30 cm.
Emplacement : Plein soleil, endroit chaud et protégé, sol riche et bien drainé.
Plantation : Semer en automne ou au début du printemps à 0,5 cm de profondeur en rangs espacés de 30 cm. Eclaircir à 30 cm. Repiquer les plants achetés au printemps en les espaçant de 30 cm.

Récolte : Cueillir les feuilles au besoin. Pour le séchage, les cueillir avant la floraison à la mi-été.
Conservation : Faire sécher.
Multiplication : Par division des souches à la mi-printemps (voir p. 205) ou boutures terminales en été (voir p. 206).

Marjolaine proprement dite
(*Origanum majorana*)

Cette espèce de marjolaine est la plus couramment cultivée pour le parfum et la saveur de ses feuilles. Jolie plante de bordure à feuilles ovales, vert-gris et veloutées.
Utilisations : Les mêmes que pour *Origanum onites.* Sa saveur est comparable, quoique un peu moins amère. Les feuilles servent à aromatiser les salades et peuvent être séchées et mises en sachets.
Type : Vivace non rustique.
Dimensions : H 60 cm ; E 30-45 cm.
Emplacement : Plein soleil ; sol riche et bien drainé.
Plantation : Semer à 0,5 cm de profondeur, du début au milieu du printemps, en rangs espacés de 30 cm. Eclaircir à 30 cm. En climat froid, semer sous châssis très tôt au printemps ; repiquer au jardin après endurcissement.

Récolte : Supprimer les fleurs pour favoriser la croissance du feuillage. Cueillir les feuilles au besoin. Pour le séchage, les cueillir avant que les fleurs s'ouvrent, à la mi-été.
Conservation : Faire sécher.
Multiplication : Par semis ou par division des racines en climat chaud, où la plante est vivace (voir p. 205).

Mélisse
(*Melissa officinalis*)

La mélisse est souvent appelée citronnelle à cause du parfum de ses feuilles vert clair. Ses fleurs attirent les abeilles, d'où son nom, d'origine grecque.
Utilisations : Ses feuilles donnent un agréable parfum de citron aux flans, aux soupes, aux farces et aux boissons, ainsi qu'aux sauces accompagnant poissons et crustacés. Infusées, les feuilles donnent une tisane légèrement sédative. Peut remplacer une partie du sucre dans les tartes aux fruits.
Type : Vivace et rustique.
Dimensions : H 0,60-1,20 m ; E 30-45 cm.
Emplacement : Soleil ou mi-ombre, dans un sol bien drainé.
Plantation : Semer en caissettes à la fin du printemps. Eclaircir les plantules à 5 cm. Repiquer à la mi-printemps les plants achetés en pépinière.

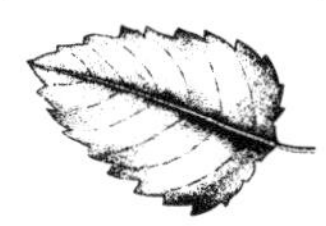

Récolte : Couper les tiges dès l'apparition des fleurs, et jusqu'à la mi-automne.
Conservation : Sécher ou congeler.
Multiplication : Diviser les touffes au printemps, chaque éclat devant porter 3 ou 4 bourgeons ; les planter à intervalles de 30 cm en rangs espacés de 45 cm.

Menthe

(*Mentha,* espèces)

Les espèces les plus populaires sont la menthe à feuilles rondes (*M. rotundifolia*), la menthe poivrée (*M. piperita*) et la menthe verte (*M. spicata*). Pincer les épis floraux pour favoriser la croissance du feuillage. La menthe chasse le papillon du chou blanc. Le pouliot (*M. pulegium*), plante tapissante, fait fuir les fourmis.
Utilisations : Les feuilles donnent une infusion ou servent à décorer les boissons froides. La menthe verte sert à préparer les sauces et la gelée.
Type : Vivace.
Dimensions : H 60-90 cm ; E 30-45 cm.
Emplacement : Mi-ombre ; sol riche, humide et bien drainé.
Plantation : En automne ou au printemps, planter des éclats de racine de 10-15 cm à 5 cm de profondeur en les espaçant de 30 cm. Bien arroser. Enfoncer des briques ou des planches à 30 cm dans le sol pour contenir les plants.

Récolte : Cueillir les feuilles au besoin. Couper les plants au ras du sol à la mi-été pour obtenir une deuxième récolte.
Conservation : Sécher ou congeler.
Multiplication : Par division des racines en automne ou au printemps.

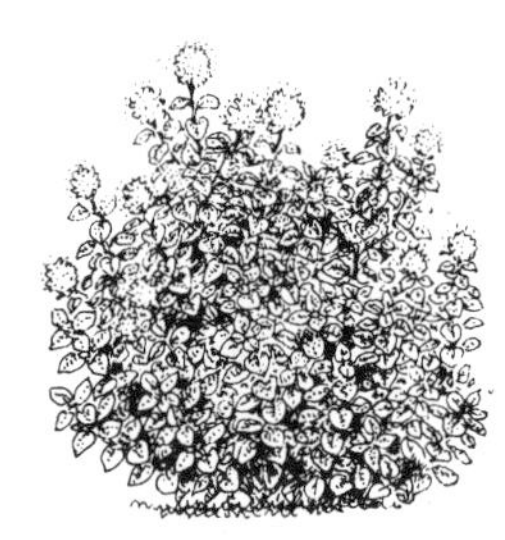

Origan

(*Origanum vulgare*)

Cette plante est aussi appelée marjolaine vivace, car elle ressemble à celle-ci, quoique ses feuilles soient d'un vert plus foncé et d'une saveur plus piquante. Racines envahissantes. Petites fleurs blanches, roses ou pourpres, qu'il faut pincer pour favoriser la croissance des feuilles.
Utilisations : Herbe utilisée dans la cuisine italienne, espagnole et mexicaine, spécialement pour les viandes et les sauces tomate. S'emploie dans les salades, ragoûts, farces, plats aux œufs et au fromage et poissons.
Type : Vivace rustique.
Dimensions : H 60 cm ; E 45-60 cm.
Emplacement : Plein soleil ; toute terre bien drainée.
Plantation : Semer au printemps ou en automne à 0,5 cm de profondeur, en rangs espacés de 45 cm. Eclaircir les plantules à 30 cm. Repiquer à la mi-printemps les plants achetés, en les espaçant de 30-45 cm.

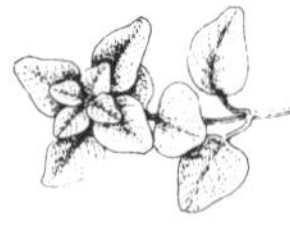

Récolte : Cueillir les feuilles au besoin. Pour le séchage, couper l'extrémité des plants (15 cm) juste avant l'éclosion des fleurs.
Conservation : Faire sécher.
Multiplication : Par semis ou division à la mi-printemps (voir p. 205).

Oseille

(*Rumex,* espèces)

Deux espèces surtout sont répandues : la grande oseille ou oseille commune (*R. acetosa*) et l'oseille ronde (*R. scutatus*).
Utilisations : L'oseille, et surtout l'oseille ronde, donne une saveur acidulée aux ragoûts, soupes et sauces. Ajouter des jeunes feuilles fraîches aux salades. En faire cuire avec les épinards, le chou ou d'autres légumes verts, ou pour remplacer les épinards.
Type : Vivace rustique.
Dimensions : H 60 cm ; E 30-40 cm.
Emplacement : Plein soleil ou ombre partielle ; sol riche, bien drainé et humide (plus sec pour l'oseille ronde).
Plantation : Semer au début du printemps à 0,5 cm de profondeur en rangs espacés de 30 cm. Eclaircir à 30 cm les plantules de 8 cm. Repiquer les plants en automne ou au début du printemps.

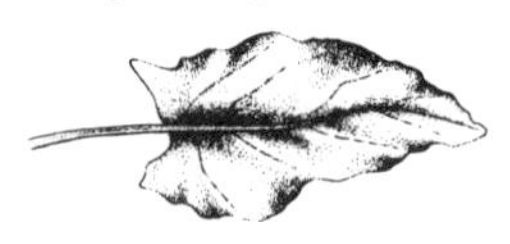

Récolte : Couper les tiges avant la floraison. Rabattre jusqu'au sol après la floraison pour obtenir une deuxième récolte.
Conservation : Sécher ou congeler.
Multiplication : Par division des racines au début du printemps (voir p. 205) ou par semis annuels.

Persil

(*Petroselinum crispum*)

Ses feuilles frisées d'un vert vif et son port compact font du persil un bon sujet pour bordures. A planter entre des rosiers ou des plants de tomates qu'il rend plus vigoureux.
Utilisations : Décore et parfume salades, soupes, ragoûts, plats gratinés et omelettes.
Type : Bisannuelle, cultivée comme une annuelle.
Dimensions : H 30 cm ; E 30 cm.
Emplacement : Soleil ou mi-ombre ; sol riche, humide et profond.
Plantation : Semer à la mi-printemps pour récolter en été, et à la mi-été pour récolter en automne et en hiver. Faire tremper les graines une nuit et semer clair. Eclaircir les plantules à 25 cm.

Récolte : Cueillir les tiges au besoin, à raison de 2 ou 3 par plant à la fois. Récolter les feuilles avant la floraison la deuxième année, car elles deviennent amères plus tard.
Conservation : Congeler (voir p. 435) ou faire sécher ainsi : blanchir les tiges, puis les faire sécher à four très chaud pendant une minute.
Multiplication : Par semis si la plante est cultivée comme une annuelle. Semis spontanés la deuxième année si on laisse la plante fleurir.

Pimprenelle
(*Sanguisorba minor*)

Cette jolie plante est aussi appelée sanguisorbe à salade. Les fleurs doivent être supprimées pour favoriser la croissance des feuilles.
Utilisations : Fraîches, les feuilles ont un goût de concombre. On les ajoute entières aux salades de fruits ou aux boissons glacées. On les sert hachées dans les salades et les soupes. Parfument le fromage à la crème et le beurre fondu.
Type : Vivace rustique.
Dimensions : H 30-60 cm ; E 23-30 cm.
Emplacement : Plein soleil ; terre légère et bien drainée.
Plantation : Pour étaler la récolte, semer au jardin au début du printemps, puis de nouveau à la mi-été et en automne, selon la zone. Repiquer les plants en pots pour l'hiver. Bien arroser. Semer à 1,5 cm de profondeur en rangs espacés de 30 cm. Eclaircir à 25 cm.

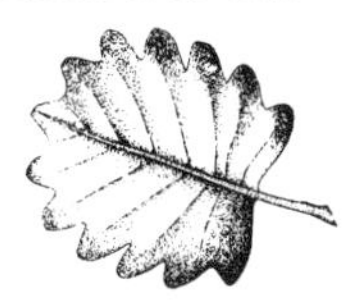

Récolte : Les feuilles sont plus savoureuses quand elles sont jeunes.
Conservation : Aucune méthode sûre.
Multiplication : Par semis ou division à la mi-printemps (voir p. 205). Semis spontanés si on garde les fleurs.

Raifort
(*Armoracia rusticana*)

Le raifort est cultivé pour ses racines, délicieuses quand elles sont jeunes. Comme celles-ci deviennent envahissantes, il faut les enlever complètement chaque automne. Cultivé près des pommes de terre, le raifort les protège des maladies cryptogamiques. Fait fuir la cantharide. Ne pas intercaler des plants de raifort entre d'autres plants ; les placer plutôt dans les coins des plates-bandes.
Utilisations : Hachée finement, la racine donne une sauce brûlante qui accompagne bœuf, poisson et gibier.
Type : Vivace.
Dimensions : H 60 cm ; E 30-45 cm.
Emplacement : Plein soleil ou mi-ombre ; sol humide et profond.
Plantation : Au début du printemps, planter des segments de racine de 8 cm en les espaçant de 30 cm. Les couvrir à peine de terre.

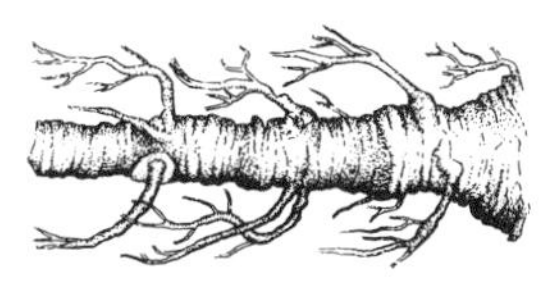

Récolte : Déraciner complètement à la fin de l'automne.
Conservation : Parer et entreposer les grosses racines dans du sable, dans un endroit sombre, frais et sec.
Multiplication : Par boutures de racine au début du printemps (voir p. 207).

Romarin
(*Rosmarinus officinalis*)

Cette plante arbustive a des feuilles aciculaires qui dégagent une odeur de pin. Fleurs bleues ou lavande au début de l'été. Elle chasse les papillons du chou, la mouche de la carotte et les moustiques.
Utilisations : Assaisonne l'agneau, le porc, le veau et la volaille. Répandre quelques brindilles sur les brasiers de charbon de bois. Saupoudrer de feuilles hachées le bœuf ou le poisson avant de les cuire au gril. Utiliser modérément pour parfumer soupes, ragoûts, sauces et légumes. En mettre dans l'eau de cuisson du riz. Peut se boire en infusion.
Type : Vivace peu rustique.
Dimensions : H 0,60-1,80 m ; E 0,60-1,80 m.
Emplacement : Plein soleil ou mi-ombre ; sol léger et bien drainé.
Plantation : Semer ou, mieux encore, acheter des plants et les repiquer à la fin du printemps en les espaçant de 60 cm.

Récolte : Cueillir les brindilles au besoin.
Conservation : Sécher ou congeler.
Multiplication : Par boutures aoûtées en automne ou au printemps (voir p. 79) ou par boutures semi-aoûtées de pousses de 15 cm à la mi-été (voir p. 80).

Sarriette annuelle
(*Satureja hortensis*)

La sarriette a des petites feuilles aromatiques et donne des fleurs lavande ou rosées qui attirent les abeilles et font un bon miel. Plantée près des haricots verts et des oignons, elle favorise leur croissance et accroît leur saveur. Des applications de feuilles broyées soulagent les piqûres d'abeilles et de guêpes.
Utilisations : La sarriette est l'assaisonnement classique des haricots. Elle accompagne aussi tourtières, saucisses, farces, soupes, ragoûts, riz et sauces. Ajouter des feuilles fraîches aux salades, au poisson et aux omelettes. En parfumer le vinaigre. La sarriette donne aussi une infusion odorante et acidulée.
Type : Annuelle.
Dimensions : H 30-45 cm ; E 15-30 cm.
Emplacement : Plein soleil ; terre riche, légère et bien drainée.
Plantation : Semer du début au milieu du printemps en rangs espacés de 30 cm. Compter 4 semaines pour la levée. Eclaircir à 15-25 cm.

Récolte : Les feuilles ont plus de saveur avant la floraison. Rabattre partiellement les plants pour avoir une deuxième récolte.
Conservation : Par séchage.
Multiplication : Par semis.

Sarriette vivace

(*Satureja montana*)

La plante est moins haute et plus étalée que la sarriette annuelle. Les feuilles sont plus coriaces et moins aromatiques. Il existe une forme naine, *S. montana pygmaea*.

Utilisations : Les mêmes que pour la sarriette annuelle. Les feuilles fraîches accompagnent bien la truite. Séchées et mélangées à du basilic, elles peuvent remplacer le sel. Des applications sur la peau de feuilles broyées éloignent les moustiques.

Type : Vivace rustique, partiellement ligneuse.

Dimensions : H 15-30 cm ; E 30-45 cm.

Emplacement : Plein soleil ; sol sablonneux et bien drainé.

Plantation : Les graines germent lentement. Semer en automne ou au début du printemps à 0,5 cm de profondeur en rangs espacés de 30 cm. Eclaircir les plantules à 30 cm. Repiquer les plants à la mi-printemps en les espaçant de 30 cm.

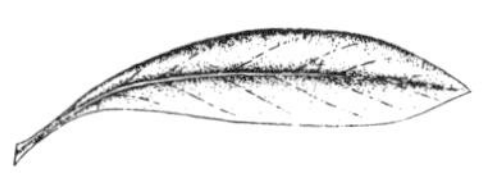

Récolte : Cueillir au besoin. Rabattre les plants de moitié avant la floraison pour avoir une deuxième récolte.

Conservation : Faire sécher.

Multiplication : Par division des plants établis au début du printemps (voir p. 86) ou par boutures herbacées à la fin du printemps (voir p. 82). Remplacer les plants tous les 2 ou 3 ans.

Sauge

(*Salvia officinalis*)

La sauge est un sous-arbuste très décoratif. Ses feuilles persistantes, étroites et vert-gris sont parfois panachées. Elle a été utilisée comme herbe médicinale depuis l'Antiquité. Elle a la propriété de chasser le papillon du chou blanc, la mouche de la carotte et la tique. Ne pas la cultiver près de plates-bandes composées de plantes annuelles, car elle ralentit la croissance des racines de ces plantes.

Utilisations : Les feuilles sèches parfument les farces de volaille. Elles accompagnent aussi l'agneau, le porc, la saucisse ainsi que les plats au fromage et les omelettes.

Type : Vivace rustique.

Dimensions : H 60 cm ; E 45 cm.

Emplacement : Plein soleil ; sol bien drainé. Résiste à la sécheresse ; ne pas trop arroser.

Plantation : Semer au début du printemps ou repiquer des plants achetés à la mi-printemps en les espaçant de 30 cm.

Récolte : Cueillir au besoin. Pour le séchage, couper les tiges à 13-15 cm du bout avant la floraison, au début de l'été ; répéter au besoin.

Conservation : Faire sécher.

Multiplication : Par boutures herbacées au début de l'été (voir p. 82) ou par division au printemps ou au début de l'automne tous les 2 ou 3 ans (voir p. 205).

Serpolet ou thym citron

(*Thymus citriodorus*)

Le serpolet est une plante hybride issue de *T. vulgaris* et de *T. pulegioides* qui ressemble au thym commun. Il a cependant un port rampant. Ses fleurs attirent les abeilles.

Utilisations : Le serpolet a les mêmes utilisations en cuisine que le thym commun. Sa saveur moins piquante et très citronnée convient aux farces de veau ou de volaille. Les feuilles broyées aromatisent les flans, les crèmes et la crème fouettée. En parfumer les fraises fraîches et les fruits acidulés.

Type : Vivace rustique partiellement ligneuse.

Dimensions : H 15 cm ; E 30 cm.

Emplacement : Plein soleil ; terre bien drainée.

Plantation : Ne s'obtient pas par semis. Acheter des plants et les repiquer vers le milieu du printemps à 25 cm les uns des autres.

Récolte : Cueillir les feuilles au besoin. Pour le séchage, les cueillir avant la floraison au début de l'été.

Conservation : Faire sécher.

Multiplication : Par division des plants au printemps (voir p. 86) ou par marcottage au printemps en buttant la terre au milieu du plant pour que les tiges s'enracinent sur leur longueur ; les repiquer individuellement quand elles ont des racines.

Thym commun

(*Thymus vulgaris*)

Le thym est une plante arbustive et prostrée à feuilles vert-gris très aromatiques. Ses fleurs attirent les abeilles et donnent un excellent miel. De cette plante, on extrait une huile, le thymol, qui sert à la fabrication d'antiseptiques, de désodorisants et de pastilles contre la toux. Le thym chasse le papillon du chou.

Utilisations : Les feuilles fraîches ou sèches assaisonnent les viandes, les poissons, les œufs, les plats au fromage, les légumes, les soupes, les ragoûts, les farces et le riz. Mêlé à du romarin et à de la menthe, le thym se prend en infusion.

Type : Vivace rustique, partiellement ligneuse.

Dimensions : H 20 cm ; E 23-30 cm.

Emplacement : Plein soleil ; sol bien drainé.

Plantation : Acheter des plants et les repiquer au début du printemps à 15-25 cm de distance. Semer à la mi-printemps en rangs espacés de 30 cm. Eclaircir à 15 cm.

Récolte : Cueillir les feuilles au besoin. Pour le séchage, couper les plants avant la floraison.

Conservation : Faire sécher.

Multiplication : Par division des plants au printemps (voir p. 86) tous les 3 ou 4 ans.

Séchage

Dans la plupart des cas, on récolte les feuilles quand les fleurs sont encore en boutons. La cueillette s'effectue par temps sec et tôt le matin.

S'il s'agit de plantes à grandes feuilles, comme la menthe, le basilic ou la marjolaine, détacher les feuilles de la tige. Eliminer toutes celles qui ont été endommagées par des ravageurs ou qui ne sont pas fraîches. Laver avec soin, sous le robinet d'eau froide, celles qui seront mises à sécher ; les étaler ensuite sur une grille, un grillage ou des feuilles de papier journal.

Dans le cas de plantes à petites feuilles comme le romarin, l'estragon ou le thym, lier les tiges ou les branches en petites bottes peu serrées. Enrouler les bottes une à une dans un tissu propre pour les protéger de la poussière et les suspendre, tête en bas.

SÉCHAGE DES PLANTES À GRANDES FEUILLES

Séparer les feuilles des tiges ; les étaler sur un grillage ou du papier journal et les placer dans une pièce sombre et aérée.

SÉCHAGE DES PLANTES À PETITES FEUILLES

Lier les branches en bottes ; les envelopper dans de la mousseline et les faire sécher tête en bas dans un endroit bien aéré.

On peut faire sécher les fines herbes dans des pièces bien aérées ou des greniers, à la condition qu'elles soient dans l'obscurité. Pour obtenir les meilleurs résultats, les garder à une température de 21 à 24°C jusqu'à ce qu'elles soient cassantes.

Séchage au four A défaut de pièce obscure et bien aérée, on peut faire sécher les fines herbes sur ou dans le four. Il ne faut cependant pas les faire cuire.

Envelopper d'abord les herbes dans une mousseline et les plonger dans l'eau bouillante pendant une minute. Les secouer pour les assécher et les étaler sur une grille métallique.

Régler le four pour que la température s'y maintienne entre 45 et 55°C, porte ouverte. Y ranger les grilles sur lesquelles se trouvent les herbes. Au bout d'une heure, celles-ci devraient être sèches.

On peut aussi disposer les grilles sur le dessus du four qu'on a porté à 60-70°C. Les fines herbes mettent alors plusieurs heures à sécher.

Le persil, un cas spécial Le persil a besoin d'un traitement spécial si l'on veut lui conserver sa couleur. Porter d'abord le four à 200°C. Attacher ensuite le persil en bouquets lâches, et le blanchir une minute. Secouer les bottes pour faire tomber le surplus d'eau et les suspendre par la queue aux tiges d'une grille du four. Mettre celle-ci au four pendant une minute et la retirer. Laisser la température descendre à 115°C et remettre la grille dans le four. Y laisser le persil jusqu'à ce qu'il soit cassant.

Broyage et entreposage Dès que les feuilles sont sèches, il faut les presser légèrement avec un rouleau à pâtisserie. Les feuilles de laurier, cependant, doivent être conservées entières ou en gros morceaux.

On ne réduit les feuilles en poudre qu'au moment de s'en servir, car, autrement, elles perdent leur saveur.

Les herbes séchées se gardent dans un récipient hermétique et opaque, car elles perdent leur couleur à la lumière.

Apposer sur chaque bocal une étiquette portant le nom de la plante et la date de sa mise en pot. Les fines herbes sèches se conservent un an.

Congélation

Bon nombre de fines herbes à feuilles charnues peuvent être congelées. Tel est le cas de la mélisse, du basilic, de la ciboulette, de l'oseille, de la livèche, de la menthe, du fenouil, du cerfeuil musqué et de l'estragon. On ne congèlera cependant que les jeunes tiges ou les jeunes feuilles sans mélanger les espèces. Cueillir les herbes tôt le matin et les congeler immédiatement de la façon suivante.

Laver d'abord les feuilles à l'eau froide, sous le robinet, et les secouer pour les assécher. Les mettre dans une passoire métallique et les plonger dans l'eau bouillante. Calculer 1 l d'eau pour 75 g de feuilles.

Ramener l'eau au point d'ébullition et blanchir durant 30 secondes (une minute pour la mélisse, la menthe et l'oseille). Retirer le panier et le plonger immédiatement dans l'eau glacée. L'y laisser une minute, puis secouer les feuilles pour les égoutter. Les tasser dans des sacs de plastique où on a fait le vide. Fermer les sacs hermétiquement. Mettre une étiquette portant le nom de la plante et la date de congélation sur chacun des sacs et ranger ceux-ci au congélateur.

Au moment de l'utilisation, retirer la quantité de feuilles voulue du sac. Les laisser se décongeler lentement avant de les utiliser.

Congélation du persil Le persil doit être congelé de façon un peu différente, c'est-à-dire sans être blanchi. Si le blanchiment lui préserve sa couleur et sa saveur, en revanche, il a pour effet de ramollir ses feuilles et de le rendre moins attrayant.

Laver les bouquets à l'eau froide et les secouer pour qu'ils perdent le plus d'eau possible. Les ranger ensuite dans de petits sacs de plastique, contenant chacun la quantité d'herbes nécessaire à une seule utilisation. Fermer hermétiquement les sachets et les mettre au congélateur. Au moment de l'utilisation, faire décongeler le persil lentement. Il peut alors être utilisé comme du persil frais.

Cette méthode ne présente qu'un inconvénient : le persil jaunit en trois mois environ.

BROYAGE DU PERSIL CONGELÉ

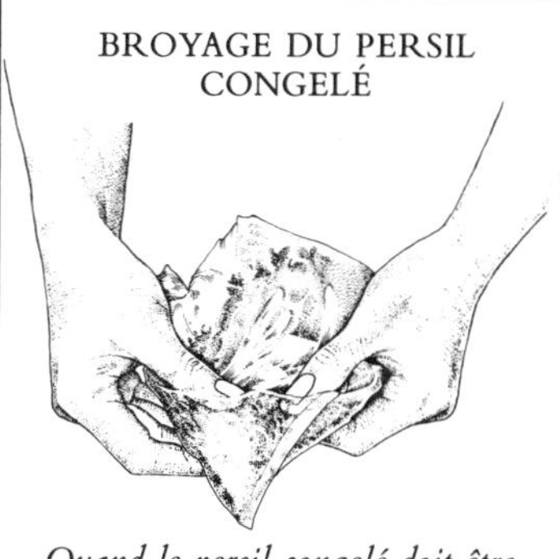

Quand le persil congelé doit être réduit en petits morceaux, pétrir le sachet afin de broyer les bouquets pendant qu'ils sont encore congelés.

Structure et propriétés du sol

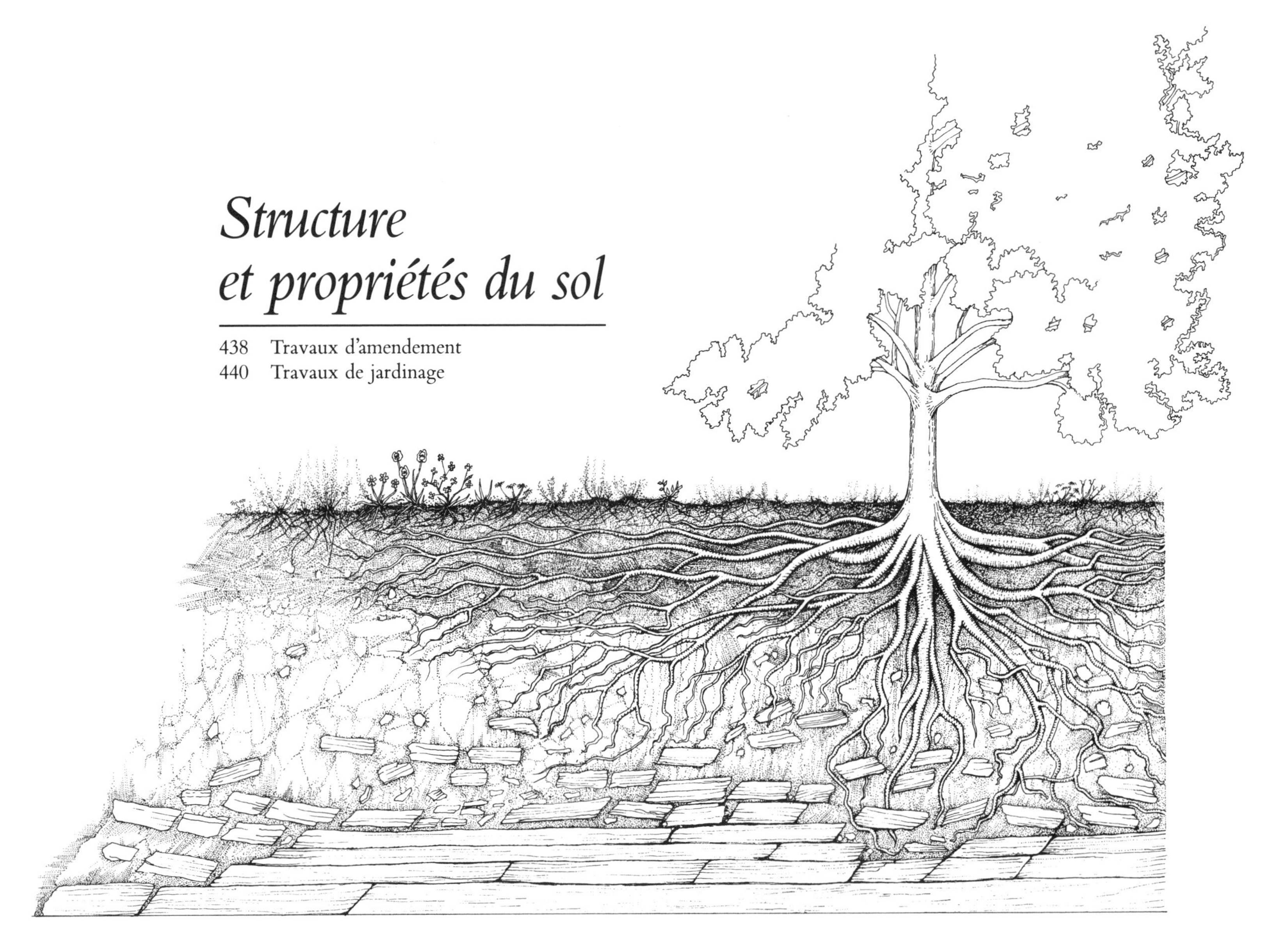

Le sol est constitué d'ingrédients divers qui renferment les matières nutritives nécessaires au maintien de la vie sur terre. Grâce à leur système radiculaire, les plantes extraient ces substances nutritives du sol et les transforment pour qu'elles soient assimilées par les végétaux, les animaux et les hommes. Or, le jardinage a pour fonction de garder le sol fertile en lui ajoutant les éléments nutritifs que les plantes lui soustraient.

Le sol est composé de cinq éléments principaux : particules de roches et de minéraux, matières organiques mortes ou en état de décomposition, ou humus, eau, air, et un ensemble d'organismes vivants comprenant des insectes, des vers de terre, des champignons, ainsi que des bactéries, des protozoaires et des virus. C'est l'importance relative de chacun de ces éléments qui détermine la nature du sol.

La composition du sol varie considérablement, non seulement d'un endroit à un autre, mais même, dans un endroit donné, d'un niveau à un autre. Il suffit de creuser un trou de 1 m environ pour distinguer une série de couches ou de strates de couleur, de texture et de composition différentes. Cette superposition de strates est ce qu'on appelle le profil du sol.

La couche supérieure, aussi appelée couche arable, renferme une bonne quantité d'humus. C'est pourquoi elle est d'une teinte plus sombre. C'est dans cette zone que les racines viennent chercher la plupart des aliments dont les plantes ont besoin. Cette couche peut mesurer seulement 2,5 à 5 cm ou 30 à 60 cm ; elle est généralement plus mince sur les terrains en pente et plus épaisse dans les cuvettes où s'accumulent l'humus et le limon entraînés par les eaux de pluie. On peut faire de la culture dans une couche arable peu épaisse à la condition de fertiliser et d'arroser fréquemment.

Sous la couche arable se trouve le sous-sol, couche argileuse, donc plus difficile à travailler et qui devient collante lorsqu'elle est mouillée. Cette argile descend généralement de la couche supérieure sous l'action des eaux de pluie, tout comme les oxydes de fer et autres sels minéraux qui lui donnent une teinte rougeâtre ou orangée caractéristique. Lorsque ces minéraux s'accumulent en colmatant les particules de terre, il se forme une couche compacte et dure, appelée semelle de labour, dans laquelle les racines ne peuvent pénétrer et qui empêche l'eau de s'égoutter convenablement.

La troisième couche est uniquement composée de matières minérales, apparentées ou non à celles des couches supérieures. Elle peut former un lit de roc solide ou une couche poreuse profonde dans laquelle les racines des arbres et de certains arbustes peuvent plonger.

Texture du sol De tous les éléments qui composent le sol, ce sont les particules rocheuses qui sont les plus stables. Ce sont elles qui, selon leur taille, permettent de qualifier le sol de sablonneux, limoneux ou argileux. Dans la plupart des terres, on trouve en effet du sable, du limon et de l'argile, mais en proportions variables. Pour déterminer ces proportions, on peut faire l'analyse d'un échantillon de terre en laboratoire, mais on en aura déjà une idée en roulant une pincée de terre humide entre le pouce et l'index.

Le sable est rude et granuleux. Ses particules s'agglomèrent peu. Les sols sablonneux sont faciles à travailler. On dit qu'ils sont légers parce qu'il suffisait autrefois d'un petit attelage de chevaux pour y creuser des sillons. Ils s'égouttent facilement, mais perdent du même coup leurs éléments nutritifs. Il faut donc leur ajouter régulièrement de l'eau, de l'humus et des engrais.

Les particules de limon sont plus petites que celles du sable, mais plus grosses que celles de l'argile. Elles ont une texture douce et farineuse. Le limon se tasse plus que le sable ; il s'égoutte plus lentement, s'agglomère mal et devient léger et poudreux lorsqu'il est sec.

Les terres argileuses sont dites lourdes parce qu'il fallait un attelage de forts chevaux pour les labourer. Les particules d'argile sont au moins 1 000 fois plus petites que les grains de sable grossier. Elles s'amalgament en mottes compactes qui, sèches, deviennent dures comme des cailloux. Quand on roule un peu d'argile humide entre le pouce et l'index, on obtient un mince cylindre. Contrairement au sable et au limon, l'argile absorbe l'eau et les matières nutritives ; elle se gonfle, referme les pores de la terre, la rend compacte et empêche l'égouttement des eaux. En s'asséchant, le sol se tasse à nouveau mais demeure compact, et de grandes craquelures se forment souvent en surface. Les plantes ont du mal à s'établir dans un sol argileux, mais, une fois bien enracinées, la plupart d'entre elles y prospèrent.

La terre franche désigne un type de sol de texture moyenne renfermant du sable, du limon et de l'argile en proportions à peu près égales. C'est un terme vague qui désigne en général une bonne terre. Elle est friable, c'est-à-dire que les mottes se brisent facilement en particules plus petites. Une pincée de terre franche roulée entre le pouce et l'index se réduit à une légère couche rugueuse. La terre franche garde bien l'humidité et favorise la formation des substances dont les plantes se nourrissent. Quand elle est amendée, on peut y faire pousser presque toutes les plantes. Afin qu'elle ne s'épuise pas, il faut cependant lui ajouter périodiquement de l'humus et des engrais, et en corriger l'acidité avec du calcaire.

Labours et structure Pour savoir si une terre est propice à la culture, prendre une pelletée quand elle est humide et la laisser tomber sur une surface dure. Si elle se divise en mottes poreuses de 1,5 cm de diamètre, sa structure est bonne. Chaque motte retiendra l'humidité, mais l'espace entre elles permettra à l'air de circuler et à l'eau de s'égoutter. Si elle se brise en mottes compactes à faces plates et à angles aigus, c'est une terre lourde qu'il faudra amender.

La nature a sa façon à elle d'amender les terres lourdes en y faisant pousser des herbages année après année. Les racines de ces plantes fragmentent le sol ; le feuillage empêche la pluie de le durcir et, avec le temps, l'herbe se décompose en humus. Les micro-organismes du sol transforment ces matières organiques en éléments nutritifs tout en produisant des polysaccharides, sous-produits qui agissent comme liant. On peut pratiquer cet amendement dans son propre jardin (voir engrais verts, p. 439).

Pour obtenir les mêmes résultats plus rapidement, incorporer une couche de 5 à 10 cm de fumier décomposé, de compost, de tourbe ou d'une autre matière organique dans le sol en automne, en pratiquant le double bêchage (voir p. 441) si le sol est extrêmement lourd. Recommencer l'opération au printemps.

Il existe diverses matières synthétiques qui agissent de la même façon que les polysaccharides. La plupart sont connues par l'abréviation de leurs noms chimiques — VAMA, CMC, HPAN, IBMA —, mais elles sont vendues sous diverses appellations commerciales. Elles ne remplacent pas l'humus puisqu'elles n'ont pas de valeur alimentaire, mais, en améliorant la structure de la terre, elles permettent une meilleure utilisation des substances nutritives que celle-ci contient. Enfin, l'activité biologique qu'elles y entretiennent l'aide à devenir de plus en plus fertile.

Humus Les déchets animaux et végétaux, en se décomposant, se transforment en humus, matière foncée et gommeuse qui renferme beaucoup de substances nutritives et améliore la structure du sol. L'humus unit, en effet, les particules des terres légères et diminue la compacité des terres argileuses, permettant à l'air et à l'eau d'y circuler. On qualifie de « riches » les terres qui renferment beaucoup d'humus, et de « pauvres » celles qui en contiennent peu.

Tous les déchets organiques de quelque importance sont de bonnes sources d'humus. Cependant, ils doivent être partiellement décomposés avant d'être incorporés au sol pour que les plantes assimilent les substances nutritives qu'ils contiennent. D'autre part, cela permet de réduire la consommation d'azote que les micro-organismes responsables de la décomposition puisent en grande quantité dans le sol au début du processus. (C'est pourquoi il est recommandé d'ajouter un peu d'engrais riche en azote à la sciure de bois, à l'écorce déchiquetée ou aux autres matières organiques semblables qu'on utilise comme paillis d'été.)

Les matières susceptibles de produire de l'humus doivent être parfaitement incorporées au sol et en grandes quantités. Par exemple, une couche de 15 cm de matières organiques non compactes qu'on fait pénétrer dans le sol à 30 cm de profondeur constitue un bon amendement.

Travaux d'amendement

Prélèvement et analyse d'un échantillon de sol

Pour tirer le meilleur parti d'un jardin, il faut d'abord connaître la nature du sol qui le compose. Dans la plupart des provinces du Canada, il existe des fermes expérimentales, souvent rattachées à une université, où l'on fait sur demande des analyses du sol. Ces analyses permettent de connaître la texture du sol, son pH, ainsi que la nature des matières alimentaires et minérales qu'il renferme. Le rapport d'analyse indique en outre à quels types de culture le sol se prête dans l'immédiat et quels amendements il doit subir pour s'adapter à d'autres cultures.

On trouve dans les centres de jardinage des nécessaires d'analyse à l'usage des jardiniers amateurs. Sauf en ce qui concerne le pH, ils sont un peu difficiles à utiliser puisque les résultats n'ont aucun sens si on ne sait pas les interpréter correctement.

Dans tous les cas, cependant, l'analyse n'aura de valeur que si l'échantillon est prélevé correctement. Voici quelques règles à observer.

Ne pas contaminer l'échantillon avec des substances étrangères, de la terre provenant d'un autre site ou des dépôts de terre laissés sur les outils ou les contenants utilisés. Prélever un échantillon représentatif du jardin où on se propose de cultiver des plantes apparentées, par exemple des roses et des légumes. Pour cela, recueillir un peu de terre en plusieurs endroits et mélanger les échantillons. Remettre quelques poignées de ce mélange au laboratoire d'analyse. Ne pas mêler cependant des échantillons provenant de sites très différents ; ceux-là doivent être analysés séparément.

L'analyse du sol se fait de préférence en automne qui est la saison des amendements, en particulier de ceux à base de superphosphate ou de fleur de soufre, substances qui mettent plusieurs mois à agir.

Le prélèvement des échantillons peut être effectué avec une simple bêche très coupante ou un transplantoir. Pour chaque échantillon, creuser verticalement à environ 20 cm de profondeur et prélever une tranche de 1,5 cm d'épaisseur. Enlever les cailloux et autres débris. Mettre tous les échantillons provenant d'un même site dans un contenant propre.

Déposer l'échantillon d'analyse dans un contenant qui ne risque pas de se briser en cours d'expédition. Joindre à chaque échantillon une lettre portant le nom et l'adresse de l'expéditeur, la date du prélèvement, l'endroit d'où il provient (pelouse, jardin, etc.) ; préciser s'il y a eu épandage d'engrais ou de calcaire l'année précédente, le type de culture envisagé (gazon, arbustes, fleurs, légumes, etc.) ; ajouter tous les renseignements pertinents sur l'utilisation du terrain les années précédentes. Emballer l'échantillon dans un cartonnage solide en y incluant la lettre explicative.

Acidité ou alcalinité, pH du sol

Le sol légèrement acide, c'est-à-dire à pH de 6,5 environ, est celui qui convient le mieux à la plupart des plantes. Les rhododendrons font exception à cette règle en exigeant un sol à pH de 4 à 5,5, tandis que le chou ne prospère que dans un sol légèrement alcalin (pH de 7,5), surtout parce qu'une maladie cryptogamique à laquelle il est vulnérable, la hernie, se propage en sol acide. Peu de végétaux survivent dans un sol dont l'acidité dépasse 4, ou l'alcalinité 8.

Les matières organiques en se décomposant produisent divers acides, tandis que les alcalis proviennent d'éléments minéraux. C'est pourquoi les sols de jardin sont généralement un peu acides et tendent à le devenir davantage au fur et à mesure qu'on y incorpore des engrais et de l'humus et que sont entraînées par les eaux de pluie les substances minérales qui s'y trouvaient.

Pour augmenter l'alcalinité du sol, épandre du calcaire finement broyé. En automne, bêcher le sol à une profondeur de 20 à 30 cm ; épandre le calcaire uniformément en surface et le faire pénétrer en ratissant. Les quantités à utiliser dépendent de la texture du sol. S'il s'agit d'une terre franche sablonneuse, 24 kg pour 100 m^2 élèvent le pH de un point ; dans une terre franche moyenne, il en faut 34 kg pour la même surface ; dans un sol argileux, 39 kg. Plus le sol est acide, plus l'action du calcaire est rapide. Il faut donc la même quantité de calcaire pour que le pH d'un sol passe de 6 à 6,5, qu'il en faut pour qu'il passe de 5 à 5,5.

Pour acidifier rapidement une terre, employer de la fleur de soufre qui en quelques mois se transforme en acide sulfurique. Comme dans le cas du calcaire, les quantités à utiliser dépendent de la nature du sol. Dans une terre sablonneuse, il faut 3,9 kg aux 100 m^2 pour abaisser le pH de un point ; dans une terre très argileuse, il en faut 12 kg. Pour que le traitement soit efficace et de longue durée, incorporer la fleur de soufre à une profondeur d'au moins 30 cm en ajoutant de grandes quantités de tourbe.

La tourbe est aussi une source d'acidité : 24 kg aux 100 m^2 abaissent le pH de un point environ. Elle agit cependant plus lentement que la fleur de soufre, mais présente l'avantage d'améliorer la texture du sol en même temps.

On court toujours le risque, lorsqu'on veut corriger le pH du sol, de dépasser la dose nécessaire. Il faut donc n'utiliser que la quantité précise et s'appuyer sur des rapports dont on est sûr.

Addition d'aliments au moyen d'engrais

Trois des 16 éléments nécessaires à la croissance des plantes proviennent de l'air et de l'eau. Ce sont le carbone, l'hydrogène et l'oxygène. Les 13 autres sont contenus dans le sol et la plupart d'entre eux, les oligo-éléments, n'existent qu'à l'état de traces. Mais les plantes en exigent des quantités si minimes qu'elles ne risquent pas d'en manquer. Les autres doivent être périodiquement incorporés au sol si l'on veut qu'il demeure fertile.

Trois éléments, l'azote, le phosphore et le potassium, sont utilisés en grandes quantités et consommés rapidement ; ils constituent les ingrédients principaux des engrais qu'on appelle complets ou polyvalents. Ces engrais, destinés à maintenir dans le sol une quantité suffisante de chacun de ces trois éléments, se présentent sous forme solide (poudres ou granules) ou liquide. Les engrais liquides ont l'avantage de s'appliquer facilement et de pénétrer rapidement dans la terre. Ils sont cependant plus chers et ne demeurent pas aussi longtemps dans le sol que les engrais solides ; il faut donc en utiliser plus souvent, mais à plus petites doses.

Sur les emballages d'engrais commercial, on trouve généralement trois chiffres, par exemple 10-6-4, qui correspondent à la formule NPK. Le premier chiffre indique le pourcentage d'azote (dont le symbole est N), le second donne le pourcentage de phosphore (symbole P), et le troisième celui du potassium (symbole K). Si le produit ne contient pas l'un des ingrédients, on indique l'absence de celui-ci par le chiffre 0. Ainsi donc, si l'on veut épandre 500 g d'azote (N), 1 kg de phosphore (P) et 500 g de potassium (K), il faut utiliser 5 kg d'engrais de formule 10-20-10 ou 10 kg d'engrais 5-10-5. Les proportions des éléments demeurent les mêmes, mais les quantités varient.

Les engrais polyvalents sont fabriqués à partir de produits chimiques : sulfate d'ammoniaque pour N, superphosphate pour P et sulfate de potassium pour K. Ces mêmes éléments se retrouvent dans des produits organiques qui coûtent en général plus cher. Ils ont cependant l'avantage de ne pas causer de tort aux plantes en cas de doses excessives, contrairement aux produits chimiques, et ils persistent plus longtemps dans le sol.

Le sang desséché et la corne ou le sabot pulvérisés renferment 7 à 15 pour cent de N. Les engrais et les émulsions de poisson contiennent 5 à 10 pour cent de N et 2 à 6 pour cent de P. La poudre d'os très fine dégage 3 à 5 pour cent de N et 20 à 35 pour cent de P. La farine de graine de coton fournit 6 à 9 pour cent de N à action lente, 2 à 3 pour cent de P et environ 2 pour cent de K. Les cendres de bois, surtout celles des bois francs, sont aussi une bonne source de K.

On obtient des engrais à assimilation progressive soit en combinant des matières nutritives avec des produits chimiques qui retardent leur décomposition (combinaison d'azote d'urée et de formaldéhyde), soit en enrobant les particules d'engrais d'une matière plastique dont elles se libèrent lentement. Ces engrais sont recommandés pour les arbres, les arbustes et les vivaces de longue durée.

Souvent, dans les sols alcalins, les oligo-éléments ne se divisent pas en particules assimilables. La chlorose des plantes, ou décoloration, est le symptôme d'un manque de fer. On y remédie par une application de chélates de fer sur le sol ou le feuillage. Une carence en manganèse, qui affecte souvent les légumes, se corrige en vaporisant le feuillage au printemps avec une faible solution de sulfate de manganèse diluée dans de l'eau.

Les engrais foliaires sont de bons éléments nutritifs d'appoint. Les plantes dont le système radiculaire est faible ou malade en bénéficient.

Compost et engrais verts : sources d'humus

Le compost est la meilleure source d'amendement organique. La réserve est constituée de couches de déchets végétaux provenant du jardin, recouvertes de couches de terre enrichie d'azote. S'il y a apport suffisant d'air et d'eau, le tas de compost bien organisé transforme en humus, en l'espace de quelques mois, des déchets comme les feuilles mortes, les rognures de gazon, le marc de café, la charpie ramassée par l'aspirateur, la sciure de bois et même le papier journal bien imbibé d'eau.

On ne peut néanmoins tout jeter sur le tas de compost. Les matières ligneuses, par exemple, sont trop longues à se décomposer. Eviter également d'y mettre les déchets de cuisine cuits ou gras, les plantes malades, les racines de mauvaises herbes vivaces et les mauvaises herbes annuelles montées en graine.

Commencer la réserve par une couche de 30 cm d'épaisseur composée de rognures de gazon, de foin ou de feuilles mortes et formant un carré d'au moins 1,50 m de côté et, de préférence, de 2,10 m. Bien fouler avec les pieds et arroser abondamment. Saupoudrer une poignée de sulfate d'ammoniaque si le sol est alcalin, de nitrate de sodium s'il est acide, ou remplacer ces produits chimiques par une couche de fumier de 2,5 cm d'épaisseur. Couvrir cette première tranche de 5 cm de terre.

Edifier le tas par couches successives de 30 cm d'épaisseur. Fouler chaque assise et l'arroser. Recouvrir de terre enrichie. Le tas peut avoir 1,50 à 2 m de haut. Ménager une légère dépression sur le dessus pour recueillir les eaux de pluie. Quand il est terminé, le recouvrir de 15 cm de terre, bien arroser et le garder humide mais non détrempé. Si l'été est sec, l'arroser toutes les deux semaines environ.

Il existe des silos à compost tout prêts de différentes dimensions. On peut également en fabriquer avec du grillage métallique ou des lattes de bois, comme ci-dessous. Ménager une voie d'accès au compost au moyen d'une paroi amovible. On ne peut fabriquer du compost dans une poubelle ou un récipient quelconque à ordures ménagères dont les parois sont pleines. Les bactéries qui assurent la décomposition des matières organiques ont absolument besoin d'air.

Quand le compost est prêt, il est noir ou brun foncé, friable et d'odeur agréable. Il faut trois mois en été, et un peu plus en hiver, pour arriver à ce stade.

Les engrais verts sont des plantes que l'on cultive dans le but de les enfouir sur place par le labour afin d'obtenir de l'humus. Choisir des plantes qui poussent vite : seigle d'hiver, sarrasin, ivraie vivace, moutarde et colza. Les enterrer juste avant qu'elles fleurissent. Pour éviter une carence d'azote, incorporer au sol au moment du labour 30 g de sulfate d'ammoniaque ou de nitrate de sodium au mètre carré.

Certaines légumineuses, comme le soja, la vesce, le pois fourrager et le trèfle, ont des racines à nodules qui abritent des bactéries susceptibles de fixer dans le sol l'azote de l'air et de le rendre assimilable par les plantes. On n'a donc pas besoin de rajouter d'azote lorsqu'on utilise ce type d'engrais vert.

ÉDIFICATION D'UN TAS DE COMPOST

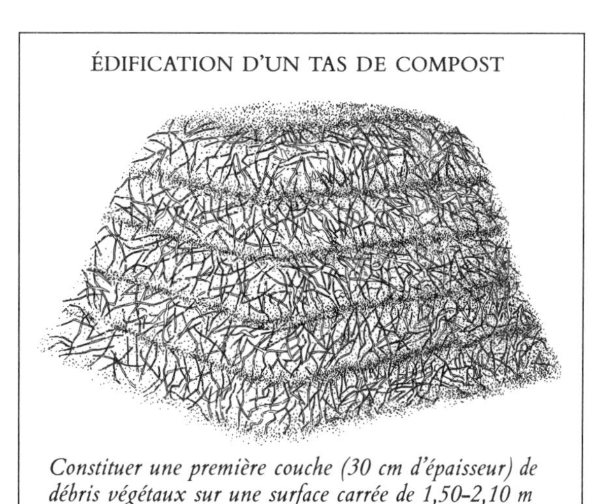

Constituer une première couche (30 cm d'épaisseur) de débris végétaux sur une surface carrée de 1,50-2,10 m de côté. Fouler et arroser. Couvrir de 5-8 cm de terre enrichie. Continuer ainsi en alternant les couches.

SILOS À COMPOST

Le silo en grillage a des charnières donnant accès au compost. La boîte à trois compartiments contient du compost prêt, du compost en préparation et une première couche.

Travaux de jardinage

L'outillage de base

Jardiner implique d'abord l'utilisation de nombreux instruments. Les outils de base comprennent des instruments à long manche : une bêche pour retourner le sol, une fourche-bêche pour l'ameublir, une pelle pour creuser des trous, un râteau droit pour niveler la surface du sol, une binette et une ratissoire pour enlever les mauvaises herbes, et une belette pour scarifier le sol. A ces instruments, il faut ajouter des outils à main : un transplantoir, modèle réduit de pelle et de bêche réunies, et une belette à manche court. L'outillage de base ne serait pas complet sans un tuyau d'arrosage muni d'une lance ajustable.

L'achat d'une motobêche se justifie lorsque le jardin est de grandes dimensions. Avec cette machine, les labours en profondeur deviennent un jeu d'enfant. On aura aussi sans doute besoin des instruments suivants : une brouette, un rouleau léger, un pied-de-biche pour soulever les gros cailloux, une tarière pour creuser des trous et prélever des échantillons de sol, et une pioche ou un pic pour briser les mottes de terre.

On ne devrait acheter que des outils de bonne qualité qui tiennent bien dans la main et de proportions équilibrées. Vérifier soigneusement le point de fixation du manche. Les manches ronds doivent être insérés dans un long manchon métallique et assujettis avec de bons rivets. Les arêtes tranchantes doivent être solides, bien aiguisées et droites.

Un bon outil mérite d'être bien entretenu. Le nettoyer après usage. Enlever les points de rouille avec un solvant spécial et de la laine d'acier. Limer les brèches sans tarder. Resserrer toutes les pièces qui se relâchent et huiler de temps à autre les pièces mobiles. A la fin de la saison, avant de ranger les outils pour l'hiver, frotter toutes les parties métalliques avec un chiffon imprégné d'huile.

Mesures à prendre pour un bon drainage

Creuser un trou d'environ 60 cm de profondeur et le remplir d'eau. Si après 24 heures, l'eau n'est pas absorbée, cela veut dire que le drainage de ce sol fait complètement défaut. Même si la couche arable est sablonneuse, les racines des plantes auront du mal à s'y développer.

Il y a deux causes principales au mauvais égouttement des eaux : un sous-sol compact ou une semelle de labour (voir p. 437). Dans les deux cas, un double bêchage ou un labour en profondeur et l'incorporation de matières poreuses aère la couche durcie. Mais si celle-ci résiste, il faut en conclure que la nappe aquifère est très haute à cet endroit. Trois solutions s'offrent alors : cultiver des plantes à courts systèmes radiculaires, surélever le jardin ou abaisser le niveau hydrostatique.

La nappe aquifère n'est que la partie supérieure d'un réservoir d'eau plus ou moins permanent. Cette nappe peut n'être qu'à quelques centimètres de la surface du sol, comme dans un marais, ou, au contraire, à des centaines de mètres de profondeur. Dans des conditions idéales, la nappe aquifère devrait se trouver à environ 1,20 m de profondeur pour que les racines des arbres et des arbustes puissent aller s'y abreuver.

Lorsque le jardin est en contrebas, on peut abaisser le niveau hydrostatique en creusant des tranchées en travers du talus qui domine le jardin ou en installant un système de drainage.

Dans ce dernier cas, le système ne peut fonctionner que si l'on évacue l'eau vers un point situé plus bas que le drain inférieur : étang, ruisseau, fossé ou terrain en pente. Creuser une tranchée de 60 à 90 cm de profondeur, du point le plus élevé du jardin vers l'endroit choisi comme déversoir. Au fond de la tranchée, déposer des sections de tuyau en terre cuite ou en ciment de 10 à 15 cm de diamètre, espacées de 0,5 cm. Les recouvrir de 20 à 25 cm de cailloutis ou autre matière semblable et remplir de terre.

A défaut de déversoirs naturels, on peut faire aboutir la tranchée dans un puisard ou construire un réservoir, c'est-à-dire un trou profond rempli de gravier. Dans les deux cas, ce sont des travaux qu'il vaut mieux confier à des spécialistes.

Bêchage d'une grande étendue de terrain

En règle générale, il suffit de retourner la terre à une profondeur de 25 à 30 cm chaque année, de préférence en automne ou au début de l'hiver.

Diviser le jardin en son milieu par un cordeau. Sur un des côtés de la première moitié, creuser une tranchée large de 30 cm et de la profondeur d'un fer de bêche, perpendiculaire à la ligne médiane. Entasser la terre près de la ligne médiane. Elle servira à remplir la dernière tranchée. Faciliter le bêchage, par la technique ci-dessous. Ne pas trop charger la bêche.

Si nécessaire, étaler uniformément du compost ou autre humus. En réserver une part pour la dernière tranchée. Faire tomber de l'humus dans la première tranchée et bien le répartir.

Creuser une seconde tranchée à côté de la première en rejetant chaque pelletée de la seconde dans la première de façon que la terre de surface se retrouve à 25 cm de profondeur.

Continuer de la sorte, bande par bande, jusqu'au bout de la planche et faire de même dans l'autre moitié. Finir en remplissant la dernière tranchée avec la terre et l'humus réservés lors du creusage de la première.

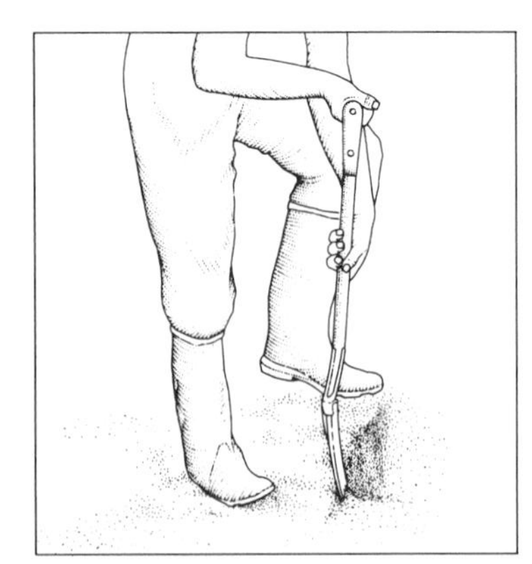

1. *Enfoncer la bêche droit dans le sol en utilisant le poids du corps.*

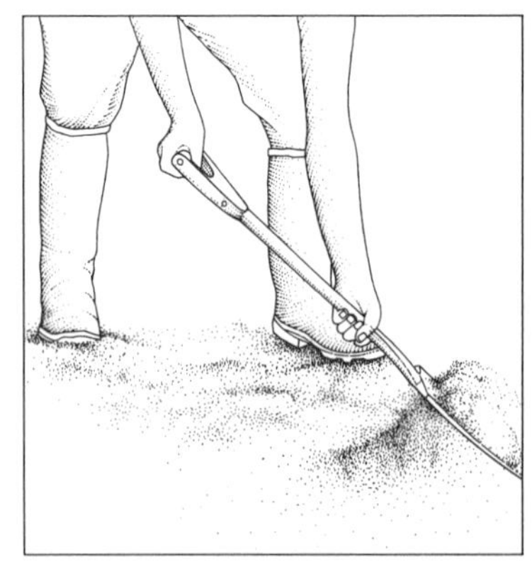

2. *Glisser une main le long du manche et fléchir les genoux.*

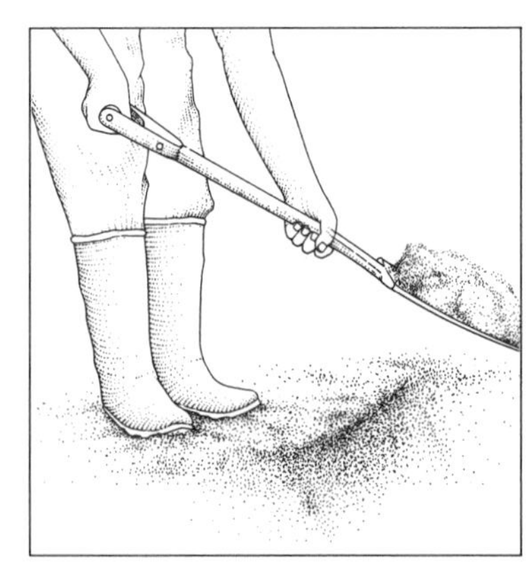

3. *Soulever la bêche en redressant les jambes pour ne pas fatiguer le dos.*

Stérilisation et fumigation d'un sol infesté

Lorsque, année après année, on utilise le même sol dans une serre, un châssis froid ou pour empoter des plantes vertes, on risque de voir apparaître des anguillules, des champignons et d'autres organismes néfastes. Pour les détruire, on peut stériliser le sol à la chaleur ou faire des fumigations de produits chimiques.

La stérilisation à la vapeur est la plus facile à réaliser et la plus efficace. Il existe des instruments à haute pression pour grandes serres qui conviennent peu au jardin familial. Lorsqu'on dispose d'une source de vapeur, il suffit d'y brancher un tuyau et d'insérer l'autre extrémité de celui-ci dans un panier ou une boîte contenant de la terre. Le jet de vapeur doit être continu pendant 45 minutes.

On peut arriver au même résultat d'une autre façon. Amener un quart de litre d'eau à ébullition dans une grande casserole. Verser 3 ou 4 l de terre sèche dans la casserole ; couvrir hermétiquement et remettre à bouillir. Après 5 ou 6 minutes, enlever la casserole du feu, mais ne pas l'ouvrir avant 8 à 10 minutes.

On peut aussi remplir des caissettes de terre sèche et les saturer d'eau bouillante à deux ou trois reprises. C'est un procédé salissant mais qui, en général, donne de bons résultats.

Des produits fumigènes comme le formaldéhyde et le métam-sodium sont vendus sous diverses appellations commerciales. La plupart sont extrêmement toxiques pour les plantes, les animaux et les humains : aussi faut-il les utiliser avec prudence. Suivre le mode d'emploi à la lettre et respecter toutes les mises en garde. Ce sont des liquides volatiles qui se transforment rapidement dans la terre en gaz toxiques ; bien aérer au moment de s'en servir. La fumigation terminée, attendre que les gaz se soient échappés du sol. La période d'attente varie selon le produit utilisé.

On peut employer des produits fumigènes pour stériliser le sol du jardin. Cependant, étant donné qu'ils risquent de détruire des organismes utiles et qu'ils sont dangereux, il ne faut les utiliser qu'avec la plus grande prudence.

Technique du double bêchage

Pour corriger le drainage d'un terrain ou préparer celui-ci à recevoir des plantes à longues racines, il faut parfois bêcher plus profondément.

Diviser d'abord la surface en son milieu (voir page précédente). Creuser une première tranchée de 60 cm de large et d'un fer de bêche de profondeur, en allant du côté vers le milieu. Entasser la terre excavée près de la ligne médiane. Etaler l'humus uniformément sur la partie qu'il reste à bêcher.

Ensuite, à la fourche-bêche, ameublir le sol au fond de la tranchée. Faire tomber l'humus qui se trouve sur la bande voisine dans la première tranchée ; bien l'incorporer au sol. Bêcher une deuxième bande de 60 cm en retournant et rejetant chaque pelletée de terre dans la première tranchée. Ameublir le fond de la deuxième tranchée et y faire tomber l'humus de la bande adjacente. Continuer de la sorte des deux côtés de la ligne médiane. Arrivé à la dernière tranchée, la remplir avec la terre et l'humus réservés au début.

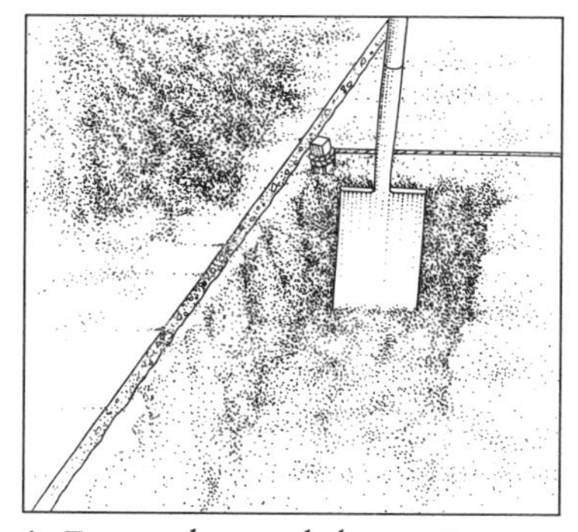

1. *Entasser la terre de la première tranchée au-delà de la ligne médiane.*

2. *Défoncer le lit de la tranchée à la fourche-bêche et incorporer l'humus.*

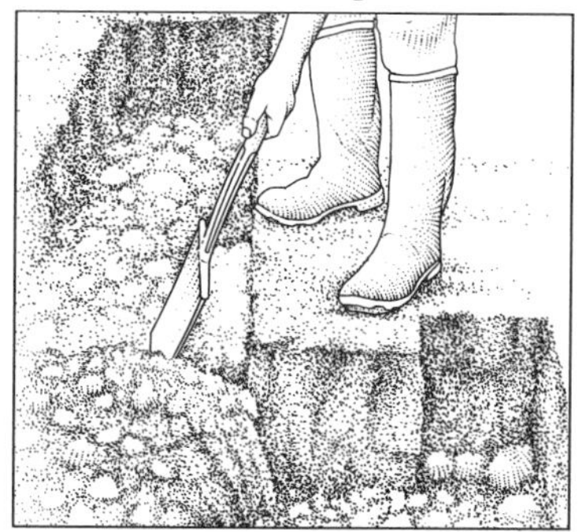

3. *Bêcher la deuxième tranchée en rejetant la terre dans la première.*

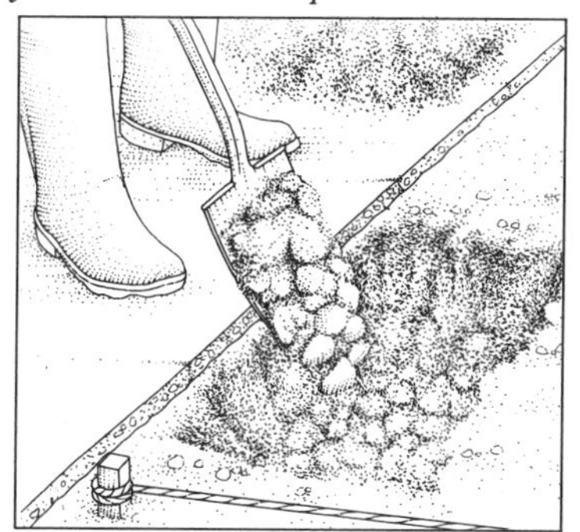

4. *Combler la dernière tranchée avec la terre retirée de la première.*

Fréquence et importance des arrosages

Les fertilisants ne sont d'aucune utilité pour les plantes tant qu'ils ne sont pas dissous dans l'eau. Ils perdent par contre toute efficacité s'ils tombent dans un sol trop gorgé d'eau. La fréquence et l'importance des arrosages sont donc des questions essentielles.

On conseille généralement d'arroser lorsque le sol a perdu la moitié de l'eau qu'il est capable d'absorber. Pour savoir concrètement quand arroser, prendre une poignée de terre de surface et la façonner en boule au creux de la main ; si la boule conserve sa forme, la terre est suffisamment humide ; si elle s'émiette facilement, il est bon d'arroser.

Imbiber le sol d'eau à 30 cm au moins de profondeur. Les arrosages superficiels empêchent les racines de pousser profondément et les rendent vulnérables aux coups de soleil. (Les plantules, cependant, tout comme le nouveau gazon, peuvent demander deux légers arrosages par jour tant que leurs racines ne sont pas assez développées.)

La fréquence des arrosages dépend de la nature du sol, du climat, du type de plantes et de l'emplacement du jardin. Les légumes demandent en moyenne deux fois plus d'eau que les fleurs. Par temps sec, les arbres et les arbustes nouvellement plantés exigent de fréquents arrosages. Les plantes qui poussent près d'un mur ou d'une haie peuvent avoir besoin d'un arrosage même après une grosse averse, mais elles se déshydrateront moins vite que celles qui sont cultivées en plein vent. Le sol s'assèche plus rapidement au sommet qu'au pied d'un talus ; les terres légères requièrent des arrosages plus fréquents que les terres lourdes.

On retarde l'évaporation de l'eau en disposant un paillis sur le sol. La nature et l'épaisseur de ce paillis varient selon les plantes.

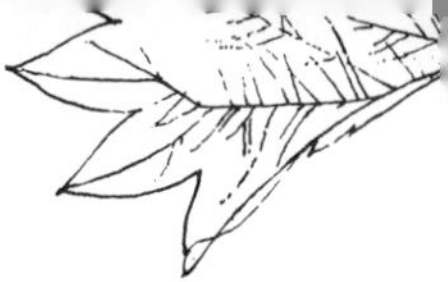

Les ennemis du jardin

Ravageurs et maladies

De nombreux ravageurs et maladies peuvent être combattus efficacement. On pourra les reconnaître d'après les illustrations, puis appliquer le traitement conseillé.

Cette section permettra d'identifier les ravageurs et les maladies qui affectent parfois les plantes cultivées. Dans le cadre d'un jardin familial, on ne rencontrera évidemment que quelques-uns de ces cas.

Il est bon de vérifier périodiquement l'état de ses plantes. On examinera les feuilles, les tiges et les fleurs, de façon à pouvoir agir dès qu'un symptôme se manifeste. Cependant, ne jamais vaporiser d'insecticide sur des plantes en fleurs pour ne pas détruire les insectes pollinisateurs.

Quand une plante a déjà été attaquée, il faut avoir recours ensuite à des méthodes préventives. Remuer fréquemment les sols soupçonnés d'abriter des ravageurs. Désinfecter ces sols à l'aide d'un produit fumigène. La rotation de culture donne également de bons résultats.

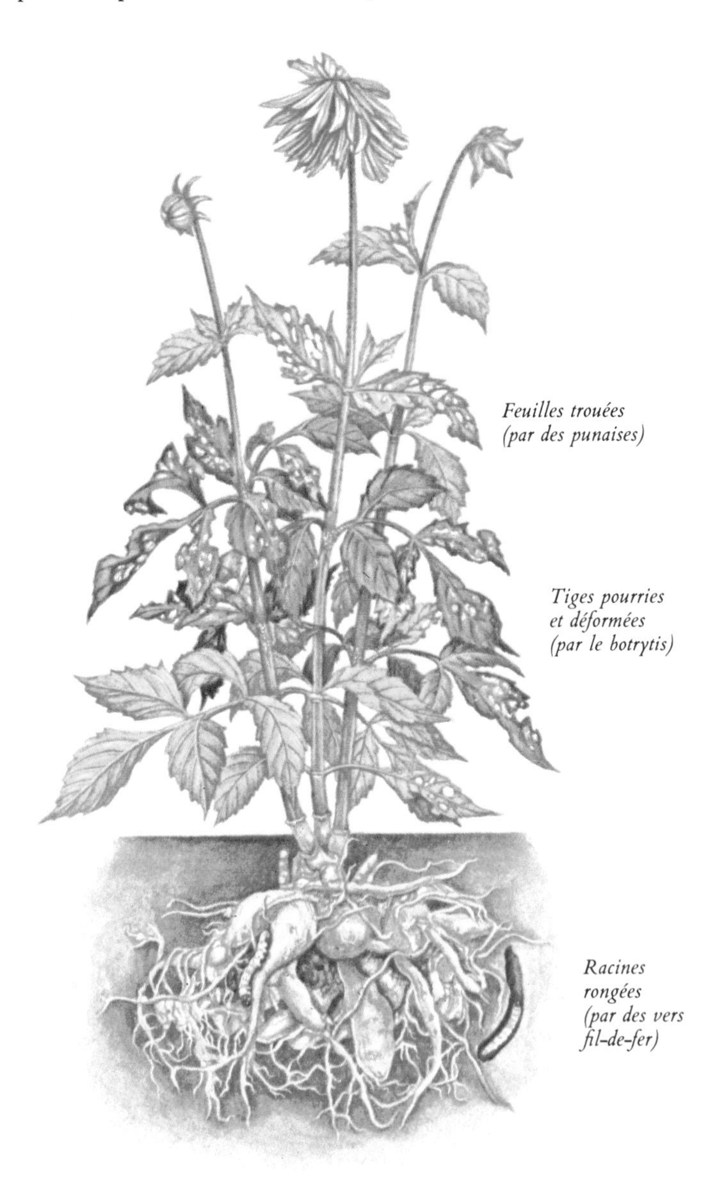

Identification des symptômes
Pour faciliter l'identification des symptômes, on a illustré les organes végétaux atteints, dans l'ordre suivant : feuilles, pousses, boutons floraux, fleurs épanouies, fruits, légumes et racines. Suit une page consacrée aux pelouses. Sous chaque illustration se trouvent la liste des plantes susceptibles de manifester le symptôme mentionné, la description de celui-ci, la période critique où il peut apparaître, ainsi que le traitement recommandé.

Par exemple, on découvrira de quoi souffre le dahlia représenté à gauche en passant en revue toutes les illustrations groupées sous la rubrique « Feuilles trouées » qui commence à la page 445. On verra qu'il s'agit ici de dégâts causés par des punaises et on trouvera le traitement à appliquer à la page 446, sous la planche illustrant ce symptôme. (Le même symptôme figure en haut, à droite, sur la présente page.)

En étudiant les illustrations de la rubrique « Pousses décolorées », on constatera que les hampes du dahlia sont atteintes d'une maladie cryptogamique appelée botrytis ou pourriture grise (voir p. 461).

Lorsqu'une plante se porte mal sans qu'aucun de ses organes aériens ne semble malade, il faut examiner les racines. Dans le cas du dahlia, celles-ci ont été attaquées par des vers fil-de-fer (voir p. 474).

Les traitements prescrits sont le plus souvent à base de produits chimiques. On trouvera à partir de la page 480 une liste des pesticides comprenant leurs noms commerciaux.

Punaise

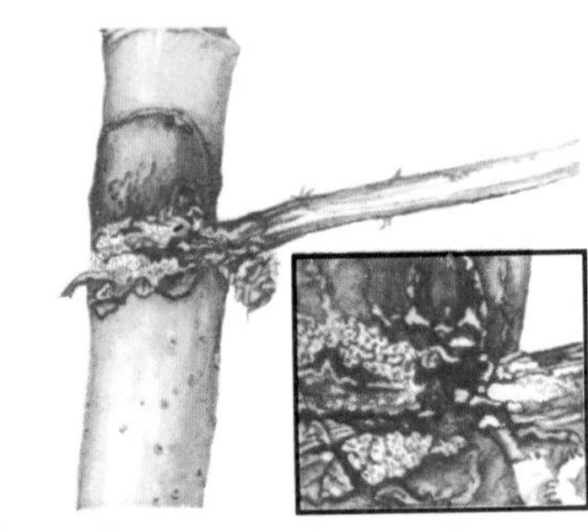

Botrytis ou pourriture grise

Ver fil-de-fer

Feuilles avec insectes apparents

Cochenilles
Plantes exposées : Camélia, plantes vertes et autres.
Symptômes : Ecailles plates ou globuleuses.
Epoque d'apparition : Au printemps et au début de l'été à l'extérieur ; en tout temps à l'intérieur.
Traitement : Vaporiser les plantes à feuilles caduques 60 secondes avec un oléo-insecticide ou du calcaire soufré, à la fin de l'hiver ou au début du printemps. A la fin du printemps, vaporiser de diméthoate ou de malathion, deux fois à 3 semaines d'intervalle.

Pucerons
Plantes exposées : La plupart des plantes cultivées dans la maison ou au jardin.
Symptômes : Colonies de petits insectes.
Epoque d'apparition : Au printemps et au début de l'été au jardin ; en tout temps à l'intérieur.
Traitement : Vaporiser un insecticide systémique — diméthoate ou oxydéméton-méthyle — ou un insecticide de contact — carbaryl, endosulfan, malathion, nicotine ou roténone.

Mouches blanches
Plantes exposées : Ageratum, azalée, chou, chou de Bruxelles, chrysanthème, concombre, fuchsia, gerbera, lantana, poinsettia et tomate.
Symptômes : Insectes blancs sous les feuilles. Feuilles décolorées.
Epoque d'apparition : De la fin du printemps au début de l'automne au jardin ; toute l'année en serre chaude.
Traitement : Vaporiser les plantes de diméthoate, de malathion ou de resméthrine. Détruire les vieilles plantes.

Doryphores de la pomme de terre
Plantes exposées : Aubergine, piment, pomme de terre et tomate.
Symptômes : Segments de feuilles rongés par des larves ou des insectes adultes.
Epoque d'apparition : A la fin du printemps (les insectes pondent sur les feuilles) et pendant tout l'été (larves et adultes se nourrissent des feuilles).
Traitement : Vaporisation de carbaryl.

Scarabées japonais
Plantes exposées : Rosier, tilleul, vigne et plusieurs autres plantes.
Symptômes : Feuilles réduites aux nervures, pétales effilochés.
Epoque d'apparition : Du début de l'été au milieu de l'automne.
Traitement : Vaporisation ou poudrage de carbaryl ou de diazinon. Pour les larves, voir Scarabées (larves), p. 478.

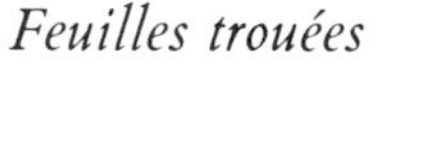

Feuilles trouées

Chenilles (chenilles géomètres, larves de la spongieuse et livrées)
Plantes exposées : Un grand nombre de plantes, en particulier les arbres et les arbustes.
Symptômes : Feuilles rongées et portant souvent de grands trous.
Epoque d'apparition : A partir du début du printemps.
Traitement : Enlever les chenilles à la main si possible. Vaporiser de carbaryl, de malathion, de roténone ou de trichlorfon dès l'apparition des symptômes.

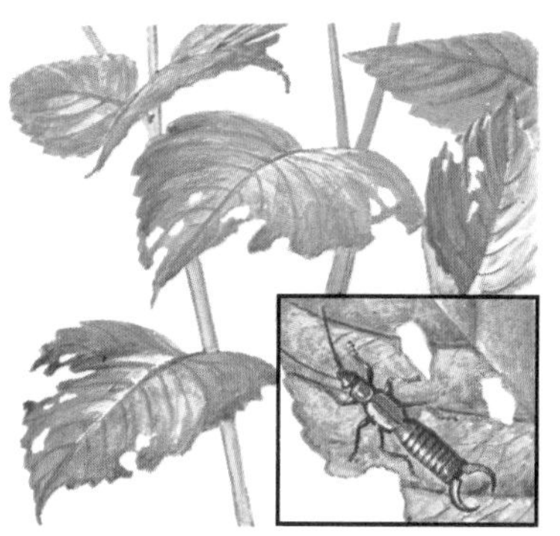

Perce-oreilles
Plantes exposées : Clématite, dahlia, glaïeul et quelques autres.
Symptômes : Feuilles rongées.
Epoque d'apparition : De la fin du printemps à la mi-automne.
Traitement : Vaporisation ou poudrage de carbaryl, de diazinon ou de malathion.

Tordeuses ou lieuses
Plantes exposées : Surtout chrysanthème, hélénie, phlox vivace, pommier, mais aussi arbres, arbustes et plantes herbacées.
Symptômes : Feuilles d'abord rongées et ensuite reliées par des fils de soie.
Epoque d'apparition : De la fin du printemps au début de l'été en pleine terre ; toute l'année en serre.
Traitement : Vaporisations abondantes de carbaryl, de roténone ou de trichlorfon ; enlever les insectes à la main.

Charançons de la vigne et des fleurs
Plantes exposées : Camélia, clématite, if, primevère, rhododendron et de nombreuses plantes grimpantes.
Symptômes : Marges des feuilles entaillées ou rongées ; racines dévorées.
Epoque d'apparition : Au printemps et en été au jardin ; toute l'année en serre.
Traitement : Enlever les tas de feuilles et les débris de plantes, car les charançons s'y réfugient le jour ; vaporiser ou poudrer les plantes attaquées avec un produit à base de chlordane, d'endosulfan ou de méthoxychlore.

Punaises (à quatre raies, arlequines, ternes)
Plantes exposées : Buddleia, cassissier, dahlia, forsythie, groseillier, haricot, pommier et plusieurs autres.
Symptômes : Jeunes feuilles trouées.
Epoque d'apparition : De la mi-printemps à la fin de l'été.
Traitement : Un bon entretien du jardin et un désherbage périodique diminuent les dégâts. Protéger les plantes les plus exposées au moyen de vaporisations de carbaryl, de diazinon, de malathion ou de nicotine dès les premiers symptômes.

Criblure
Plantes exposées : Cerisier, pêcher, prunier et autres espèces de *Prunus*.
Symptômes : Taches brunes et trous sur les feuilles et chute de celles-ci.
Epoque d'apparition : Pendant la période active.
Traitement : Fertiliser et pailler annuellement ; ne jamais laisser le sol se dessécher. Engrais foliaire pour les petits arbres. Si la maladie réapparaît l'année suivante, vaporiser de captane ou de dodine tous les 15 jours, au printemps et au début de l'été, ou vaporiser un fongicide cuprique dilué de moitié en été et non dilué à la chute des feuilles.

Tenthrèdes du rosier
Plante exposée : Rosier.
Symptômes : Zones irrégulières partiellement détruites sur les feuilles ; il ne reste qu'une membrane transparente.
Epoque d'apparition : Du début de l'été au début de l'automne.
Traitement : Vaporisations de carbaryl, de méthoxychlore ou de roténone dès les premiers symptômes.

Bruches du haricot, charançons rayés du pois
Plantes exposées : Haricot et pois.
Symptômes : Bords des feuilles rongés en festons.
Epoque d'apparition : Du début du printemps au début de l'été.
Traitement : Poudrage de carbaryl ou de malathion dès l'apparition des premiers symptômes sur les jeunes plants. Les plantes adultes sont peu affectées.

Tache foliaire de l'hellébore
Plante exposée : Hellébore.
Symptômes : Taches grises ou noires formant des cercles concentriques sur les feuilles et flétrissement de celles-ci.
Epoque d'apparition : En tout temps, mais surtout en hiver et au printemps.
Traitement : Supprimer et détruire les organes atteints. Vaporiser régulièrement de bénomyl ou d'un fongicide cuprique comme la bouillie bordelaise.

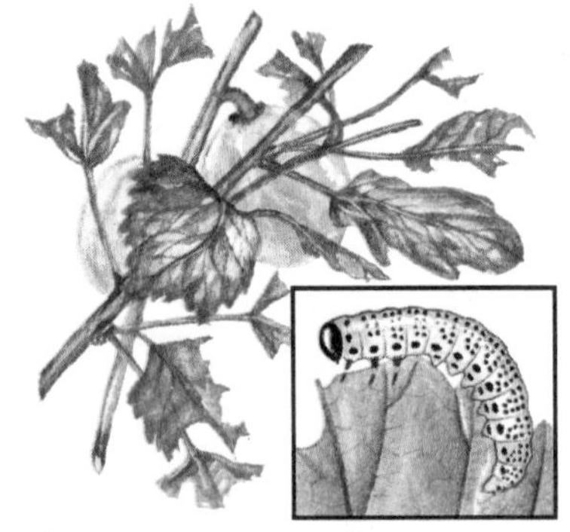

Tenthrèdes du groseillier à maquereau
Plante exposée : Groseillier à maquereau.
Symptômes : Tissus foliaires dévorés.
Epoque d'apparition : De la mi-printemps à la fin de l'été.
Traitement : Vaporiser minutieusement de carbaryl, de malathion, de nicotine ou de roténone à la mi-printemps ou dès l'apparition des symptômes.

Limaces et escargots
Plantes exposées : Laitue, lis, pied-d'alouette, pois de senteur, tulipe et autres plantes.
Symptômes : Feuilles rongées ; traces de bave visibles.
Epoque d'apparition : Du printemps à la mi-automne.
Traitement : Bien travailler la terre et éliminer les plantes en décomposition. Eviter les engrais et paillis organiques trop substantiels. Epandre des appâts à base de métaldéhyde. Déposer de la bière dans des soucoupes pour que les ravageurs s'y noient.

Altises
Plantes exposées : Chou, navet, radis, tomate et plantes apparentées.
Symptômes : Jeunes feuilles criblées de petits trous.
Epoque d'apparition : Durant les périodes de sécheresse à la fin du printemps.
Traitement : Poudrage ou vaporisation des plantules exposées avec un produit à base de carbaryl, de méthoxychlore ou de roténone. Entretenir le jardin et traiter les semences pour diminuer les risques d'infestation.

Fourmis et abeilles coupeuses de feuilles
Plantes exposées : Chain doré, lilas, rosier, troène et quelques autres plantes ornementales.
Symptômes : Bords des feuilles rongés en demi-lune.
Epoque d'apparition : Du début à la fin de l'été.
Traitement : Vaporiser de carbaryl, de diazinon ou de méthoxychlore.

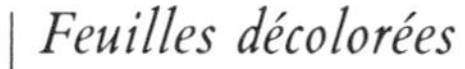

Tache brune de la fève
Plante exposée : Fève.
Symptômes : Petites taches brun chocolat sur les feuilles et les tiges. Elles forment parfois des plaques.
Epoque d'apparition : Du début au milieu de l'hiver pour les plantes qui hivernent ; du début au milieu de l'été pour les autres.
Traitement : En cas d'attaque sévère, vaporiser avec un fongicide à base de cuivre dès l'apparition des feuilles. Stimuler la croissance à l'aide de calcaire et d'un engrais riche en potasse.

Anthracnose et autres maladies à taches noires
Plantes exposées : Divers genres.
Symptômes : Taches brunes, rondes ou ovoïdes, bien délimitées, avec parfois un petit point noir visible.
Epoque d'apparition : Pendant la période active.
Traitement : Supprimer et détruire les feuilles attaquées. Vaporiser les plants malades et les plants voisins avec un produit à base de bénomyl, de captane, de manèbe, de thiophanate-méthyle ou de zinèbe.

Anthracnose du saule ou tache foliaire
Plante exposée : Saule pleureur.
Symptômes : Petites taches brunes sur les feuilles.
Epoque d'apparition : A la feuillaison ; parfois durant les étés humides.
Traitement : A la feuillaison, vaporiser les jeunes arbres de fongicide à base de bénomyl, de bouillie bordelaise, de captane, de cuivre, de dodine ou de manèbe.

Entomosporiose du cognassier
Plante exposée : Cognassier du Japon.
Symptômes : Petites taches rouges devenant brunes sur les feuilles ; chute précoce de celles-ci.
Epoque d'apparition : Pendant la période active et à la fin de l'été.
Traitement : Détruire les feuilles tombées ; éliminer les pousses mortes. Vaporisations de ferbam ou de ziram à la feuillaison et une ou deux autres fois, par temps humide.

Maladie cryptogamique
Plantes exposées : Tous les arbres et arbustes, mais plus particulièrement poirier, rhododendron et rosier.
Symptômes : Petites taches noires ou pourprées.
Epoque d'apparition : Pendant la période active.
Traitement : Fertiliser chaque année, pailler et arroser ; améliorer le drainage si nécessaire. Appliquer périodiquement un fongicide polyvalent comme le mancozèbe.

Tache goudronneuse
Plantes exposées : Erables.
Symptômes : Grandes taches noires et bombées, aux bords jaune vif.
Epoque d'apparition : Pendant l'été.
Traitement : Ratisser et détruire les feuilles tombées. Dès que les feuilles des jeunes arbres naissent, les vaporiser avec un fongicide à base de cuivre comme la bouillie bordelaise ou à base de captane, de ferbam ou de zinèbe.

Tache jaune
Plante exposée : Camélia.
Symptômes : Taches blanches sur certaines feuilles ; d'autres virent complètement au blanc. Un virus peut en être la cause. Mutations et panachures génétiques peuvent aussi avoir cet effet.
Epoque d'apparition : Après greffage d'un scion provenant d'une plante malade.
Traitement : Détruire les plantes gravement atteintes. Isoler celles qui le sont légèrement. Ne jamais prélever de boutures sur des plants infectés.

Tavelure
Plantes exposées : Poirier, pommetier, pommier et pyracanthe.
Symptômes : Taches vert olive de nature cryptogamique sur les feuilles, qui tombent prématurément.
Epoque d'apparition : Pendant la période active.
Traitement : Vaporisations régulières, dès l'apparition des boutons floraux et jusqu'à la mi-été au besoin, de bénomyl, captane, bouillie soufrée (sauf sur les variétés vulnérables au soufre et sur le poirier), thiophanate-méthyle ou thirame. Pulvériser le pyracanthe quand ses feuilles sont à demi développées. Ramasser et détruire toutes les feuilles malades qui sont tombées. Pour la tavelure du fruit, voir p. 470.

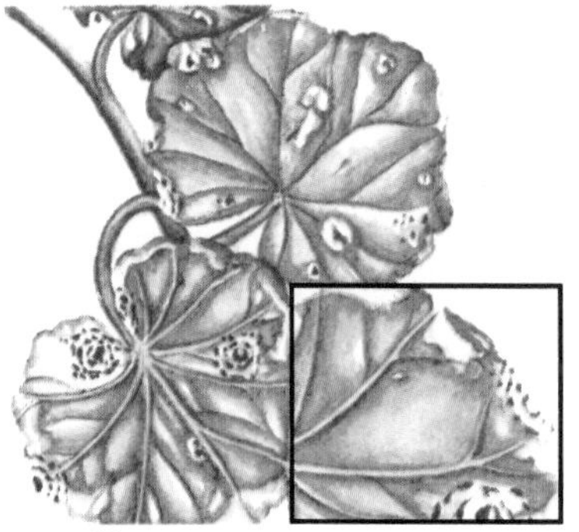

Rouille
Plantes exposées : Asperge, aubépine, blé, cèdre rouge, cognassier à fleurs, épine-vinette, géranium (*Pelargonium*), haricot, millepertuis, muflier, œillet, œillet de poète, pin blanc, pommier, rose trémière et autres.
Symptômes : Amas poudreux bruns, orange ou jaunes de spores se développant sur les feuilles et les tiges, parfois aussi sur les fleurs et les gousses de semences. Des croûtes rondes et irrégulières se forment parfois sur les brindilles.
Epoque d'apparition : Pendant la période active. La fin de l'été pour le rosier ; l'automne pour l'œillet de poète.
Traitement : Dans tous les cas, supprimer les feuilles malades. Dans la serre, réduire l'humidité en augmentant l'aération. Vaporiser les géraniums de bénomyl, manèbe, thirame ou zinèbe tous les 10 à 14 jours. Utiliser les mêmes fongicides pour les rosiers, le millepertuis et les jeunes œillets de poète, dès les premiers symptômes. On peut aussi s'en servir pour les roses trémières. Choisir des variétés de mufliers non vulnérables à la rouille. Supprimer les brindilles attaquées et les croûtes de rouille quand il s'en forme.

Il existe deux types de rouilles : certaines restent sur un seul genre ou espèce, d'autres passent d'une espèce à une autre. Un exemple du second type est la rouille du pommier qui attaque aussi le cèdre rouge. Tel est le cas de l'épine-vinette et du blé, du cèdre et de l'aubépine, du pin blanc et du groseillier. Il est alors préférable de localiser et de détruire l'espèce qui est le deuxième hôte de façon à briser le cycle.

Moisissure olive (cladosporiose)

Plante exposée : Tomate de serre.
Symptômes : Moisissure brun pourpre sur la face interne des feuilles ; taches blanches devenant jaunes sur la face externe.
Epoque d'apparition : A partir du début de l'été ; parfois même du milieu à la fin du printemps.
Traitement : Bien ventiler la serre et vaporiser avec un fongicide à base de cuivre, de manèbe ou de zinèbe. Désinfecter la serre après attaque grave. Attention aux arrosages : les éclaboussures d'eau répandent les spores. Cultiver des variétés résistantes.

Erinose du poirier

Plantes exposées : Poirier et sorbier.
Symptômes : Nombreuses cloques brun foncé sur les deux faces des feuilles.
Epoque d'apparition : De la mi-printemps à la fin de l'été.
Traitement : Enlever et détruire les feuilles malades ou vaporiser de bouillie soufrée au début du printemps. Quand les feuilles apparaissent et de nouveau une semaine plus tard, vaporiser avec un acaricide tel que chlorobenzilate, dicofol ou tétradifon.

Œdème

Plantes exposées : Particulièrement camélia, géranium des jardins (*Pelargonium*) et plantes grimpantes.
Symptômes : Petites cloques qui se transforment en taches liégeuses.
Epoque d'apparition : Pendant la période active, à l'intérieur.
Traitement : S'assurer que le mélange terreux n'est pas saturé d'eau.

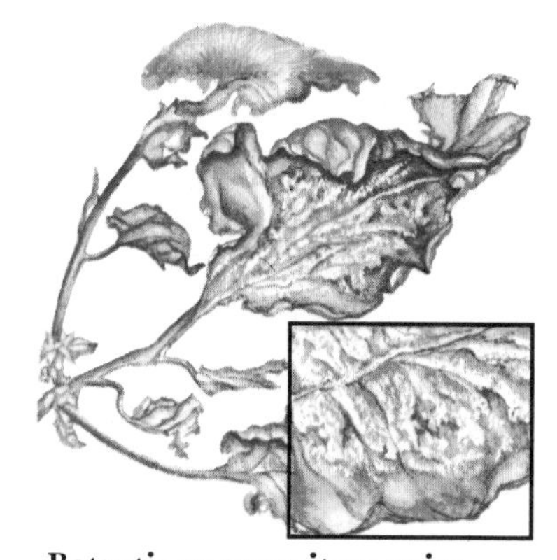

Botrytis ou pourriture grise

Plantes exposées : Toutes les plantes, mais particulièrement : chrysanthème, laitue, tomate de serre, de même que cornouiller, hydrangée, lilas et pivoine.
Symptômes : Moisissure grise et veloutée sur les feuilles.
Epoque d'apparition : Pendant la période active.
Traitement : Enlever et détruire les organes malades. Faire des vaporisations de bénomyl, de dichlorane, de thiophanate-méthyle, de thirame ou de zinèbe.

Punaises réticulées

Plantes exposées : Kalmia, pieris, rhododendron, azalée et de nombreux arbres et arbustes à feuilles caduques.
Symptômes : Taches argent sur les feuilles ; points et punaises au revers.
Epoque d'apparition : De la fin du printemps au début de l'automne.
Traitement : Vaporiser le revers des feuilles de carbaryl, de malathion, de nicotine ou de roténone au début de l'été ; répéter un mois plus tard.

Tache noire du rosier

Plante exposée : Rosier.
Symptômes : Taches noires ou brun foncé, petites et diffuses ou d'environ 1,5 cm de diamètre, sur les feuilles, qui jaunissent et tombent prématurément.
Epoque d'apparition : Pendant la période active ; symptômes plus marqués à partir du début de l'été.
Traitement : Vaporisations de bénomyl, de captane, de folpet, de manèbe, de thiophanate-méthyle ou de zinèbe toutes les semaines, de l'apparition des feuilles jusqu'aux gelées. Ratisser et détruire les feuilles tombées. Stimuler la croissance du rosier en le vaporisant avec un engrais foliaire et en lui donnant tous les soins requis.

Tétranyques à deux points ou araignées rouges

Plantes exposées : Plusieurs plantes, en particulier concombre, dahlia, fraisier, fuchsia, pêcher, rosier et violette.
Symptômes : Ponctuation fine et claire sur la face supérieure des feuilles, suivie de décoloration, de jaunissement et de dessèchement. Les sujets sévèrement attaqués se couvrent de fines toiles.
Epoque d'apparition : Toute l'année en serre ; du début du printemps à la fin de l'automne au jardin.
Traitement : Maintenir une atmosphère humide dans la serre et bassiner les plantes. Vaporisations minutieuses de chlorobenzilate, de dicofol, de malathion ou de tétradifon. Ce ravageur résiste assez rapidement à l'insecticide. Les produits systémiques — diméthoate ou oxydéméton-méthyle — sont efficaces préventivement. On peut remplacer les produits chimiques par des prédateurs (voir p. 479).

Rouille blanche

Plantes exposées : Alysse odorant, aubriétie, chou, ibéride, monnaie-du-pape et radis.
Symptômes : Pustules ou cloques remplies de spores poudreuses blanches, souvent brillantes, sur les feuilles et parfois sur les tiges.
Epoque d'apparition : Pendant la période active.
Traitement : Enlever et détruire les feuilles malades. Eliminer la capselle bourse-à-pasteur, mauvaise herbe très répandue qui, durant l'hiver, abrite le champignon de la rouille blanche.

Coup de froid

Plantes exposées : Magnolia, pois de senteur, volubilis (*Ipomoea*), plantes de plates-bandes et autres.
Symptômes : Les feuilles jeunes et tendres deviennent blanches ou jaunes.
Epoque d'apparition : Tout de suite après la levée des plantules.
Traitement : Aucun ; un engrais foliaire peut aider le feuillage à reverdir.

Cicadelles écumeuses ou cercopes

Plantes exposées : Aster vivace, chrysanthème, lavande, pin, rosier et trèfle.
Symptômes : Bave mousseuse recouvrant de petits insectes roses ou verts.
Epoque d'apparition : Du début au milieu de l'été.
Traitement : Eliminer la bave au jet d'eau, puis vaporiser de carbaryl, de malathion ou de nicotine pour tuer les insectes ainsi mis à découvert.

Chermes

Plantes exposées : Ravageur commun de l'épinette. Attaque aussi mélèze, pin, sapin et autres conifères.
Symptômes : Petits gonflements de teinte verte sur les nouvelles pousses à la fin du printemps. Colonies de petits pucerons de teinte sombre, partiellement recouverts de flocons cireux blancs, infestant le dessous et la base des aiguilles.
Epoque d'apparition : Au printemps, mais la présence des ravageurs peut ne se révéler qu'au moment du brunissement des aiguilles en été.
Traitement : Vaporiser minutieusement de carbaryl, de diazinon ou d'endosulfan. Pour l'épinette et le sapin de Douglas, pulvérisation d'huile miscible avant la mi-printemps, suivie d'une vaporisation de carbaryl, d'endosulfan ou d'oxydéméton-méthyle à la fin du printemps. Ne pas oublier les fissures dans l'écorce à la base des bourgeons et au bout des brindilles. Ne pas traiter à l'huile miscible les conifères à aiguilles bleues.

Plomb

Plantes exposées : Cerisier, pêcher, prunier et autres espèces de *Prunus ;* lilas, poirier, pommier ; autres arbres et arbustes.
Symptômes : Les feuilles deviennent argentées et pèlent facilement sur le dessus. Quand des sections transversales sur les branches malades de 2,5 cm de diamètre ou plus sont mouillées, des taches brunes ou pourpres apparaissent. Des champignons plats et pourpres se développent sur le bois mort. Les branches malades finissent par mourir.
Epoque d'apparition : Du début de l'automne à la fin du printemps. Les symptômes se manifestent parfois avec un certain retard.
Traitement : Couper les branches malades à 15 cm sous les dernières taches. Appliquer sur les plaies un enduit cicatrisant. Stimuler la croissance de la plante au moyen d'engrais, de paillis, d'arrosage ou de drainage. Des vaporisations d'engrais foliaire hâtent la guérison.

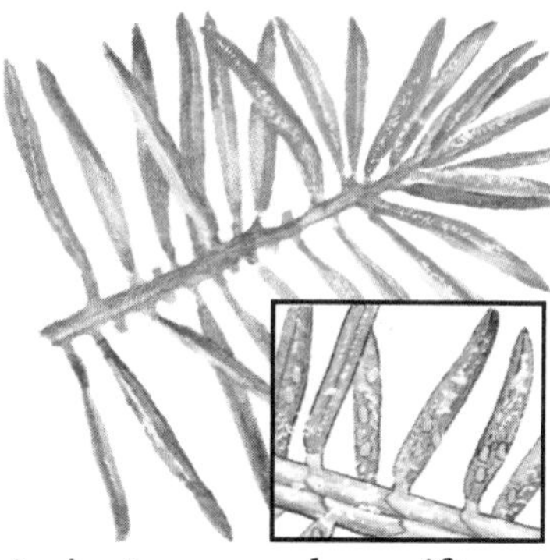

Araignées rouges des conifères

Plantes exposées : Cyprès, épinette, genévrier, pin et quelques autres conifères.
Symptômes : Les aiguilles virent au bronze et tombent prématurément. On peut distinguer des acariens et de fines toiles.
Epoque d'apparition : Du début de l'été au début de l'automne.
Traitement : Vaporiser minutieusement un acaricide tel que dicofol ou tétradifon, au début de l'été. Répéter si nécessaire. Les produits systémiques, comme le diméthoate, sont aussi efficaces.

Coup de gel

Plantes exposées : Concombre, muflier, tomate et les plantes herbacées tendres.
Symptômes : Toutes les feuilles deviennent argentées.
Epoque d'apparition : Jeunes plants et plantules, au début du printemps ; plantes adultes, en automne.
Traitement : Protéger les plants avec des toiles de plastique ou de légères couvertures.

Cicadelles

Plantes exposées : Géranium (*Pelargonium*), primevère, rosier et autres plantes.
Symptômes : Petits points blancs sur le feuillage, signalant la présence des ravageurs au revers. Restes d'insectes sur l'envers des feuilles.
Epoque d'apparition : De la mi-printemps à la mi-automne au jardin ; toute l'année à l'intérieur.
Traitement : Vaporisations de carbaryl, de diazinon ou de malathion, tous les 15 jours si nécessaire.

Thrips

Plantes exposées : Glaïeul, pois et troène.
Symptômes : Feuilles tachetées. Les glaïeuls se déforment et se décolorent.
Epoque d'apparition : Du début de l'été au début de l'automne, mais surtout durant les périodes chaudes et sèches.
Traitement : Vaporiser ou poudrer de carbaryl, de diazinon ou d'endosulfan dès les premiers symptômes.

Blanc

Plantes exposées : Spécialement aster vivace, bégonia, fusain, lilas, phlox, rosier, fraisier, groseillier à maquereau, pommier, gazon.
Symptômes : Revêtement blanchâtre d'aspect farineux sur les feuilles et les pousses, et parfois aussi sur les fleurs. Les feuilles des fraisiers deviennent pourpres et frisent.
Epoque d'apparition : Pendant toute la période active.
Traitement : Supprimer les pousses très malades au début de l'été et au début de l'automne sur arbres et arbustes. Vaporiser régulièrement de bénomyl, de dinocap ou de thiophanate-méthyle. On peut employer de la bouillie soufrée sur certains pommiers, et des produits à base de bénomyl, de cycloheximide, de dinocap ou de soufre sur les plantes herbacées et les arbustes. En serre, fumiger avec du dinocap ou utiliser un des produits déjà mentionnés. Dans le cas des fraisiers, avant la floraison, poudrer de soufre ou vaporiser de dinocap ou de bouillie soufrée à 1½%. Répéter le traitement à intervalles de 10 à 14 jours jusqu'à 1 ou 2 semaines avant la récolte. Ou vaporiser trois fois à 14 jours d'intervalle avec du bénomyl ou du thiophanate-méthyle au tout début de la floraison. Supprimer le feuillage après la récolte ou vaporiser de nouveau.

Chlorose par excès de calcaire
Plantes exposées : Plusieurs plantes très différentes et notamment arbres fruitiers, céanothe, framboisier, hydrangée ; plantes de sol acide poussant dans une terre alcaline.
Symptômes : Jaunissement du limbe des feuilles entre les nervures.
Epoque d'apparition : Pendant la période active.
Traitement : Incorporer des matières acides au sol, comme de la tourbe ou de la fleur de soufre. Ajouter un composé de chélate de fer ou des oligo-éléments.

Carence en manganèse
Plantes exposées : Plusieurs genres.
Symptômes : Jaunissement du limbe entre les nervures des vieilles feuilles.
Epoque d'apparition : Pendant la période active.
Traitement : Vaporiser avec une solution de sulfate de manganèse (5 g par litre d'eau) additionnée de quelques gouttes de détersif, ou ajouter au sol du chélate de fer ou des oligo-éléments.

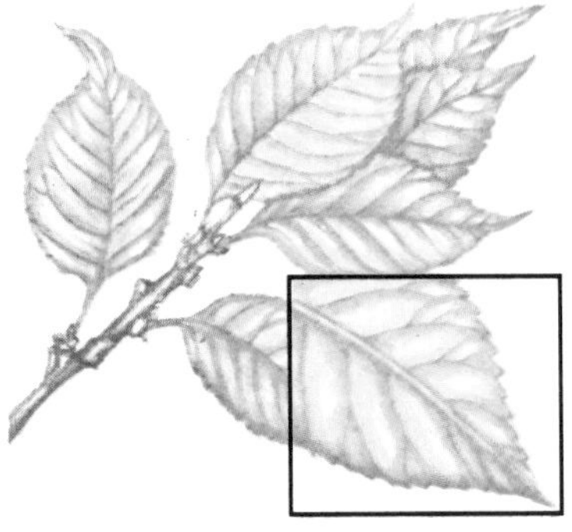

Carence en magnésium
Plantes exposées : Toutes, mais surtout pommier et tomate.
Symptômes : Bandes orange entre les nervures, virant ensuite au brun. Les feuilles malades se dessèchent.
Epoque d'apparition : Pendant la période active ou après des apports d'engrais riche en potassium, celui-ci ayant pour effet de retenir le magnésium dans le sol.
Traitement : Vaporiser avec une solution de sulfate de magnésium ou sels d'Epsom (15 g par litre d'eau) additionnée de quelques gouttes de détersif.

Feuillage grillé
Plantes exposées : Erable, hêtre et marronnier.
Symptômes : Taches brun clair sur les feuilles qui parfois se dessèchent complètement et ressemblent à du papier.
Epoque d'apparition : Au printemps pour la plupart des arbres et des arbustes.
Traitement : Ombrer la serre ; s'assurer que les plantes ne souffrent pas de sécheresse (surtout les arbres durant les coups de vent froids du printemps). Pulvériser un engrais foliaire.

Virose
Plantes exposées : Toutes.
Symptômes : Bandes jaunes (lis et narcisse) ; taches jaunes sur les feuilles (courge et framboisier).
Epoque d'apparition : Pendant la période active.
Traitement : Arracher et détruire les plants atteints. Pour les petits fruits, ne cultiver que des plants indemnes. Vaporiser les insectes vecteurs de carbaryl, de diazinon ou de malathion.

Anguillules des feuilles et des bourgeons
Plantes exposées : Bégonia, chrysanthème, fougère, pépéromia et violette du Cap.
Symptômes : Taches jaunes ou brunes.
Epoque d'apparition : De la mi-été au début de l'hiver.
Traitement : Eviter de mouiller le feuillage et les tiges en arrosant. Enlever et détruire les feuilles atteintes. Traiter au diméthoate.

Carence en azote
Plantes exposées : Toutes, mais surtout les arbres à grandes feuilles persistantes, les arbres fruitiers et les légumes.
Symptômes : Les feuilles virent au vert-jaune. Les plantes restent petites.
Epoque d'apparition : Pendant la période active.
Traitement : Arbres et arbustes : apports d'engrais azoté, comme du sulfate d'ammoniaque, le printemps suivant et d'engrais foliaire en période active ; légumes : apports d'engrais azoté.

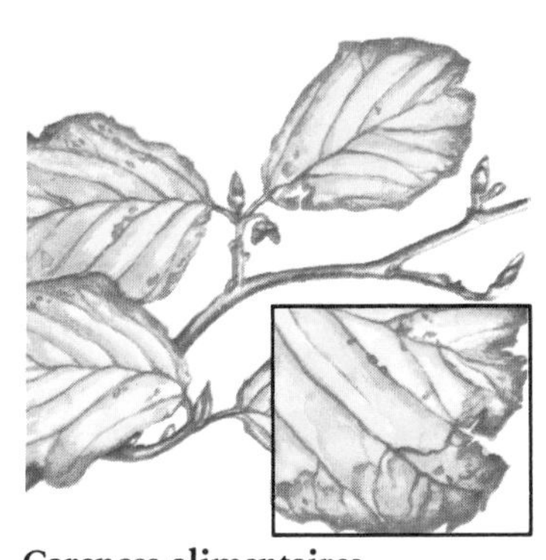

Carences alimentaires
Plantes exposées : Toutes.
Symptômes : Plusieurs feuilles virent au jaune et tombent prématurément.
Epoque d'apparition : Pendant la période active.
Traitement : Fertiliser au besoin, pailler ; ne jamais laisser le sol se dessécher, mais égoutter si le sol est gorgé d'eau. Pulvériser un engrais foliaire.

Brûlure
Plantes exposées : Pomme de terre et tomate.
Symptômes : Taches pourpres sur les feuilles avec amas duveteux blancs au revers. Les feuilles brunissent rapidement et pourrissent.
Epoque d'apparition : De la mi-été à la fin de la période active.
Traitement : Vaporisations tous les 10 à 14 jours, surtout en période humide, de bouillie bordelaise, ou d'un produit à base de cuivre, de manèbe ou de zinèbe. Vaporiser les pommes de terre avant la floraison, et les tomates dès l'apparition des fruits. Eliminer les organes qui pourrissent. Voir p. 475 l'illustration d'un tubercule de pomme de terre atteint de mildiou ; p. 471, d'une tomate atteinte de la même maladie.

Maladie hollandaise de l'orme
Plante exposée : Orme (*Ulmus americana*).
Symptômes : Les feuilles jaunissent puis brunissent ; les branches meurent. Le bois se colore de brun ; on voit les galeries creusées par les scolytes de l'orme sous l'écorce. Ce sont ces ravageurs qui transmettent d'un arbre à l'autre cette maladie cryptogamique.
Epoque d'apparition : De la fin du printemps au début de l'automne.
Traitement : Détruire les arbres morts ou très malades, et même les souches ; les brûler ou les envoyer à l'incinérateur local. Isoler le système radiculaire pour empêcher la maladie de se propager à d'autres arbres. Ecorcer les bûches avant de les empiler pour les brûler dans le foyer. Dans les cas bénins, on peut sauver l'arbre en supprimant les branches malades et en appliquant sur les plaies un enduit cicatrisant. En guise de mesure préventive, bien arroser les arbres. Faire des apports d'engrais au printemps et en automne pour les garder vigoureux. Supprimer les organes infestés. Pour réprimer le scolyte qui transmet la maladie, appliquer un concentré émulsionnable de méthoxychlore à 25% au tout début du printemps. Utiliser un pulvérisateur hydraulique ou un atomiseur à pression si les arbres sont grands. Consulter un expert. Planter des variétés réfractaires à la maladie. Voir aussi p. 18 et Scolytes de l'orme, p. 459.

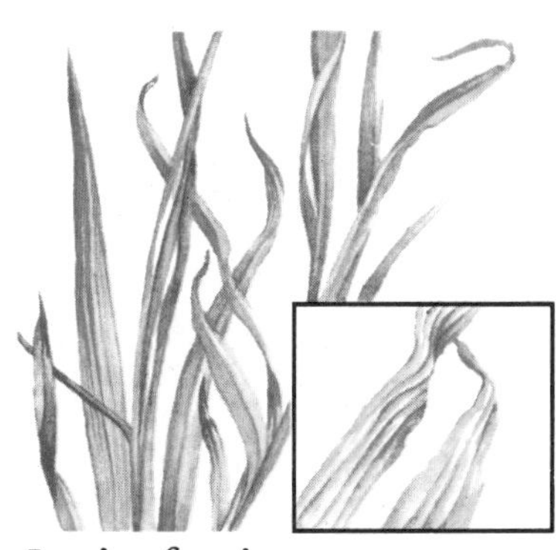

Jaunisse fusarienne
Plantes exposées : Freesia, glaïeul et œillet.
Symptômes : Jaunissement des feuilles.
Epoque d'apparition : Pendant la période active.
Traitement : Arracher et détruire les plantes malades. A la fin de la saison, plonger les cormes de freesia et de glaïeul dans du bénomyl ou du captane ; les planter dans une autre plate-bande le printemps suivant. Pour les œillets, stériliser le sol avec un jet de vapeur ou du métam-sodium.

Mildiou
Plantes exposées : Concombre, laitue, haricot de Lima, chou, oignon et vigne.
Symptômes : Taches jaunes sur le dessus et duvet blanc au revers.
Epoque d'apparition : En automne et au printemps.
Traitement : Déplacer les plants chaque année ; vaporiser de manèbe, de zinèbe ou de ziram. Pour la vigne, utiliser de la bouillie bordelaise ou un fongicide cuprique liquide dilué.

Fumagine
Plantes exposées : Plusieurs plantes de serre ou d'extérieur et surtout bouleau, camélia, chêne, citrus, prunier, rosier, saule et tilleul.
Symptômes : Dépôts noirs sur le dessus des feuilles ; les jeunes feuilles sont collantes.
Epoque d'apparition : En été et en automne.
Traitement : La fumagine apparaît sur les plants infestés de pucerons et de cochenilles farineuses ou autres. Contre ces ravageurs, vaporiser du diméthoate ou du malathion.

Araignées rouges des arbres fruitiers
Plantes exposées : Poirier, pommier, prunier et plantes apparentées.
Symptômes : Les vieilles feuilles virent au jaune bronze, sèchent et meurent. Présence de toiles.
Epoque d'apparition : De la mi-printemps à la fin de l'automne.
Traitement : En période de dormance, faire des vaporisations de dinosèbe ou d'huile de pétrole miscible. Tout de suite après la floraison, vaporiser de dicofol, de diméthoate, de malathion ou de tétradifon.

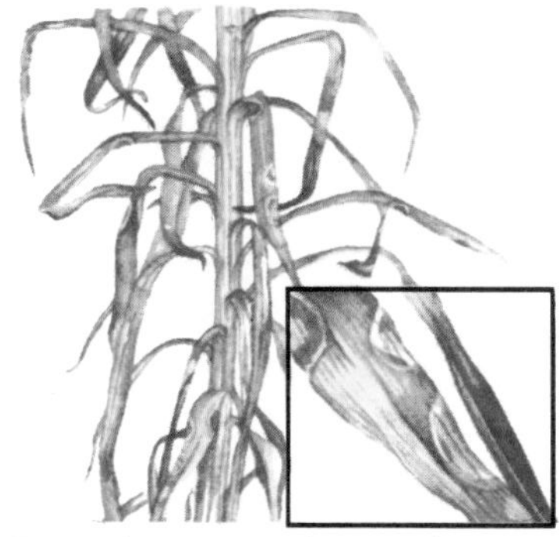

Botrytis ou pourriture grise
Plante exposée : Lis.
Symptômes : Taches ovales, d'abord imbibées d'eau puis brunes ; elles s'étendent et finissent par couvrir la feuille entière.
Epoque d'apparition : Avant la floraison.
Traitement : Vaporisations de bénomyl, de chlorothalonil ou de dichloran dès l'apparition des boutons floraux ; répéter tous les 10 à 14 jours.

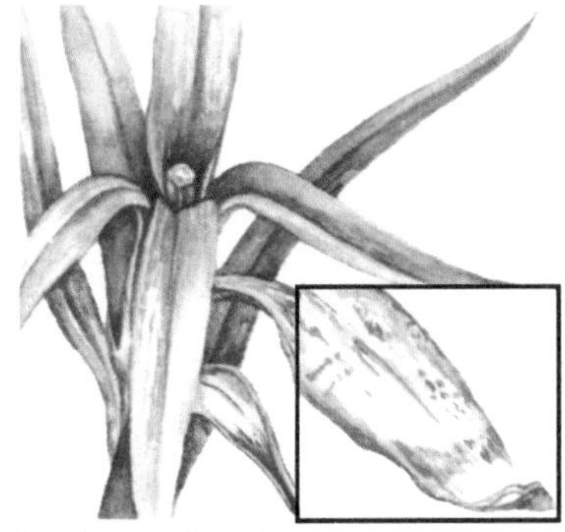

Flétrissure fusarienne
Plantes exposées : En particulier haricot, œillet et autres espèces du genre *Dianthus*, pois, pois de senteur et tomate.
Symptômes : Les feuilles se décolorent ; la plante se flétrit. La base des tiges se décolore aussi parfois.
Epoque d'apparition : Pendant la période active.
Traitement : Eliminer les plants malades. Cultiver des variétés réfractaires. Déplacer chaque année les sujets exposés. Ou stériliser le sol au formaldéhyde (0,5 l dilué dans 27 l d'eau) ; appliquer 27 l au mètre carré.

Pointe des feuilles roussie
Plantes exposées : Hippeastrum, lis du Bengale et narcisse.
Symptômes : Extrémités des feuilles brunies ou roussies.
Epoque d'apparition : Au printemps.
Traitement : Couper les extrémités grillées et faire des vaporisations de mancozèbe, de manèbe ou de zinèbe pour empêcher l'infection cryptogamique de progresser.

Dépérissement des bruyères
Plante exposée : Bruyère commune.
Symptômes : Dépérissement des pousses après coloration grise du feuillage. La plante entière peut mourir.
Epoque d'apparition : En tout temps.
Traitement : Arracher et détruire les plants malades. Ne pas cultiver d'autres bruyères au même endroit sans changer complètement le sol. Fumiger le sol au métam-sodium.

Sécheresse
Plantes exposées : Toutes.
Symptômes : Plusieurs feuilles virent à l'orange ou à d'autres teintes. Le feuillage tombe prématurément.
Epoque d'apparition : Pendant la période active.
Traitement : Pailler pour réduire l'évaporation ; ne pas laisser le sol se dessécher. Faire un apport d'engrais foliaire aux plantes menacées.

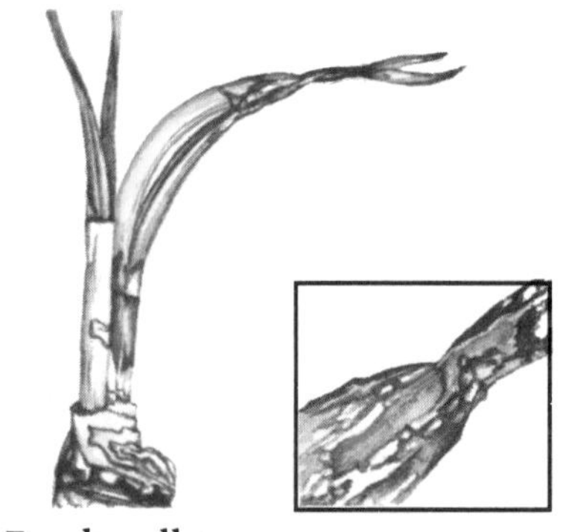

Feu du collet
Plante exposée : Narcisse.
Symptômes : Les feuilles pourrissent et se couvrent d'un feutrage gris.
Epoque d'apparition : Pendant l'entreposage et au printemps.
Traitement : Enlever et détruire les plantes dès qu'elles montrent des symptômes. Traiter les autres plants au manèbe tous les 10 jours ou à la bouillie bordelaise. Détruire les bulbes atteints.

Mineuses du buis
Plante exposée : Buis.
Symptômes : Boursouflures jaunes sur les feuilles dans lesquelles sont logés des ravageurs.
Epoque d'apparition : A la fin du printemps.
Traitement : A la fin du printemps, quand les ailes de la nymphe brunissent et deviennent apparentes à la face inférieure des feuilles, vaporiser un produit à base de carbaryl, de diazinon, de diméthoate, de malathion ou d'oxydéméton-méthyle.

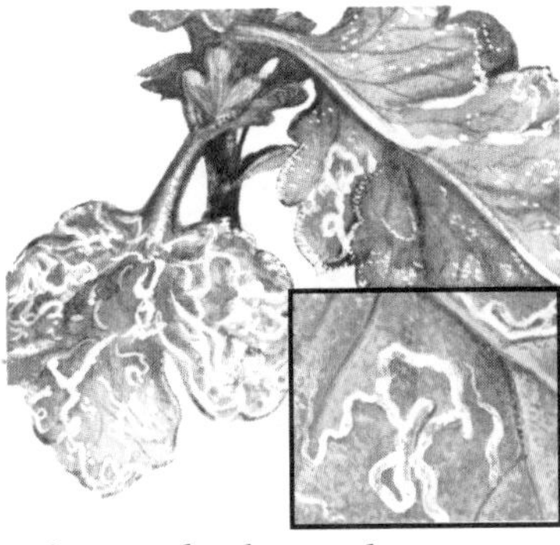

Mineuses du chrysanthème
Plantes exposées : Ancolie, chrysanthème, cinéraire et pois de senteur.
Symptômes : Galeries étroites et sinueuses, marquées par une décoloration blanche, dans le limbe des feuilles.
Epoque d'apparition : De la mi-été au début de l'hiver.
Traitement : Enlever et détruire les feuilles très attaquées. Vaporisations de carbaryl, de diazinon, d'endosulfan ou de nicotine quand les ravageurs sont en pleine activité. En serre, fumigations au dichlorvos, à la nicotine ou à la resméthrine.

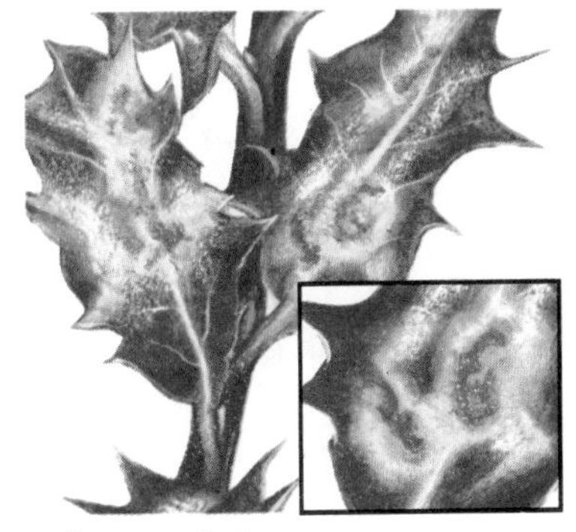

Mineuses du houx
Plante exposée : Houx.
Symptômes : Taches jaunes correspondant à des galeries dans les feuilles.
Epoque d'apparition : De la fin du printemps au début de l'hiver, mais les symptômes persistent toute l'année.
Traitement : Cueillir et détruire les feuilles attaquées. Vaporiser du diazinon, de l'oxydéméton-méthyle ou du trichlorfon, des deux côtés des feuilles, à la fin du printemps.

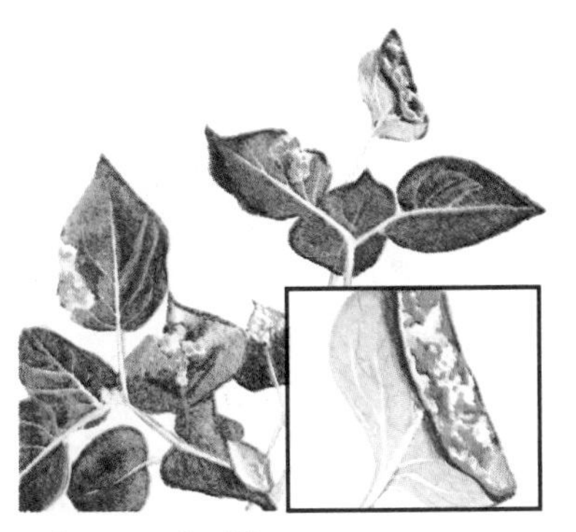

Mineuses du lilas
Plantes exposées : Lilas, ainsi que frêne et troène.
Symptômes : Tissu chlorophyllien des feuilles presque entièrement dévoré ; feuilles enroulées et déformées. Deux générations d'insectes par année.
Epoque d'apparition : Du début de l'été au début de l'automne.
Traitement : Enlever et détruire les feuilles malades. Vaporiser de diazinon ou de malathion à la fin du printemps. Répéter si nécessaire.

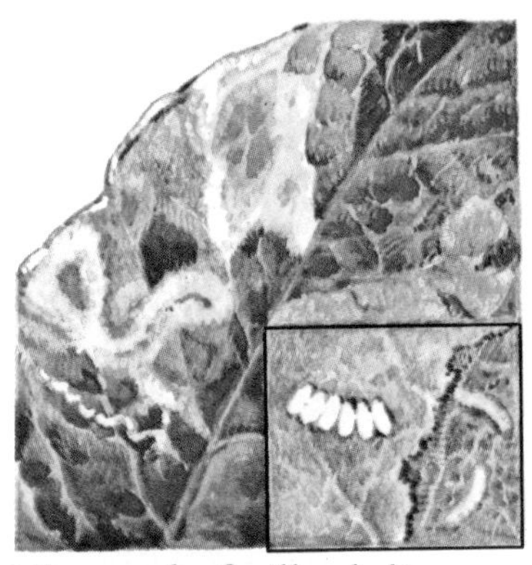

Mineuses des feuilles de légumes
Plantes exposées : Asperge, aubergine, bette à carde, betterave, épinard et maïs.
Symptômes : Boursouflures blanches sur les feuilles ou galeries dans le limbe.
Epoque d'apparition : Au printemps et au début de l'été.
Traitement : Vaporisations ou poudrages hebdomadaires de diazinon ou de malathion pendant 4 à 6 semaines. Détruire les feuilles attaquées.

Tarsonèmes
Plantes exposées : Bégonia, cyclamen, dahlia, fougères, fuchsia, gerbéra, lierre commun, pied-d'alouette et violette du Cap.
Symptômes : Dans les cas graves, feuilles déformées, enroulées sur leur pourtour et cassantes.
Epoque d'apparition : En tout temps.
Traitement : Vaporisations de dicofol, d'endosulfan ou de roténone.

Tordeuses du prunier
Plantes exposées : Prunier de Damas et autres variétés de pruniers.
Symptômes : Les jeunes feuilles se plissent et s'enroulent.
Epoque d'apparition : De la mi-printemps à la mi-été.
Traitement : Vaporisations de carbaryl ou de malathion au début du printemps, avant et après la floraison. Répéter si nécessaire.

Tordeuses du rosier
Plantes exposées : Rosiers buissonnants et grimpants.
Symptômes : Les feuilles s'enroulent. Feuilles et boutons floraux troués.
Epoque d'apparition : De la fin du printemps au milieu de l'été.
Traitement : A la fin du printemps, enlever et détruire les feuilles attaquées ou vaporiser de carbaryl ou de diméthoate tous les 15 jours.

Pucerons noirs du cerisier
Plantes exposées : Cerisiers d'ornement ou à fruits.
Symptômes : Feuilles tordues à l'extrémité des jeunes pousses.
Epoque d'apparition : De la fin du printemps à la mi-été.
Traitement : Vaporisations de carbaryl ou de malathion au début du printemps, avant et après la floraison. Répéter le traitement si nécessaire.

Cécidomyies de la violette
Plantes exposées : Le genre *Viola*.
Symptômes : Jeunes feuilles enroulées sur leur pourtour et très épaisses ; de petites galles font leur apparition.
Epoque d'apparition : Du début de l'été au début de l'hiver.
Traitement : Enlever et détruire les feuilles attaquées ; poudrer ou vaporiser les plants avec du carbaryl, du diazinon ou du méthoxychlore.

Cloque de l'azalée
Plantes exposées : Azalée et rhododendron à petites feuilles.
Symptômes : Feuilles très épaissies, d'abord vert pâle ou roses, puis blanches et finalement brunes.
Epoque d'apparition : En tout temps, mais les symptômes ne se manifestent pas toujours au début de l'infection.
Traitement : Couper et détruire les feuilles cloquées avant qu'elles blanchissent. Vaporiser avec de la bouillie bordelaise ou avec un fongicide à base de cuivre, de ferbam ou de zinèbe.

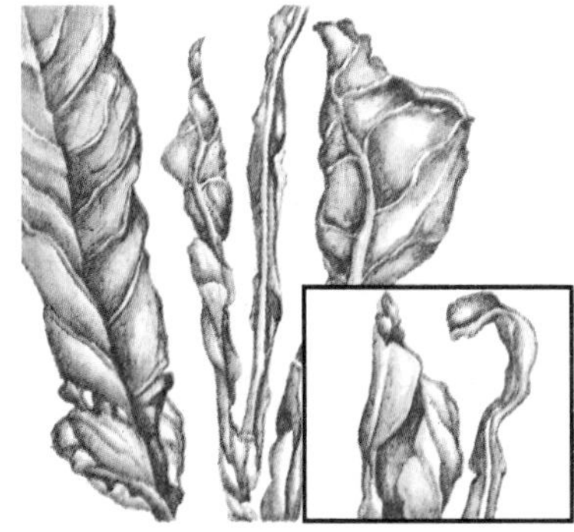

Carence en molybdène (feuilles en fouet)
Plantes exposées : Brocoli et chou-fleur.
Symptômes : Feuilles gaufrées, minces et filiformes.
Epoque d'apparition : Pendant la période active.
Traitement : Puisqu'il s'agit d'une carence alimentaire et d'un pH non élevé (sol acide), fertiliser, chauler, puis arroser avec une solution de molybdène.

Anguillules des tiges et des bulbes
Plantes exposées : Jacinthe, narcisse, tulipe et autres bulbes.
Symptômes : Feuilles déformées et rabougries avec des boursouflures jaunes.
Epoque d'apparition : De la mi-hiver à la fin du printemps.
Traitement : Détruire les plants attaqués. Faire tremper les bulbes infestés dans de l'eau très chaude (45°C) additionnée de formaldéhyde pendant 3 heures. Aussi vaporisations de diazinon ou fumigations au dichlorvos.

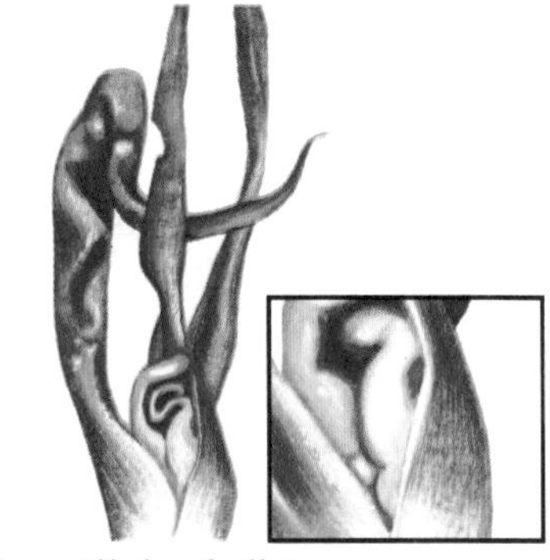

Anguillules de l'oignon
Plantes exposées : Oignon, ainsi que ciboulette et ail.
Symptômes : Feuilles renflées.
Epoque d'apparition : Du début à la fin de l'été.
Traitement : Arracher et détruire ou enterrer profondément les plants attaqués. Pratiquer une rotation de 3 ans et cultiver à partir de semis et non de bulbes.

Anguillules du phlox
Plante exposée : Phlox vivace.
Symptômes : Feuilles filiformes, plissées, enflées et enroulées. Jeunes feuilles anormalement étroites qui meurent prématurément.
Epoque d'apparition : Du début du printemps au début de l'été.
Traitement : Détruire les plants gravement atteints. Prélever des boutures de racines sur des sujets sains, mais ne pas les replanter dans le même sol. Un insecticide systémique, par exemple le diméthoate, peut être utile.

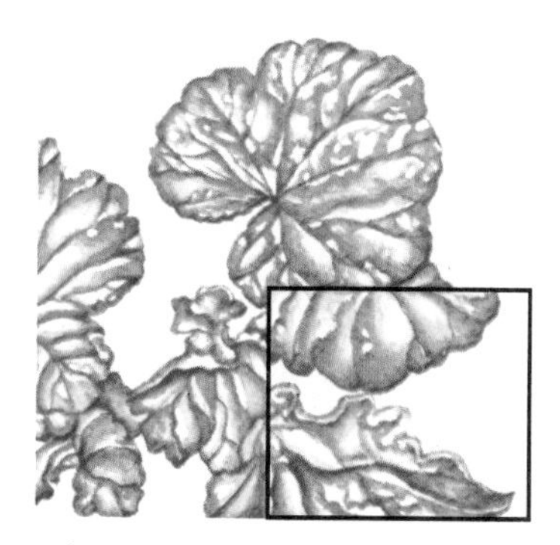

Virose

Plantes exposées : Plusieurs genres, mais particulièrement courge, fraisier, géranium (*Pelargonium*) et lis.
Symptômes : Feuilles crispées, petites, parfois de forme irrégulière.
Epoque d'apparition : Pendant la période active.
Traitement : Détruire les plantes atteintes. Vaporiser avec un produit à base de malathion pour combattre les pucerons et autres insectes vecteurs.

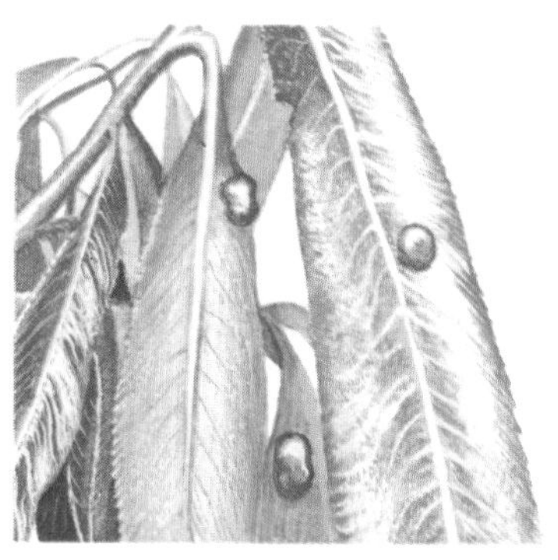

Cécidomyies du saule

Plante exposée : Saule.
Symptômes : Petites galles vertes, jaunes ou rouges, en forme de haricot, sur les deux côtés des feuilles.
Epoque d'apparition : Du début à la fin de l'été.
Traitement : Enlever et détruire les galles. Consulter un spécialiste au besoin, le problème étant difficile à résoudre. Les dommages sont peu graves.

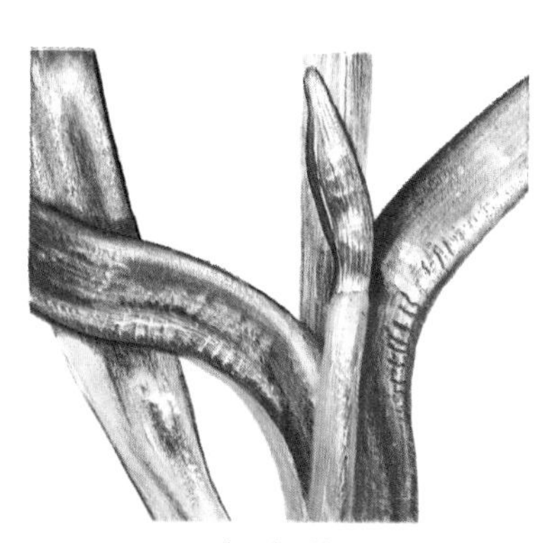

Tarsonèmes des bulbes

Plantes exposées : Hyppeastrum et narcisse.
Symptômes : Feuilles tordues ; cicatrices brunes ou rouges.
Epoque d'apparition : De la mi-hiver à la mi-printemps pour les narcisses, surtout les bulbes forcés.
Traitement : Détruire les plants et les bulbes gravement attaqués. Exposer les bulbes en dormance pendant 2 ou 3 nuits au gel ou les plonger 1 ou 2 heures dans l'eau chaude à 45°C. Avant la plantation, traiter au dicofol.

Hernie

Plantes exposées : Brassicas (brocoli, chou, chou-fleur), giroflée de muraille et giroflée des jardins.
Symptômes : Feuilles flétries et décolorées ; galles sur les racines.
Epoque d'apparition : Pendant la période active.
Traitement : Améliorer le drainage si nécessaire. Ajouter au sol 6 kg de calcaire hydraté pour une surface de 25 m^2 et mettre de la poudre de calomel à 4% dans les trous de plantation. Effectuer de longues rotations ou stériliser le sol au dazomet.

Coup de gel

Plantes exposées : Camélia, chrysanthème, pommier, rhododendron et plusieurs autres.
Symptômes : Chez les camélias et les rhododendrons, les feuilles sont déformées, surtout à la pointe. Chez les autres, elles se rident et se cloquent au revers.
Epoque d'apparition : Au printemps et en automne.
Traitement : Aucun. Prendre des mesures préventives.

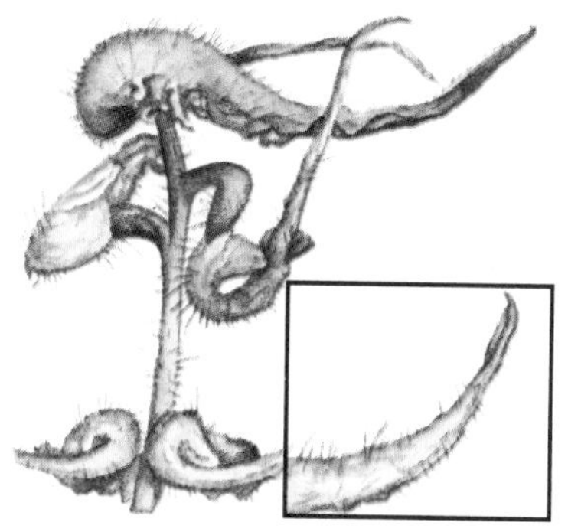

Dégâts d'un herbicide aux phytohormones

Plantes exposées : Toutes, mais spécialement tomate et vigne.
Symptômes : Feuilles étroites, enroulées, en forme d'éventail ou souvent creusées en gouttière.
Epoque d'apparition : Pendant la saison active.
Traitement : Aucun quand les dégâts sont faits. Ne pas appliquer d'herbicide par grand vent ; ne pas employer l'épandeur à d'autres fins. Détruire les coupes de gazon récemment traité.

Verticilliose
Plantes exposées : Aster vivace, chrysanthème, érable, fustet, muflier, œillet, sumac et tomate. Se produit au jardin et en serre.
Symptômes : Flétrissement progressif des feuilles sur plusieurs pousses ; les branches malades dépérissent. Toutes les feuilles des plants de tomate sont atteintes, mais elles se remettent, la nuit tombée.
Epoque d'apparition : Pendant la période active.
Traitement : Rabattre les branches malades des arbres et arbustes sur du tissu sain ; enduire les plaies. Si la maladie persiste, arracher le plant, le détruire et le remplacer par une variété moins vulnérable. Dans la serre, détruire les plantes malades ; isoler le sol infecté pour que les plantes saines voisines ne soient pas en contact avec celui-ci ; stériliser toute la serre en fin de saison. S'il est nécessaire de multiplier des plants atteints, prélever des boutures terminales vigoureuses ; la maladie attaque plus rarement les extrémités que les organes situés près des racines.

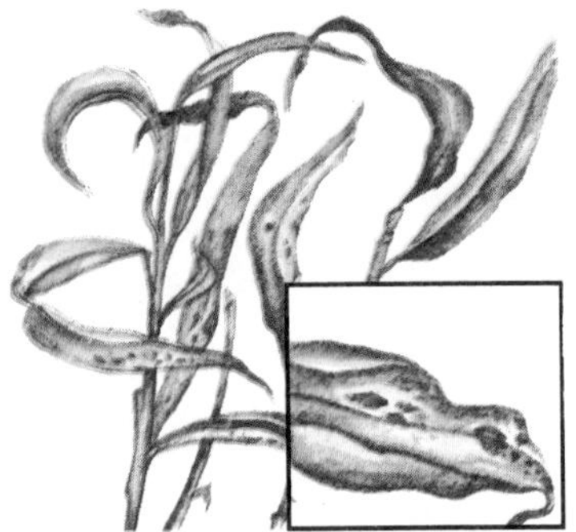

Anthracnose du saule
Plante exposée : Saule.
Symptômes : Les feuilles s'enroulent, se tachent et tombent prématurément.
Epoque d'apparition : A la feuillaison et parfois durant les étés humides.
Traitement : Détruire les feuilles tombées. Traiter les jeunes arbres avec un fongicide (captane, bouillie bordelaise, etc.). Répéter le traitement au moins deux fois durant l'été.

Phytoptes
Plantes exposées : Erable et saule.
Symptômes : Eruption de petites galles rouges, allongées ou sphériques, sur la face supérieure des feuilles.
Epoque d'apparition : Du début de l'été à la mi-automne.
Traitement : Enlever et détruire les feuilles atteintes ; pulvérisations de bouillie soufrée au printemps. A la feuillaison, vaporiser de dicofol ou d'endosulfan.

Cynips
Plantes exposées : Chêne, certaines espèces de rosiers et de saules.
Symptômes : Des galles apparaissent sur le feuillage, parfois solitaires, parfois très nombreuses.
Epoque d'apparition : Pendant la période active.
Traitement : Couper et détruire la partie atteinte. Vaporiser d'huile miscible en période de dormance.

Pucerons du groseillier
Plante exposée : Groseillier.
Symptômes : Cloques de forme irrégulière, rouges ou vertes, sur les feuilles.
Epoque d'apparition : De la fin du printemps au début de l'été.
Traitement : Traiter au dinosèbe ou à l'huile miscible à la mi-hiver pour tuer les œufs ; vaporiser avec un insecticide systémique, par exemple le diméthoate, au printemps, juste avant la floraison. Répéter après la floraison si nécessaire.

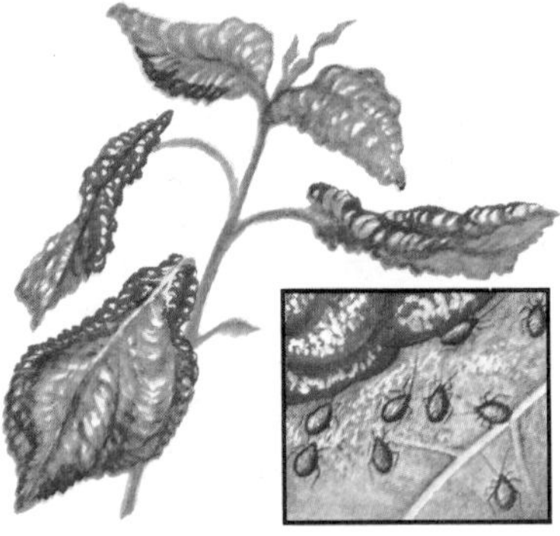

Pucerons du pommier
Plante exposée : Pommier.
Symptômes : Feuilles plissées et déformées, à marge parfois enroulée, épaissie et rouge.
Epoque d'apparition : De la fin du printemps au milieu de l'été.
Traitement : Vaporiser avec un insecticide systémique comme le diméthoate juste avant la floraison et répéter après la floraison si nécessaire. On peut aussi utiliser des insecticides non systémiques : carbaryl, endosulfan ou malathion.

Cloque du pêcher
Plantes exposées : Pêcher, nectarinier et amandier, à fruits et à fleurs.
Symptômes : Grosses cloques rouges sur les feuilles qui deviennent blanches puis brunes et tombent prématurément.
Epoque d'apparition : Avant l'épanouissement des boutons.
Traitement : Pulvériser un fongicide à base de bouillie bordelaise, de ferbam, de bouillie soufrée ou de zinèbe à la mi-hiver ; répéter 7 à 14 jours plus tard et avant la chute des feuilles. Enlever et détruire les feuilles atteintes.

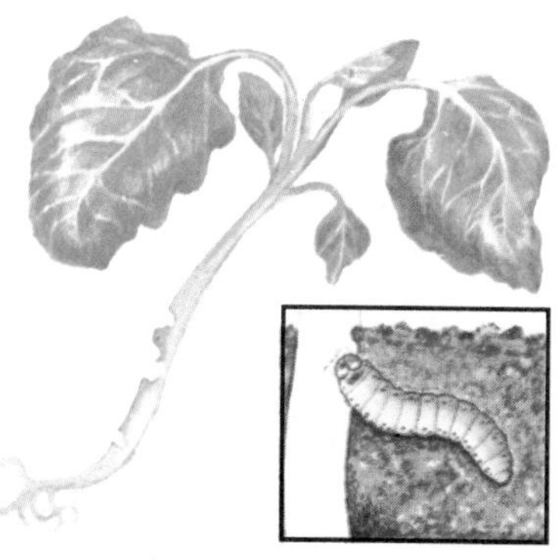

Vers gris
Plantes exposées : Laitue, autres légumes et jeunes plantes annuelles.
Symptômes : Pousses dévorées au ras du sol. Grosses chenilles dans le sol ; en creusant autour des plantes avec les doigts, on les voit apparaître ; elles sont gris-brun ou noires et s'arquent quand on les dérange.
Epoque d'apparition : Au début du printemps et à la fin de l'été.
Traitement : Supprimer les mauvaises herbes ; incorporer de petites quantités de poudre de diazinon ou de méthoxychlore dans le sol autour des plants. Protéger les semences avec du thirame.

Pucerons
Plantes exposées : De très nombreuses plantes, mais surtout rosier et haricot mange-tout.
Symptômes : Colonies de ravageurs sur les jeunes pousses.
Epoque d'apparition : De la fin du printemps à la mi-été au jardin.
Traitement : Utiliser un insecticide systémique comme le diméthoate ou non systémique comme le malathion. Voir aussi Pucerons, p. 445.

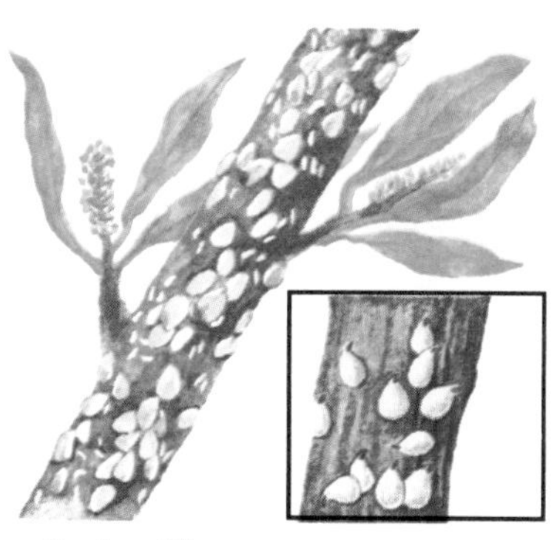

Cochenilles
Plantes exposées : Plusieurs plantes de serre ou de jardin, mais aussi céanothe, cotonéaster, hêtre, magnolia et marronnier.
Symptômes : Colonies de cochenilles sur les vieilles pousses.
Epoque d'apparition : En tout temps ; surtout à la fin du printemps et en été.
Traitement : Vaporisations de malathion ou d'insecticide systémique (oxydéméton-méthyle). Voir aussi Cochenilles, p. 445.

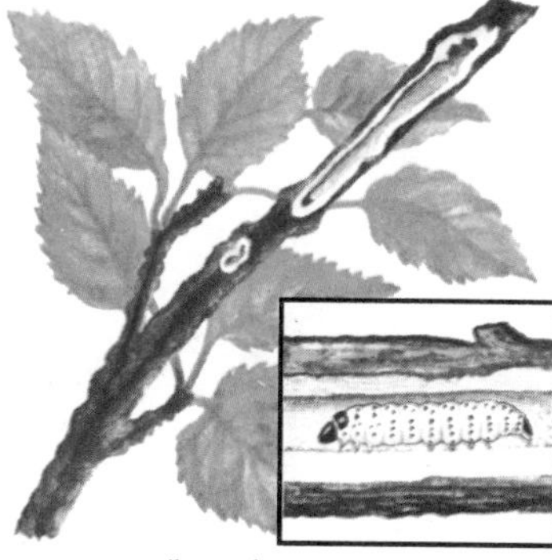

Zeuzères (larves)
Plantes exposées : Poirier et pommier (à fruits et à fleurs) ; aubépine, bouleau, cerisier, cotonéaster, frêne et autres.
Symptômes : Galeries creusées dans les branches entraînant le flétrissement des feuilles.
Epoque d'apparition : En tout temps.
Traitement : Vaporiser les troncs et les branches d'endosulfan ou de lindane. Placer des boules de naphtaline au pied des arbres.

Scolytes de l'orme
Plante exposée : Orme.
Symptômes : Galeries sous l'écorce.
Epoque d'apparition : Pendant la période active.
Traitement : Supprimer le bois mort attaqué, ainsi que les souches et les racines, durant l'hiver et les incinérer. Vaporiser les arbres menacés avec un concentré émulsionné de méthoxychlore à 25%, du début au milieu du printemps. Voir aussi p. 18 et Maladie hollandaise de l'orme, p. 453.

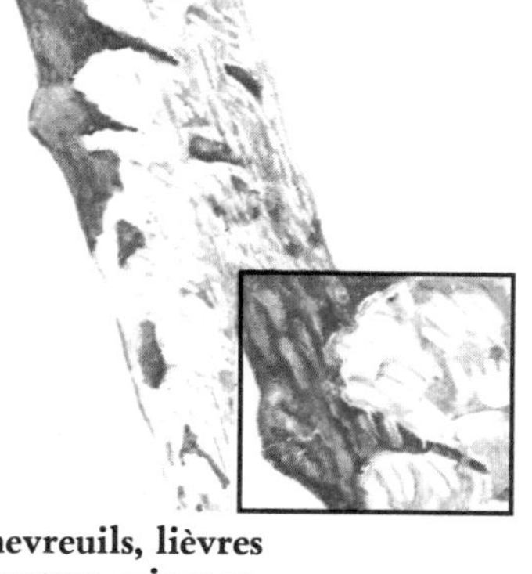

Chevreuils, lièvres et autres animaux
Plantes exposées : Jeunes arbres.
Symptômes : Ecorce rongée sur les tiges ligneuses au niveau du sol ou juste au-dessus.
Epoque d'apparition : En hiver et au début du printemps.
Traitement : Protéger les pousses des jeunes arbres par des spirales spéciales enroulées autour des troncs ou du grillage métallique à mailles fines.

Contre les chevreuils, vaporiser le feuillage et l'écorce, en automne et en période active, avec du thiram 42-S à raison de 2 l pour 4,5 l d'eau. Le sang desséché est un répulsif efficace.

Contre les lièvres, badigeonner les troncs en automne d'un mélange de colophane (3 kg) et d'alcool dénaturé (4,5 l) ou de thirame additionné d'un bon adhésif. Il existe des mélanges commerciaux.

Contre les souris, on trouve dans les quincailleries des appâts de phosphure de zinc 1-2% ainsi que divers produits répulsifs.

Brûlure des dards

Plantes exposées : Framboisier et mûrier de Logan.
Symptômes : Amas pourpres devenant argentés sur les cannes.
Epoque d'apparition : Au printemps et en été.
Traitement : Couper les vieilles cannes infectées après la fructification et rabattre les cannes chétives le plus tôt possible. Vaporiser de bénomyl, de captane ou de thirame après la pousse des cannes et répéter le traitement 3 ou 4 fois tous les 10 à 14 jours. Si l'on emploie du thiophanate-méthyle, en appliquer d'abord à l'éclatement des boutons, puis tous les 14 jours jusqu'à la fin de la floraison. Une autre méthode, moins efficace, consiste à pulvériser un fongicide cuprique lors de l'éclatement des boutons, puis à nouveau au moment où l'extrémité des fleurs est tout juste blanche.

Pucerons lanigères

Plantes exposées : Aubépine, cotonéaster, pommier et sorbier.
Symptômes : Gonflements ligneux et flocons blancs et laineux sur le tronc et les branches.
Epoque d'apparition : Du milieu du printemps au début de l'automne.
Traitement : Badigeonner une solution de carbaryl, d'endosulfan ou de malathion sur les régions attaquées dès l'apparition des symptômes, ou utiliser les mêmes produits en vaporisations. On peut aussi employer un insecticide systémique comme le diméthoate.

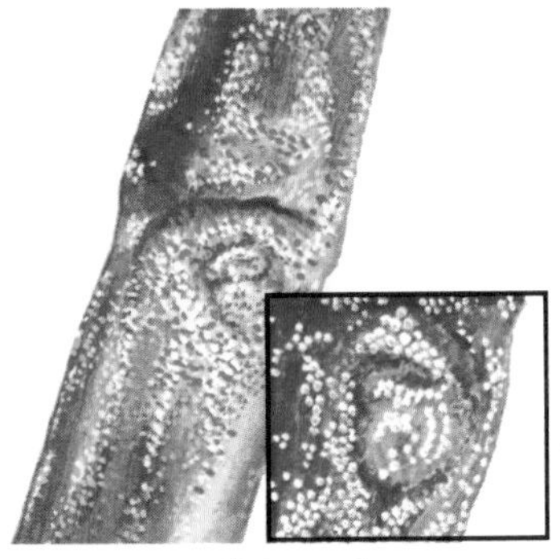

Tétranyques à deux points et araignées rouges des arbres fruitiers

Plantes exposées : Pêcher, pommier et prunier.
Symptômes : Petits œufs ronds, brun-rouge, sur les pousses, généralement près des boutons.
Epoque d'apparition : De la fin de l'automne à la mi-printemps.
Traitement : Vaporiser de dinosèbe ou d'huile miscible en période de dormance, puis de dicofol, de diméthoate ou de malathion après la floraison. Répéter 3 semaines plus tard si nécessaire.

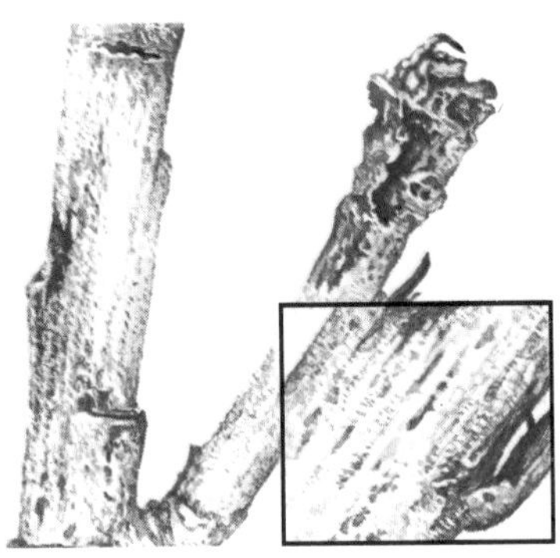

Blanc

Plantes exposées : Aster vivace, fusain, groseillier à maquereau, pommier, rosier et plusieurs autres plantes.
Symptômes : Dépôts poudreux blancs sur les pousses.
Epoque d'apparition : Pendant la période active.
Traitement : Couper les pousses malades en fin de saison. Voir Blanc, p. 451.

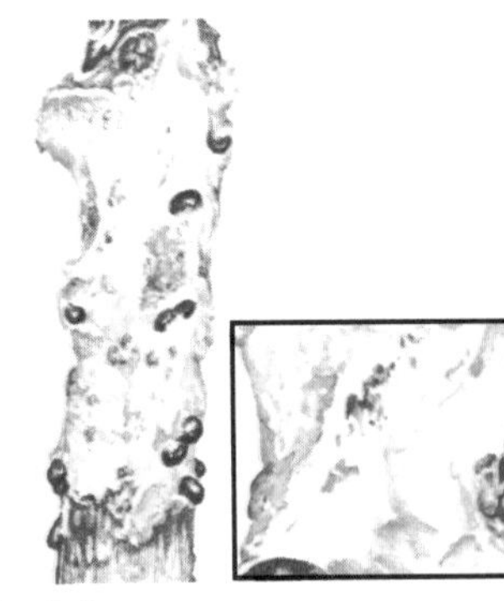

Sclérotinia

Plantes exposées : Plusieurs plantes, dont surtout le dahlia.
Symptômes : Amas feutré de champignons blancs avec de grandes régions noires. Les tiges pourrissent.
Epoque d'apparition : Au printemps et en été.
Traitement : Détruire les parties atteintes.

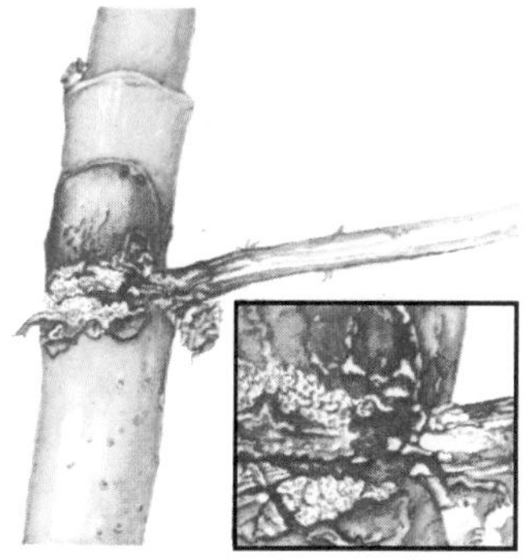

Botrytis ou pourriture grise
Plantes exposées : Toutes, mais surtout clarkie, groseillier à maquereau, magnolia, rosier et zinnia. Atteint aussi les boutures.
Symptômes : Pourrissement des tiges qui se couvrent d'un duvet gris.
Epoque d'apparition : Pendant la période active en climat humide.
Traitement : Couper les tiges atteintes et vaporiser de bénomyl, de captane, de dichloran, de thirame ou de zinèbe.
Pour les feuilles, voir p. 449 ; pour la laitue, p. 466 ; pour la pivoine, p. 467 ; pour les fleurs, p. 468 ; pour les petits fruits, p. 471 ; et pour les tomates, p. 472.

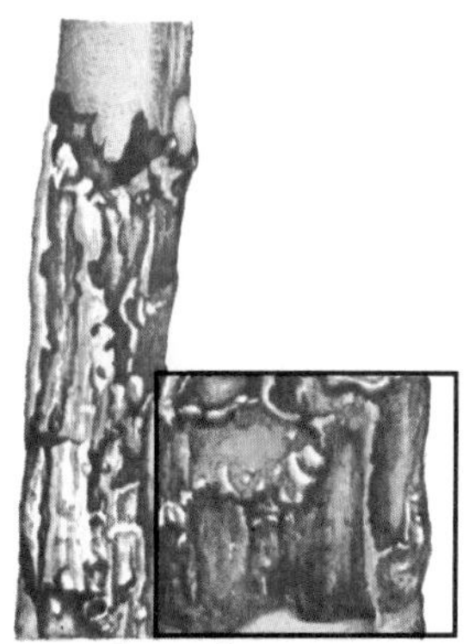

Anthracnose du saule
Plante exposée : Saule pleureur.
Symptômes : Chancres bruns.
Epoque d'apparition : Pendant la période active.
Traitement : Enlever les pousses malades. Vaporiser avec de la bouillie bordelaise ou un fongicide cuprique 2 fois durant l'été.

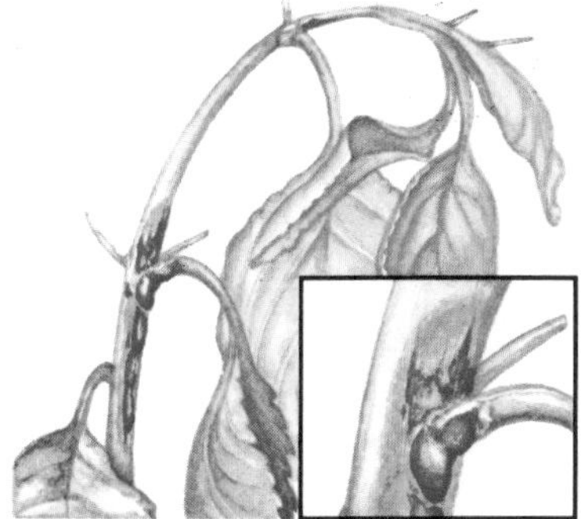

Chancre bactérien des drupes
Plantes exposées : Cerisier, poirier, prunier (de Damas) et *Prunus* à fleurs.
Symptômes : Exsudation de forme allongée et aplatie porteuse d'un chancre se formant sur les pousses. Celles-ci dépérissent et les feuilles se fanent prématurément.
Epoque d'apparition : En automne et en hiver, mais les symptômes n'apparaissent que le printemps ou l'été suivant.
Traitement : Supprimer les branches infectées en été et recouvrir les plaies d'un enduit cicatrisant. De la fin de l'été à la mi-automne, vaporiser le feuillage de bouillie bordelaise.

Balai de sorcière
Plantes exposées : Bouleau, micocoulier, différentes espèces de *Prunus*, autres arbres et arbustes.
Symptômes : Apparition de plusieurs tiges à feuillage gaufré poussant en un même point ou en rassemblement sur les branches attaquées.
Epoque d'apparition : Pendant toute la vie de la plante.
Traitement : Couper la branche malade à 15 cm sous le balai et recouvrir la plaie d'un enduit cicatrisant.

Gommose
Plantes exposées : Cerisier et *Prunus*.
Symptômes : Exsudation de gomme qui finit par durcir.
Epoque d'apparition : En tout temps.
Traitement : Fertiliser, pailler et arroser. Enlever la gomme pour pouvoir supprimer le bois mort en dessous. Recouvrir les plaies d'un enduit cicatrisant.

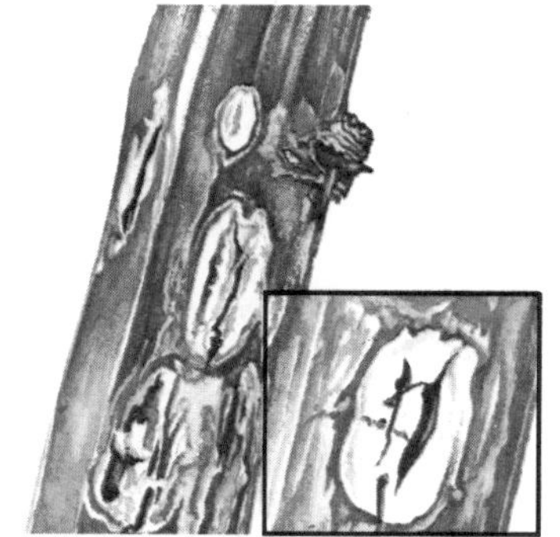

Anthracnose du framboisier ou tache de la tige
Plantes exposées : Framboisier, mûrier de Logan et autres ronces fruitières.
Symptômes : Taches d'abord rondes, puis elliptiques et blanches à bordure pourpre, d'environ 0,5 cm de long, qui se fendent pour former des crevasses. Les feuilles peuvent être marquées, et les fruits déformés.
Epoque d'apparition : De la fin du printemps à la mi-automne.
Traitement : Couper et détruire les cannes gravement atteintes. Vaporiser les framboisiers de calcaire soufré à 5% au moment de l'éclatement des bourgeons et à 2½% immédiatement après la floraison. Ou utiliser un fongicide à base de cuivre ou de thirame aux mêmes moments, ou du bénomyl ou du thiophanate-méthyle tous les 14 jours depuis l'éclatement des bourgeons jusqu'à la fin de la floraison. Pour les mûriers de Logan, employer un fongicide cuprique ou à base de thirame avant la floraison et dès que les fruits sont établis, ou utiliser du bénomyl ou du thiophanate-méthyle comme pour les framboisiers. Laver les fruits avant de les manger ou de les apprêter.

Rouille du rosier
Plante exposée : Rosier (dans l'ouest du Canada).
Symptômes : Minuscules taches orange au revers des feuilles et marques jaune clair sur le dessus. Renflements sur la tige, qui éclatent en révélant une masse de spores poudreuse, orange vif.
Epoque d'apparition : Au printemps et en été.
Traitement : Couper et détruire les pousses atteintes. Vaporiser avec du manèbe ou un autre fongicide. Voir aussi Rouille, p. 448.

Flétrissement de la clématite
Plante exposée : Clématite.
Symptômes : Une ou plusieurs tiges se dessèchent et meurent rapidement.
Epoque d'apparition : Pendant la période active.
Traitement : Couper les tiges malades, même en dessous du sol. Vaporiser les nouvelles pousses de l'année ou du printemps suivant avec un fongicide à base de bénomyl, de cuivre, de dodine ou de zinèbe. Imbiber le sol de métam-sodium avant la plantation ou en mettre autour des plants.

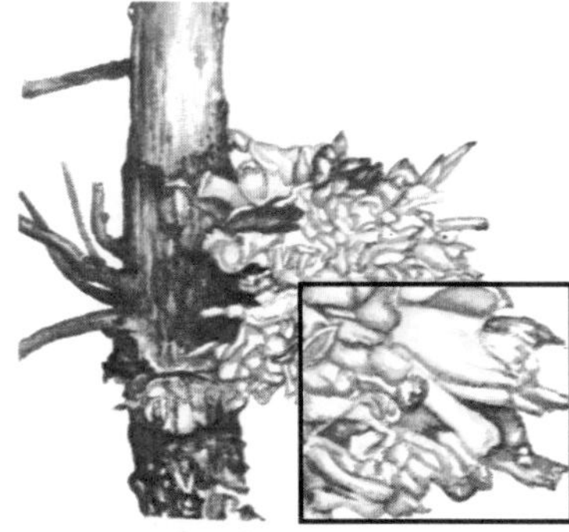

Tumeur des feuilles
Plantes exposées : Différentes plantes, mais surtout chrysanthème, dahlia, fraisier, géranium (*Pelargonium*), glaïeul, œillet de poète et pois de senteur.
Symptômes : Pousses avortées, souvent aplaties, apparaissant au ras du sol, avec des feuilles épaissies et déformées.
Epoque d'apparition : A la multiplication et durant toute la période active.
Traitement : Couper les régions atteintes ou détruire tout le plant. Choisir une plante moins vulnérable.

Flétrissement du pétunia
Plantes exposées : Pétunia, salpiglossis, zinnia et autres plantes de plates-bandes.
Symptômes : La plante se flétrit, souvent juste avant la floraison.
Epoque d'apparition : Pendant la période active.
Traitement : Détruire les plantes malades. Changer de place chaque année les plantes vulnérables. Arroser les trous de plantation avec un fongicide cuprique ; en vaporiser abondamment les plantes chaque semaine. Désinfecter le sol au quintozène ou le stériliser.

Rouille de la menthe
Plante exposée : Menthe.
Symptômes : Tiges renflées, déformées et couvertes de pustules orange pleines de spores.
Epoque d'apparition : Manifestation des symptômes au printemps, mais la maladie est chronique.
Traitement : Couper et détruire les tiges malades ; vaporiser les plants avec un fongicide à base de manèbe. Voir aussi Rouille, p. 448.

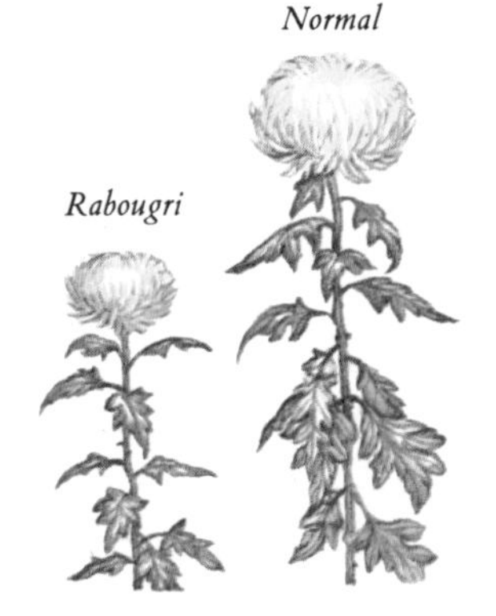

Virose
Plantes exposées : Toutes, mais surtout chrysanthème, dahlia, fraisier, lis, mûre et tomate.
Symptômes : Plants très rabougris, feuilles décolorées et maigres fleurs. Les fruits n'arrivent pas à maturité.
Epoque d'apparition : Pendant la période active.
Traitement : Arracher et détruire les plants. Attention aux cicadelles et aux pucerons.

Fasciation
Plantes exposées : Plusieurs, mais surtout forsythie, lis, pied-d'alouette et espèces du genre *Prunus*.
Symptômes : Aplatissement des tiges.
Epoque d'apparition : Généralement au printemps, mais les symptômes ne se manifestent que plus tard.
Traitement : Rabattre les tiges des plantes ligneuses sur du tissu sain. Aucun traitement pour les plantes herbacées.

Flétrissement de la reine-marguerite
Plante exposée : Reine-marguerite.
Symptômes : Le flétrissement se produit généralement juste avant la floraison. Une coloration rose sur les tiges indique la présence du champignon.
Epoque d'apparition : En été.
Traitement : Détruire les plants malades. Désinfecter le sol au métam-sodium. Cultiver des variétés non vulnérables, dans une autre plate-bande.

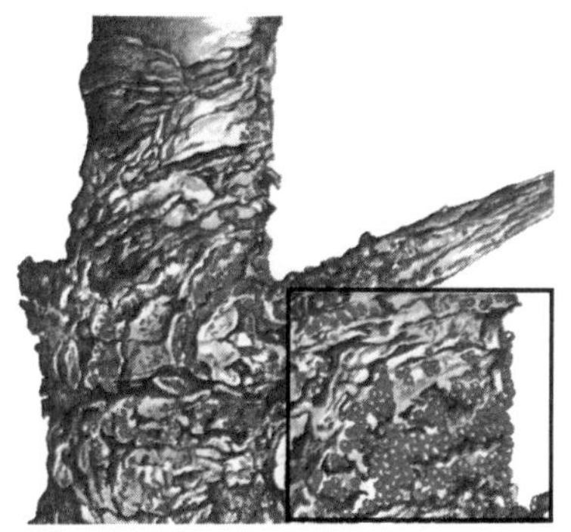

Chancre du pommier
Plantes exposées : Pommier ; plus rarement frêne, hêtre, peuplier, poirier et sorbier.
Symptômes : Chancre elliptique s'accompagnant d'un rétrécissement de l'écorce en cercles concentriques qui fait apparaître les tissus internes. La branche malade dépérit.
Epoque d'apparition : En tout temps.
Traitement : Couper et détruire les coursonnes et les petites branches atteintes. Parer les grosses branches et le tronc en enlevant tous les tissus infectés et détruire ceux-ci. Recouvrir les plaies d'un enduit cicatrisant. Vaporiser une première fois les sujets gravement atteints avec de la bouillie bordelaise juste avant qu'ils ne perdent leurs feuilles, une deuxième fois lorsqu'ils ont perdu la moitié de leurs feuilles et une troisième fois lors de l'éclatement des bourgeons. Des vaporisations de bénomyl contre la tavelure agiront aussi contre le chancre. Améliorer le drainage du sol si celui-ci retient trop l'eau, ce facteur pouvant aggraver la maladie.

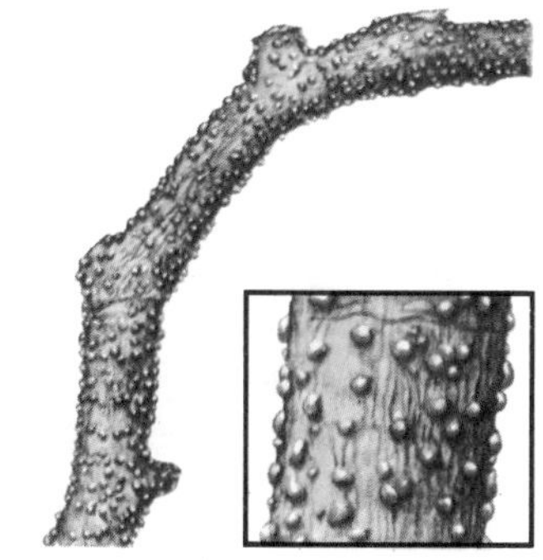

Chancre nectrien ou maladie du corail
Plantes exposées : Erable, figuier, groseillier, magnolia et autres arbres.
Symptômes : Dépérissement des pousses ou des branches causé par des pustules corail sur le bois mort. L'arbre peut mourir.
Epoque d'apparition : En tout temps.
Traitement : Rabattre le bois mort 5 à 10 cm en dessous de la région atteinte et le détruire. Fertiliser et pailler ; arroser ou assécher selon le cas. Après la taille, vaporisations de cuivre ou de zinèbe.

Feu bactérien
Plantes exposées : Aubépine, cotonéaster, poirier, pommier et sorbier.
Symptômes : Les coursonnes florifères meurent ; les feuilles sèchent et des chancres naissent à leur base.
Epoque d'apparition : A la floraison.
Traitement : Rabattre et détruire les parties malades. Tailler 10 à 15 cm au moins sous la blessure. Désinfecter le sécateur entre les coupes avec de l'eau de Javel diluée de moitié. Vaporisations de streptomycine.

Chancre du peuplier
Plante exposée : Peuplier.
Symptômes : Chancres de 0,5 à 15 cm de long apparaissant sur les pousses, les branches et parfois le tronc. Les jeunes pousses dépérissent au début de l'été.
Epoque d'apparition : En tout temps.
Traitement : Détruire les arbres gravement malades ; chez les sujets moins atteints, couper et détruire les parties portant des chancres. Enduire les plaies d'un produit cicatrisant.

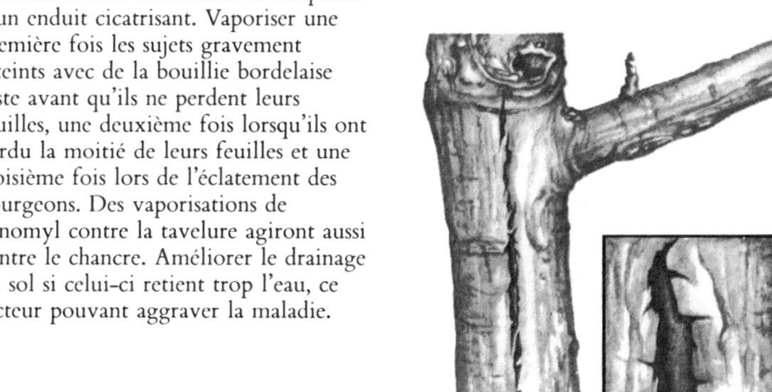

Eclatement de l'écorce
Plantes exposées : Différents types d'arbres et notamment les arbres fruitiers.
Symptômes : L'écorce éclate et les craquelures s'ouvrent.
Epoque d'apparition : En tout temps.
Traitement : Couper le bois mort ; enlever l'écorce qui se soulève de manière à nettoyer la plaie. Enduire la plaie d'un produit cicatrisant. Fertiliser, pailler et arroser judicieusement.

Tavelure
Plantes exposées : Poirier et pommier.
Symptômes : Petites crevasses pustuleuses sur les jeunes pousses ; l'écorce éclate dévoilant des craquelures.
Epoque d'apparition : Pendant la période active.
Traitement : Supprimer les pousses craquelées. Vaporiser périodiquement avec un fongicide à base de bénomyl depuis l'apparition des boutons floraux jusqu'à la mi-été. Voir aussi Tavelure, p. 448.

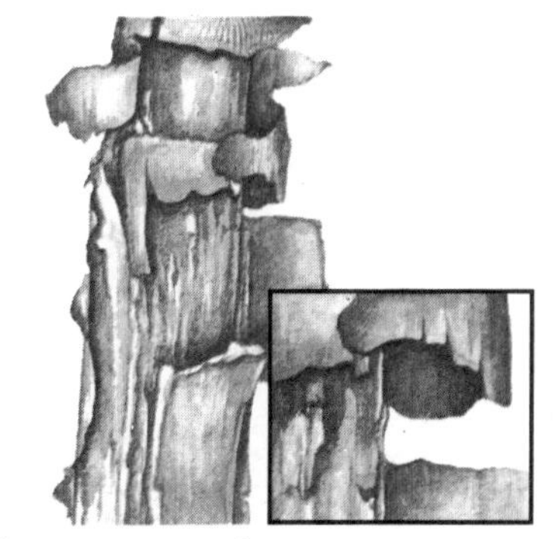

Ecorce papyracée
Plantes exposées : Différents genres, mais surtout pommier, sorbier et viorne.
Symptômes : L'écorce devient mince et pèle. Lorsque la blessure encercle la branche, celle-ci dépérit.
Epoque d'apparition : En tout temps.
Traitement : Voir Troubles du système radiculaire, p. 464. Quand la blessure ne fait pas le tour de l'organe, enlever l'écorce qui pèle et enduire la plaie d'un produit cicatrisant.

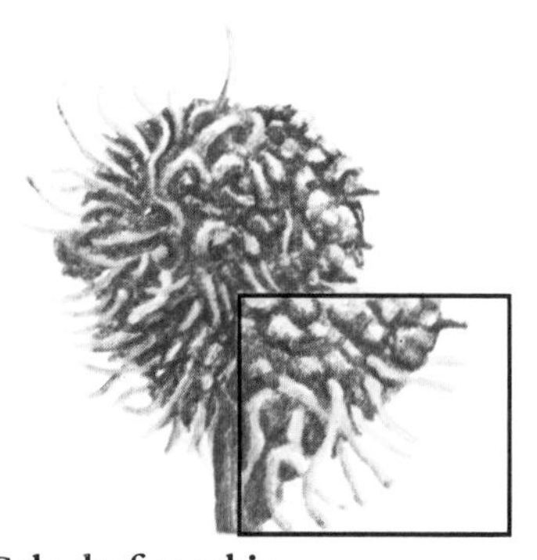

Gale du forsythia
Plante exposée : Forsythia.
Symptômes : Des excroissances allant de la grosseur d'un pois à celle d'une balle de tennis se forment sur les tiges.
Epoque d'apparition : Parfois quand les arbustes ont 5 ans, mais habituellement plus tard.
Traitement : Couper et détruire les parties atteintes. Après chaque taille, stériliser le sécateur avec un agent de blanchiment liquide au chlore dilué de moitié.

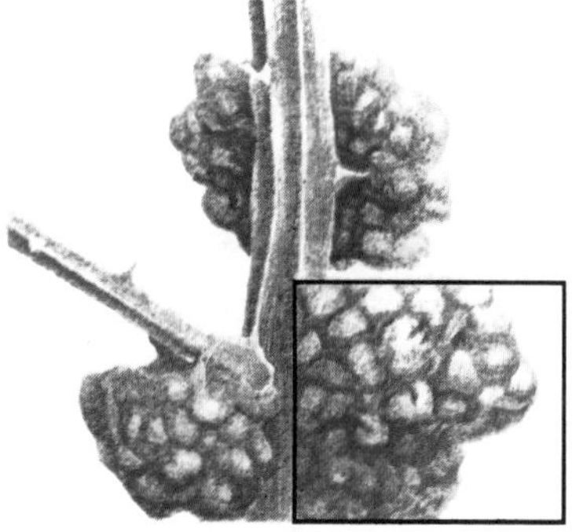

Tumeur du collet
Plantes exposées : Framboisier, mûrier et rosier.
Symptômes : Tumeurs sur les organes aériens ou au ras du sol.
Epoque d'apparition : Pendant la période active.
Traitement : Couper les pousses atteintes ou badigeonner les tumeurs d'un antibiotique à base de bacticine. Stériliser le sécateur après usage. Traitement peu efficace pour les rosiers. Voir aussi Gale du collet, p. 477.

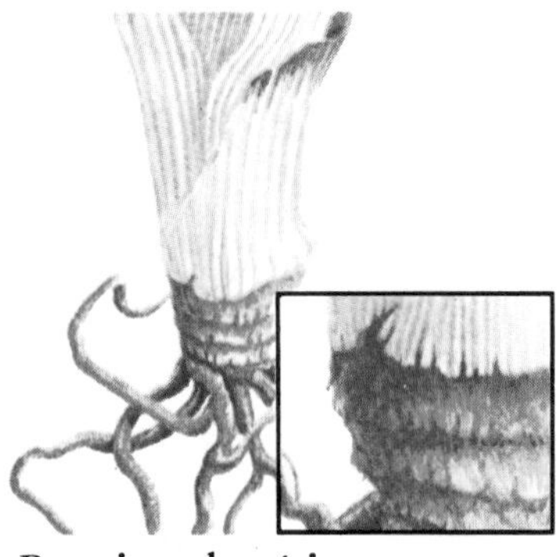

Pourriture bactérienne
Plantes exposées : Iris rhizomateux.
Symptômes : Pourriture molle, jaune, à odeur désagréable, affectant le rhizome ; les feuilles s'affaissent.
Epoque d'apparition : En tout temps, mais surtout par temps humide.
Traitement : Améliorer le drainage ; combattre les limaces et autres ravageurs. Détruire les plants gravement atteints ; sur les autres, couper les parties abîmées et saupoudrer de bouillie bordelaise sèche ou de streptomycine.

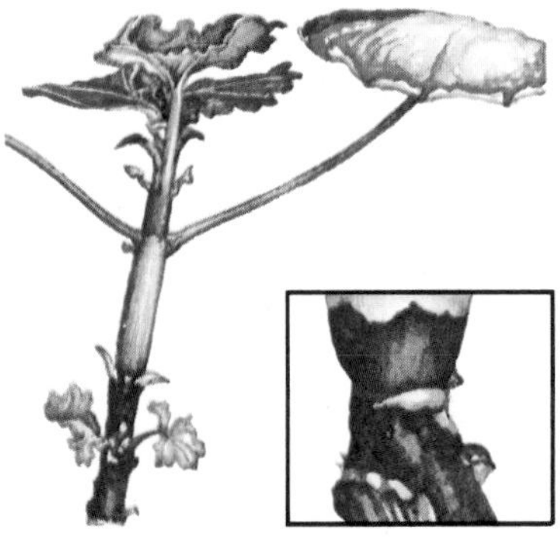

Pied noir
Plantes exposées : Géranium (*Pelargonium*) et pomme de terre.
Symptômes : Pourriture noire à la base des tiges ; les tissus atteints deviennent mous. Les feuilles jaunissent et les tiges meurent.
Epoque d'apparition : Après le prélèvement des boutures sur le géranium ; au début de l'été pour les pommes de terre.
Traitement : Détruire les plants gravement atteints. Prévenir la maladie en choisissant des tubercules sains. Dans le cas des géraniums, stériliser le sol ; veiller à la propreté de la serre et arroser prudemment. Lorsque des boutures de valeur sont atteintes, couper la partie malade avec un couteau trempé dans un désinfectant doux (agent de blanchiment liquide au chlore dilué de moitié) et rempoter les boutures dans de la terre fraîche et des pots propres. Des vaporisations de chlorothalonil ou de terrazole peuvent être efficaces au premier stade de la maladie.

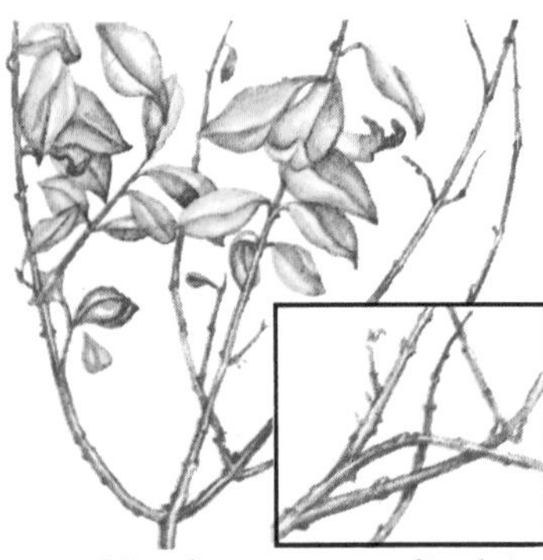

Troubles du système radiculaire
Plantes exposées : Arbres (particulièrement arbres fruitiers et peupliers) et arbustes.
Symptômes : Feuilles décolorées sur les pousses qui brunissent et meurent.
Epoque d'apparition : En tout temps.
Traitement : Rabattre le bois mort sur du tissu sain ; enduire les plaies d'un produit cicatrisant. Fertiliser, pailler ; arroser ou drainer. Un apport d'engrais foliaire peut hâter la guérison.

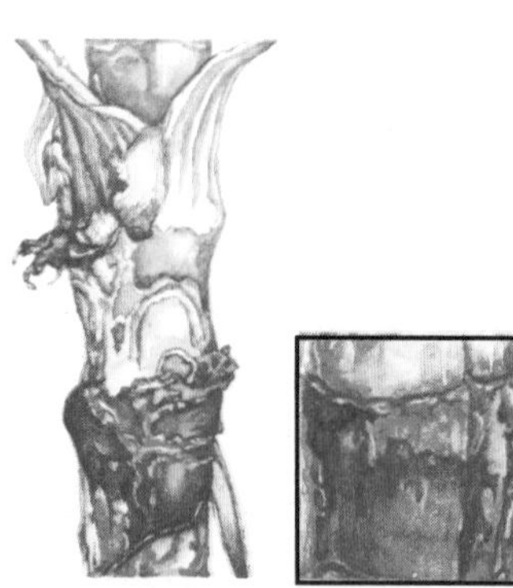

Pourriture de la tige
Plantes exposées : Clarkie, lobélie, œillet et tomate.
Symptômes : Pourrissement des tiges, mais les champignons sont peu visibles.
Epoque d'apparition : Pendant la période active.
Traitement : Couper les parties atteintes et appliquer du captane, ou détruire les plants malades. Avant la plantation, désinfecter le sol au métam-sodium ou au quintozène.

Bactériose du lilas
Plante exposée : Lilas.
Symptômes : Les jeunes pousses noircissent et se dessèchent (le gel peut causer des symptômes semblables).
Epoque d'apparition : Au printemps.
Traitement : Rabattre les pousses atteintes sur un bourgeon sain. Vaporiser de bénomyl, de bouillie bordelaise ou de dodine. Renouveler le traitement le printemps suivant, au début de la feuillaison.

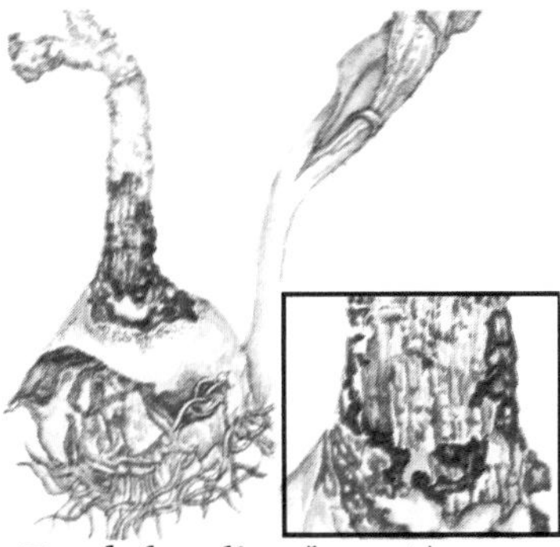

Feu de la tulipe (botrytis)
Plante exposée : Tulipe (à la base des tiges).
Symptômes : Les tiges pourrissent au ras du sol et se couvrent d'une moisissure grise et veloutée.
Epoque d'apparition : Au printemps.
Traitement : Voir Feu de la tulipe, p. 473. Traiter au chlorothalonil ou au dichloran au début de la feuillaison. Enlever et détruire les bulbes atteints.

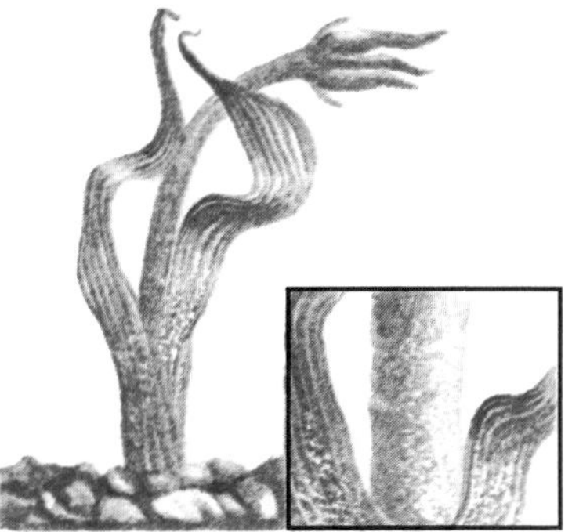

Feu de la tulipe (botrytis)
Plante exposée : Tulipe (jeunes pousses).
Symptômes : Jeunes pousses rabougries qui pourrissent au-dessus du sol et se couvrent d'une moisissure grise et veloutée. Fleurs déformées et rayées.
Epoque d'apparition : Au printemps.
Traitement : Voir Feu de la tulipe, p. 473, et l'illustration précédente.

Pourriture du collet
Plantes exposées : Pied-d'alouette, pivoine, rhubarbe et plusieurs plantes.
Symptômes : Pourrissement du bourgeon terminal suivi du pourrissement progressif du collet. Feuilles rachitiques et décolorées.
Epoque d'apparition : Pendant la période active.
Traitement : Détruire les plants. Ne pas en replanter de la même espèce au même endroit. Stériliser le sol au métam-sodium.

Pourriture sèche
Plantes exposées : Principalement les glaïeuls, mais aussi acidanthera, crocus et freesia.
Symptômes : Pourriture sèche des feuilles au niveau du sol provoquant la chute du feuillage supérieur. Les tissus atteints sont couverts de minuscules corpuscules noirs.
Epoque d'apparition : Pendant la période active.
Traitement : Voir Pourriture sèche, p. 474.

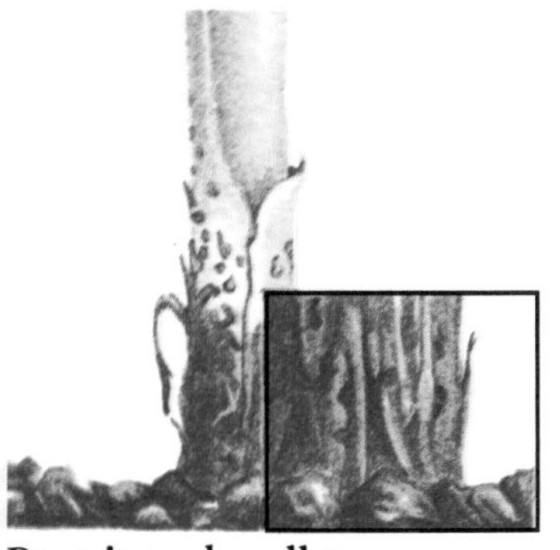

Pourriture du collet
Plantes exposées : Haricot, pois de senteur et tomate.
Symptômes : Les tiges pourrissent à la base ; les racines meurent.
Epoque d'apparition : Pendant la période active.
Traitement : Rotation de culture pour les sujets exposés. Arroser les plantes issues de semis avec un fongicide à base de cuivre, de quintozène ou de terrazole au repiquage et chaque semaine si les symptômes persistent.

Pourriture grise de la pivoine
Plante exposée : Pivoine.
Symptômes : Les pousses attaquées meurent au ras du sol.
Epoque d'apparition : Pendant la période active.
Traitement : Couper les tiges malades dans le sol ; poudrer les collets avec de la bouillie bordelaise sèche. Vaporiser de fongicide peu après l'apparition des feuilles. Stériliser le sol au métam-sodium avant la plantation ou avant la reprise au printemps.

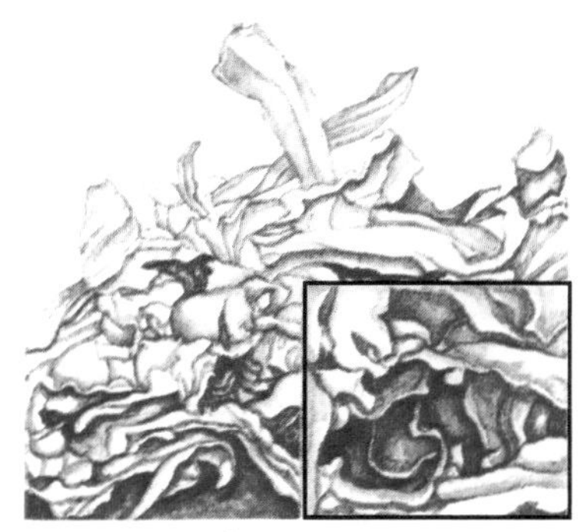

Pourriture du cœur
Plantes exposées : Cinéraire, primevère, etc.
Symptômes : Les tissus pourrissent au ras du sol ou juste au-dessus en provoquant l'affaissement de la plante.
Epoque d'apparition : Pendant la période active.
Traitement : A titre préventif, utiliser un substrat stérile et arroser peu. Couper les parties atteintes et poudrer les plants de bouillie bordelaise ou de captane. Rempoter dans un substrat plus léger.

Flétrissement des pensées
Plantes exposées : Les *Viola*.
Symptômes : Dessèchement des plants et pourrissement des collets.
Epoque d'apparition : Pendant la période active.
Traitement : Rotation des cultures. Arroser les plantules avec un produit à base de quintozène ou de terrazole. En mettre dans les trous de plantation ; répéter chaque semaine si les symptômes persistent. Arracher les plants atteints avec leurs racines et les détruire.

Pourriture grise de la laitue ou botrytis

Plante exposée : Laitue.
Symptômes : Les plantes pourrissent à la base ; moisissure grise visible.
Epoque d'apparition : Pendant la période active.
Traitement : Traiter le sol au quintozène avant le repiquage. En serre, fumiger au chlorprophame ; ou détruire les plants malades. Vaporiser en serre et au jardin avec un fongicide à base de bénomyl ou de zinèbe. Le dichloran est un fongicide spécifique pour le traitement du botrytis.

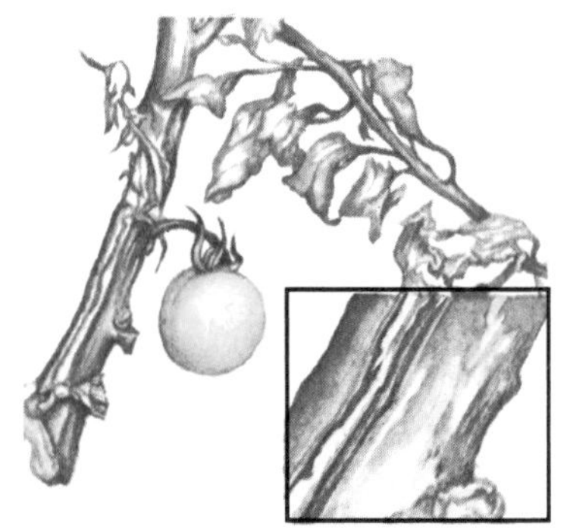

Virose

Plantes exposées : Pois de senteur, tomate et plusieurs autres plantes.
Symptômes : Flétrissement des plants ; tiges et pétioles marqués de raies.
Epoque d'apparition : Pendant la période active.
Traitement : Arracher et détruire les sujets atteints.

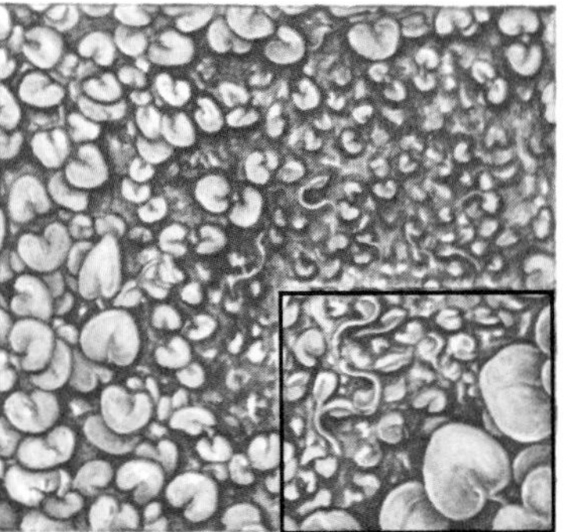

Fonte des semis

Plantes exposées : Tous les semis, mais surtout ceux des plantes suivantes : laitue, muflier et zinnia.
Symptômes : Les plantules pourrissent au ras du sol et meurent.
Epoque d'apparition : A la levée.
Traitement : A titre préventif, utiliser un substrat stérile et des pots propres ; arroser modérément. Le champignon est véhiculé par la terre ou les semences. A titre préventif ou curatif, stériliser la terre, par jet de vapeur ou d'eau à 80°C s'il s'agit de petites quantités, au quintozène ou au terrazole s'il s'agit de plates-bandes ou de planches. Saupoudrer les graines de fongicide à base de bénomyl ou de thirame avant les semis. Si les symptômes apparaissent, arroser au captane ou au zinèbe.

Dégâts sur les boutons floraux

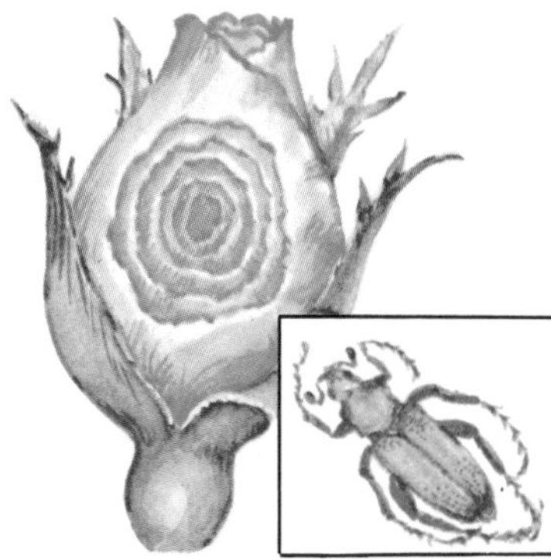

Scarabées du rosier

Plantes exposées : Pivoine, rosier et plusieurs autres plantes.
Symptômes : Pétales dévorés.
Epoque d'apparition : Du début de l'été au début de l'automne.
Traitement : Vaporisations de carbaryl, de chlorpyrifos, de diazinon ou de malathion. Ravageurs jaune ocre de 1,5 cm environ de long ; les enlever et les détruire.

Cicadelles du rhododendron

Plante exposée : Rhododendron.
Symptômes : Boutons atteints de brunissement.
Epoque d'apparition : A la fin de l'été, quand les boutons floraux sortent.
Traitement : Vaporiser avec un produit à base de carbaryl, de diazinon ou de malathion si l'on voit des ravageurs. Si la maladie se manifeste, enlever et détruire les boutons atteints.

Chenilles et larves de tenthrèdes (« limaces »)

Plantes exposées : Chrysanthème, pommier, rosier et autres plantes.
Symptômes : Trous dans les boutons et les feuilles.
Epoque d'apparition : Du début du printemps au début de l'été au jardin ; presque toute l'année en serre.
Traitement : Vaporisations de carbaryl, de malathion, de roténone ou de trichlorfon à l'apparition des ravageurs.

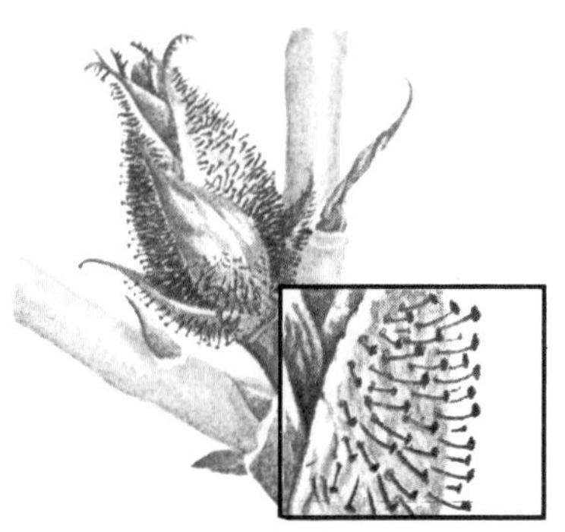

Brunissement des boutons de rhododendrons

Plante exposée : Rhododendron.
Symptômes : Les boutons se couvrent de poils noirs portant des spores de champignons et meurent.
Epoque d'apparition : A la fin de l'été quand les boutons se développent, mais les symptômes n'apparaissent que le printemps suivant : les boutons ne s'ouvrent pas.
Traitement : Couper et détruire les boutons infectés. Vaporiser de fongicide à base de captane, de dodine ou de zinèbe. Utiliser du diazinon contre les cicadelles qui répandent la maladie.

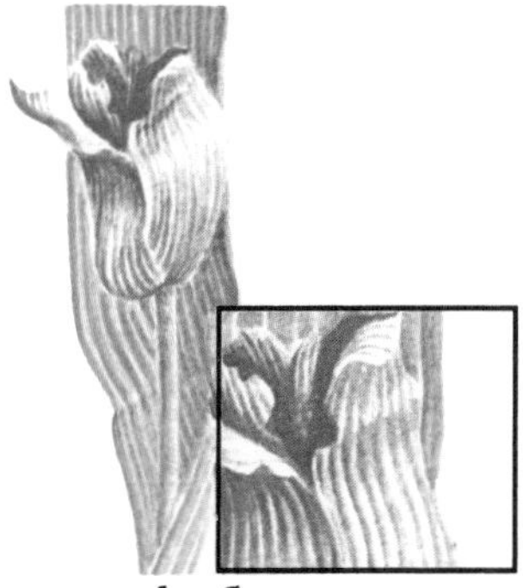

Avortement des fleurs

Plantes exposées : Narcisse et tulipe forcés à l'intérieur.
Symptômes : Les fleurs sèchent avant de s'épanouir.
Epoque d'apparition : Lors de l'entreposage ou pendant la période active.
Traitement : Conserver les bulbes dans un endroit frais et sec. Les planter au moment opportun et s'assurer que le sol ne se dessèche pas durant la période de croissance. Ne pas forcer les bulbes à une température trop élevée. Les bulbes atteints peuvent être plantés de nouveau.

Pourriture grise de la pivoine ou botrytis

Plante exposée : Pivoine.
Symptômes : Les boutons floraux pourrissent et se couvrent d'une moisissure grise et veloutée.
Epoque d'apparition : Pendant la période de floraison.
Traitement : Couper les pousses atteintes au-dessous du niveau du sol et poudrer les souches de bouillie bordelaise sèche. Au moment de la feuillaison, vaporiser avec un fongicide à base de captane, de dichloran, de thirame ou de zinèbe.

Nécrose du pédicelle

Plantes exposées : Pavot, pyrethrum et rosier.
Symptômes : Des décolorations apparaissent sur les pédicelles, en dessous des boutons de roses et un peu plus bas sur les plantes herbacées. La tige s'affaisse à cet endroit ; les boutons qu'elle porte ne s'ouvrent pas. Cause inconnue.
Epoque d'apparition : A la floraison.
Traitement : Pailler ; ne jamais laisser le sol se dessécher ; fertiliser aux moments opportuns en choisissant les bons engrais. Amender le sol avec du sulfate de potassium au début du printemps ou à la fin de l'été. Une fois les symptômes apparus, on ne peut rien faire d'autre que de couper les fleurs atteintes. Des apports d'engrais foliaire peuvent cependant favoriser une seconde floraison chez les rosiers.

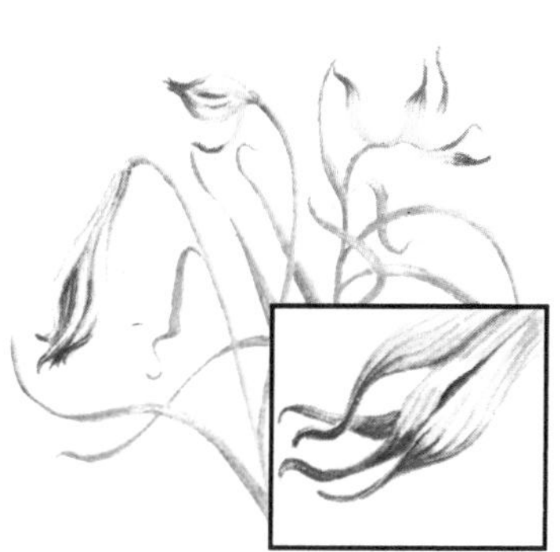

Virose

Plante exposée : Lis.
Symptômes : Boutons floraux déformés qui ne s'épanouissent pas correctement.
Epoque d'apparition : En tout temps, mais les symptômes n'apparaissent qu'à la floraison.
Traitement : Détruire les plants infectés ; vaporiser périodiquement de carbaryl, de diazinon ou de malathion contre pucerons et cicadelles.

Chute des boutons

Plantes exposées : Camélia, gardénia, glycine et pois de senteur.
Symptômes : Les boutons ou les fleurs partiellement épanouis tombent.
Epoque d'apparition : Dès la formation des boutons, mais les symptômes ne se manifestent pas avant la floraison.
Traitement : Rien ne peut arrêter la chute des boutons. A titre préventif, pailler le sol et veiller à ce qu'il ne se dessèche pas. Pour les gardénias, maintenir une température constante. Rien n'arrête la chute des boutons de glycine ou de pois de senteur lorsque le froid nocturne en est la cause.

Chenilles
Plantes exposées : Chrysanthème, œillet, plantes de jardin et de serre.
Symptômes : Pétales dévorés ; chenilles visibles dans les fleurs.
Epoque d'apparition : En tout temps à l'intérieur ; de la fin du printemps à la mi-automne au jardin.
Traitement : Si peu de fleurs sont atteintes, enlever les chenilles à la main. Sinon, pulvériser un insecticide à base de carbaryl ou de méthoxychlore avant que les fleurs soient en plein épanouissement.

Perce-oreilles
Plantes exposées : Chrysanthème, clématite, dahlia et quelques autres.
Symptômes : Pétales découpés.
Epoque d'apparition : De la fin du printemps à la mi-automne.
Traitement : Avant la floraison, vaporiser ou poudrer les plants et le sol avec un insecticide à base de carbaryl, de chlorpyrifos, de diazinon ou de malathion. On peut aussi attraper les ravageurs dans un vieux sac, un manchon de carton ondulé ou un pot rempli de paille.

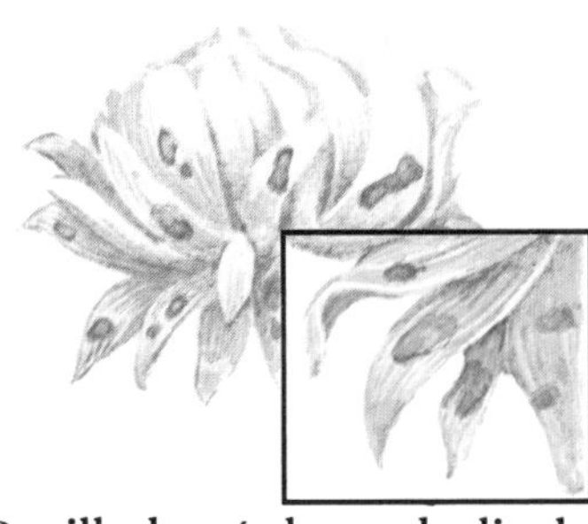

Rouille des pétales ou des ligules
Plantes exposées : Chrysanthème ; parfois aussi centaurée bleue et dahlia.
Symptômes : Cloques sombres, imbibées d'eau et recouvrant peu à peu les pétales jusqu'à ce que les fleurs pourrissent.
Epoque d'apparition : A la floraison, surtout par temps froid et humide.
Traitement : Détruire les fleurs atteintes ; en serre, éviter la contagion en réduisant l'humidité. Vaporiser les plantes avec un fongicide à base de bénomyl ou de zinèbe avant la floraison. Répéter tous les 7 jours si nécessaire.

Virose
Plantes exposées : Chrysanthème, dahlia, lis, tulipe, espèces de *Viola* et plusieurs autres types de plantes herbacées.
Symptômes : Fleurs déformées ou mal colorées (rayures blanches ou d'une nuance plus claire ou plus sombre que la teinte normale).
Epoque d'apparition : Pendant la période active.
Traitement : Détruire les plantes malades. Les viroses étant répandues par des ravageurs, combattre ceux-ci à l'aide d'insecticides.

Mycoplasme
Plantes exposées : Hélénie, fraisier, espèces de *Primula* ; occasionnellement chrysanthème et narcisse.
Symptômes : Fleurs vertes et non de leur couleur naturelle.
Epoque d'apparition : Pendant la période active.
Traitement : Chez l'hélénie, couper les tiges malades. Détruire les autres plantes au complet.

Punaises (à quatre raies, arlequines, ternes)
Plantes exposées : Chrysanthème, dahlia et autres plantes ornementales annuelles ou vivaces.
Symptômes : Fleurs déformées.
Epoque d'apparition : Du début de l'été à la mi-automne au jardin.
Traitement : Vaporisations d'insecticide à base de diazinon, de malathion, de méthoxychlore ou de nicotine dès l'apparition des dégâts.

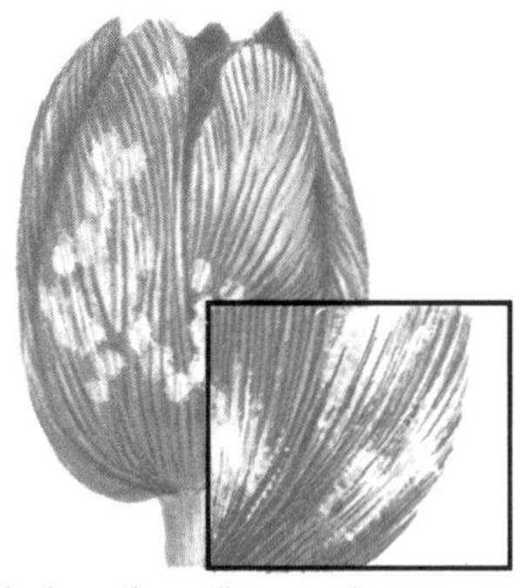

Feu de la tulipe (botrytis)
Plante exposée : Tulipe.
Symptômes : Petites taches brunes sur les pétales. Ceux-ci peuvent pourrir et se couvrir d'une moisissure grise et veloutée.
Epoque d'apparition : A la floraison.
Traitement : Voir Feu de la tulipe, p. 473.

Pourriture grise ou botrytis
Plantes exposées : Chrysanthème et cyclamen de serre.
Symptômes : Chez le chrysanthème, macules sur les fleurs qui pourrissent et se couvrent de moisissure grise. Chez le cyclamen, macules seulement.
Epoque d'apparition : A la floraison.
Traitement : Enlever et détruire les fleurs malades. Réduire l'humidité. Vaporisations de bénomyl, de dichloran ou de thiophanate-méthyle.

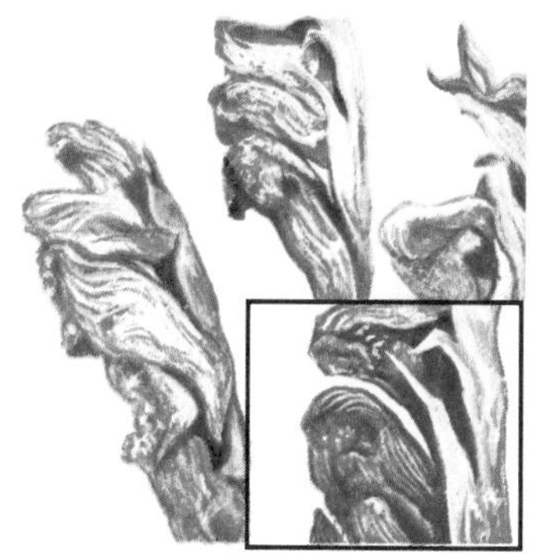

Thrips du glaïeul
Plantes exposées : Glaïeul et plantes apparentées.
Symptômes : Petites taches argentées sur les pétales et les feuilles.
Epoque d'apparition : Du début de l'été au début de l'automne.
Traitement : Poudrer les cormes de méthoxychlore avant l'entreposage et avant la plantation. En période active, traiter les plants malades à l'aide de diazinon, de malathion ou de nicotine chaque semaine, depuis l'apparition des feuilles jusqu'à la fin de la floraison.

Scarabées japonais
Plantes exposées : Rosier et autres plantes à fleurs ; tilleul, vigne, etc.
Symptômes : Fleurs et feuilles dévorées ; pétales déchiquetés, feuilles réduites aux nervures.
Epoque d'apparition : Du début de l'été à la mi-automne.
Traitement : Voir Scarabées (larves), p. 478. Traiter les plants attaqués avec un insecticide à base de carbaryl, de diazinon ou de méthoxychlore.

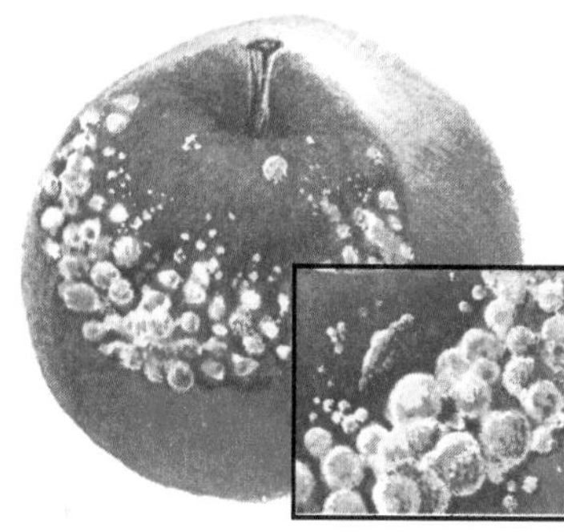

Moniliose ou pourriture brune
Plantes exposées : Tous les arbres fruitiers à drupes, mais surtout cerisier, nectarinier, pêcher et prunier.
Symptômes : Les fruits brunissent ; on remarque des cercles concentriques de spores poudreuses et blanchâtres. Les fruits se dessèchent et se ratatinent.
Epoque d'apparition : En été et pendant la conservation.
Traitement : Vaporiser de captane ou de dodine lorsque les fleurs s'ouvrent, à la chute des pétales, à l'éclatement des boutons à fruits, puis trois autres fois tous les 7 à 10 jours, et enfin une fois avant la récolte et une fois après celle-ci.

Chute des fruits
Plantes exposées : Tous les arbres fruitiers.
Symptômes : Chute prématurée des fruits.
Epoque d'apparition : Durant la floraison et juste après.
Traitement : Avoir au jardin une variété qui attire les abeilles. Fertiliser, pailler et arroser. Ne pas traiter les arbres durant la floraison. Aucun remède ne peut être apporté en saison froide quand la chute des fruits est due à un défaut de pollinisation. Si les fruits portent de petites cicatrices en forme de croissant, c'est qu'ils sont victimes du charançon de la prune (voir p. 471).

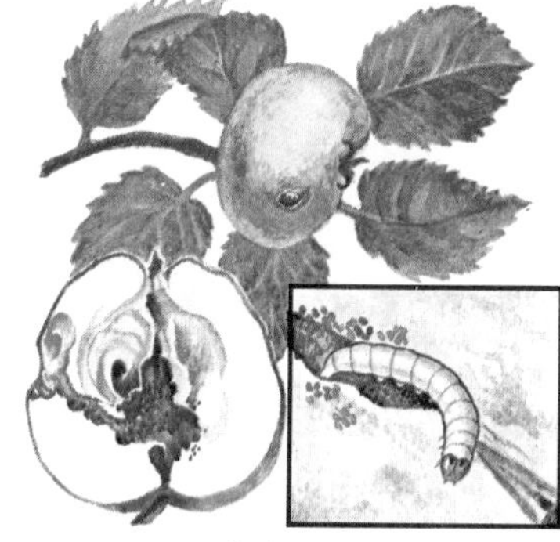

Carpocapses de la pomme
Plantes exposées : Plusieurs variétés de pommiers, ainsi que poirier.
Symptômes : La chenille dévore le cœur des fruits mûrs.
Epoque d'apparition : Du début à la fin de l'été.
Traitement : Vaporiser méticuleusement de carbaryl, de malathion ou de méthoxychlore au début de l'été et deux autres fois tous les 10 jours pour tuer les jeunes chenilles avant qu'elles pénètrent dans les fruits.

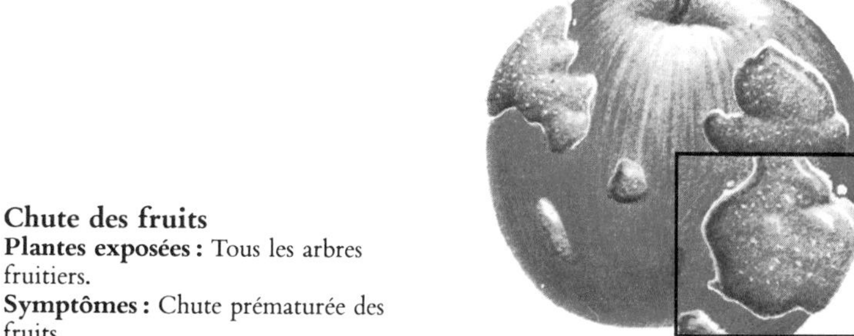

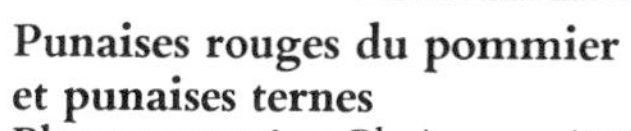

Punaises rouges du pommier et punaises ternes
Plantes exposées : Plusieurs variétés de pommiers ; poirier.
Symptômes : Bosses et zones liégeuses sur les fruits mûrs.
Epoque d'apparition : De la mi-printemps à la fin de l'été.
Traitement : Dinosèbe ou huile miscible en période de dormance ; diazinon, méthoxychlore ou nicotine juste avant la floraison.

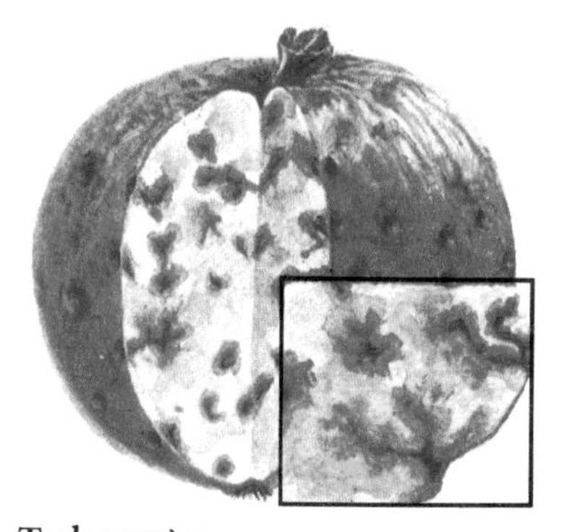

Tache amère
Plante exposée : Pommier.
Symptômes : Petites dépressions brunes sous la peau et dans la chair.
Epoque d'apparition : Pendant la période active, mais les symptômes n'apparaissent qu'à la récolte.
Traitement : Fertiliser et pailler ; ne jamais laisser le sol se dessécher. Au début de l'été, pulvériser une solution de nitrate de chaux à raison de 10 g par litre d'eau. Répéter 3 fois à 3 semaines d'intervalle.

Tenthrèdes de la pomme
Plante exposée : Pommier.
Symptômes : Les larves pénètrent au cœur des jeunes fruits qui tombent prématurément.
Epoque d'apparition : De la fin du printemps au début de l'été.
Traitement : Vaporisations de carbaryl, de diméthoate ou de méthoxychlore immédiatement après la chute des pétales. Ramasser et détruire les pommes tombées.

Eclatement des fruits

Plantes exposées : Poirier, pommier et prunier.
Symptômes : La peau du fruit éclate.
Epoque d'apparition : Pendant la période active.
Traitement : Eviter les irrégularités de croissance en conservant l'humidité par paillage. Ne jamais laisser la terre se dessécher. Des arrosages excessifs ajoutés à un mauvais drainage du sol ou des pluies abondantes et prolongées peuvent avoir le même résultat.

Eclatement du noyau

Plantes exposées : Nectarinier et pêcher.
Symptômes : L'amande pourrit dans le noyau qui éclate et provoque le craquement du fruit. La scissure naturelle du fruit s'approfondit.
Epoque d'apparition : Pendant la période active.
Traitement : Fertiliser et pailler ; ne pas laisser le sol se dessécher. La croissance doit être régulière pendant la maturation des fruits.

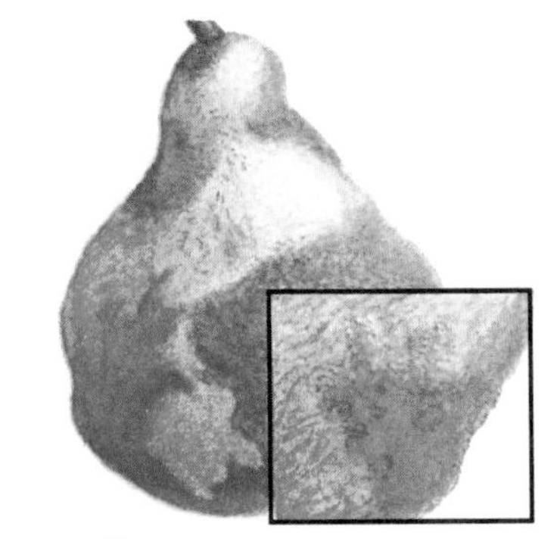

Gravelle

Plantes exposées : Les poiriers âgés.
Symptômes : Fruits graveleux et déformés ; amas de cellules mortes et dures dans la chair rendant le fruit impropre à la consommation. Les fruits d'une seule branche sont d'abord atteints, puis tous les autres sont attaqués.
Epoque d'apparition : Pendant la période active.
Traitement : Rabattre sévèrement le vieux bois ; apports réguliers d'engrais 5-10-5 au printemps et en automne.

Tavelure

Plantes exposées : Poirier, pommier (et parfois les baies du pyracanthe).
Symptômes : Taches brunes ou noires sur les fruits qui peuvent, dans les cas graves, se craqueler si les lésions se rejoignent et deviennent liégeuses.
Epoque d'apparition : Pendant la période active.
Traitement : Voir Tavelure, p. 448.

Mauvais fonctionnement des racines

Plantes exposées : Arbres fruitiers et petits fruits.
Symptômes : Déclin progressif des récoltes au fil des ans, avec décoloration du feuillage et dépérissement des rameaux.
Epoque d'apparition : Pendant la période active.
Traitement : Fertiliser, pailler, arroser. Améliorer le drainage s'il y a lieu. Des pulvérisations d'engrais foliaire accélèrent le rétablissement du sujet malade.

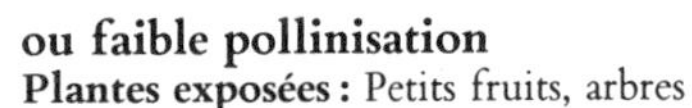

ou faible pollinisation

Plantes exposées : Petits fruits, arbres fruitiers et tomate.
Symptômes : Maigre récolte ; fruits déformés.
Epoque d'apparition : A la floraison.
Traitement : Le malaise est causé par le froid au moment de la pollinisation. Assurer si possible la présence de pollinisateurs. Pour les tomates, respecter les exigences culturales et bassiner en période de sécheresse.

ou virose

Plantes exposées : Petits fruits.
Symptômes : Déclin progressif des récoltes, rabougrissement des plants et déformation des feuilles qui portent des plaques jaunes.
Epoque d'apparition : Pendant la période active.
Traitement : Détruire les plants atteints ; planter des variétés exemptes de virus dans un nouvel emplacement. Combattre les insectes vecteurs.

Vers du framboisier

Plantes exposées : Framboisier, mûrier et mûrier de Logan.
Symptômes : Les fruits arrivés à maturité sont attaqués.
Epoque d'apparition : Du début à la fin de l'été.
Traitement : Vaporiser minutieusement de malathion, de méthoxychlore ou de roténone à l'apparition des boutons, juste avant que les fleurs s'ouvrent et aussi quand les premiers fruits virent au rose.

Blanc

Plantes exposées : Fraisier, groseillier à maquereau, pommier, vigne et autres.
Symptômes : Dépôt poudreux blanc virant au brun sur les groseilles à maquereau ou laissant apparaître une décoloration sur les fraises. Les grains de raisin éclatent ; les pommiers ont des feuilles poudreuses.
Epoque d'apparition : Pendant la période active.
Traitement : Voir Blanc, p. 451.

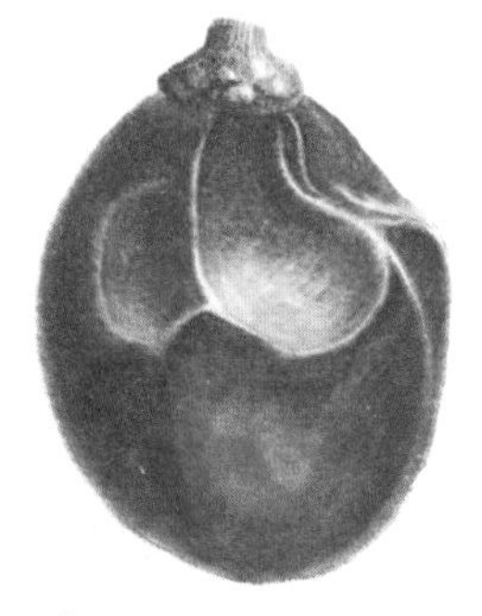

Echaudure
Plantes exposées : Vigne et, par temps chaud, groseillier à maquereau et arbres fruitiers.
Symptômes : Petites dépressions décolorées sur les fruits.
Epoque d'apparition : Pendant les périodes chaudes.
Traitement : Ombrer la serre et bien aérer. Couper les fruits atteints avant qu'ils pourrissent.

Botrytis ou pourriture grise
Plantes exposées : Tous les petits fruits.
Symptômes : Les fruits pourrissent et se couvrent de moisissure grise.
Epoque d'apparition : Dès la floraison, mais les symptômes ne sont manifestes que lorsque les fruits sont mûrs.
Traitement : Vaporisations de bénomyl, de captane, de chlorothalonil, de dichloran ou de thirame lorsque les fleurs s'ouvrent, et encore 2 ou 3 fois à 14 jours d'intervalle. Enlever les fruits malades.

Charançons de la prune
Plantes exposées : Abricotier, cerisier, pêcher, pommier et prunier.
Symptômes : Entailles dans les jeunes fruits et dans les cerises mûres. Les larves dévorent les fruits pendant qu'ils mûrissent ; de jeunes fruits tombent.
Epoque d'apparition : Après la chute des pétales ; de nouveau plus tard.
Traitement : Travailler le sol autour des arbres pour détruire larves et nymphes ; enlever les fruits tombés. A la chute des pétales, vaporiser 3 à 5 fois tous les 7 à 10 jours de carbaryl, de malathion ou de méthoxychlore.

Maladie du pédoncule
Plante exposée : Vigne.
Symptômes : Taches sombres le long des pédoncules qu'elles finissent par ceinturer. Le raisin ne mûrit pas : le raisin noir devient rouge et le raisin blanc reste vert.
Epoque d'apparition : Pendant la période active.
Traitement : Fertiliser, pailler, ne pas laisser le sol se dessécher. Eclaircir les fruits. En cas de dégâts, couper les grains malades avant qu'ils pourrissent.

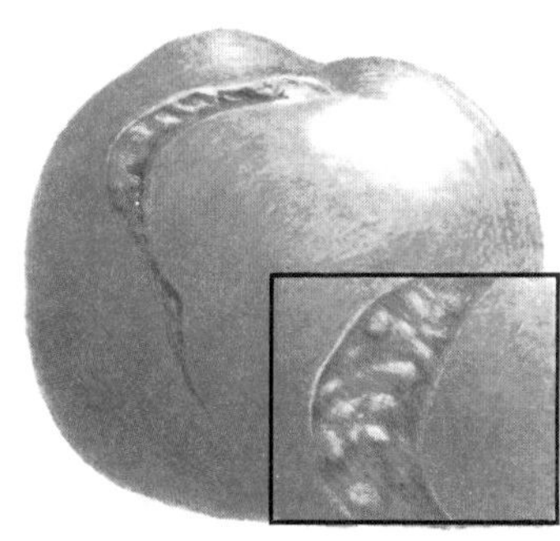

Eclatement
Plante exposée : Tomate.
Symptômes : Eclatement de la peau dans la partie la plus large du fruit, souvent en anneau ou se dirigeant vers le bas.
Epoque d'apparition : Lors du mûrissement des fruits.
Traitement : Maintenir une croissance régulière en ne laissant jamais le sol se dessécher. Arroser mais sans excès.

Carence en potasse et maturation inégale
Plante exposée : Tomate.
Symptômes : Tache verte ou jaune, dure, dans la région du pédoncule ; des taches semblables se développent sur le reste du fruit.
Epoque d'apparition : Dès que les fruits se développent.
Traitement : Choisir des variétés résistantes ; maintenir le sol humide. Ombrer la serre par temps chaud. Corriger les carences en potassium.

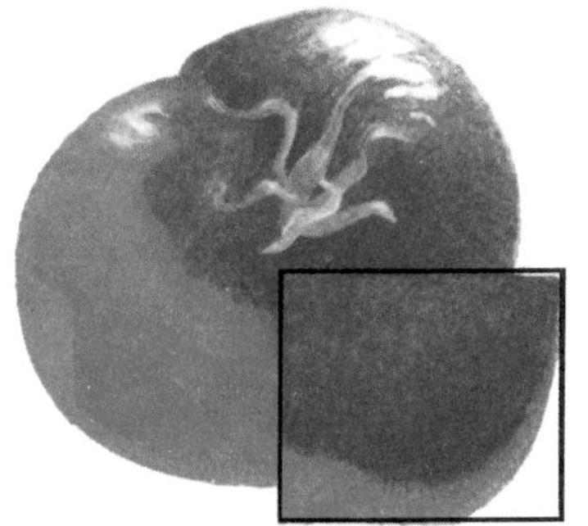

Alternariose et mildiou
Plante exposée : Tomate de jardin.
Symptômes : Par temps humide, des taches vert foncé, imbibées d'eau, se développent jusqu'à ce que les fruits se ratatinent et pourrissent. Moisissure blanchâtre sous les feuilles, sur les tiges et les pétioles. La plante meurt du jour au lendemain.
Epoque d'apparition : Du milieu à la fin de l'été par temps très humide.
Traitement : Vaporiser avec un fongicide, par exemple du manèbe, tous les 10 à 14 jours du début de la floraison au début de l'automne.

Pourriture apicale
Plante exposée : Tomate.
Symptômes : Tache circulaire brune ou noire qui, en dépit de son nom, ne pourrit généralement pas. Maladie non parasitaire.
Epoque d'apparition : Lorsque les fruits se développent.
Traitement : Ne pas laisser le sol se dessécher afin de maintenir une croissance régulière qui préviendra la maladie. Ne pas arroser irrégulièrement. Ne pas biner près des plants.

Flétrissure fusarienne (fusariose) et verticillienne (verticilliose)
Plante exposée : Tomate.
Symptômes : Quand les premiers fruits mûrissent, les feuilles du bas jaunissent et s'affaissent. Le champignon bloque le passage de la sève et le plant se flétrit.
Epoque d'apparition : De la mi-été à la mi-automne.
Traitement : Imbiber le sol de formaldéhyde 1 semaine avant la plantation, ou de métam-sodium 2 semaines avant la plantation. Choisir des variétés résistantes.

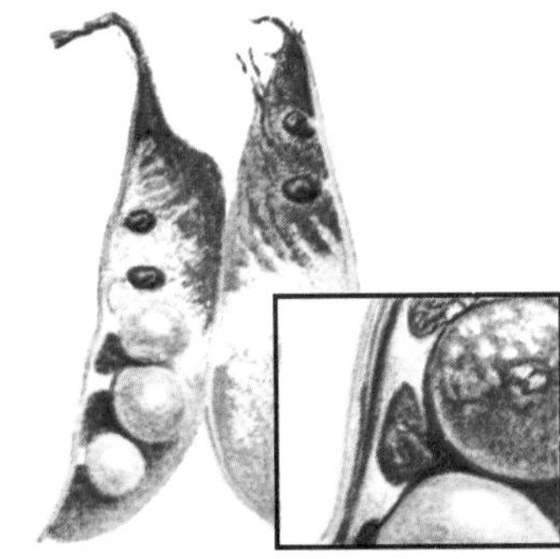

Botrytis ou pourriture grise
Plantes exposées : Tomate et parfois pois et haricot par temps humide.
Symptômes : Moisissure grise sur les fruits qui pourrissent.
Epoque d'apparition : Pendant la période active.
Traitement : Détruire les fruits atteints. Sous châssis, fumiger au chlorprophame ; au jardin, vaporiser de dichloran, de manèbe ou de zinèbe.

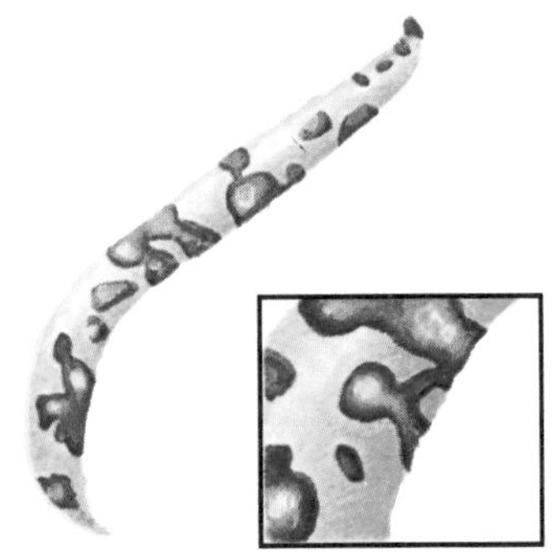

Anthracnose
Plantes exposées : Plusieurs variétés de haricots.
Symptômes : Petites dépressions brun-noir sur les gousses ; taches brunes sur les feuilles et les tiges. Parfois, chute prématurée des feuilles.
Epoque d'apparition : Pendant la période active, surtout lorsque l'été est froid et humide.
Traitement : Détruire les plants malades (éviter de toucher les plants quand ils sont mouillés pour ne pas répandre la maladie) et ne conserver aucun haricot pour la semence. Semer d'autres graines dans un sol nouveau. Dans les cas graves, vaporiser de fongicide à base de captane, de zinèbe ou de cuivre avant la floraison.

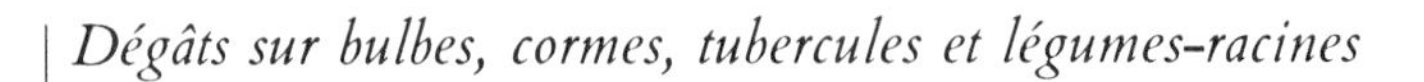

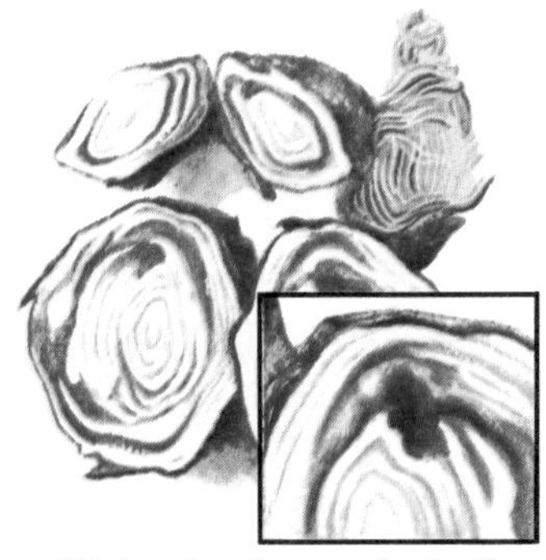

Anguillules des tiges et des bulbes
Plantes exposées : Jacinthe, narcisse, tulipe et autres plantes.
Symptômes : Les bulbes se décolorent à l'intérieur et pourrissent ; les pousses sont faibles et déformées.
Epoque d'apparition : Pendant la période de dormance à la fin de l'été et en automne ; pendant la période active au printemps.
Traitement : Détruire les plantes attaquées ; ne pas replanter de bulbes au même endroit pendant 3 ans.

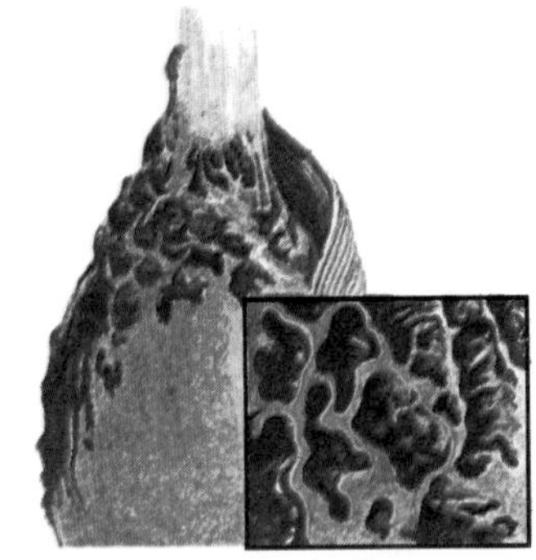

Pourriture grise des bulbes
Plantes exposées : Principalement jacinthe et tulipe.
Symptômes : Pourriture au sommet des bulbes et champignons noirs.
Epoque d'apparition : Peu de temps après la plantation.
Traitement : Détruire les restes de plants malades et renouveler le sol. Avant la plantation, poudrer bulbes et cormes de quintozène et en incorporer au sol.

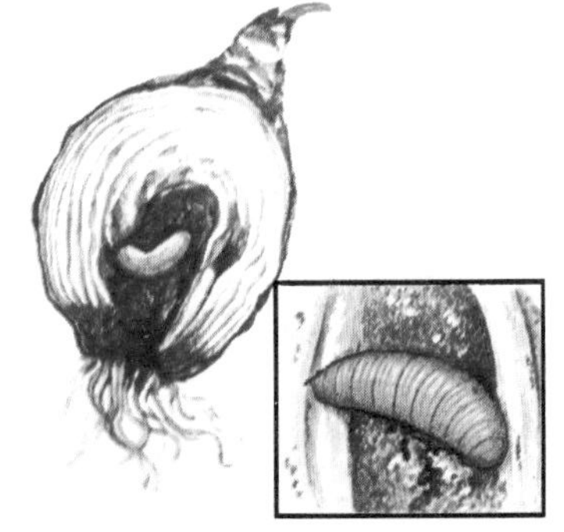

Mouches du narcisse
Plante exposée : Narcisse.
Symptômes : Ramollissement et pourrissement du bulbe ; présence de larves brunes à l'intérieur de celui-ci.
Epoque d'apparition : Du début du printemps au début de l'été ; symptômes visibles au printemps ou en automne sur les bulbes en dormance.
Traitement : Eliminer les bulbes mous. Biner le sol autour des plants quand le feuillage jaunit pour boucher les trous dans la terre et empêcher ainsi les mouches d'aller pondre leurs œufs dans les bulbes. A la même époque et lors de la plantation, appliquer un insecticide en poudre à base de lindane.

Pourridié fusarien
Plantes exposées : Plusieurs bulbes comme ceux du crocus, du lis et du narcisse.
Symptômes : Pourriture des racines et de la base du corme ou du bulbe. Coupé dans le sens de la hauteur, le bulbe laisse voir des courants sombres s'élargissant à partir de la base ou des zones de pourriture montant entre les tuniques. Le bulbe finit par pourrir complètement.
Epoque d'apparition : En tout temps et même pendant la conservation.
Traitement : Détruire les bulbes et les cormes gravement atteints. Au début, on peut sauver les bulbes de lis en supprimant les racines et les tuniques malades et en appliquant sur la partie saine de la poudre de quintozène. Choisir un nouvel emplacement et incorporer du quintozène au sol avant d'y planter les bulbes de lis.

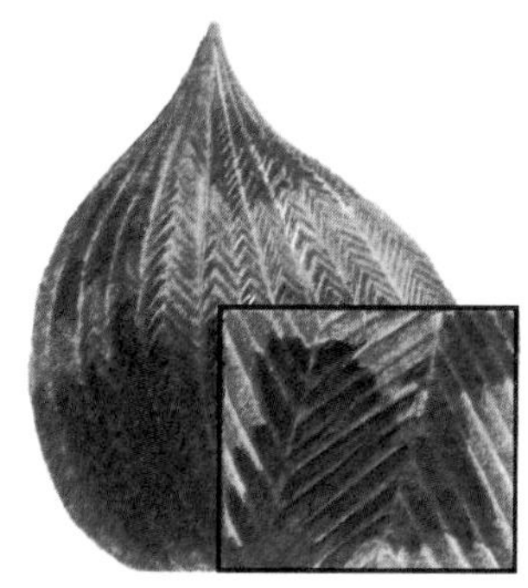

Maladie de l'encre
Plante exposée : Iris bulbeux.
Symptômes : Croûtes noires sur les tuniques externes du bulbe, suivies de pourrissement interne ne laissant que des petites poches de poudre noire.
Epoque d'apparition : En tout temps.
Traitement : Détruire les bulbes atteints. Détruire le feuillage en fin de saison. Planter des bulbes sains dans un autre emplacement après les avoir plongés dans une solution à base de bénomyl.

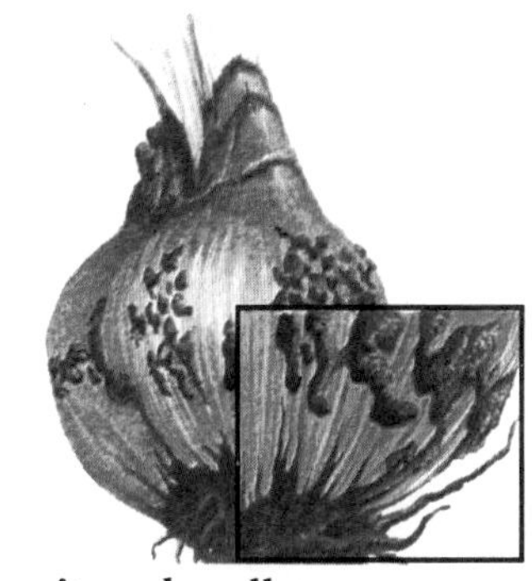

Pourriture du collet
Plante exposée : Narcisse.
Symptômes : De petits champignons noirs et plats se développent sur les bulbes qui pourrissent.
Epoque d'apparition : Pendant la conservation.
Traitement : Garder les bulbes dans un endroit sec et frais ; détruire ceux qui sont atteints. Enlever et détruire les plants atteints en cours de croissance. Vaporiser les autres de bouillie bordelaise ou de zinèbe tous les 10 jours.

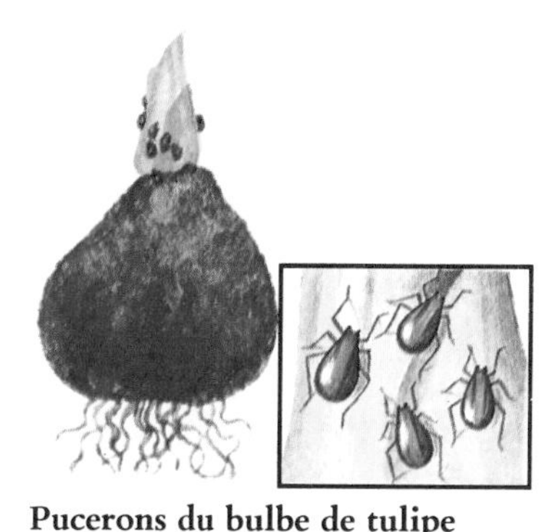

Pucerons du bulbe de tulipe
Plantes exposées : Crocus, glaïeul, iris et tulipe.
Symptômes : Colonies de pucerons vert foncé envahissant bulbes et cormes dormants, durant la conservation.
Epoque d'apparition : De la fin de l'automne à la fin de l'hiver.
Traitement : Fumigation au dichlorvos ou au lindane, ou poudrage au lindane. Sinon, vaporiser les bulbes d'endosulfan ou de lindane et les laisser sécher.

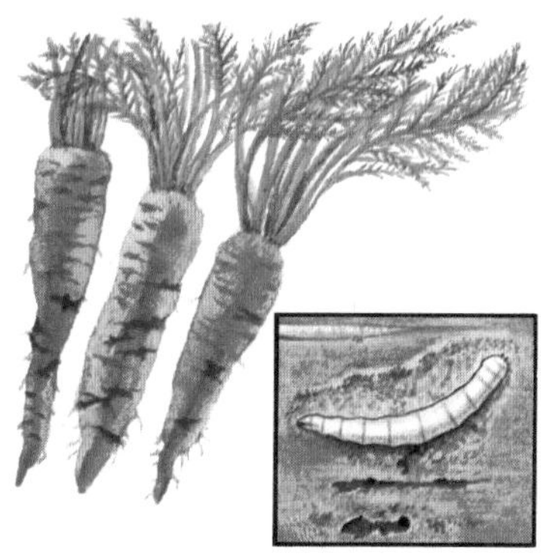

Mouches de la carotte
Plantes exposées : Carotte, céleri, panais et persil.
Symptômes : Des asticots creusent des galeries dans les racines.
Epoque d'apparition : Du début de l'été à la mi-automne.
Traitement : Semer clair à la fin du printemps ; protéger les semences. Pour les plants établis, imbiber le sol de diazinon ou de trichlorfon 2 ou 3 fois à la fin de l'été et au début de l'automne.

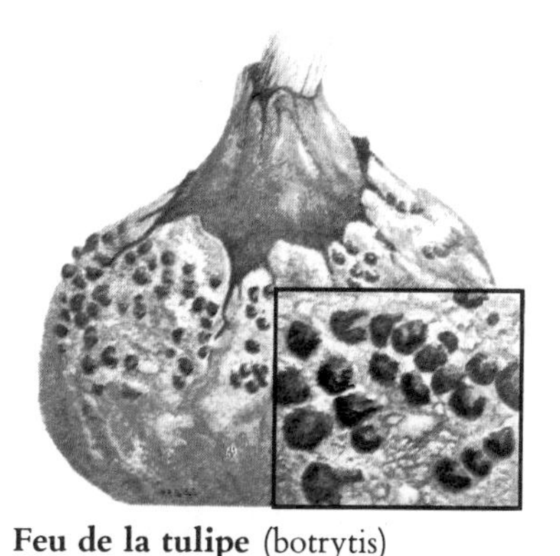

Feu de la tulipe (botrytis)
Plante exposée : Tulipe.
Symptômes : Petits corpuscules fongiques noirs sur les bulbes qui pourrissent.
Epoque d'apparition : Juste avant ou après la plantation.
Traitement : Détruire les bulbes pourris ou porteurs de champignons. Traiter les autres au quintozène. Incorporer du quintozène au sol avec un râteau avant la plantation. Changer d'emplacement chaque année si possible, surtout après apparition de la maladie. Vaporiser un fongicide à base de bénomyl, de chlorothalonil, de dichloran, de thiophanate-méthyle ou de zinèbe quand les feuilles ont 5 cm, puis ensuite tous les 10 jours jusqu'à la floraison. Enlever et détruire les plants atteints durant la période active.

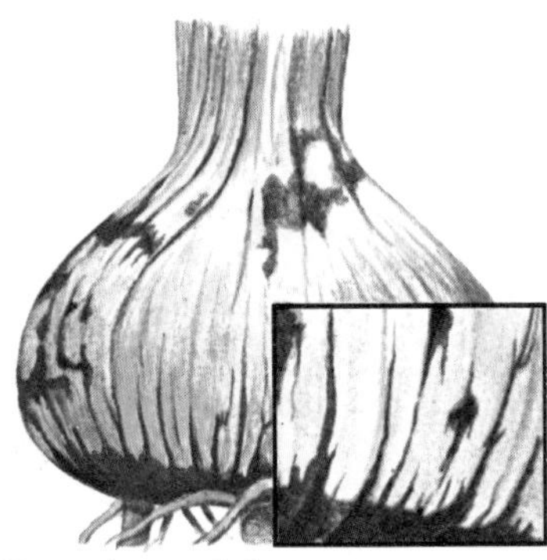

Pourriture sèche
Plantes exposées : Acidanthera, crocus, freesia, glaïeul, pomme de terre et quelques autres tubercules.
Symptômes : Les cormes ou tubercules se couvrent de petites lésions sombres, puis de grandes taches noires et se ratatinent.
Epoque d'apparition : Pendant la conservation.
Traitement : Enlever et détruire les cormes ou tubercules dès les premiers symptômes. Avant l'entreposage ou la plantation, traiter les sujets sains au quintozène ou les plonger dans une solution de bénomyl ou de captane. Les faire sécher complètement avant la conservation. Changer d'emplacement de culture chaque année. Traiter le sol au métam-sodium et y incorporer du quintozène avec un râteau avant la plantation.

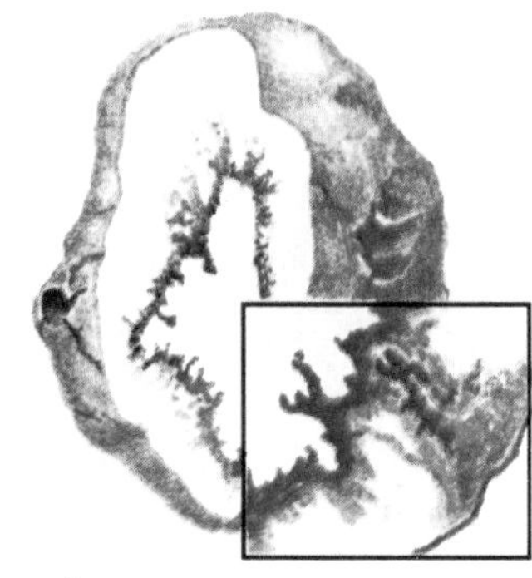

Gangrène
Plante exposée : Pomme de terre.
Symptômes : Les tubercules entreposés se couvrent de petites taches déprimées qui s'agrandissent. Le tubercule entier pourrit.
Epoque d'apparition : En hiver et au début du printemps.
Traitement : Manipuler les tubercules avec précaution ; les garder dans un endroit aéré, à l'abri du gel et non dans des sacs. Détruire les tubercules gangrenés.

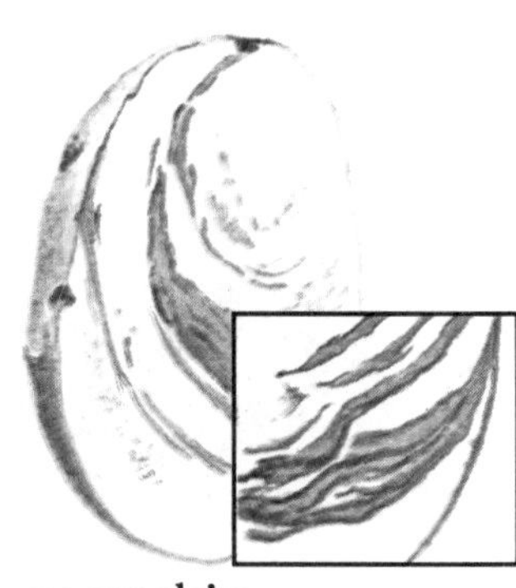

Nécrose annulaire de la pomme de terre
Plante exposée : Pomme de terre.
Symptômes : Marques brunes en arc de cercle dans la chair du tubercule. Il peut s'agir d'une virose.
Epoque d'apparition : Pendant la période active.
Traitement : Détruire les tubercules gravement atteints et ne pas replanter de pommes de terre au même endroit pendant plusieurs années.

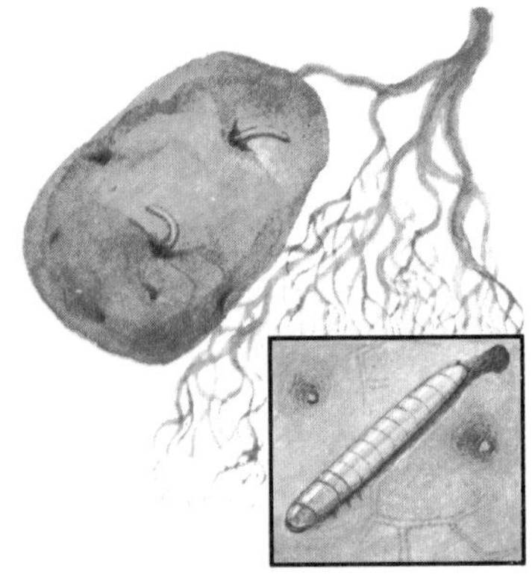

Vers fil-de-fer ou taupins
Plantes exposées : Carotte, laitue, pomme de terre, tomate et autres légumes ; chrysanthème et autres plantes ornementales.
Symptômes : Les parties souterraines sont attaquées par des larves à peau épaisse.
Epoque d'apparition : Du début du printemps au début de l'automne.
Traitement : Labourer le sol infesté avant la plantation ; réprimer les mauvaises herbes et, si nécessaire, incorporer au sol un insecticide à base de chlordane ou de lindane.

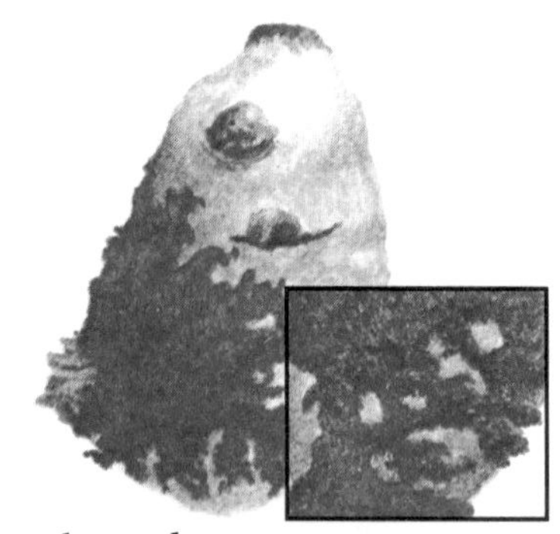

Gale poudreuse
Plante exposée : Pomme de terre.
Symptômes : Excroissances poudreuses qui éclatent. Les tubercules sont déformés et ont un goût terreux.
Epoque d'apparition : Pendant la période active.
Traitement : Détruire les tubercules malades et ne pas en planter d'autres au même endroit pendant plusieurs années. Bien drainer le sol et ne pas chauler.

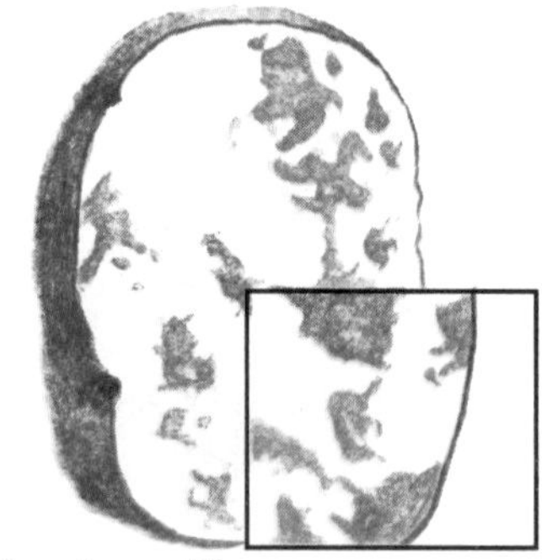

Taches de rouille
Plante exposée : Pomme de terre.
Symptômes : Taches brunes dans la chair du tubercule.
Epoque d'apparition : Pendant la période active.
Traitement : Ajouter beaucoup d'humus au sol ; maintenir une croissance régulière en arrosant avant que le sol se dessèche complètement.

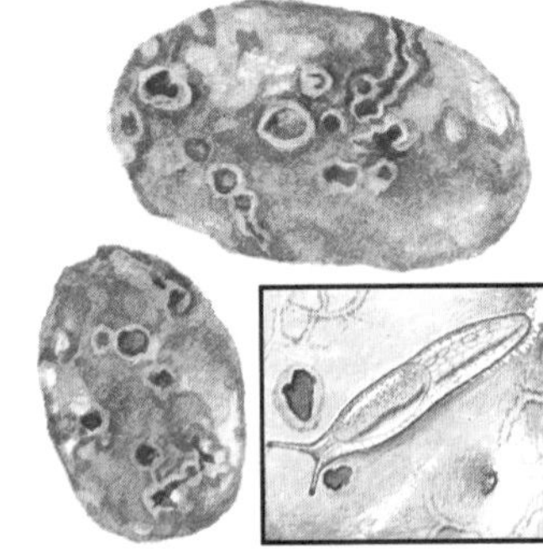

Limaces
Plantes exposées : Narcisse, pomme de terre, tulipe et plusieurs autres plantes.
Symptômes : Trous et galeries dans les bulbes et les tubercules. Traces de bave.
Epoque d'apparition : Durant une grande partie de l'année.
Traitement : Appâts à base de métaldéhyde. Récolter les pommes de terre aussitôt que possible. La bière éventée est un bon appât.

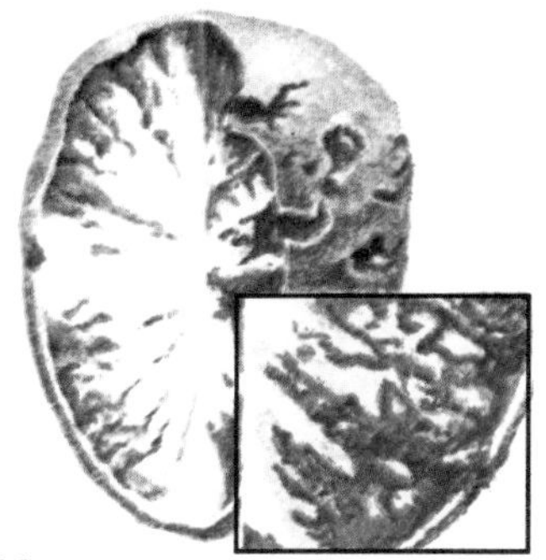

Mildiou

Plante exposée : Pomme de terre.
Symptômes : Décoloration brun-rouge de la chair qui apparaît sous forme de tache grise sur la pelure. La maladie se répand à l'intérieur et des bactéries s'installent dans les zones malades, produisant une pourriture molle à odeur désagréable.
Epoque d'apparition : De la mi-été à la fin de la période de croissance.
Traitement : Détruire les tubercules atteints ; ne pas les ajouter au tas de compost. Dès que les plants ont 15 à 20 cm de haut, les vaporiser avec un fongicide à base de captane, de chlorothalonil, de mancozèbe ou de manèbe ; répéter le traitement tous les 7 à 14 jours jusqu'à la fin de la récolte.

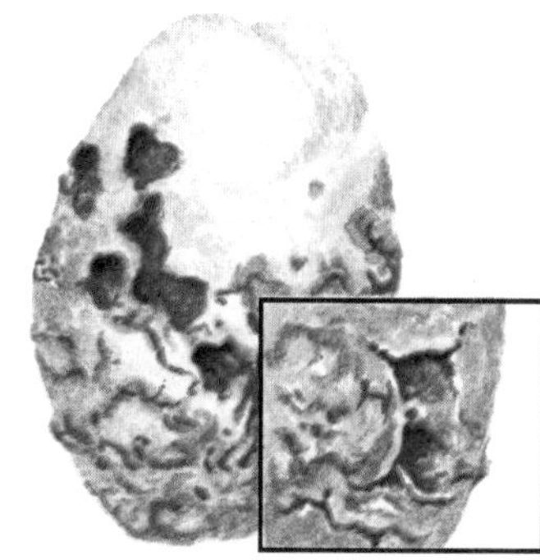

Gale commune

Plante exposée : Pomme de terre.
Symptômes : Croûtes irrégulières sur les tubercules.
Epoque d'apparition : Pendant la période active.
Traitement : Avant la plantation, traiter le sol au métam-sodium ou au quintozène et ne pas mettre d'amendement calcaire. Ajouter de l'humus et arroser le sol avant qu'il se dessèche. Si les dégâts persistent, cultiver des variétés résistantes. Détruire les débris des sujets malades.

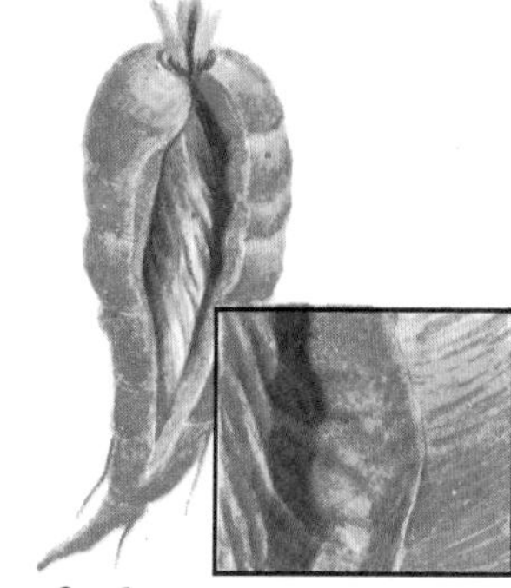

Racine fendue

Plantes exposées : Tous les légumes-racines.
Symptômes : Eclatement longitudinal.
Epoque d'apparition : Pendant la période active.
Traitement : Maintenir une croissance régulière en arrosant avant que le sol se dessèche.

Chancre du panais

Plante exposée : Panais.
Symptômes : Chancre brun-rouge ou noir sur la partie supérieure du légume.
Epoque d'apparition : Pendant la période active.
Traitement : Cultiver le panais dans un sol profond et riche ; ajouter du calcaire au besoin. Employer un engrais équilibré. Semer tôt et espacer les plantules de 8 cm. Effectuer la rotation des cultures si nécessaire. Vaporiser de fongicide cuprique. Commencer à récolter à la mi-été.

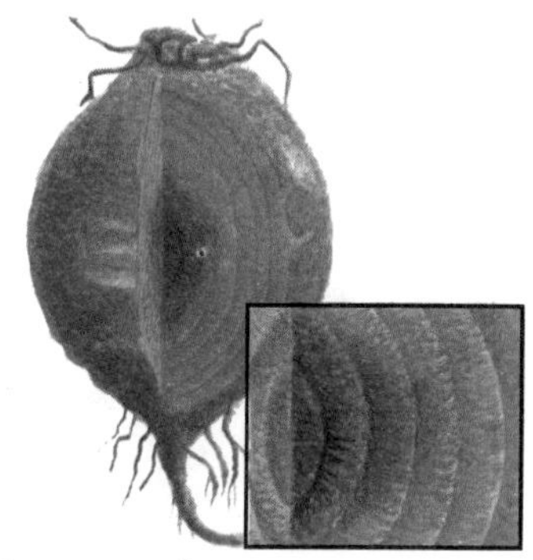

Carence en bore

Plantes exposées : Betterave, navet et rutabaga.
Symptômes : Taches grises ou brunes dans la chair de la racine.
Epoque d'apparition : Pendant la période active.
Traitement : Ajouter au sol 2 g de borax par mètre carré (en le mélangeant à du sable fin pour qu'il soit plus facile à épandre).

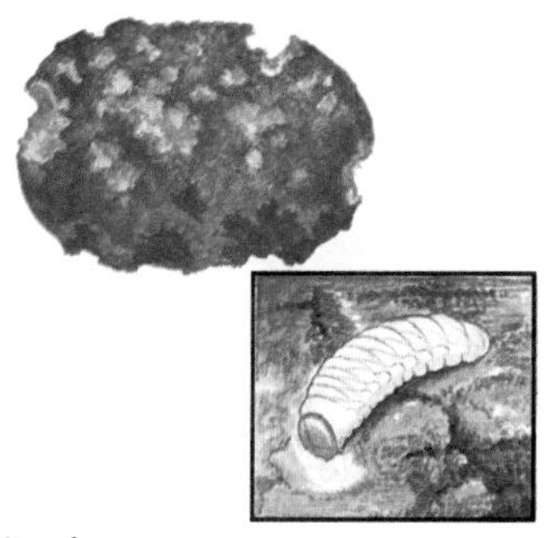

Otiorrhynques

Plantes exposées : Bégonia tubéreux, crassula argenté, cyclamen en pot, primevère, saxifrage et autres plantes semblables. Les dégâts se produisent surtout en serre, mais parfois aussi au jardin.
Symptômes : Petite larve blanche, grasse, sans pattes, qui vit dans le sol et dévore racines, tubercules et cormes.
Epoque d'apparition : Durant toute l'année, mais le ravageur est apparent surtout en hiver et au début du printemps.
Traitement : Enlever et détruire les larves qu'on découvre en rempotant les plantes. Traiter les sujets infestés en incorporant un peu de lindane en poudre au mélange terreux ou en imbibant celui-ci de chlordane, d'endosulfan ou de lindane. Protéger les sujets très vulnérables en mélangeant du paradichlorobenzène (boules de naphtaline) au cailloutis destiné à l'égouttement, ceci avant l'empotage.

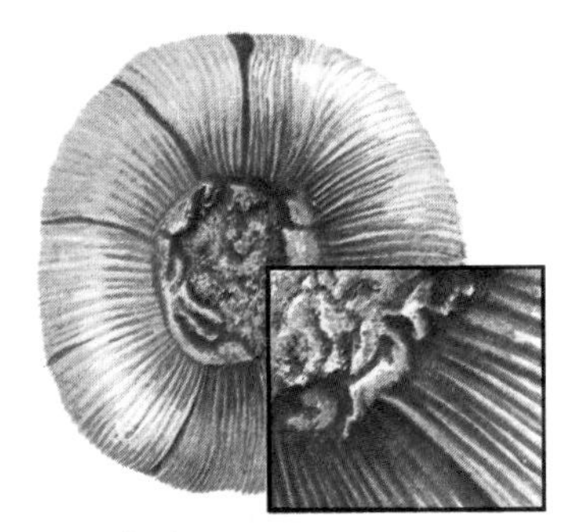

Curvulariose
Plantes exposées : Acidanthera, freesia et glaïeul.
Symptômes : La pourriture s'étend à partir du centre du corme qui devient spongieux et brun foncé ou noir.
Epoque d'apparition : Pendant la conservation.
Traitement : Conserver les cormes au sec, à 7-10°C. Avant l'entreposage, les traiter au quintozène ou les plonger dans une solution de bénomyl ou de captane. Détruire les sujets atteints.

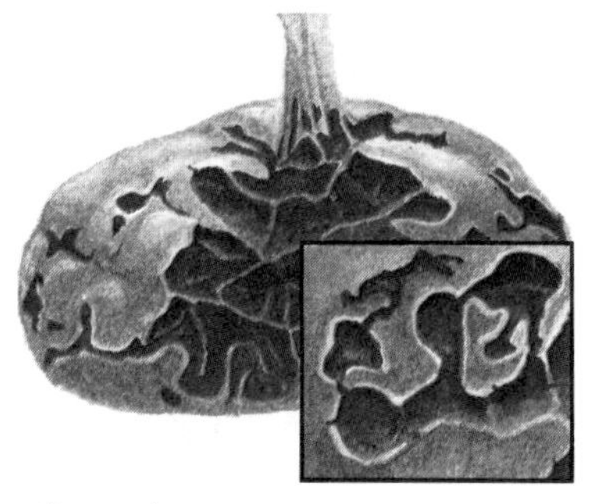

Septoriose
Plantes exposées : Glaïeul et autres cormes.
Symptômes : De grandes taches brun-noir, bien délimitées, un peu enfoncées, se développent sur les cormes qui durcissent et se ratatinent.
Epoque d'apparition : L'infection se produit en été, mais les symptômes n'apparaissent que durant la conservation.
Traitement : Voir Pourriture sèche, p. 474.

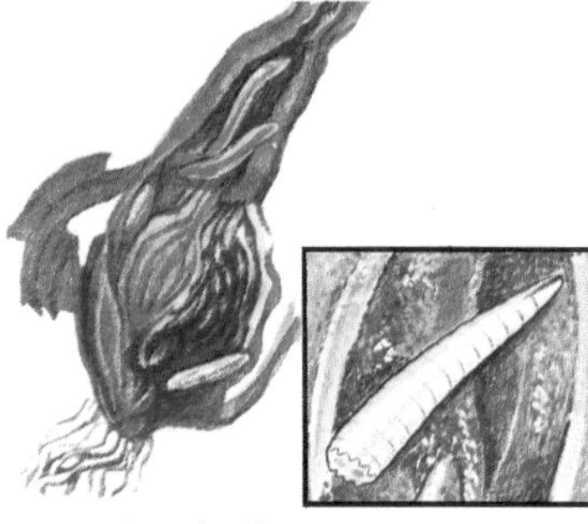

Mouches de l'oignon
Plantes exposées : Oignon et poireau.
Symptômes : Bulbe mou ; de petites larves mangent les tissus pourris.
Epoque d'apparition : De la fin du printemps à la fin de l'été.
Traitement : Deux ou trois fois durant la croissance, traiter le sol autour des plants établis avec du trichlorfon. Ou imbiber le sol d'une solution de diazinon à 50% dès l'apparition du feuillage.

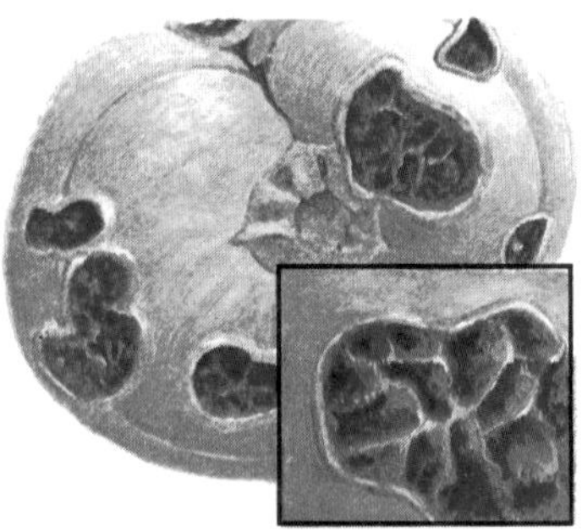

Bactériose du glaïeul
Plante exposée : Glaïeul.
Symptômes : Petits cratères arrondis vers la base du corme, caractérisés par un rebord protubérant et une pellicule vernissée.
Epoque d'apparition : L'infection se propage en été, mais les symptômes n'apparaissent qu'au moment où l'on enlève les bulbes pour les entreposer.
Traitement : Voir Pourriture sèche, p. 474.

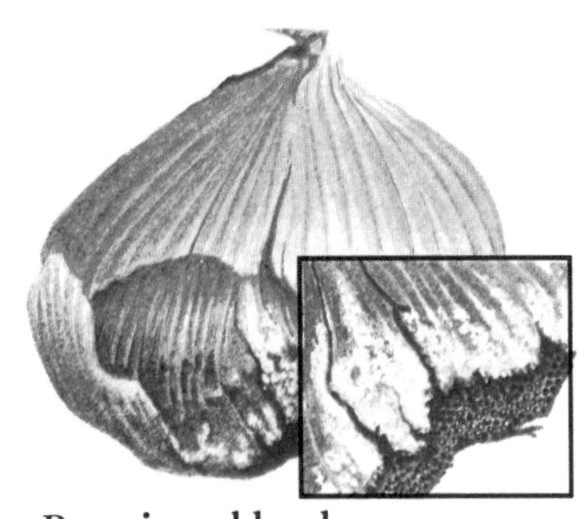

Pourriture blanche
Plantes exposées : Oignon et particulièrement oignon vert (échalote) ; parfois ail et poireau.
Symptômes : La base des bulbes et les racines se couvrent de moisissure blanche et pourrissent.
Epoque d'apparition : Pendant la période active.
Traitement : Cultiver les plantes dans un endroit nouveau chaque année ; la maladie contamine le sol pendant au moins 8 ans. Détruire les plants atteints.

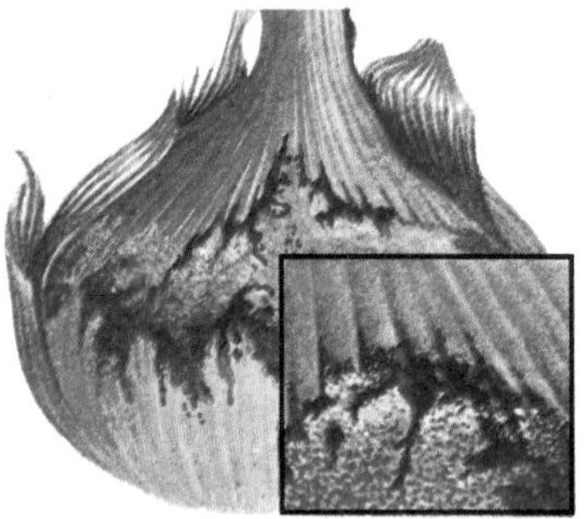

Pourriture du collet (botrytis)
Plante exposée : Oignon.
Symptômes : Une moisissure grise et veloutée se forme sur les collets, et les oignons pourrissent rapidement.
Epoque d'apparition : Pendant la période active, mais les symptômes n'apparaissent qu'à la conservation.
Traitement : Acheter des semences traitées ou les traiter au chlorothalonil. Ne conserver que les oignons bien mûrs et fermes dans un lieu sec et frais ; détruire les sujets atteints.

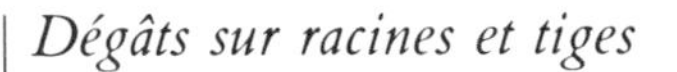

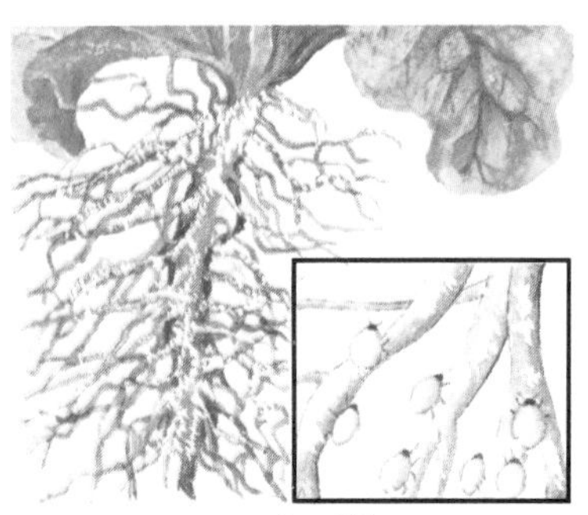

Pucerons et cochenilles des racines
Plantes exposées : Primevère et autres plantes en pots ; laitue ; quelques plantes ornementales.
Symptômes : Des colonies de pucerons blancs et cireux ou de cochenilles farineuses envahissent les racines.
Epoque d'apparition : A la fin de l'été et en automne au jardin ; en tout temps dans une serre.
Traitement : Arroser le pied des plantes exposées avec une solution de diazinon, de malathion ou de nicotine.

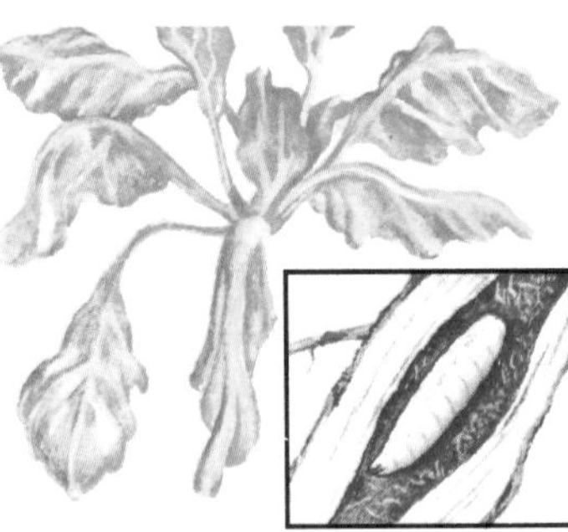

Mouches du chou
Plantes exposées : Chou, chou de Bruxelles, chou-fleur et autres *Brassica* récemment transplantés ; aussi giroflée de muraille.
Symptômes : Les larves attaquent les racines ; les jeunes plants dépérissent totalement.
Epoque d'apparition : De la mi-printemps au début de l'automne.
Traitement : Protéger les plants repiqués en arrosant le sol avec une solution de diazinon ou de trichlorfon.

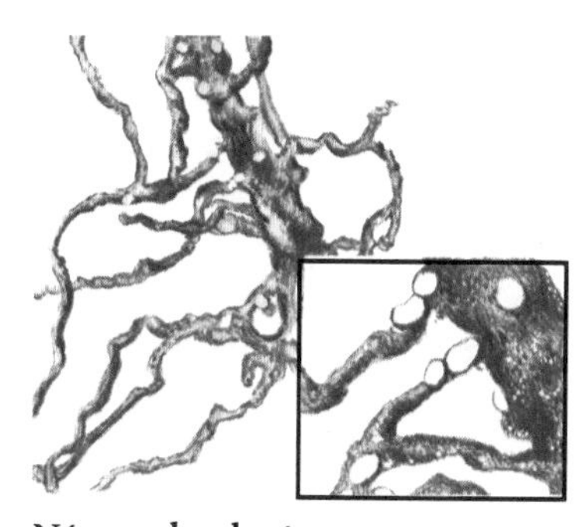

Nématodes dorés ou kyste des racines
Plantes exposées : Pomme de terre et tomate.
Symptômes : Minuscules kystes jaunes ou bruns sur les racines ; le plant dépérit et meurt.
Epoque d'apparition : De la mi-été au début de l'automne.
Traitement : En cas d'attaque sévère, ne pas cultiver de pommes de terre au même endroit avant 5 ans. Les fumigations du sol au dazomet ou au métam-sodium sont coûteuses et peu efficaces.

Hernie du chou
Plantes exposées : Chou, chou de Bruxelles, chou-fleur et autres espèces de *Brassica* ; giroflée des jardins et giroflée de Mahon.
Symptômes : Les racines s'épaississent et se déforment. Les plants s'étiolent.
Epoque d'apparition : Pendant la période active.
Traitement : Améliorer le drainage. Chauler le sol pour avoir un pH de 7. Mettre du calomel à 4% dans les trous de plantation. Effectuer une rotation des cultures ou stériliser des parties du jardin au dazomet.

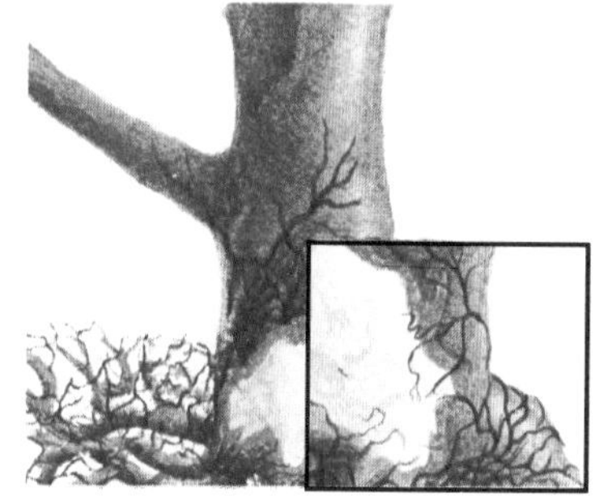

Pourridié-agaric
Plantes exposées : Toutes les plantes ligneuses.
Symptômes : Amas de champignons blancs en forme d'éventail sous l'écorce, au ras du sol. Des fils noirs couvrent les racines.
Epoque d'apparition : En tout temps.
Traitement : Déterrer et détruire les plants atteints. Stériliser le sol en diluant 0,5 l de formaldéhyde (auquel on ajoute un peu de détersif liquide) dans 27 l d'eau ; verser 27 l de cette solution par mètre carré ou employer du dazomet, ou encore utiliser de la terre fraîche.

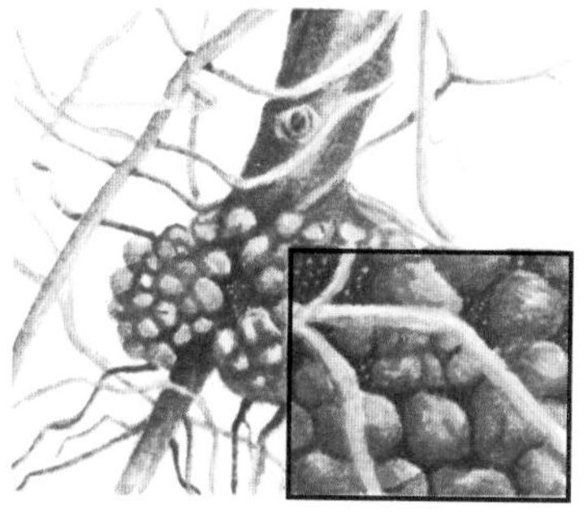

Gale du collet
Plantes exposées : Plusieurs membres de la famille des rosacées.
Symptômes : Galles plus ou moins grosses sur les racines et sur les tiges.
Epoque d'apparition : Pendant la période active.
Traitement : Eviter les blessures des racines, procurer un bon drainage. Avant la plantation en sol infecté, plonger les racines des nouveaux plants dans un fongicide cuprique. Des antibiotiques peuvent réduire l'infection. Détruire les plants très atteints. Couper et détruire les galles.

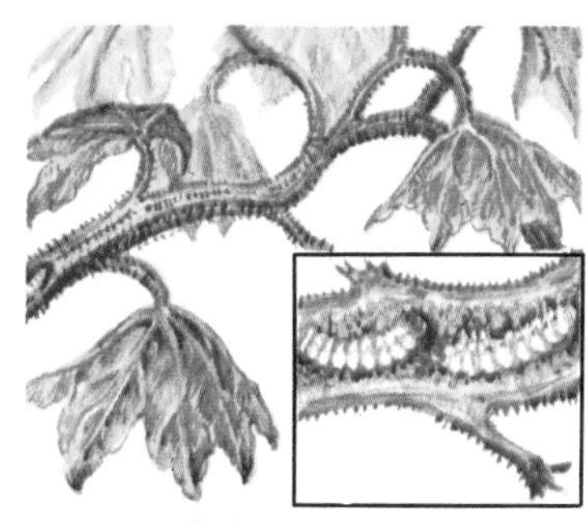

Perceurs de la courge (larves)
Plantes exposées : Citrouille, concombre, courge et melon brodé.
Symptômes : Dépérissement des plantes : excréments verdâtres à la base des tiges. Le perceur adulte, un insecte brun avec des taches rouges, noires et blanches, est parfois visible.
Epoque d'apparition : A la fin du printemps et au début de l'été.
Traitement : Utiliser du carbaryl ou du méthoxychlore.

Perceurs d'arbres et d'arbustes
Plantes exposées : Arbres fruitiers ; cornouiller, lilas et rhododendron.
Symptômes : Matière gélatineuse sur le pied et les tiges.
Epoque d'apparition : Pendant la période active.
Traitement : Vaporiser de lindane à la fin du printemps et au début de l'été, puis 2 fois à 3 semaines d'intervalle. Ou utiliser du carbaryl ou du méthoxychlore. Détruire les parties attaquées.

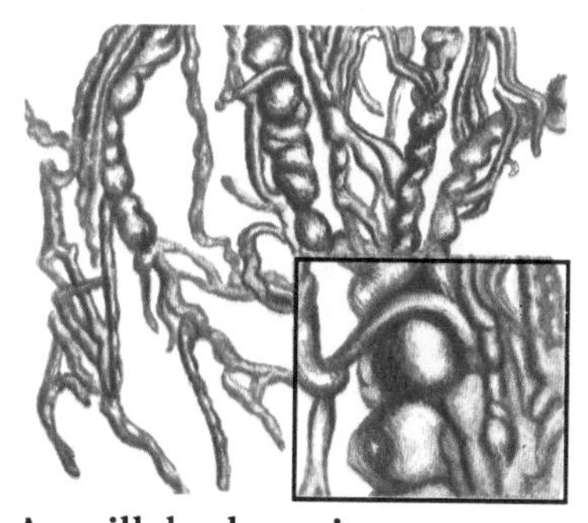

Anguillules des racines
Plantes exposées : Plusieurs plantes de serre et notamment bégonia, coleus, concombre, cyclamen et tomate.
Symptômes : De petites excroissances irrégulières et grumeleuses se développent sur les racines. Le feuillage jaunit et les plantes se rabougrissent.
Epoque d'apparition : En tout temps.
Traitement : Enlever les plants gravement attaqués et les détruire. Désinfecter le sol au métam-sodium avant la plantation.

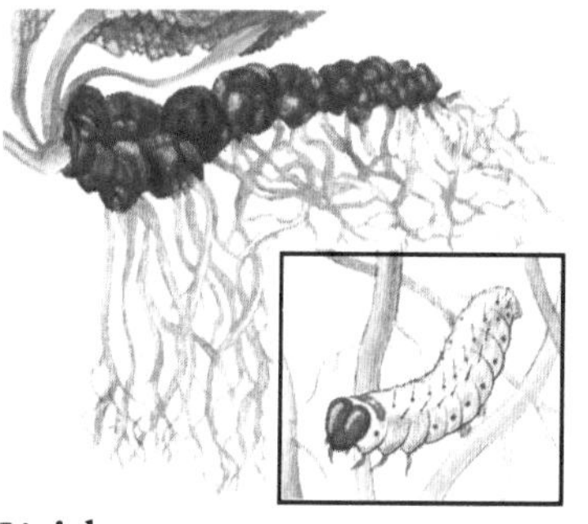

Hépiales
Plantes exposées : Diverses plantes vivaces herbacées.
Symptômes : Des chenilles blanc sale se nourrissent des racines des plantes.
Epoque d'apparition : En tout temps.
Traitement : Désherber et biner fréquemment à titre préventif. Protéger les sujets très vulnérables par des apports de poudre de lindane dans le sol.

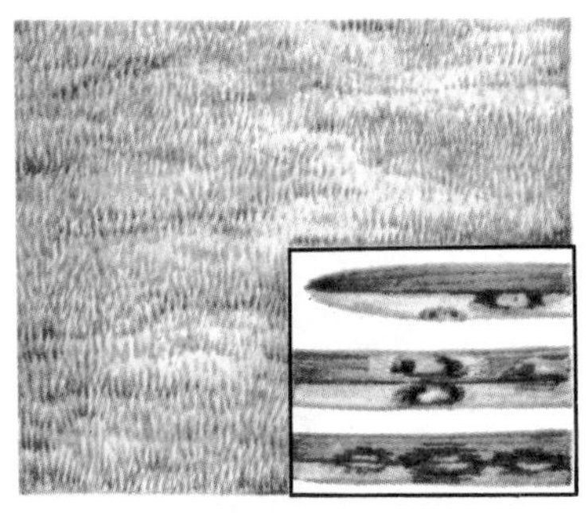

Tache helminthosporienne
Plantes exposées : Agrostide, fétuque, pâturin et ivraie vivace.
Symptômes : Des petites taches irrégulières et brunes apparaissent par paires sur les brins d'herbe. Les graminées se courbent et se ratatinent ; tiges, collets et racines pourrissent.
Epoque d'apparition : Du début de l'été à la mi-automne.
Traitement : Vaporiser un fongicide foliaire à base d'anilazine, de chlorothalonil, de cycloheximide ou de mancozèbe tous les 10 à 14 jours durant l'infection. Pas d'apports abondants d'azote au printemps.

Fusariose
Plantes exposées : La plupart des graminées.
Symptômes : Larges plaques de gazon mort recouvertes de champignons blancs ; symptômes plus visibles par temps humide et après la fonte des neiges.
Epoque d'apparition : En hiver.
Traitement : Utiliser un fongicide : anilazine, bénomyl ou thirame. Ne pas faire d'apports abondants d'azote, surtout à la fin de l'été. Tondre le gazon ras en automne, l'herbe haute étant plus vulnérable à la moisissure.

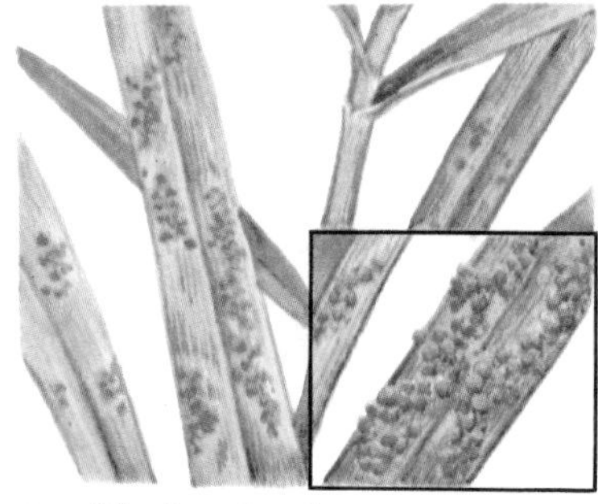

Rouille du pâturin
Plantes exposées : Plusieurs genres de graminées, mais surtout le pâturin des prés 'Merion'.
Symptômes : Taches poudreuses jaune-orange ou brun-rouge sur les feuilles.
Epoque d'apparition : A la fin de l'été et au début de l'automne (jusqu'aux gels).
Traitement : Appliquer un fongicide à base de carbamate (manèbe, thirame ou zinèbe). Répéter le traitement tous les 10 à 14 jours et après les arrosages ou les pluies abondantes. Les gazons qui poussent dans un sol riche en azote résistent à la rouille. Parmi les variétés résistantes se trouvent 'Adelphi', 'Fylking', 'Pennstar' et 'Windsor'.

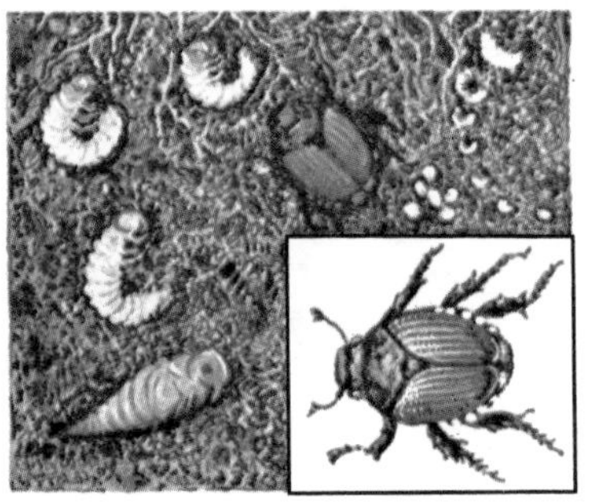

Scarabées (larves)
Plantes exposées : Particulièrement les racines des graminées, mais aussi celles du maïs et de plusieurs plantes vivaces de jardin.
Symptômes : Taches irrégulières jaune et brun sur le gazon. Les scarabées se nourrissent des racines et détruisent les pelouses au point qu'on peut rouler celles-ci comme un tapis. Ces insectes grugent également les racines des autres plantes vulnérables ; celles-ci se fanent, se dessèchent et finissent par mourir.
Epoque d'apparition : Au printemps et en automne pour la plupart des scarabées ; de la mi-printemps à la fin de l'automne pour les vers blancs, larves du hanneton.
Traitement : Appliquer du chlordane en poudre, en granules ou en solution au printemps, en été ou en automne, une fois tous les 5 ans. On peut aussi utiliser du chlorpyrifos ou du diazinon, chaque année.

Corticium
Plantes exposées : La plupart des graminées.
Symptômes : Plaques de gazon mort portant des filaments de champignons rouges.
Epoque d'apparition : Après les pluies d'automne.
Traitement : Utiliser un fongicide à base d'anilazine, de bénomyl ou de thirame. Aérer le sol et fertiliser au printemps.

Ronds de sorcière
Plantes exposées : La plupart des graminées.
Symptômes : Cercles bruns à centre vert foncé. A la fin de l'été, le périmètre se couvre de champignons.
Epoque d'apparition : En été.
Traitement : Utiliser du calcaire dolomitique et non du calcaire broyé. Tondre le gazon ras aux endroits où les cercles apparaissent ; désinfecter le sol avec du sulfate de cuivre ou de fer.

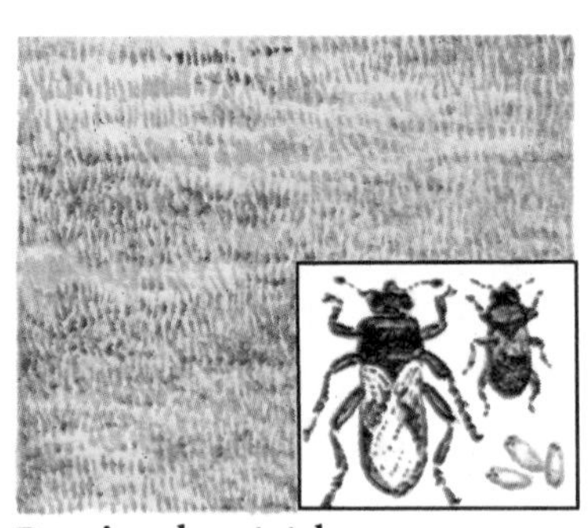

Punaises des céréales
Plantes exposées : Graminées de pelouse et de terrain de golf.
Symptômes : Décoloration du gazon ; plaques jaunes de forme irrégulière. On peut voir sauter de petites punaises.
Epoque d'apparition : Du début de l'été à la mi-automne par temps chaud.
Traitement : Arroser la pelouse, puis vaporiser de carbaryl, de chlorpyrifos ou de diazinon. Répéter ce traitement à plusieurs reprises.

Utilisation des insecticides et fongicides au jardin

Les principaux ennemis des plantes sont des insectes et des champignons parasites. On détruit les premiers avec des insecticides, tandis qu'on élimine les seconds avec des fongicides, produits qui doivent être toujours utilisés judicieusement.

L'emploi trop fréquent d'un même insecticide peut favoriser l'apparition de souches résistantes chez certains insectes et même favoriser la prolifération de ceux-ci en détruisant leurs prédateurs naturels.

Les prédateurs naturels Les hommes de science préconisent de plus en plus l'élimination biologique par l'utilisation de parasites ou de prédateurs naturels. C'est ainsi qu'on peut supprimer les scarabées japonais au moyen d'une bactérie qui détruit spécifiquement les larves.

La coccinelle est un prédateur des pucerons et des acariens. La mante religieuse, dont on peut se procurer les œufs à cette fin, élimine également les insectes nuisibles, mais détruit cependant du même coup certaines espèces bénéfiques comme la coccinelle.

On perfectionne actuellement une autre méthode de lutte biologique : le leurre sexuel qui attire le ravageur et le fait mourir. Mais tant que ces diverses méthodes ne seront pas parfaitement au point, il faudra avoir recours aux insecticides.

On doit bien examiner les plantes vulnérables et n'utiliser d'insecticide que lorsqu'on a vu des ravageurs. On ne doit traiter que la plante parasitée et ses voisines et suivre à la lettre le mode d'emploi du produit.

Quelques définitions Certains insecticides et fongicides sont qualifiés de systémiques. Cela signifie qu'ils sont absorbés par les feuilles, la tige ou les racines de la plante et qu'ils s'infiltrent dans la sève où ils continuent de lutter contre le ravageur ou le champignon. Quand on emploie ces produits, on doit respecter le délai recommandé par le fabricant entre le traitement et la récolte.

La toxicité des produits est de durée variable. Les produits biodégradables restent toxiques pendant environ un mois. Les produits semi-persistants le restent un ou deux ans. Les produits dits persistants sont toxiques pendant plusieurs années ; ils sont en voie d'être retirés du marché.

Les produits chimiques se présentent sous forme de poudres, de liquides, de granulés ou d'appâts. Les poudres sont généralement prêtes à servir et s'épandent à l'aide d'une poudreuse. Les produits à vaporiser sont vendus sous forme de poudre mouillable, de liquide, de concentré émulsionné ou d'huile. Ils doivent être dilués dans l'eau. Les poudres devant être mouillées sont des produits trop forts pour être employés par poudrages. Les huiles miscibles, c'est-à-dire qui peuvent se mélanger à l'eau, sont classifiées par ordre de viscosité (ou débit). Une huile de 60 secondes est moins épaisse qu'une huile de 70 secondes ; la première est donc moins dangereuse pour les plantes.

Les granulés sont faits d'un produit toxique associé à une matière consolidante : argile ou vermiculite. On les applique à l'aide d'un épandeur, comme les engrais à gazon.

Les produits d'imbibition sont composés de substances chimiques destinées à la pulvérisation, mais déjà diluées dans l'eau. Au lieu de les pulvériser, on les verse autour des plants malades ou sur le sol.

Certains produits phytosanitaires servent à traiter préventivement les semences avant leur mise en terre.

Enfin, les appâts sont constitués d'une matière toxique associée à une substance alimentaire qui attire les ravageurs (surtout les limaces et les escargots). On les dépose dans un contenant spécial ou directement sur le sol, près des plants attaqués.

Lutte contre les maladies Les fongicides sont des produits chimiques contre les maladies cryptogamiques. On en trouve de trois sortes.

Certains fongicides ont une action préventive. On les utilise avant l'apparition de la maladie pour empêcher les spores de certains champignons de se répandre et de s'attaquer aux plantes. Tant que le produit n'est pas lavé par les pluies ou décomposé en éléments non actifs, il conserve son efficacité.

D'autres fongicides ont pour effet de stopper le développement des champignons qui ont déjà envahi une plante. Ils empêchent donc la maladie de proliférer.

Enfin, un troisième type de fongicide a la propriété de supprimer l'organisme parasitaire qui attaque la plante.

On a parfois recours à des antibiotiques pour détruire champignons et bactéries ou pour arrêter leur croissance. Les antibiotiques sont eux-mêmes extraits de cultures bactériennes et fongiques.

Il existe dans le commerce des produits mixtes polyvalents associant des insecticides et des fongicides. Ils peuvent ainsi combattre un grand nombre de ravageurs et de maladies. Leur emploi facilite beaucoup la protection de plantations, telles que celles de rosiers, qui exigent de nombreux traitements. Un produit spécifique sera cependant plus utile si l'on veut lutter contre un ravageur en particulier ou une maladie difficile à traiter.

Utilisation des produits chimiques On peut faciliter l'application des insecticides et fongicides en les associant à d'autres matières. Un agent de dispersion, par exemple, permet d'appliquer un produit liquide sur toute la surface des feuilles. Un agent humidifiant permet de mieux étaler un liquide un peu lourd. Un adhésif ajouté à un liquide ou à une poudre fixe le produit plus longtemps sur la plante. Le détersif liquide utilisé pour laver la vaisselle peut servir d'agent de dispersion et d'agent humidifiant. La dose est de une cuillerée à thé pour 4,5 l de solution.

Il existe dans le commerce divers instruments pour diffuser les produits phytosanitaires. Un arroseur fixé au tuyau d'arrosage sert pour les gazons et les arbustes. Le pulvérisateur à pression entretenue projette un jet à plus de 9 m de hauteur. Les bombes aérosol sont pratiques pour les plantes d'intérieur et occasionnellement au jardin. Pour le poudrage des plantes, il y a des poudreuses à action rotative ou à agitateur. La capacité des pulvérisateurs à pression préalable par pompage manuel varie de 4,5 à 13,5 l. Les plus gros sont motorisés.

Le tableau qui commence à la page 480 donne la liste des produits chimiques de lutte contre ravageurs et maladies. Dans la colonne de gauche, on trouvera les matières classées par ordre alphabétique d'après leur nom chimique. La colonne du centre indique le nom commercial des produits chimiques et la forme sous laquelle ils sont vendus. Enfin, la colonne de droite décrit les organismes auxquels s'applique le traitement et le mode d'emploi des produits.

AVERTISSEMENT

Les produits phytosanitaires sont dangereux : les garder sous clé. Ne jamais mettre d'insecticide dans un flacon non étiqueté ou portant l'étiquette d'un autre produit.

La plupart des produits au mercure et certains de ceux à l'arsenic sont extrêmement toxiques : ne pas les utiliser.

La plupart des intoxications causées par des produits phytosanitaires se manifestent par des douleurs abdominales et des vomissements. Dès les premiers symptômes, conduire la victime à l'hôpital le plus proche. Apporter le contenant ou son étiquette : on y indique souvent les antidotes ou les traitements à appliquer. Inscrire près du téléphone le numéro d'un centre de traitement des intoxications.

Matière active	Noms commerciaux	Description
ANILAZINE	**Pulvérisation :** Dyrene	Fongicide ; combat de nombreuses maladies du gazon et des plantes potagères.
ANTIBIOTIQUES	**Pulvérisation :** Agrimycin, Agri-Strep, cycloheximide, streptomycine	Antibiotiques contre les bactérioses. Usage commercial seulement.
BACILLUS THURINGIENSIS	**Poudrage et pulvérisation :** Dipel, Thuricide	Lutte biologique contre chenilles burcicoles, vers rongeurs, spongieuses, livrées et anneleurs. Produit inoffensif pour les êtres humains et les animaux.
BÉNOMYL	**Pulvérisation :** Benlate, Tersan 1991	Fongicide systémique. Absorption lente chez les plantes ligneuses : répéter le traitement. Contre la tache noire du rosier, la moisissure olive de la tomate, la tavelure du pommier et du poirier. Aussi contre la pourriture grise et le blanc.
BOUILLIE BORDELAISE	**Poudrage et pulvérisation :** Vendue sous divers noms commerciaux	Fongicide à base de sulfate de cuivre et de calcaire hydraté. Ne doit pas être mélangé aux insecticides organiques d'usage courant renfermant carbaryl, diazinon, malathion ou méthoxychlore. Ne jamais mélanger la bouillie bordelaise à d'autres produits. S'il faut recourir à des pulvérisations composées, employer un fongicide cuprique peu soluble. Toxique pour les poissons.
BOUILLIE SOUFRÉE	**Pulvérisation :** Bouillie soufrée	Fongicide contre la cloque du pêcher, la tavelure du pommier et du pyracanthe, la tache de la tige du framboisier, le blanc des fruits. Agit aussi comme insecticide contre les phytoptes de l'érable. Mal toléré par les plantes vulnérables au soufre. Laver les fruits avant consommation. Ne se mélange pas au carbaryl, au diazinon, au malathion ou au méthoxychlore.
CAPTAFOL	**Pulvérisation :** Difolatan 4F	Fongicide contre l'alternariose et le mildiou de la tomate, l'anthracnose et autres maladies du feuillage. Peut causer des dermatites aux personnes souffrant d'allergies.

Matière active	Noms commerciaux	Description
CAPTANE	**Poudrage et pulvérisation :** Captan, Orthocide, Vitavax-Captan	Fongicide contre la tache noire du rosier, la tache foliaire, la tavelure du pommier et du poirier, le botrytis ou pourriture grise des petits fruits, etc. Imbibition contre la fonte des semis et autres maladies du sol. Toxique pour les poissons. Peut irriter yeux, nez et bouche.
CARBARYL	**Poudrage et pulvérisation :** Sevin	Insecticide contre altises, charançons, chenilles et autres ravageurs. A ne pas utiliser près des ruches ou quand les arbres fruitiers sont en fleurs. Détruit également les vers.
CHLORDANE	**Poudrage, granulés et pulvérisation :** Ant & Grub Killer, Ortho-Klor	Insecticide à action persistante. N'utiliser qu'à défaut de produit mieux approprié. Efficace contre fourmis et termites. A n'employer qu'une fois tous les quatre ans dans les potagers.
CHLORO-THALONIL	**Pulvérisation :** Bravo, Daconil 2787	Fongicide polyvalent, surtout pour les légumes. Très efficace contre le botrytis ou pourriture grise. Susceptible de provoquer des allergies temporaires.
CHLORPYRIFOS	**Granulés et pulvérisation :** Dursban, Lorsban	Insecticide polyvalent pour gazon. Non recommandé pour plantes ornementales.
CYCLOHEXIMIDE	**Pulvérisation :** Acti-dione	Antibiotique spécifique contre le blanc des plantes ornementales.
DAZOMET	**Pulvérisation :** Mylone	Pour fumigation du sol contre les vers fil-de-fer, les anguillules et le pourridié-agaric.
DIAZINON	**Poudrage, granulés et pulvérisation :** Spectracide ; aussi mélangé à d'autres matières actives	Action persistante contre asticots rhizophages, cochenilles, cochenilles farineuses, mineuses, podures, pucerons, punaises, tétranyques et thrips.
DICHLORAN	**Pulvérisation :** Botran	Fongicide contre le botrytis ou pourriture grise et les maladies contractées durant la conservation.
DICHLORVOS	**Fumigants :** DDVP, Vapo, Vapona	Insecticide en plaquettes à utiliser en serre contre mouches blanches, moucherons, pucerons, tétranyques à deux points et thrips.
DICOFOL	**Pulvérisation :** Kelthane	Acaricide contre tétranyques à deux points et autres acariens. Usage commercial seulement.

Matière active	Noms commerciaux	Description
DIMÉTHOATE	**Pulvérisation :** Cygon	Insecticide systémique assez peu persistant. Contre cicadelles, cochenilles, jeunes chenilles, pucerons et tétranyques à deux points.
DINOCAP	**Poudrage et pulvérisation :** Mélangé à d'autres matières actives	Fongicide contre le blanc. Efficace contre certains acariens. Toxique pour les poissons. Peut irriter peau, yeux et nez. Certains mélanges sont inflammables.
DNOC	**Pulvérisation :** DN-289, Elgetol	Insecticide-fongicide utilisé en période de dormance sur les arbres fruitiers et ornementaux à feuillage caduc contre les œufs des pucerons, punaises et diverses cochenilles. Bon fongicide contre les chancres des arbres et les champignons en hibernation. Usage commercial.
DODINE	**Pulvérisation :** Mélangé à d'autres matières actives	Fongicide contre les maladies cryptogamiques des fruits et surtout la tavelure, la tache foliaire du cerisier, la pourriture brune du pêcher et du cerisier.
ENDOSULFAN	**Pulvérisation :** Borer Kill ; aussi mélangé à d'autres matières actives	Insecticide contre les pucerons, quelques acariens, les perceurs de plantes ligneuses et autres insectes perceurs et suceurs.
FERBAM	**Pulvérisation :** Ferbam	Fongicide contre maladie des feuilles, tache noire du rosier, rouille et tavelure du pommier.
FOLPET	**Poudrage et pulvérisation :** Folpan, Phaltan	Fongicide pour fruits, fleurs, légumes et arbres divers.
FORMALDÉHYDE	**Imbibition :** Solution de formaline à 40%	Désinfectant ; tue les champignons du sol. A éviter près des plantes en croissance. S'emploie au jardin à raison de 0,5 l pour 27 l d'eau et de 27 l au mètre carré, à moins d'avis contraire. Peut irriter peau, yeux, nez et bouche. Usage commercial.
HUILES ÉMULSIONNÉES ET MISCIBLES	**Pulvérisation :** Offertes sous divers noms commerciaux pour période de dormance	Huiles miscibles de qualité « supérieure » ou « suprême » et huiles émulsionnées sont des insecticides contre les œufs d'acarien, de livrée, de spongieuse, etc. S'utilisent avant l'éclatement des bourgeons d'arbres et d'arbustes à feuillage caduc, quand la température se situe entre 7 et 21°C.

Matière active	Noms commerciaux	Description
HYDRATE DE CUIVRE	**Pulvérisation :** Kocide	Contre le feu bactérien et la tache foliaire de la tomate, du haricot, du concombre et du piment.
LINDANE	**Poudrage et pulvérisation :** Mélangé à d'autres matières actives	Insecticide de bonne persistance agissant sur de nombreux insectes suceurs et broyeurs qui s'attaquent aux plantes ornementales ; efficace également contre les perceurs du bois et les thrips des bulbes.
MALATHION	**Poudrage, granulés et pulvérisation :** Malathion	Insecticide non persistant, efficace contre plusieurs ravageurs.
MANCOZÈBE	**Pulvérisation :** Dithane M-45, Manzate 200	Fongicide à base de carbamate permettant de combattre de nombreuses maladies des pelouses et des plantes de jardin.
MANÈBE	**Pulvérisation :** Maneb	Fongicide au carbamate contre la tache noire du rosier, la tache foliaire du céleri, la brûlure de la pomme de terre et de la tomate, ainsi que contre la moisissure olive de la tomate.
MÉTALDÉHYDE	**Appâts :** Bug-Geta, Meta Slug Killer **Pulvérisation :** Slug & Snail Killer	Ne s'emploie que contre les limaces et les escargots en pulvérisations ou sous forme d'appâts toxiques à formule spéciale.
MÉTAM-SODIUM ou MÉTHAM	**Fumigant :** Vapam	Contre anguillules, maladies transmises par le sol, symphiles et quelques mauvaises herbes. Faire les fumigations avant la plantation et arroser ensuite pour emprisonner les fumées dans le sol.
MÉTHOXY-CHLORE	**Aérosol, poudrage et pulvérisation :** Marlate, Methoxychlor ; aussi mélangé à d'autres matières actives	Insecticide assez persistant, peu toxique pour les mammifères ; remplace bien le DDT. Contre les insectes broyeurs des arbres ornementaux et fruitiers.
MEXACARBATE	**Pulvérisation :** Zectran	Insecticide qui agit spécifiquement sur les limaces et les escargots de l'orchidée. Usage commercial exclusivement.
NICOTINE	**Pulvérisation :** Sulfate de nicotine	Insecticide toxique mais non persistant. Fumigations en serre contre cicadelles, pucerons, punaises et thrips. Usage commercial exclusivement.

Matière active	Noms commerciaux	Description
OXYDÉMÉTON-MÉTHYLE	**Pulvérisation :** Metasystox-R ; aussi en concentré émulsionné	Insecticide systémique toxique contre cicadelles, pucerons, tétranyques à deux points et autres ravageurs.
PEINTURE CICATRISANTE	**Aérosol et enduit :** Braco Tree Wound Dressing	Empêche maladies, ravageurs ou gel de pénétrer par les plaies que laissent la taille ou une blessure.
PYRÉTHRINE	**Aérosol :** Dans la plupart des produits pour maison et jardin	Insecticide non persistant contre mouches blanches, petites chenilles et pucerons.
QUINTOZÈNE ou PCNB	**Trempage, poudrage et pulvérisation :** Terraclor	Fongicide contre certaines maladies des bulbes et cormes. Aussi contre quelques maladies du gazon. Pour usage commercial exclusivement.
RESMÉTHRINE	**Pulvérisation :** Bioallethrin	Insecticide non persistant contre mouches blanches, petites chenilles, pucerons et autres ravageurs.
ROTÉNONE	**Poudrage et pulvérisation :** Sous le nom de roténone	Insecticide non persistant, contre altises, vers du framboisier, petites chenilles, pucerons, tétranyques à deux points et thrips. Toxique pour les poissons.
SOUFRE	**Poudrage et pulvérisation :** De divers fabricants	Fongicide contre la tavelure du pommier et le blanc des arbres et petits fruits. Mal toléré par certaines plantes. Efficace aussi contre le blanc du concombre.
STREPTOMYCINE	**Pulvérisation :** Agrimycine, Agri-Strep	Fongicide antibiotique contre le feu bactérien et les maladies bactériennes de la pomme de terre. Usage commercial seulement.
SULFATE DE CUIVRE	**Pulvérisation et poudrage :** Basicop, Cuivre fixé, Sulfate de cuivre tribasique	Fongicide pouvant remplacer la bouillie bordelaise. Toxique pour le bétail et les poissons.
SULFATE DE FER	**Pulvérisation :** Sulfate ferreux	Contre certaines mousses dans les gazons.
TERRAZOLE	**Pulvérisation :** Truban	Fongicide pour traiter le sol contre des champignons causant la fonte des semis.
TÉTRADIFON	**Bombe fumigène et pulvérisation :** Tedion	Acaricide. Pour usage commercial seulement.
THIOPHANATE-MÉTHYLE	**Pulvérisation :** Easout	Fongicide systémique. Même utilisation que le bénomyl. Usage commercial seulement.
THIRAME	**Pulvérisation :** Arborgard, Skoot, Thiram	Fongicide contre la rouille, le mildiou de la laitue, la tavelure du poirier, la tache de la tige et la brûlure des coursonnes du framboisier, le botrytis. Ecarte les prédateurs. Bien laver les fruits avant consommation. Peut irriter peau, yeux, nez et gorge.
TRICHLORFON	**Pulvérisation :** Dipterex, Dylox, Neguvon, Tugon	Insecticide fugace. Contre asticots, chenilles, mineuses, perce-oreilles, perce-rameau du pin, punaises, tisseuses et vers gris.
ZINÈBE	**Poudrage et pulvérisation :** Zineb	Fongicide au carbamate contre maladies des fruits et légumes.
ZIRAM	**Pulvérisation :** Ziram	Fongicide au carbamate contre la brûlure et la tache foliaire de certains fruits et légumes. Usage commercial seulement.

RENSEIGNEMENTS

Certains des produits chimiques dont les noms précèdent peuvent être limités à un usage commercial dans certaines provinces. Se renseigner auprès du ministère provincial de l'Agriculture.

COLOMBIE-BRITANNIQUE
Department of Agriculture
Douglas Building
Victoria, B.C. V8W 2Z7

ALBERTA
Crop Protection and Pest Control Division
Department of Agriculture
Edmonton, Alta. T5K 2C8

SASKATCHEWAN
Pest Control Specialist
Production and Marketing Branch
Department of Agriculture
Regina, Sask. S4S 0B1

MANITOBA
Provincial Entomologist
Department of Agriculture
711 Norquay Building
Winnipeg, Man. R3C 0P8

ONTARIO
Provincial Entomologist
Ministry of Agriculture and Food
Guelph, Ont. N1G 2W1

QUÉBEC
Conseil des productions végétales du Québec
200A, chemin Ste-Foy
Québec (Qué.) G1R 4X6

NOUVEAU-BRUNSWICK
Direction de l'industrie végétale
Ministère de l'Agriculture et de l'Aménagement rural
Fredericton (N.-B.) E3B 5H1

NOUVELLE-ÉCOSSE
Provincial Entomologist
Department of Agriculture and Marketing
Kentville, N.S. B3J 2M4

ÎLE-DU-PRINCE-ÉDOUARD
Department of Agriculture and Forestry
P.O. Box 2000
Charlottetown, P.E.I. C1A 7N8

TERRE-NEUVE
Director of Agriculture
Department of Forestry and Agriculture
St. John's, Nfld. A1C 5T7

OU :
Services d'information
Agriculture Canada
Ottawa (Ont.) K1A 0C7

Mauvaises herbes

Les illustrations groupées dans cette section montrent les mauvaises herbes communes. Pour qu'elles soient plus faciles à reconnaître, elles ont été groupées selon leurs caractéristiques les plus évidentes, c'est-à-dire la forme de leurs feuilles ou leur port.

Chaque plante est désignée par son nom vulgaire ou commun (en caractères gras) et par son nom botanique (en italique et entre parenthèses). La légende indique également si la plante est annuelle ou vivace et de quelle façon elle se multiplie. Viennent ensuite des conseils sur la façon de la détruire. Une liste des matières chimiques actives et de leurs noms commerciaux clôt le chapitre.

Dans certains cas, les illustrations en couleurs s'accompagnent de petits dessins en noir et blanc représentant les mauvaises herbes au stade de plantules. La destruction des mauvaises herbes s'effectue en effet plus facilement quand les plantes sont jeunes. S'il n'y a pas de dessin, la plantule a la même silhouette que la plante adulte.

Dans les plates-bandes, c'est par le sarclage qu'on élimine le plus facilement les mauvaises herbes. Un désherbage toutes les deux ou trois semaines au printemps et au début de l'été évite l'emploi de produits chimiques.

Les mauvaises herbes qui montent en graine doivent être arrachées avant que la semence se disperse. Ne pas les jeter dans la réserve de compost.

Il faut utiliser avec prudence les herbicides pour gazon. Ce sont des produits qui s'attaquent aux plantes ornementales comme aux herbes indésirables. Choisir une journée chaude et sans vent ni risque de pluie pour les épandre. Les instruments d'épandage d'herbicides étant difficiles à nettoyer à fond, on ne devrait pas les utiliser pour les fongicides et les insecticides.

Feuilles linéaires

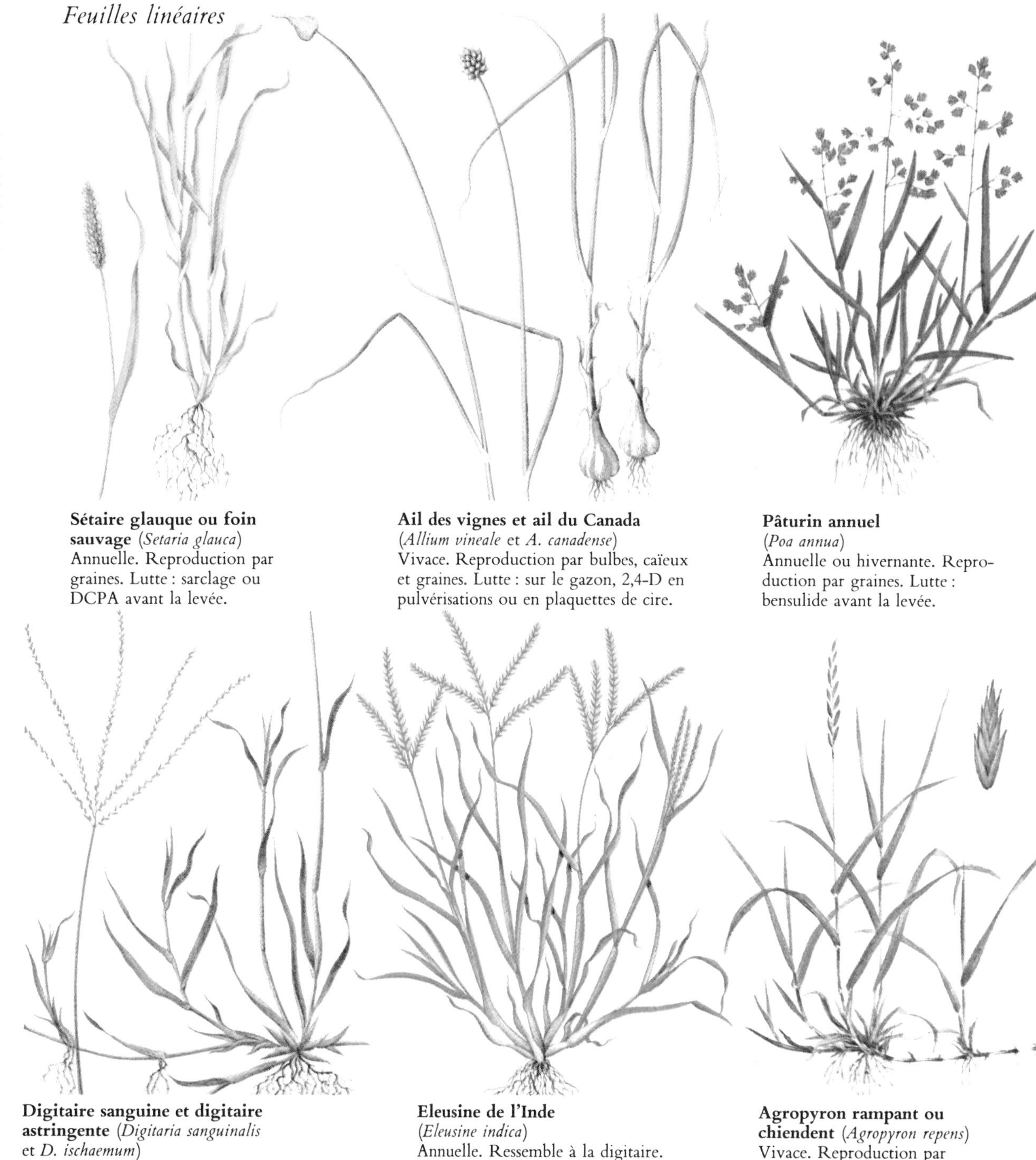

Sétaire glauque ou foin sauvage (*Setaria glauca*)
Annuelle. Reproduction par graines. Lutte : sarclage ou DCPA avant la levée.

Ail des vignes et ail du Canada (*Allium vineale* et *A. canadense*)
Vivace. Reproduction par bulbes, caïeux et graines. Lutte : sur le gazon, 2,4-D en pulvérisations ou en plaquettes de cire.

Pâturin annuel (*Poa annua*)
Annuelle ou hivernante. Reproduction par graines. Lutte : bensulide avant la levée.

Digitaire sanguine et digitaire astringente (*Digitaria sanguinalis* et *D. ischaemum*)
Annuelle. Reproduction par graines. Lutte : sur le gazon, bensulide, DCPA ou siduron.

Eleusine de l'Inde (*Eleusine indica*)
Annuelle. Ressemble à la digitaire. Reproduction par graines. Lutte : bensulide ou DCPA avant la levée.

Agropyron rampant ou chiendent (*Agropyron repens*)
Vivace. Reproduction par rhizomes. Lutte : voir Sorgho d'Alep (p. 484).

Feuilles linéaires (suite)

Sorgho d'Alep (*Sorghum halepense*)
Vivace. Reproduction par graines et extension des racines. Lutte : traiter au dalapon et bêcher 15 jours plus tard ; sur le gazon, traitement ponctuel au dalapon.

Souchet comestible ou amande de terre (*Cyperus esculentus*)
Vivace. Reproduction par graines et tubercules de la grosseur d'une petite noix. Lutte : au jardin, ajouter de l'EPTC à la terre.

Phragmite commun (*Phragmites australis* ou *P. communis*)
Plante vivace de marais. Reproduction par graines et fragments de rhizome. Lutte : dalapon à la fin du printemps.

Feuilles composées

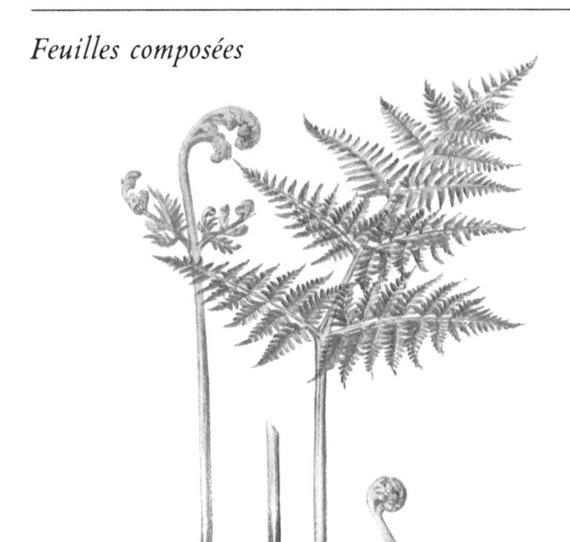

Grande fougère ou fougère d'aigle (*Pteridium aquilinum*)
Vivace. Reproduction par spores et extension des racines. Lutte : pulvérisations de Dicamba avant le déroulement des frondes.

Renoncule rampante (*Ranunculus repens*)
Plante vivace des gazons. Reproduction par graines et stolons. Lutte : 2,4-D plus Dicamba.

Mollugo verticillé (*Mollugo verticillata*)
Annuelle. Reproduction par graines. Lutte : au jardin, chloramben avant la levée ; sur le gazon, Dicamba après la levée.

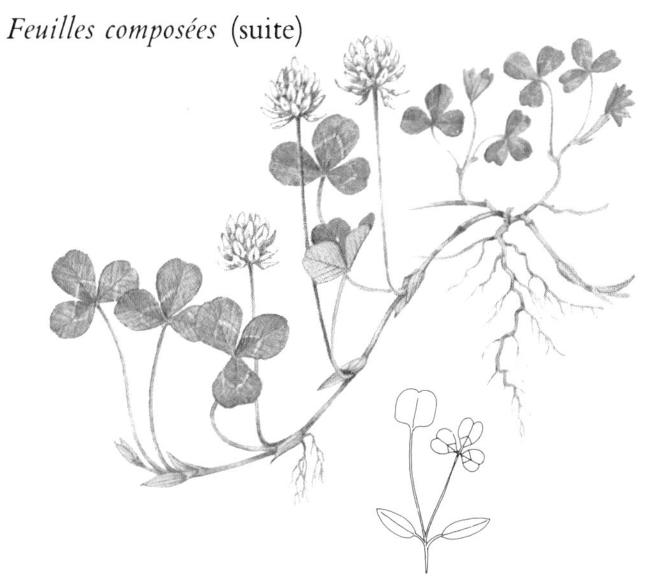

Trèfle rampant ou trèfle blanc
(*Trifolium repens*)
Vivace. Reproduction par graines et stolons. Lutte : mécoprop après la levée ; apport d'engrais azoté.

Egopode podagraire ou herbe aux goutteux (*Aegopodium podograria*)
Vivace. Reproduction par fragments de rhizome. Lutte : amitrole ou 2,4-D plus Dicamba.

Matricaire odorante
(*Matricaria matricarioides*)
Annuelle. Reproduction par graines. Lutte : sur le gazon, mécoprop ; près des arbres et arbustes, dichlobénil.

Herbe à la puce ou bois de chien
(*Rhus radicans*)
Grimpant ligneux et vivace. Reproduction par graines et extension des racines. Lutte : pulvériser le feuillage d'amitrole.

Petite herbe à poux
(*Ambrosia artemisiifolia*)
Annuelle. Reproduction par graines. Lutte : au jardin, sarclage ; en zones non cultivées, 2,4-D.

Oxalide dressée ou oxalide d'Europe
(*Oxalis stricta*)
Vivace. Reproduction par graines et fragments de racines (après sarclage). Lutte : sur le gazon, 2,4-D plus mécoprop.

Achillée millefeuille
(*Achillea millefolium*)
Vivace. Reproduction par graines et racines. Lutte : sur le gazon, 2,4-D.

Liseron des champs
(*Convolvulus arvensis*)
Vivace. Reproduction par graines et fragments de rhizome. Lutte : traitement ponctuel au 2,4-D amine.

Mouron des oiseaux
(*Stellaria media*)
Annuelle. Reproduction par graines. Lutte : sur le gazon, mécoprop après la levée en automne ou au début du printemps.

Céraiste vulgaire
(*Cerastium vulgatum*)
Vivace. Reproduction par graines. Lutte : Dicamba ou traitements répétés au mécoprop.

Pâquerette
(*Bellis perennis*)
Vivace. Reproduction par graines. Lutte : Dicamba, 2,4-D ou 2,4-D plus mécoprop.

Pissenlit
(*Taraxacum officinale*)
Vivace. Reproduction par graines dispersées par le vent et sections de racines pivotantes. Lutte : 2,4-D.

Prunelle vulgaire ou brunelle
(*Prunella vulgaris*)
Vivace. Reproduction par graines ou extension des racines. Lutte : mécoprop.

Lamier amplexicaule
(*Lamium amplexicaule*)
Annuelle ou bisannuelle. Reproduction par graines et stolons. Lutte : Simazine.

Lierre terrestre
(*Glechoma hederacea*)
Vivace. Reproduction par graines et stolons. Prospère dans les endroits humides et ombragés où le sol est riche ; envahit les gazons. Lutte : 2,4-D plus Dicamba ou mécoprop.

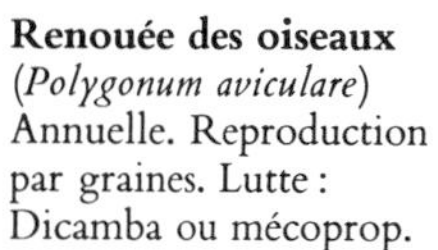

Renouée des oiseaux
(*Polygonum aviculare*)
Annuelle. Reproduction par graines. Lutte : Dicamba ou mécoprop.

Hépatiques
(plusieurs espèces)
Vivace. Reproduction par spores. Lutte : dans les plates-bandes, étendre un paillis ; thirame ; désherber à la main.

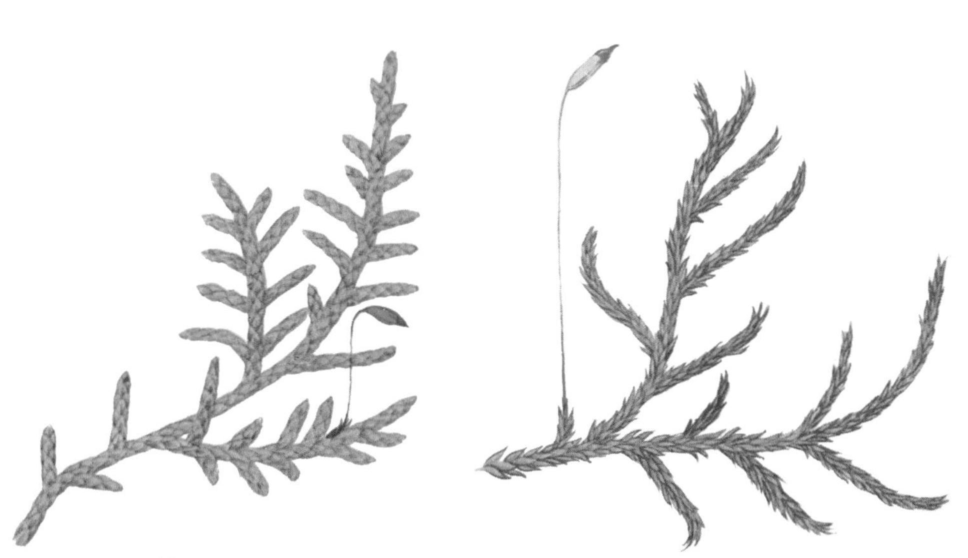

Mousses
(plusieurs espèces)
Vivaces. Poussent dans les pelouses mal drainées, peu fertiles ou sur un sol très acide. Reproduction par spores. Lutte : améliorer le drainage, fertiliser régulièrement et ajouter du calcaire.

Sagine couchée (*Sagina procumbens*)
Vivace. Commune dans les gazons et les verts de terrains de golf. Reproduction par graines. Lutte : mécoprop suivi d'apports d'engrais au printemps. Ne pas tondre ras.

Grand plantain
(*Plantago major*)
Vivace. Pousse dans les pelouses, le long des routes, dans les endroits non cultivés. Reproduction par graines. Lutte : 2,4-D.

Plantain lancéolé
(*Plantago lanceolata*)
Vivace. Aussi appelé plantain à feuilles lancéolées. Reproduction par graines. Lutte : 2,4-D.

Pourpier potager
(*Portulaca oleracea*)
Annuelle. Reproduction par graines. Lutte : au jardin, DCPA ou trifluraline avant la levée ; sur le gazon, 2,4-D.

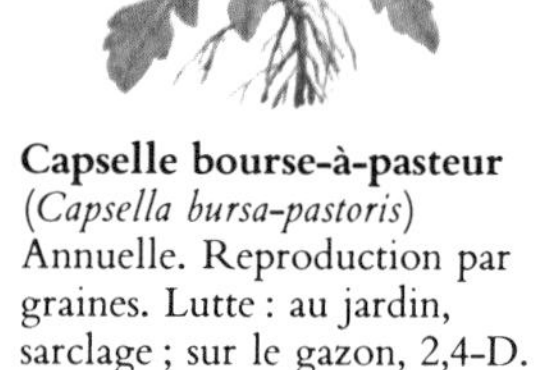

Capselle bourse-à-pasteur
(*Capsella bursa-pastoris*)
Annuelle. Reproduction par graines. Lutte : au jardin, sarclage ; sur le gazon, 2,4-D.

Rumex petite oseille ou surette
(*Rumex acetosella*)
Vivace. Reproduction par graines et rhizomes traçants. Lutte : 2,4-D plus Dicamba après la levée ; fertiliser et chauler.

Véronique filiforme
(*Veronica filiformis*)
Vivace. Reproduction par stolons. Lutte : pulvérisations de DCPA, pour cette seule espèce de véronique. Difficile à détruire.

Euphorbe maculée
(*Euphorbia maculata*)
Annuelle. Pousse dans les pelouses, les jardins et les champs cultivés. Reproduction par graines. Lutte : Dicamba ou 2,4-D.

Rumex crépu (*Rumex crispus*)
Vivace. Reproduction par graines. Lutte : sur le gazon, traitement ponctuel au 2,4-D ; dans les endroits non cultivés, amitrole.

Galinsoga à petites fleurs
(*Galinsoga parviflora*)
Annuelle. Commune dans champs et jardins. Reproduction par graines. Lutte : dans les champs, Simazine ; au jardin, sarclage.

Séneçon vulgaire
(*Senecio vulgaris*)
Annuelle. Reproduction par graines. Lutte : au jardin, sarclage ; en zones aménagées, dichlobénil.

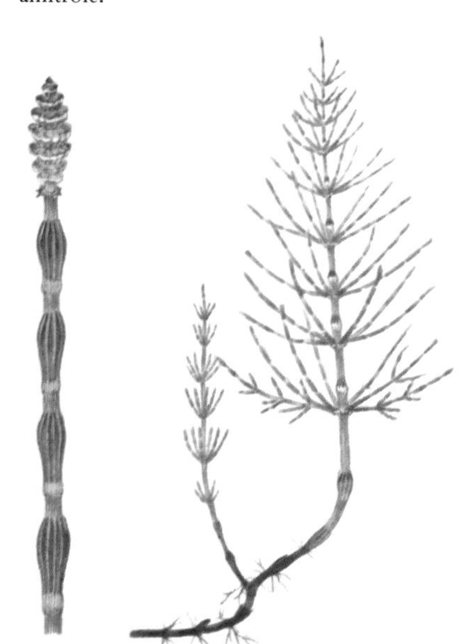

Prêle des champs ou queue-de-renard
(*Equisetum arvense*)
Vivace. Reproduction par spores et rhizomes. Lutte : en zones aménagées, dichlobénil ; sur le gazon, 2,4-D.

Renouée du Japon
(*Polygonum cuspidatum*)
Vivace. Reproduction par graines et rhizomes. Lutte : sur pelouses, rabattre ; ailleurs, Dicamba.

Renouée persicaire
(*Polygonum persicaria*)
Annuelle. Reproduction par graines. Lutte : au jardin, DCPA ; sur le gazon, 2,4-D.

Chénopode blanc ou chou gras
(*Chenopodium album*)
Annuelle. Reproduction par graines. Lutte : au jardin, DCPA, EPTC ou trifluraline ; sur le gazon, 2,4-D.

Feuilles simples — plants dressés de plus de 15 cm (suite)

Lépidie de Virginie
(*Lepidium virginicum*)
Annuelle ou bisannuelle. Reproduction par graines. Lutte : sur le gazon, 2,4-D plus Dicamba.

Amarante à racine rouge
(*Amaranthus retroflexus*)
Annuelle. Reproduction par graines. Lutte : au jardin, chloramben ou autres herbicides avant la levée.

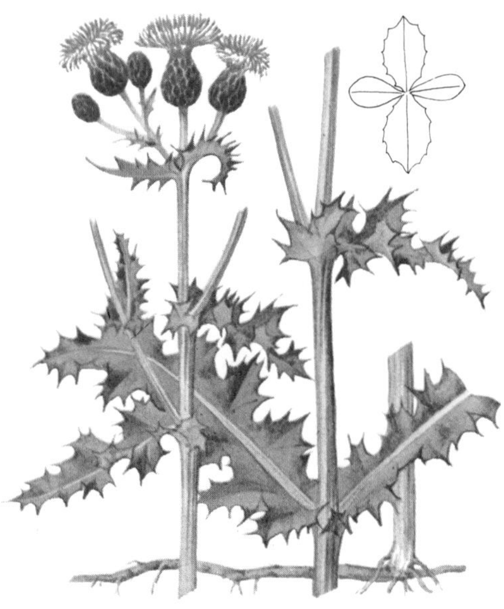

Chardon des champs
(*Cirsium arvense*)
Vivace. Reproduction par graines ou rhizomes traçants. Lutte : traitement ponctuel au 2,4-D ; répéter au besoin.

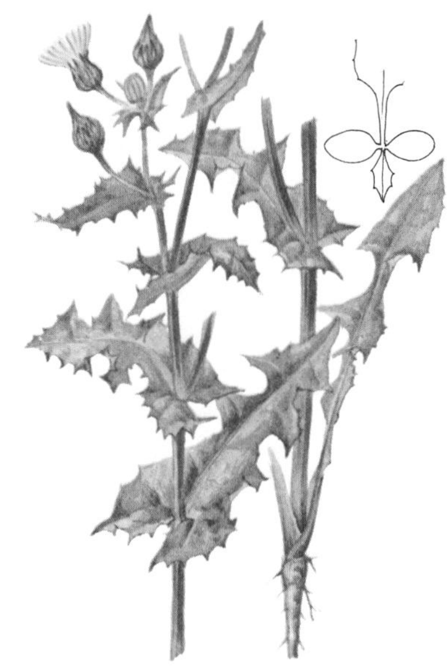

Laiteron potager
(*Sonchus oleraceus*)
Annuelle. Reproduction par graines. Lutte : dichlobénil ; sur gazon, 2,4-D.

Plantes aquatiques

Lenticule mineure ou lentille d'eau
(*Lemna minor*)
Plante flottante. Reproduction rapide par plantules (sur la marge des feuilles) ou par graines. Lutte : nettoyer le bassin ou utiliser du 2,4-D en granulés.

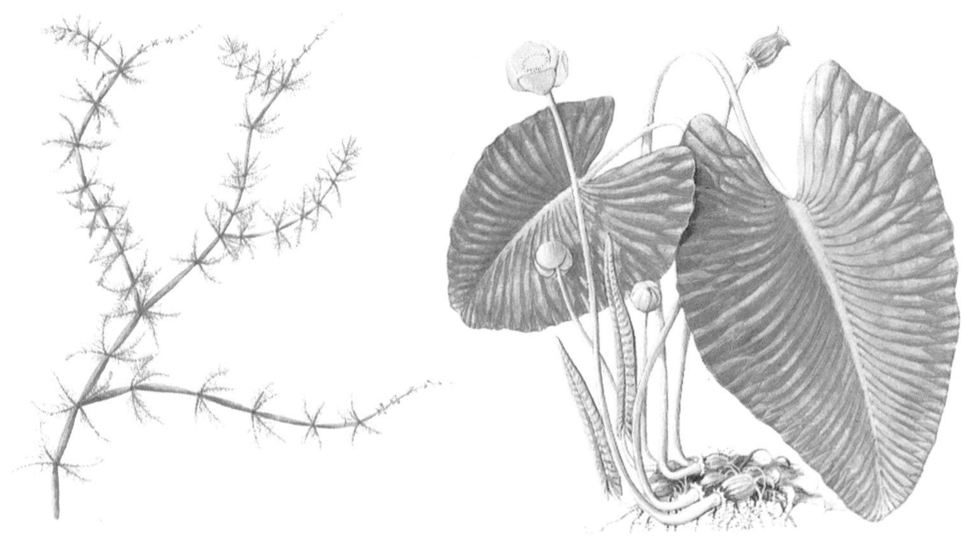

Myriophylle en épi
(*Myriophyllum spicatum*)
Vivace. Reproduction par graines et stolons. Lutte : 2,4-D en granulés.

Lis d'eau jaune
(*Nuphar luteum* et *N. advena*)
Vivace. Reproduction par rhizomes traçants. Lutte : 2,4-D en granulés ou dichlobénil.

Lutte contre les mauvaises herbes

Toute plante se développant dans un endroit du jardin où elle est indésirable — un pétunia dans une planche de choux, une capucine dans un rang d'oignons — peut être considérée comme une mauvaise herbe. Mais, habituellement, le terme est réservé à ces plantes qui prospèrent dans un vaste éventail de sols et de milieux, l'emportent sur les plantes environnantes dans leur lutte pour la vie et se multiplient spontanément.

Les mauvaises herbes donnent souvent des fleurs colorées qui ne manquent pas d'attrait dans un champ vague ou un terrain non utilisé. Elles ne sont cependant pas à leur place parmi des plantes horticoles.

On doit les détruire parce qu'elles utilisent l'eau, la lumière et les éléments nutritifs dont les plantes cultivées ont besoin. Par exemple, elles peuvent faire échec au développement des plantules d'oignons et de carottes, qui est très lent.

Les mauvaises herbes sont également des plantes-hôtes pour des insectes et des maladies qui affectent les espèces cultivées au jardin ou en serre. Par exemple, la bourse-à-pasteur héberge l'altise et la mouche du chou qui attaquent les légumes verts.

Les mauvaises herbes peuvent ainsi contribuer à propager de saison en saison des ravageurs ou des maladies dangereux pour les nouvelles cultures.

Mauvaises herbes annuelles et vivaces

Les mauvaises herbes annuelles ont un cycle végétatif qui ne dure que quelques mois. Tels sont la renouée des oiseaux, la petite herbe à poux et le mouron des oiseaux. D'autres herbes, par exemple le lamier, peuvent être aussi bien annuelles que bisannuelles.

Les mauvaises herbes vivaces sont de deux types : herbacé ou ligneux. Le type herbacé est représenté par des plantes aux tiges tendres qui accumulent des réserves nutritives dans leurs rhizomes, leurs tubercules ou leurs bulbes, passent l'hiver en dormance et entrent de nouveau en végétation le printemps suivant. Ces plantes ont généralement un système radiculaire profond qui les rend difficiles à détruire. Tels sont notamment l'égopode podagraire et le rumex crépu.

Le type ligneux, représenté par l'herbe à la puce, utilise ses tiges comme organes de réserves. Ces herbes n'ayant habituellement pas de système radiculaire profond, elles sont faciles à extirper.

Lutte par des méthodes culturales

Les herbicides modernes combattent la plupart des mauvaises herbes, mais risquent de détruire aussi les plantes utiles. Le sarclage constitue encore la méthode la plus sûre pour éliminer les mauvaises herbes qui poussent près des plantes cultivées. Il doit être fait par temps sec, dès qu'apparaissent les mauvaises herbes.

Pour mettre en culture un emplacement qui contient des mauvaises herbes, extirper les espèces vivaces avec leurs rhizomes ou racines. Si on ne doit pas cultiver immédiatement cette parcelle, on peut y faire pousser du gazon. Des tontes très rases pendant deux étés consécutifs suffiront à éliminer la plupart des herbes.

Sur un gazon complètement envahi par les mauvaises herbes, les herbicides n'agissent que temporairement. Il faut compléter le traitement par des fertilisations et un surfaçage du gazon de façon à lui redonner de la vigueur. Certaines mauvaises herbes poussant en sol acide peuvent être éliminées par des amendements calcaires.

Lutte au moyen de produits chimiques

Les herbicides sont généralement vendus sous des noms commerciaux, mais l'emballage doit indiquer les matières actives qu'ils renferment et le type de plantes sur lesquelles on peut les utiliser.

L'herbicide sélectif n'agit que sur certaines plantes. C'est le cas du 2,4-D qui détruit uniquement les mauvaises herbes à larges feuilles poussant dans le gazon. L'herbicide non sélectif, comme le paraquat, détruit presque toutes les plantes avec lesquelles il entre en contact.

L'herbicide systémique, le 2,4-D par exemple, est absorbé par le feuillage et transporté par la sève dans toutes les parties de la plante. L'herbicide non systémique agit par contact.

Certains autres termes désignent l'étape du cycle végétatif durant laquelle l'herbicide est efficace. Par exemple, l'herbicide d'avant levée, comme le DCPA, empêche la germination des graines de mauvaises herbes pendant quatre à six semaines. Il est habituellement sans efficacité contre la plante établie. Il peut être employé sans danger près de plusieurs plantes horticoles.

L'herbicide d'après levée — le plus couramment utilisé — s'applique sur le feuillage des mauvaises herbes. Il peut être sélectif ou non, systémique ou de contact (parfois les deux à la fois).

L'herbicide résiduaire se fixe dans la couche superficielle du sol et reste actif pendant plusieurs mois. Il faut laisser les éléments chimiques qu'il renferme se dégrader avant de cultiver l'emplacement sur lequel on l'a utilisé.

Les herbicides sont commercialisés soit sous forme de granulés que l'on épand sur le sol, soit sous forme de poudres ou de liquides que l'on dilue dans l'eau et que l'on applique ensuite avec un pulvérisateur.

Avant d'acheter un herbicide, consulter le tableau à la page suivante ainsi que les planches commençant à la page 483.

Récupération d'une parcelle négligée Certains herbicides polyvalents, comme l'amitrole combiné au Simazine, s'emploient pour désherber des zones infestées de mauvaises herbes et où ne pousse aucune autre plante.

Lorsque les mauvaises herbes sont détruites, en éliminer tous les débris. (Ne pas brûler l'herbe à la puce, car la fumée transporte le poison qu'elle recèle.) Utiliser ensuite un herbicide résiduaire pour débarrasser le sol des résidus. Détruire au paraquat les mauvaises herbes qui se développent entre les traitements.

AVERTISSEMENT

Les herbicides sont des produits toxiques : les garder sous clé, hors de la portée des enfants. Ne jamais les conserver dans des contenants non identifiés ou paraissant contenir autre chose.

Suivre à la lettre le mode d'emploi. Plusieurs produits au mercure et certains produits à l'arsenic sont très toxiques : éviter de les utiliser.

La plupart des intoxications causées par des herbicides se manifestent par des douleurs abdominales et des vomissements. Conduire immédiatement la victime à l'hôpital le plus proche en apportant le contenant ou l'étiquette : on y indique souvent un antidote ou un traitement. On trouvera dans l'annuaire du téléphone le numéro d'un centre de traitement des intoxications.

Utilisation des herbicides

Emplacement	Type de mauvaise herbe	Matière active	Noms commerciaux	Remarques
Allées	Tous les types, y compris annuelles	amitrole + Simazine	X-All, Steril	A employer là où on ne plante rien pendant un an.
	Vivaces et en germination	paraquat	Gramoxone	Herbicide non résiduaire mais toxique ; à utiliser avec prudence. S'emploie quand le feuillage est fané.
Arbres et arbustes en massifs	Avant germination des plantules	DCPA	Dacthal	S'utilise sur un sol humide, exempt de mauvaises herbes.
		EPTC	Eptam	L'incorporer au sol par ratissage après épandage.
	Annuelles et vivaces établies	paraquat	Gramoxone	Epargner le feuillage des plantes utiles. Aucun résidu.
	Plantules d'annuelles et vivaces établies	dichlobénil	Casoron	S'emploie à la toute fin de l'automne ou au tout début du printemps seulement ; ne pas utiliser à proximité des pruches et des sapins.
		chloramben	Weedone Garden Weeder	S'emploie quand les mauvaises herbes sont en pleine croissance.
Bassins	Algues vertes	Composé cuivre-triéthanolamine	Cutrine-Plus, Swimtrine	Sans danger pour les poissons ; n'empêche ni la natation ni l'irrigation.
Fruits	Annuelles établies	paraquat	Gramoxone	Herbicide non résiduaire mais toxique ; à utiliser avec prudence. S'emploie quand le feuillage est fané.
	Herbacées	dalapon	Basfapon, Dowpon	Voir mise en garde sur l'étiquette.
Herbacées en massifs ou en plates-bandes	En germination	DCPA	Dacthal	Ne pas ensemencer la pelouse avant 2 mois.
		chloramben	Weedone Garden Weeder	Appliquer sur les mauvaises herbes autour des plants.
		trifluraline	Treflan	Incorporer au sol exempt de mauvaises herbes. Pour le repiquage seulement.
Légumes	En germination	DCPA	Dacthal	S'emploie sur un sol humide et exempt de mauvaises herbes 3-5 jours après le repiquage.
		chloramben	Weedone Garden Weeder	Ne pas en mettre sur le feuillage des plantes utiles.
Pelouses établies	Pissenlit, plantain, etc.	2,4-D	2,4-D	Eviter tout contact avec des plantes ligneuses utiles.
	Trèfle, mouron des oiseaux, sagine, etc. ;	2,4-D + Dicamba	Super D Weedone	Ne s'emploie pas lorsque la vélocité du vent est de plus de 8 km/h.
	et pissenlit, plantain, etc.	2,4-D + Dicamba	Weedone 3D	Ne s'emploie pas lorsqu'il fait plus de 29°C.
		2,4-D + mécoprop	Multiweeder	Sans danger pour la plupart des graminées.
	Digitaire après levée	AMA	Crabgrass Killer	Traiter 3 fois tous les 5-15 jours ; voir sur l'étiquette pour emplois spécifiques.
	Digitaire avant levée	bensulide	Betasan	Traiter avant levée ; ne pas ensemencer avant 4 mois.
		DCPA	Dacthal 2.5 ou 5G ou 75W	Traiter avant germination de la digitaire.
		siduron	Tupersan	On peut ensemencer au pâturin tout de suite.
	Veronica filiformis	DCPA	Dacthal	Ne pas ensemencer avant 2 mois.
Pelouses négligées	Presque toutes	paraquat	Gramoxone	Voir paraquat ci-dessus.
Pelouses nouvelles	Digitaire	siduron	Tupersan	Voir siduron ci-dessus.
Plantes bulbeuses en massifs	Annuelles et vivaces établies	paraquat	Gramoxone	Voir paraquat ci-dessus.
		chloramben	Weedone Garden Weeder	Ne pas en mettre sur les plantes utiles.
	En germination	DCPA	Dacthal	Voir DCPA ci-dessus.
Zones non cultivées, non utilisées	Toutes : herbacées, ligneuses et autres	amitrole + Simazine	X-All, Steril	Ne rien planter pendant un an.
	Herbacées	dalapon	Basfapon, Dowpon	Persistance de 3 mois.
	Ligneuses, herbe à la puce, rejets des vieilles souches	amitrole	Amitrol, Cytrol	Non pour zones destinées au potager.
		2,4-D + Fénoprop	Later's Brush Killer	Persistance d'environ 1 mois.

Index

Les chiffres en **gras** indiquent les références principales et les numéros en italique, les renvois secondaires. Les noms botaniques des plantes sont en *italique* et les noms communs en romain.

A

B

C

D

E

F

G

H

I

J

K

L

M

N

O

P

Q

R

S